J. RIZZI

DER BROCKHAUS IN FÜNFZEHN BÄNDEN

DER BROCKHAUS

in fünfzehn Bänden

Zweiter Band

Bav – Chi

F.A. BROCKHAUS
Leipzig · Mannheim

Redaktionelle Leitung: Marianne Strzysch, Dr. Joachim Weiß
In Band 15 ist die Redaktion vollständig genannt.

Einbandgestaltung: James Rizzi

Einbandtypographie: Jürgen Sauerhöfer

Herstellung: Günter Schwab

Typographische Konzeption: Norbert Wessel

Satz: Bibliographisches Institut & F.A. Brockhaus AG
(PageOne Siemens Nixdorf)
und Mannheimer Morgen Großdruckerei
und Verlag GmbH

Druck: Neue Stalling GmbH, Oldenburg

Bindearbeit: Großbuchbinderei Lachenmaier, Reutlingen

Papier: 120 g/m² holzfrei, mattgestrichen, chlorfrei
der Papierfabrik Aconda Paper S.A., Spanien

Die Deutsche Bibliothek – CIP-Einheitsaufnahme
Der **Brockhaus**: in 15 Bänden /
[red. Leitung: Marianne Strzysch; Joachim Weiß]. –
Leipzig; Mannheim: Brockhaus.
Bd. 2. Bav – Chi. – 1999
ISBN 3-7653-2352-7

ISBN für das Gesamtwerk 3-7653-2350-0
Band 2: 3-7653-2352-7

Printed in Germany

Bavaria, lat. Name für Bayern; als Personifikation Bayerns Bronzestandbild in München (20,5 m hoch, von L. v. Schwanthaler entworfen, 1844 bis 1850 von F. v. Miller gegossen).

Bavaria Atelier GmbH, größter dt. Film- und Fernsehproduzent, Filmstadt und Studiobetrieb (Produktion und Dienstleistung) mit Sitz in Geiselgasteig (bei München).

Bawean, Vulkaninsel zw. Java und Borneo, Indonesien, 199 km², 68 000 Ew.; Anbau von Indigo, Baumwolle, Tabak. – Südwestlich von B. fand vom 26. bis 28. 2. 1942 eine Seeschlacht zw. Alliierten und Japanern statt.

Bax [bæks], Sir (seit 1937) Arnold Edward Trevor, engl. Komponist, *London 8. 11. 1883, †Cork (Irland) 3. 10. 1953; vereint in seinen Werken (7 Sinfonien, sinfon. Dichtungen u. a.) Elemente irischer Folklore mit einem spätromant. Klangideal.

Arnold Bax

Baxter ['bækstə], Richard, anglikan. Theologe, *Rowton (Cty. Shropshire) 12. 11. 1615, †London 8. 12. 1691; Feldprediger unter O. Cromwell, gemäßigter Puritaner und Erbauungsschriftsteller. B. beeinflusste den dt. Pietismus.

Bayar, Mahmud Celal, türk. Politiker, *Umurbey (Prov. Bursa) 15. 5. 1883, †Istanbul 22. 8. 1986; schloss sich 1919 der jungtürk. Bewegung an; 1932–37 Wirtschaftsminister, 1937–39 MinPräs., 1950–60 Staatspräs.; 1960 gestürzt, 1961 zum Tode verurteilt, 1966 begnadigt.

Bayard [ba'ja:r], Pierre du Terrail, Seigneur de, frz. Ritter, *Schloss Bayard (bei Grenoble) 1476, †bei Gattinara (Prov. Vercelli, Italien) 30. 4. 1524; erwarb in den Italienfeldzügen der frz. Könige Karl VIII., Ludwig XII. und Franz I. den Ehrentitel »Chevalier sans peur et sans reproche« (»Ritter ohne Furcht und Tadel«).

Bayer, 1) Herbert, amerikan. Maler und Grafiker österr. Herkunft, *Haag am Hausruck (Bez. Grieskirchen) 5. 4. 1900, †Montecito (Calif.) 30. 9. 1985; Meister für Typographie am Bauhaus in Dessau; emigrierte 1938 nach New York und war seit 1946 als Gestaltungsberater im Kunstzentrum in Aspen (Colo.) tätig.

2) Johann, Astronom, *Rain (Bayern) 1572, †Augsburg 7. 3. 1625; veröffentlichte 1603 den ersten großen Sternatlas »Uranometria«, dessen Karten erstmals auch den südl. Himmel korrekt darstellten.

3) Josef, österr. Komponist, *Wien 6. 3. 1852, †ebd. 12. 3. 1913; schrieb Ballette (u. a. »Die Puppenfee«, 1888) und Operetten.

Bayer AG, führender dt. Chemiekonzern, Sitz Leverkusen, gegr. 1863 von F. Bayer und F. Weskott, 1925–45 der → I. G. Farbenindustrie AG eingegliedert, 1952 als Farbenfabriken Bayer AG neu gegründet (jetziger Name seit 1972); hält Beteiligungen u. a. an Agfa-Gevaert und EC Erdölchemie; wurde v. a. durch Medikamentenentwicklung und die Herstellung des ersten synthet. Kautschuks (1910) bekannt.

Bayerische Alpen, der zu Bayern gehörende Teil der Nördl. Kalkalpen zw. Lech im Westen und Saalach im Osten.

Bayerische Hypotheken- und Wechselbank AG, eine der größten dt. Banken, Sitz München, gegr. 1835 als Hypotheken-, Geschäfts- und Notenbank Bayerns.

Bayerisch Eisenstein, Luftkurort und Wintersportplatz im Landkr. Regen, Niederbayern, am Fuß des Arber, 724 m ü. M., 1600 Ew.; Grenzübergang zur Tschech. Republik (nach Mark Eisenstein, tschech. Železná Ruda).

Bayerische Landesbank Girozentrale [-'ʒi:ro-], öffentlich-rechtliches Kreditinstitut, Sitz München; 1972 aus der Fusion der Bayer. Landesbodenkreditanstalt mit der Bayer. Gemeindebank entstanden. Beteiligungsgesellschaft ist die Dt. Kreditbank AG.

Bayerische Motorenwerke AG, Abk. **BMW,** Automobilunternehmen, Sitz München; gegr. 1916 als Bayer. Flugzeugwerke AG, seit 1922 jetziger Name. BMW übernahm 1994 die Rover Group und ist an BMW Rolls Royce, Oberursel, beteiligt.

Bayerischer Erbfolgekrieg, → Bayern (Geschichte).

Bayern 1329 - 1799

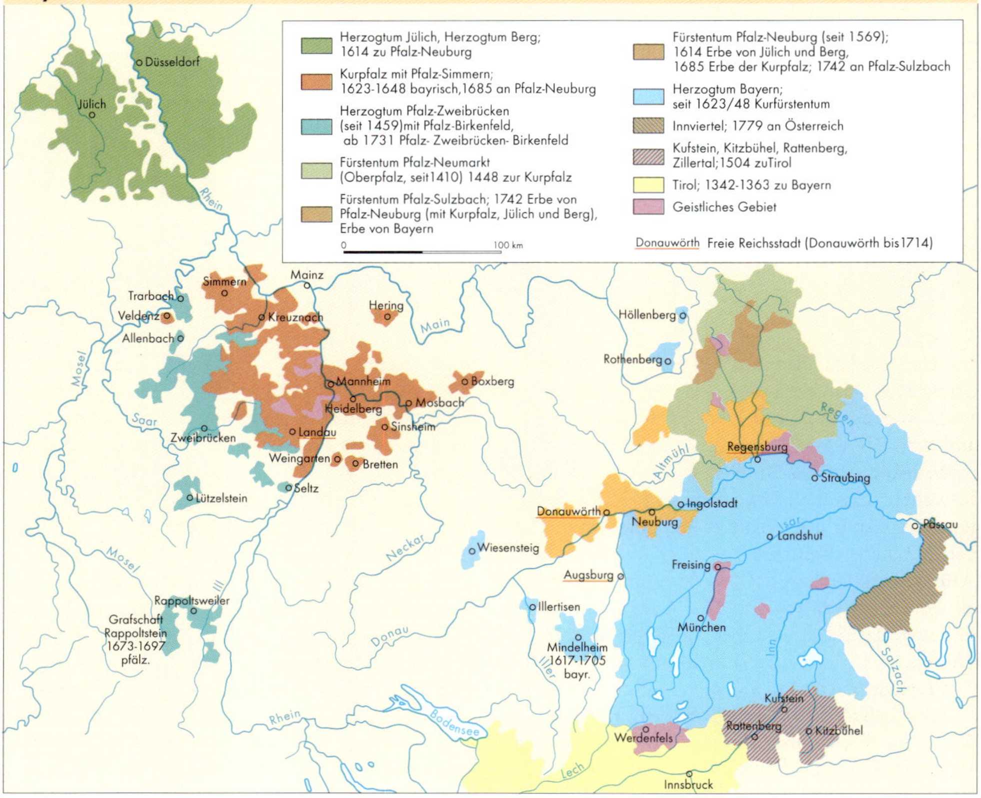

Bayerischer Kreis, 1512–1806 einer der zehn →Reichskreise, umfasste u. a. das Erzstift Salzburg, die Hochstifte Freising, Regensburg und Passau, die Herzogtümer Bayern und Oberpfalz, die Grafschaften Haag und Ortenburg sowie die Reichsstadt Regensburg.

Bayerischer Rundfunk, Abk. **BR,** seit 1948 eine der dt. Rundfunkanstalten öffentl. Rechts, Sitz München, gegr. 1922; seit 1954 am Fernsehprogramm der ARD beteiligt. (→Rundfunk)

Bayerischer Wald, waldreiches Mittelgebirge im Osten Bayerns; im geograph. Sinn der Teil des →Böhmerwaldes, der sich als **Vorderer Wald** zw. Donau und Regen erhebt (im Einödriegel 1121 m ü. M.). Zunehmend schließt die Bez. B. W. (bes. als Fremdenverkehrsgebiet) heute auch den **Hinteren Wald** (im Großen Arber 1456 m ü. M.) bis zur tschech. Grenze ein. Als **Nationalpark B. W.** ist das Gebiet von Rachel und Lusen (130 km^2) ausgewiesen, ansonsten weitgehend Naturpark.

Bayerische Staatsbibliothek, München, gegr. 1558 von Herzog Albrecht V., die an Handschriften und Inkunabeln reichste dt. Bibliothek (ÜBERSICHT Bibliotheken).

Bayerische Vereinsbank AG, eine der größten dt. Geschäftsbanken, Sitz München; gegr. 1869; fusionierte 1971 mit der **Bayer. Staatsbank** (gegr. 1780 als Fürstl. Hofbank des Markgrafen von Ansbach-Bayreuth).

Bayerische Volkspartei, Abk. **BVP,** bayer. Regionalpartei, spaltete sich 1918 von der Zentrumspartei ab; vertrat eine betont konservative Linie und führte 1920–33 in Bayern eine Regierungsmehrheit; 1933 aufgelöst.

Bayern
Kleines Staatswappen

Bayern, Land (Freistaat) im S der Bundesrep. Dtl., mit 70 551 km^2 das flächenmäßig größte, mit (1996) 11,993 Mio. Ew. nach der Bevölkerungszahl das zweitgrößte der dt. Bundesländer, Hptst. ist München.

Landesnatur: B. hat im S Anteil an den Nördl. Kalkalpen mit Dtl. höchstem Berg, der Zugspitze (2 962 m ü. M.). Ihnen schließt sich nördl. das Alpenvorland an, ein Moränengebiet mit Seen (Ammer-, Starnberger, Chiemsee u. a.). Nach N folgt bis zur Donau ein fruchtbares Hügelland, von teils moorigen Niederungen und Schotterfluren der Alpenflüsse unterbrochen. Das Mittelgebirgsland nördlich der Donau umfasst im O den Bayer. Wald (Nationalpark, Naturpark), den Oberpfälzer Wald, das Fichtelgebirge und den Frankenwald. Im N hat B. Anteil am waldreichen Spessart und der Rhön (Biosphärenreservat). Dazwischen liegt der östl.

Teil des Schwäbisch-Fränk. Stufenlandes mit Frankenhöhe, Steigerwald, Haßbergen und Fränk. Alb. Den größten Teil B. entwässert die Donau mit ihren Nebenflüssen (Iller, Lech, Isar und Inn von S, Wörnitz, Altmühl, Naab und Regen von N), den NW der Main mit seinen Nebenflüssen (u.a. Regnitz, Tauber).

Bevölkerung: Die ursprünglichen Bevölkerungsgruppen sind im N vorwiegend die →Franken, im S die →Baiern und im SW die →Schwaben. Die Struktur veränderte sich nach dem 2. Weltkrieg durch den Zustrom von 2,4 Mio. Heimatvertriebenen und Flüchtlingen. Große Gebiete (Oberpfalz, Niederbayern) sind verhältnismäßig dünn besiedelt; Ballungsgebiete gibt es nur um die Großstädte (München, Augsburg, Erlangen, Nürnberg, Regensburg, Würzburg); 62,7% der Bev. sind kath., 26,1% evangelisch. – In B. gibt es zehn Univ. (München [Univ., TU und Univ. der Bundeswehr], Erlangen-Nürnberg, Würzburg, Regensburg, Augsburg, Bayreuth, Passau, Bamberg, Kath. Univ. Eichstätt), zwei Kunstakademien (München, Nürnberg), zwei Hochschulen für Musik, eine Hochschule für Fernsehen und Film, drei Theolog. Hochschulen und mehrere Fachhochschulen.

Wirtschaft: Die Ind. hat seit 1949 die Land- und Forstwirtschaft von der ersten Stelle verdrängt. Zentren der Großind. (Erzeugung von Straßen-, Raum- und Luftfahrzeugen; Maschinenbau, Elektrotechnik und Elektronik, chem. Ind.) sind München, Augsburg, der Raum Nürnberg–Fürth–Erlangen, Ingolstadt und Regensburg. Führend ist B. in der Herstellung von Kugellagern (Schweinfurt), Porzellan (Oberfranken, Oberpfalz), Bleistiften und Spielwaren (Nürnberg, Fichtelgebirge); bed. sind die Textil- und Bekleidungsind. (Oberfranken, Schwaben) sowie die Nahrungsmittelind. (Käseherstellung, Mälzereien und Brauereien). Bodenschätze gibt es wenig; gewonnen werden v.a. Salz (bei Berchtesgaden), Graphit (bei Passau), Kaolin (Oberpfalz), Erdöl und Erdgas (Voralpenland). Für die Energieversorgung sind von besonderer Bedeutung fünf Kernkraftwerkblöcke (an drei Standorten), die rd. 60%, und die Wasserkraftwerke, die 17% der Stromerzeugung liefern. – B. hat die größte landwirtsch. Nutzfläche (48% der Landesfläche) unter den Bundesländern; Hauptkulturen sind Weizen, Gerste, Hackfrüchte, Sonderkulturen Hopfen (Hallertau) und Weinreben (Franken). Ertragreichster Zweig ist die Viehwirtschaft, bes. im Alpenvorland; B. ist führend in der Erzeugung von Milchprodukten. 33,8% der Landesfläche sind bewaldet. B. ist bevorzugtes Fremdenverkehrsland (v.a. Oberbayern, Allgäu, Bayer. Wald). – Verkehrsmäßig ist B. durch das Eisenbahn- und das Autobahnnetz voll erschlossen. Wichtige Wasserstraßen sind der Main (ab Bamberg für Schiffe bis 1350t befahrbar), die Donau (ab Kelheim) und der die beiden verbindende Main-Donau-Kanal, wodurch der Rhein-Main-Donau-Großschifffahrtsweg gebildet wird; in Deggendorf besteht ein Freihafen; internat. Flughäfen besitzen München (im Erdinger Moos) und Nürnberg.

Verfassung: Nach der Verf. vom 2. 12. 1946 übt der Landtag (204 Abg., für vier Jahre gewählt) die Legislative aus; ihm steht der Senat mit beratender Funktion zur Seite. Das Parlament wählt den Min.-Präs., der die Reg. beruft. Gesetze können außer vom Landtag auch durch Volksentscheid beschlossen werden.

Geschichte: Im 6.Jh. entstand das (ältere) Stammesherzogtum der Baiern unter den Agilofingern; geriet unter fränk. Oberhoheit. Um 740 organisierte Bonifatius die Bistümer Salzburg, Passau, Regensburg, Freising und Eichstätt. Karl d.Gr. setzte 788 den letzten Agilofinger, Tassilo III., ab und machte B. zum karoling. Teilreich. Anfang des 10. Jh. entstand das jüngere Herzogtum B.; 976 wurde Kärnten abgetrennt. 1070 kam B. an die Welfen, 1139–56 gehörte es zwischenzeitlich den Babenbergern, die danach aber das von B. getrennte Österreich (seit 976 Markgrafschaft, seit 1156 Herzogtum) behielten; Herzogssitz war bis ins 13.Jh. Regensburg. Nach dem Sturz Heinrichs des Löwen kam B. 1180 an die →Wittelsbacher. Diese erwarben 1214 die Rheinpfalz und nach und nach die Oberpfalz; 1255 erfolgte die Aufteilung in Nieder- und Ober-B. (mit der Rheinpfalz), 1329 die Teilung in die (rhein.) Kurpfalz, die Oberpfalz sowie das restl. B. Die Erwerbungen Kaiser Ludwigs IV., des Bayern (1314–47), Brandenburg, Tirol, Holland, Seeland und Hennegau, gingen seinem Haus bald verloren. Nach den Teilungen in

Bayern: Die Allgäuer Alpen bei Oberstdorf

die Linien Landshut, Straubing, Ingolstadt und München wurde das Land 1506 wieder vereinigt. Die Reformation wurde unterdrückt. 1542 kamen die Jesuiten an die 1472 gegr. Landesuniv. Ingolstadt. Maximilian I. (1597–1651) übernahm neben den Habsburgern die Führung der Gegenreformation in Dtl.; er erhielt 1623 die Kurwürde, 1628 die Oberpfalz. Kurfürst Maximilian II. Emanuel (1679–1726) stand im Span. Erbfolgekrieg auf frz. Seite; sein Sohn Karl Albrecht kämpfte 1741–45 im Österr. Erbfolgekrieg gegen Maria Theresia und wurde als Karl VII. zum Kaiser gewählt (1742–45). Als die bayer. Linie der Wittelsbacher 1777 erlosch, folgte Karl Theodor aus der Linie Pfalz-Sulzbach, der schon die Kurpfalz und die Herzogtümer Jülich und Berg besaß. Der gegen die wit-

Verwaltungsgliederung Bayern (Größe und Bevölkerung 31. 12. 1995)

Verwaltungseinheit	Größe in km²	Ew. in 1 000	Ew. je km²	Verwaltungssitz
RegBez. Oberbayern	17 529	3 978,1	227	München
Kreisfreie Städte				
Ingolstadt	133	112,0	842	Ingolstadt
München	310	1 263,4	4 075	München
Rosenheim	37	58,9	1 584	Rosenheim
Landkreise				
Altötting	570	105,9	186	Altötting
Bad Tölz-Wolfratshausen	1 111	111,0	100	Bad Tölz
Berchtesgadener Land	840	98,9	118	Bad Reichenhall
Dachau	579	122,1	211	Dachau
Ebersberg	549	110,2	201	Ebersberg
Eichstätt	1 215	112,8	93	Eichstätt
Erding	871	104,5	120	Erding
Freising	799	141,0	176	Freising
Fürstenfeldbruck	435	186,2	428	Fürstenfeldbruck
Garmisch-Partenkirchen	1 012	85,8	85	Garmisch-Partenkirchen
Landsberg a. Lech	804	99,6	124	Landsberg a. Lech
Miesbach	864	88,6	103	Miesbach
Mühldorf a. Inn	805	105,8	131	Mühldorf a. Inn
München	667	279,0	418	München
Neuburg-Schrobenhausen	740	86,0	116	Neuburg a. d. Donau
Pfaffenhofen a. d. Ilm	760	105,5	139	Pfaffenhofen a. d. Ilm
Rosenheim	1 439	224,7	156	Rosenheim
Starnberg	488	119,5	245	Starnberg
Traunstein	1 534	162,9	106	Traunstein
Weilheim-Schongau	966	120,8	125	Weilheim i. OB
RegBez. Niederbayern	10 325	1 143,4	111	Landshut
Kreisfreie Städte				
Landshut	66	59,2	897	Landshut
Passau	70	50,9	727	Passau
Straubing	68	44,3	651	Straubing
Landkreise				
Deggendorf	861	112,5	131	Deggendorf
Dingolfing-Landau	878	86,6	99	Dingolfing
Freyung-Grafenau	984	81,9	83	Freyung
Kelheim	1 067	104,1	98	Kelheim
Landshut	1 343	133,5	99	Landshut
Passau	1 530	182,0	119	Passau
Regen	975	82,2	84	Regen
Rottal-Inn	1 281	115,3	90	Pfarrkirchen
Straubing-Bogen	1 202	90,9	76	Straubing
RegBez. Oberpfalz	9 691	1 054,5	109	Regensburg
Kreisfreie Städte				
Amberg	50	43,6	872	Amberg
Regensburg	81	125,8	1 553	Regensburg
Weiden i. d. OPf.	68	43,2	635	Weiden i. d. OPf.
Landkreise				
Amberg-Sulzbach	1 255	105,6	84	Amberg
Cham	1 510	129,5	86	Cham
Neumarkt i. d. OPf.	1 344	120,5	90	Neumarkt i. d. Opf.
Neustadt a. d. Waldnaab	1 430	99,6	70	Neustadt a. d. Waldnaab
Regensburg	1 395	166,2	119	Regensburg
Schwandorf	1 473	139,9	95	Schwandorf
Tirschenreuth	1 084	80,5	74	Tirschenreuth

Verwaltungsgliederung Bayern (Größe und Bevölkerung 31. 12. 1995; Fortsetzung)

Verwaltungseinheit	Größe in km²	Ew. in 1 000	Ew. je km²	Verwaltungssitz
RegBez. Oberfranken	7 231	1 110,5	154	Bayreuth
Kreisfreie Städte				
Bamberg	55	70,0	1 273	Bamberg
Bayreuth	67	73,0	1 090	Bayreuth
Coburg	48	44,2	920	Coburg
Hof	58	52,6	907	Hof
Landkreise				
Bamberg	1 168	136,9	117	Bamberg
Bayreuth	1 273	107,5	84	Bayreuth
Coburg	590	91,1	154	Coburg
Forchheim	643	109,7	171	Forchheim
Hof	892	110,6	124	Hof
Kronach	652	77,0	118	Kronach
Kulmbach	657	78,5	119	Kulmbach
Lichtenfels	522	70,5	135	Lichtenfels
Wunsiedel i. Fichtelgebirge	607	89,3	147	Wunsiedel
RegBez. Mittelfranken	7 246	1 667,3	230	Ansbach
Kreisfreie Städte				
Ansbach	100	39,9	399	Ansbach
Erlangen	77	101,4	1 317	Erlangen
Fürth	63	108,4	1 721	Fürth
Nürnberg	186	492,4	2 647	Nürnberg
Schwabach	41	37,6	917	Schwabach
Landkreise				
Ansbach	1 972	178,3	90	Ansbach
Erlangen-Hochstadt	565	124,2	220	Erlangen
Fürth	308	110,2	358	Fürth
Neustadt a. d. Aisch-Bad Windsheim	1 268	95,1	75	Neustadt a. d. Aisch
Nürnberger Land	801	166,2	207	Lauf a. d. Pegnitz
Roth	895	119,6	134	Roth
Weißenburg-Gunzenhausen	971	94,0	97	Weißenburg i. Bayern
RegBez. Unterfranken	8 531	1 317,7	154	Würzburg
Kreisfreie Städte				
Aschaffenburg	63	66,4	1 054	Aschaffenburg
Schweinfurt	36	55,7	1 547	Schweinfurt
Würzburg	88	127,3	1 447	Würzburg
Landkreise				
Aschaffenburg	699	170,6	244	Aschaffenburg
Bad Kissingen	1 137	109,2	96	Bad Kissingen
Haßberge	957	87,0	91	Haßfurt
Kitzingen	684	87,4	128	Kitzingen
Main-Spessart	1 323	131,4	99	Karlstadt
Miltenberg	716	128,3	179	Miltenberg
Rhön-Grabfeld	1 022	86,3	84	Bad Neustadt a. d. Saale
Schweinfurt	840	113,9	136	Schweinfurt
Würzburg	968	154,3	159	Würzburg
RegBez. Schwaben	9 994	1 722,1	172	Augsburg
Kreisfreie Städte				
Augsburg	147	259,7	1 767	Augsburg
Kaufbeuren	40	42,7	1 068	Kaufbeuren
Kempten (Allgäu)	63	61,7	979	Kempten (Allgäu)
Memmingen	70	40,6	580	Memmingen
Landkreise				
Aichach-Friedberg	781	117,9	151	Aichach
Augsburg	1 071	226,6	212	Augsburg
Dillingen a. d. Donau	792	90,8	115	Dillingen a. d. Donau
Donau-Ries	1 275	127,6	100	Donauwörth
Günzburg	762	119,5	157	Günzburg
Lindau (Bodensee)	323	75,8	235	Lindau (Bodensee)
Neu-Ulm	516	157,2	305	Neu-Ulm
Oberallgäu	1 527	144,6	95	Sonthofen
Ostallgäu	1 395	127,1	91	Marktoberdorf
Unterallgäu	1 230	130,2	106	Mindelheim
Bayern	70 546	11 993,5	170	München

Landtagswahlen in Bayern 1986–94[1]

Parteien	12.10.1986	14.10.1990	11.9.1994
CSU	128; 55,8%	127; 54,9%	120; 52,8%
SPD	61; 27,5%	58; 26,0%	70; 30,1%
Bündnis '90/Die Grünen[2]	15; 7,5%	12; 6,4%	14; 6,1%
FDP	–; 3,8%	7; 5,2%	–; 2,8%
Republikaner	–; –	–; 4,9%	–; 3,9%
Andere	–; 5,4%	–; 2,5%	–; 3,2%

[1] Sitzverteilung und Stimmenanteil der Parteien (in %). – [2] Bis 1993 Die Grünen.

telsbach. Besitzvereinigung von Kaiser Joseph II. angebotene Tausch von Teilen B. gegen Belgien (österr. Niederlande) beschwor den Bayer. Erbfolgekrieg (1778/79) zw. Österreich und Preußen herauf; im Frieden von Teschen 1779 kam nur das Innviertel an Österreich. 1799 gelangte Maximilian IV. Joseph aus der Linie Pfalz-Zweibrücken an die Regierung.

In der napoleon. Zeit wuchs B. durch den engen Anschluss an Frankreich, den der Min. M. Graf Montgelas 1801 vollzog, zum größten dt. Mittelstaat heran. Es musste zwar 1801 auf die Rheinpfalz und Jülich und 1806 auch auf Berg verzichten, konnte aber 1803–10 sein Gebiet nahezu verdoppeln: zu Alt-B. kamen weite schwäb. und v.a. fränk. sowie österr. Gebiete hinzu. Der Kurfürst nahm 1806 als Maximilian I. Joseph den Königstitel an und trat dem napoleon. Rheinbund bei. 1808 wurde die Leibeigenschaft aufgehoben. In den Befreiungskriegen ging B. durch den Vertrag von Ried (8. 10. 1813) zu den Gegnern Napoleons I. über; es musste nun die österr. Abtretungen zurückgeben, wurde aber 1815/16 durch das Großherzogtum Würzburg, Aschaffenburg und die linksrhein. Pfalz entschädigt. Nach dem Sturz von Montgelas kam 1817 das Konkordat zustande, das die bayer. Kirche reorganisierte (Kirchenprov. München und Bamberg). Am 26. 5. 1818 erhielt B. eine konstitutionelle Verfassung mit zwei Kammern. Ludwig I. (1825–48) machte München zur Kunststadt und verlegte 1826 die Univ. dahin. B. wurde Mitbegründer des Dt. Zollvereins (1834); 1835 wurde in B. die erste dt. Eisenbahnlinie eröffnet (Nürnberg–Fürth). Unruhen in München (Anfang 1848, u.a. wegen der Sängerin Lola Montez) veranlassten Ludwig, zugunsten seines Sohnes Maximilian II. abzudanken. 1849 wurde der pfälz. Aufstand mithilfe preuß. Truppen niedergeworfen. 1866 kämpfte B. aufseiten Österreichs gegen Preußen. 1870/71 nahm es am Dt.-Frz. Krieg teil, 1871 trat es in das Dt. Reich ein. Nach dem Tod König Ludwigs II. (1864–86) wurde B. unter Prinzregent Luitpold (1886–1912) streng konstitutionell regiert; sein Sohn und Nachfolger bestieg 1913 als König Ludwig III. den Thron. Die »Patrioten«, die sich 1887 der Zentrumspartei anschlossen, besaßen 1869–87 und wieder seit 1899 die Landtagsmehrheit; 1912 wurde der Zentrumsführer G. Freiherr von Hertling MinPräs. (bis 1917).

Pierre Bayle (Ausschnitt aus einem zeitgenöss. Kupferstich)

Am 7./8. 11. 1918 wählte der Münchner Arbeiter- und Soldatenrat K. Eisner zum bayer. MinPräs.; dieser erklärte B. zur Republik. Stärkste Partei wurde die Bayer. Volkspartei (BVP; Nachfolgerin des Zentrums). Nachdem Landtag und Landesreg. angesichts der Unruhen im März 1919 nach Bamberg ausgewichen waren, riefen revolutionäre Gruppen in München die »Räterepublik Baiern« aus; sie brach jedoch mit der Besetzung Münchens durch Reichstruppen (1./2. 5. 1919) zusammen. Mit der »Bamberger Verf.« (in Kraft seit dem 15. 9. 1919), die B. zum Freistaat (1920 Anschluss Coburgs) innerhalb des Dt. Reiches machte, und der Weimarer Reichsverf. verlor B. fast alle Sonderrechte. Während des Kapp-Putsches im März 1920 erfolgte in B. eine scharfe polit. Wendung auf restaurativen Kurs (nach mehr Eigenständigkeit); das führte unter G. Ritter von Kahr (1920/21 MinPräs., ab Sept. 1923 als von der bayer. Reg. ernannter »Generalstaatskommissar«) zu heftigem Streit mit der Reichsreg.; im Nov. 1923 versuchte A. Hitler ihn zum Staatsstreich gegen die Reichsreg. zu bewegen (→Hitlerputsch). Nach dem Rücktritt von Kahrs (1924) beendete der neue MinPräs., H. Held (1924–33), die Kontroverse mit dem Reich. 1924/25 kam es zu einem Konkordat mit dem Hl. Stuhl. Bei den Wahlen von 1932 konnte sich die BVP knapp vor der NSDAP behaupten. Nach deren Machtergreifung im Reich setzte die nat.-soz. Reg. am 9. 3. 1933 General F. X. Ritter von Epp als Reichsstatthalter im gleichgeschalteten B. ein. 1945 kam B. (mit Ausnahme Lindaus und der Pfalz) zur amerikan. Zone; während die Pfalz 1946 Rheinland-Pfalz eingegliedert wurde, kam 1945 die thüring. Enklave Ostheim zu B. 1946 trat eine neue Verf. in Kraft. Seit 1946 ist die CSU die stärkste Partei (1946–50 und seit 1962 in absoluter Mehrheit); unter dem Vorsitz von F. J. Strauß (1961–88) gewann sie auch auf Bundesebene Bedeutung; sie stellt (außer 1954–57: W. Högner, SPD) alle MinPräs.: H. Ehard (1946–54, 1960–62), H. Seidel (1957–60), A. Goppel (1962–78), F. J. Strauß (1978–88), M. Streibl (1988–93), E. Stoiber (seit 1993).

📖 *B. Portrait eines Freistaats, hg. v. der Hanns-Seidel-Stiftung. München 1991.* – Rutte, E.: *B.s Erdgeschichte. Der geolog. Führer durch B. München 1992.* – *Staat, Kultur, Politik. Beiträge zur Gesch. B.s u. des Katholizismus, hg. v.* W. Becker *u.* W. Chrobak. *Kallmünz 1992.* – Roth, R. A.: *Freistaat B. Polit. Landeskunde, hg. v. der Bayerischen Landeszentrale für Politische Bildungsarbeit. München ²1994.* – *Die Römer in B. Beiträge v.* W. Czysz *u.a. Stuttgart 1995.* – *Gemeindeordnung, Landkreisordnung, Verwaltungsgemeinschaftsordnung für den Freistaat B.*

Textausgabe mit Einführung, ergänzenden Rechtsvorschriften ..., begr. v. H. von Koch *u.* O. Tschira, *bearb. v.* W. Magg. *München* ^{11}*1996.*

Bayernpartei, Abk. **BP,** 1947 gegründete, betont föderalistische Partei in Bayern; errang 1949/50 bei Bundestags- und Landtagswahlen große Erfolge; seit 1953 nicht mehr im Bundestag, seit 1966 nicht mehr im bayer. Landtag vertreten.

Bayer-Verfahren [nach dem österr. Chemiker K. J. Bayer, *1847, †1904], Verfahren zur Gewinnung von →Aluminium aus Bauxit.

Bayeux [baˈjø], Stadt im Dép. Calvados, Frankreich, 14 700 Ew.; normann. Kathedrale (12./13. Jh.); im Kulturzentrum der kostbare, gestickte **Teppich von B.** (70 m lang, 50 cm hoch) aus dem 11. Jh.: Er stellt die Überfahrt Wilhelms des Eroberers nach England und seinen Sieg in der Schlacht bei Hastings dar.

Bayle [bɛl], Pierre, frz. Philosoph, *La Carla (heute Carla-Bayle, Dép. Ariège) 18. 11. 1647, †Rotterdam 28. 12. 1706; Kalvinist, vorübergehend zum Katholizismus konvertiert, 1675–81 Prof. in Sedan, ab 1681 Prof. in Rotterdam, 1693 wegen seiner freisinnigen und skept. Ansichten seiner Professur enthoben. Als führender Denker der frz. Aufklärung bekämpfte er jeden Dogmatismus, lehrte die Unvereinbarkeit der Vernunft mit der Religion und verteidigte die Glaubensfreiheit sowie die Trennung von Kirche und Staat. B. verfasste u. a. ein »Dictionnaire historique et critique« (2 Bde., 1695–97; dt. »P. B.s Histor. und crit. Wörterbuch«, 4 Bde.).

Bayonne [baˈjɔn], Hafenstadt im Dép. Pyrénées-Atlantiques, Frankreich, am Adour, 43 000 Ew.; got. Kathedrale mit Kreuzgang (13.–16. Jh.); Kunstdüngererzeugung; Flugzeugbau, Bootsbau, elektron. Industrie.

Bayreuth, 1) Landkreis im RegBez. Oberfranken, Bayern, 1 273 km^2, (1996) 107 500 Einwohner.

2) kreisfreie Stadt in Bayern, Verw.sitz des Reg.-Bez. Oberfranken sowie des Landkr. B., am Roten Main zw. Fichtelgebirge und Fränk. Jura, 73 000 Ew.; Univ.; Richard-Wagner-Museum im Haus →Wahnfried (mit Wagner-Nationalarchiv), Franz-Liszt-Museum, Jean-Paul-Museum. Leder-, Textil-, Bekleidungsind., elektrotechn., feinmechan., opt. u. a. Ind., Maschinen- und Fahrzeugbau. – Die älteren Stadtteile zeigen noch das Gepräge der barocken Residenz: Altes Schloss (16.–17. Jh.), Neues Schloss (1754) mit Hofgarten, Opernhaus (1744–48) u. a. Nahe B. liegen die Lustschlösser Eremitage und Fantaisie (18. Jh.). – In B. lebte 1872–83 Richard Wagner. Im Richard-Wagner-Festspielhaus (erbaut 1872–76) werden seit 1876, alljährlich (mit Pausenjahren) seit 1883, Opern von R. Wagner aufgeführt **(Bayreuther Festspiele).** – B. wird erstmals 1194 genannt; es kam 1260 an die Burggrafen von Nürnberg; seit 1398 gehörte es zum Fürstentum Kulmbach und wurde 1603 Hauptstadt von →Ansbach-Bayreuth.

Bayrischzell, Fremdenverkehrsgemeinde im Landkr. Miesbach, Bayern, 1 700 Ew.; 800 m ü. M.; Philipp-Harth-Museum; Kabinenseilbahn zum Wendelstein (1838 m ü. M.); auf dem Sudelfeld (1100 m ü. M.) Wintersport.

Bayeux: Teil des Teppichs von Bayeux (um 1077; Bayeux, Centre Culturel)

Bazaine [baˈzɛn], **1)** François Achille, frz. Marschall, *Versailles 13. 2. 1811, †Madrid 24. 9. 1888; befehligte 1863–67 die frz. Truppen in Mexiko, 1870 die Rheinarmee. Von den Deutschen in der Festung Metz eingeschlossen, kapitulierte er am 27. 10. 1870; 1873 zum Tode verurteilt, später zu Festungshaft begnadigt, aus der er 1874 entfloh.

2) Jean René, frz. abstrakter Maler, *Paris 21. 12. 1904; begründete 1941 die Gruppe »Les Jeunes Peintres de la Tradition Française«, schuf auch Mosaiken (u. a. für das UNESCO-Gebäude in Paris), Glasfenster (v. a. für Kirchen) sowie Wandteppiche. Bild S. 12

Bayreuth 2) Stadtwappen

Bazar [-ˈzaːr], →Basar.

Bazillen [spätlat. bacillus »Stäbchen«], Sporen bildende →Bakterien.

Bazillenträger, →Dauerausscheider.

Bazin [baˈzɛ̃], Hervé, eigtl. Jean-Pierre Hervé-B., frz. Schriftsteller, *Angers 7. 4. 1911, †ebd. 17. 2.

Bayreuth 2): Richard-Wagner-Festspielhaus von Otto Brückwald (1872–76; das Fachwerk wurde 1971–73 in Beton erneuert)

Jean Bazaine: Le vent de la mer (1949; Paris, Centre George-Pompidou)

1996; schrieb u. a. die Romane »Viper im Würgegriff« (1948), »Glück auf dem Vulkan« (1970), »Madame X« (1975).

bb (Doppel-b, 𝄫), *Musik:* Versetzungszeichen, erniedrigt die Note um zwei Halbtöne.

BBC [bi:bi:'si:], Abk. für **British Broadcasting Corporation,** brit. Rundfunkgesellschaft; 1922 als privatrechtl. Aktiengesellschaft British Broadcasting Company gegründet, seit 1927 öffentlichrechtl. Körperschaft; verbreitet vier landesweite und drei regionale Hörfunk- sowie zwei Fernsehprogramme.

B-Bild-Verfahren [B Abk. für engl. brightness »Helligkeit«] (B-Bild-Methode, B-Scan), Verfahren der → Ultraschalldiagnostik.

BBU, Abk. für → **B**undesverband **B**ürgerinitiativen **U**mweltschutz e. V.

B. c., *Musik:* Abk. für **B**asso **c**ontinuo, → Generalbass.

BCD-Code [-ko:t], Abk. für engl. **b**inary **c**oded **d**ecimals, aus Einheiten von jeweils vier Bits gebildeter Code zur Verschlüsselung von Dezimalziffern in die binäre Darstellungsform; z. B. entspricht einer dezimalen 6 im BCD-C. die Tetrade 0110.

BCG, Abk. für **B**acillus **C**almette-**G**uérin, von A. Calmette (*1863, †1933) und C. Guérin (*1872, †1961) entwickelter Impfstoff zur Tuberkulose-Schutzimpfung.

BCS-Theorie, von J. → Bardeen, L. N. → Cooper und J. R. → Schrieffer 1957 entwickelte atomist. Theorie der Supraleitung, die die physikal. Effekte in → Supraleitern 1. Art quantitativ befriedigend beschreibt.

Bd, Einheitenzeichen für die Einheit → Baud.

BDA, Abk. für **1)** → **B**und **D**eutscher **A**rchitekten.

2) **B**undesvereinigung der **D**eutschen **A**rbeitgeberverbände e. V. (→ Arbeitgeberverbände).

BDI, Abk. für → **B**undesverband der **D**eutschen **I**ndustrie e. V.

BDM, Abk. für **B**und **D**eutscher **M**ädel, → Hitler-Jugend.

BdSt, Abk. für → **B**und **d**er **St**euerzahler e. V.

Be, chem. Symbol für → Beryllium.

BE, Abk. für → **B**rot**e**inheit.

Bea, Augustin, kath. Theologe, Jesuit (seit 1902), *Riedböhringen (heute zu Blumberg, Schwarzwald-Baar-Kreis) 28. 5. 1881, †Rom 16. 11. 1968; Bibelwissenschaftler (A. T.), Kurienkardinal, seit 1960 Leiter des Päpstl. Sekretariats für die Einheit der Christen; erhielt 1966 den Friedenspreis des Dt. Buchhandels.

Beach Boys ['bi:tʃ 'bɔɪz], amerikan. Rockgruppe, 1961 gegr.; gehörten mit ihren unbeschwerten Songs (»Surfin' USA«, »I get around«, »Good vibrations«) zu den bekanntesten Vertretern der kaliforn. Surfmusik.

Beachvolleyball, im Freien auf gleichmäßigem Sandbelag ausgeübtes Rückschlagspiel für Frauen und Männer mit je zwei Spielern, die mit einer oder beiden Händen einen Ball so über das Netz in der Spielfeldmitte spielen, dass ihn der Gegner möglichst nicht mehr regelgerecht zurückspielen kann. Spielfeld- und Netzabmessungen sowie Ballumfang entsprechen den Vorgaben wie beim → Volleyball. B. steht seit 1996 auf dem olymp. Programm.

Beaconsfield ['bi:kənzfi:ld], Earl of, → Disraeli.

Beadle [bi:dl], George Wells, amerikan. Biologe, *Wahoo (Nebr.) 22. 10. 1903, †Pomona (Calif.) 9. 6. 1989; erforschte die Wirkung von Genen beim Aufbau der Proteine; erhielt 1958 den Nobelpreis für Physiologie oder Medizin (mit E. L. Tatum und J. Lederberg).

Beagle [bi:gl] *der,* kurzbeiniger engl. Laufhund für die Jagd auf Hasen u. a. Wild; Widerristhöhe 33–40 cm.

Beagle (Schulterhöhe bis 40 cm)

Beaglekanal ['bi:gl-], Meeresstraße im Feuerlandarchipel, Südamerika, 5–13 km breit; ben. nach dem brit. Schiff, mit dem C. Darwin 1832–34 das Gebiet erforschte. Die umstrittenen Besitzansprüche über drei im Kanaleingang gelegene Inseln (La

Nueva, Lennox und Picton) führten zu Konflikten zw. Argentinien und Chile. Unter vatikan. Vermittlung (seit 1979) schlossen beide Staaten ein Grenzabkommen (seit dem 2. 5. 1985 in Kraft), nach dem Chile zwar die Souveränität über die drei Inseln, nicht aber über die zugehörigen Territorialgewässer erhielt.

Beamte, im engeren und eigentl. Sinne Personen, die zu einem öffentl. Dienstherrn (in Dtl.: Bund, Länder, Gemeinden oder eine sonstige jurist. Person des öffentl. Rechts) in einem öffentlich-rechtl. Dienst- und Treueverhältnis stehen, i. w. S. alle Inhaber eines Verwaltungsamts im öffentl. oder privaten Dienst.

Das **B.-Recht** ist in Dtl. durch die Bestimmungen des Art. 33 Abs. 5 GG vorgeprägt, denen zufolge die »hergebrachten Grundsätze des Berufsbeamtentums« (u. a. Institutsgarantie für das Beamtentum, Lebenszeitberuf des B., Laufbahnprinzip, Fürsorgepflicht des Dienstherrn) bei der Ausgestaltung des Beamtentums zu beachten sind. Für B. gelten zahlreiche Ges. und VO, im Bund u. a. das Bundesbeamten-Ges. (BBG), das Bundesbesoldungs-Ges., die Bundesdisziplinarordnung und entsprechende Ges. in den Ländern, die zur Wahrung einer grundsätzl. Einheit der Rechtsverhältnisse durch das bundesrechtl. Beamtenrechtsrahmen-Ges. verklammert sind.

Die Berufung in das B.-Verhältnis ist nur zur Wahrnehmung hoheitsrechtl. oder solcher Aufgaben zulässig, die aus Gründen der Sicherheit des Staates oder des öffentl. Lebens nicht auf Personen in privaten Dienstverhältnissen übertragen werden dürfen. Von ihrem Dienstherrn werden B. als B. auf Lebenszeit, auf Probe, auf Widerruf oder auf Zeit (sog. Wahl-B., z. B. leitender Gemeinde-B.) ernannt; polit. B. sind B. in hohen Ämtern (z. B. beamtete Staatssekretäre), die mit den grundsätzl. Zielen der polit. Führung (z. B. Minister) übereinstimmen müssen; andernfalls können sie vorzeitig in den Ruhestand verabschiedet werden. Die Ernennung des B. ist ein förml. Verwaltungsakt, der mit Aushändigung der Ernennungsurkunde vollzogen wird. Ins B.-Verhältnis dürfen nur Deutsche berufen werden, welche die Gewähr für die Beachtung der freiheitlich-demokrat. Grundordnung bieten und die vorgeschriebene Vorbildung oder die erforderl. Lebens- und Berufserfahrung erworben haben (§ 7 BBG); offene Stellen sind i. d. R. auszuschreiben. Der Zugang zu einem öffentl. Amt nach den Grundsätzen der Gleichheit, Eignung, Befähigung und Leistung ist grundrechtsähnlich gewährleistet (Art. 33 Abs. 2 GG). Vor Antritt ihres Amtes haben B. einen Diensteid zu leisten. Sie haben ihr Amt mit ganzer Kraft (Genehmigungspflicht für Nebentätigkeiten), gerecht und unparteiisch zu führen (Geschenke und Belohnungen dürfen nicht angenommen werden) sowie dem Wohl der Allgemeinheit zu dienen und auch nach Beendigung des Dienstverhältnisses Verschwiegenheit zu wahren (Amtsgeheimnis). Entsprechend dem Dienst- und Treueverhältnis besteht für B. kein Streikrecht. Ihrem Dienstherrn gegenüber haben B. Anspruch auf Sicherung eines angemessenen Lebensunterhalts durch Dienst- und Versorgungsbezüge (bes. durch Beihilfen und Altersruhegeld). Für Dienstpflichtverletzungen haftet der B. als Person im Rahmen der Disziplinargewalt (→Disziplinarrecht), sein Anstellungsträger im Rahmen der →Staatshaftung. Das B.-Verhältnis endet außer durch Tod durch Entlassung, Verlust der B.-Rechte, Entfernung aus dem Dienst sowie durch Eintritt in den Ruhestand. Nach dem Dienstrang unterscheidet man B. des höheren, gehobenen, mittleren und einfachen Dienstes. Richter sind keine B. i. e. S. des B.-Rechts.

Augustin Bea

Die Mitwirkungsrechte der B. in dienstrechtl. Angelegenheiten werden auf der Grundlage der Personalvertretungs-Ges. von gewählten Personalräten wahrgenommen.

Mit der Übertragung hoheitl. Aufgaben auf supranat. Organisationen, bes. der EU, ist der Status des internat. B. zum Begriff geworden, für den in erster Linie die Statuten dieser Organisationen gelten.

Die Regeln des B.-Rechts werden vielfach als starr und leistungsfeindlich kritisiert. Zu ihrer Überarbeitung im Rahmen einer Reform des Rechts des →öffentlichen Dienstes gibt es verschiedene Ansätze.

B.-Organisationen auf privatrechtl. Grundlage sind der →Deutsche Beamtenbund und versch. Gewerkschaften innerhalb des DGB.

George W. Beadle

In *Österreich* gibt es Bundes-, Landes- und Gemeinde-B. als »ernannte berufsmäßige Vertragsorgane«, die von den Vertragsbediensteten unterschieden werden und deren Rechtsstellung der in Dtl. vergleichbar ist. In der *Schweiz* werden B. auf allen Ebenen für vier bis sechs Jahre gewählt. Die Nichtwiederwahl, mit Ausnahme der durch die Parlamente oder Stimmbürgerschaften zu besetzenden Stellen, ist in der Praxis selten.

📖 SCHNELLENBACH, H.: *Beamtenrecht in der Praxis. München ³1994. – Beamten- u. Disziplinarrecht, begr. v.* G. SCHNUPP *u.* H. HAVERS. *Hilden/Rheinland ⁸1994.* – MONHEMIUS, J.: *Beamtenrecht. München 1995.*

Bearbeitung (Adaption), *Urheberrecht:* die eigenschöpfer. Umformung eines urheberrechtlich geschützten Werkes, z. B. der Musik. Die B. wird urheberrechtlich wie ein selbstständiges Werk geschützt. – Zur B. im Sinne des BGB →Verarbeitung.

Beard [bɪəd], Charles Austin, amerikan. Historiker, *Knightstown (Ind.) 27. 11. 1874, †New Haven (Conn.) 1. 9. 1948; verfasste u. a. Werke über die amerikan. Verfassung, Jeffersons demokrat. Bewegung und den Sezessionskrieg bei Betonung wirtsch. Faktoren; propagierte gegen F. D. Roosevelts Außenpolitik einen amerikan. »Kontinentalismus«.

Beardsley ['bɪədzlɪ], Aubrey Vincent, engl. Zeichner und Illustrator, *Brighton 21. 8. 1872, †Menton 16. 3. 1898. Seine von japanischen Holzschnitten beeinflussten Werke sind geprägt von einer sparsamen und sensiblen Linienführung mit starken Schwarzweißkontrasten. B. bevorzugte erotisch-makabre Themen (Illustrationen zu O. Wildes »Salome«, 1894); Vertreter des engl. Jugendstils.

Béarn
Historisches Wappen

Béarn, histor. Gebiet im SW Frankreichs, umfasst die östl. W-Pyrenäen und ihr Vorland; Hauptort ist Pau. B. kam 1290 an die Grafen von Foix, 1484 an das Königreich Navarra und 1589 an Frankreich (1620 Krondomäne).

Beat [bi:t; engl. »Schlag«], *der, Musik:* im Jazz und in der Popmusik Bez. für den durchgehenden gleichmäßigen Grundschlag der Rhythmusgruppe (→Offbeat); auch Kurzform für →Beatmusik.

Beatenberg, Kur- und Wintersportort im Kt. Bern, Schweiz, 1100 m ü. M., über dem N-Ufer des Thuner Sees, 1300 Ew.; Kabinenseilbahn auf das Niederhorn (Steinbockschutzgebiet). Unterhalb von B. liegen die **Beatushöhlen** (z. T. erschlossen).

Beatrix,
Königin der Niederlande

Beatgeneration ['bi:tdʒenəreɪʃən, engl.] *die,* literar. und gesellschaftl. Protestbewegung der späten 1950er-Jahre in den USA (literar. Hauptvertreter u. a. A. Ginsberg, J. Kerouac, W. Burroughs, L. Ferlinghetti), deren Anhänger (z. T. abwertend) als **Beatniks** bezeichnet wurden.

Beatles ['bi:tlz], erfolgreiche Popgruppe aus Liverpool (gegr. 1959, formell aufgelöst 1970): George Harrison (*1943; Melodiegitarre), J. Lennon (Rhythmusgitarre), P. McCartney (Bassgitarre) und Ringo Starr (eigtl. Richard Starkey; *1940; Schlagzeug). Sie schrieben, komponierten und arrangierten ihre Songs selbst und drehten auch Filme. Die B. beeinflussten die Pop- und Rockmusik nachhaltig und wurden zu einem Symbol für den Umbruch im Denken und Leben vieler Jugendlicher.

Four ever. Die Geschichte der B., bearb. v. P. SCHUSTER. *Stuttgart u. a.* ^{4}*1992.* – HERTSGAARD, M.: *The B. Die Geschichte ihrer Musik. A. d. Amerikan. Neuausg. München 1996.*

Beatles

»All you need is love«

Dieser Titel eines Liedes der Beatles (komponiert und getextet von John Lennon und Paul McCartney), das 1967 im Rahmen einer weltweit ausgestrahlten Fernsehsendung der Öffentlichkeit vorgestellt wurde, könnte als Motto der Flower-Power-Bewegung der 60er-Jahre angesehen werden. Der Titel (auf Deutsch etwa: »Alles, was man braucht, ist Liebe«) wird gelegentlich zitiert, wenn man eine allgemeine Ablehnung von Hass und Gewalt zum Ausdruck bringen möchte oder auch wenn Geld und Reichtum jemandes Leben zu sehr beherrschen.

Aubrey Beardsley:
Illustration zu Oscar Wildes Tragödie »Salome« (1894)

Beatmung, durch äußere Hilfe (z. B. mit B.-Geräten) erzeugte Lungenbelüftung (→künstliche Atmung).

Beatmusik ['bi:t-] (Beat), eine vorwiegend in England (London und Liverpool) zw. 1960 und 1970 gespielte Variante der →Rockmusik. Hauptvertreter: Beatles und Rolling Stones.

Beatrix, Herrscherinnen:

1) B. von Burgund, römisch-dt. Kaiserin, Gemahlin Kaiser Friedrichs I. Barbarossa, *um 1140, †15. 11. 1184; Erbin der Freigrafschaft Burgund. Durch die Heirat fiel Burgund an das Heilige Röm. Reich.

2) B. Wilhelmina Armgard, Königin der Niederlande (seit 1980), *Schloss Soestdijk (bei Baarn) 31. 1. 1938; älteste Tochter der früheren Königin Juliana und des Prinzen Bernhard; seit 1966 ⚭ mit Claus von Amsberg; erhielt 1996 den Internat. Karlspreis der Stadt Aachen.

Beattie ['bi:tɪ], Ann, amerikan. Schriftstellerin, *Washington 8. 9. 1947; schreibt v. a. Kurzgeschichten und Romane, vornehmlich über die Welt des gehobenen Mittelstandes: »Distortions« (Erz., 1976), »Amerikan. Sommer« (R., 1980), »Where you'll find me and other stories« (Erz., 1986), »Picturing Will« (R., 1990).

Beatty ['bi:tɪ], **1)** David, Earl (seit 1919) B. of the North Sea and of Brooksby, brit. Großadmiral, *Borodale (Irland) 17. 1. 1871, †London 11. 3. 1936; führte im 1. Weltkrieg die Schlachtkreuzer u. a. in der Schlacht vor dem Skagerrak. 1916–19 war er Chef der Großen Flotte, 1919–27 Erster Seelord.

2) Warren, amerikan. Filmschauspieler und -regisseur, *Richmond (Va.) 30. 3. 1938; Bruder von S. MacLaine; spielte u.a. in »Bonnie und Clyde« (1967), »Zeuge einer Verschwörung« (1974); Regisseur, Drehbuchautor »Reds« (1981), »Dick Tracy« (1990, auch Hauptdarsteller), »Bugsy« (1992).

Beatus Rhenanus, eigtl. Beat Bild, dt. Humanist, *Schlettstadt 22. 8. 1485, †Straßburg 20. 7. 1547; schrieb u.a. das Werk zur dt. Geschichte des MA, »Rerum Germanicarum libri tres« (1531).

Beaubourg [bo'bu:r], Stadtviertel von Paris mit dem **Centre B.,** →Centre National d'Art et de Culture Georges Pompidou.

Beauce [bo:s], fruchtbare Landschaft im Pariser Becken zw. Paris und Orléans; Getreide-, Zuckerrüben- und Maisanbau.

Beauchamp(s) [bo:'ʃã], Pierre, frz. Tänzer, Choreograph und Ballettmeister, *Versailles 1636, †Paris 1705 oder um 1719; wurde nach 1650 Intendant des Königl. Ballets in Paris. Ihm wird die Kodifizierung der Ballettregeln mit den bis heute gültigen fünf Positionen zugeschrieben.

Beaufort-Skala ['bəʊfət-], Skala zur Abschätzung der Windstärke (Übersicht, →Windskale).

Beaufschlagung, die Zuführung des Treibmittels zu den Laufrädern von Turbinen.

Beauharnais [boar'nɛ], frz. Adelsgeschlecht aus der Gegend von Orléans, seit Ende des 14. Jh. nachweisbar, bekannt durch seine Verbindung mit der Familie →Bonaparte.

1) Alexandre Vicomte de, frz. General, *Fort-Royal (Martinique) 28. 3. 1760, †Paris 23. 7. 1794; schloss sich der Frz. Revolution an, war 1793 Oberbefehlshaber der Rheinarmee, wurde der Mitschuld an der Übergabe von Mainz (23. 7. 1793) bezichtigt und hingerichtet.

2) Eugen (Eugène) de, Herzog von Leuchtenberg, Fürst von Eichstätt, *Paris 3. 9. 1781, †München 21. 2. 1824, Sohn von 1) und 4); wurde 1805 Vizekönig von Italien, 1807 von Napoleon I. adoptiert, 1809 und 1813/14 frz. Heerführer. Sein Schwiegervater König Maximilian I. Joseph von Bayern überließ ihm 1817 die Landgrafschaft Leuchtenberg mit dem Fürstentum Eichstätt.

3) Hortense de, Königin von Holland und Mutter Napoleons III., Tochter von 1) und 4), →Hortense.

4) Joséphine de, geb. Tascher de la Pagerie, erste Frau Napoleons I., Witwe von 1), →Joséphine.

Beaujolais [boʒɔ'lɛ], frz. Landschaft zw. Loire und Saône im südl. Burgund, Herkunftsgebiet berühmter Rotweine (aus der Gamaytraube; 25 000 ha Rebland). Bekannt wurde auch der **B. primeur,** der neue Wein eines Jahrgangs, der einen Monat früher als andere neue Weine in Frankreich auf den Markt gebracht werden darf (jährlich über 2 Mio. Hektoliter).

Pierre de Beaumarchais

Beaumarchais [bomar'ʃɛ], Pierre Augustin Caron de, frz. Bühnenschriftsteller, *Paris 24. 1. 1732, †ebd. 18. 5. 1799. Seine Komödien »Der Barbier von Sevilla« (1775, von G. Rossini 1816 vertont) und »Die Hochzeit des Figaro« (1784, 1786 von W. A. Mozart vertont) verkörpern den neuen Geist der Aufklärung, der zur Frz. Revolution führte.

Beaumont ['bəʊmənt], Hafenstadt in Texas, USA, 118 300 Ew.; Univ.; Mittelpunkt des Ost-Texas-Ölreviers mit Erdölraffinerien, chem. Ind. und Werften.

Beaumont ['bəʊmənt], Francis, engl. Bühnendichter, *Grace Dieu (Leicestershire) 1584, †London 28. 8. 1616; schrieb zus. mit John Fletcher (*1579, †1625) etwa 20 Dramen.

Beaune [bo:n], Stadt im frz. Dép. Côte d'Or, 22 200 Ew.; Mittelpunkt des Weinbaugebietes **Côte de B.** (Burgund) mit Weinbaumuseum und -schule. – Kathedrale (12.–15. Jh.), Hospital Hôtel-Dieu (1443–51). – In spätröm. Zeit als Castrum **Berna** gegr., kam B. im 10. Jh. in den Besitz der Herzöge von Burgund; 1203 Stadtrecht.

Beaune: Seitenflügel mit Holzgalerie und bunt gedecktem Ziegeldach im Ehrenhof des Hôtel-Dieu (1443–51)

Beauty ['bju:ti, engl.], charakterist. ladungsartige Quantenzahl des 5. Quarks, genannt **B.-Quark** oder **Bottomquark.**

Beauvais [bo'vɛ], Hptst. des frz. Dép. Oise, in der Picardie; 56 300 Ew.; kath. Bischofssitz; Teppich-, chem. Ind., Maschinen- und Fahrzeugbau; unvollendete got. Kathedrale. – Philippe de Rémy, Sire de Beaumanoir, verfasste um 1283 die **Coutumes de Beauvaisis,** das bekannteste frz. Rechtsbuch des MA. Bild S. 17

Beauvoir [bo'vwa:r], Simone de, frz. Schriftstellerin, *Paris 9. 1. 1908, †ebd. 14. 4. 1986; Lebensgefährtin J. P. Sartres; schrieb Romane (u.a. »Die Mandarins von Paris«, 1954), Essays (»Das Alter«, 1970), Reiseberichte und autobiograph. Werke

Simone de Beauvoir

(»Memoiren einer Tochter aus gutem Hause«, 1958; »In den besten Jahren«, 1960; »Der Lauf der Dinge«, 1963; »Alles in allem«, 1972; »Die Zeremonie des Abschieds«, 1981) auf der Basis des materialistisch-atheist. Existenzialismus, zu dessen literar. Verbreitung sie damit wesentlich beitrug. Ihr Eintreten für individuelle Freiheit und Verantwortung verband B. mit sozialem und polit. Engagement. Sie war eine der wichtigsten Theoretikerinnen der Frauenbewegung (»Das andere Geschlecht«, 2 Bde., 1949).

📖 BAIR, D.: *S. de B. A. d. Amerikan. Neuausg. München 1992.* – FRANCIS, C. *u.* GONTIER, F.: *S. de B. A. d. Frz. Neuausg. Reinbek 21.–23. Tsd. 1993.* – MADSEN, A.: *Jean-Paul Sartre u. S. de B. A. d. Engl. Neuausg. Reinbek 93.–96. Tsd. 1994.* – MOI, T.: *S. de B. Die Psychographie einer Intellektuellen. A. d. Engl. Frankfurt am Main 1996.*

Simone de Beauvoir

»Das andere Geschlecht«

Dies ist der Titel eines berühmt gewordenen Buches von Simone de Beauvoir, das mit seiner These »Man kommt nicht als Frau zur Welt, man wird es« die emanzipatorischen Bestrebungen der Frauen der Nachkriegsgeneration nachhaltig stützte. Es befasst sich mit Problemen und Forderungen auf dem Weg zur Gleichberechtigung der Frau. Das tradierte Bild der Frau als das »schlechthin Andere«, als das »zweite Geschlecht«, als nichtselbstständige Ergänzung zum Mann wird darin als Produkt der Zivilisation enthüllt – vom Mann diktiert. Die Frau solle jedoch die gleiche Würde und die gleiche Achtung gewinnen wie der Mann. Das werde nicht nur die Frau, sondern auch den Mann befreien und viele soziale Probleme lösen helfen. Der Titel, im französischen Original »Le deuxième sexe« (wörtlich: das zweite Geschlecht; 1949), wurde zeitweise zum Schlagwort der Emanzipationsbewegung der Frauen.

August Bebel

Beaverbrook ['bi:vəbrʊk], William Maxwell Aitken, Baron B. (seit 1917), brit. konservativer Politiker und Verleger, *Maple (Kanada) 25. 5. 1879, †Mickleham (Cty. Surrey) 9. 6. 1964; zunächst erfolgreich als Börsenmakler; lebte ab 1910 in Großbritannien, begründete dort mit seinen Zeitungen (»Daily Express«, »Evening Standard«, »Sunday Express«) einen einflussreichen Pressekonzern. B. war Mitgl. des Unterhauses (1910–16) und des Oberhauses (1916–54) sowie mehrfach Min. (1918 und 1940-42) und Lordsiegelbewahrer (1943–45).

Bebauungsdichte, *Baurecht:* 1) das Verhältnis der bebauten zur unbebauten Fläche einer Stadt. Als bebaut gilt in der Statistik das gesamte Baugrundstück; 2) (Baudichte) das Verhältnis von Gebäudefläche zu unbebauter Fläche im Grundstück oder Baublock.

Bebra
Stadtwappen

Bebauungsplan, der in Form einer Satzung von der Gem. verabschiedete verbindl. Bauleitplan; er enthält die zeichner. und schriftl. Darstellung der baul. und sonstigen Nutzung des von ihm erfassten Gebiets. Der B. legt u.a. fest: Art und Ausmaß der baul. Nutzung, die Bauweise, die bebaubaren und nicht überbaubaren Grundstücke, Flächen für den Gemeinbedarf, Verkehrsflächen, Flächen für Land- und Forstwirtschaft.

Bebel, 1) August, Politiker, *Deutz (heute zu Köln) 22. 2. 1840, †Passugg (bei Chur) 13. 8. 1913; seit 1865 Vors. des Arbeiterbildungsvereins Leipzig, seit 1867 (mit Unterbrechung 1881–83) MdR, wandte sich unter dem Einfluss von W. Liebknecht dem Marxismus zu. Zusammen mit ihm gründete er 1869 die Sozialdemokrat. Arbeiterpartei (SDAP). B. stieg in der Folgezeit zum unbestrittenen Führer der dt. Sozialdemokratie auf. 1872 wurde er (mit Liebknecht) wegen Vorbereitung des Hochverrats und Majestätsbeleidigung, 1886 wegen Geheimbündelei verurteilt; 1881–91 war B. MdL in Sachsen. Unter seiner Führung stieg die (1890 gegründete) SPD in den beiden folgenden Jahrzehnten zu einer Massenpartei auf. Im Richtungskampf innerhalb seiner Partei bekämpfte er sowohl den Revisionismus E. Bernsteins als auch den Radikalismus der Parteilinken. Er hob demgegenüber die wechselseitige Abhängigkeit von Theorie und Praxis hervor.

📖 *A. B., Repräsentant der dt. Arbeiterbewegung, Beiträge v.* D. LANGEWIESCHE *u.a. Heidelberg 1991.* – CARSTEN, F. L.: *A. B. u. die Organisation der Massen. Berlin 1991.*

2) Heinrich, Humanist, *Justingen (heute zu Schelklingen, Alb-Donau-Kr.) 1472, †Tübingen 1518; Prof. der Poetik und Rhetorik; verfasste neben Liedern, Hymnen und Elegien lat. Schwänke (»Facetiae«, 1509–14) und eine Sprichwörtersammlung (1508).

Bebenhausen, Ortsteil von Tübingen (seit 1975), am Rande des Schönbuchs. Die gut erhaltene ehemalige Zisterzienserabtei, 1187 gestiftet, wurde 1556 evang. Klosterschule und 1807 württemberg. Jagdschloss (heute u.a. Sitz des Hölderlin-Archiv, Landesbibliothek).

Bebington ['bebɪŋtən], Stadt in der engl. Metropolitan Cty. Merseyside, 64200 Ew.; Seifen-, chem. Ind.; Industriearbeiter-Mustersiedlung Port Sunlight (gegr. 1888 von Lord Lever).

Bebop ['bi:bɔp, amerikan.] *der* (Bop), Anfang der 1940er-Jahre ausgeprägter Jazzstil, gekennzeichnet durch hektisch-nervöse Rhythmik und sprunghafte Melodik; wichtigste Vertreter waren C. Parker und D. Gillespie. Dem B. folgte der Cooljazz. (→Jazz)

Bebra, Stadt im Landkreis Hersfeld-Rotenburg, Hessen, an der Fulda, 16000 Ew.; verlor durch die Wiedervereinigung seine Bedeutung als Eisenbahnknotenpunkt, Kunststoffverarbeitung, Kfz-Zulieferind.; Eisenbahnmuseum.

Bebung (frz. Balancement), *Musik:* in der empfindsamen Musik des späteren 18. Jh. eine dem Vibrato ähnl. Vortragsart auf dem Klavichord, die durch leichtes Beben des Fingers auf der Taste erreicht wird.

Bec (Le Bec), frz. Benediktinerabtei in der Normandie, im heutigen Le Bec-Hellouin (Dép. Eure), gegr. 1034 durch den normann. Ritter Herluinus (frz. Hellouin). Hier wurde 1042 →Lanfranc Mönch und richtete eine bald berühmte Klosterschule ein, aus der u. a. Papst Alexander II. und Anselm von Canterbury (2. Abt von B. 1079–93, seit 1063 selbst Leiter der Schule) hervorgingen. Die Abtei bestand bis zur Frz. Revolution. 1948 wurde sie von Benediktinern (Olivetanern) neu besiedelt.

Bécaud [be'ko], Gilbert, eigtl. François Silly, frz. Chansonkomponist und -sänger, *Toulon 24. 10. 1927; schrieb auch Filmmusiken und die Oper »L'opéra d'Aran« (1962).

Beccaria, 1) Cesare, Marchese de Bonesana, italien. Jurist, *Mailand 15. 3. 1738, †ebd. 28. 11. 1794; Vorkämpfer des modernen Strafrechts, forderte als einer der Ersten die Abschaffung von Todesstrafe und Folter. B. war einer der führenden Kriminalpolitiker der Aufklärung.

2) Giovanni Battista, italien. Physiker, *Mondovi 3. 10. 1716, †Turin 27. 5. 1781; Ordensgeistlicher, seit 1748 Prof. der Physik in Turin; beobachtete erstmals die chem. Wirkung einer elektr. Entladung, wobei aus Zinnober Quecksilber frei wurde; benutzte die Lichtempfindlichkeit von Chlorsilber zum Kopieren von Schattenrissen.

Bech, Josef, luxemburg. Politiker, *Diekirch 17. 2. 1887, †Luxemburg 8. 3. 1975; Rechtsanwalt, Mitgl. der Christlich-Sozialen Volkspartei (CSV), förderte als Außenmin. (1926–58) und MinPräs. (1926–37, 1953–58) die europ. Einigungsidee. 1960 erhielt er den Internationalen Karlspreis der Stadt Aachen.

Béchamelsoße [beʃa'mɛl-; nach dem Marquis de Béchamel, Haushofmeister Ludwigs XIV.], weiße Rahmsoße aus Milch, Mehl, Butter, wenig Zwiebeln und Gewürzen.

Béchar [be'ʃa:r, frz.] (bis 1963 Colomb-Béchar), alger. Wilayat-Hptst. am NW-Rand der Sahara, 107 000 Ew., Verkehrsknotenpunkt an der Transsahararoute zum Niger (Mali). Flugplatz, Handelszentrum; Herstellung von Lederwaren und Schmuck; nahebei in Kenadsa Steinkohlenbergbau.

Bêche-de-mer ['bɛʃ də'mɛ:r, frz.] *das,* dem →Pidginenglish ähnl. Verkehrssprache in Melanesien.

Becher, 1) *allg.:* Trinkgefäß, meist ohne Henkel, aus Holz, Ton, Glas, Zinn, Edelmetall, Elfenbein u. a.; in bes. prächtiger Form als **Pokal** oder **Kelch.**

2) *Astronomie:* (lat. Crater) Sternbild des südl. Himmels.

Beauvais: Die unvollendete Kathedrale Saint-Pierre (begonnen 1215), von der bis Anfang des 14. Jh. der Chor und bis Mitte des 16. Jh. das Südquerhaus errichtet wurde

3) *Botanik:* (Becherhülle, Cupula) eine von Hochblättern gebildete becherförmige Fruchthülle, so bei der Eichel.

Becher, 1) Bernhard, Fotograf, *Siegen 20. 8. 1931, und seine Frau Hilla (*Potsdam 2. 9. 1934). Sie erstellen seit 1959 fotograf. Dokumentationen v. a. der Industriearchitektur des 19. Jh. (»industrielle Archäologie«); ausgezeichnet mit dem »Goldenen Löwen« der Biennale in Venedig (1990).

2) Johannes R. (Robert), Schriftsteller, *München 22. 5. 1891, †Berlin (Ost) 11. 10. 1958; schloss sich 1919 der KPD an, emigrierte 1933, redigierte 1935–45 in Moskau die »Internationale Literatur, Dt. Blätter«, kehrte 1945 nach Dtl. zurück, wurde Präs. des »Kulturbundes zur demokrat. Erneuerung Dtl.s«. Als Min. für Kultur (seit 1954) trug er Verantwortung für die zunehmende Bevormundung der Künste durch die SED. In seiner Lyrik wandelte er sich vom kühnen expressionist. Neuerer (»Verfall und Triumph«, Ged. und Prosa, 1914) zum Verfasser von polit. Zweck- und epigonaler Gefühlslyrik. B. schrieb auch Dramen (»Winterschlacht«, 1945), Romane (»Abschied«, 1940), Erzählungen, Tagebücher; verfasste den Text der Nationalhymne der DDR.

Gilbert Bécaud

3) Johann Joachim, Volkswirtschaftler, *Speyer 6. 5. 1635, †London im Oktober 1682 (oder 1685); als bedeutender Vertreter des →Kameralismus fasste er die Wirtschaftspolitik als System staatl. Lenkungen auf.

4) Ulrich, Schriftsteller, *Berlin 2. 1. 1910, †Basel 15. 4. 1990; schrieb Dramen (»Der Bockerer«, 1946, mit P. Preses; »Samba«, 1950; »Feuerwasser«, 1951) und zeitkrit., sprachlich oft exotisch wirkende Erzählwerke (»Murmeljagd«, 1969; »Williams Ex-Casino«, R., 1973; »Vom Unzulänglichen der Wirklichkeit«, Samml., 1983).

2 B 15/2 E D C B

Sidney Bechet

Ludwig Bechstein

Ludwig Beck

Becherflechten, Arten der Flechtengattung **Cladonia** mit braunen oder roten Fruchtkörpern, die auf hohlen, oft becherförmigen Lagerstielen sitzen; häufig in Wäldern und auf Heiden.

Becherglas, becherförmiges wärmebeständiges Glasgefäß mit Ausguss; geeignet für chem. Untersuchungen (Erhitzen von Flüssigkeiten).

Becherkeim, → Gastrulation.

Becherkulturen, veraltete Sammelbez. für Kulturgruppen der ausgehenden Jungsteinzeit (→ Schnurkeramik), gekennzeichnet durch becherförmige Tongefäße; der Begriff wird auch für die → Glockenbecherkultur verwendet.

Becherling (Becherpilz, Schüsselpilz), Sammelbegriff für becherförmige → Schlauchpilze, u. a. die Gatt. **Orangebecherling** (Aleuria); i. e. S. die Gatt. **Becherling** (Peziza).

Becherwerk (Elevator), *Fördertechnik:* Stetigförderer mit Band oder Kette, an dem Becher zum vertikalen Transport von Schüttgütern oder von Flüssigkeiten befestigt sind.

Bechet [beˈʃeɪ], Sidney, amerikan. Jazzmusiker (Klarinette, Sopransaxophon), *New Orleans 14. 5. 1897, † Garches (bei Paris) 14. 5. 1959; ließ sich 1951 in Frankreich nieder, zählt zu den wichtigsten Vertretern des New-Orleans-Jazz.

Bẹchstein, 1) Carl, Unternehmer, *Gotha 1. 6. 1826, † Berlin 6. 3. 1900; gründete 1853 in Berlin die bekannte Klavierfabrik Bechstein.

2) Ludwig, Schriftsteller, *Weimar 24. 11. 1801, † Meiningen 14. 5. 1860; Sammler dt. Sagen und Märchen, Herausgeber altdt. Handschriften; schrieb auch histor. Romane und Novellen.

Bẹchterew, Wladimir Michailowitsch, russ. Psychiater und Neurologe, *Sorali (Gouv. Wjatka) 22. 1. 1857, † Leningrad (heute Sankt Petersburg) 24. 12. 1927; begründete mit I. P. Pawlow die Lehre von den → bedingten Reflexen; beschrieb die nach ihm benannte Bechterew-Krankheit.

Bẹchterew-Krankheit (Spondylarthritis ankylosans, Spondylitis ankylopoetica), dem Rheumatismus und den Gelenkkrankheiten zuzuordnende Erkrankung der Wirbelsäule mit chron. Entzündungen der Wirbel- sowie der rumpfnahen Gliedmaßengelenke. Hauptsymptom der Erkrankung ist die weit nach vorn gebeugte Haltung mit zunehmender Versteifung der Wirbelsäule **(Bambusstabwirbelsäule)** und der befallenen Gelenke. *Behandlung:* lebenslange Gymnastik, die der Versteifung entgegenwirkt, und entzündungshemmende, schmerzstillende Arzneimittel.

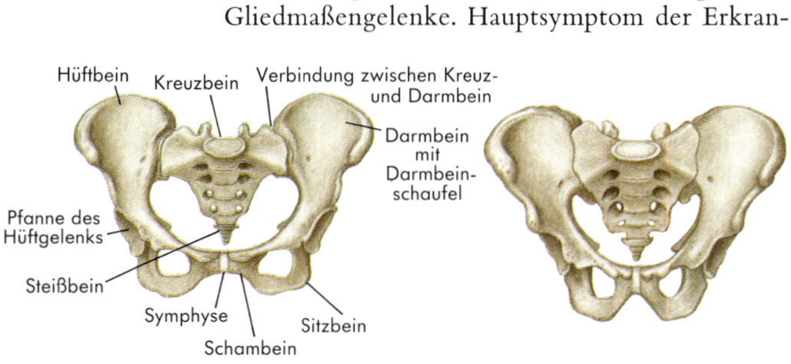

Becken 1): Darstellung des weiblichen (links) und des männlichen Beckens

Bẹck, 1) Conrad, schweizer. Komponist, *Lohn (bei Schaffhausen) 16. 6. 1901, † Basel 31. 10. 1989; bed. Vertreter der neueren schweizer. Musik.

2) Józef, poln. Politiker, *Warschau 4. 10. 1894, † Stănești (Rumänien) 5. 6. 1944; Mitarbeiter J. Piłsudskis; unterzeichnete als Außenminister (1932–39) die Nichtangriffsverträge mit der UdSSR (1932) und dem Dt. Reich (1934); wollte Polen zur Führungsmacht O-Mitteleuropas machen.

3) Kurt, Politiker (SPD), *Bad Bergzabern 5. 2. 1949; Elektromechaniker, seit 1979 MdL (1991–93 Vors. der SPD-Landtagsfraktion), seit 1993 Vors. der SPD in Rheinl.-Pf., wurde dort im Okt. 1994 Ministerpräsident.

4) Ludwig, Eisenhüttenfachmann, *Darmstadt 10. 7. 1841, † Biebrich (heute zu Wiesbaden) 23. 7. 1918, Vater von 5); arbeitete über die Geschichte des Eisens.

5) Ludwig, Generaloberst, *Biebrich (heute zu Wiesbaden) 29. 6. 1880, † (erschossen) Berlin 20. 7. 1944, Sohn von 4); wurde 1933 Chef des Truppenamtes, 1935 Chef des Generalstabs des Heeres. Er bekämpfte Hitlers Kriegspläne und trat während der Sudetenkrise 1938 zurück. Im 2. Weltkrieg rückte er immer stärker in das Zentrum der liberal-konservativen Widerstandsbewegung und war maßgeblich an den Vorbereitungen zum Attentat vom 20. Juli 1944 beteiligt.

6) Max Wladimir Freiherr von, österr. Politiker, *Wien 6. 9. 1854, † ebd. 20. 1. 1943; polit. Berater von Erzherzog Franz Ferdinand, setzte als Min.-Präs. (1906–08) das allg. und gleiche Wahlrecht in Österreich durch.

7) Ulrich, Soziologe, *Stolp (heute Słupsk) 15. 5. 1944; Prof. für Soziologie in Münster, Bamberg und München (seit 1992), arbeitet über Berufs- und Bildungssoziologie, soziale Ungleichheit und sozialen Wandel; bekannt v. a. durch seine Studien zur Risikogesellschaft.

Becken, 1) *Anatomie:* bei Wirbeltieren und beim Menschen der die Bauchhöhle nach unten abschließende und die unteren Gliedmaßen mit dem Rumpfskelett (Wirbelsäule) verbindende Knochengürtel **(B.-Gürtel, Pelvis).** Das B. entsteht dadurch, dass sich die beiderseitigen **Hüftbeine** vorn in der Schambeinfuge fest und nach hinten gelenkig mit dem **Kreuzbein** verbinden; dieses steht nach unten mit dem **Steißbein,** nach oben mit dem untersten (5.) Lendenwirbel in Verbindung. Das Hüftbein besteht seitlich aus dem **Darmbein,** vorn aus dem **Schambein,** unten aus dem **Sitzbein;** es bildet die halbkugelförmige Gelenkpfanne des Hüftgelenks zur Aufnahme des Oberschenkelkopfs. Man unterscheidet das von den Darmbeinschaufeln umgrenzte **große B.** von dem darunter liegenden Raum des **kleinen B.** Nach unten wird das B. durch den **B.-Boden** abgeschlossen, eine Muskelplatte mit Öffnungen für Mastdarm, Scheide und Harnröhre. Das weibl. B. ist breiter gebaut als das männl.; bei stärkerer B.-Verengung ist der Geburtsablauf erschwert.

2) *Geographie:* größere Eintiefung der Erdoberfläche: **Tiefland-B., Meeres-B.;** meist schüsselförmiger Sedimentationsraum, der morphologisch nicht als solcher erscheinen muss.

3) *Musik:* Schlaginstrument asiat. Herkunft, aus zwei flachen, in der Mitte vertieften Bronzetellern mit Ledergriffen bestehend.

Beckenbauer, Franz, Fußballspieler und -trainer, *München 11. 9. 1945; spielte zunächst im Mittelfeld, später meist als Libero 1965–77 103-mal für die dt. Nationalmannschaft, mit der er 1972 Europa- und 1974 Weltmeister wurde; mit seinem Verein FC Bayern München 1969, 1972–74 dt. Meister, 1966, 1967, 1969, 1971 Pokalsieger, gewann 1967 den Europapokal der Pokalsieger und 1974–76 den Europapokal der Landesmeister; war 1984–90 Teamchef der Fußballnationalmannschaft der Bundesrep. Dtl., mit der er bei den Weltmeisterschaften 1986 den zweiten, 1990 den ersten Platz belegte; seit 1994 Präs. des FC Bayern München.

Beckenbruch, Knochenbruch im Bereich des Beckens.

Beckenendlage, Geburtslage des Kindes, bei der nicht der Kopf, sondern der Steiß und/oder die unteren Gliedmaßen zuerst geboren werden (etwa 3% aller Geburten). Je nach dem Körperteil, der zuerst sichtbar wird, unterscheidet man (nach der Reihenfolge der Häufigkeit) Steiß-, Steiß-Fuß-, Fuß- oder Knielage. Bei jeder B.-Geburt ist ärztl. Hilfe notwendig.

Becker, 1) Boris, Tennisspieler, *Leimen 22. 11. 1967; siegte 1985 als erster ungesetzter, erster deutscher und bis dahin jüngster Spieler im Herreneinzel-Turnier der »All England Championship« in Wimbledon und konnte diesen Erfolg 1986 und 1989 wiederholen. 1988 und 1989 gewann er mit der dt. Mannschaft den Davispokal. 1992 und 1995 wurde er ATP-Weltmeister.

2) Enno, Steuerrechtler, *Oldenburg (Oldenburg) 17. 5. 1869, †München 31. 1. 1940; trug mit dazu bei, das Steuerrecht zu einer eigenständigen Disziplin der Rechtswiss. zu entwickeln.

3) ['bekə], Gary Stanley, amerikan. Volkswirtschaftler, *Pottsville (Pa.) 2. 12. 1930; u. a. Prof. an der Univ. Chicago (seit 1970, wo er seit 1983 auch Soziologie lehrt); er arbeitet über die Theorie des zweckgerichteten und optimierenden menschl. Verhaltens. B. erhielt 1992 für seine Ausdehnung der mikroökonom. Theorie auf den weiten Bereich menschl. Verhaltens außerhalb von Märkten den Nobelpreis für Wirtschaftswissenschaften.

4) Jurek, Schriftsteller, *Łódź 30. 9. 1937, †Berlin 14. 3. 1997; lebte nach 1945 in Berlin (Ost), ab 1977 in Berlin (West); schrieb tragisch-iron. Romane (»Jakob der Lügner«, 1969, verfilmt 1974; »Irreführung der Behörden«, 1973; »Der Boxer«, 1976; »Bronsteins Kinder«, 1986, verfilmt 1991; »Amanda herzlos«, 1992), in denen er die Nachwirkungen der Judenverfolgung und Lebensprobleme in der DDR thematisierte, und Drehbücher (u. a. »Liebling Kreuzberg«, TV-Serie 1986–90; »Neuner«, 1989, beide mit M. Krug in der Hauptrolle).

5) Jürgen, Schriftsteller, *Köln 10. 7. 1932; schreibt Prosatexte (u. a. »Ränder«, 1968), experimentelle Hörspiele und Lyrik (u. a. »Odenthals Küste«, 1986).

6) Maria, Schauspielerin, *Berlin 28. 1. 1920; spielte u. a. in Zürich, Hamburg und Berlin klass. und moderne Rollen.

7) Philipp August, Romanist, *Mülhausen (im Elsass) 1. 6. 1862, †Leipzig 21. 11. 1947; arbeitete bes. über die frz. Literatur des MA. und der Renaissance.

Becker-Modersohn, Paula, Malerin → Modersohn.

Becket ['bekɪt], Thomas, engl. Erzbischof, *London 21. 12. 1118, †(ermordet) Canterbury 29. 12. 1170; kämpfte als Kanzler König Heinrichs II. (seit 1154) gegen das Papsttum, verfocht dann aber als Erzbischof von Canterbury (seit 1162) die kirchl. Machtansprüche gegen den König; er wurde von Anhängern Heinrichs in der Kathedrale erschlagen. Heilig gesprochen 1173; Tag: 29. 12. – Dramen von T. S. Eliot, J. Anouilh u. a.

Beckett ['bekɪt], Samuel, irischer Schriftsteller, *Dublin 13. 4. 1906, †Paris 22. 12. 1989; lebte ab 1937 meist in Paris, schrieb in engl. und frz. Sprache. B.s Werke spiegeln seine Überzeugung von der Absurdität des menschl. Daseins und damit das Endzeitbewusstsein des 20. Jh. wider. Kennzeichnend ist dabei das Prinzip der Reduktion, das sich in der Erzählprosa (»Mehr Prügel als Flügel«, 1934; »Murphy«, 1938; »Molloy«, 1951; »Malone stirbt«, 1951; »Der Namenlose«, 1953; »Erzählungen und Texte um nichts«, 1955; »Wie es ist«, 1961; »Schlecht gesehen, schlecht gesagt«, 1981) als Rückzug des Protagonisten aus der Umwelt ins eigene Innere äußert; symbol. Verschlüsselung mit Neigung zum Grotesken macht seine Prosa wie auch die zum absurden Theater gehörenden Stücke (»Warten auf Godot«, 1952; »Endspiel«, 1957;

Franz Beckenbauer

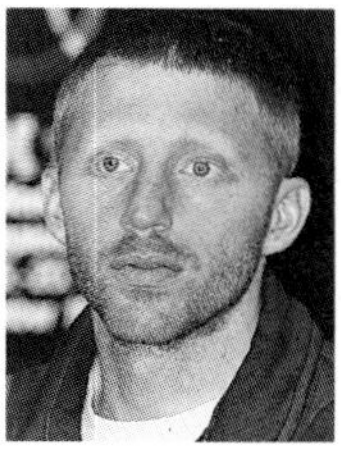

Boris Becker

Gary S. Becker

Jurek Becker

»Das letzte Band«, 1959; »Glückliche Tage«, 1961; »Spiel«, 1963; »Nicht ich«, 1972; »Was wo«, 1983) vielfältig deutbar. Auch Essays, Ged., Drehbücher. B. erhielt 1969 den Nobelpreis für Literatur.

Samuel Beckett

Warten auf ...

Dies ist der verkürzte und in vielfachen Abwandlungen gebrauchte Titel eines Theaterstücks des irischen Schriftstellers Samuel Beckett. Der Originaltitel des zuerst französisch geschriebenen, später vom Autor selbst ins Englische übertragenen Stücks aus dem Jahr 1953 ist »En attendant Godot« (deutsch: »Warten auf Godot«). Die zwei Hauptpersonen des Stücks, die Tramps Estragon und Wladimir, führen einen absurden Dialog, während sie auf einen Unbekannten mit Namen Godot warten, mit dem sie sich verabredet haben, von dem aber keiner weiß, ob er je kommt. – Man verwendet das Zitat meist scherzhaft oder auch als Ausdruck von Ungeduld beim langen oder vergeblichen Warten auf jemanden oder etwas.

Samuel Beckett

📖 ENDRES, R.: *Am Anfang war die Stimme. Zu S. B.s Werk. Essays. Neuausg. Frankfurt am Main 1991.* – BAIR, D.: *S. B. A. d. Amerikan. Neuausg. Reinbek 1994.* – BIRKENHAUER, K.: *S. B. Reinbek 39.–40. Tsd. 1995.*

Bẹckmann, Max, Maler und Grafiker, *Leipzig 12. 2. 1884, †New York 27. 12. 1950; war 1925–33 Prof. an der Städelschule in Frankfurt am Main, emigrierte 1937 nach Amsterdam, lebte seit 1947 in den USA. Gelangte nach impressionist. Anfängen zu einem zeichnerisch scharfen und nüchternen Realismus, der in grotesken Figuren die Fragwürdigkeit des modernen Daseins zu versinnbildlichen sucht. Seine späten Werke, in denen die Farbe an Leuchtkraft gewann, sind von monumentaler Einfachheit; die neun Triptychen mit Themen bes. aus der Mythologie und der Zirkuswelt entstanden zw. 1930 und 1950; ungewöhnlich zahlreiche Selbstbildnisse. →Selbstbildnis, BILDTAFEL

📖 LACKNER, S.: *M. B. Köln 1991.* – *M. B., Selbstbildnisse, hg. v.* U. M. SCHNEEDE *u. a. Ausstellungskatalog Hamburger Kunsthalle u. a. Stuttgart 1993.* – *M. B., Welt-Theater. Das graph. Werk 1901–1946, hg. v.* J.-A. BIRNIE DANZKER *u.* A. ZIRSCH. *Ausstellungskatalog Villa Stuck München. Stuttgart 1993.*

Sixtus Beckmesser

Beckmesserei

Dieser Ausdruck, mit dem man eine Kritik bezeichnet, die sich an Kleinigkeiten stößt, anstatt das Ganze zu beurteilen, geht zurück auf die Figur des Sixtus Beckmesser in Richard Wagners Oper »Die Meistersinger von Nürnberg« (1868). Beckmesser notiert beim Sängerwettstreit die gegen die Tabulatur, die satzungsmäßig festgelegten Regeln für den Vortrag der Meistersinger, gemachten Verstöße und wird dabei als überaus pedantischer Kunstrichter dargestellt. Wagner wollte mit dieser Figur einen seiner Kritiker karikieren.

Bẹckmesser, Sixtus, Nürnberger Meistersinger, *um 1500, †vor 1539 (?); einer der von H. Sachs erwähnten 12 älteren Meister der Nürnberger Singschule.

Bẹckum, Stadt im Kr. Warendorf, NRW, am Rand der **Beckumer Berge** im südöstl. Münsterland, 38 200 Ew.; Möbel-, Zementind., Maschinen- und Apparatebau; Propsteikirche (14.–16. Jh.) mit roman. Turm. – Bei B. wurde ein fränk. Gräberfeld des 6.–8. Jh. ausgegraben.

Bécquer ['bekɛr], Gustavo Adolfo, eigtl. G. A. Domínguez Bastida, span. Dichter, *Sevilla 17. 2. 1836, †Madrid 22. 12. 1870. Seine schwermütigen, an H. Heine erinnernden »Rimas« (hg. 1871; »Gedichte«, auch u. d. T. »Span. Lieder«) beeinflussten die moderne Lyrik (u. a. R. Darío, J. R. Jiménez, R. Alberti).

Becquerẹl [-k-; nach A. H. Becquerel] *das,* Einheitenzeichen **Bq,** SI-Einheit für die Aktivität einer radioaktiven Substanz. 1 Bq ist die Aktivität einer Strahlungsquelle, bei der pro Sekunde im Mittel ein Atomkern eines radioaktiven Nuklids zerfällt: $1\,\mathrm{Bq} = 1\,\mathrm{s}^{-1}$.

Becquerel [bɛ'krɛl], frz. Physikerfamilie. Antoine César B. (*17. 3. 1788, †18. 1. 1878) erfand 1826 ein Differenzialgalvanometer; sein Sohn Alexandre Edmond B. (*24. 3. 1820, †11. 5. 1891) stellte 1839 ein elektrochem. Photometer her. Dessen Sohn Antoine Henri B. (*15. 12. 1852, †25. 8. 1908) untersuchte die magnetoopt. Effekte und die Phosphoreszenz und entdeckte 1896 die radioaktive Strahlung des Urans. Gemeinsam mit dem Ehepaar Curie erhielt er 1903 den Nobelpreis für Physik.

Becsi ['beːtʃi], Kurt, österr. Schriftsteller, *Wien 30. 5. 1920, †ebd. 10. 1. 1988; schrieb Dramen im Stil eines »mag. Realismus«, u. a. »Weltenspiele, Weltenträume«, fünf Faust-Stücke (1983), »Pfauentrilogie« (1985, besteht aus drei Trilogien).

Beda (Baeda), gen. Venerabilis [lat. »der Ehrwürdige«], engl. Benediktiner, Naturphilosoph, *bei Wearmouth (Northumberland) um 672/73, †Jarrow (Durham) 26. 5. 735. Seine Abhandlungen über die Prinzipien des christl. Kalenders und zur Berechnung der Osterfeste blieben jahrhundertelang maßgebliche Lehrbücher. – Heiliger und (seit 1899) Kirchenlehrer, Tag: 2. 5.

Bedarf, Art und Menge der zur Befriedigung der Bedürfnisse notwendigen Güter und Dienstleistungen. Nur ein Teil des B. (potenzielle Nachfrage) wird zur kaufkräftigen Nachfrage am Markt (effektive Nachfrage), z. B. aufgrund fehlender Kaufkraft oder B.-Deckung über Eigenproduktion.

Bedarfsdeckungsmonopole, öffentl. Unternehmen, die eine Monopolstellung besitzen (z. B. Versorgungsbetriebe), diese aber aus wirtschafts-

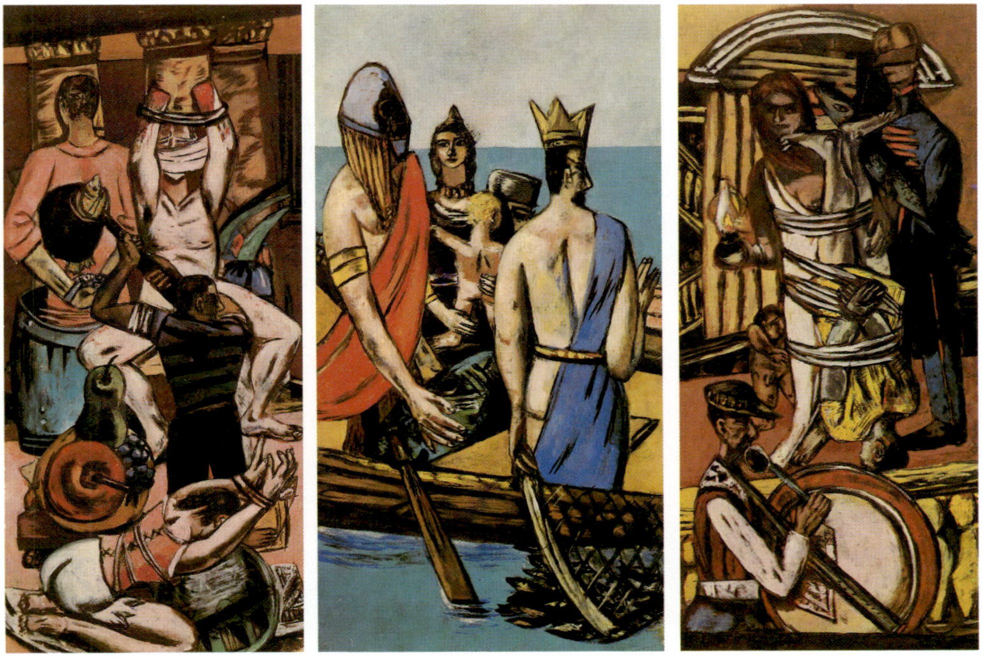

Max Beckmann: Abfahrt-Triptychon (1932/33; New York, Museum of Modern Art)

und sozialpolit. Gründen preispolitisch nicht ausnutzen.

Bedburg, Stadt im Erftkreis, NRW, an der Erft, 23 200 Ew.; Braunkohlentagebau, Aluminiumverarbeitung, Zuckerfabrik. – Wasserschloss (heutige Anlage aus dem 16. Jh.).

Bede (mlat. Petitio), vom 13. bis 17. Jh. erhobene Vermögensteuer, urspr. eine freiwillige Unterstützung des Landesherrn.

Bedecktsamer (Magnoliophytina, Angiospermen), Unterabteilung der Samenpflanzen; ihre Samenanlagen sind in einem Fruchtknoten eingeschlossen, in dem sie zu Samen reifen; unterteilt in →Einkeimblättrige und →Zweikeimblättrige.

Bedeckung, 1) *Astronomie:* teilweise oder völlige Verfinsterung eines Himmelskörpers durch einen anderen, der in die Sichtlinie zw. Erde und erstem Himmelskörper tritt; ein Beispiel ist die Sonnenfinsternis.

2) *Meteorologie:* →Bewölkung.

Bedeckungsveränderliche (optische Veränderliche), Doppelsterne, die mit photometr. Methoden am period. Helligkeitswechsel **(Lichtkurve)** erkennbar sind, der durch die regelmäßige gegenseitige Bedeckung ihrer Komponenten zustande kommt. Aus der Periodizität der Lichtkurve und den spektroskop. Veränderungen der beteiligten Sterne lässt sich u. a. auf deren Radien, Massen und Atmosphären schließen. Nach der Form der Lichtkurve werden Algolsterne, Beta-Lyrae-Sterne und W-Ursae-Maioris-Sterne unterschieden.

Bedeutungslehre, →Semantik.

Bedeutungssystem, →Wortfeld.

Bedeutungswandel, die im Vergleich mit einem früheren Sprachzustand feststellbare Veränderung im Sachbezug oder in der Verwendung eines sprachl. Zeichens. B. kommt u. a. in Form von **Bedeutungsverengung** (z. B. mhd. varn »sich von einem Ort zum andern bewegen« gegenüber nhd. fahren »ein Fahrzeug benutzen«) oder **Bedeutungserweiterung** (z. B. ahd. thing, ding »allg. Volksversammlung« gegenüber nhd. Ding »Gegenstand, Sache«) vor.

Bedford ['bedfəd], Stadt in der engl. Cty. Bedfordshire, 74 200 Ew.; alte Schulstadt; Maschinenbau, chem., Metall- und Kraftfahrzeugindustrie.

Bedfordshire ['bedfədʃɪə], Cty. in Mittelengland, 1 235 km², (1993) 539 400 Ew.; Verw.sitz: Bedford; gutes Agrargebiet, Baustoffindustrie.

Bedienungsgeld, →Trinkgeld.

bedingte Reflexe, durch →Konditionierung erworbene Reflexe, im Unterschied zu den unbedingten (angeborenen). Ihre Erforschung geht auf die russ. Physiologen W. M. Bechterew und I. P. Pawlow zurück. Durch J. B. Watson fand die Lehre von den b. R. auch Eingang in den →Behaviorismus und nahm von hier aus starken Einfluss auf die →Lerntheorien.

bedingte Strafaussetzung, →Strafaussetzung zur Bewährung.

Antoine Henri Becquerel

bedingte Verurteilung, v.a. im Jugendstrafrecht mögliche Verurteilung, bei der das Gericht zwar die Schuld des Täters feststellt, aber noch nicht die Strafe verkündet, um dem Täter Gelegenheit zur Bewährung während einer Probezeit zu geben (im Unterschied zur →Strafaussetzung zur Bewährung, bei der die Strafe verhängt und registriert wird). Nach dieser Bewährungsfrist wird im Erfolgsfall der Schuldspruch getilgt.

Bedingung, 1) *allg.:* ein Zustand oder Geschehen, von dem ein anderes abhängt oder das ein anderes möglich macht, Voraussetzung.

2) *Logik:* Sind *A* und *B* zwei Aussagen, dann bezeichnet die Implikation $A \Rightarrow B$ (gesprochen »wenn *A,* dann *B*«) die Aussage, dass *B* aus *A* folgt. *A* heißt **hinreichende B.** von *B* und *B* **notwendige B.** von *A;* gilt $A \Leftrightarrow B$ (»*A* genau dann, wenn *B*«), spricht man von **logischer Äquivalenz.**

3) *Recht:* ein zukünftiges ungewisses Ereignis, von dessen Eintritt oder Nichteintritt eine Rechtswirkung abhängt (positive und negative B.). Beginnt die Rechtswirkung erst mit dem Eintritt (Nichteintritt) des Ereignisses, so liegt eine **aufschiebende (suspensive) B.** vor; bei der **auflösenden (resolutiven) B.** dagegen hört mit deren Eintritt (Nichteintritt) die Rechtswirkung auf. Unzulässig ist die B. bei einigen einseitigen Rechtsgeschäften, z.B. Kündigung, Rücktritt, Mahnung. Wird der Eintritt einer B. wider Treu und Glauben verhindert, gilt die B. als eingetreten; wird er wider Treu und Glauben von der Partei, zu deren Vorteil er gereicht, herbeigeführt, gilt die B. als nicht eingetreten (§§ 158 ff. BGB).

Bedingungssatz, Konditionalsatz (ÜBERSICHT Syntax).

Bedja (Bedscha, Beja, Bega), Gruppe nomad. Stämme zw. Nil und Rotem Meer, mit kuschit. Sprache, etwa 300000 Menschen. Seit dem Altertum als kriegerische Nomaden bekannt.

Johannes Bednorz

Bednorz, Johannes Georg, Mineraloge und Kristallograph, *Neuenkirchen 16. 5. 1950; arbeitet seit 1982 am IBM-Forschungsinstitut in Rüschlikon (bei Zürich); erhielt 1987 gemeinsam mit K. A. Müller für die Entdeckung der Supraleitung in oxidischen metall. Keramiken den Nobelpreis für Physik.

Bédos de Celles [be'dos də 'sɛl], Dom François, frz. Orgelbauer, *Caux (bei Béziers) 24. 1. 1709, †Saint-Denis 25. 11. 1779; schrieb das grundlegende Werk »Kunst des Orgelbauers« (1766–78).

Bedrettotal (italien. Val Bedretto), lawinengefährdetes Hochtal im schweizer. Kanton Tessin, zw. Nufenenpass und Airolo, dünn besiedelt.

bedrohte Pflanzen und Tiere, Pflanzen- und Tierarten der Gegenwart, deren Bestand unterschiedlich stark gefährdet ist. Für Dtl. sind etwa 45000 Tierarten (weltweit etwa 1,4 Mio.) beschrieben, wobei die tatsächl. Zahl höher geschätzt wird (weltweit etwa 10–15 Mio.). Mehr als 1000 Arten sind in Dtl. zurzeit stark bedroht und 200–300 Arten werden wahrscheinlich bis Ende des Jahrhunderts aussterben. – Von den insgesamt etwa 400000 bis 500000 (weltweit) beschriebenen Pflanzenarten sind gegenwärtig allein bei den höheren Pflanzen rd. 10% gefährdet oder vom Aussterben bedroht (und mit jeder Pflanzenart verschwinden etwa 10–30 auf diese Pflanzenart angewiesene Tierarten, v.a. Insekten). – Neuere Statistiken belegen, dass zurzeit fast 50 Arten (Pflanzen und Tiere) pro Tag verschwinden, d.h. rd. 17500 Arten pro Jahr, wenn nicht einschneidende Schutzmaßnahmen getroffen werden. (→Rote Liste)

bedrohte Völker, von Menschenrechtsorganisationen in die politische Diskussion eingeführter Oberbegriff für meist kleine, benachteiligte oder in ihrer Existenz gefährdete Sprach- und Kulturgemeinschaften.

Bedrohung, Straftat, durch die der Täter einer anderen Person ernsthaft mit der Begehung eines Verbrechens gegen diese oder eine ihr nahe stehende Person droht (§241 StGB).

Beduinen [arab. »Wüstenbewohner«], die in den Steppen und Wüsten Vorderasiens und N-Afrikas lebenden, zu den Arabern zählenden Hirtennomaden.

Bedürfnis, Gefühl eines Mangels und der Wunsch, diesem abzuhelfen. Die Art der B. kann durch Instinkt, Tradition, Bildung, soziale Stellung u.Ä., auch durch B.-Lenkung (Werbung), geprägt sein. Für die Wirtschaftswiss. stehen diejenigen B. im Vordergrund, die am Markt als effektive Nachfrage wirksam werden. Unterschieden werden existenzielle B. oder Grund-B. (Nahrung, Kleidung, Wohnung, Bildung) von Wohlfahrts-, Luxus- und Prestige-B. sowie Individual-B. von Kollektiv-B. (z.B. öffentl. Sicherheit).

Bedürfnisprüfung, die Ermittlung eines wirtsch. Bedürfnisses für die Zulassung zu einem Beruf oder Gewerbe (z.B. einer Apotheke), ist in Dtl. nur zulässig, wenn der Schutz eines »überragend wichtigen Gemeinschaftsgutes« sie erfordert.

Będzin ['bɛndzjin] (dt. Bendzin), Stadt in der poln. Wwschaft Katowice (Kattowitz), im O des Oberschles. Industriegebiets; 64100 Ew., Kohlenbergbau, Kupfer- und Zinkhütten; Metall-, Lederind.; Elektrizitätswerke. – Barockschloss.

Beebe ['bi:bɪ], William Charles, amerikan. Zoologe, *New York 29. 7. 1877, †Trinidad 4. 6. 1962; erforschte mit einer selbst konstruierten Taucherkugel (Bathysphäre) die Lebewesen im Meer; schrieb »923 Meter unter dem Meeresspiegel« (1936).

Beecham ['bi:tʃəm], Sir (seit 1916) Thomas, engl. Dirigent, *Saint Helens (bei Liverpool) 29. 4. 1879, †London 8. 3. 1961; gründete 1932 das London Philharmonic Orchestra, 1946 das Royal Philharmonic Orchestra.

Beecher-Stowe ['bi:tʃə 'stəʊ], Harriet, amerikan. Schriftstellerin, →Stowe, Harriet Beecher.

Beefsteak ['bi:fste:k; engl. beef »Rindfleisch«], Schnitte aus Filet, Rücken oder Keule vom Rind. Das **deutsche B.** ist ein Kloß aus gebratenem, gehacktem Fleisch. **B. Tatar** ist rohes, fein gehacktes Rindfleisch mit rohem Ei, Zwiebel und Gewürzen.

Bee Gees [bi'dʒi's], Abk. für The **B**rothers **G**ibb (»Die Brüder Gibb«), 1967 von den Brüdern Barry (*1946), Maurice (*1949) und Robin Gibb (*1949) gegründete austral. Popgruppe; mit Softrock weltweit erfolgreich.

Beelitz, Stadt im Landkreis Potsdam-Mittelmark, Brandenburg, 5900 Ew.; Spargelanbau, Konservenindustrie; bei B. die **B.-Heilstätten,** Sanatorien und Lungenheilstätte. – Got. Wallfahrtskirche (Wunderblutlegende).

Beelzebub [auch be'ɛl-], im A.T. der Stadtgott von Ekron im Land der Philister (2. Kön. 1,2 ff.), eigtl. Baal Zebul [»erhabener Herr«], zum Dämon abgewertet und als **Baal Zebub** [»Herr der Fliegen«] verspottet. Im N.T. ist **Beelzebul** als »Fürst der Dämonen« der oberste Teufel (Mt. 12,24). »Den Teufel durch B. austreiben« heißt, Schlimmes durch ebenso Schlimmes beseitigen.

Beer, Baumeisterfamilie des 17. und 18. Jh.; ihre Werke gehören mit denen der Familie Thumb und K. Moosbruggers der **Vorarlberger Bauschule** des süddt. Kirchenbaus an, die den röm. Barockkirchenbau zu Langbauten mit Emporen weiterbildete. Michael B. (*um 1605, †1666) begann 1651 die Stiftskirche in Kempten, Franz B. (*1660, †1726) baute u.a. die Klosterkirchen Weingarten (seit 1715), Weißenau bei Ravensburg (seit 1717), Johann Ferdinand B. (*1731, †1789) schuf die Neue Pfalz des Klosters St. Gallen (seit 1767).

Beer, Johann, Musiker und Schriftsteller, *Sankt Georgen (OÖ) 28. 2. 1655, †Weißenfels 6. 8. 1700; war ebd. Komponist und Musikschriftsteller am Hof. Erst im 20. Jh. wurde er als der neben H. J. C. von Grimmelshausen begabteste Erzähler seiner Zeit entdeckt (»Teutsche Winter-Naechte«, 1682; »Die kurtzweiligen Sommer-Täge«, 1683).

Beerbohm ['bɪəbəʊm], Sir (seit 1939) Max, engl. Schriftsteller und Zeichner, *London 24. 8. 1872, †Rapallo 20. 5. 1956; Theaterkritiker. In seinen geistreich-witzigen Essays, Parodien und Karikaturen gab er ein Bild des Gesellschaftslebens im ausgehenden 19. Jahrhundert.

Beerdigung, →Bestattung.

Beere, Frucht mit saft- und zuckerreicher Mittel- und Innenschicht der Fruchtwand, mit zähhäutiger Außenschicht und meist vielen Samen.

Beerenauslese, Prädikatswein aus ausgelesenen, edelfaulen, voll- oder überreifen Beeren (→Wein).

Beerenobst →Obst.

Beerentang, Braunalgenarten, bes. in der Sargassosee.

Beerenwanze, eine →Baumwanze.

Beerenzapfen, beerenartiger Fruchtzapfen, z. B. beim Wacholder.

Beerfelden, Stadt und Erholungsort im Odenwaldkreis, 7200 Ew.; ländlich geprägtes, waldreiches Umland. – Galgen (Mitte 16. Jh. aufgestellt).

Beer-Hofmann, Richard, österr. Schriftsteller, *Wien 11. 7. 1866, †New York 26. 9. 1945; konvertierte zum jüd. Glauben, emigrierte 1938 über Zürich nach New York; Freund von H. von Hofmannsthal und A. Schnitzler; schöpfte als Dramatiker aus dem geistigen Erbe des A. T.: »Jaákovs Traum« (1918), »Der junge David« (1933); Erzählung »Der Tod Georgs« (1900).

Beernaert [-na:rt], Auguste, belg. Politiker, *Ostende 26. 7. 1829, †Luzern 6. 10. 1912; 1884–94 MinPräs. (Durchführung einer Verf.reform mit Einführung des allg. Wahlrechts); leitete die belg. Delegation bei den Haager Friedenskonferenzen 1899 und 1907 und erhielt dafür 1909 den Friedensnobelpreis.

Beer Sheva [-ʃ-] (Beerscheba), Stadt in Israel, Verw.sitz des Süddistrikts, am N-Rand der Wüste Negev, 128400 Ew.; Univ. mit Inst. für Wüstenforschung, Negev-Museum; v.a. chem., Baustoff-, Keramikindustrie. – B. war eine alte kanaanit. Kultstätte (1. Mos. 26) an der S-Grenze Palästinas.

Beeskow, Krst. des Landkreises Oder-Spree, Brandenburg, an der Spree, 9000 Ew.; Spanplattenwerk, Maschinenbau, Molkerei, Geflügelschlachthof. – B. wurde im 13. Jh. gegründet; Stadtmauer (1321), Wasserburg (Heimatmuseum).

Beethoven, Ludwig van, Komponist, getauft Bonn 17. 12. 1770, †Wien 26. 3. 1827; entstammte einer aus dem Flämischen eingewanderten Musikerfamilie. Schon 1784 wurde er Mitgl. des kurfürstl. Orchesters in Bonn. 1792 zog er nach Wien und wurde Schüler J. Haydns. 1795 trat er erstmals in Wien als Pianist öffentlich auf und ließ erste Werke erscheinen. Seitens des Wiener Hochadels erfuhr er wesentl. Förderung. Ein schweres Gehörleiden, das sich schon vor 1800 bemerkbar machte und um 1819 zu völliger Taubheit führte, ließ B. vereinsamen (»Heiligenstädter Testament«).

B.s Schaffen schloss sich an die Vorbilder der Wiener Klassiker, Haydn und W. A. Mozart, an;

Sir Thomas Beecham

Auguste Beernaert

auch wurden Einflüsse von C. P. E. Bach und der →Mannheimer Schule wirksam. Die Klaviersonaten, Sinfonien und Streichquartette bis 1802 gingen in der erweiterten Formanlage jedoch schon über die Vorbilder hinaus, auch in der Einführung des Scherzos anstelle des Menuetts. Der Schaffensabschnitt 1802–12 brachte den entscheidenden Durchbruch. Die Verarbeitung des themat. Materials, dessen melod. und rhythm. Aufspaltung in kleinste Themensplitter, wurde zielstrebig verfolgt und die →Durchführung rückte in den Vordergrund. – Nach einigen Jahren relativer Schaffenspause leiteten die letzten fünf Klaviersonaten 1817 den dritten Schaffensabschnitt ein. Charakteristisch für B.s Spätstil sind die Durchbrechung des klass. Formgehäuses, z.B. durch Überschreitung der Viersätzigkeit in den Streichquartetten, sowie das immer mehr zum Ausdruck kommende Anliegen des allgemein Menschlichen. Musik wurde nicht mehr als gesellschaftl. Privileg, sondern als Eigentum der Menschheit empfunden.

Werke: Orchesterwerke: 9 Sinfonien: 1 C-Dur (1800); 2 D-Dur (1802); 3 Es-Dur (»Eroica«, 1804); 4 B-Dur (1806); 5 c-Moll (1808); 6 F-Dur (»Pastorale«, 1808); 7 A-Dur (1812); 8 F-Dur (1812); 9 d-Moll mit Schlusschor nach Schillers Ode »An die Freude« (1824). Ballett »Die Geschöpfe des Prometheus« (1801); Musik zu Goethes »Egmont« (1810); Ouvertüren: Coriolan (1807) und »Leonore« 1–3 (1805–06); Märsche, Tänze. – Konzerte: Violinkonzert D-Dur (1806); 5 Klavierkonzerte (C-Dur, 1795; B-Dur, 1795; c-Moll, 1800; G-Dur, 1805; Es-Dur, 1809). Klavierwerke: 32 Sonaten, darunter Pathétique (c-Moll), Mondscheinsonate (cis-Moll), Waldsteinsonate (C-Dur), Appassionata (f-Moll), zahlr. Variationswerke, Einzelstücke. – Kammermusik: 10 Violinsonaten, darunter Kreutzersonate (A-Dur), 5 Violoncellosonaten, 6 Trios für Klavier, Violine, Violoncello, 16 Streichquartette, darunter »Rasumowsky-Quartette« 1–3 (1806); Septett (1799–1800); Oktett. – Vokalmusik: Oper Fidelio, urspr. Leonore (1805, umgearbeitet 1806 und 1814); Messe C-Dur (1807), Missa solemnis (1822/23); Oratorium »Christus am Ölberge« (1803), Lieder mit Klavierbegleitung.

Ludwig van Beethoven: Ausschnitt aus einem Porträt des bayerischen Hofmalers Joseph Karl Stieler (1819) und Autograph)

📖 *B. Sein Leben u. seine Welt in zeitgenöss. Bildern und Texten, hg. v.* H. C. R. LANDON. *Zürich 1970.* – MARX, A. B.: *L. v. B. Leben u. Schaffen, 2 Tle. Berlin 1859, Nachdr. 1 Bd. Hildesheim 1979.* – THAYER, A. W.: *L. v. B.s Leben, dt. bearb. v.* H. DEITERS *u.* H. RIEMANN, *5 Bde. Leipzig $^{1-5}$1907–23, Nachdr. Hildesheim 1970–72.* – REXROTH, D.: *B. Leben, Werke, Dokumente. Mainz ^{2}1988.* – KÜSTER, K.: *B. Stuttgart 1994.* – PICHLER, E.: *B. Mythos u. Wirklichkeit. Tb.-Ausg. Frankfurt am Main u. a. 1995.* – GECK, M.: *L. v. B. Reinbek 1996.* – HUCH, F.: *B. Leben u. Werk des großen Komponisten. Tb.-Ausg. Bergisch Gladbach ^{4}1996.*

Ludwig van Beethoven

Ein Licht auf Beethovens Einstellung zur österreichischen Monarchie und seine politische Gesinnung wirft eine überlieferte (wahre?) Begebenheit: Während eines gemeinsamen Spazierganges von Goethe und Beethoven in Teplitz begegnen ihnen Franz I. und die kaiserliche Familie auf der Promenade. Goethe tritt zur Seite und grüßt in aller Form mit einer tiefen Verneigung, Beethoven hingegen schreitet grußlos vorbei, ohne auch nur den Hut zu lüften. Gegen Ende des 19. Jahrhunderts macht der Historienmaler Carl Röhling diesen Vorfall zum Thema einer Zeichnung.

Befähigungsnachweis, Nachweis fachl. Eignung und Vorbildung als subjektive Zulassungsvoraussetzung zur Berufs- oder Gewerbeausübung; bes. Meisterprüfung (sog. »großer B.«) im Handwerk; ist mit der Berufsfreiheit vereinbar.

Befangenheit, Parteilichkeit eines Beamten oder Richters hinsichtlich einer von ihm zu treffenden Entscheidung (→Ablehnung).

Befehl, 1) *Datenverarbeitung:* Grundbestandteil eines Programms, der einen Arbeitsschritt angibt (z.B. Sprung-B., Transport-B.). Je nach Art der Programmiersprache spricht man von B. (Maschinen-B.), Anweisung oder Kommando.

2) *Militärwesen:* Anweisung zu einem bestimmten Verhalten, die ein militär. Vorgesetzter mit dem Anspruch auf Gehorsam erteilt; der B. darf unter besonderen Umständen verweigert werden.

Befehlsform, Imperativ (ÜBERSICHT Verb).

Befehlsstab, *Eisenbahn:* opt. Zeichen, mit dem der Fahrdienstleiter den Abfahrauftrag erteilt: bei Tag eine runde weiße Scheibe mit grünem Rand, bei Dunkelheit mit grünem Licht.

Befeuerung 1): Anflug- und Landebahnbefeuerung des Flughafens Zürich-Kloten

Befehls- und Kommandogewalt, die höchste militär. Weisungsbefugnis. In Dtl. hat die B.- u. K. nach Art. 65 a GG im Frieden der Bundesverteidigungsminister, im Verteidigungsfall der Bundeskanzler.

Befestigung, 1) *Geographie:* widerstandsfähige Geländegestaltung (Ufer, Böschung), auch **Bodenbefestigung.**

2) *Militärwesen:* Anlage zum Schutz von Menschen und ihres Eigentums vor äußerer Bedrohung.

Befeuerung, 1) *Luftfahrt:* Markierung der für die Durchführung des Flugbetriebs notwendigen Flugplatzanlagen durch elektr. Leuchtfeuer. Dabei unterscheidet man Anflug-B., Start- und Landebahn-B., Rollbahn-B., Flughafenleuchtfeuer und Hindernisbefeuerung.

2) *Schifffahrt:* Ausrüstung fester und schwimmender →Seezeichen mit Lichtquellen spezieller Kennung zur Orientierung oder Warnung der Schiffe bei Nacht.

Beffchen (Bäffchen) [niederdt., wahrscheinlich zu mlat. biffa »Mantel«, »Überwurf«], aus dem Kragen der bürgerl. Kleidung des späten 17. Jh. entstandenes Gewandstück aus zwei schmalen, rechteckigen gestreiften Leinenstreifen; über dem Talar des evang. Pfarrers weiß.

Beffroi [bɛˈfrwa; frz. aus mhd. belfrid] *der,* →Belfried.

Beflockung, Verfahren zur Erzeugung wildleder-, samt- oder fellähnlicher Oberflächeneffekte, in dem das textile Grundmaterial mustergerecht mit Kleber bestrichen und dann mit kurzen Fasern versehen wird. Die Fasern werden elektrostatisch oder durch Rütteln gerichtet.

Beförderung, allg. die Übertragung einer anspruchsvolleren Aufgabe bei gleichzeitigem Aufstieg in der Hierarchie einer Organisation; im Beamtenrecht die Ernennung, durch die dem Beamten oder Richter ein anderes Amt mit höherem Endgrundgehalt, dem Soldaten ein höherer Dienstgrad verliehen wird.

Beförderungspflicht, unter Ausschluss der Vertragsfreiheit die gesetzlich begründete Pflicht von Betreibern öffentl. Verkehrsmittel (auch Taxen), Personen und Sachen entgeltlich zu befördern (→Kontrahierungszwang).

Befrachter, im Seefrachtverkehr der Absender der Güter, der den Frachtvertrag mit dem Verfrachter (Frachtführer) abschließt.

Befragung (Umfrage), in der →Meinungsforschung am häufigsten angewendete, variantenreiche Methode der Datenerhebung; Hauptformen sind die mündl. B. mittels des Einsatzes von Interviewern, die meistens an einen Leitfaden oder Fragebogen gebunden sind, ferner die schriftl. B. über Fragebögen.

Befreiungsbewegung, organisierter Widerstand, der meist auf Ablösung einer Kolonialherrschaft zielt, sich gegen ein nationales diktator. Regime richtet oder die Loslösung eines Teilgebietes aus einem Gesamtstaat anstrebt. Die Mittel des Widerstandes reichen von der Gewaltlosigkeit über den verdeckten Kampf (Guerilla) bis hin zum offenen **Befreiungskrieg.** Eine B. beansprucht das Vertretungsrecht für eine Nation, die nach ihrer

Ansicht an der Ausübung ihres Selbstbestimmungsrechts gehindert wird. Eine frühe, im Rahmen der Entkolonialisierung nach dem 2. Weltkrieg beispielsetzende B. war der »Front de la Libération Nationale« (FLN) in Algerien. Weitere B. entstanden z.B. in Indochina, Vietnam, Moçambique, Angola, Eritrea, Südafrika, Namibia, Rhodesien (Simbabwe) und im Zuge des Nahostkonflikts.

Befreiungskriege (Freiheitskriege), die Kriege von 1813–15, die Dtl., Italien und Spanien von der frz. Herrschaft befreiten und dem Kaiserreich Napoleons I. ein Ende bereiteten; Teil der Koalitionskriege. Sie entstanden nach Anfängen des Widerstandes in Preußen (seit 1806/07), dem span. Unabhängigkeitskrieg (seit 1809) und der österr. Erhebung (1809; A. Hofer) erst aus der Katastrophe des frz. Russlandfeldzugs (1812).

Frühjahrsfeldzug 1813: Nach dem Untergang der Großen Armee Napoleons im Russ. Feldzug von 1812 entschloss sich Kaiser Alexander I., nach W vorzustoßen. Die Konvention von →Tauroggen leitete am 30. 12. 1812 die Erhebung Preußens ein. Am 28. 2. 1813 schlossen Preußen und Russland das Bündnis von Kalisch, und am 17. 3. erließ Friedrich Wilhelm III. in Breslau den Aufruf »An mein Volk«, doch folgte der König nur zögernd der patriot. Begeisterung des Volks. Napoleon schlug die Preußen am 2. 5. bei Groß-Görschen und am 20./21. 5. bei Bautzen und zwang die Verbündeten zum Rückzug nach Schlesien. Am 4. 6. schloss er den Waffenstillstand von Pläswitz (bis 10. 8.). Nachdem eine durch Metternich versuchte Vermittlung Österreichs (Prager Friedenskongress) erfolglos geblieben war, trat dieses gemäß dem Vertrag von Reichenbach (27. 6.) auf die Seite der Verbündeten, ebenso Großbritannien und Schweden.

Herbstfeldzug 1813: Die Koalition gegen Napoleon, der seine Hauptmacht um Dresden sammelte, stellte drei Heere auf: die Böhm. oder Hauptarmee unter dem österr. General Schwarzenberg, die Schles. Armee unter Blücher mit Gneisenau als Generalstabschef, der wesentl. Anteil an der Gesamtplanung des Feldzugs hatte, und die Nordarmee unter Bernadotte. Die Verbündeten siegten über die nicht von Napoleon kommandierten Heere (Bülow bei Großbeeren am 23. 8., Blücher an der Katzbach am 26. 8.), während die Hauptarmee bei Dresden am 26./27. 8. durch Napoleon geschlagen wurde. Am 3. 10. erzwang Blücher den Elbübergang bei Wartenburg, worauf alle Verbündeten die Umfassung Napoleons einleiteten, der sich aus Dresden zurückzog. In der Völkerschlacht bei →Leipzig (16.–19. 10. 1813) wurde Napoleon vernichtend geschlagen; er selbst entkam über den Rhein. Bayern, dem die übrigen Rheinbundstaaten folgten, hatte sich im Vertrag von Ried (8. 10.) auf die Seite der Verbündeten gestellt. Der Rheinbund fiel auseinander, die frz. Herrschaft in Dtl. brach zusammen. In den Niederlanden wurde die frz. Herrschaft Ende Nov. beseitigt.

Feldzug 1814: Die Verbündeten (ohne Schweden) setzten den Krieg in Frankreich fort. Blücher schlug Napoleon bei La Rothière (1. 2.); anschließend mussten die Verbündeten jedoch eine Reihe von Niederlagen hinnehmen, bis der Sieg bei Arcis-sur-Aube (20./21. 3.) den Weg nach Paris öffnete, das am 30. 3. kapitulierte. Wellington drang von Spanien aus nach Bordeaux vor. Am 6. 4. musste Napoleon in Fontainebleau abdanken. Er wurde nach Elba verbannt, Ludwig XVIII. als König eingesetzt. Im 1. Pariser Frieden (30. 5.) erhielt Frankreich die Grenzen von 1792.

Feldzug 1815: Während der Wiener Kongress noch über die Neuordnung Europas verhandelte, landete Napoleon am 1. 3. 1815 in Cannes und zog am 20. 3. in Paris ein. Zwei Armeen wurden gegen ihn aufgestellt, eine britisch-deutsch-niederländ. unter Wellington und eine preuß. unter Blücher. Napoleon konnte die Armee Blüchers bei Ligny (16. 6.) schlagen, scheiterte aber am 18. 6. bei Belle-Alliance (→Waterloo). Napoleon ergab sich den Engländern und wurde nach St. Helena gebracht. Der 2. Pariser Friede mit dem wieder hergestellten bourbon. Königtum schloss die B. ab.

Befreiungstheologie, Lehrmeinung in der kath. Kirche Lateinamerikas und Südafrikas, die gegenüber einem individualist. Sündenverständnis als polit. Theologie die gesellschaftl. Dimension des Evangeliums ernst nimmt. Die B. spricht von sündigen gesellschaftlichen Verhältnissen, die den Menschen entfremden und ausbeuten, und fordert eine »Kirche der Armen«, die sich für die gewaltlose Befreiung der Armen und politisch Unterdrückten einsetzen soll (L. Boff u.a.). Kritiker sehen darin eine Politisierung der Kirche.

befristetes Arbeitsverhältnis (Zeitarbeitsverhältnis), ein Arbeitsverhältnis, das ohne Kündigung nach Ablauf einer vereinbarten Dauer oder bei Eintritt eines bestimmten Ereignisses endet (z.B. Krankheitsvertretung, Saisonarbeit). Eine Befristung ohne sachl. Grund ist grundsätzlich rechtswidrig. (→Beschäftigungsförderungsgesetz)

Befruchtung, der Fortpflanzung dienende Vereinigung einer männl. und einer weibl. Geschlechtszelle bei Mensch, Tier und Pflanze. Die B. führt zu einer Vereinigung der mütterl. und väterl. Erbanlagen. Beim Tier und beim Menschen vollzieht sich die B. **(Empfängnis, Konzeption)** durch den Eintritt einer Samenzelle **(Spermium)** in eine Eizelle **(Oozyte, Ei).** Vorher locken Befruchtungsstoffe **(Gamone)** der Eizelle die aktiv bewegl. Samenzellen an, von denen sich viele Mio. (z. B. beim Menschen) bis Mrd. (z. B. beim Pferd) in einem Samenerguss **(Ejakulat)** befinden können. Beim Menschen wandern die Spermien durch die Gebärmutter bis in den Eileiter, wo sie auf eine Eizelle stoßen, die nach Follikelreifung und Follikelsprung aus dem →Eierstock dahin gelangte. I. d. R. vermag nur ein Spermium mit seinem den Kern enthaltenden Kopf unter Verlust seines Schwanzteiles in das Ei einzudringen; eigene Befruchtungsstoffe ermöglichen die dazu nötige Auflösung der Eimembran (Besamung). Das Ei schützt sich durch Verfestigung seiner Membran (Befruchtungsmembran) vor dem Eindringen weiterer Spermien. Der männl. und der weibl. Vorkern besitzen aufgrund einer vorausgegangenen →Reduktionsteilung nur je einen halben (haploiden) Chromosomensatz. Sie quellen in der Eizelle auf, die Kernmembran löst sich auf und die Chromosomen werden sichtbar. Unter Vereinigung der väterl. und mütterl. Erbanlagen entsteht die Ursprungszelle des neuen Lebewesens **(Zygote)**, die nun wieder den vollen Chromosomensatz besitzt. Die Zygote beginnt durch Zellteilungen, die äußerlich an der **Furchung** erkennbar sind, mit ihrer →Entwicklung. Die unmittelbar anschließenden Stadien sind durch die Bildung von Maulbeerkeim **(Morula)** und Keimblase **(Blastula, Blastozyste)** gekennzeichnet. Als Blastozyste nistet sich der Keimling von Mensch und Säugetieren nach seiner Wanderung durch den Eileiter in die Schleimhaut der Gebärmutter ein **(Nidation)** und durchläuft hier seine weitere Entwicklung als →Embryo. Das Geschlecht des Keimlings (→Geschlechtsbestimmung) wird beim Menschen und den meisten Tieren bei der B. festgelegt und hängt bei Mensch, Säugetieren und Insekten vom Vorhandensein eines männl. (Y) oder weibl. (X) Geschlechtschromosoms (→Chromosomen) im Kern des Spermiums ab.

Unter den Pflanzen haben nur die Sporenpflanzen und einige Nacktsamige (z. B. Ginkgo) bewegl. Samenzellen, die die Eizelle zur B. aufsuchen. Bei den Samenpflanzen liegt die Eizelle in der **Samenanlage,** die bei Bedecktsamigen im **Fruchtknoten** eingeschlossen ist, die männl. Zelle im **Blütenstaub-** oder **Pollenkorn.** Das Pollenkorn treibt, wenn es auf die Narbe der Blüte gestäubt ist, einen Schlauch, den **Pollenschlauch.** Dieser wächst mit den männl. Kernen, die sich in ihm befinden, zur Eizelle und ermöglicht die Befruchtung.

Über Samenübertragung →künstliche Besamung, →Insemination, →In-vitro-Fertilisation.

Befruchtungsoptimum (Konzeptionsoptimum), günstigste Zeit für die Empfängnis der Frau im monatl. Zyklus. Aufgrund der nur kurzen Lebensdauer von Ei- (wenige Stunden) und Samenzelle (2–3 Tage) liegt das B. um die Zeit des Follikelsprungs. Ungefähre Anhaltspunkte liefert die Knaus-Ogino-Methode, wonach das B. bei 28-tägigem Menstruationszyklus zw. dem 12. und 15. Tag liegt. Größere Sicherheit bietet das Messen der →Basaltemperatur.

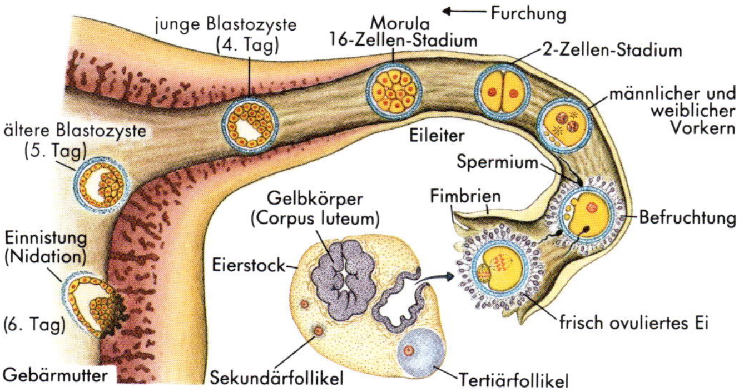

Befruchtung: Der Weg der Eizelle vom Eierstock über den Eileiter, wo die Befruchtung erfolgt, zur Einnistungsstelle in der Schleimhaut der Gebärmutter

Befund, Feststellung; Ergebnis einer (ärztl.) Untersuchung.

Beg [»Herr«] *der,* türk. Titel, →Bei.

Begabtenförderung, bildungspolit. Bemühungen zur Früherkennung und Förderung bes. begabter junger Menschen im Unterschied zur allg. Ausbildungsförderung (→Ausbildungsbeihilfen), u. a. durch Schülerwettbewerbe (z. B. »Jugend forscht«, »Jugend musiziert«); im Hochschulbereich z. B. durch die Studienstiftung des dt. Volkes, Stiftungen der polit. Parteien und der Kirchen.

Begabung, individuelle Möglichkeit zu bestimmten Leistungen. Die B. kann sich entweder auf eine Gesamtheit der Leistungsdisposition erstrecken oder in ganz bestimmter Richtung liegen (z. B. mathemat., musikal., organisator. B.). Als besondere Form der Gesamtbegabung gilt meist die →Intelligenz. Zu Beginn des 20. Jh. entwickelte sich die **B.-Forschung** als Teilgebiet der angewandten Psychologie. Sie versteht B. zumeist als Ergebnis eines Zusammenspiels von ererbten Anlagen und ihrer umweltbedingten Ausformung und erforscht B.-Merkmale in Abhängigkeit von typolog., soziolog., ethnolog. u. a. Momenten. Sie ist eine der Grundlagen der prakt. Pädagogik, Bildungsforschung, Erziehungs-, Schullaufbahn- und Berufsberatung; u. a. dient sie der Erkennung und Förderung überdurchschnittlich begabter Kinder (→Begabtenförderung).

Begas, Berliner Künstlerfamilie; bedeutendstes Mitglied war der Bildhauer Reinhold B., * Berlin 15. 7. 1831, † ebd. 3. 8. 1911, Sohn des Malers Karl B. d. Ä. (* 1794, † 1854) und Bruder des Bildhauers

Karl B. (* 1845, † 1916); Studien in Berlin und Rom, schuf neubarocke Bildwerke (Denkmäler; Bildnisbüsten; Neptunbrunnen urspr. auf dem Schlossplatz, heute auf dem Platz vor dem Roten Rathaus in Berlin).

Begattung (Kopulation, Kopula, Paarung), körperl. Vereinigung, durch die männl. Samenzellen in den weibl. Körper gelangen, was zur → Befruchtung führen kann. Bei manchen Tieren geschieht das durch einfaches Aufeinanderlegen der Geschlechtsöffnungen, beim Menschen, bei den Säugetieren u. a. durch das Einführen eines Begattungsorgans **(Penis, Rute)** in die weibliche Geschlechtsöffnung **(Scheide).** Zur B. kommt es durch Instinkt, Sexualtrieb und entsprechende Auslöser (z. B. Balzverhalten des Pfaus, Duftsignale der läufigen Hündin). – Über die B. beim Menschen → Geschlechtsverkehr.

Beggar-my-Neighbour-Policy ['begə maɪ 'neɪbə 'pɔlɪsɪ, engl.] *die,* Politik nach dem Prinzip »Schädige den Nachbarn«: außenwirtschaftspolit. Maßnahmen zur Verbesserung der Zahlungsbilanz (z. B. Abwertung der Währung, Importbeschränkung, Exportsubventionierung). Bezweckt wird eine erhöhte Beschäftigung im Inland zum Nachteil des Auslands.

Begharden, → Beginen.

Menachem Begin

Begin, Menachem, israel. Politiker, * Brest-Litowsk (heute Brest, Weißrussland) 16. 8. 1913, † Tel Aviv 9. 3. 1992; Rechtsanwalt; führte 1943–48 die terrorist. jüdische Untergrundorganisation → Irgun Zwai Leumi. Er beteiligte sich maßgeblich an der Bildung der Cherut-Partei und war bis 1983 deren Vors.; als Oppositionsführer im Parlament baute B. eine rechtsgerichtete Parteienverbindung auf (→ Likud). Er vertrat die Idee, einen Staat Israel in den Grenzen des bibl. Palästina zu schaffen. Als MinPräs. (1977–83) förderte B. die Siedlungspolitik im Westjordanland und im Gazastreifen. Außenpolitisch ging er auf die Friedensinitiative des ägyptischen Präs. A. as-Sadat ein (Friedensvertrag 1979). Für ihre Bemühungen um eine ägyptisch-israel. Annäherung (→ Nahostkonflikt) erhielten B. und Präs. A. as-Sadat 1978 den Friedensnobelpreis.

Beginen (Beghinen), im 12. Jh. in Südbrabant entstandene Gemeinschaften unverheirateter Frauen und Witwen, die unter einer Vorsteherin ohne Klostergelübde in »B.-Höfen« lebten. Sie waren bes. im 13. und 14. Jh. in Dtl., Frankreich und den Niederlanden verbreitet. Im Beginentum verband sich soziales Engagement mit intensiver, z. T. mystisch orientierter Laienfrömmigkeit; vielfach der Häresie verdächtigt, von der kath. Kirche misstrauisch beobachtet und oft verfolgt. Berühmte Beginen waren Mechthild von Magdeburg, Margarete Porête, Hadewijch von Antwerpen. Die entsprechenden Männergemeinschaften im MA. wurden **Begharden,** auch **Lollharden,** genannt.

📖 HOFMANN, GERTRUD *u.* KREBBER, W.: *Barmherzige Samariterinnen. B. – gestern u. heute. Verwirklichung einer Idee. Kevelaer 1991.*

Beglaubigung, amtl. Bescheinigung der Richtigkeit einer Unterschrift oder Abschrift, als **öffentl. B.** durch einen Notar oder eine andere landesrechtlich zuständige Stelle; die allgemeine behördl. **amtl. B.** ist keine öffentl. Beglaubigung. – Im diplomat. Verkehr ist B. die Bevollmächtigung eines Missionschefs durch sein Staatsoberhaupt **(Akkreditierung).**

Begleiter, *Astronomie:* Bez. für die massenärmere oder lichtschwächere Komponente in einem Mehrfachsternsystem (z. B. der Mond).

Begleitung (frz. Akkompagnement), *Musik:* das unterstützende und harmonisch ergänzende Mitgehen eines Tasteninstrumentes oder einer Instrumentalgruppe mit einer solist. Vokal- oder Instrumentalstimme.

Begnadigung, Aufhebung der Wirkungen von rechtskräftigen Entscheidungen der Straf- und Disziplinargerichte durch Verfügung der Staatsgewalt. Die B. ist ein Gnadenerweis im Einzelfall im Unterschied zur → Amnestie. Durch Rücksichtnahme auf das Gerechtigkeitsempfinden soll die Starrheit des positiven Rechts ausgeglichen werden. In Dtl. übt der Bundespräs. das B.-Recht für den Bund aus, ansonsten steht es den Ländern zu, die die zuständigen Organe gesetzlich festgelegt haben (überwiegend die MinPräs.), Art. 60 GG, § 452 StPO. – In *Österreich* hat der Bundespräs. das Recht der B. In der *Schweiz* wird die B. für die von einem Bundesgericht ausgesprochenen Strafen von der Bundesversammlung, im Übrigen von den Volksvertretungen der Kantone ausgeübt.

Begoni|e [frz.] (Schiefblatt, Begonia), krautige und strauchige, größtenteils tropisch-amerikan. Gattung der **Schiefblattgewächse,** etwa 1 000 Arten, mit zart fleischigen Blättern und unsymmetr. Blattgrund, mit eingeschlechtl. Blüten in Scheindolden und geflügelten, vielsamigen Kapseln. Zierpflanzen sind die groß- und buntblättrigen **Blatt-B.** und die gefülltblütigen **Knollenbegonie.**

Begräbnis, → Bestattung.

Begräbnismünzen (Sterbemünzen), anlässlich des Todes fürstl. Persönlichkeiten geprägte Münzen.

Begriff, abstrakte, gedankliche Darstellung der wesentl. Merkmale von konkret Seiendem; im Ggs. zur empir. Anschauung, die das sinnlich gegebene Konkrete zum Gegenstand hat. Geklärt und gegeneinander abgegrenzt werden B. durch Definitionen und Einordnung in B.-Systeme. Aus der Zusammensetzung von B. entstehen Urteil und

Schluss. Eine zentrale philosoph. Frage ist die nach der Seinsweise des im B. dargestellten Denkinhalts: Nach Platon drücken sich im B.-Inhalt Ideen aus, denen Realität in einem höheren Maße zukommt, als das für das konkret Seiende – die Ideen-»Abschattung« – der Fall ist (Begriffsrealismus). Aristoteles hingegen tendiert dazu, den B.-Inhalt als bloßes Produkt gedankl. Abstraktionsleistung zu deuten; eigtl. real sei lediglich der konkrete Gegenstand.

Eine weitere wichtige philosoph. Problematik betrifft das Verhältnis von Erfahrung und Begrifflichkeit: Der Rationalismus behauptet die Existenz apriorischer B., die der Erfahrung vorausgehen, während der Empirismus alle B. allein der sinnl. Erfahrung entsprungen annimmt. Kant sucht diesbezüglich die Synthese: Er unterscheidet empir. B., die der Erfahrung entspringen, von reinen Verstandes-B. (→Kategorie) und reinen Vernunft-B. (→Idee), die beide dem Erkenntnisvermögen entstammen und die Erfahrung von Gegenständen und Welt ermöglichen sollen.

Mit Hegel gewinnt der Terminus »Begriff« wieder eine auf das Seiende selbst bezogene Bedeutung: B. bezeichnet das →Wesen einer Sache, und die dialekt. Bewegung des B. über Thesis, Antithesis und Synthesis gibt unmittelbar die Entwicklung der Wirklichkeit wieder. Dieser Absolutsetzung des B. setzen Kierkegaard, Nietzsche, die Lebens- und die Existenzphilosophie ihre Philosophien des konkret existierenden Lebens entgegen. Der B. wird wieder zur wirklichkeitsfremden Abstraktion.

Martin Behaim: Der aus dem Jahr 1492 stammende älteste Erdglobus (Nürnberg, Germanisches Nationalmuseum)

Begriffsbildung, psych. Prozess, in dem Wesen und Funktion eines Gegenstandes (Sachverhalts) erfasst werden. Die B. ist abhängig von den intellektuellen Anlagen, der Entwicklung und der Kultur eines Individuums. Sie ist Voraussetzung der Kommunikation, durch die eine innere Repräsentation der Umwelt, ihrer Gegenstände, Ereignisse gewonnen wird, sodass sich das Individuum in die Wirklichkeit einordnen kann. Die B. vollzieht sich stufenweise. Sie ist Forschungsgegenstand der Denk-, Lern-, der kybernet. und (als »soziale Wahrnehmung«) der Sozialpsychologie.

Begriffsjurisprudenz, im 19. Jh. entwickelte, international einflussreiche Methodenlehre, die davon ausgeht, dass die Rechtsordnung ein geschlossenes System von Rechtsbegriffen bildet, aus denen sich mit den Mitteln der formalen Logik neue Entscheidungssätze lückenlos gewinnen lassen, unter Ausschaltung wirtsch. und sozialer Gesichtspunkte. Die B. führte zu einer rein positivist. Rechtsauffassung (Rechtspositivismus), gegen die sich ab dem Ende des 19. Jh. Widerstand regte (→Freirechtslehre, →Interessenjurisprudenz). Vertreter waren: J. J. Bachofen, J. C. Bluntschli, R. v. Ihering.

Begründung, *Recht:* die schriftl. Darlegung der sachl. Gründe, die eine behördl. oder gerichtl. Entscheidung tragen. Die B. ist i. d. R. für Urteile vorgeschrieben, auch für gerichtl. Beschlüsse, soweit sie durch Rechtsmittel anfechtbar sind, über ein Rechtsmittel entscheiden oder einen Antrag ablehnen.

Begründungssatz, Kausalsatz (ÜBERSICHT Syntax).

Begum [engl. 'begʌm] *die,* indischer Titel für Fürstinnen und fürstl. Witwen.

Begünstigung, der nach Begehung eines Verbrechens oder Vergehens dem Täter oder Teilnehmer geleistete Beistand, um ihm die Vorteile seiner Tat zu sichern (sachl. B.); nach § 257 StGB strafbar. Persönl. B. wird als →Strafvereitelung bestraft. In *Österreich* wird die Strafvereitelung als B. bezeichnet und nach § 299 StGB bestraft, während die (sachl.) B. als Hehlerei nach § 164 StGB geahndet wird. Auch in der *Schweiz* wird unter der Bez. B. die Strafvereitelung bestraft (Art. 305 StGB).

Behaghel, Otto, Germanist, * Karlsruhe 3. 5. 1854, † München 9. 10. 1936; einer der führenden Junggrammatiker; Arbeiten zur Sprachgesch. und Syntax: »Die dt. Sprache« (1886), »Gesch. der dt. Sprache« (1889), »Dt. Syntax«, 4 Bde. (1923–32).

Behaim, Martin, Kosmograph, * Nürnberg 6. 10. 1459, † Lissabon 29. 7. 1507; seit 1476 Kaufmann in den Niederlanden, kam 1484 nach Lissabon. 1491–93 lebte er in Nürnberg und erstellte 1492 den »Erdapfel«, den ältesten heute noch erhaltenen Globus.

Behaismus *der,* die Lehre der →Bahai-Religion.

Beham, Barthel, Hofmaler in München und Kupferstecher, *Nürnberg 1502, †Bologna 1540. Seine Kupferstiche trugen zur Verbreitung italien. Renaissanceformen in Dtl. bei.

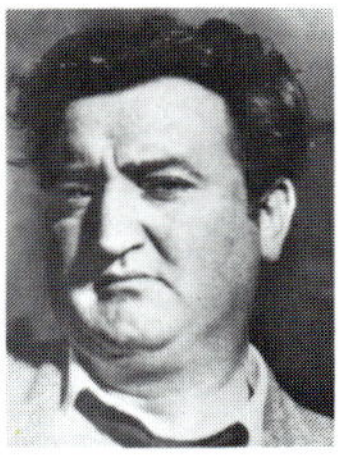

Brendan Behan

Behan ['bi:ən], Brendan, eigtl. Breandan O'Beachain, irischer Dramatiker, *Dublin 9. 2. 1923, †ebd. 20. 3. 1964; schrieb die Schauspiele »Der Mann von morgen früh« (1956), »Die Geisel« (1959); Autobiographie »Borstal Boy« (1958).

Behandlungsfehler, Verstoß eines Arztes oder Zahnarztes gegen die »Regeln der ärztl. Kunst« (daher auch **Kunstfehler**). Ein B., durch Fahrlässigkeit oder Vorsatz verursacht, begründet aus dem Behandlungsvertrag zivilrechtliche Ansprüche auf Schadensersatz und ggf. Schmerzensgeld gegen den, der ihn begangen hat. Ist dieser als Erfüllungsgehilfe eines Dritten tätig geworden (etwa als Arzt im Krankenhaus), so richten sich die Ansprüche gegen diesen Dritten, also den Krankenhausträger. Unabhängig von dieser Haftung aus dem Vertrag kann ein Anspruch aus unerlaubter Handlung gemäß §§823 ff. BGB in Betracht kommen. Sind zugleich strafrechtl. Tatbestände erfüllt (Körperverletzung oder Tod des Patienten als Folge des B.), so kann der Arzt oder Zahnarzt zusätzlich bestraft werden. Gutachterkommissionen oder Schlichtungsstellen, die Beschwerden von Patienten oder deren Angehörigen untersuchen, bestehen bei den Ärztekammern.

Behaviorismus [bihevjə-; zu engl.-amerikan. behavior »Verhalten«] *der,* Richtung der Psychologie, begründet von dem Amerikaner J. B. Watson Anfang des 20. Jh. Er verwarf wie I. P. Pawlow in der Lehre von den bedingten Reflexen die Methode der Selbstbeobachtung und der Übertragung eigener Erlebnisse auf andere Menschen und wollte die Psychologie auf das objektiv beobachtbare Verhalten unter wechselnden Umweltbedingungen gründen. Zunächst war der B. reine Reiz-Reaktion-Psychologie, später wurden nicht direkt beobachtbare Vorgänge als »dazwischentretende Variable« einbezogen. Zentrales Forschungsfeld des B. wurde die Lernpsychologie. Bes. am Tierexperiment suchte man Gesetze des Verhaltens abzulesen (→Verhaltensforschung). Ein Vorläufer des B. war E. L. Thorndike; bedeutendste Vertreter des **Neo-B.** (seit 1930) sind C. L. Hull, E. C. Tolman und B. F. Skinner.

Günter Behnisch: Zeltdachkonstruktion des 1967–72 erbauten Münchner Olympiastadions

📖 *Lernen u. Verhalten, hg. v.* H. ZEILER, *2 Bde. Neuausg. Weinheim u. a. 1984.* – WATSON, J. B.: *Der B., ergänzt durch den Aufsatz Psychologie, wie sie der Behaviorist sieht, hg. v.* C. F. GRAUMANN. *A. d. Amerikan. Frankfurt am Main* ³*1984.* – SCHINK, P.: *Kritik des B. Hamburg 1993.* – MEAD, G. H.: *Geist, Identität u. Gesellschaft aus der Sicht des Sozialbehaviorismus. A. d. Amerikan. Frankfurt am Main* ¹⁰*1995.*

Beheim-Schwarzbach, Martin, Schriftsteller, *London 27. 4. 1900, †Hamburg 7. 6. 1985; humorvoller Lyriker und Erzähler.

Beherbergungsgewerbe, Teil des Gastgewerbes.

Beherbergungsvertrag, Vertrag eigenen Typs mit Elementen des Miet-, Dienst-, Werk- und Kaufvertrages über die entgeltl. Überlassung eines Zimmers in einem Gasthof u. a. und die damit verbundenen Leistungen. Bei Sachschäden, die ein Gast erleidet, haftet der Gastwirt (§§701 ff. BGB). Für seine Leistungen hat der Gastwirt ein Pfandrecht an den eingebrachten Sachen des Gastes.

Beherrschungsvertrag (Organvertrag), Vertrag, durch den die Leitung einer AG oder KGaA einem anderen Unternehmen unterstellt wird (§291 Aktien-Ges.). Durch einen B. entsteht ein Konzern.

Behinderte, Menschen, die durch einen angeborenen oder erworbenen gesundheitl. Schaden in der Ausübung der im entsprechenden Lebensalter üblichen Funktionen beeinträchtigt sind und/oder auch in der Wahrnehmung oder Fortsetzung ihrer sozialen Rollen, der Eingliederung in den gesamten Lebenskontext, Einschränkungen unterliegen. Behinderungsarten sind: Körperbehinderungen, Dauerschädigungen innerer Organe, Sinnesschädigungen (Hören, Sehen), Sprachbehinderungen, geistige Behinderungen, psychische Behinderungen (Geisteskrankheiten einschließlich Suchtkrankheiten) und soziale Behinderungen (Lernbehinderungen, Verhaltensstörungen). Nach Art. 3 Abs. 3 GG darf niemand wegen seiner Behinderung benachteiligt werden. Deshalb sollen B. durch versch. Hilfen ins Schul- und Arbeitsleben sowie in die Gesellschaft eingegliedert werden. Dazu zählen Maßnahmen der →Rehabilitation und →Sonderpädagogik, Leistungen der →Pflegeversicherung und das Recht der →Betreuung. (→Schwerbehinderte)

Behindertensport, die sportl. Betätigung Behinderter aller Art und von Behinderung Bedrohter als Therapie und vorbeugende Maßnahme in Spiel, Breiten- und Wettkampfsport; gilt auch als wichtige Hilfe bei der Rehabilitation und damit der sozialen Integration der Behinderten. Wettbewerbe auf internat. Ebene sind z.B. die Behindertenolympiade (→Paralympics), die Weltspiele der Gehörlosen und der Querschnittsgelähmten, die Europaspiele der Blinden und die »Special Olympics« für geistig Behinderte.

Peter Behrens: Haus des Architekten auf der Mathildenhöhe in Darmstadt (1901)

Be̱hnisch, Günter, Architekt, *Lockwitz (heute zu Dresden) 12. 6. 1922; internat. bekannt durch die Zeltdachkonstruktion für das Stadion der Olymp. Spiele 1972 in München. *Weitere Werke:* Dt. Postmuseum in Frankfurt am Main (1990), Neubau des Bonner Bundestags (1992).

Behörde, jede Stelle, die als Organ des Staates oder eines selbstständigen Verwaltungsträgers Aufgaben der öffentl. Verwaltung wahrnimmt, ohne selbst rechtsfähig zu sein. Nach dem räuml. Bereich unterscheidet man Bundes-, Landes-, Kreis-, Gemeinde-B., nach der Tätigkeit Verwaltungs- und Justizbehörden. Im neueren Sprachgebrauch werden die Gerichte meist nicht den B. zugeordnet. Die Verwaltungs-B. desselben Geschäftsbereichs stehen zueinander im Verhältnis der Überordnung und Unterordnung **(Amtshierarchie);** daraus ergibt sich ein Aufsichts- und Weisungsrecht der übergeordneten Behörde. Wird der behördl. Wirkungskreis durch eine Person wahrgenommen (z.B. RegPräs.), spricht man von einer **monokrat. B.,** bei mehreren Personen (z.B. Gemeinderat) von einer **kollegialen Behörde.** (→Bundesbehörden)

Be̱hrend, Siegfried, Gitarrist und Komponist, *Berlin 19. 11. 1933, †Hausham (Kr. Miesbach) 20. 9. 1990; komponierte v.a. Werke für Gitarre, wobei er klass. Gitarrenrepertoire und Folklore verband.

Be̱hrens, 1) Hildegard, Sängerin (Sopran), *Varel 9. 2. 1937; v.a. Wagner- und Strauss-Interpretin.

2) Katja, Schriftstellerin, *Berlin 18. 12. 1942; schreibt teils autobiographisch orientierte Erzählprosa, in deren Mittelpunkt Frauengestalten stehen, u.a. »Die weiße Frau« (Erz., 1978), »Jonas« (Erz., 1981), »Die dreizehnte Fee« (R., 1983), »Im Wasser tanzen« (Erz.-Zyklus, 1990).

3) Peter, Architekt und Designer, *Hamburg 14. 4. 1868, †Berlin 27. 2. 1940; urspr. Maler; 1899 in die Darmstädter Künstlerkolonie berufen; wirkte bahnbrechend für die neue sachl. Gesinnung in Architektur und Kunsthandwerk.

Werke: Turbinenhalle der AEG in Berlin (1909); Dt. Botschaft in Sankt Petersburg (1911/12); Verwaltungsgebäude Farbwerke Hoechst (1920–24).

Be̱hring, Emil Adolph von (seit 1901), Serologe, *Hansdorf (Kr. Rosenberg in Westpreußen; heute Susz, Wwschaft Elbląg) 15. 3. 1854, †Marburg 31. 3. 1917; entdeckte 1890 das Diphtherie- und Tetanusantitoxin und begründete die Serumtherapie, v.a. ihre Anwendung gegen Diphtherie; erhielt 1901 den (ersten) Nobelpreis für Physiologie oder Medizin.

📖 FREYTAG-LORINGHOVEN, W. VON: *E. B., hg. v. der Ständigen E.-v.-B.-Ausstellung. Marburg 1988.*

Be̱i (Bej, Beg, Bek, Bey) [türk. »Herr«], ehem. türk. Titel, Rangstufe zw. Efendi und Pascha; heute svw. »Herr«. **Bejlerbej, Beglerbeg** [türk. »Herr der Herren«], früherer Titel eines türk. Prov.statthalters.

Beiboot, von Schiffen mitgeführtes kleines Ruder- oder Motorboot.

Beichtbrief (Ablassbrief), die bes. bis zum Tridentin. Konzil mit päpstl. Vollmacht gegen Geldspende ausgestellte Urkunde, die dazu berechtigte, bes. in der Todesstunde von einem selbst gewählten Beichtvater Lossprechung von allen Sünden und vollkommenen →Ablass zu erbitten.

Beichte [ahd. bijiht »Bekenntnis«], Sündenbekenntnis; findet sich auch bei vor- und nichtchristl. Religionen, in der ägyptischen Religion als »Unschulds-B.« beim Totengericht, im Jinismus und bei den Beichtversammlungen der buddhist. Mönche; in der *kath. Kirche* geltendes Gesetz und wesentl. Bestandteil des Bußsakramentes (→Buße), als **Ohrenbeichte** vor einem →Beichtvater abge-

Hildegard Behrens

Katja Behrens

Peter Behrens

Emil von Behring

legt, um Lossprechung (Absolution) zu erlangen. Die *evang. Kirchen* kennen die B. als allg. Sündenbekenntnis vor dem Abendmahl; sie ist jedoch kein Sakrament.

Beichtgeheimnis (Beichtsiegel), Verpflichtung des Beichtvaters zum unbedingten Stillschweigen über das, was er durch eine Beichte erfahren hat. Die Verletzung des B. wird mit den schwersten Kirchenstrafen bedroht. Das B. wird auch im staatl. Recht als Teil des priesterl. Berufsgeheimnisses z.B. durch ein Zeugnisverweigerungsrecht berücksichtigt (§ 383 ZPO, § 53 StPO).

Beichtspiegel, meist nach den Zehn Geboten geordnetes Verzeichnis häufig vorkommender Sünden für die Vorbereitung auf die Beichte, im Buddhismus ähnlich das Sündenregister im »Korb der Ordenszucht« (Vinayapitaka).

Beichtvater (Beichtiger, lat. Confessarius), *kath. Kirche:* Priester, der die Beichte entgegennimmt und das Bußsakrament spendet; dazu muss er vom Bischof bevollmächtigt sein.

Beida (El-B., Al-Bayda) [arab. »die Weiße«], Stadt in Libyen, an der Küste der Cyrenaika, 67 100 Ew. – 1963–69 eine der Hauptstädte des Landes; islam. Hochschule (gegr. 1961).

Beiderbecke ['beɪdəbekə], Bix, eigtl. Leon Bismarck B., amerikan. Jazzmusiker, * Davenport (Ia.) 10. 3. 1903, † New York 6. 8. 1931; als Trompeter bzw. Kornettist wichtiger Vertreter des Chicagostils.

Beiderwand (Beederwand) [nach der ind. Stadt Bidar], leinwandbindiges, deshalb beidseitig gleich wirkendes Gewebe aus Baumwolle oder Chemiefasern.

Beidhänder (Bidenhänder), Schwert des 16. Jh., dessen Griff mit beiden Händen gefasst werden musste.

Beifische (Nebenfische), Fischarten, die in der Teichwirtschaft neben der Hauptfischart gehalten werden.

Beifügung, *Grammatik:* → Attribut.

Beifuß (Artemisia), Korbblütlergattung, rd. 250 Arten, mit würzigen, meist geschlitzten Blättern und Blütenrispen oder -trauben, v.a. der nördl. gemäßigten Zone. Gewürze sind die mitteleurop. Ödlandstaude **Gemeiner B.** (Artemisia vulgaris), → Estragon und **Eberraute** oder **Zitronenkraut** (Artemisia abrotanum). Weitere Arten: → Wermut, Zitwer (→ Santonin).

Beifuß: Gemeiner Beifuß (Höhe bis 1,5 m)

beige ['bɛːʒə, frz.], sandfarben, gelblich grau.

Beigeladener, *Recht:* → Beteiligter.

Beigeordneter, ein vom Gemeindeparlament auf Zeit gewählter, haupt- oder ehrenamtlich tätiger, für bestimmte Verw.bereiche zuständiger Gemeindebeamter.

Beignet [bɛ'ɲɛ, frz.] *der,* Fettgebackenes, Krapfen, auch Gemüse oder Früchte in Teighülle.

Beihilfe, 1) *allg.:* finanzielle Unterstützung (bes. für Beamte); Stipendium.

2) *Strafrecht:* die wissentl. Hilfeleistung zur Begehung einer vorsätzl. und rechtswidrigen Straftat (§ 27 Abs. 1 StGB). Die Strafe richtet sich nach der für die Haupttat geltenden Strafandrohung, ist jedoch zu mildern. – Das *österr.* StGB behandelt die B. wie die Täterschaft (§ 12 StGB). Das *schweizer.* Recht (Art. 25 StGB) gleicht dem dt. Recht.

Bei Jiang (Peikiang) [chin. »Nordfluss«], Fluss in der südchines. Provinz Guangdong, 468 km lang, schiffbar, vereinigt sich westl. von Kanton mit dem Xi Jiang zum → Perlfluss.

Beijing, Hptst. der Volksrep. China, → Peking.

Beil, Werkzeug zum Behauen und Trennen von Holzstücken, Fleisch u.a., hat im Ggs. zur Axt einen kürzeren Stiel und wird nur mit einer Hand geführt.

Beilngries, Stadt im Landkreis Eichstätt, Bayern, am Zusammenfluss von Sulz und Altmühl, 8 000 Ew.; Handschuh-, Metallwarenfabrik; Fremdenverkehr. – Gut erhaltene Ringmauer, Pfarrkirche (12. Jh.).

Beilstein, Stadt im Landkreis Heilbronn, Bad.-Württ., 6 300 Ew., am SW-Rand der Löwensteiner Berge; Weinbau.

Beilstein, Friedrich Konrad, Chemiker, * Sankt Petersburg 17. 2. 1838, † ebd. 18. 10. 1906; Herausgeber des später nach ihm benannten »Hb. der organ. Chemie« (1880–83) für die sicher analysierten organ. Verbindungen; heute vom Beilstein-Inst. in Frankfurt am Main fortgeführt.

Bein [ahd. bein »Bein«, »Knochen«], **1)** *allg.:* Bez. für Knochen, z.B. Nasen-B., oder knochenähnliche Substanzen, z.B. Elfenbein.

2) *Anatomie:* paarige Gliedmaße der Tiere (Gliederfüßer und Wirbeltiere) und des Menschen zur Fortbewegung; bei aufrecht gehenden Tieren und beim Menschen untergliedert in: Oberschenkel, Unterschenkel und Fuß. Beim B. des Menschen besteht das Gerüst des **Oberschenkels** aus dem **Oberschenkelknochen (Femur),** dessen oberes kugeliges Gelenkende in der Hüftgelenkpfanne steckt und dessen unteres Ende mit zwei Gelenkhöckern die obere Gelenkfläche für das → Kniegelenk bildet. Die **Kniescheibe (Patella)** ist als »Sesambein« in die Sehne des Muskels eingelagert, der den Unterschenkel gegen den Oberschenkel streckt. Im **Unterschenkel** liegt nach innen das **Schien-B. (Tibia),** das mit scharfer Kante unter der Haut der Vorderseite des Unterschenkels vorspringt, und nach außen das schlankere **Waden-B. (Fibula).** Das obere Sprunggelenk, die Verbindung mit dem → Fuß, wird von je einem seitlichen Fortsatz beider Knochen, den Knöcheln, gebildet, die das Sprungbein gabelförmig umgreifen.

Beiname, dem Eigennamen beigefügter Name zur Kennzeichnung seines Trägers, z. B. Albrecht *der Bär;* aus B. gingen z. T. Familiennamen hervor (→Personenname).

Beinbrech (Ährenlilie, Narthecium ossifragum), kleinstaudiges Liliengewächs nordwestdt. Feuchtheiden und Hochmoore; geschützt.

Beingeschwür (Ulcus cruris), geschwüriger Haut-(Epithel-)Defekt an den Unterschenkeln (»offenes Bein«), tritt infolge venöser oder arterieller Durchblutungsstörungen bei Krampfadern, bei schwerer Arterienverkalkung und bes. bei Diabetes mellitus auf.

Beinhaus, der →Karner.

Beinhaut, →Knochen.

Beinhorn, Elly, Sportfliegerin, * Hannover 30. 5. 1907; zahlreiche Flugrekorde und Langstreckenflüge; heiratete 1936 den Automobilrennfahrer B. Rosemeyer.

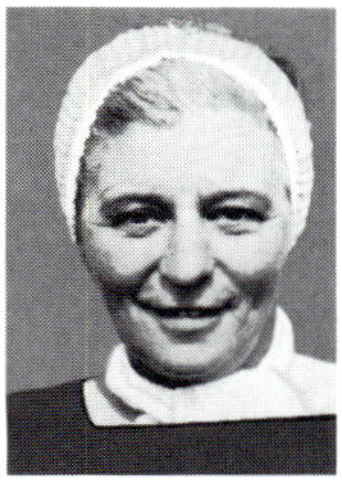

Elly Beinhorn

Beinwell [mhd., zu wallen »verheilen«] *der* oder *das* (Symphytum), rauhaarige, staudige Gattung der Borretschgewächse. Die Wurzel der europäisch-westasiat. violett bis weiß blühenden Art **Gemeiner B., Schwarzwurz** (Symphytum officinale) ist Volksarznei.

Beinzeug, im 13. Jh. aufgekommener Teil des →Harnischs; wurde im 17. Jh. durch die Stulpstiefel verdrängt.

Beira ['bɛira], **1)** Landschaft im nördl. Mittelportugal, zw. Douro, Tejo und der Estremadura; umfasst die histor. Provinz B. Alta, eine trockene Rumpfflächenlandschaft mit extensiver Weidewirtschaft und intensivem Ackerbau in den Tälern, die wenig fruchtbare B. Baixa mit Ölbaumkulturen und Schafhaltung sowie die Küstenlandschaft B. Litoral (auch Beiramar), die wirtschaftlich am besten entwickelt ist; Zentren sind Coimbra und Guarda.

2) Stadt in Moçambique, liegt an sumpfiger Flachküste am Ind. Ozean; 299 300 Ew.; Transithafen für Simbabwe und Malawi; Kabelwerk, Holz- und Juteverarbeitung; Badestrände; internat. Flughafen.

Beiram *der,* zwei türk. Feste, →Bairam.

Beirat, beratendes, oft ehrenamtl. Gremium u. a. bei zentralen Dienststellen (wiss. B.), Unternehmen, Schulen (Elternbeirat).

Beiratschaft, in der *Schweiz* die Beschränkung der Handlungsfähigkeit schutzbedürftiger Personen. Die Mitwirkung eines Beirats ist erforderlich zum Abschluss bestimmter Geschäfte (Grundstückskauf, Bürgschaft, Schenkung) und zur Prozessführung (Art. 395 ZGB). Im dt. Recht →Pflegschaft, →Betreuung.

Beirut (frz. Beyrouth), Hptst. des Libanon, am Mittelmeer auf einer Halbinsel am Fuß des Libanongebirges, rd. 1,5 Mio. Ew.; kulturelles und religiöses Zentrum: Universitäten, Kunsthochschule, Fachschulen, Bibliotheken, Nationalmuseum; mehrere Bischofssitze. B. war als Überseehafen, Station des Weltluftverkehrs, Handelsplatz und Finanzzentrum eine der wirtsch. aktivsten Städte Vorderasiens. Der Bürgerkrieg (1975–91) im Libanon zw. den versch., auch vom Ausland aus operierenden Gruppen zerstörte große Teile der Stadt und brachte das Wirtschaftsleben zum Erliegen. – B., das alte **Berytos,** war eine phönik. Seestadt, bezeugt seit dem 14. Jh. v. Chr., seit 14 v. Chr. römisch; seit dem 3. Jh. n. Chr. Sitz einer berühmten Rechtsschule. 635 wurde B. von den Arabern, 1110 und 1197 von den Kreuzfahrern erobert; später war es im Besitz der Drusen, seit 1516 türkisch. Infolge der Christenmorde in Damaskus (1860) siedelten sich viele Flüchtlinge in B. an.

🕮 Pott, M. *u.* Schimkoreit-Pott, R.: *B. Zwischen Kreuz u. Koran. Tb.-Ausg. Bergisch Gladbach 1988. – Recovering B. Urban design and post-war reconstruction, hg. v.* S. Khalaf *u.* P. S. Khoury. *Leiden u. a. 1993.*

Beisasse, im MA. der Städter ohne volles Bürgerrecht.

Beischilddrüsen, die →Nebenschilddrüsen.

Beischlaf, der →Geschlechtsverkehr.

Beischlag, 1) *Architektur:* eine dem Hauseingang in Höhe des Erdgeschosses der Straße zu vorgelegte kleine Terrasse mit Freitreppe, z. T. mit kunstvollen Stein- und Eisenbrüstungen, bes. im Ostseeraum.

2) *Numismatik:* Münznachprägung durch Unberechtigte.

Beisegel, Segel, das nur bei schwachem, günstigem Wind gebraucht wird, z. B. Spinnaker.

Beisel (Beisl) [von jidd. bajis »Haus«], *österr.* für Kneipe, kleine einfache Gaststätte.

Beisetzung, →Bestattung.

Beisitzer, neben dem Vors. das Mitgl. eines Gerichts oder einer kollegialen Verw.behörde; auch das Mitgl. eines Vereinsvorstands.

Beirut: Aufnahme von 1974 (vor der Zerstörung)

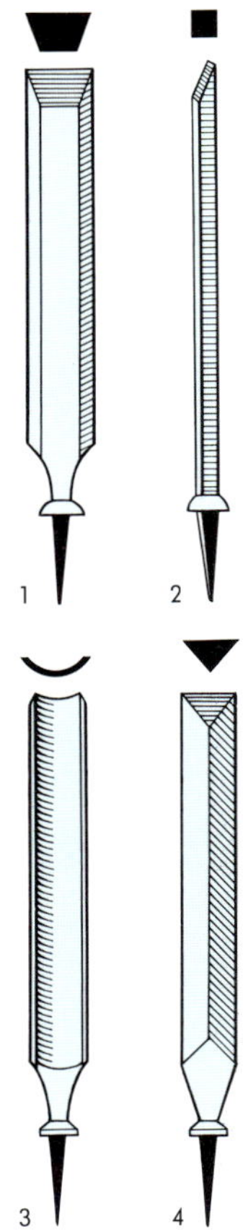

Beitel:
1 Stechbeitel,
2 Lochbeitel,
3 Hohlbeitel,
4 Kantbeitel
(mit Querschnitten)

Beispiel [mhd. bispel, zu spel »Rede«], *Literatur:* → Bispel.

Beistand, im Familienrecht eine Person, die dem Elternteil, dem das elterl. Sorgerecht allein zusteht, zur Unterstützung vom Vormundschaftsgericht auf Antrag beigeordnet werden kann (§§ 1685 ff. BGB); im Prozessrecht eine Person, die zur Unterstützung eines Angeklagten oder einer Partei in der Gerichtsverhandlung auftritt. In *Österreich* wird u. a. für beschränkt Entmündigte ein B. bestellt, in der *Schweiz* kann behördlich ein B. ernannt werden zur Vertretung einer Person oder zur Verw. eines Vermögens (Art. 392 ff. ZGB).

Beistandskredite, die → Stand-by-Kredite.

Beistrich, Komma (ÜBERSICHT Satzzeichen).

Beitel (Stecheisen, Stemmeisen), Werkzeug zum Bearbeiten von Holz durch Drücken oder Hammerschläge. Man unterscheidet: **Stech-, Loch-, Hohl-** und **Kantbeitel.**

Beiträge, 1) *allg.:* regelmäßige Zahlungen aufgrund von Mitgliedschaft, z. B. bei Vereinen, Parteien, Versicherungen.

2) *öffentliches Recht:* i. e. S. von einer öffentl. Gebietskörperschaft einseitig festgesetzte Abgaben, die als Gegenleistung für eine besondere öffentl. Leistung erhoben werden, die im Unterschied zu Gebühren nicht einer einzelnen Person, sondern einer Gruppe von Personen zugleich zugute kommen; auf die tatsächl. Inanspruchnahme kommt es nicht an (Erschließungs-B., Anschluss-B., Kurtaxe); i. w. S. auch die Abgaben aufgrund der Zwangsmitgliedschaft in berufsständ. Organisationen (z. B. Industrie- und Handelskammern) und die Sozialversicherungsbeiträge.

Beitragsbemessungsgrenze, in der gesetzl. Renten-, Arbeitslosen-, Kranken- und Pflegeversicherung die Grenze (jährlich neu festgelegt), bis zu der das Bruttoarbeitsentgelt beitragspflichtig ist. Das die B. übersteigende Arbeitsentgelt wird zur Beitragszahlung nicht herangezogen.

Beitragserstattung, die Rückerstattung von Beiträgen in der gesetzl. Rentenversicherung, u. a., wenn die Versicherungspflicht entfällt und das Recht zur freiwilligen Weiterversicherung nicht besteht. Eine B. bei Heirat gab es bis 1968.

Maurice Béjart

Beitragszeiten, für die → Rentenberechnung wichtige Zeiten, in denen Beiträge gezahlt wurden oder als gezahlt gelten. Hierzu gehören sowohl Pflichtbeiträge aus einer Beschäftigung oder selbstständigen Tätigkeit als auch freiwillige Beiträge. Zu den Pflicht-B. zählen auch Kindererziehungszeiten, Wehr- und Zivildienstzeiten, Zeiten mit Bezug von Vorruhestandsgeld, Lohnersatzleistungen (z. B. Kranken- und Arbeitslosengeld) und Pflegezeiten. Die **beitragsfreien Zeiten,** in denen zwar keine Beiträge gezahlt wurden, die aber dennoch die Rente erhöhen können, sind ebenfalls B. (Anrechnungs-, Ersatz-, Zurechnungszeiten).

Beitreibung, zwangsweise Einziehung von Geldforderungen. Die B. privatrechtl. Forderungen erfolgt durch → Zwangsvollstreckung, die B. öffentlich-rechtl. Forderungen nach den Verwaltungsvollstreckungs-Ges. des Bundes und der Länder, der AO u. a. Vorschriften.

Beitz, Berthold, Industrieller, * Demmin 26. 9. 1913; 1953–67 Generalbevollmächtigter, 1970–89 Vors. des Aufsichtsrates der Friedrich Krupp GmbH, seit 1967 Vors. des Kuratoriums der Alfried-Krupp-von-Bohlen-und-Halbach-Stiftung.

Beitzger, ein Fisch, → Schmerlen.

Beiwagen, beim Kraftrad → Seitenwagen.

Beiwort, *Rhetorik:* schmückendes B. (Epitheton ornans), lobend ausmalender Zusatz (ÜBERSICHT Redefiguren).

Beiz [von jidd. bajis »Haus«], *schweizer.* für Kneipe, einfaches Gasthaus.

Beize, 1) *Jagdkunde:* Jagd auf Feder- und Haarraubwild mit abgerichteten Greifvögeln, bes. Falken **(Beizfalken).** B. war im MA. in Dtl. sehr gebräuchlich, heute noch in Steppen Asiens und Afrikas.

2) *Kochkunst:* andere Bez. für Marinade.

3) *Technik:* → beizen.

Beizeichen (Bruch), Merkmale an sonst gleichen Wappen zur Kennzeichnung versch. Personen oder Linien eines Geschlechts oder unechter Abstammung: Veränderung der Wappenfarben und Helmzierden, Vermehrung, Verminderung oder Verstümmelung von Figuren.

beizen, Oberflächen mit einer **Beize** (feste, flüssige oder auch gasförmige Stoffe, die auf chem. Wege die Oberfläche verändern) behandeln; Holz wird farbstärker, Leder wird in seinem Fasergefüge lockerer, Metall verliert unerwünschte Oberflächenschichten und bildet Schutz- und Effektschichten; in der Landwirtschaft werden Saatgut (zur Bekämpfung von tier. und pflanzl. Schädlingen) und Tabak (zur Gärungsanregung) gebeizt.

Beja ['bɛʒa], Distr.-Hptst. in Portugal, 10 000 Ew.; wichtiger Agrarmarktort; kath. Bischofssitz; NATO-Flughafen.

Béja [be'ʒa, frz.], Stadt in N-Tunesien, 47 000 Ew.; Verw.sitz eines Gouvernements; Zentrum eines Agrargebiets (Getreide-, Zuckerrübenanbau).

Bejaïa [beʒa'ja] (bis 1963 Bougie), wichtigster Handelshafen Algeriens, Hptst. des Wilayats B., 118 200 Ew.; Ausfuhr von Erdöl, Endpunkt der Erdölleitung von Hassi Messaoud; vielseitige Industrie.

Béjart [be'ʒa:r], Maurice, eigtl. M. Berger, frz. Choreograph, * Marseille 1. 1. 1927; 1960–87 Ballettdirektor in Brüssel, dann Chefchoreograph in Lausanne; daneben seit 1992 Principal Guest Cho-

Beize 1): Reitende Falkner, Miniatur aus dem von Kaiser Friedrich II. von Hohenstaufen verfassten Falkenbuch (um 1246 vollendet)

reographer an der Dt. Staatsoper Berlin; Hauptvertreter des modernen Balletttheaters.

Bekanntmachung (amtliche B.), öffentl. Bekanntgabe behördl. Anordnungen. Gesetze und Verordnungen werden in Gesetz- oder Amtsblättern bekannt gemacht. Eine **öffentl. B.** ist in vielen Fällen gesetzlich vorgesehen, in denen nur Einzelpersonen betroffen werden, z.B. bei Aufgeboten, Zwangsversteigerungen im Konkursverfahren, in Registersachen, bei Patenten und Warenzeichen.

Bekassine [frz.] *die,* Art der →Sumpfschnepfen.

Bekehrung, die Annahme eines neuen Glaubens durch Zwang oder durch eine innere Entscheidung; theologisch wird die B. als Gottes Werk unter Mitwirkung des Menschen angesehen.

Bekennende Kirche, seit 1934 die Bewegung innerhalb der evang. Kirche Dtl.s, die der nat.-soz. bestimmten Haltung der Dt. Evang. Kirche und den von ihr gestützten →Deutschen Christen entgegentrat. Hervorgegangen aus dem von M. Niemöller 1933 in Berlin-Dahlem gegründeten »Pfarrernotbund«, um den sich örtlich bekennende Gemeinden sammelten, breitete sich die B.K. in allen Teilen Dtl.s aus. Sie wandte sich auf den Bekenntnissynoden von Barmen (Mai 1934, Barmer Theolog. Erklärung), Dahlem (Okt. 1934) und Augsburg (Juni 1935) insbesondere gegen die Abschaffung des A.T. und den Arierparagraphen. Auf der 2. Bekenntnissynode in Dahlem wurde der Notstand der Kirche erklärt und den »Bruderräten« (als Notkirchenregiment) die wichtigsten Aufgaben der Kirchenleitung übertragen. In Bekenntnisfragen erklärte sich die B. K. für allein rechtmäßig und verneinte den Macht- und Rechtsanspruch der Reichskirche. Ihre Haltung wurde vom nat.-soz. Regime als polit. Reaktion verstanden. Die B. K. hielt aber trotz Amtsenthebungen von Pfarrern und Theologieprofessoren, Verfolgung und Inhaftnahme von Pastoren und Laien, Zeitschriften- und Bücherverbot u.a. den Widerstand aufrecht und wuchs über die Bedeutung einer rein kirchl. Bewegung hinaus. Nach 1945 wirkte die B.K. führend bei der Neuordnung der evang. Kirche in Dtl. mit. – Wichtige Persönlichkeiten der B. K. waren die Bischöfe T. Wurm und H. Meiser, Präses K. Koch, die Pastoren F. von Bodelschwingh, M. Niemöller, H. Asmussen sowie die Theologen K. Barth und D. Bonhoeffer.

📖 KLAPPERT, B.: *B. K. in ökumen. Verantwortung. Die gesellschaftl. u. ökumen. Bedeutung des Darmstädter Wortes. München 1988.* – GERLACH, W.: *Als die Zeugen schwiegen. B. K. u. die Juden. Berlin ²1993.*

Bekenntnis, 1) die zur Selbstbesinnung und zur Abwehr von Irrlehren dienende Zusammenstellung des Glaubensinhalts einer religiösen Gemeinschaft (→Bekenntnisschriften), die als Richtschnur für die religiöse Überzeugung ihrer einzelnen Glieder dient. 2) die Zugehörigkeit zu einer Religionsgemeinschaft (Konfession).

Bekenntnisfreiheit, →Glaubens-, Gewissens- und Bekenntnisfreiheit.

Bekenntnisschriften, die für eine Religion grundlegenden Zusammenfassungen ihrer Glaubenslehre. Zu ihnen gehören im Christentum bes. die ökumen. Glaubensbekenntnisse. In der *kath. Kirche* gelten als B. auch die Beschlüsse der →Ökumenischen Konzile. Als eigentliche B. der *Ostkirchen* gelten die Lehrentscheidungen der ersten sieben Ökumen. Konzile, dann bes. das Glaubensbekenntnis des Petrus Mogila (1640). Die *evang. Kirchen* sind neben den drei altkirchl. ökumenischen Symbolen der →Augsburgischen Konfession, den →Schmalkaldischen Artikeln sowie Melanchthons Schrift »Von der Gewalt und Obrigkeit des Papstes« verpflichtet; mit der Konkordienformel sind sie im **Konkordienbuch** zusammengefasst. In den *ref. Kirchen* zählen zu den B. der →Genfer Katechismus, die 2. →Helvetische Konfession, der →Heidelberger Katechismus, das →Common Prayer Book.

Georg von Békésy

Harry Belafonte

Bekenntnisschule, →Konfessionsschule.

Békéscsaba ['be:ke:ʃtʃɔbɔ], Hptst. des ungar. Bez. Békés, Eisenbahnknotenpunkt östlich der Theiß, zentraler Ort des südöstl. Ungar. Tieflands, 67 900 Ew.; u. a. Textil- und Lebensmittelindustrie.

Békésy ['be:ke:ʃi], Georg von, amerikan. Physiker und Physiologe ungar. Herkunft, *Budapest 3. 6. 1899, †Honolulu 13. 6. 1972; seit 1947 in den USA, erhielt für seine Forschungen zur Physiologie des Gehörs 1961 den Nobelpreis für Medizin oder Physiologie.

Beklagter, im Zivilprozess u. ä. Verfahren die Gegenpartei des Klägers, gegen die sich eine Klage richtet.

Bekleidungsgewerbe, Wirtschaftszweig, der die überwiegend industrielle Herstellung von Bekleidung (ohne Schuhind., Wirkerei und Strickerei) umfasst. Trotz Konzentrationserscheinungen überwiegt in Dtl. der mittelständ. Charakter der Betriebe, die einem starken Konkurrenzdruck durch die sog. Niedrigpreisländer (Hongkong, Südkorea, Taiwan) ausgesetzt sind. Infolge des internat. Wettbewerbs ist die Bedeutung des B. rückläufig, was sich v. a. in einem Arbeitsplatzabbau niederschlägt.

Bektaschi, einflussreicher Derwischorden, dessen Anfänge ins 14. Jh. zurückreichen, in der Türkei 1925 aufgehoben, besteht illegal fort. In seiner Lehre vermischen sich islam.-mystische Elemente (→Sufismus) mit christl. und gnostischen: Verachtung des Ritualgesetzes, Keuschheitsgelübde, sakrales Mahl von Brot, Käse und Wein.

Bel [nach A. G. Bell] *das,* Einheit für Pegel- und Dämpfungsmaße; meist wird der zehnte Teil (→Dezibel) verwendet.

Bel [babylon. »Herr«], Beiname versch. babylon. Götter, bes. des Marduk, wurde mit seinem Aufstieg zum Reichsgott auch zum »Herren« schlechthin.

Belafonte [belə'fɔntɪ], Harry, amerikan. Sänger und Filmschauspieler, *New York 1. 3. 1927; wurde v. a. durch seine Calypso-Interpretationen bekannt (»Banana boat song«, »Coconut woman«).

Belagerung, militär. Bedrohung einer →Festung.

Belagerungszustand, Zustand, in dem unter dem Zwang eines Krieges oder innerer Unruhen die bürgerl. Gesetze durch Kriegsgesetze, die Verwaltungs- durch Militärbehörden und die ordentl. Strafgerichte durch Kriegsgerichte ersetzt werden **(Kriegszustand).** Das GG Dtl.s kennt den B. nicht.

Belaja [»die Weiße«] *die,* Name vieler Flüsse in Russland; wichtigster ist der linke Nebenfluss der Kama, 1 430 km, ab Ufa schiffbar.

Belaja Zerkow (ukrain. Bila Zerkwa), Stadt im Gebiet Kiew, Ukraine, 204 000 Ew.; landwirtschaftl. Hochschule, Landmaschinenbau, Reifenherstellung. – Im 18. Jh. wichtiger Kosakenstützpunkt.

Belarus, Republik in O-Europa, →Weißrussland.

Belastung, 1) *Bautechnik:* die an Bauwerken wirkenden Kräfte, z. B. Gewichtskräfte, Windkräfte, die sich als Zug, Druck, Biegung, Drehung, Knickung auswirken (können). Zu unterscheiden sind Hauptlasten, d. h. die Summe der unveränderl. Lasten, sowie Zusatzlasten und Sonderlasten, die veränderl. oder bewegl. B. des Bauteils.

2) *Elektrotechnik:* bei Kraftmaschinen der zu überwindende Widerstand der anzutreibenden Maschine. Strom- und Spannungsquellen werden durch Verbraucher belastet.

3) *Medizin, Psychologie:* starke körperl. und seel. Beanspruchung durch anhaltende äußere oder innere Aktivität oder Reizeinwirkung (z. B. Muskelarbeit, Konzentrations- und Denkleistung, erbl. B. durch organ. Disposition, Krankheit).

4) *Umweltschutz:* die Menge eines verschmutzenden Stoffes, die einem Gewässer oder der Luft innerhalb eines Zeitabschnittes zugeführt wird. Ein Gebiet, in dem solche Verunreinigungen aufgrund von Häufigkeit und Dauer, Konzentrationen oder der Gefahr von Kombinationswirkungen in besonderem Maße auftreten, wird als **Belastungsgebiet** bezeichnet; es wird als solches i. e. S. ausgewiesen, wenn in ihm die geltenden Immissionswerte der TA Luft überschritten werden, und zwar durch Rechts-VO der zuständigen Landesreg., u. a. nach Erstellung eines Emissionskatasters.

5) *Wirtschaft:* die Beschränkung des Eigentums an einem Grundstück durch Hypothek, Erbbaurecht u. a.

Belau, Inselstaat im Pazif. Ozean, →Palau.

Belaúnde Terry [bela'unde 'tɛrri], Fernando, peruan. Politiker, *Lima 7. 10. 1912; seit 1956 Führer der Partei »Acción Popular«; war 1963–68 und 1980–85 Staatspräsident.

Belcanto [italien. »schöner Gesang«] *der,* bes. von der italien. Schule gepflegter Gesangsstil des 17.–19. Jh., der um höchste Klangschönheit und Ausgeglichenheit der Stimme bemüht ist.

Belchen *der,* 1) dritthöchster Berg des Schwarzwaldes, 1 414 m hoch. 2) **Großer B.** (frz. Grand Ballon, Ballon de Guebwiller), höchste Erhebung der Vogesen, 1 423 m hoch.

Belebtschlammverfahren (Belebungsverfahren), ein Verfahren der biolog. →Abwasserreinigung.

Beleg, 1) *Buchführung:* Unterlage, die Geschäftsvorgänge dokumentiert (Rechnung, Quittung) und als Beweis bei der ordnungsgemäßen Buchung dient.

2) *Informatik:* Datenträger (Magnetkarten, Formulare u.a.), der Informationen in Klartext (z.B. gedruckte Buchstaben) oder in kodierter Form (z.B. Strichkode) enthält und maschinell von einem B.-Leser gelesen werden kann.

Belegschaft, Gesamtheit der Arbeitnehmer eines Unternehmens.

Belegschaftsakti|en, Aktien, die von Aktiengesellschaften zu Vorzugskonditionen an eigene Mitarbeiter ausgegeben werden. Die B. unterliegen einer Sperrfrist von sechs Jahren, d.h., der Veräußerungsgewinn (Differenz zw. Emissions- und Börsenkurs) ist zu versteuern, wenn sie vor Ablauf der Sperrfrist verkauft werden.

Belegstück (Belegexemplar), Exemplar eines Druckwerks, das zum Beweis seines Erscheinens dem Verfasser bzw. den Verfassern und bestimmten Bibliotheken (i. Allg. der zuständigen Landesbibliothek und der Deutschen Bibliothek) zugestellt wird.

Belehnung (Investitur), die feierl. Übertragung eines Lehens (→Lehnswesen).

Beleidigung, jede vorsätzl. Kränkung der Ehre eines anderen. Sie kann sich gegen einzelne Personen richten und, soweit diese einen einheitl. Willen bilden können, gegen Personengemeinschaften (z.B. Vereine); sie kann durch Worte oder durch Tätlichkeit erfolgen. Das StGB (§§185ff.) unterscheidet **einfache B.** (Kundgebung herabsetzender Werturteile), **üble Nachrede** (Behaupten oder Verbreiten ehrenrühriger, nicht erweislich wahrer Tatsachen), **Verleumdung** (Behaupten oder Verbreiten unwahrer, ehrenrühriger oder kreditgefährdender Tatsachen wider besseres Wissen) und **Verunglimpfung des Andenkens Verstorbener.** Als Strafen sind Geld- oder Freiheitsstrafe vorgesehen. B. ist ein Antragsdelikt. – Das *österr.* StGB belegt die B. gemäß §§111ff. ebenfalls mit Geld- oder Freiheitsstrafe, das *schweizer.* StGB (Art.173ff.) mit Gefängnis oder Buße.

Beleihung, Krediteinräumung gegen Verpfändung eines Gegenstandes oder Belastung eines Rechtes, bes. im Lombardgeschäft und bei Immobilienkrediten (z.B. die Aufnahme einer Hypothek auf ein Haus).

Belém [beˈlẽj], **1)** Stadtteil von Lissabon; Wohnsitz des Präs.; der Torre de B. (1515–21), direkt an der Küste der Tejomündung, diente dem Schutz der Einfahrt in den Hafen von Lissabon (er war zeitweilig auch Staatsgefängnis); der Turm sowie das nahe gelegene Hieronymitenkloster (wahrscheinlich um 1502–72) wurden beide im Emanuelstil erbaut und zählen heute zum UNESCO-Weltkulturerbe.

2) Hptst. des brasilian. Staates Pará, im Mündungsgebiet des Amazonas, am Mündungstrichter von Rio Pará und Rio Tocantins, 1,245 Mio. Ew.; Sitz vieler staatl. Institutionen; Univ.; Erzbischofssitz; Hauptexporthafen und Handelsplatz für Produkte der Sammelwirtschaft Amazoniens; bed. Industriezentrum; internat. Flughafen. – 1616 von Portugiesen als Fort gegründet.

Belém: Kreuzgang des Hieronymitenklosters (um 1502–1572)

Belemnịten [zu grch. bélemnos »Geschoss«], im Tertiär ausgestorbene Kopffüßer, verwandt mit den Tintenfischen. Das Rostrum, ein kegelförmiger Teil seiner Kalkschale (bis 0,5 m lang), häufig in Jura- und Kreideablagerungen, heißt im Volksmund **Donnerkeil** oder **Teufelsfinger.**

Beletage [bɛleˈtaːʒə; frz. »schönes Stockwerk«] *die,* Hauptgeschoss eines herrschaftlichen Gebäudes, meist über dem Erdgeschoss gelegen.

Beleuchtungsstärke, Formelzeichen *E,* das Verhältnis des senkrecht auf eine Fläche fallenden Lichtstromes zur Fläche, gemessen in Lux (lx); 1 lx = 1 Lumen je m^2. Die B. ist eine wichtige photometr. Größe (→Photometrie) zur Bewertung von Beleuchtungsanlagen; Messung mit →Luxmetern.

Belfast Stadtwappen

Belfạst, Hptst. von Nordirland, 283700 Ew.; Mittelpunkt der Region und des Distr. B.; anglikan. und kath. Bischofssitz; kulturelles Zentrum mit Univ. (gegr. 1908), mehreren Museen, Theater und Oper; Erdölraffinerie, Schiff- und Flugzeugbau, Tabak-, Textil-, Lebensmittelindustrie; Seehafen, Flugplatz. – B. entstand bei einer wohl Ende des 12.Jh. erbauten normann. Burg, erlangte 1613 Stadtrechte und entwickelte sich im 17./18.Jh. zum Handelszentrum für NO-Irland; 1920 wurde B. Sitz der Verw.behörden Nordirlands.

Belfort 2) Stadtwappen

Belfort [bɛlˈfɔːr], **1)** (amtl. Territoire de B, Dép. in Frankreich, 609 km², (1990) 134100 Einwohner.

2) Stadt im N-Teil der Burgund. Pforte, im Tal der Savoureuse, Verw.sitz von 1), 52000 Ew.; Textil-, elektron. Ind., Maschinenbau. – Die Herrschaft B. im Sundgau kam im 12.Jh. an die Graf-

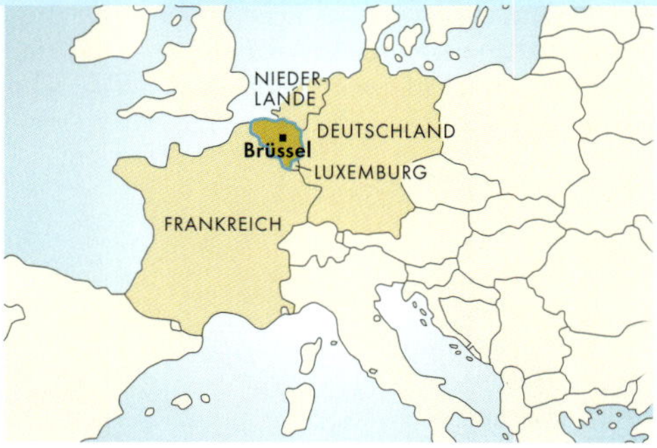

Belgien

Fläche: 30 519 km²
Einwohner: (1995) 10,11 Mio.
Hauptstadt: Brüssel
Verwaltungsgliederung: 10 Provinzen und die Region Brüssel
Amtssprachen: Französisch, Niederländisch und Deutsch
Nationalfeiertag: 21. 7.
Währung: 1 Belg. Franc (bfr) = 100 Centimes (c)
Zeitzone: MEZ

Staatswappen

B

Internationales Kfz-Kennzeichen

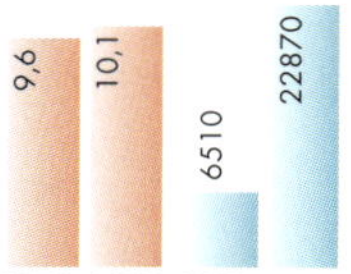

1970 1995 Bevölkerung (in Mio.)
1970 1994 Bruttosozialprodukt je Ew. (in US-$)

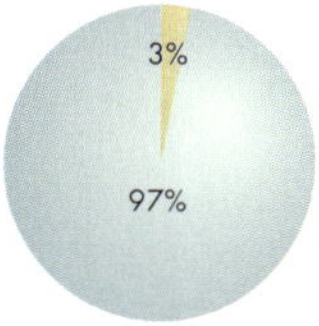

Stadt
Land
Bevölkerungsverteilung 1994

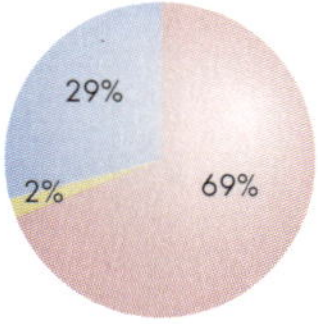

Industrie
Landwirtschaft
Dienstleistung
Bruttoinlandsprodukt 1993

schaft Pfirt, mit dieser im 14. Jh. an die Habsburger, 1648 an Frankreich. Vauban baute B. 1687 zum Schutz der Burgund. Pforte (Trouée de B.) zur Festung aus. 1870/71 wurde diese von den Deutschen belagert; sie ergab sich erst nach dem Fall von Paris. Im 1. und 2. Weltkrieg war sie ein wichtiges strateg. Hindernis.

Bẹlfried (frz. Beffroi), Turm, bes. der Glockenturm der flandr. Städte des MA.; auch Bez. für den →Bergfried.

Bẹlgard (Persạnte), Stadt in Polen, →Białogard.

Bẹlgen, die nordgall. Stämme zw. Seine und Rhein, kelt., z. T. german. Abkunft. Die bedeutendsten waren die Bellovaker, Nervier, Aduatuker, Eburonen, Suessionen, Remer, Viromanduer, Ambianer, Atrebaten, Moriner und Menapier.

Bẹlgern, Stadt im Kr. Torgau-Oschatz, Sachsen, am linken Ufer der Elbe, 5 000 Ew.; Fleischverarbeitung. Der alte Stadtkern mit Bartholomäuskirche (1509–12) und Rathaus (1575, erneuert 1661) mit Rolandsfigur steht unter Denkmalschutz.

Bẹlgica, röm. Provinz in Nordgallien, benannt nach den Belgen; Hptst. war Reims.

Bẹlgien (amtl. frz. Royaume de Belgique, niederländ. Koninkrijk België, dt. Königreich B.), konstitutionelle Monarchie in W-Europa, grenzt im NW an die Nordsee, im N an die Niederlande, im O an Deutschland, im SO an Luxemburg, im S und W an Frankreich.

Staat und Recht: Nach der Verf. vom 7. 2. 1831 (mehrfach geändert) ist B. eine konstitutionelle Monarchie, erblich im Hause Sachsen-Coburg (seit Juni 1991 auch weibl. Thronfolge möglich). Staatsoberhaupt ist der König. Er ist Oberbefehlshaber der Streitkräfte, ernennt die Mitgl. des Kabinetts und hat formal absolutes Vetorecht. Die Reg. unter Vorsitz des Premiermin. ist dem Zweikammerparlament, bestehend aus Senat (181 Mitgl.) und Abgeordnetenhaus (212 Abg.), jeweils auf vier Jahre gewählt, verantwortlich. Das Parteiensystem ist neben den polit. Gegensätzen vom Sprachkonflikt zw. Flamen und Wallonen geprägt. Die urspr. fläm. und wallon. Flügel der großen Parteien wurden zu selbstständigen Parteien: Bei den Christdemokraten die Christl. Volkspartei (CVP) und die Christlich-Soziale Partei (PSC), bei den Sozialisten die fläm. Sozialist. Partei (SP) und die frankophone Sozialist. Partei (PS), bei den Liberalen die Partei für Freiheit und Fortschritt (PVV) und die Partei für die Reformen und die Freiheit Walloniens (PRLW). Daneben gewinnen zunehmend rechtsextreme Parteien wie Vlaamse Blok und Nat. Front an Bedeutung. Seit dem Föderalisierungs-Ges. von 1980 ist B. ein Bundesstaat; er ist gegliedert in drei Regionen (Flandern, Wallonien, Brüssel), drei Gemeinschaften (die flämisch-, die frz.- und die deutschsprachige) sowie vier Sprachgebiete (das niederländ., das frz., das dt. und das zweisprachige Brüsseler Gebiet). Die Gemeinschaften und Regionen verfügen über eigene legislative und exekutive Körperschaften.

Landesnatur: Drei Großlandschaften prägen B.: Hinter der rd. 65 km langen Nordseeküste erstreckt sich das flandr. Tiefland (Nieder-B.); hier folgt landeinwärts einem bis 30 m hohen Dünenzug ein schmaler Marschensaum und die von Sanden oder Löss bedeckte Geest, ein welliges bis hügeliges Gelände. In Mittel-B. schließen sich die von der Schelde und ihren Nebenflüssen entwässerten Lösslehmplatten an (Brabant, Haspengau, Hennegau). Das Gebiet südlich von Sambre und Maas (Hoch-B.) wird von den Ardennen (höchste Erhebung: Botrange mit 694 m) und ihrem Vorland eingenommen. Steile Schichtstufen leiten am S-Rand der Ardennen zum Pariser Becken über. Das Klima ist ozeanisch: wintermild, sommerkühl und feucht; im NO (Kempenland) machen sich kontinentale Züge bemerkbar.

Bevölkerung: Sie lebt zu rd. 58 % im fläm. (Niederländisch sprechenden) Norden, zu rd. 33 % im wallon. (Frz. sprechenden) Süden. Die Sprachgrenze verläuft knapp südlich der Städtelinie Kortrijk–Ronse–Halle–Brüssel–Löwen–Tongern. Auf die dt.sprachige Bev., die im Gebiet von Eupen und Sankt Vith wohnt, entfällt ein Anteil von 0,7% der Gesamtbevölkerung. Die Region Brüssel mit rd. 10% der Ew. ist eine zweisprachige Insel im niederländ. Sprachgebiet. Die Bev.dichte ist in den Ardennen dünn, im Maastal und in Flandern hoch. Rd. 90% der Bev. sind Katholiken, 50000 Protestanten und 35000 Juden. – Allg. Schulpflicht besteht vom 6. bis 16. Lebensjahr. Schulen werden von den Gemeinden und bes. der kath. Kirche unter Staatsaufsicht unterhalten. Es besteht freie Wahl zw. drei gleichrangigen Hochschultypen: sechs Staats-Univ., acht konfessionellen kath. Univ. und vier »laizist.« Freien Univ. mit staatl. Beteiligung. Diplome werden allerdings nur im selben Sprachgebiet bzw. bei gleichsprachigen Institutionen (z.B. Brüssel) anerkannt.

Wirtschaft, Verkehr: Wichtigster Wirtschaftszweig ist die verarbeitende, stark exportorientierte Ind., die bes. in den dicht bevölkerten fläm. Landesteilen im N konzentriert ist: Eisen- und Stahlind., Metall verarbeitende, feinmechan., opt., elektrotechn. Ind., Maschinen- und Fahrzeugbau, Glas-, Textil-, chem., petrochem., pharmazeut., Baustoff-, Papier-, Schuh-, Nahrungsmittel- und Genussmittelind., Diamantschleifereien. Einziger bedeutsamer Rohstoff ist Kohle. Sie war die Grundlage der wallon. Ind.gebiete, die sich von Lüttich über Charleroi bis zur frz. Grenze hinziehen. Seit Mitte der 1970er-Jahre wurde die wallon.

REGIONEN UND SPRACHGEBIETE BELGIENS

Wirtschaft durch die Schließung von Steinkohlebergwerken sehr geschwächt und verlor gegenüber der aufstrebenden Wirtschaft Flanderns (v.a. Raum Antwerpen) an Bedeutung. – Die in ihren Hektarerträgen hoch entwickelte Landwirtschaft deckt rd. 60% des Nahrungsmittelbedarfs des Landes, beschäftigt aber weniger als 3% der Erwerbstätigen und erbringt rd. 2% des Bruttoinlandsprodukts. Angebaut werden Getreide (v.a. Weizen und Braugerste), Kartoffeln, Futter- und Zuckerrüben, Flachs und Gemüse, außerdem bestehen Obstkulturen sowie Rinder- und Schweinezucht. – Hauptausfuhrgüter sind Eisen- und Stahlwaren, Maschinen, Textilien, chem. Erzeugnisse, Nah-

Belgien, Verwaltungsgliederung (1995)

Provinz	Fläche in km^2	Ew. in 1000	Ew. je km^2	Hauptstadt
Antwerpen	2867	1629	568	Antwerpen
Brüssel (Hauptstadtregion)	162	952	5874	
Flämisch-Brabant	2107	995	472	Löwen
Hennegau	3786	1287	340	Mons
Limburg	2422	772	318	Hasselt
Lüttich	3862	1015	263	Lüttich
Luxemburg	4440	240	54	Arlon
Namur	3666	434	118	Namur
Ostflandern	2982	1349	452	Gent
Wallonisch-Brabant	1090	337	309	Nivelles
Westflandern	3144	1121	357	Brügge
Belgien	30528	10131	332	Brüssel

rungs- und Genussmittel, wichtige Einfuhrgüter sind Maschinen, Transportmittel, chem. Erzeugnisse, industrielle Rohstoffe, Erdöl und Erdölprodukte. – Haupthandelspartner sind die Niederlande, Deutschland, Frankreich, Großbritannien und die USA. B. gehört zu den →Benelux-Ländern. – Das Verkehrsnetz ist eines der dichtesten der Erde (1995: 3396 km Eisenbahnstrecken, 1665 km Autobahnen, 12737 km Staatsstraßen, 1569 km Binnenwasserwege). Größter Seehafen ist Antwerpen; weitere bestehen in Zeebrugge (Seebrügge), Ostende und Gent. Internat. Flughäfen haben Brüssel, Antwerpen, Lüttich, Charleroi, Ostende. Nat. Fluggesellschaft: SABENA.

Geschichte: Der Name B. geht zurück auf die Bez. der röm. Provinz (Gallia) Belgica, in der die keltisch-german. Belgen siedelten (57–51 v.Chr. von Cäsar unterworfen). Zur Zeit der Völkerwanderung drangen fränk. Gruppen (v.a. salische Franken) in den N ein. Seit dem 5. Jh. Teil des Fränk. Reichs, fielen die Gebiete des heutigen B. (bis auf Flandern) 880/925 an das Ostfränk. Reich, ab 1384 nach und nach an das Herzogtum →Burgund und mit diesem 1477 an die Habsburger (1556 an deren span. Linie). Nachdem die nördl. →Niederlande 1648 ihre Unabhängigkeit erlangt hatten, verblieb der südl. Teil, das spätere B., bei Spanien und kam nach dem Span. Erbfolgekrieg (1701–13/14) an die österr. Habsburger. Nach kurzzeitiger Unabhängigkeitserklärung der »Vereinigten Belg. Staaten« (1790) wurde das Gebiet 1794 von Frankreich besetzt. Der Wiener Kongress bildete 1815 aus den nördl. und südl. Niederlanden das Königreich der Vereinigten Niederlande. Der tiefe Gegensatz der beiden Landesteile führte 1830 in Brüssel zur »Septemberrevolution« (Unabhängigkeitserklärung B.s am 4. 10. 1830); 1831 wurde Prinz Leopold von

Sachsen-Coburg zum König der Belgier gewählt. Die Londoner Konferenz der europ. Großmächte legte am 6. 10. 1831 die Trennung B.s und der Niederlande und die Neutralität B.s fest. Im Londoner Vertrag vom 19. 4. 1839 erkannten auch die Niederlande die Unabhängigkeit B.s an. König Leopold I. (1831–65) gewann trotz der parlamentar. Regierungsform starken Einfluss. Der ab Mitte des 19. Jh. aufbrechende Gegensatz zw. Wallonen und Flamen (sog. Sprachenstreit) entwickelte sich zunehmend zu einem innenpolit. Grundproblem. Die →Flämische Bewegung widersetzte sich der Vorherrschaft der frz. Sprache und Kultur und erreichte die Anerkennung des Flämischen als zweite Schul-, Amts- und Gerichtssprache (Gesetze von 1873, 1878 und 1888). Der 1881–85 von Leopold II. (1865–1909) als fakt. Privatbesitz erworbene Kongostaat wurde 1908 vom belg. Staat als Kolonie übernommen.

Im 1. Weltkrieg wurde B. unter Bruch seiner Neutralität mit Ausnahme eines kleinen Teils von Flandern 1914–18 von Dtl. besetzt (Verw. durch dt. Generalgouverneure). Mit dem Vertrag von Versailles erhielt B. die preuß. Kreise Eupen, Malmedy und St. Vith und das Mandat des Völkerbundes über die ehem. dt.-ostafrikan. Gebiete Ruanda und Urundi; seine Neutralität wurde aufgehoben. B. schloss sich danach eng an Frankreich an (1919 Verteidigungsbündnis). Nach Einführung des allg. Wahlrechts verloren 1919 die Klerikalen ihre bisherige Parlamentsmehrheit; sie regierten fortan mit den Liberalen, zeitweise auch mit den Sozialisten. 1922 wurde die belgisch-luxemburg. Währungs- und Wirtschaftsunion abgeschlossen, der flämisch-wallon. Gegensatz durch Sprachen-Ges. gemildert (1932–38). Auf den tödlich verunglückten Albert I. (1909–34) folgte Leopold III., der 1936 das Bündnis mit Frankreich löste. Im 2. Weltkrieg wurde B. erneut von dt. Truppen besetzt (1940–44). Die faschist. Rexbewegung unter L. Degrelle arbeitete eng mit der dt. Militärverw. zus. Während sich die Reg. unter H. Pierlot ins Exil nach London begab, blieb Leopold III. als Kriegsgefangener in Belgien; er musste 1951 endgültig zugunsten seines Sohnes Baudouin I. abdanken. Nach dem 2. Weltkrieg schloss B. eine Zoll- und Währungsunion mit Luxemburg und den Niederlanden, trat 1948 dem Brüsseler Vertrag und 1949 der NATO bei; es war Gründungsmitgl. der Montanunion, der EWG und von EURATOM. 1960 entließ B. seine Kolonie Belgisch-Kongo in die Unabhängigkeit (heute Demokrat. Rep. Kongo), 1962 folgten Ruanda (als Rwanda) und Urundi (als Burundi). Innenpolitisch versuchte B. mit der Verf.reform von 1970 und dem Föderalisierungs-Ges. von 1980 (Umwandlung B. in einen Bundesstaat) den seit Beginn der 60er-Jahre sich verstärkenden Sprachenstreit zw. Flamen und Wallonen zu entschärfen. Durch die Verf.änderungen von 1988 und 1993 erhielten die drei Regionen Flandern, Wallonien und Brüssel auf Kosten bisheriger gesamtstaatl. Befugnisse (z. B. in der Wirtschafts-, Finanz- und Umweltpolitik) größere Autonomierechte.

Nach 1945 wurde B. von wechselnden Koalitionskabinetten regiert, deren MinPräs. meist die Christdemokraten (→Christliche Volkspartei) stellten: u. a. G. Eyskens (1949–50, 1958–61, 1968–72), Th. Lefèvre (1961–65), L. Tindemans (1974–78), W. Martens (1979–92 [mit Unterbrechung 1981]), J.-L. Dehaene (seit 1992); seit 1988 besteht eine christlich-sozialist. Reg.-Koalition. Nach dem Tode König Baudouins am 31. 7. 1993 bestieg sein jüngerer Bruder als Albert II. den Thron.

📖 Cossart, A. von: *B., Königreich. Eine Landesgeschichte in 12 Epochen. Berlin 1985.* – Erbe, M.: *B., Niederlande, Luxemburg. Gesch. des niederländ. Raumes. Stuttgart u. a. 1993.* – *B., Luxemburg. Fotografien* M. Thomas, *Text* M. Neumann-Adrian. *München 1996.* – Hoffmann, E.: *Grundzüge des belg. Handels-, Gesellschafts- u. Wirtschaftsrechts. München u. a. 1996.* – Mörsdorf, R.: *Das belg. Bundesstaatsmodell im Vergleich zum dt. Bundesstaat des Grundgesetzes. Frankfurt am Main u. a. 1996.* – Weidemann, S.: *Flandern. Antwerpen, Brügge, Gent. Reiseführer mit Insider-Tips. Ostfildern* ^{3}*1996.*

bẹlgische Kunst, die Kunst Belgiens seit seiner Selbstständigkeit (1830); über die vorhergehende Zeit →niederländische Kunst. – In der Architektur

Belgien - Wirtschaft

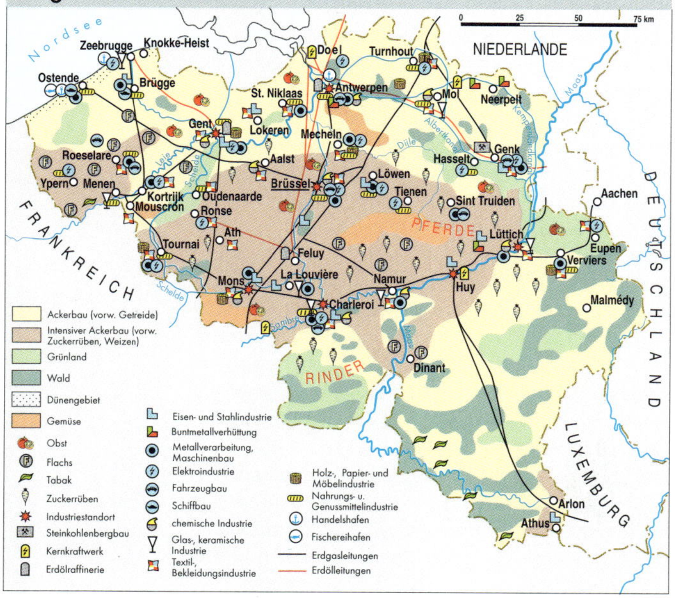

belgische Kunst (von links): René Magritte, »Karneval der Weisen« (1947; Privatbesitz); Guillaume Bijl, Freiluftinstallation »Sculpture trouvé« (1987)

herrschte der frz. Klassizismus in zunehmend barocker Abwandlung vor: T. F. Suys in Brüssel, L. Roelandt (Univ. und Justizpalast in Gent, 1846), P. Bourla in Antwerpen, J. P. Cluysenaer in Brüssel. Der Justizpalast in Brüssel, von J. Poelaert erbaut (1866–79), suchte die Wirkung machtvoller Repräsentation zu erreichen. H. van de Velde hatte maßgebenden Anteil an der Entstehung des Jugendstils und der modernen Baukunst, die durch V. Bourgeois, L. Stijnen sowie L. Kroll (Univ.-viertel in Woluwe-Saint-Lambert bei Brüssel, 1970–77) wesentlich geprägt wurde. – In der von frz. Vorbildern ausgehenden Bildhauerkunst verband sich realist. mit barock bewegter Gestaltung. C. Meunier heroisierte in realist. Figuren den arbeitenden Menschen. G. Minne schuf Gestalten von zart verinnerlichtem Ausdruck, die den Expressionismus bes. in Dtl. beeinflussten. Unter den Plastikern der Gegenwart sind zu nennen P. Caille, R. D'Haese, P. Bury. – Die Historienmalerei des 19. Jh. orientierte sich zunächst an J. L. David und E. Delacroix, so v. a. G. Wappers und N. de Keyser, auf sachlichere Art H. Leys. A. Wiertz malte monumentale Bilder mit Schreckensszenen. Unter den Grafikern ragte F. Rops hervor, unter den Landschaftsmalern F. Courtens und A. Baertson. Bilder aus dem Leben der Bauern und Armen malte E. Laermans. Der Symbolist J. Ensor war ein Vorläufer des Expressionismus, zu dessen Malern in Belgien bes. C. Permeke gehörte. F. Masereel wurde durch seine Grafik bekannt, die v. a. zeit- und sozialkrit. Themen behandelt. Die bekanntesten Surrealisten Belgiens sind R. Magritte und P. Delvaux. 1945 bildete sich die avantgardist. Gruppe »Jeune Peinture Belge«. Einen wesentl. Beitrag zur abstrakten Kunst leisteten G. Vantongerloo, Mitgl. der Stijl-Gruppe, und P. Alechinsky, Mitbegründer der Gruppe → Cobra. Der informellen Malerei widmet sich R. Wyckaert, M. Broodthaers war ein wesentl. Vertreter der Conceptart, während Panamarenko utopisch-technische Konstruktionen entwirft. Seit 1980 arbeiten in Belgien u. a. G. Bijl (* 1946), T. de Cordier (* 1954) und J. Fabre (* 1958), die sich mit raumgreifenden Objektinstallationen und äshet. Verfremdungen beschäftigen.

Belgien: Landschaft bei Marche-les-Dames (1977 in die Stadt Namur eingegliedert)

Belgrad
Stadtwappen

belgische Literatur, →flämische Literatur, →französische Literatur (in Belgien).

Belgisch-Kongo, ehemalige belg. Kolonie in Afrika, →Kongo (Demokrat. Rep.).

Belgorod, Hptst. des Gebiets B., Russland, am Nördl. Donez, 300 000 Ew.; Ingenieurhochschule; Verkehrsknotenpunkt; Kreide- und Kalkverarbeitung, Kesselbau, Nahrungsmittelindustrie.

Belgorod-Dnjestrowski (ukrain. Bilhorod-Dnistrowskyi, früher türk. Akkerman), Hafenstadt am Dnjestrliman, in Bessarabien, Ukraine, 54 000 Ew.; Fischverarbeitung, Weinkellereien. – B. war im Altertum griech. Kolonie (Tryas), im MA. venezianisch und genuesisch, seit 1484 türkisch, seit 1812 russisch, 1918–44 rumänisch.

Belgrad (serb. Beograd), Hptst. Jugoslawiens und Serbiens, an der Mündung der Save in die Donau, 1,137 Mio. Ew.; Sitz des Patriarchen der serbisch-orth. Kirche und eines kath. Erzbischofs; zwei Univ., Wirtschaftshochschule, Theater, Nationalbibliothek, Akademien, Museen; Kernforschungszentrum, Observatorien, botan. Garten. B. ist wirtsch. Zentrum des Landes und bed. Verkehrsknotenpunkt, wichtigster Standort der Schwer- und Leichtind., hat internat. Messen, einen wichtigen Donauhafen und einen internat. Flughafen. – B. besitzt nur wenige histor. Bauten, darunter die Festung Kalemegdan (18. Jh.) und das ehem. Königl. Schloss (1882). – B., das röm. **Singidunum,** war seit dem 7. Jh. zw. Awaren, Bulgaren, Byzantinern und Serben umstritten; seit 1427 war es ungar. Grenzfestung gegen die Türken, 1521 wurde es von Sultan Suleiman II. erobert, 1688–90, 1717–39 und 1789–91 von den Österreichern besetzt, doch fiel es immer wieder an die Türken zurück. Im 19. Jh. entwickelte sich B. zum polit. und kulturellen Mittelpunkt Serbiens (seit 1842 faktisch Hptst.); die Festung behielt noch bis 1867 eine türk. Besatzung. 1919 wurde B. Hptst. des späteren Jugoslawien.

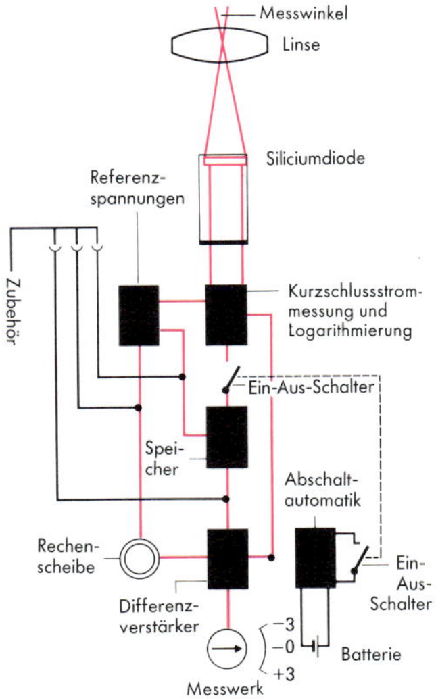

Belichtungsmesser: Funktionsschema

Belgrader Konferenz, Konferenz der →blockfreien Staaten vom 1. bis 6. 9. 1961), forderte u.a. die Unabhängigkeit der unter Kolonialherrschaft stehenden Völker, die Beseitigung des wirtsch. Ungleichgewichts zw. den entwickelten und unterentwickelten Ländern, allgemeine kontrollierte Abrüstung, die Wiederherstellung der Rechte der arab. Bev. in Palästina sowie eine friedl. Lösung der Berlin- und Deutschlandfrage.

Belial [hebr. »Bosheit«], Name des Teufels oder Antichrists (2. Kor. 6,15).

Belichtung (Exposition), allg. der Vorgang, bei dem eine fotograf. Schicht einer Strahlung ausgesetzt wird, für die die Schicht empfindlich ist; im Besonderen das Produkt aus Beleuchtungsstärke und Einwirkungszeit beim Fotografieren. Es entsteht ein unsichtbares (latentes) Bild. Zu schwache Belichtung nennt man **Unter-,** zu reichliche **Überbelichtung.**

Belichtungsautomatik, Vorrichtung an fotograf. Kameras, die in Abhängigkeit von der Motivhelligkeit und der Filmempfindlichkeit aufgrund der vom →Belichtungsmesser ermittelten Werte Verschluss und/oder Blende des Fotoapparates einstellt. Bei Filmkameras kennt man die (meist abschaltbare) **Blendenautomatik,** bei der die Blende von der Drehspule des elektr. Belichtungsmessers gesteuert wird, und die **Blendensteuerung,** bei der man die Blende manuell aufgrund einer Anzeige im Sucher einstellt. Bei Fotoapparaten unterscheidet man: **Blendenvorwahl:** die Blende wird manuell eingestellt und der Verschluss elektronisch gesteuert; **Zeitvorwahl:** die Belichtungszeit wird manuell vorgewählt, die Blende wird gesteuert; **programmierter Verschluss:** die Motivhelligkeit bestimmt die Verschlusszeit, mit der zugehörige Blenden gekoppelt sind; **Nachführprinzip:** Blende oder Zeit werden – nach manueller Vorwahl des jeweiligen anderen Parameters – von Hand aufgrund einer Anzeige im Sucher eingestellt. – Bei der **Blitz-Blenden-Automatik** wird bei festliegender Belichtungszeit die Blende (entsprechend der Entfernung des aufzunehmenden Objekts) automatisch gesteuert. Bei der **Blitzautomatik** entscheidet das Gerät aufgrund der Belichtungsmessung, ob ein Blitz gezündet wird oder nicht.

Belichtungsmesser, Gerät zur Ermittlung der richtigen →Belichtung. Es misst die vom Aufnahmegegenstand her auf die Kamera auffallende Strahlung (Objektmessung, Messung der Leuchtdichte) und berücksichtigt die Filmempfindlichkeit. Die heute überwiegend verwendeten **photoelektrischen B.** besitzen einen →Photodetektor

Belize

Fläche: 22 965 km²
Einwohner: (1995) 215 000
Hauptstadt: Belmopan
Verwaltungsgliederung: 6 Distrikte
Amtssprache: Englisch
Nationalfeiertage: 10. 9. und 21. 9.
Währung: 1 Belize-Dollar (Bz$) = 100 Cents (c)
Zeitzone: MEZ –7 Std.

(CdS-Photowiderstände, Selenphotoelemente oder Siliciumphotodioden) in Verbindung mit einem elektrischen Messinstrument. Moderne Kameras haben meist einen eingebauten B., der i. d. R. Teil einer → Belichtungsautomatik ist. Bei der vor allem bei Spiegelreflexkameras heute üblichen **Innenmessung** trifft das durch das Objektiv tretende Licht auf den eingebauten B. (TTL-Messung, von engl. through the lens). Messmethoden sind 1) Integralmessung: Ausmessung des gesamten Bildfeldes; 2) Mittelwertbildung unter stärkerer Berücksichtigung der Bildmitte als der Randgebiete; 3) Punkt- oder Spotmessung: Messung nur in der (meist für das Motiv wichtigsten) Bildmitte; 4) Zonenmessung: Berücksichtigung nur der unteren Bildhälfte, da oben meist der »unwichtigere« Himmel liegt; 5) CLC-Verfahren (von engl. contrast-lightcompensator): Messung an zwei Motivpunkten und Mittelwertbildung. – Bei kinematograph. Aufnahmen misst man häufig mit **Beleuchtungsmessern** das auf das Objekt fallende Licht (Licht- oder Subjektmessung), um den Kontrastumfang zu ermitteln.

Belinda, ein Mond des → Uranus.

Belinski, Wissarion Grigorjewitsch, russ. Literaturkritiker und Philosoph, *Sveaborg (heute zu Helsinki) 11. 6. 1811, †Sankt Petersburg 7. 6. 1848; gehörte zum Kreis der → Westler; forderte eine sozialkritisch wirkende Literatur und verhalf dieser Richtung zu lang währender Vorherrschaft in Russland.

Belisar, Feldherr Kaiser Justinians I., *Germania (thrakisch-illyr. Grenze) um 505, †Konstantinopel März 565; zerschlug 533/34 das nordafrikan. Wandalenreich, kämpfte 535–40 und 544–48 gegen die Ostgoten und 541/42 gegen die Perser, verteidigte 559 Konstantinopel gegen die Hunnen. B. war 542 und ab 562 vorübergehend in Ungnade. Sein zweiter Sturz wird in der volkssprachlich-griech. B.-Dichtung behandelt.

Belitung (Billiton), indones. Insel zw. Sumatra und Borneo, 4833 km², rd. 160 000 Ew.; Hauptort ist Tanjungpandan; Abbau von Zinnerz.

Belize [bəˈliːz; engl.; beˈlise, span.], Staat in Zentralamerika, an der O-Küste der Halbinsel Yucatán, grenzt im O an das Karibische Meer, im N an Mexiko, im W und S an Guatemala.

Staat und Recht: Nach der Verf. vom 21. 9. 1981 ist B. eine parlamentar. Monarchie im Commonwealth. Staatsoberhaupt ist der brit. Monarch, vertreten durch einen Generalgouv. Die Exekutive liegt bei der Reg. unter Vorsitz des Premiermin., als Legislative fungiert die Nationalversammlung, bestehend aus Senat (acht ernannte Mitgl.) und Abgeordnetenhaus (29 gewählte Abg.). Wichtigste Parteien sind People's United Party (PUP) und United Democratic Party (UDP).

Landesnatur: B. hat Anteil am von Sümpfen durchsetzten karib. Küstentiefland. Der lagunenreichen Küste sind viele Inseln und Korallenriffe vorgelagert. Im zentralen S ragen mit den Maya Mountains (bis 1122 m ü. M.) Ausläufer des zentralamerikan Grundgebirges herein. Die Halbinsel Yucatán wird von einem Kalkhügelland eingenommen. Das Klima (subtropisch im N, trop. im S mit zunehmenden Niederschlägen) steht unter dem Einfluss des Nordostpassats. Der größte Teil des Landesinnern ist von trop. Regenwald bedeckt.

Bevölkerung: Die Bev. besteht aus 44 % Mestizen (Maya-Spanier), 11 % Indianern (Maya), 30 % Kreolen (englischsprachige Schwarze und Mulatten), 7 % Garifunas und 4 % Weißen (v. a. Engländer und Portugiesen), auch Inder, Chinesen, Syrer. – Die allg. Schulpflicht beträgt acht Jahre (nur z. T. verwirklicht); die University of the West Indies (Kingston, Jamaika) unterhält in B. ein Univ.zentrum. – Rd. 62 % der Ew. sind Katholiken, 28 % Protestanten (v. a. Anglikaner).

Wirtschaft, Verkehr: Von der exportorientierten Landwirtschaft (vorwiegend Plantagenwirtschaft) lebt rd. ein Drittel der Bev.; sie erbringt über 23 % des Exportwerts; ausgeführt werden bes. Zucker (Anteil am Gesamtexport 40 %), Zitrusfrüchte, Bananen, Fische, Schalentiere, Holz (bes. Mahagoni). – Das Landesinnere ist verkehrsmäßig

Staatswappen

BH
Internationales Kfz-Kennzeichen

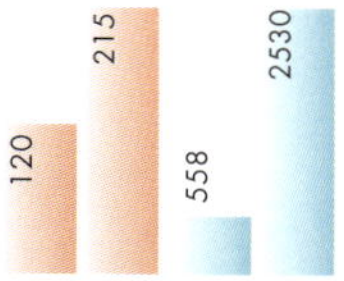

Bevölkerung (in 1000) Bruttosozialprodukt je Ew. (in US-$)

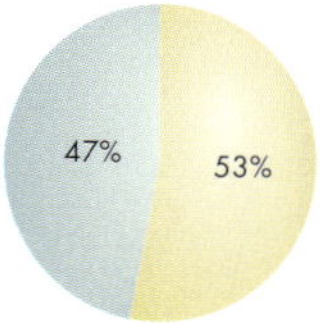

Bevölkerungsverteilung 1993

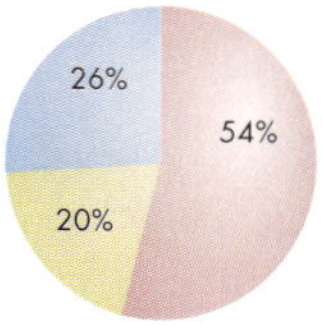

Bruttoinlandsprodukt 1992

wenig erschlossen. Ein internat. Flughafen besteht bei der Hafenstadt Belize.

Geschichte: Das Land war urspr. Siedlungsgebiet der Maya, wurde 1862 brit. Kolonie (Britisch-Honduras), erhielt 1964 innere Autonomie, seit 1973 unter dem Namen B.; es wurde 1981 in die Unabhängigkeit entlassen. Das benachbarte Guatemala, das das Territorium von B. für sich beansprucht hatte, erkannte den Staat erst 1991 an.

Alexander G. Bell

📖 BOLLAND, O. N.: *B. A new nation in Central America. Boulder, Colo., 1986.* – FRÜNDT, H.-J. u. MUXFELDT, S.: *Mexiko, B., Guatemala. Kiel [3]1993.* – BROSNAHAN, T.: *Ostmexiko-, Guatemala- u. Belize-Handbuch. Dt. Bearbeitung* U. SCHWARK. *A. d. Engl. Bremen 1995.*

Belize [bəˈli:z, beˈlise], Hafenstadt am Golf von Honduras, Belize, 45 200 Ew.; bis 1970 die Hptst. von Britisch-Honduras.

Bell, 1) Alexander Graham, britisch-kanad. Erfinder, *Edinburgh 3. 3. 1847, †bei Baddeck (Nova Scotia, Kanada) 1. 8. 1922; konstruierte 1876 ein Telefon, das im Prinzip noch heute verwendet wird.

2) Andrew, brit. Geistlicher und Pädagoge, *Saint Andrews (Schottland) 27. 3. 1753, †Cheltenham 27. 1. 1832; entwickelte in Indien eine Methode, bei der die Schüler sich gegenseitig unterrichten (→Monitorsystem).

3) Daniel, amerikan. Soziologe, *New York 10. 5. 1919; von großem Einfluss durch seine Werke über die sozialen Konflikte in der postindustriellen Gesellschaft.

4) George, brit. anglikan. Theologe, *Hayling Island (Cty. Hampshire) 4. 2. 1883, †Canterbury 3. 10. 1958; (seit 1929) Bischof von Chichester, war führend in der ökumen. Bewegung tätig; nahm als Mitgl. des Oberhauses (ab 1937) während des 2. Weltkriegs gegen den totalen Bombenkrieg Stellung, trat 1942 mit Vertretern der dt. Widerstandsbewegung (D. Bonhoeffer) in Verbindung und beschaffte vielen Juden Asyl in Großbritannien.

Belladonna [italien. »schöne Frau«] *die,* die →Tollkirsche.

Bella gerant alii, tu, felix Austria, nube! [lat. »Kriege mögen andere führen, du, glückliches Österreich, heirate!«], Hexameter eines Matthias I. Corvinus zugeschriebenen Distichons, das sich auf die Heiratspolitik der Habsburger bezieht.

Vincenzo Bellini

Bellagio [belˈla:dʒo], Kurort in der Lombardei, Prov. Como, Italien, am Comer See, 216 m ü. M., 3 000 Einwohner.

Bellamy [ˈbeləmɪ], Edward, amerikan. Journalist und Sozialreformer, *Chicopee Falls (Mass.) 26. 3. 1850, †ebd. 22. 5. 1898. Seine oft übersetzte sozialist. Utopie »Looking backward, 2000–1887« (1888, dt. »Ein Rückblick aus dem Jahr 2000 auf das Jahr 1887«), die eine Lösung der Frage der materiellen und polit. Ungleichheit der Menschen versuchte, führte zur Bildung der **B.-Clubs,** die B. soziale Ideen zu verwirklichen suchten.

Bellarmino, Roberto, italien. Jesuit (seit 1560) und Kirchenlehrer, *Montepulciano 4. 10. 1542, †Rom 17. 9. 1621; seit 1599 Kardinal, 1602–05 Erzbischof von Capua; bringt in seinem Hauptwerk »Disputationes de controversiis christianae fidei…« (1586–93; dt. »Streitschriften über die Kampfpunkte des christl. Glaubens«) die erste gründliche Auseinandersetzung mit dem Protestantismus. – Heiliger, Tag: 17. 9.

Bellatrix [lat. »Kriegerin«], Stern 2. Größe im Sternbild →Orion.

Belle-Alliance, La [la bɛlaˈljãs], Gehöft bei Brüssel, →Waterloo.

Belle Époque [bɛleˈpɔk; frz. »schöne Epoche«] *die,* in Frankreich etwa die Zeit von 1890 bis 1914, trotz innenpolit. Krisen gekennzeichnet durch äußeren Frieden, zunehmenden Wohlstand durch Modernisierung von Industrie und Technik, Verkehr und Wohnkultur sowie durch Betonung des gesellschaftl. Lebens, der leichten Vergnügungen auf Bällen, Redouten, in Theatern und bei Pferderennen. Die B. E. wurde getragen vom mittleren und gehobenen Bürgertum, das den Adel in wichtigen Positionen in Staat und Gesellschaft ablöste.

📖 *Paris – Belle Epoque. 1880–1914, hg. v.* U. BODE. *Ausstellungskatalog Kulturstiftung Ruhr, Villa Hügel, Essen. Recklinghausen 1994.*

Rudolf Belling: Kopf in Messing (1925; Berlin, Nationalgalerie)

Belle-Île [bɛˈlil], die größte der breton. Inseln, Dép. Morbihan, Frankreich, 90 km², mit mächtigen Steilküsten; Hauptort ist Le Palais (2 400 Ew.); Fremdenverkehr, Fischerei.

Giovanni Bellini: Madonna mit Kind (undatiert; Venedig, Galleria dell'Accademia)

Bellerophon, *griech. Mythos:* myth. Heros aus Korinth, Bändiger des Flügelrosses Pegasus. Auf diesem reitend, tötet B. die →Chimäre. Bei dem Versuch, mit Pegasus zum Olymp zu fliegen, stürzen ihn die Götter hinab und strafen ihn mit Wahnsinn.

Belletristik [zu frz. belles-lettres »schöne Wissenschaften«] *die,* alle Literatur (vom Roman bis zum Essay), die nicht zur wiss. oder philosoph., Sach- und Fachliteratur zählt.

Bellevue [bɛl'vy:; frz. »schöner Blick«] *das,* Name vieler Schlösser.

Belling, Rudolf, Bildhauer, *Berlin 26. 8. 1886, †München 9. 6. 1972; emigrierte 1937 nach Istanbul, kehrte 1966 nach Dtl. zurück; wandte sich in seinem Frühwerk (»Dreiklang«, 1919) und nach 1949 hauptsächlich abstrakter Gestaltung zu.

Bellingen, Bad, →Bad Bellingen.

Bellingshausen, Fabian Gottlieb von, russ. Admiral, *Insel Saaremaa (Estland) 20. 9. 1778, †Kronschtadt (bei Sankt Petersburg) 25. 1. 1852; leitete 1819–21 die erste russ. Südpolarfahrt und umsegelte dabei das antarkt. Festland auf höherer Breite als J. Cook; entdeckte hier Inseln in dem nach ihm benannten **Bellingshausenmeer.**

Bellini, Vincenzo, italien. Komponist, *Catania 3. 11. 1801, †Puteaux (Dép. Hauts-de-Seine) 23. 9. 1835; beherrschte mit seinen ausdrucksvoll melod. Werken neben G. Rossini und G. Donizetti die Opernbühne. Seine bekanntesten Opern sind »Die Nachtwandlerin« (1831), »Norma« (1831), »Die Puritaner« (1835).

Bellini, italien. Malerfamilie in Venedig, wichtige Vertreter:

1) Gentile, *Venedig 1429, begraben ebd. 23. 2. 1507, Sohn von 3); malte Porträts, so von Sultan Mohammed II. (1480; London, National Gallery), in dessen Dienst er 1479–81 in Konstantinopel stand, und große vielfigurige Legendendarstellungen.

Weitere Werke: Wunder des hl. Kreuzes (um 1500; Venedig, Galleria dell' Accademia); Prozession auf dem Markusplatz (1496; ebd.).

2) Giovanni, gen. Giambellino, *Venedig um 1430, †ebd. 29. 11. 1516, Sohn von 3); Hauptmeister der venezian. Frührenaissance, Schüler seines Vaters und seines Schwagers Mantegna; schuf formklare Altar- und Andachtsbilder mit malerisch-weicher Harmonie in der Farbgebung.

Werke: Marientriptychon (1488; Venedig, Frari-Kirche); Sacra Conversazione (1505; ebd., San Zaccaria); Doge Leonardo Loredan (um 1501–05; London, National Gallery).

3) Jacopo, *Venedig nach 1400, †ebd. um 1470, Vater von 1) und 2); außer wenigen Gemälden sind von ihm viele Zeichnungen erhalten (Architekturdarstellungen, Landschaften, Tiere u.a.).

Bellinzona, Hptst. des schweizer. Kt. Tessin, 17300 Ew. (Bellenzer), an der Gotthardbahn, Kultur- und Verkehrsmittelpunkt der italien. Schweiz; Holz verarbeitende und Papierind.; Kirchen mit bed. Fresken. – B., dt. **Bellenz,** Ende des 6. Jh. erstmals erwähnt, stand bis Ende des 13. Jh. unter der Herrschaft der Bischöfe von Como, kam später in den Besitz der Herzöge von Mailand und stand

Bellinzona: Das in der zweiten Hälfte des 15. Jh. erbaute Castello Montebello oberhalb der Stadt

von 1500 bis 1798 unter der Herrschaft der Kantone Uri, Schwyz und Unterwalden, deren Zwingburgen die Stadt überragen

Bellman, Carl Michael, schwedischer Dichter, *Stockholm 4. 2. 1740, †ebd. 11. 2. 1795; verband in seinen Liedern, die er oft selbst vertonte, virtuose

Sprachkunst, Realistik, Daseinsfreude, burlesken Humor und Verzweiflung; sie erschienen gesammelt in »Fredmans Episteln« (1790) und »Fredmans Gesänge« (Bibeltravestien, 1791).

Bẹllmer, Hans, dt.-frz. Zeichner und Grafiker, *Kattowitz 13. 3. 1902, †Paris 24. 2. 1975; schuf erot. Zeichnungen und Plastiken in surrealist. Formgebung; konstruierte in den 1930er-Jahren fetischartige »Puppen«.

Saul Bellow

Belloc ['belɔk], Hilaire, engl. Schriftsteller, *La Celle-Saint-Cloud (Dép. Yvelines) 27. 7. 1870, †Guildford (Cty. Surrey) 16. 7. 1953. B.s Schriften (Romane, Essays, Biographien) sind geistreich und witzig. Seine aus kath. Sicht verfasste »Geschichte Englands« (4 Bde., 1925–31) ist umstritten.

Bellovaker (lat. Bellovaci), ein Stamm der →Belgen mit dem Hauptort Bellovaci (heute Beauvais).

Bellow ['beləʊ], Saul, amerikan. Schriftsteller, *Lachine (bei Montreal) 10. 7. 1915; gibt in seinen kulturkrit. Romanen (u. a. »Die Abenteuer des Augie March«, 1953; »Der Regenkönig«, 1959; »Herzog«, 1964; »Mr. Sammlers Planet«, 1970; »Humboldts Vermächtnis«, 1975; »Mehr noch sterben an gebrochenem Herzen«, 1987; »Die Bellarosa-Verbindung«, 1989) Charakterstudien vornehmlich amerikan. Juden im Milieu der Großstadt; schrieb auch Erzählungen und Dramen (»Die letzte Analyse«, 1965). B. erhielt 1976 den Nobelpreis für Literatur.

Jean-Paul Belmondo

📖 *S. B. at seventy-five. A collection of critical essays, hg. v.* G. Bach. *Tübingen 1991.* – Friedrich, M. M.: *Character and narration in the short fiction of S. B. New York 1995.*

Belluno, 1) Provinz in Italien, in der Region Venetien, 3678 km², (1994) 212200 Einwohner.

2) Hptst. von 1), in den Ostalpen, am Piave; 35600 Ew.; Bischofssitz; Textil-, Möbelind.; landwirtschaftl. Handelszentrum; Dom (16. Jh.). – Das antike **Bellunum** war einer der Hauptorte der Veneter, im MA. Herzogtum, später Grafschaft.

Andrei Bely

Belmọndo, Jean-Paul, frz. Filmschauspieler, *Neuilly-sur-Seine 9. 4. 1933; wurde bekannt durch »Außer Atem« (1959); weitere Filme u. a. »Cartouche – der Bandit« (1961), »Eva und der Priester« (1961), »Le magnifique« (1973), »Der Außenseiter« (1983), »Die Glorreichen« (1984), »Der Löwe« (1989).

Belmopan [bel'məʊpɑːn], seit 1970 Hptst. von Belize, im Landesinneren, 3700 Ew.; seit 1966 errichtet.

Belo, Carlos Felipe Ximénes, kath. Bischof von Ost-Timor, *Baucau 3. 2. 1948; seit 1980 Priester, 1988 zum (amtierenden) Bischof von Dili geweiht, tritt für den Dialog mit der indones. Regierung ein (→Indonesien); erhielt 1996 zus. mit J. Ramos-Horta den Friedensnobelpreis.

Belo Horizonte [bɛlori'zonti], Hptst. des brasilian. Bundesstaates Minas Gerais, 2,02 Mio. Ew.; zwei Univ., Erzbischofssitz; in einem wichtigen Agrargebiet und einem der größten Eisenerzlager der Erde gelegen mit bed. Eisen- und Stahlind., Zement-, Textil- u. a. Ind.; internat. Flughafen.

Belorẹzk, Stadt in Baschkortostan, Russ. Föderation, an der Belaja, im Südural, 75000 Ew.; Hüttenkombinat. – B., 1762 gegr., war 1773/74 Mittelpunkt des Pugatschow-Aufstands.

Bẹlorussland, Republik in O-Europa, →Weißrussland.

Below [-'lɔf], Wassili Iwanowitsch, russ. Schriftsteller, *Timonicha (Gebiet Wologda) 23. 10. 1932; stellt v. a. das nordruss. Dorfleben dar: »Sind wir ja gewohnt« (Erzählungen, 1966), »Vorabende« (Roman, 2 Tle., 1971–77), »Sonnabendmorgen« (Erz., dt. Auswahl 1985).

Belsazar [grch. aus aramäisch »schütze sein Leben«], im A. T. der letzte König von Babylon, dem durch das →Menetekel der baldige Untergang des Reiches verkündet wurde (Daniel 5).

Beltsee, flacher, buchtenreicher Teil der Ostsee, das Übergangsgebiet zum Kattegat, zw. Dänemark, Deutschland und Schweden. Zum Kattegat führen außer dem Sund im O die Meeresstraßen **Kleiner Belt** (zw. Fünen und Jütland, an der engsten Stelle nur 700 m breit), über den zwei Brücken führen (seit 1935 bzw. 1970), und **Großer Belt** (zw. Fünen und Seeland, 15–30 km breit, Fährverkehr). Von der festen Verbindung zw. den beiden Küsten des Letzteren sind die Eisenbahn- und Straßenbrücke (6,6 km lang) zw. Fünen und der Insel Sprogø (seit 1994) sowie zw. Sprogø und Seeland (seit 1997) der Eisenbahntunnel (7,4 km lang) fertig gestellt. Die Hängebrücke für den Autoverkehr (6,8 km lang) soll 1998 fertig werden.

Belucha *die,* höchster Berg (Doppelgipfel) im Russ. Altai, 4506 m ü. M., vergletschert.

Belüftung, 1) *Lüftungstechnik:* →Lüftung.

2) *Umwelttechnik:* Eintrag von Sauerstoff in Gewässer durch natürl. Aufnahme aus der Luft, durch Produktion von Sauerstoff durch grüne Pflanzen oder durch künstl. B., z. B. durch Wehrüberfall, Kaskaden, Turbinen-B., Düsenbelüfter.

Belutschen, Volk mit iran. Sprache in Belutschistan, kleine Gruppen auch in NO-Iran, Turkmenistan (um Merw) und Indien; etwa 4,5 Mio. B.; Muslime (Sunniten). Sie sind überwiegend Hirtennomaden, die sesshaften B. treiben Ackerbau.

Belutschistan (engl. Baluchistan), die von den Belutschen bewohnten Gebirgslandschaften im SO des Hochlands von Iran; im Sulaimangebirge bis über 3000 m ü. M. ansteigend. Der W gehört zu Iran, der O zu Pakistan, der N zu Afghanistan. Das Klima ist subtropisch-trocken. Die Landwirtschaft ist auf Bewässerung angewiesen (Anbau von Weizen, Gerste, Hirse, Obst); hinzu kommt die Zucht von Schafen, Ziegen und Kamelen. Vorkommen von Erdöl und Erdgas, Kohle, Chromerzen sind nachgewiesen. Der iran. Teil gehört zur Prov. Sistan und Belutschistan, 181471 km², (1986) 1,455 Mio. Ew. mit der Hptst. Zahedan. Die pakistan. Prov. B. umfasst 347190 km² mit (1985) 4,91 Mio. Ew. (hauptsächlich Belutschen und Pathanen), ihre Hptst. ist Quetta. – Zunächst lose abhängig von Persien, gehörte B. 1595–1638 zum Mogulreich. In der 2. Hälfte des 18. Jh. war es praktisch unabhängig. Nach 1795 bemächtigte sich Persien des westl. Teils, 1876 kam der Rest an Britisch-Indien.

Belvedere [italien. »schöner Blick«] *das,* Aussichtspunkt mit schöner Fernsicht, auch ein dort errichtetes Bauwerk, wie der im 15. Jh. erbaute, nach Plänen Bramantes im 16. Jh. umgestaltete Flügel des Vatikans, in dem antike Bildwerke aufgestellt wurden (Apollo vom B., Belvederischer Torso). Das erste B. nördlich der Alpen ist das Lustschloss in Prag (1536), das bekannteste das von J. L. von Hildebrandt für den Prinzen Eugen geschaffene Gartenpalais in Wien (1721–23).

Bely [-lij], Andrei, eigtl. Boris Nikolajewitsch Bugajew, russ. Schriftsteller, *Moskau 26. 10. 1880, †ebd. 8. 1. 1934; Mystiker und Symbolist, schrieb Gedichte und Romane (»Die silberne Taube«, 1909; »Petersburg«, 1913/14); auch Autobiographisches, u. a. »Ich, ein Symbolist« (entst. 1928).

Belzig, Krst. des Landkreises Potsdam-Mittelmark, Brandenburg, am N-Rand des Hohen Fläming, 7700 Ew.; elektrotechn. und Lederwarenind.; Pfarrkirche (13. Jh.), Burg Eisenhardt (1161 urkundlich erwähnt).

Belzner, Emil, Schriftsteller, *Bruchsal 13. 6. 1901, †Heidelberg 8. 8. 1979; schrieb Versepen und Romane (»Der Safranfresser«, 1953).

Belzy, Stadt in Moldawien, →Bălţi.

Bema [grch.] *das,* in den Ostkirchen der erhöhte Raum für die Geistlichkeit; auch Kanzel, Altar.

Bembo, Pietro, italien. Humanist und Dichter, *Venedig 20. 5. 1470, †Rom 18. 1. 1547. Seine in lat. Sprache geschriebenen Schriften sind kaum bekannt, seine Werke in italien. Sprache dagegen, v. a. die »Rime« (1530) und »Prose della volgar lingua« (1525), haben die Entwicklung der italien. Dichtung stark beeinflusst und die Grundlage für die grammat. Normierung der Literatursprache geliefert.

Bemelmans ['beɪməlmænz], Ludwig, amerikan. Schriftsteller und Illustrator, *Meran 27. 4. 1898, †New York 1. 10. 1962; schrieb humorist. Romane und Erzählungen (»Hotel Splendide«, 1941; »Alle Jahre wieder«, 1954) sowie selbst illustrierte Kinderbücher.

Bemessungsgrundlage, 1) Maßstab zur Errechnung einer Folgegröße, z. B. einer Steuer.

Belutschistan: Passstraße im östlichen, zu Pakistan gehörenden Teil des Hochlands

2) in der gesetzl. Rentenversicherung bis zur Rentenreform 1992 Faktor der →Rentenberechnung; ist jetzt ersetzt durch den »aktuellen Rentenwert«.

Ben, Teil hebr. und arab. Namen mit der Bedeutung »Sohn« oder »Enkel«.

Barju Benacerraf

Benacerraf [benə'sera:f], Barju, amerikan. Mediziner venezolan. Herkunft, *Caracas 29. 10. 1920; erhielt 1980 mit G. D. Snell und J. Dausset für Arbeiten zur Transplantationsimmunologie den Nobelpreis für Physiologie oder Medizin.

Benaco, weniger gebräuchlicher Name für den →Gardasee.

Ben Ali, Zine el-Abidine (auch Ibn Ali, Sain ad-Din), tunes. General und Politiker, *Sousse 3. 9. 1936; führendes Mitgl. der Demokrat. Verfassungsbewegung (RCD), 1984–87 Innenmin., setzte als MinPräs. (Okt.–Nov. 1987) im Nov. 1987 Staatspräs. H. Bourguiba ab und übernahm dessen Amt, in dem er bei den Wahlen von 1989 und 1994 bestätigt wurde.

Zine el-Abidine Ben Ali

Benares, früherer Name der Stadt →Varanasi in Indien.

Benatzky, Ralph, österr. Komponist, *Mährisch-Budwitz (heute Moravské Budějovice) 5. 6. 1884, †Zürich 16. 10. 1957; schrieb neben Chansons v. a. Operetten, u. a. »Casanova« (1928), »Die drei Musketiere« (1929), »Im weißen Rössl« (1930), »Meine Schwester und ich« (1930).

Benavente, Jacinto, span. Dramatiker, *Madrid 12. 8. 1866, †ebd. 14. 7. 1954; schrieb meist satir. Dramen (u. a. »Der tugendhafte Glücksritter«, 1907; »Die frohe Stadt des Leichtsinns«, 1916), sie sind teils realist. Gesellschaftsschilderungen, teils symbolistisch. B. erhielt 1922 den Nobelpreis für Literatur.

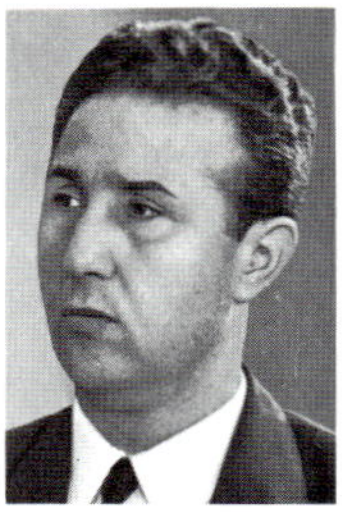

Mohammed Ahmed Ben Bella

Ben Bella, Mohammed Ahmed, alger. Politiker, *Marnia (heute Maghnia) 25. 12. 1916; 1954

führend am Aufstand gegen die frz. Herrschaft beteiligt, 1956–62 in frz. Haft, war ab 1962 MinPräs. und Gen.-Sekr. der FLN; ab 1963 Staatspräs., 1965 durch Militärputsch gestürzt, war bis 1979 in Haft, danach in frz. Exil. 1990 kehrte B.B. nach Algerien zurück und sucht seitdem, gestützt auf den in Paris 1984 gegründeten Mouvement pour la Démocratie en Algérie (MDA), in Algerien politisch wieder Fuß zu fassen.

Bench [bentʃ; engl. »Bank«] *die,* im angloamerikan. Recht allg. der Sitz für Personen mit amtl. Eigenschaft, bes. im brit. Parlament die Abgeordnetenbank, v.a. die dem Parteiführer und seinen wichtigsten Mitarbeitern vorbehaltene vorderste Sitzreihe. Im Gericht ist B. der Sitz des Richters; von daher übertragen auf die Richterschaft selbst. Als **B. and Bar** wird der engl. Juristenstand bezeichnet.

Benchmarking ['bentʃmɑːkɪŋ; engl., zu benchmark »Höhenmarke«, »Maßstab«] *das, Betriebswirtschaft:* in den USA entwickelte Informationstechnik des strateg. →Controllings, bei der in einem kontinuierl. Verfahren Wertschöpfungsprozesse, Managementpraktiken, Produkte oder Dienstleistungen mit anderen Unternehmen (Wettbewerbs-B.) oder zw. Geschäftseinheiten des eigenen Unternehmens (internes B.) in systemat. und detaillierter Form verglichen werden. Ziel ist, Leistungslücken aufzudecken und Anregungen für Verbesserungen zu gewinnen.

📖 *B. Spitzenleistungen durch Lernen von den Besten, hg. v.* JÜRGEN MEYER. *Stuttgart 1996.*

Ernst Benda

Bẹnda, 1) Ernst, Jurist und Politiker (CDU), * Berlin 15. 1. 1925; 1957–71 MdB, 1968/69 Bundesinnenmin., war 1971–83 Präs. des Bundesverfassungsgerichts.

2) Franz, Violinist und Komponist, * Alt-Benatek (getauft Neu-Benatek, Böhmen, 22. 11.) 1709, † bei Potsdam 7. 3. 1786, Bruder von 3); seit 1733 Mitgl. der Kapelle des preuß. Kronprinzen (Friedrich II.).

3) Georg, Komponist, * Alt-Benatek (getauft Neu-Benatek, Böhmen, 30. 6. 1722, † Köstritz 6. 11. 1795, Bruder von 2); seit 1742 Violinist der königl. Kapelle in Berlin, 1750–78 Hofkapellmeister in Gotha; sein Hauptwerk ist das Melodrama »Ariadne auf Naxos« (1775).

Ludwig August von Benedek

Bẹnder, 1) Hans, Parapsychologe, * Freiburg im Breisgau 5. 2. 1907, † ebd. 7. 5. 1991; Prof. und Leiter des Inst. für Grenzgebiete der Psychologie und Psychohygiene ebd.; beschäftigte sich mit der wiss. Erforschung parapsycholog. Phänomene (»Unser sechster Sinn«, 1971).

2) Hans, Schriftsteller, * Mühlhausen (Rhein-Neckar-Kreis) 1. 7. 1919; bis 1980 Herausgeber der literar. Ztschr. »Akzente«; schrieb Romane (»Eine Sache wie die Liebe«, 1954; »Wunschkost«, 1959), Gedichte und Erzählungen. – *Weitere Werke:* »Einer von ihnen. Aufzeichnungen einiger Tage« (1979); »Bruderherz« (Erzählungen, 1987); »Postkarten aus Rom« (Autobiographie, 1989).

📖 *Gelegenheit macht Dichter. H. B. zum 75. Geburtstag. Ausstellung des Histor. Archivs der Stadt Köln,... Köln 1994.*

Bendẹr Abbạs (Bandar Abbas), iran. Hafenstadt am O-Ausgang des Pers. Golfes, 249 500 Ew.; hat die größte Umschlagkapazität aller iran. Häfen.

Bendẹr Ansali [- ænsæ'li] (Bandar Ansali, 1926–80 Bender Pahlewi), iran. Stadt am Kasp. Meer, 42 000 Ew.; Fischereihafen (Kaviar); Badeort.

Bendẹr Khomeini [- xomei̯'niː] (Bandar Chomeini, bis 1980 Bender Schahpur), iran. Hafenstadt am N-Ende des Pers. Golfes, 20 000 Ew.; petrochem. Werke, Endpunkt der transiran. Bahn.

Bendẹr Maschur [- mæ'ʃuːr] (Bandar Mashur), iran. Erdölhafen am Pers. Golf für die Raffinerieprodukte von Abadan, 30 000 Einwohner.

Bendẹry, Stadt in Moldawien, →Tighina.

Bẹndigo [-gəʊ], Stadt in Victoria, Australien, 57 400 Ew.; Bergbau, landwirtsch. Zentrum (Viehmarkt). – 1851 als Goldgräbersiedlung gegründet.

Bẹndis, thrak. Göttin, deren orgiast. Kult um 430 v. Chr. nach Athen kam.

Bẹndorf, Stadt im Landkreis Mayen-Koblenz, Rheinl.-Pf., am rechten Ufer des Mittelrheins, 16 600 Ew.; Hafen; Maschinen- und Apparatebau, Gießerei, Farben- und Baustoffind.; Fremdenverkehr. – Im Ortsteil **Sayn** roman. Kirche der ehem. Prämonstratenserabtei (1202 gegr., 1803 aufgelöst), Burg Sayn (um 1200, seit 1633 Ruine) und die ehem. Gießhütte der 1769 gegr. Eisenhütte (heute Industriedenkmal).

Bẹndzin, Stadt in Polen, →Będzin.

Bẹneckendorff, märk. Adelsgeschlecht, seit 1402 nachgewiesen; seit 1789 vereinigt mit Namen und Gütern des Adelsgeschlechts Hindenburg (B. und Hindenburg).

Bẹnedek, Ludwig August Ritter von, österr. General, * Ödenburg (heute Sopron) 14. 7. 1804, † Graz 27. 4. 1881; wurde 1866 Führer der Nordarmee in Böhmen, verlor die Schlacht bei →Königgrätz.

Benedẹtti, 1) Mario, uruguayischer Schriftsteller, * Paso de los Toros 14. 9. 1920; einer der meistgelesenen Schriftsteller seines Landes; Erzähler (u.a. »Frühling im Schatten«, Roman, 1982), Lyriker, Essayist und Dramatiker.

2) Vincent Graf (seit 1869), frz. Diplomat, * Bastia (Korsika) 29. 4. 1817, † Paris 28. 3. 1900; 1864–70 Botschafter in Berlin, stellte 1870 in Bad Ems an König Wilhelm I. sehr weitgehende Forderungen, deren Ablehnung (→Emser Depesche) den Anstoß zum Krieg von 1870/71 gab.

Benedetti-Michelangeli [-mike'landʒəli], Arturo, italien. Pianist, *Brescia 5. 1. 1920, †Lugano 12. 6. 1995; v.a. Interpret der Werke C. Debussys und M. Ravels.

Benedict ['benɪdɪkt], Ruth, amerikan. Ethnologin, *New York 5. 6. 1887, †ebd. 17. 9. 1948; verfasste Untersuchungen über Indianerstämme im SW der USA und über die Verhaltensmuster, die dem Menschen von der Kultur nahe gelegt werden.

Benedictus [lat. »gesegnet«] *das,* ein Teil der kath. Messe, der Schlussteil des →Sanctus: »Gepriesen sei, der da kommt im Namen des Herrn«.

Benedikt, Päpste:

1) **B. VIII.** (1012–24), eigtl. Theophylakt, †Rom 9. 4. 1024; aus dem Geschlecht der Grafen von Tusculum, krönte Heinrich II. 1014 zum Kaiser; wirkte für eine Erneuerung der Kirche (u.a. Erneuerung des Zölibats) und war politisch gegen die Sarazenen auf Sardinien und Byzanz in Unteritalien erfolgreich.

2) **B. IX.** (1032–45), eigtl. Theophylakt, †Tusculum(?) um 1056; aus dem Geschlecht der Grafen von Tusculum, beim Amtsantritt angeblich erst 12 Jahre alt; verzichtete 1045 gegen Geld zugunsten Gregors VI.

3) **B. XII.** (1334–42), eigtl. Jacques Fournier, *Saverdun (Languedoc) um 1285, †Avignon 25. 4. 1342; Magister der Theologie und Zisterziensermönch, seit 1327 Kardinal; er war sittenstreng und hochgebildet; reformierte die kirchl. Ämterbesetzung und den Klerus; begann den Bau der Papstburg in Avignon.

4) **B. XIV.** (1740–58), eigtl. Prospero Lambertini, *Bologna 31. 3. 1675, †Rom 3. 5. 1758; Gelehrter von Rang; wegen seiner Toleranz selbst von Friedrich d. Gr. und Voltaire geschätzt; nachgiebig gegenüber der Kirchenpolitik der absolutistischen Herrscher, Gegner der Jesuiten.

5) **B. XV.** (1914–22), eigtl. Giacomo della Chiesa, *Genua 21. 11. 1854, †Rom 22. 1. 1922; bemühte sich im 1. Weltkrieg um Milderung der Kriegshärten; seine Versuche einer Friedensvermittlung (bes. 1917) blieben erfolglos.

Benedikt von Nursia, Ordensgründer, *bei Nursia (heute Norcia, Prov. Perugia) um 480, †Monte Cassino 21. 3. 547 (?), Abt des von ihm gegr. Stammklosters der Benediktiner Monte Cassino bei Neapel (um 529); durch die von ihm verfasste »Regula« (→Benediktinerorden) Begründer des abendländ. Mönchtums. – Heiliger (Tag: 11. 7.); gilt als Patron für eine gute Sterbestunde; auf bildl. Darstellungen erscheint er mit den Attributen Buch und Abtstab.

📖 HERWEGEN, I.: *Der heilige B. Ein Charakterbild. Neubearb. u. hg. v.* E. VON SEVERUS. *Neuausg. Leipzig 1960.* – DE WAAL, E.: *Gottsuchen im Alltag. Der Weg des heiligen B. A. d. Engl. Münsterschwarzach 1992.*

Benediktbeuern, Gemeinde im Landkreis Bad Tölz-Wolfratshausen, Bayern, im Alpenvorland, 640 m ü. M., 3200 Ew. – Die um 740 gegr. Benediktinerabtei (Kirche 1681–86, Klostergebäude mit barocken Prunkräumen) ist jetzt philosophisch-theolog. Hochschule der Salesianer. In der Bibliothek fand man die Liedersammlung »Carmina Burana«.

Benediktenkraut (Cnicus benedictus), distelähnl., filziger Korbblütler mit 50 cm hohem, fünfkantigem Stängel und gelben Röhrenblüten, in den Mittelmeerländern und in Vorderasien beheimatet; gerb- und bitterstoffreiche Heilpflanze.

Benediktiner, Mönche, die nach der Regel des hl. Benedikt von Nursia leben.

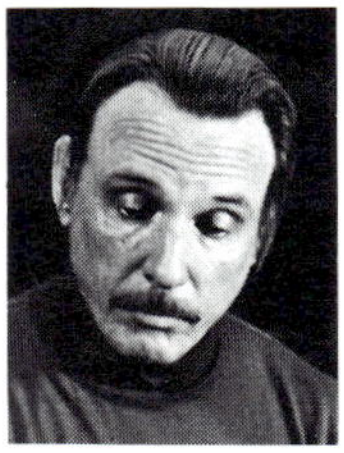

Arturo Benedetti-Michelangeli

Benediktbeuern: Die von 1681 bis 1686 erbaute Klosterkirche mit der Anastasiakapelle von Johann Michael Fischer (1750-53)

Benediktinerorden (lat. Ordo Sancti Benedicti), Abk. **OSB,** kath. Mönchsorden mit heute etwa 10000 männl. und 20000 weibl. Mitgl. **(Benediktinerinnen)** in 21 selbstständigen Kongregationen, seit 1893 in der **Vereinigung aller Benediktiner** zusammengeschlossen; die Ordenstracht ist schwarz. Die **Benediktinerregel** (lat. »Regula Benedicti«; auch Benediktregel) fordert Verbleiben im Heimatkloster, Abkehr vom weltl. Leben, Streben nach Vollkommenheit und Gehorsam unter dem Abt. Die einzelnen Klöster sind meist in nat. Landesverbänden (Kongregationen) jeweils unter einem Abtpräses (Erzabt, Generalabt) zusammengefasst. In Dtl. wirken bes. die Bayer. Kongregation, die Beuroner Kongregation und die Missionskongregation von St. Ottilien. Die bedeutendsten dt. Klöster sind Beuron, Ettal und Maria

Papst Benedikt XV.

Laach. – Die Benediktiner zählten im MA. zu den wichtigsten theolog. und kulturellen Lehrern des Abendlandes. In neuester Zeit wirkt der Orden v.a. in Liturgie, Bibelwissenschaft, Theologiegeschichte sowie in der Mission und Ökumene.

📖 *Der B. Gott suchen in Gebet u. Arbeit, hg. v.* Chr. Schütz *u.* Ph. Rath. *Mainz 1994.*

Benediktinerorden

Aus der Regel des Benedikt von Nursia (ca. 530; Übersetzung: B. Steidle):

»2. Ein Abt, der würdig sein will, dem Kloster vorzustehen, muss immer bedenken, wie er genannt wird, und den Namen des Oberen durch die Tat wahr machen. Denn der Glaube sieht in ihm den Stellvertreter Christi im Kloster, redet man ihn doch mit dessen Namen an nach des Apostels Wort: Ihr habt den Geist der Kindschaft empfangen, in dem wir rufen: Abba, Vater. (...)
48. Der Müßiggang ist der Feind der Seele; deshalb sollen sich die Brüder zu bestimmten Zeiten mit Handarbeit und wieder zu bestimmten Stunden mit göttlicher Lesung beschäftigen. (...) Denn dann erst sind sie wahre Mönche, wenn sie wie unsere Väter und die Apostel von der Arbeit ihrer Hände leben. Doch geschehe wegen der Kleinmütigen alles mit Maß. (...) Der Abt muss auf ihre Schwäche Rücksicht nehmen. (...)
53. Alle Gäste, die kommen, sollen wie Christus aufgenommen werden, denn er wird einmal sagen: Ich war Gast, und ihr habt mich aufgenommen. (...)«

Benefizium [lat. »Wohltat«] *das,* **1)** *mittelalterl. Recht:* eine Form der Landleihe, aus der sich seit dem 10. Jh. das Lehnswesen entwickelte.

2) *Kirchenrecht:* → Pfründe.

Benefizvorstellung, eine Theater- oder Musikaufführung, deren Ertrag ganz oder teilweise einem Künstler oder wohltätigen Zwecken zufließt.

Benelux-Länder, Sammelname für **Bel**gien, die Niederlande (**Ne**derland) und **Lux**emburg, soweit sie wirtsch., kulturell und politisch zusammenwirken und nach außen als Einheit auftreten. Die seit 1944 geplante Zoll- und Wirtschaftseinheit wurde im Haager Vertrag vom 3. 2. 1958 auf zunächst 50 Jahre festgelegt; sie war zu diesem Zeitpunkt schon weitgehend verwirklicht (belgisch-luxemburg. Währungs- und Wirtschaftsunion seit 1922, Zollunion der drei Länder seit 1948). Die Wirtschaftsunion trat am 1. 1. 1960 in Kraft. Die B.-L. sind Mitgl. der EU. Organe: Ministerkomitee, Rat der Wirtschaftsunion, konsultativer interparlamentar. Rat, Wirtschafts- und Sozialrat, Generalsekretariat (Brüssel) und Schiedsgericht.

Beneš ['bɛnɛʃ], Edvard, tschechoslowak. Politiker, *Kožlany (Westböhm. Gebiet) 28. 5. 1884, †Sezimovo Ústí (Südböhm. Gebiet) 3. 9. 1948; Dozent in Prag, kämpfte im 1. Weltkrieg als Mitarbeiter T. G. Masaryks für die Errichtung der Tschechoslowakei. Nach ihrer Ausrufung als Republik (1918) war er 1918–35 Außenmin. (1921/22 zugleich MinPräs.). Innenpolitisch schloss er sich der linksbürgerlich orientierten Tschechoslowak. Nationalsozialistischen Partei an.

Ziel der Außenpolitik B.s. war es, die durch die Pariser Vorortverträge geschaffene politisch-territoriale Ordnung in Europa gegen Revisionsansprüche zu sichern. In diesem Sinne betrieb er u.a. 1920/21 die Gründung der Kleinen Entente. Ab 1935 Staatspräs., trat er nach Abschluss des Münchener Abkommens (1938) und der Abtretung des Sudetenlandes an Dtl. von diesem Amt zurück. Danach ging er ins Exil. 1940–45 war B. Präs. der tschechoslowak. Exilreg. in London. Ab Mai 1945 erneut Staatspräs., konnte er die gleitende kommunist. Machtübernahme in der Tschechoslowakei nicht verhindern (Rücktritt Juni 1948).

📖 Arndt, V.: *Der zweite Präsident. E. B. Biograph. Skizze. Magdeburg 1993.*

Benét [bɪ'neɪ], Stephen Vincent, amerikan. Schriftsteller, *Bethlehem (Pa.) 22. 7. 1898, †New York 13. 3. 1943; schrieb u.a. eine kurze Geschichte der USA »Amerika« (hg. 1944).

Benet Goitia, [be'neð'ɣɔit̯i̯a], Juan, span. Schriftsteller, *Madrid 7. 10. 1927, †ebd. 5. 1. 1993; einer der bedeutendsten spanischsprachigen Autoren der Gegenwart. Beeinflusst von W. Faulkner, entwirft er in seinen Romanen (u.a. »Rostige Lanzen. Bücher I–VII«, 1983–85) und Erzählungen eine rätselhafte, zweideutige Welt des Ungewissen, in der Personen Schemen und histor. Prozesse Symbole der Nichtigkeit werden.

Benetnasch [arab. »Klageweib«], der Deichselstern des Großen Wagens.

Benetzung, mehr oder weniger starkes Haften einer Flüssigkeit an der Oberfläche eines festen Körpers, was zur Ausbildung eines kleinen Randwinkels zw. beiden führt. Je größer die → Oberflächenspannung einer Flüssigkeit, desto geringer ist die B.-Tendenz. Eine benetzende Flüssigkeit (z.B. Wasser) steht an der sie einschließenden Gefäßwand höher, eine nicht benetzende Flüssigkeit (z.B. Quecksilber) tiefer als in der Mitte. – Benetzungserscheinungen sind wesentl. für die Wirkung von Waschmitteln.

Benevent (italien. Benevento), **1)** süditalien. Provinz in Kampanien, 2071 km^2, (1994) 295900 Einwohner.

2) Hptst. von 1), 64800 Ew.; Univ., Erzbischofssitz; landwirtsch. Handel, Likörherstellung. Röm. Triumphbogen, Theater und Brücke aus dem 2. Jh. n. Chr., Dom (um 1200), Kirche Santa Sofia (8. Jh.). – B., ursprünglich samnit. Stadt, wurde nach dem Sieg der Römer über Pyrrhos (275 v. Chr.) zur röm. Kolonie **Beneventum.** Das langobard. Herzogtum B. umfasste den größten Teil Unteritaliens. Die Stadt gehörte (mit Unterbrechung 1806–15) 1051 bis 1860 zum Kirchenstaat.

Bengalen, fruchtbare, dicht besiedelte Landschaft im O Vorderindiens, umfasst das Mündungsdelta von Ganges und Brahmaputra und das Gebiet ihrer Unterläufe. Das Klima ist feuchtheiß und niederschlagsreich; zum Ende der Monsunzeit treten im Mündungsgebiet häufig Überschwemmungskatastrophen auf. Wirtschaftlich von Bedeutung sind Reisanbau und der Export von Jute. Staatlich gehört der westl. Teil zu Indien (West Bengal), der größere östl. ist der eigentl. Staatsraum von Bangladesh. – Um 1200 wurde das bis dahin buddhist. B. von den Muslimen erobert und gehörte seit 1576 zum Mogulreich, geriet 1757 (Sieg R. Clives über den bengal. Fürsten bei Plassey) unter brit. Herrschaft und erhielt 1854 eine eigene Verwaltung. 1905–12 war B. geteilt in die Prov. Ost-B. mit Assam und West-B. mit Bihar und Orissa. 1947 fiel das vorwiegend hinduist. West-B. an die Ind. Union (seit 1956 Bundesstaat) und Ost-B. an Pakistan, von dem es sich mit ind. Hilfe 1971/72 als unabhängiger Staat →Bangladesh abspaltete.

Bengalen, Golf von (Bengalisches Meer), der zw. Vorder- und Hinterindien und der vorgelagerten Insel Ceylon liegende Meeresteil des Ind. Ozeans, weit nach S geöffnet, oft von verheerenden Wirbelstürmen heimgesucht. Wichtigster Hafen ist im N Kalkutta, auf der O-Seite Rangun, auf der W-Seite Madras.

Bengali, neuindoarische Sprache, die in Bangladesh, im ind. Bundesstaat West Bengal und in den benachbarten Bundesstaaten Assam, Bihar, Orissa gesprochen wird, neben Hindi die wichtigste Sprache auf dem ind. Subkontinent. Das Schrifttum beginnt im 10. Jh. mit buddhist. Schriften; im 14. Jh. Blüte der vishnuit. Dichtung. Die großen Sanskritepen wurden in vielen freien Nachdichtungen volkstümlich. Im 19. Jh. entstand das Prosaschrifttum. Der bedeutendste neuzeitl. Dichter dieser Sprache ist Rabindranath Tagore.

bengalisches Feuer, Buntfeuer, →Pyrotechnik.

Bengasi (Banghasi), Hptst. der Cyrenaica, Libyen, Hafenstadt an der O-Küste der Großen Syrte, 446300 Ew.; Univ.; Meersalzgewinnung, Zementfabrik, Gerberei, Teppichherstellung; internat. Flughafen. – B., das antike **Berenike,** wurde 641 arabisch, 1551 türkisch, 1911 italienisch; im 2. Weltkrieg stark umkämpft und teilweise zerstört.

Ben-Gavriël, Moscheh Ya'akov, eigtl. Eugen Hoeflich, israel. Schriftsteller österr. Herkunft, *Wien 15. 9. 1891, †Jerusalem 17. 9. 1965; schrieb Romane, Essays, Dramen und Hörspiele mit skurrilem Humor: »Das Haus in der Karpfengasse« (1958); »Die Flucht nach Tarschisch« (1963).

Bengbu, Stadt in der chines. Prov. Anhui, Flusshafen am Huai He, 449200 Ew.; Handelszentrum, u. a. Nahrungsmittel- und Textilindustrie, Maschinenbau.

Bengtson, Hermann, Althistoriker, *Ratzeburg 2. 7. 1909, †München 2. 11. 1989; Prof. in Jena, Würzburg, Tübingen und München; schrieb u. a. »Einführung in die alte Gesch.« (1949), »Griech. Gesch.« (1950), »Die hellenist. Weltkultur« (1988).

Benguela, Prov.-Hptst. mit Fischereihafen an der Atlantikküste Angolas, 41000 Ew.; Bischofssitz; Ind.standort mit Werften, Fisch- und Tabakverarbeitung. – 1617 gegründet.

Benguelabahn, transkontinentale Eisenbahnstrecke, die vom Atlantikhafen Lobito in Angola über Benguela zum Bergbaugebiet Shaba im S der Demokrat. Rep. Kongo und in den Kupfergürtel von Sambia führt; Anschluss zum Hafen Beira am Pazifik (in Moçambique).

Benguelastrom, kalte Meeresströmung im Südatlantik vor der W-Küste Afrikas, sehr fischreich.

Ben Gurion, David, eigtl. D. Gruen, israel. Staatsmann, *Płońsk (Polen) 16. 10. 1886, †Tel Aviv-Jaffa 1. 12. 1973; früh in der zionist. Bewegung, ab 1906 als Landarbeiter in Palästina, beteiligte sich maßgeblich am Aufbau der Gewerkschaftsorganisation Histadruth (1921–35 deren GenSekr.) und der sozialist. Arbeiterpartei Mapai. Als Vorsitzender der Jewish Agency (1935–48) organisierte er gegen den Widerstand der palästinens. Araber und der brit. Mandatsmacht die Ein-

David Ben Gurion

Benin: Elfenbeinmaske, Brustschmuck des Königs (15./16. Jh.)

Benin

Fläche: 112 622 km²
Einwohner: (1995) 5,41 Mio.
Hauptstadt: Porto Novo
Verwaltungsgliederung: 6 Provinzen
Amtssprache: Französisch
Nationalfeiertag: 1. 8.
Währung: CFA-Franc
Zeitzone: MEZ −1 Std.

Staatswappen

(DY)

Internationales Kfz-Kennzeichen

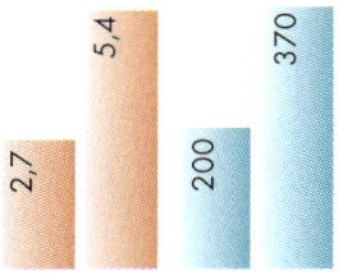

1970 1995 Bevölkerung (in Mio.)

1970 1994 Bruttosozialprodukt je Ew. (in US-$)

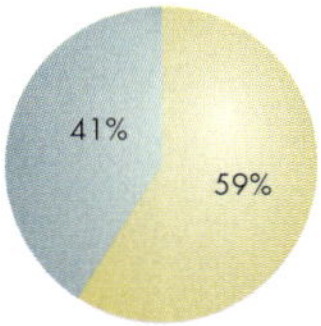

■ Stadt
■ Land

Bevölkerungsverteilung 1994

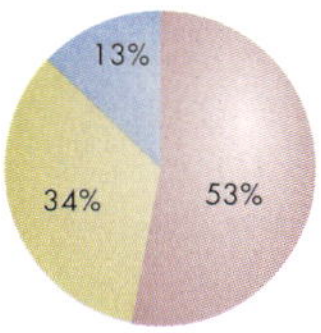

■ Industrie
■ Landwirtschaft
■ Dienstleistung

Bruttoinlandsprodukt 1994

wanderung jüd. Flüchtlinge aus Europa nach Palästina. 1944 wurde er Präs. der Zionist. Weltorganisation. Am 14. 5. 1948 rief er den Staat Israel aus. Als MinPräs. und Verteidigungsmin. (1948–53, erneut 1955–63) gelang es ihm, diesen Staat politisch, militärisch und wirtschaftlich zu festigen.

📖 Bar-Zohar, M.: *D. B. G. Der Gründer des Staates Israel. A. d. Engl. Tb.-Ausg. Bergisch Gladbach 1992.*

Beni (Banu) [arab. »Söhne«], arab. Wort, das die Zugehörigkeit zu einer Gemeinschaft ausdrückt und deshalb vielen Stammesnamen vorangestellt ist; z. B. Beni Sulaim.

Benidorm, Badeort an der Costa Blanca, im Land Valencia, Prov. Alicante, Spanien, 28 000 Ew.; bed. Fremdenverkehrszentrum.

Benignität [lat.] *die,* Gutartigkeit, z. B. von Geschwülsten; Ggs. Malignität.

Beni Hasan, Dorf in Oberägypten, am östl. Nilufer; nahebei Felsengräber (2000–1900 v. Chr.) mit Wandmalereien.

Beni Israel, urspr. in Vorderindien ansässige Juden unbekannter Herkunft von brauner Hautfarbe, die Marathi sprechen; Zentrum ist Bombay; sie leben heute größtenteils in Israel. Ihre Religion zeigte christlich-islam. Einschläge.

Benin, ehem. Königreich der Edo in Westafrika, im SW des heutigen Nigeria um die Residenzstadt Benin (heute Benin City, 197 500 Ew.). Das etwa im 13. Jh. gegründete Reich brachte eine hoch entwickelte höf. Kunst (Metallguss, Elfenbeinarbeiten) hervor. – B. war im 18./19. Jh. ein Hauptsitz des Sklavenhandels. 1897 von Großbritannien unterworfen, kam B. zum Protektorat Nigeria. Bild S. 51

📖 *B. Kunst einer afrikan. Königskultur. Die B.-Sammlung des Museums für Völkerkunde Wien, bearb. v.* A. Duchteau. *München u. a. 1995.* – Ombu, J. A.: *The B. kingdom 1550–1970. An enumerative bibliography. Dresden 1995.*

Benin (amtl. frz. République du Bénin, bis 1975 Dahomey), Staat in Westafrika, grenzt im S an den Golf von Guinea (Atlantischer Ozean), im W an Togo, im NW an Burkina Faso, im NO an Niger und im O an Nigeria.

Staat und Recht: Seit dem Verfassungsreferendum vom 2. 12. 1990 ist B. eine präsidiale Rep. mit Mehrparteiensystem. Staatsoberhaupt und Reg.chef ist der mit umfassenden Vollmachten ausgestattete Präs. (für fünf Jahre direkt gewählt). Die Exekutive liegt bei der Nationalversammlung (64 Abg., für vier Jahre gewählt). Einflussreichste polit. Kraft ist die Dreiparteienkoalition Union für den Triumph der demokrat. Erneuerung (UTR).

Landesnatur: B. erstreckt sich von der Bucht von Benin 670 km nach N bis zum Niger. An die tropisch-feuchte Lagunenküste (115 km) mit sandigen Nehrungen schließt sich eine breite Küstenebene an, die von stark gelichteten Feuchtwäldern mit Ölpalmbeständen bedeckt ist. Das Landesinnere ist weitgehend ein kristallines Tafelland, im S mit Feuchtsavanne, im N mit Busch- und Dornsavanne, begrenzt im W vom Togo-Atakora-Gebirge, das bis zu 800 m ü. M. aufsteigt. Im N hat B. Anteil am Nigerbecken

Bevölkerung: Die Bev. setzt sich aus etwa 60 ethn. Stämmen (meist Sudanide) zusammen, vor allem aus Fon, ferner Adja, Yoruba, Bariba, Fulbe. – Allg. Schulpflicht besteht vom 6. bis 12. Lebensjahr; eine Univ. besteht in Cotonou (1970 gegr.). Die Analphabetenquote betrug 1991 knapp 77 %. – 60 % der Bev. sind Anhänger von Naturreligionen, etwa 20 % Christen, 15 % Muslime.

Wirtschaft, Verkehr: B. gehört zu den am wenigsten entwickelten Ländern der Erde. Haupterwerbsquelle ist die Landwirtschaft; sie beschäftigt 70 % der Erwerbstätigen, erbringt die Hälfte des Bruttoinlandprodukts und den Hauptanteil des Exports. Meist für den Eigenbedarf werden Jamswurzeln, Maniok, Mais, Hirse, Erdnüsse und Reis angebaut, bes. für den Export in Plantagen Baumwolle, Ölpalmen, Kaffee und Kakao. – Die Industrie beschränkt sich auf Ölmühlen, Baumwollentkernungsanlagen, Zement-, Zuckerfabrik und Textilbetriebe. – An Bodenschätzen werden Kalkstein- und Erdölvorkommen ausgebeutet. – Exportiert werden Nahrungsmittel, Baumwolle, Erdöl und Erdölerzeugnisse. – Es bestehen 578 km Eisenbahnstrecken und 6100 km Straßen; Haupthafen und internat. Flughafen ist Cotonou.

Geschichte: Das um 1600 gegr. Reich der Fon wurde von den Franzosen 1892–94 unterworfen, der letzte König 1911 abgesetzt. 1904–58 gehörte das Land als Kolonie **Dahomey** zu Frz.-Westafrika, dann als autonome Rep. zur Frz. Gemeinschaft; seit 1960 ist es unabhängig. Nach dem Putsch von 1972 wurde unter Präs. M. Kérékou, der 1975 die »Revolutionäre Volkspartei von B.« gründete und die Volksrepublik Benin ausrief, der Marxismus-Leninismus verpflichtende Ideologie. 1989/90 erzwangen Massenproteste die Rückkehr zum Mehrparteiensystem und die Abkehr vom Marxismus-Leninismus. Nachdem bei den Präsidentschaftswahlen im März 1991 der reformorientierte bisherige Premiermin. N. Soglo das Amt des Staatspräs. gewonnen hatte, wählte die Bev. im März 1996 den früheren Staatspräs. Kérékou als Kandidaten eines Parteienbündnisses (»Unsere gemeinsame Sache«) zu dessen Nachfolger.

Bẹni Rịo, linker Quellfluss des Río Madeira in Bolivien, entspringt in der Cordillera Real, rd. 1700 km lang.

Bẹni Suẹf (Bani Suwaif), Prov.-Hptst. in Oberägypten, am linken Nilufer, 151800 Ew.; Baumwollentkernungsanlagen, Zuckerfabrik.

Bẹnjamin [hebr. »Sohn der rechten Seite«], israelit. Stamm in Mittelpalästina; sein Stammvater galt als jüngster Sohn Jakobs, Bruder Josephs (1. Mos. 35,18). Im übertragenen Sinne wird daher der Jüngste (einer Gruppe) als B. bezeichnet.

Bẹnjamin, 1) Hilde, Politikerin (SED), *Bernburg (Saale) 5. 2. 1902, †Berlin (Ost) 18. 4. 1989; Juristin; fällte als Vizepräs. des Obersten Gerichts der DDR (1949–53) Urteile von großer Härte. Nach dem Aufstand vom 17. 6. 1953 war sie als Justizmin. (bis 1967) entscheidend an der Neuordnung des Strafrechts der DDR im stalinist. Sinne beteiligt.

2) Walter, Schriftsteller, *Berlin 15. 7. 1892, †(Freitod) bei Port-Bou (Katalonien) 26.(27.?) 9. 1940; Essayist, Literatur- und Zeitkritiker, sowohl einer materialistisch-dialekt. Geschichtsphilosophie als auch einem messianisch-eschatolog. Geschichtsverständnis zugewandt; verfasste u. a. »Einbahnstraße« (1928), »Das Kunstwerk im Zeitalter seiner technischen Reproduzierbarkeit« (1936). Unvollendet blieb das umfangreiche »Passagenwerk«, in dem B. die Passagen von Paris als Symbol des 19. Jh. verstand.

Walter Benjamin

📖 *Aber ein Sturm weht vom Paradiese her. Texte zu W. B., hg. v.* M. Opitz *u.* E. Wizisla. *Leipzig 1992.* – Garber, K.: *Zum Bilde W. B.s. Studien, Porträts, Kritiken. München 1992.* – Witte, B.: *W. B. Reinbek 19.–21. Tsd. 1994.* – Brodersen, M.: *W. B. Eine kommentierte Bibliographie. Morsum/Sylt 1995.*

Bẹnn, Gottfried, Schriftsteller, *Mansfeld (Landkr. Prignitz) 2. 5. 1886, †Berlin 7. 7. 1956; praktizierender Arzt; begann mit expressionist. Dichtungen (»Morgue«, Gedichte, 1912; »Fleisch«, Gedichte, 1917), zeichnete in seinem Frühwerk eine Welt von Krankheit und Verwesung und setzte der Rationalität das Streben nach dem Rauschhaft-Irrationalen entgegen; schrieb auch Essays u. d. T. »Nach dem Nihilismus« (1932). Seine späteren Werke (»Der Ptolemäer«, 1949; »Drei alte Männer«, 1949; »Ausdruckswelt«, 1949; »Doppelleben«, 1950; »Altern als Problem für Künstler«, 1954) und bes. die sprachkünstlerisch bedeutenden Gedichte (»Statische Gedichte«, 1948; »Apréslude«, 1955) sind ein Bekenntnis zu Form und Stil, in denen sich der Geist inmitten des Wertezerfalls behauptet; erster Preisträger des Georg-Büchner-Preises (1951).

Gottfried Benn

📖 Rübe, W.: *Provoziertes Leben. G. B. Stuttgart 1993.* – Soerensen, N. P.: *Mein Vater G. B. Tb.-Ausg. Frankfurt am Main u. a. 1993.* – Lennig, W.: *G. B. Reinbek 86.–88. Tsd. 1994.*

Bẹnneckenstein (Harz), Stadt im Landkreis Wernigerode, Sa.-Anh., 540 m ü. M., im südl. Harz an der Rappbode, 2700 Ew.; Luftkurort und Wintersportplatz; Abteilung öffentliche Verw. und Rechtspflege der FH Harz; Kompressorenbau, Möbel- und Holzindustrie.

Bẹnnent, 1) Anne, Schauspielerin, *Lausanne 13. 10. 1963, Tochter von 3); Debüt als Theaterschauspielerin mit 15 Jahren (davor auch Film); 1991–93 Mitgl. des Wiener Burgtheaters, seit 1993 des Dt. Schauspielhauses in Hamburg; auch Engagements u.a. in Berlin, München, Salzburg (Festspiele).

Anne Bennent

2) David, Schauspieler, *Lausanne 1966, Sohn von 3); spielte 12-jährig die Rolle des Oskar Matzerath in Volker Schlöndorffs Verfilmung des Romans »Die Blechtrommel« von G. Grass; nach Engagements u. a. in Berlin, München und Stuttgart seit 1990 Mitglied des Pariser Ensembles von Peter Brook.

David Bennent

3) Heinz, Schauspieler, *Stolberg (Rhld.) 18. 8. 1921, Vater von 1) und 2); arbeitet als freier Schauspieler an allen großen dt.sprachigen Bühnen; auch bed. Filmrollen, u.a. »Das Schlangenei« (1977), »Die Blechtrommel« (1979, mit Sohn David), »Die letzte Metro« (1980), »Der Tod des Mario Ricci« (1983).

Heinz Bennent

Bennett ['benɪt], Arnold, engl. Schriftsteller, *Hanley (Staffordshire) 27. 5. 1867, †London 27. 3. 1931; schilderte Alltag und Schicksal einfacher Menschen.

Rudolf von Bennigsen (Gemälde von Franz von Lenbach, Ausschnitt, 1896)

Martin Benrath

Max Bense

Ben Nevis, höchster Berg der Brit. Inseln, in den Grampian Mountains, Schottland, 1343 m hoch.

Benni, Stefano, italien. Schriftsteller, *Bologna 12. 8. 1947; Verfasser zeitkrit. und satir. Erzählungen und Romane (»Terra!«, 1983, »Kom. Krieger«, 1986; »Baol oder die mag. Abenteuer einer fieberhaften Samstagnacht«, 1990).

Bennigsen, 1) Levin Graf (seit 1813), russ. General, *Braunschweig 10. 2. 1745, †Banteln (Landkr. Hildesheim) 3. 10. 1826; hatte im Feldzug von 1807 gegen Napoleon I. den Oberbefehl (Schlachten bei Preußisch Eylau und Friedland); war 1812 Generalstabschef M. Kutusows, besiegte 1812 Marschall Murat und befehligte dann die russ. Reservearmee in der Völkerschlacht bei Leipzig.

2) Rudolf von, Politiker, *Lüneburg 10. 7. 1824, †Bennigsen (heute zu Springe) 7. 8. 1902; übernahm 1859 den Vorsitz des Dt. Nationalvereins; seit 1867 gehörte er dem Reichstag und dem preuß. Abgeordnetenhaus an (1873–79 Präs.). Als Führer der Nationalliberalen unterstützte er Bismarck, brach aber mit ihm nach dem Sozialistengesetz und legte 1883 alle Mandate nieder. 1887–98 war er wieder MdR, 1888–98 auch Oberpräsident der Prov. Hannover.

Benno, Missionar der Wenden, Bischof von Meißen (seit 1066), †16. 6. 1106; Heiliger (Tag: 16. 6.), Patron Altbayerns und Münchens. Gegen die Heiligsprechung B.s (1523) richtete Luther seine Schrift »Wider den neuen Abgott«.

Benommenheit, leichter Grad einer Bewusstseinsstörung, bei der Auffassung, Denk- und Gedächtnisvorgänge verlangsamt sind und die Orientierung über Ort und Zeit gestört ist.

Benoni, Stadt in der Prov. Gauteng, Rep. Südafrika, am Witwatersrand, 1650 m ü. M., etwa 207 000 Ew.; Goldbergbau, vielseitige Industrie.

Benrath, seit 1929 Stadtteil von →Düsseldorf.

Benrath, 1) Henry, eigtl. Albert H. Rausch, Schriftsteller, *Friedberg (Hessen) 5. 5. 1882, †Magreglio (bei Como) 11. 10. 1949; war dem George-Kreis verbunden, schrieb histor. Romane und formstrenge Lyrik.

2) Martin, Schauspieler, *Berlin 9. 11. 1926; Engagements in Berlin, Düsseldorf, München (Bayer. Staatsschauspiel 1961–69 und 1976–87), Hamburg, Wien, Salzburg und Zürich; arbeitet auch für Film und Fernsehen.

Benrather Linie (Maken-machen-Linie), Bez. für die sprachgeograph. Grenze zw. niederdt. und hochdt. Sprachraum. Sie überquert den Rhein nördlich von Benrath und bildet mit Sonderlinien (z. B. Uerdinger Linie, die die Sprachformen ik-ich trennt, und Speyerer Linie, die die Formen appel und apfel trennt) den rhein. Fächer der hochdt. →Lautverschiebung.

Bensberg, seit 1975 Teil von →Bergisch Gladbach. Von der Burg der Grafen von Berg (Mitte 12. Jh.) sind Teile in den Neubau des Rathauses (von G. Böhm, 1962–67) einbezogen worden; Jagdschloss (1705–16).

Bense, Max, Philosoph, *Straßburg 7. 2. 1910, †Stuttgart 29. 4. 1990; arbeitete über Wissenschaftstheorie, Logik, Ästhetik und Semiotik. B. trat nachdrücklich für eine diesseitige humanist. Grundlegung der Ethik und der Weltanschauung ein, bemühte sich um eine informationstheoret. Grundlegung der Ästhetik und um die maschinelle Erzeugung von Texten. Wichtige Werke sind u. a. »Theorie der Texte« (1962), »Aesthetica« (4 Bde., 1954–60, erweitert 1965), »Semiotik« (1967), »Semiot. Prozesse und Systeme ...« (1975), »Die Unwahrscheinlichkeit des Ästhetischen« (1979); »Das Auge Epikurs. Indirektes über Malerei« (1979).

📖 WALTHER, E.: *Bibliographie der veröffentlichten Schriften von M. B. Baden-Baden 1994.*

Bensheim, Stadt im Kr. Bergstraße, Hessen, am W-Hang des Odenwaldes; 36 900 Ew.; Hess. Verwaltungsschule, Konfessionskundl. Institut; Bekleidungs-, Papier- u. a. Ind.; Obst- und Weinbau. B. hat einen alten Stadtkern mit Adelshöfen und Fachwerkhäusern, Pfarrkirche (1824–30); über dem Stadtteil Auerbach (Luftkurort) große Burganlage aus dem 13./14. Jh. (heute Ruine). – B. wurde erstmals 771 erwähnt und erhielt 1320 Stadtrechte.

Benthal [grch. bénthos »Tiefe«] *das, Hydrologie:* die Region des Gewässerbodens.

Bentham ['bentəm], Jeremy, engl. Jurist und Philosoph, *London 15. 2. 1748, †ebd. 6. 6. 1832; Anhänger der Assoziationslehre; er machte Hutchesons Prinzip des »größten Glücks der größten Zahl« zur Grundlage eines Systems des →Utilitarismus, das über die Wiss. hinaus auf das öffentl. Leben Einfluss gewann. B. war Liberaler, Pazifist und Verfechter des Freihandels.

Bentheim, Bad, →Bad Bentheim.

Benthos [grch. »Tiefe«] *das,* die Gesamtheit der fest sitzenden (sessiles B.) und frei bewegl. (vagiles B.) Tier- und Pflanzenwelt am Gewässerboden.

Bentley [-lɪ], Richard, engl. klass. Philologe, *Oulton (Cty. Yorkshire) 6. 2. 1662, †Cambridge 14. 7. 1742; Meister der histor. und literar. Kritik.

Bentonit [nach dem Fundort Fort Benton, Montana, USA], durch Verwitterung vulkanischer Aschen entstandener Ton, vorwiegend aus →Montmorillonit bestehend. Infolge seiner hohen Quell- und Adsorptionsfähigkeit wird B. zum Entfärben von Ölen, zur Schönung von Getränken, für thixotrope Emulsionen und als Dichtungsmittel im Grundbau verwendet.

Bentz, Alfred, Geologe, *Heidenheim an der Brenz 26. 7. 1897, †bei Stratford-upon-Avon 11. 6.

1964; 1958–62 erster Präs. der Bundesanstalt für Bodenforschung, bed. Erdölspezialist.

Benue *der,* größter (linker) Nebenfluss des Niger in W-Afrika, entspringt im Hochland von Adamaua (Kamerun), mündet bei Lokoja (Nigeria), 1300 km lang; fischreich. In der Regenzeit sind 900 km schiffbar.

Benue-Kongo-Sprachen, größte Untergruppe der Niger-Kongo-Sprachen; etwa 600 Sprachen, den zahlenmäßig größten Anteil daran haben die →Bantusprachen.

Benutzerhandbuch, *Datenverarbeitung:* Dokumentation, in der Programme in ihrer Anwendung und Handhabung beschrieben werden, wobei eine weitestgehende Vollständigkeit und Richtigkeit, trotz ständiger Änderungen von Programmen, gegeben sein sollte.

Benutzeroberfläche, *Datenverarbeitung:* Verbindungsglied zw. Software und Benutzer, das dem Bediener die Benutzung von Programmen ermöglicht. Es gibt kommandogesteuerte, menügesteuerte sowie durch Bildsymbole **(Icons)** gesteuerte B., die bekanntesten sind GEM und Windows.

Benxi [-sji], chines. Stadt in der Prov. Liaoning, 769000 Ew.; seit 1915 nach Anshan das wichtigste Stahlzentrum NO-Chinas (Kokskohle- und Eisenerzvorkommen in unmittelbarer Nähe); ferner Zementind., Bauxitvorkommen.

Benya ['bɛnja], Anton, österr. Politiker (SPÖ) und Gewerkschafter, *Wien 8. 10. 1912; war 1971–86 Präs. des Nationalrats und 1963–87 Präs. des Österr. Gewerkschaftsbundes (ÖGB).

Benz, Carl Friedrich, Ingenieur und Automobilpionier, *Karlsruhe 25. 11. 1844, †Ladenburg 4. 4. 1929; gründete 1883 die Firma **Benz & Cie., Rheinische Gasmotorenfabrik** (→Daimler-Benz AG) und baute 1885 (unabhängig von Daimler) einen Einzylinder-Viertakt-Benzinmotor als Antrieb für einen dreirädrigen Wagen (1886 vorgeführt) und damit die Grundlagen des Kraftwagens. Der Kraftwagen von 1886 steht heute im Dt. Museum in München.

📖 *B. & Cie. Zum 150. Geburtstag von Karl B., bearb. v.* H. NIEMANN. *Stuttgart 1994.*

Carl Friedrich Benz

Benzaldehyd, einfachster aromat. Aldehyd, verwendet als künstl. Bittermandelöl und zur Farb- und Riechstoffherstellung.

Benzanthron *das,* aus vier anellierten Ringen bestehende organ. Verbindung; hergestellt aus Anthrachinon; Ausgangsmaterial der sehr farbechten B.-Küpenfarbstoffe (Indanthrenviolett, Violanthran u.a.).

Benzidin *das* (4,4'-Diaminobiphenyl), aromat. →Amin zur Herstellung von Azofarbstoffen; Krebs erregend.

Benzidinprobe, forensisches Verfahren zum Nachweis von Blut in Körperflüssigkeiten.

Benzin [italien. aus arab.] (engl. Petrol, Gasoline), Sammelbegriff für die etwa zw. 20 und 210°C siedenden Erdölfraktionen. Gewöhnl. B. ist eine wasserhelle, leicht verdunstende, sehr feuergefährl. Flüssigkeit. Meist wird zw. niedriger siedendem (bis 100°C) **Leicht-B.** und höher siedendem **Schwer-B. (Naphtha)** unterschieden. Unmittelbar durch Erdöldestillation gewonnenes **Straightrun-B.** besteht v.a. aus Alkanen und Cycloalkanen, **Crack-B.** enthält außerdem Alkene. Die Erhöhung des Aromatengehaltes erfolgt v.a. durch →Reformieren, dabei entsteht bes. klopffestes **Reformat-B.** Beim →Steamcracken anfallendes **Pyrolyse-B.** hat ebenfalls hohen Aromatengehalt. **Synthet. B.** kann durch →Kohlehydrierung oder →Fischer-Tropsch-Synthese hergestellt werden. Entschwefeltes Straightrun-B. ist unter den Bez. **Roh-B.** oder **Naphtha** wichtigster Rohstoff der →Petrochemie. **Siedegrenzen-B.** hat einen engen Siedebereich (z.B. 60 bis 95°C oder 100 bis 140°C); es wird als Lösungsmittel sowie für Extraktions- und Reinigungszwecke verwendet, ähnlich wie **Test-B.** mit einem Siedebereich zw. 130 und 220°C. Vergaserkraftstoff für Kraftfahrzeuge wird in Dtl. als **Normal-B.** und **Super-B.** angeboten (→Ottokraftstoffe).

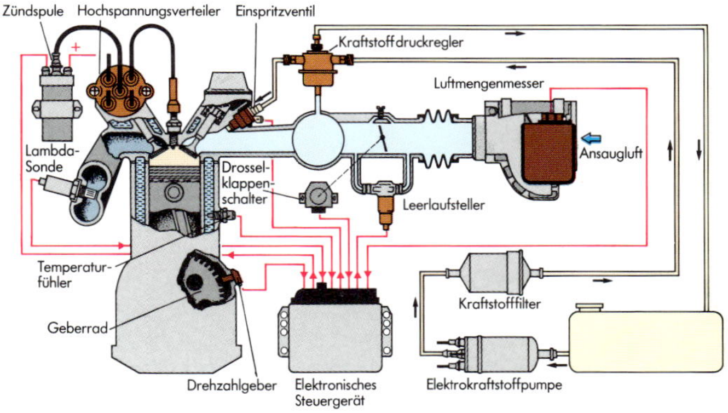

Benzineinspritzung: elektronische Benzineinspritzung und Zündung (Motronic), wobei Motordrehzahl und Lastzustand die Hauptsteuergrößen sind

Benzineinspritzung, die Einspritzung des Kraftstoffes in die Verbrennungsluft beim Ottomotor durch Einspritzdüsen direkt in den Brennraum (innere Gemischbildung) oder vor die Einlassventile (äußere Gemischbildung, heute meist üblich). Vorteile gegenüber der Gemischbildung im Vergaser sind höhere Leistung, geringerer Verbrauch und weniger schädl. Abgasbestandteile.

Benzoeharz, vanilleartig duftendes Baumharz südostasiat. und indones. Styraxarten; wird zur Herstellung wohlriechender Firnisse, Räuchermittel und Parfüme verwendet.

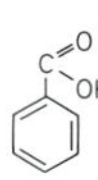

Benzoesäure

Benzolesäure, einfachste aromat. Carbonsäure, die in Form von Estern im Benzoeharz vorkommt. Zwischenprodukt bei der Herstellung von Alkyd-, Epoxid-, Phenolharzen und Caprolactam. B. und ihre Salze (z.B. **Natriumbenzoat**) werden wegen ihrer antimikrobiellen Eigenschaften zur Lebensmittelkonservierung verwendet.

Benzofuran, das → Cumaron.

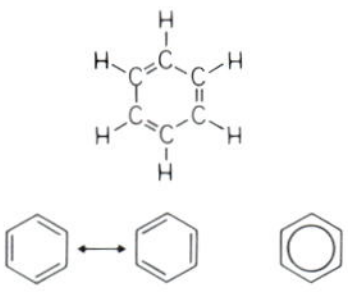

Benzol: Strukturformel mit Elementsymbolen (oben), mit oszillierenden Doppelbindungen (unten links) und vereinfachte Darstellung, in der das Elektronen-Sextett durch einen Ring symbolisiert wird (rechts unten)

Benzol *das,* Stammsubstanz der Aromaten; eine farblose, lichtbrechende Flüssigkeit, die mit stark rußender Flamme brennt. Bed. Gewinnungsverfahren für B. sind die Extraktivdestillation und Extraktion aus Pyrolyse- und Reformatbenzin. Beim Steamcracken von Benzin entsteht B. aus den primären Spaltprodukten Butadien und Äthylen. Als wichtiges Primärprodukt der Petrochemie dient B. v.a. zur Herstellung von Polystyrol, Synthesekautschuk und Polyamiden. – Längeres Einatmen verdünnter B.-Dämpfe führt zu dem Krankheitsbild einer Anämie. B. gehört zu den Krebs erzeugenden Arbeitsstoffen. In der 1865 von F. A. Kekulé nach der Summenformel von B., C_6H_6, aufgestellten Ringformel liegt ein typ. Fall von → Mesomerie vor.

Benzpyren *das* (Benzo(a)pyren, 1,2-Benzpyren), aromat. Kohlenwasserstoff, Krebs erzeugender Bestandteil des Steinkohlenteers; auch in Kfz-Abgasen und im Zigarettenrauch enthalten.

Isaac Ben Zwi

Ben Zwi, Isaac, israel. Staatsmann, *Poltawa (Ukraine) 6. 12. 1884, †Jerusalem 23. 6. 1963; seit 1907 Lehrer in Palästina, begründete zus. mit D. Ben Gurion die Gewerkschaftsorganisation »Histadruth« und die sozialist. Mapai. 1931–48 war er Präs. des Jüd. Nationalrats, 1952–63 israel. Staatspräsident.

Benzyl *das,* Atomgruppe C_6H_5–CH_2–, Rest des Toluols. Technisch bedeutsam ist der **Benzylalkohol,** C_6H_5–CH_2OH, der in vielen Blütenölen vorkommt und als Lösungsmittel für Lacke und in der Farbfilmindustrie Verwendung findet.

Beograd, serb. Name der Stadt → Belgrad.

Beowulf, altengl. Heldengedicht in Stabreimversen aus dem 8. oder 9. Jh., wohl von einem gelehrten Mönch nach lat. Vorbild (Äneis) geschrieben; überliefert in einer Handschrift des 10. Jh., ältestes und einziges vollständig erhaltenes Denkmal german. Sagendichtung, die Entstehungszeit ist unsicher. Den Hauptinhalt bilden die Taten des Gautenfürsten B., der im Dänenlande zwei Wasserunholde überwindet und zuletzt im Kampf mit einem Drachen tödlich verwundet wird.

Ausgabe: B. u. die kleineren Denkmäler der altengl. Heldensage Waldere u. Finnsburg, hg. v. G. Nickel, 3 Tle. Heidelberg 1976–82.

Cathy Berberian

Beppu, bed. japan. Badeort auf der Insel Kyūshū, 135 000 Ew.; über 2 000 Thermalquellen; auch Fischereihafen.

Béranger [berã'ʒe], Pierre Jean de, frz. Dichter, *Paris 19. 8. 1780, †ebd. 16. 7. 1857; erfolgreichster und volkstümlichster Liederdichter Frankreichs im 19. Jh.; pflegte bes. die Erinnerung an Napoleon I.

Beratungshilfe, → Rechtsberatung.

Berber [aus arab. barbar »unzivilisiert«, urspr. lat. barbarus], Sammelname für die europide Bev. Nordafrikas, die bis zu der arabisch-islam. Invasion (7. Jh.) das Gebiet von den Kanar. Inseln bis zur Oase Siwa (W-Ägypten) bewohnte. Von den heute etwa 10 Mio. B. (Eigenbez. Amazigh »freier, edler Mann«) lebt der größte Teil in Marokko und Algerien. Zu den B. gehören auch die → Tuareg.

📖 Neumann, W.: *Die B. Vielfalt u. Einheit einer traditionellen nordafrikan. Kultur.* Köln [2]*1987.*

Berber, Friedrich, Völkerrechtler, *Marburg 27. 11. 1898, †Kreuth 23. 10. 1984; seit 1937 Prof. in Berlin, seit 1954 in München. Bedeutsam sind v.a. seine Forschungen über Kriegsverhütung und zum internat. Wassernutzungsrecht.

Berbera, Stadt am Golf von Aden, in NW-Somalia, 70 000 Ew.; moderner Hochseehafen, Flughafen.

Berberaffe, der → Magot.

Berberian [bə:'beriən], Cathy, amerikan. Sängerin (Sopran), *Attleboro (Mass.) 4. 7. 1928, †Rom 6. 3. 1983; widmete sich bes. der Interpretation moderner Musik.

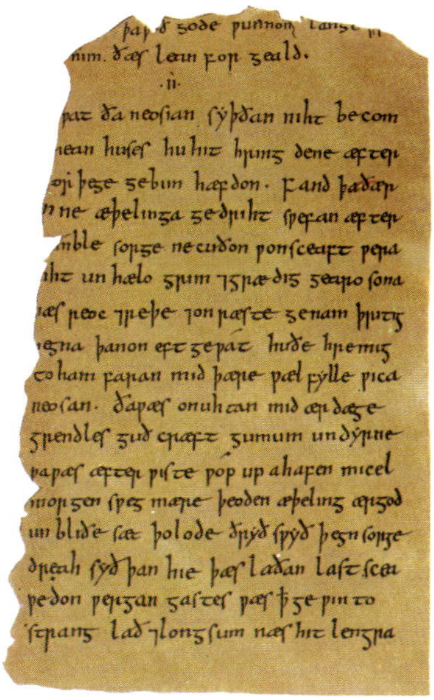

Beowulf: Seite aus einer angelsächsischen Handschrift (10. Jh.; London, British Museum)

Berberitze (Berberis), weltweit verbreitete Gattung der Sauerdorngewächse, strauch- und baumförmige Holzpflanzen mit Dornen und ungeteilten, büschelig stehenden Blättern und gelben Blüten mit Honigblättern. Die Frucht ist eine Beere. Die **Gemeine B.** (**Sauer-** oder **Essigdorn,**

Berberis vulgaris) wächst an trockenen Orten, bes. auf Kalkboden. Das gelbe, harte Holz ist wertvoll. Wurzel und Rinde enthalten **Berberin,** ein Alkaloid, das gallentreibend wirkt. Der Strauch ist Zwischenwirt des Getreiderostpilzes (daher in der Nähe von Getreidefeldern nicht zu dulden). Als Zierstrauch kommt die B. auch in rotblättriger Form **(Blutdorn)** mit gelben Früchten vor.

Berbersprache, zu den hamitosemit. Sprachen gehörende Sprache, die in vielen Sprachinseln in NW-Afrika (→Berber) in verschiedenen Dialekten gesprochen wird; meist in arab. Schrift geschrieben.

Berceuse [bɛr'sø:z, frz.] *die,* Wiegenlied; im 19. Jh. ein lyr. Instrumentalstück, meist für Klavier.

Berching, Stadt im Landkreis Neumarkt i. d. OPf., Bayern, in der Fränk. Alb, am Main-Donau-Kanal, 8100 Ew.; Metallverarbeitung, Futtermittelherstellung. – Spätmittelalterl. Stadtbild mit vollständig erhaltenem Mauergürtel; erhielt 1314 Stadtrecht.

Bercht, myth. Gestalt, →Percht.

Berchtesgaden, Marktgemeinde im Landkr. Berchtesgadener Land, Bayern, 568 m ü. M., zw. Untersberg, Watzmann und Hohem Göll, 8000 Ew.; viel besuchter Luftkurort, Solbad und Wintersportplatz; Salzbergwerk mit Museum. Am alten Marktplatz romanisch-got. Stiftskirche mit ehemaligen Stiftsgebäuden (Schloss und Museum). – Die Pröpste des 1102 gegr. Augustinerchorherrenstifts B. erhielten 1156 Forsthoheit und Schürfrechte auf Salz und Metall und erlangten die Landeshoheit. B. fiel 1803 an Erzherzog Ferdinand von Toskana, 1805 an Österreich, 1809 an Bayern.

Berchtesgadener Land, 1) Landkreis im Reg.-Bez. Oberbayern, Bayern, 840 km², (1996) 98900 Ew.; Krst. ist Bad Reichenhall.

2) Gebirgslandschaft in SO-Bayern, umfasst die **Berchtesgadener Alpen,** einen Teil der Salzburger Kalkalpen. Das Gebiet südl. von Berchtesgaden nimmt der 1979 eingerichtete **Nationalpark Berchtesgaden** ein (210 km²) mit dem tief eingesenkten Königssee im Zentrum. Der Fremdenverkehr unterliegt gewissen Einschränkungen, gefördert werden die traditionelle Alm- und Forstwirtschaft.

Berchtold, Leopold Graf, österr.-ungar. Politiker, *Wien 18. 4. 1863, †Schloss Peresznye bei Sopron 21. 11. 1942; 1906–11 Botschafter in Sankt Petersburg und 1912–15 Außenmin. Nach der Ermordung von Franz Ferdinand in Sarajevo löste sein Ultimatum an Serbien die zum 1. Weltkrieg führende »Julikrise« aus.

Berdjajew, Nikolai Alexandrowitsch, russ. Philosoph, *Kiew 6. 3. 1874, †Clamart (Dép. Hauts-de-Seine) 23. 3. 1948; seit 1917 Prof. in Moskau; wurde 1922 ausgewiesen und lebte seit 1924 in Paris. Dort gründete er, wie schon früher in Moskau, eine »Religionsphilosoph. Akademie«. Als »prophet. Philosoph« und Verfechter einer spirituellen Lehre vom Menschen steht B. in der Tradition der ostkirchl. Mystik, der dt. philosoph. Gnosis (J. Böhme) und F. Nietzsches.

Berdjansk (1939–58 Ossipenko), Hafen- und Ind.stadt in der Ukraine, am Asowschen Meer, 135000 Ew.; Maschinenbau, Erdölverarbeitung, Glasfaser-, Kabelwerk; Weinkellereien. Nahebei der Kurort B. mit Moorbädern.

Beregnung, Form der → Bewässerung.

Bérégovoy [berego'wa], Pierre Eugène, frz. Politiker, *Déville-lès-Rouen (Dép. Seine-Maritime) 23. 12. 1925 †Nevers (Freitod) 1. 5. 1993; Mitgl. des Parti Socialiste, seit 1982 mehrmals Min. (u. a. 1984–86 und 1988–92 für Wirtschaft und Finanzen), war 1992–93 Ministerpräsident.

Bereicherung, jeder Vermögenszuwachs (→ungerechtfertigte Bereicherung).

Bereitschaftspolizei, Polizeieinheiten innerhalb der Vollzugspolizei der dt. Bundesländer; zuständig für Ausbildung des Nachwuchses der Polizei, für die Unterstützung des polizeil. Vollzugsdienstes bei größeren Einsätzen und zur Abwehr von Gefahren für Bund und Land (Art. 91 GG).

Berendt, Joachim Ernst, Schriftsteller und Jazzexperte, *Berlin 20. 7. 1922; 1950–87 Leiter des Jazzreferats des Südwestfunks; schrieb mehrere erfolgreiche Werke zum Jazz, auch »Nada Brahma – Die Welt ist Klang« (1983); gab Platten und Tonkassetten heraus, u. a. zu »Das dritte Ohr. Vom Hören der Welt« (1985).

Berengar, Könige von Italien:

1) B. I., Markgraf von Friaul, *um 850/853, †(ermordet) Verona 7. 4. 924; Enkel Ludwig des Frommen, wurde 888 König, 915 Kaiser. 923 wurde er von Rudolf II. von Burgund besiegt.

2) B. II., Markgraf von Ivrea, *um 900, †Bamberg 6. 8. 966, Enkel von 1); seit 950 König, Enkel von 1); musste 952 unter Abtretung von Verona und Friaul die dt. Lehnshoheit anerkennen; wurde 963 von Otto d. Gr. nach Dtl. verbannt.

Berengar von Tours [-tu:r], scholast. Theologe, *Tours um 1000, †St.-Côme (bei Tours) 1088; seit 1040 Leiter der Schule von Tours und Archidiakon von Angers; wurde wegen seiner symbol. Eucharistielehre (nur symbol. Präsenz Christi in Brot und Wein) auf mehreren Synoden verurteilt.

Berenike II., ägypt. Königin, †(ermordet) 221 v. Chr.; Gemahlin des Ptolemaios III., opferte Aphrodite für seine Heimkehr aus dem 3. Syr. Krieg ihr Haupthaar. Danach wurde das Sternbild →Haar der Berenike benannt.

Berenson, Bernard, amerikan. Kunsthistoriker litauischer Herkunft, *Buivydžiai (bei Wilna) 26. 6.

Berberitze: Zweige der Gemeinen Berberitze mit Blütenständen (oben) und Fruchtstand

Leopold Graf Berchtold

Nikolai Berdjajew

Berge (Auswahl)

Asien		**Südamerika**		**Afrika**		Wildspitze	3 768
Mount Everest	8 846	Aconcagua	6 959	Kibo		Mulhacén	3 478
K2	8 610	Ojos del Salado	6 880	(Kilimandscharo)	5 895	Pico de Aneto	3 404
Kangchendzönga	8 586	Tupungato	6 800	Mount Kenya	5 194	Marmolada	3 343
Lhotse	8 516	Huascarán	6 768	Ruwenzori	5 119	Ätna	3 323
Makalu	8 463	Illimani	6 438	Meru	4 567	Zugspitze	2 962
Cho Oyu	8 201	Illampu		Ras Daschan	4 550	Olymp	2 918
Dhaulagiri	8 167	(Jankhouma)	6 427	Karisimbi (Virunga)	4 530	Corno Grande	
Manaslu	8 163	Chimborazo	6 310	Mount Elgon	4 310	(Gran Sasso)	2 912
Nanga Parbat	8 126	Pico Cristóbal Colón	5 775	Toubkal	4 165	Gerlsdorfer Spitze	2 655
Annapurna I	8 091			Kamerunberg	4 070	Glittertind	2 472
Gasherbrum I	8 068	**Nord- und Mittelamerika**		Thabana Ntlenyana		Ben Nevis	1 343
Broad Peak	8 047	Mount McKinley	6 198	(Drakensberge)	3 482		
Gasherbrum II	8 035	Mount Logan	5 951				
Xixabangma	8 012	Citlaltépetl		**Europa**		**Australien, Ozeanien**	
Ulug Muztag	7 723	(Pico de Orizaba)	5 700	Montblanc	4 807	Gunung Jaya	5 033
Tirich Mir	7 690	Mount Saint Elias	5 489	Dufourspitze		Mauna Kea	4 205
Gongga Shan	7 556	Popocatépetl	5 452	(Monte Rosa)	4 634	Mount Cook	3 763
Pik Kommunismus	7 495	Ixtaccihuatl	5 286	Matterhorn	4 478	Mount Kosciusko	2 230
Pik Pobeda	7 439	Mount Whitney	4 418	Finsteraarhorn	4 274		
Demawend	5 671	Mount Elbert	4 399	Jungfrau	4 158	**Antarktis**	
Elbrus	5 642	Mount Rainier	4 395	Gran Paradiso	4 061	Vinsonmassiv	4 897
Ararat	5 137	Nevado de Toluca	4 392	Piz Bernina	4 049	Mount Markham	4 351
Fujisan	3 776	Gunnbjørns Fjeld	3 700	Großglockner	3 798	Mount Erebus	3 794

Berg: Darstellung von Bergformen (von oben): Pyramide, Horn, Kegel, Zinnen, Kuppe, Tafel

1865, †Settignano (bei Florenz) 6. 10. 1959; Kenner der italien. Renaissancemalerei; Standardwerke zur italien. Kunstgeschichte.

Beresina *die* (weißruss. Bjaresina), rechter Nebenfluss des Dnjepr in Weißrussland, 613 km (505 km schiffbar), durch ein (veraltetes) Kanalsystem mit dem Flussgebiet der Düna verbunden. Vom 26. bis zum 28. 11. 1812 zogen sich die Reste der Großen Armee Napoleons I. von Moskau unter Erleidung großer Verluste zurück.

Beresniki, Stadt im Gebiet Perm, Russland, Flusshafen an der oberen Kama, 200 700 Ew.; chem. (Steinsalz- und Kalisalzlager), Nahrungsmittelindustrie; Erdölförderung.

Berg, jede deutlich die Umgebung überragende Geländeerhebung, durch die relative Größe vom Hügel unterschieden. Vom B.-Fuß leitet der Hang oder das Gehänge zum Scheitel (Gipfel). In der Regel ist ein B. Teil eines Gebirges; einzeln aus einer Ebene aufragende B. (Inselberge der Tropen, Vulkane) sind verhältnismäßig selten. B. können durch Aufschüttung (Vulkane) entstehen, sind aber meist durch Abtragungsvorgänge aus höher gelegenen Teilen der Erdkruste herauspräpariert worden. Vielfältig sind die Benennungen, meist nach der Form: **Tafel-B.** aus flach lagernden Schichtgesteinen oder flachen Lavadecken; breite **Rücken, Dome** aus alten Massen- und gefalteten Schichtgesteinen; **Türme, Zinnen, Zacken** und **Spitzen** in brüchigem Dolomit und Kalk; **Grat-B.** und **Pyramiden** (z. B. Matterhorn) bes. in ehemals vergletscherten Hochgebirgen in Schiefer und Gneis; unregelmäßige **Kuppen** (Vulkanrest-B.); regelmäßige **Kegel** (junge Vulkane). Über die höchsten B. vgl. ÜBERSICHT Berge. – B. galten in vielen Religionen als Sitz von Göttern oder Geistern. Der heilige B., in dem sich Himmel und Erde berühren, wird zum Mittelpunkt der Welt: Fuji (Japan), Elburs (Iran), Olymp (Griechenland), Libanon (Phönikien). Die Sage spricht von Gestalten, die sich in der Tiefe von B. aufhalten (»verbergen«). Der Gottes-B. in der Wüste Sinai, der Horeb (2. Mose 18, 20; 19, 11), ist die Offenbarungsstätte Jahwes, ähnlich der B. Zion (Jes. 2, 2). Religiöse Gebäude ahmen oft B. nach, so die altoriental. Zikkurat, die Stufenpyramiden der Maya und die buddhist. Stupas.

Berg, histor. Territorium rechts des Niederrheins, zw. Ruhr und Sieg (Mittelpunkt: Düsseldorf). Die Grafschaft B. kam 1348 an die Grafen von Jülich und wurde 1380 Herzogtum. 1511 erbte das Haus Kleve B., 1614 fiel es an Pfalz-Neuburg und kam durch Erbschaft (über Pfalz-Sulzbach) 1777 an Bayern. 1806 schuf Napoleon I. für seinen Schwager J. Murat das selbstständige **Großherzogtum B.,** das auch eine Reihe von Nachbarterritorien umfasste; dies wurde 1815 preußisch.

📖 *Das Großherzogtum B. als napoleon. Modellstaat. Eine regionalhistor. Zwischenbilanz, hg. vom Landschaftsverband Rheinland u. a. Köln 1995.*

Berg, 1) Alban, österr. Komponist, *Wien 9. 2. 1885, †ebd. 24. 12. 1935; Schüler A. Schönbergs, einer der bedeutendsten Vertreter der Zwölftonmusik (→Zwölftontechnik). Mit Schönberg und A. Webern gehört er zur »Wiener Schule«; schrieb die Opern »Wozzeck« (1921, Uraufführung 1925) nach G. Büchner und »Lulu« (1928–35, unvollendet; von F. Cerha ergänzt, 1979) nach F. Wedekind, Lieder, Orchester-, Kammermusik und ein Violinkonzert.

📖 *A. B., Kammermusik, hg. v.* H.-K. METZGER *u.* R. RIEHN. *2 Bde. München* [1–2]*1979–81.* – FLOROS, C.: *A. B. Musik als Autobiographie. Wiesbaden 1992.* – SCHERLIESS, V.: *A. B. Reinbek 28.–30. Tsd. 1994.*

Alban Berg: Gemälde von Arnold Schönberg (um 1910; Wien, Historisches Museum)

2) [bærj], Bengt, schwed. Ornithologe, *Kalmar 9. 1. 1885, † Bokenäs (VerwBez. Kalmar) 31. 7. 1967; verfasste »Mit den Zugvögeln nach Afrika« (1924), »Die letzten Adler« (1927), »Tiger und Mensch« (1934),

3) [bærj], Carl Gustav Ragnar, schwed. Physiologe und Ernährungsforscher, *Göteborg 1. 9. 1873, † Borstel (Schlesw.-Holst.) 31. 3. 1956; arbeitete über den Mineral- und Eiweißstoffwechsel und erkannte u. a., dass die Eiweißverwertung durch Basenüberschuss in der Nahrung günstig beeinflusst wird.

4) [bəːg], Paul, amerikan. Biochemiker, *New York 30. 6. 1926; Prof. an der Washington und an der Stanford University; stellte als Erster ein Hybrid-(Rekombinat-)DNS-Molekül her und eröffnete damit den Weg zur → Gentechnologie. Dafür erhielt er den Nobelpreis für Chemie 1980 (mit W. Gilbert und F. Sanger).

Bergakademie, Hochschule für Bergbau- und Hüttenkunde. Der Name hat sich nur noch bei der TU B. Freiberg (als B. gegr. 1765) erhalten. Die früheren B. in Clausthal-Zellerfeld (1775), Aachen (1867) und Berlin (1770) sind heute in eine TU integriert. In Österreich gibt es die Montan-Univ. in Leoben (1840).

Bergamasca *die,* im 16.–17. Jh. volkstümliches Tanzlied aus Bergamo, Italien, geradtaktig und schnell.

Bergamasker Alpen (italien. Alpi Orobie), Teil der Südl. Kalkalpen in N-Italien, erreichen im Pizzo di Coca 3052 m Höhe.

Bergamo, 1) Provinz in der Lombardei, Italien, 2723 km², (1994) 924200 Einwohner.

2) Hptst. von 1), am Alpensüdrand, 115900 Ew.; Verkehrs- und Handelsmittelpunkt; Maschinen-, Textil- und Zementind., graf. Gewerbe in der Neustadt (Unterstadt). – In der alten Oberstadt u. a. Kirche Santa Maria Maggiore (12. Jh.), Dom (15.–17. Jh.), Baptisterium (14. Jh.), Palazzo della Ragione, Torre del Comune.

Bergamotte [italien.] *die,* Unterart der Pomeranze, aus der das äther. **Bergamottöl** gewonnen wird, das für Parfüme und zum Aromatisieren von Tee (Earl Grey) verwendet wird.

Teresa Berganza

Berganza, Teresa, span. Sängerin (Mezzosopran), *Madrid 16. 3. 1935; trat v. a. als Mozart- und Rossini-Interpretin hervor.

Bergaufsicht (Bergpolizei), die Bergbehörden.

Bergbadachschan (russisch Gorno-Badachschan), autonome Rep. (seit 1992) im O von Tadschikistan, im Pamir, 63700 km², (1991) 167000 Ew.; Hptst. Chorog; Viehzucht, Salz-, Goldbergbau, Marmorgewinnung, Seideerzeugung.

Bergbahnen, Bahnen zur Erschließung hoch gelegener, schwer zugängl. Ortschaften, von Berggipfeln, Sportgebieten u. Ä. Bei genügend hoher Reibungskraft des Triebfahrzeuges können gängige Bahnen **(Adhäsionsbahnen)** gebaut werden, zur Verringerung der maximalen Neigung gegebenenfalls mit künstl. Längenerweiterung durch Schleifen; bei ungünstigem Gelände können Tunnel, bei Längenerweiterung auch Kehrtunnel nötig sein. Bei stärkeren Neigungen oder ungenügender Reibungskraft werden **Zahnradbahnen** gebaut (bis etwa 25 % Steigung; Pilatusbahn ausnahmsweise mit 48 %). Zur Fortbewegung greift ein unter dem Triebfahrzeug befindl. Zahnrad in die zwischen den Schienen verlegte Zahnstange ein. Bei gerader, meist kurzer Strecke baut man **Standseilbahnen:** Über ein umlaufendes, auf Rollen zw. den Schienen liegendes Seil werden an den Seilenden ein Fahrzeug bergwärts gezogen und das andere talwärts abgelassen. Bei sehr steilem und unregelmäßigem Gelände wird eine **Seilschwebebahn (Drahtseilbahn)** mit Kabinen (zwei gegenläufige Großkabinen oder zahlreiche kleine Umlaufkabinen) angelegt, bei der Zweiseilbahn mit getrenntem Trag- und Zugseil. Bei der Einseilbahn, häufig in Form von Skilift und Sesselbahn, ist das Zugseil auch das Tragseil. BILD S. 60

Paul Berg

Bergbau, Wirtschaftszweig, der das Suchen nach (Explorieren), das Erschließen, den Abbau (das Fördern) und das Aufbereiten von Bodenschätzen umfasst; die zugehörigen Betriebe sind **Bergwerke** und die ihnen angeschlossenen Betriebe. B. erstreckt sich auf Steinkohle, Braunkohle, Torf, Erdöl, Erdgas, Ölschiefer, Ölsande, Erze (zur Gewinnung von Metallen), Schwefel,

Zahnradbahn mit stehendem Zahnrad

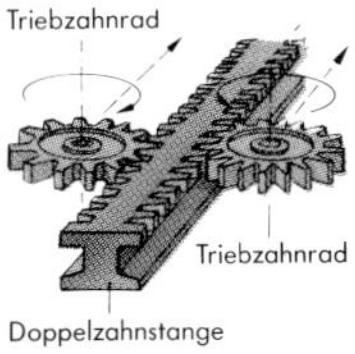

Zahnradbahn mit liegenden Zahnrädern

Bergbahnen: Oben zwei verschiedene Antriebsformen von Zahnradbahnen, unten das Laufwerk einer Kabinenbahn

Steinsalz, Kalisalze, Phosphate und Stickstoffminerale sowie auf Edelsteine und auf Steine und Erden aller Art. Abhängig von der geolog. Situation, der Beschaffenheit des Fördergutes und der Teufe (Tiefe), in der es gefunden wird, werden drei grundlegende Verfahrensarten der Erschließung angewandt: **Bohrungen** dienen der Gewinnung gasförmiger (z.B. Erdgas), flüssiger (z.B. Erdöl) und solcher Bodenschätze, die vergast oder verflüssigt werden können (z.B. Salze). Im **Tagebau** werden Lagerstätten abgebaut, die an oder nahe der Erdoberfläche liegen, v.a. Braunkohle und manche Erzen, aber auch Steinkohle, Gold und Diamanten. Da dieser Abbau in der Landschaft sichtbar ist, sind nach Beendigung des Abbaus umfangreiche Rekultivierungsmaßnahmen notwendig. **Untertage-B.** wird bei tief unter der Erde liegenden Lagerstätten angewendet. Um diese zugänglich zu machen, muss man zunächst die **Ausrichtung** des Grubenfeldes betreiben, d.h. Stollen bis zur Lagerstätte vortreiben oder Schächte bauen und abteufen. Von den Schächten oder Stollen aus werden im Nebengestein weitere söhlige (waagerecht verlaufende) Ausrichtungsgrubenbaue angesetzt: die Richtstrecken und die etwa rechtwinklig von diesen abzweigenden, bis in die Lagerstätte vorgetriebenen Querschläge. Das so auf einem bestimmten Niveau entstehende Streckensystem heißt Sohle. Die Sohlen werden untereinander durch Blindschächte (→Schacht) oder Fahrrollen (→Rollloch) verbunden. Der Ausrichtung folgt die **Vorrichtung,** das Anlegen von Grubenbauen in der Lagerstätte selbst. Nach der Vorrichtung und nach dem Einbau der erforderl. Maschinen, Förderanlagen u.a. beginnt die Gewinnung, der **Abbau** des Minerals. Durch den Abbau entstehen ausgedehnte Hohlräume. Man kann entweder das Hangende über dem nicht mehr benötigten Abbauraum planmäßig »zu Bruch werfen« (Bruchbau) oder den leer geförderten Abschnitt wieder mit →Versatz füllen. Der Abbau lässt sich auch nur teilweise betreiben, sodass die Bergefesten stehen bleiben. Der **Grubenausbau** schützt vor Einsturz und gegen hereinbrechendes Gestein. Der frühere angewandte Holzausbau wurde durch Stahlstempel und hydraul. Grubenstempel abgelöst, die zu Ausbaurahmen zusammengefasst und im schreitenden Schildausbau benutzt werden. Schächte werden mit →Tübbings, Hauptstrecken mit Betonformsteinen und Stahlbogen ausgebaut. Die Gewinnung ist heute in allen B.-Zweigen weitgehend automatisiert und verläuft computergesteuert. Kohle fällt beim Lösen (u.a. mit Schrämmaschinen) auf einen längs der Abbaufront verlegten, mechanisch rückbaren Kettenkratzerförderer, oder sie wird beim Räumen auf ihn geschoben. Im Kali- und Erz-B. hat sich die →LHD-Technik durchgesetzt. Neue Gewinnungsverfahren sind Laugung, Hydroabbau und Untertagevergasung. Der Transport vom Abbauort erfolgt durch Rutschen, Förderbänder, Kettenkratzerförderer, Schrapper u.Ä. zur Hauptförderstrecke. Dort wird das Gut mit Bandanlagen oder Förderwagen weitertransportiert. Die Schachtförderung hebt das Fördergut in Gefäßen oder Gestellen ans Tageslicht. Die **Wasserhaltung** hebt die dem Bergwerk zufließenden Wasser an die Erdoberfläche und verhindert das Absaufen der Grube. Die **Wetterführung** sorgt für ständige Frischluftzufuhr, Kühlung und Verdünnung explosiver und giftiger Gasgemische. Bei hohen Grubentemperaturen werden die →Wetter mit Wetterkühlanlagen gekühlt. Der Erkennung gefährl. Grubengasansammlungen dienen →Wetterlampen.

Bergbau: Weltförderung (in Mio. t)

Produkte	1990	1994
Steinkohle	3 500	3 568
Braunkohle	1 177	950
Erdöl	3 154	3 200
Erdgas[1]	74 806	78 146[3]
Bleierz[2]	3,1	2,8
Kupfererz[2]	9,0	9,4
Zinkerz[2]	7,0	6,8
Eisenerz[2]	973	975

[1] in Petajoule. – [2] Metallinhalt. – [3] 1993.

In Dtl. ist die gesamtwirtsch. Bedeutung des B. vergleichsweise gering. Wichtigster Zweig ist der Steinkohlen-B.; seit 1967 sind in diesem Bereich aber nur noch sechs Unternehmen tätig, von denen der Ruhrkohle AG, Essen, sowie der Rheinbraun, Köln, größte Bedeutung zukommt.

Geschichte: Vereinzelt hat es B. (auf Feuerstein u.a. Gesteinsarten) schon in der Steinzeit gegeben. In der Bronzezeit entstand der B. (auf Kupfer und Zinn) in allen alten Kulturlandschaften (China, Japan, Südamerika, Indien, Vorderasien, Nordafrika, Europa). Bedeutende Kupferbergwerke der Bronzezeit mit Scheide- und Schmelzplätzen fanden sich in Salzburg und Tirol. Eisenerze (in Anatolien von den Hethitern schon im 14. Jh. v. Chr. verarbeitet) wurden in Europa erst seit etwa 800 v. Chr. gewonnen. B. auf Steinsalz kennt man aus der Hallstatt- und Latènezeit (Hallein, Hallstatt u.a.). Der antike B. gründete sich vor allem auf die Lagerstätten in Zypern (Kupfer), Laurion in Attika (Silber, Blei, Zink, Kupfer), Spanien (Silber, Zinn), Irland und Cornwall (Zinn). Im Abendland war bis ins 16. Jh. der dt. B. führend, nicht nur in Dtl. selbst (Harz, Erzgebirge, Alpen, Schlesien, Böhmen), sondern durch dt. Bergleute auch im übrigen Europa (Ungarn, Spanien). Ende des 12. Jh. war die Entwicklung des →Bergrechts und des Bergregals im Wesentlichen schon abgeschlossen. Der B.

wurde in Form der bergrechtl. Gewerkschaft betrieben, in die seit dem Ende des 15. Jh. allerdings auch große Geldgeber eintraten (Fugger). Das 16. Jh. brachte durch techn. Verbesserungen und Lehrbücher einen neuen Aufschwung. Im Absolutismus begann der Staat den B. zu beherrschen, die Bergleute wurden zu →Knappschaften zusammengeschlossen und Bergakademien gegründet. Die Dampfmaschine ermöglichte B. in größerer Tiefe und begünstigte industrielle Großbetriebe. Entscheidend wurden die Lagerstätten des Eisenerzes, der Stein- und Braunkohle. Ende des 18. Jh. gewann Großbritannien die Führung in der sich entwickelnden Schwerindustrie. Seit 1850 begann die Entwicklung der großen Reviere in Nordfrankreich, Belgien, Dtl. (Ruhr, Saar, Oberschlesien), Australien (Gold), den USA (Kohle, Kupfer, Erdöl, Eisen, Nickel) und Südafrika (Diamanten, Gold); seit dem Ende des 2. Weltkriegs kommt dem Abbau der Uranerze und der Gewinnung von Erdöl und Erdgas immer größere Bedeutung zu. Während die →Offshoretechnik beträchtl. Mengen an Erdöl und Erdgas liefert, liegt die Nutzung des →marinen Erzbergbaus noch in der Zukunft.

📖 SUHLING, L.: *Aufschließen, Gewinnen u. Fördern. Gesch. des B.s. Reinbek 9.–11. Tsd. 1988. – Sozialgeschichte des B.s im 19. u. 20. Jh. Beiträge des Internat. Kongresses zur B.-Geschichte, Bochum ..., hg. v.* K. TENFELDE. *München 1992. – Montanarchäologie in Europa. Berichte zum Internat. Kolloquium »Frühe Erzgewinnung u. Verhüttung in Europa« ..., hg. v.* H. STEUER *u.* U. ZIMMERMANN. *Sigmaringen 1993. –* OLSCHOWY, G.: *B. u. Landschaft. Rekultivierung durch Landschaftspflege u. Landschaftsplanung. Hamburg u. a. 1993.*

Bergbauberufe, zu den B. rechnet man Bergleute, Steiger, Bergingenieure sowie für diese Bereiche speziell ausgebildete Fachkräfte, z. B. in der Elektrotechnik, im Maschinenbau und im Vermessungswesen. Der fertig ausgebildete Bergmann heißt Hauer (Häuer), bei Fachausbildung Elektro-, Maschinenhauer, nach Ausbildung in der Sprengarbeit Sprenghauer oder Sprengmeister. Ingenieure der Fachrichtung Bergbau und Hüttenwesen erhalten ihre Ausbildung an einer Fachhochschule, TH oder TU. Die frühere Knappenausbildung ist seit 1975 durch den Ausbildungsberuf des Bergmechanikers ersetzt (Ausbildungszeit drei Jahre). Weitere Ausbildungsberufe sind der Berg- und Maschinenmann (zwei Jahre) sowie der Bergvermessungstechniker (drei Jahre), der auch Frauen offen steht.

Bergbehörden, die nach dem Bundesberg-Ges. zur Aufsicht über den Bergbau eingerichteten (Landes-)Behörden. Untere B. sind die Bergämter, Aufsichts- und Beschwerdeinstanz bilden die Oberbergämter als mittlere B., geleitet von einem Berghauptmann. Oberste B. sind die Wirtschaftsminister oder -senatoren der Bundesländer.

Bergdama (Dama, Damara), negrides Volk in Namibia, stark mit Nachbarvölkern vermischt, etwa 89 000 B.; sie leben im mittleren NW des Landes **(Damaraland),** viele arbeiten jedoch in Städten, auf Farmen oder in Bergbaubetrieben. Die B. sprechen die Sprache der Nama.

Bergbau: Streckenvortriebsmaschine im Steinkohlebergbau

Bergedorf, südöstl. Stadtbezirk von Hamburg, mit Sternwarte. – B. erhielt 1275 Stadtrecht, wurde 1420 von Lübeck erobert und war seitdem (bis 1868) gemeinsamer (»beiderstädtischer«) Besitz von Hamburg und Lübeck.

Bergell *das* (italien. Val Bregaglia [-breˈgaʎa]), Tallandschaft im schweizer. Kt. Graubünden und in der italien. Prov. Sondrio, vom Malojapass (1815 m) bis Chiavenna (320 m) reichend, von der Maira (italien. Mera) nach W durchflossen. Die rd. 1500 schweizer. **Bergeller** sind seit 1529 reformiert und sprechen eine italienisch-roman. Mundart **(Bargaiot).**

Bergen, 1) Stadt in Norwegen, neben Stavanger wichtigster Hafen der W-Küste und Erdölmetropole, VerwSitz der Prov. Hordaland; am Inneren Byfjord, 218 100 Ew.; nach Oslo die bedeutendste norweg. Stadt mit Univ., Handelshochschule; Museen, Aquarium; Fischerei (Aquakulturen), Handelszentrum, Stahlerzeugung, Maschinenbau, Schiffbau, Erdöl-, Textil-, elektron. und Nahrungsmittelind.; internat. Flughafen Flesland. – B., um 1070 gegr., wurde im 14. Jh. ein wichtiger Handelsplatz der Hanse. Deren Niederlassung, die Tyskebryggen (»Dt. Brücke«, seit 1945 Bryggen; die Bauten wurden von der UNESCO zum Weltkulturerbe erklärt), beherrschte bis ins 16. Jh. Stadt

Bergen 1) Stadtwappen

Bergen auf Rügen 4): Klosterkirche St. Marien (13. Jh.)

und Handel (alte Lagerhäuser, Hanseatisches Museum).

2) Stadt im Landkreis Celle, Ndsachs., in der südl. Lüneburger Heide, 12400 Ew., Betonsteinwerk. Südwestl. von B., nahe bei dem Ort Belsen, befand sich im Zweiten Weltkrieg das KZ **Bergen-Belsen.**

3) ['bɛrxə], fläm. Name der belg. Stadt →Mons.

4) Bẹrgen auf Rụ̈gen, Verw.sitz des Landkreises Rügen, Meckl.-Vorp., zentraler Ort der Insel, 17700 Ew.; Nahrungsmittelindustrie. – Zisterzienserklosterkirche (13. Jh.) mit spätgot. Wandmalereien. – B., aus einer alten slaw. Siedlung entstanden, erhielt 1613 Stadtrecht.

5) B. op Zoom, Stadt in der Prov. Nordbrabant, Niederlande, am Rande des Kempenlandes (op Zoom »am Saum«) gegen die Scheldemarsch, 47300 Ew.; Austernzucht; Spargelanbau; Metallverarbeitung. – B. wurde 1577 von den aufständ. Niederländern eingenommen und wiederholt erfolgreich gegen die Spanier verteidigt; Reste der starken Befestigungsanlagen.

Werner Bergengruen

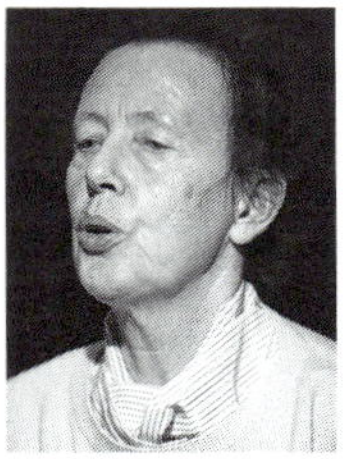

Ruth Berghaus

Bẹrgengruen [-gry:n], Werner, Schriftsteller, *Riga 16. 9. 1892, †Baden-Baden 4. 9. 1964; ausgewogene Erzählkunst, Geschlossenheit der inneren und äußeren Form sowie Fabulierfreude kennzeichnen sein Werk, das häufig histor. Stoffe mit religiöser Thematik behandelt (»Das große Alkahest«, Roman, 1926, 1938 u.d.T. »Der Starost«; »Das Buch Rodenstein«, Novellen, 1927; »Herzog Karl der Kühne«, Roman, 1930; »Der Großtyrann und das Gericht«, Roman, 1935; »Die Rose von Jericho«, Gedichte, 1936; »Die drei Falken«, Novellen, 1937; »Das Feuerzeichen«, Roman, 1949; »Die heile Welt«, Gedichte, 1950; »Der letzte Rittmeister«, »Die Rittmeisterin«, »Der dritte Kranz«, Roman-Trilogie, 1952, 1954, 1962); schrieb auch Reisebücher und Memoiren und war als Übersetzer tätig.

Ausgabe: Von Riga nach anderswo oder Stationen eines Lebens. Bücher, Reisen, Begegnungen, hg. v. N. L. HACKELSBERGER. Zürich 1992.

Bẹrger, 1) Erna, Sängerin (Koloratursopran), *Cossebaude (bei Dresden) 19. 10. 1900, †Essen 14. 6. 1990.

2) Hans, Psychiater und Neurologe, *Neuses a.d. Eichen (heute zu Großheirath, Landkr. Coburg) 21. 5. 1873, †Jena 1. 6. 1941; leitete als Erster das Hirnstrombild (→Elektroenzephalogramm) von der unversehrten Kopfhaut ab.

Bergère [bɛr'ʒɛ:r; frz. »Schäferin«] *die,* gepolstertes Sitzmöbel (Fauteuil) mit geschlossenen Armlehnen.

Bẹrger-Mischung, als Nebelmittel verwendetes Gemisch aus Zinkstaub, Zinkoxid, Tetrachlorkohlenstoff (CCl_4) und Magnesiumoxid, das beim Entzünden einen schwarzen Rauch aus hygroskopischem Zinkchlorid und Kohlenstoffteilchen ergibt.

Bergfried (Belfried), Hauptturm einer →Burg.

Bergfried: Burg Münzenberg (Wetteraukreis), aufgrund ihrer lang gestreckten Anlage mit zwei Bergfrieden ausgestattet.

Bergführer, ausgebildeter, geprüfter, bezahlter Wegsucher, Berater und Helfer der Bergsteiger.

Berggeister, Bergdämonen in Riesengestalt als Personifikation der Berggewalten oder den Zwergen verwandte, meist hilfreiche **Bergmännchen;** bekannte B. sind →Bergmönch und →Rübezahl.

Bẹrghaus, Ruth, Regisseurin und Theaterleiterin, *Dresden 2. 7. 1927, †Zeuthen (bei Berlin) 25. 1. 1996; seit 1954 ⚭ mit P. Dessau; arbeitete für Schauspiel- und Musiktheater; Oper; war zunächst Choreographin, seit 1967 beim Berliner Ensemble, 1971–77 dessen Leiterin; seit 1977 Regisseurin an der Dt. Staatsoper Berlin, internat. Gastinszenierungen; unkonventioneller, auch provokator. Inszenierungsstil.

Bergheim, Krst. des Erftkreises, RegBez. Köln, NRW, an der Erft und am Vorgebirge, 60600 Ew.; Braunkohletagebau, chem. und Metallindustrie. – Romanisch-got. Pfarrkirche St. Remigius, Teile der Stadtbefestigung (14.–15. Jh.); Stadtrecht 1317.

Bergisches Land, Landschaft zw. Ruhr, Rhein und Sieg, am Rand des Rhein. Schiefergebirges, NRW; kuppige Mittelgebirgslandschaft, im Unnenberg 506 m ü. M.; im Gebiet des ehem. Herzogtums Berg; industriereich, bes. im Wuppertal (Wuppertal, Solingen, Remscheid); Talsperren. Der **Naturpark B. L.** umfasst 1900 km^2.

Bergisch Gladbach, Krst. des Rheinisch-Berg. Kreises, RegBez. Köln, NRW, im Berg. Land, 105500 Ew.; Erdbebenwarte der Univ. Köln, Europ. Akademie, Inst. für dt. Musik im Osten; Papierind., Maschinen- und Fahrzeugbau, elektrotechn., Kunststoff-, Nahrungsmittel- und pharmazeut. Ind., Verlage und Druckereien. – 1856 Stadtrecht; seit 1933 Kreisstadt, 1975 durch die Zuordnung der Stadt Bensberg und des Ortes Schildgen vergrößert.

Bergisel (Berg Isel) [verballhornt aus dem 1305 erwähnten Purgusels], Berg im südl. Innsbrucker Stadtteil Wilten, Österreich, 746 m ü. M., Olympia-Skisprungschanze; bekannt durch die Kämpfe von 1809 (→Hofer, Andreas).

Bergius, 1) C. C., eigtl. Egon Maria Zimmer, Schriftsteller, *Buer (heute zu Gelsenkirchen) 2. 7. 1910, †Vaduz 23. 3. 1996; war Flugkapitän und schrieb erfolgreiche Unterhaltungsromane, u. a. »Heißer Sand« (1962), »Roter Lampion« (1969), »Schakale Gottes« (1977), »Endstation Tibet« (1984), »El Comandante« (1986), »Das große C. C. B.-Lesebuch« (1990).

2) Friedrich, Chemiker, *Goldschmieden (heute zu Breslau) 11. 10. 1884, †Buenos Aires 31. 3. 1949, erfand u. a. Verfahren zur Kohleverflüssigung (→Kohlehydrierung; B.-Pier-Verfahren) und zur Holzverzuckerung; erhielt 1931 mit C. Bosch den Nobelpreis für Chemie.

Bergkamen, Stadt im Kreis Unna, NRW, südl. der Lippe, 51800 Ew.; Steinkohlenbergbau, chemisch-pharmazeut. Industrie; 1966 durch Zusammenschluss mehrerer Gemeinden entstanden.

Bergkarabach (russ. Nagorny-Karabach), Gebiet (bis Nov. 1991 Autonomiestatus) in Aserbaidschan, an den O-Hängen des Kleinen Kaukasus; 4400 km^2, (1991) 193000 Ew. (über 80% Armenier); Hptst.: Stepanakert (aserbaidschan. Xankändi). Tabak-, Weinbau, Seidenraupenzucht. – Das mehrheitlich von christl. Armeniern bewohnte und von diesen »Arzach« gen. B. wurde 1921 administrativ Aserbaidschan angegliedert (seit 1923 autonomes Gebiet). Bestrebungen des armen. Bev.teils, diese Region Armenien anzuschließen (1988 entsprechende Erklärung des Gebietssowjets, Bildung eines Karabach-Komitees in Jerewan), lehnte die aserbaidschan. Reg. ab. Nach wiederholten blutigen ethn. Auseinandersetzungen zw. Armeniern und Aserbaidschanern führte der Streit um B. 1990 zum Bürgerkrieg, der starke Flüchtlingsströme beider Nationalitäten auslöste und sich (nach Aufhebung des Autonomiestatus von B. durch das aserbaidschan. Parlament im Nov. 1991 und der einen Monat später folgenden Unabhängigkeitserklärung B.s) 1992 zu einem offenen Konflikt zw. den Rep. Armenien und Aserbaidschan ausweitete, der in einer weitgehenden Besetzung B.s durch armen. Truppen endete. 1994 trat ein von Russland vermittelter Waffenstillstand in Kraft.

Friedrich Bergius

📖 BISCHOF, H.: *Regimewechsel in Aserbaidschan u. der Krieg um Berg-Karabach. Bonn 1992.* – *Armenisches Berg-Karabach/Arzach im Überlebenskampf. Christliche Kunst – Kultur – Geschichte, Beiträge v.* H. HAKOBIAN *u. a., hg. v.* M. RICHTER. *Berlin 1993.* – ASENBAUER, H. E.: *Zum Selbstbestimmungsrecht des armenischen Volkes von Berg-Karabach. Wien 1993.*

Bergkrankheit, die →Höhenkrankheit.

Bergkristall, sehr reine Form des →Quarzes.

Berglöwe, der →Puma.

Bergman ['bærj-], **1)** Hjalmar, schwed. Schriftsteller, *Örebro 19. 9. 1883, †Berlin 1. 1. 1931. Seine Schriften schildern meist das Schicksal einsamer Menschen (»Swedenhielms«, 1925).

Ingmar Bergman

2) Ingmar, schwed. Theater- und Filmregisseur und Drehbuchautor, *Uppsala 14. 7. 1918; gibt in seinen Filmen psychologisch eindringl. Analysen der menschl. Existenz und der Problematik des Zusammenlebens; Filme: Abend der Gaukler (1953); Das siebente Siegel (1956); Wilde Erdbeeren (1957); Die Jungfrauenquelle (1959); Wie in einem Spiegel (1960); Licht im Winter (1961); Das Schweigen (1962); Persona (1965); Schreie und Flüstern (1971); Szenen einer Ehe (1973); Die Zauberflöte (1975); Das Schlangenei (1977); Herbstsonate (1978); Aus dem Leben der Marionetten (1980); Fanny und Alexander (1983). Erinnerungen: »Mein Leben« (1987).

📖 *Gaukler im Grenzland. I. B., hg. v.* L. ÅHLANDER. *A. d. Schwed. u. Engl. Berlin 1993.*

Ingrid Bergman

3) Ingrid, schwed. Schauspielerin, *Stockholm 29. 8. 1915, †London 29. 8. 1982; 1951–57 ⚭ mit R. Rossellini; spielte u. a. in den Filmen »Casablanca« (1942); »Wem die Stunde schlägt« (1943); »Johanna von Orleans« (1948); »Mord im Orientexpress« (1974); »Herbstsonate« (1978); »Golda Meir« (1982).

Bergmann, →Bergbauberufe.

Ernst von Bergmann

Bergmann, 1) Ernst von, Chirurg, *Riga 16. 12. 1836, †Wiesbaden 25. 3. 1907, Vater von 2); besondere Verdienste um Asepsis und Hirnchirurgie.

2) Gustav von, Internist, *Würzburg 24. 12. 1878, †München 16. 9. 1955, Sohn von 1); Mitbegründer des funktionellen Denkens in der Medizin; grundlegende Forschungen zur Entstehung des Magengeschwürs.

Bergmannssprache, →Standessprachen.

Bergmönch, nach dem Volksglauben ein Berggeist, der in Kutte und Kapuze in Bergwerken erscheint, hilft und straft.

Elisabeth Bergner

Bergner, 1) Christoph, Politiker (CDU), *Zwickau 24. 11. 1948; Agraringenieur; schloss sich in der Zeit des Umbruchs 1989/90 zunächst dem Neuen Forum, dann der CDU an; seit Okt. 1990 MdL in Sa.-Anh.; Vors. der CDU-Landtagsfraktion (1991–93, seit 1994); von Dez. 1993 bis Juli 1994 war er Min.Präs. von Sa.-Anh.; seit Okt. 1995 stellv. Bundesvors. der CDU.

2) Elisabeth, österr. Schauspielerin, *Drogobytsch (Galizien) 22. 8. 1897, †London 12. 5. 1986; kam über Wien, München nach Berlin; seit 1933 ⚭ mit dem Regisseur Paul Czinner; lebte seitdem in London. Auf der Bühne und in Filmen wie »Fräulein Else« (1929), »Ariane« (1931), »Der träumende Mund« (1932) und »Wie es euch gefällt« (1936) hatte sie mit ausdrucksvollen Frauenrollen Erfolg.

Bergneustadt, Stadt im Oberberg. Kreis, NRW, 20800 Ew.; u. a. Maschinenbau, Papier- und Textilind.; im Ortsteil Wiedenest romanisch-got. Kirche; nahebei die Aggertalsperre.

Bergonzi, Carlo, italien. Sänger (Tenor), *Polesine Parmense (Region Emilia Romagna) 13. 7. 1924; wurde bes. als Verdi- und Puccini-Interpret bekannt.

Bergpartei (frz. Montagne), in der Frz. Revolution im Ggs. zu den **Girondisten** die radikalste Gruppe des Konvents (1792–95), ben. nach ihren Sitzen auf den höher gelegenen Bänken. Führende Mitgl. **(Montagnards)** waren Danton, Marat und Robespierre.

Bergpredigt, die im Matthäusevangelium nach einer älteren Quelle aus Sprüchen Jesu zusammengestellte Rede Jesu auf einem Berg (Mt. 5–7). Kennzeichnend ist der sozialeth. Gehalt (u. a. Verzicht auf Besitz, Gewalt) und die Schärfe der sittlichen Forderungen, die im Gebot der unbedingten Nächstenliebe münden. Wesentliche Bestandteile sind die Seligpreisungen (Makarismen), das Vaterunser und die goldene Regel. Radikal bes. von sozial orientierten christl. Bewegungen rezipiert (z. B. Waldenser), erhielt die B. immer wieder auch aktuelle, z. T. politische Deutungen.

📖 DEIDENBACH, H.: *Zur Psychologie der B. Frankfurt am Main 10.–11. Tsd. 1994.* – KRÄMER, M.: *Die Überlieferungsgeschichte der B. Egelsbach u. a. 1994.*

Bergrecht, das Sonderrecht, das für Aufsuchung und Gewinnung von Mineralen gilt (→Bergbau). Das Bundesberg-Ges. (BBergG) vom 13. 8. 1980 löste die vorherigen, aus dem preuß. Allg. Berg-Ges. von 1865 hervorgegangenen landesrechtlichen Vorschriften ab. Es unterscheidet **grundeigene Bodenschätze,** die im Eigentum des Grundeigentümers stehen, und **bergfreie Bodenschätze,** die nicht vom Eigentum am Grundstück erfasst werden, letzteres also einschränken. Grundsätzlich bergfrei sind nahezu alle wichtigen Bodenschätze (Aufzählung §3 BBergG). Für das Aufsuchen und Gewinnen von bergfreien Bodenschätzen ist eine **Bergbauberechtigung** erforderlich (Erlaubnis, Bewilligung, Bergwerkseigentum), die auf Antrag verliehen wird. Das BBergG enthält u. a. auch Bestimmungen über die Grundabtretung, die Festsetzung von Baubeschränkungen, die Bergaufsicht durch die →Bergbehörden und die Haftung für Bergschäden. Neu einbezogen sind Vorschriften über die unterird. behälterlose Speicherung und die Gewinnung von Erdwärme. – Bis zur Mitte des 19. Jh. war die Grundlage des B. das **Bergregal,** d. h. das Hoheitsrecht des Königs, über bestimmte Minerale zu verfügen und den Abbau zu gestatten (meist in Verbindung mit einem **Bergzehnt**), das sich etwa im 12. Jh. entwickelt hatte.

In *Österreich* ist das B. im Berg-Ges. vom 11. 4. 1975 geregelt, in der *Schweiz* bildet das Bergbaurecht ein staatl. Hoheitsrecht der Kantone, dessen Umfang durch kantonale Gesetze oder Gewohnheitsrecht festgelegt ist.

📖 GUTBROD, M. B. *u.* F.-R. TÖPFER: *Praxis des B.s. Mit den Besonderheiten für die neuen Bundesländer. Köln 1996.*

bergrechtliche Gewerkschaft, eine (meist rechtsfähige) Personenvereinigung zur Nutzung von Bergwerkseigentum. Den Anteil an einer b. G. nennt man →Kux. Das Bundesberg-Ges. bestimmte die Auflösung der b. G. oder ihre Überführung in andere Rechtsformen zum 1. 1. 1986.

Bergreihen (Bergreigen), Sammlungen von weltl. und geistl. Liedgut, bes. der böhm., erzgebirg. und thüring. Bergleute, seit dem 16. Jh. bekannt.

Bergrettungsdienst, die →Bergwacht.

Bergrutsch, der →Bergsturz.

Bergschaden, jeder durch Bergbaubetrieb an einem Grundstück, einer bewegl. Sache oder einer Person verursachte Schaden; vom Bergwerkseigentümer zu ersetzen.

Bergson, Henri, frz. Philosoph, *Paris 18. 10. 1859, †ebd. 4. 1. 1941; war Prof. am Collège de France; baute insbesondere gegen den Positivismus in der Tradition der Mystik eine spiritualist. →Lebensphilosophie auf. Die Grundbegriffe seiner Philosophie sind: der gegen den naturwiss. Zeitbegriff gerichtete Begriff der subjektiven, unwiederholbaren Zeit, der »Dauer« (durée), und der antimechanist. Begriff des zweckgerichteten »Lebenstriebs« (élan vital). B. übte insbesondere auf die nachnaturalist. Literatur Frankreichs (z.B. den Existenzialismus) bed. Einfluss aus; erhielt 1927 den Nobelpreis für Literatur.

Werke: Zeit und Freiheit (1889); Materie und Gedächtnis (1896); Die schöpferische Entwicklung (1907); Durée et simultanéité (1921).

📖 GUNTER, P. A. Y.: *H. B. A bibliography. Bowling Green, Oh.,* [2]*1986.* – HUDE, H.: *H. B. 2 Bde. Paris 1989–1990.* – VIEILLARD-BARON, J.-L.: *H. B. Paris 1991.*

Bergsteigen, die Technik des Gehens (Bergwandern) und Kletterns in Fels oder Eis. B. erfordert Ausdauer, Trittsicherheit, Schwindelfreiheit, Orientierungssinn und Bergerfahrung; als Ausrüstung dienen u.a. wetterfeste Kleidung, Bergschuhe, Rucksack und Pickel (in Gletschergebieten), zum Klettern auch Seil, Hammer und Haken. – B. als Sport wird als Freikletterei nach 9 Schwierigkeitsgraden bewertet (von I: leicht, die Hände sichern das Gleichgewicht; wenig Geübte gehen mit Seil; bis VII: außergewöhnl. Schwierigkeiten, die nur mit gesteigertem Training zu bewältigen sind; VIII und IX: nicht offiziell definiert, noch größere Schwierigkeiten) sowie für künstl. Kletterei in die Stufen A 0 bis A 4 eingeteilt. Beim Freiklettern dienen Haken u.a. nur zur Sicherung, beim künstl. Klettern auch der Fortbewegung. (→Alpinismus)

Bergsteigen: Extremes Felsklettern ohne künstliche Hilfsmittel im Elbsandsteingebirge

Bergstraesser, Arnold, Kulturhistoriker und Soziologe, *Darmstadt 14. 7. 1896, †Freiburg im Breisgau 24. 2. 1964; seit 1929 Prof. in Heidelberg; emigrierte 1937 in die USA, seit 1954 Prof. für wiss. Politik und Soziologie in Freiburg im Breisgau; förderte maßgeblich den Ausbau der Politikwiss. in Deutschland.

Werke: Geistige Grundlagen des dt. Nationalbewusstseins in der gegenwärtigen Krise (1933); Politik in Wiss. und Bildung (1961); Weltpolitik als Wiss. (hg. 1965, Samml.).

Bergsteigen: Schwierige Eiskletterei an einem Überhang des Montblanc

Bergstraße, 1) am Westrand des Odenwaldes verlaufende Straße zw. Darmstadt und Wiesloch, gabelt sich in Darmstadt-Eberstadt in die »Alte B.« unmittelbar am Fuß des Odenwaldes und die »Neue B.« etwas weiter im Tiefland. Das Gebiet an der B. ist durch Klima- und Bodenverhältnisse begünstigt, Nutzung mit Kern- und Steinobst, Mandeln, Edelkastanien, Walnüssen; Weinbau, Fremdenverkehr. – Die B., von den Römern erbaut, war seit dem MA. Heer-, Handels- und Geleitstraße durch Hessen, Kurmainz und Kurpfalz.

2) Landkr. im RegBez. Darmstadt, Hessen, 720 km², 259 700 Ew. Krst. ist Heppenheim (Bergstraße).

Bergsträsser, Ludwig, Historiker und Politiker, *Altkirch (Elsass) 23. 2. 1883, †Darmstadt 23. 3. 1960; seit 1945 Prof. für Politikwiss. in Frankfurt a. M., wurde 1950 Prof. in Bonn.

Bergström, Sune, schwedischer Biochemiker, *Stockholm 10. 1. 1916; Prof. in Lund, seit 1958 am Stockholmer Karolinska-Inst.; erhielt für grundlegende Arbeiten über Prostaglandine mit B. Samuelsson und J. R. Vane 1982 den Nobelpreis für Physiologie oder Medizin.

Sune Bergström

Bergsturz (Bergrutsch, Bergschlipf, Erdrutsch), das Abstürzen oder Abgleiten von größeren Fels-, Schutt- oder Erdmassen an Berghängen, verursacht durch Unterschneidung und Versteilung der Böschungen (infolge Verwitterung und Erosion), durch Erdbeben sowie durch Sprengungen und andere Eingriffe des Menschen. Bei kleineren Gesteinsmassen spricht man von Felssturz und →Steinschlag.

Lawrentij Berija

Berg- und Talwind, ein im Gebirge auftretendes tagesperiod. Windsystem, bei dem die Winde tagsüber hangaufwärts, nachtsüber hangabwärts wehen, und so auf Temperaturunterschiede beruhende Luftdruckunterschiede ausgleicht.

Bergung, *Recht:* die Rettung eines in Seenot geratenen Schiffes oder seiner Ladung, wenn die Schiffsbesatzung die tatsächl. Gewalt über das Schiff verloren hat (§§ 740 ff. HGB). Bei erfolgreicher B. steht dem Retter ein gesetzl. Anspruch auf **Berge-** oder **Hilfslohn** zu. Der Anspruch auf Bergelohn hat in der Neuzeit das ältere **Strandrecht** ersetzt, das den Küstenbewohnern ein Recht am verunglückten Schiff gab. Das entsprechende Ges. vom 17. 5. 1874 (Strandungsordnung) ist durch Ges. vom 28. 6. 1990 aufgehoben worden, sodass nunmehr das allg. Sachenrecht, bes. in Bezug auf herrenlose Sachen, gilt.

Bergungsschiff, Spezialschiff 1) zum Heben (Hebeschiff) gesunkener Schiffe mithilfe bordeigener Kräne; 2) zum Freischleppen (Bergungsschlepper) auf Grund aufgelaufener oder zum Schleppen manövrierunfähiger Schiffe.

Bergwacht: Abzeichen der Deutschen Bergwacht

Bergwacht (Bergrettungsdienst), Organisation, die bei Unglücksfällen in den Bergen Hilfe leistet. In Dtl. existiert der 1920 als Deutsche B. gegr. Bergrettungsdienst, seit 1945 unter der Bez. »Bergwacht« eine selbstständige Abteilung des Bayerischen Roten Kreuzes mit Sitz in München. In Österreich gibt es den Österr. Bergrettungsdienst (Abk. ÖBRD; gegr. 1946; Sitz: Innsbruck) und in der Schweiz den Bergrettungsdienst des Schweizer. Alpenclubs (gegr. 1903; Sitz: Bern).

Bergwerk, ein → Bergbau treibender Betrieb.

Bergwerkseigentum, das ausschließl. Recht auf Aufsuchung und Gewinnung des in der Verleihungsurkunde benannten Minerals innerhalb des vom Oberbergamt verliehenen Bergwerkfeldes (auf höchstens 50 Jahre befristetes privatrechtl. Aneignungsrecht).

Bergzabern, Bad, Stadt in Rheinl.-Pf., → Bad Bergzabern.

Beriberi [singhales.] *die,* Vitamin-B_1-Mangelkrankheit v.a. infolge ausschließl. Ernährung mit geschältem und poliertem Reis, tritt in Europa selten auf. Der Vitaminmangel führt zu Schädigungen des Nervensystems (Polyneuritis) und des Herzmuskels, die sich in Schwäche, Kopfschmerzen, schlaffer Lähmung, Empfindungsstörungen der Haut, Herzschwäche und Wassersucht äußern. Behandlung: hoch dosierte Gaben von Vitamin B_1 und Ernährungsumstellung.

Luciano Berio

Berichterstatter, jemand, der mit der unparteiischen Darlegung eines Sachverhalts beauftragt ist, bes. als Mitgl. eines Gerichts oder Ausschusses; bei den Massenmedien der → Reporter.

Berichtigung, im Recht die nachträgl. Änderung einer falschen Angabe, z.B. bei Registereintragungen oder gerichtl. Entscheidungen auf Antrag oder von Amts wegen. Die rechtzeitige B. falscher Aussagen vor Gericht kann strafbefreiend oder strafmildernd sein (§ 158 StGB). Zur B. im Presserecht → Gegendarstellung.

Berichtigungsaktilen, die → Gratisaktien.

Berija, Lawrentij Pawlowitsch, sowjet. Politiker, * Mercheuli (bei Suchumi) 29. 3. 1899, † (erschossen) Moskau 23. 12. 1953; seit 1934 Mitgl. des ZK der KPdSU, als Nachfolger von N. I. Jeschow Volkskommissar (1938–46) für Inneres und Staatssicherheit, beendete offiziell 1939 die → Tschistka und organisierte das stalinist. Terrorsystem neu. 1941–45 war er Mitgl. des Staatl. Verteidigungskomitees. 1945 wurde B. Marschall der Sowjetunion, 1946 stellv. Min.Präs. und Mitgl. des Politbüros. Nach dem Tod Stalins (März 1953) wieder Innen- und Staatssicherheitsmin., wurde B. im Zug parteiinterner Machtkämpfe im Juni 1953 gestürzt und später unter der Beschuldigung des »Verrats« zum Tode verurteilt.

📖 KNIGHT, A. W.: *Beria. Stalin's first lieutenant. Princeton, N.J., 1993.*

Bering, Vitus Jonassen, dän. Seefahrer und Asienforscher, * Horsens 1680, † auf der Beringinsel 19. 12. 1741; seit 1703 Marineoffizier in russ. Diensten, erreichte 1728 das bereits von S. I. Deschnjow 1648 gefundene O-Kap Asiens und stellte die Trennung Asiens von Amerika durch die nach ihm benannte Meerenge (B.-Straße) fest. Seit 1733 leitete er die Große Nordische Expedition, auf der die NW-Küste Amerikas entdeckt wurde. Er selbst fand 1741 die S-Küste Alaskas und Teile der Aleuten.

Beringinsel [nach V. J. Bering], die größte der → Kommandeurinseln.

Beringmeer [nach V. J. Bering], nördlichstes Randmeer des Pazif. Ozeans, zw. der ostsibir. Küste, Alaska, den Aleuten und den Kommandeurinseln; 2,32 Mio. km². Sein nördl. Ausgang, die nur 85–100 km breite, 50–90 m tiefe **Beringstraße** zw. Kap Deschnjow (Asien) und Kap Prince of Wales (Nordamerika), führt ins Nordpolarmeer. Über eine hier in der letzten Eiszeit bestehende Landbrücke kamen wohl die ersten Menschen nach Nordamerika.

Beringung, das Anbringen von Erkennungsringen am Fuß frei lebender Vögel, um daraus nach Wiederfund bzw. -fang Einzelheiten ihrer Lebensweise folgern zu können (Vogelzug, Ortstreue, Lebensdauer).

Berio, Luciano, italien. Komponist, * Oneglia (heute Imperia) 24. 10. 1925; einer der führenden italien. Komponisten der Moderne mit seriellen und elektron. Kompositionen.

Berisha [-ʃ-], Sali, alban. Politiker, *Troporjë (NO-Albanien) 1. 8. 1944; Herzchirurg, nach seinem Austritt aus der kommunist. Partei der Arbeit Albaniens am 12. 12. 1990 Mitbegründer und Vors. (bis 1992) der Demokrat. Partei (DP). Am 9. 4. 1992 wählte ihn das Parlament zum Staatspräsidenten.

Berka, Bad, Stadt in Thür., → Bad Berka.

Berkefeld-Filter [nach dem dt. Erfinder W. Berkefeld, *1836, †1897], kerzenförmiger Filter aus gebrannter Kieselgur zum Filtrieren von Flüssigkeiten, bes. zum Zurückhalten von Bakterien aus Trinkwasser.

Berkeley ['bɔ:klɪ], Stadt in Kalifornien, USA, an der Bucht von San Francisco, 102 700 Ew.; University of California (gegr. 1868) u. a. Bildungs- und Forschungsstätten.

Berkeley ['bɔ:klɪ], George, irischer Philosoph und Theologe, *Disert Castle (Cty. Kilkenny) 12. 3. 1685, †Oxford 14. 1. 1753; seit 1734 Bischof von Cloyne (Irland). B. verschärfte die angelsächs. Rationalismuskritik bis hin zum extremen Sensualismus. Außer der Seele als Substanz gebe es nur göttl., im menschl. Geist waltende Vorstellungen. Die Existenz abstrakter Ideen wie der Außenwelt wird geleugnet; Gegenstände existieren nur, insofern sie wahrgenommen werden.

Werke: Versuch einer Theorie der Gesichtswahrnehmung (1709); Abhandlung über die Prinzipien der menschl. Erkenntnis (HW, 1710).

Berkelium [nach der Stadt Berkeley] *das,* chem. Symbol **Bk,** künstl., stark radioaktives Actinoiden-Element aus der Gruppe der Transurane. Ordnungszahl 97, Isotope 242–251 mit Halbwertszeiten zw. 3,22 h und 1380 Jahren (^{247}Bk); B. lagert sich v. a. im Skelett ab.

Berkshire ['bɑ:kʃɪə], County im südl. England, 1256 km², 734 200 Ew.; Verw.sitz ist Reading.

Hendrik Petrus Berlage: Börse in Amsterdam (1897–1903)

Berlage ['bɛrla:xə], Hendrik Petrus, niederländ. Architekt, *Amsterdam 21. 2. 1856, †Den Haag 12. 8. 1934; Vorkämpfer einer neuen, sachl. Architekturauffassung (Börse in Amsterdam 1897–1903).

Berleburg, Bad, Stadt in NRW, → Bad Berleburg.

Berlichingen, Götz (Gottfried) von, fränk. Reichsritter, *Jagsthausen (Landkr. Heilbronn) 1480, †Burg Hornberg (heute zu Neckarzimmern) 23. 7. 1562; verlor 1504 im Landshuter Erbfolgekrieg die rechte Hand, die durch eine eiserne ersetzt wurde. Im Bauernkrieg 1525 übernahm er nur gezwungen die Führung der Odenwälder Aufständischen, verließ die Bauern aber vor der Entscheidungsschlacht. Sein Lebensbericht (hg. 1731) diente Goethe als Quelle für sein Drama »Götz von B. mit der eisernen Hand« (1773).

Berlin, Hauptstadt Deutschlands, Sitz des Bundespräs., 889 km², 3,472 Mio. Ew., 3905 Ew./km²; bildet das Bundesland B., in 23 Bez. unterteilt.

Lage: B. liegt mit seinem Stadtkern 36 m ü. M. in einer Verengung des eiszeitl. Warschau-Berliner Urstromtals, das hier von der Spree benutzt wird. Mitten im Stadtgebiet teilt sich die Spree, die in Spandau in die Havel mündet, in mehrere Arme; zw. dem Großen Müggelsee im SO und den Havelseen im W finden sich weitere Wasserstraßen (Teltow-, Landwehr-, B.-Spandauer Kanal u. a.). Die Hochflächen des Barnim im NO und des Teltow im S (rd. 60 m ü. M.) sind von Talungen mit schmalen Seen (Grunewaldseen) und Teichen durchzogen. Die Umgebung ist reich an Wäldern, bes. Kiefernwäldern: im W die des Havelseengebiets mit Grunewald (Schäferberg 103 m, Havelberg 97 m), Spandauer und Tegeler Forst, im O die um den Müggelsee (Müggelberge 115 m). Der Trümmerschuttberg am Teufelssee ist mit 120 m der höchste Punkt der Stadt.

Gliederung: Baulich und funktional lässt sich B. in drei Zonen gliedern: City, wilhelmin. Großstadtgürtel und Außenstadt. Die City, heute zum größten Teil der Bez. Mitte, umfasst das Gebiet der Stadtkerne Alt-B. und Alt-Cölln sowie die bis zur Mitte des 19. Jh. erbauten Vorstädte, bis zum 2. Weltkrieg Standort der wichtigsten zentralen Einrichtungen. Als Folge der Teilung 1945–90 entstanden neue Zentren um den Bahnhof Zoo und den Kurfürstendamm im ehem. B. (West) und um den Alexanderplatz im ehem. B. (Ost). Charakteristisch für den wilhelmin. Großstadtgürtel war die enge Mischung von Wohn- und Gewerbefunktion (Hinterhof- bzw. Flügelhausbetriebe, Kleingewerbe; bes. typisch in Kreuzberg und Wedding). Einen deutl. Kontrast boten die westl. Stadtteile Charlottenburg und Wilmersdorf als Wohngebiete des wohlhabenden Bürgertums. In der Außenstadt dominiert die lockere Bebauung. Die einzelnen Siedlungskerne lassen meist noch deutlich die alten Dorfanlagen erkennen. Hier entstanden aber auch, v. a. seit den 1920er-Jahren, neue Wohnsiedlungen. Zu den Naherholungsgebieten zählen

Sali Berisha

Berlin Stadtwappen

George Berkeley

Berlin

1

2

3

4

| **1** Entwurf für die architektonische Neugestaltung des Alexanderplatzes von Hans Kollhoff, Computersimulation (1995) | **2** Siegessäule auf dem Großen Stern im Tiergarten (1869–73) | **3** Der von der Spree durchflossene große Müggelsee im Stadtteil Köpenick | **4** Mittelbau des 1695–1705 erbauten Schlosses Charlottenburg, davor im Ehrenhof das Reiterdenkmal des Großen Kurfürsten von Andreas Schlüter | **5** Die nach Entwürfen von Friedrich Schinkel erbaute Schlossbrücke (1819–24) verband früher das nach dem Zweiten Weltkrieg gesprengte Schloss mit der Prachtallee

v.a. die ausgedehnten Kiefernwaldgebiete der Stadtforste Grunewald, Spandau, Köpenick und Friedrichshagen sowie die Seen mit günstigen Wassersportmöglichkeiten wie Wannsee, Tegeler See, Großer Müggelsee, Langer See. In der Außenstadt liegen die wichtigsten Ind.betriebe, die sich z.T. zu eigenen Stadtteilen entwickelten, wie Borsigwalde oder Siemensstadt.

Bauwerke: Der weitaus größere Teil der histor. Bausubstanz befindet sich im Ostteil der Stadt, wo die Wiederherstellung der bedeutendsten Bauten nach den Zerstörungen des 2. Weltkriegs noch nicht abgeschlossen ist. Die ältesten kirchl. Bauwerke B.s sind die ehem. Franziskanerklosterkirche (um 1300; Ruine), die Nikolaikirche (1230–1470) und die Marienkirche (13./15. Jh.). Spuren der Renaissance sind in B. selten (Ribbeck-Haus neben dem Neuen Marstall, 1624; Jagdschloss Grunewald, 1542, 1593 erweitert, um 1770 ausgebaut; Zitadelle Spandau, 1560–94). Die Barockzeit prägte das Stadtbild wesentlich: Schloss Charlottenburg (begonnen 1695), Zeughaus (1695 bis 1706, Reliefs und Schlusssteine von Schlüter; heute Dt. Histor. Museum) und das Schloss (1443–1853, seit 1699 unter Leitung von A. Schlüter), das 1950/51 gesprengt und abgetragen wurde (an seiner Stelle wurden der Marx-Engels-Platz angelegt und das ehem. Staatsratsgebäude, mit einem Barockportal des Schlosses, errichtet). Schlüters Reiterdenkmal des Großen Kurfürsten wurde 1951 vor dem Charlottenburger Schloss aufgestellt. Friedrich d. Gr. ließ durch G. W. v. Knobelsdorff die Hofoper (1740–42; heute Dt. Staatsoper) und das Prinz-Heinrich-Palais (begonnen 1748, seit 1810 Univ.) bauen; daneben ließ er die Alte Bibliothek (1775–80, 1945 ausgebrannt, Außenbau 1965–69 wiederhergestellt) und die Hedwigskathedrale (1747–73; beim Wiederaufbau 1963 stark umgestaltet) errichten. Im Wesentlichen auf eine städtebaul. Planung Knobelsdorffs zurückgehend, bildeten diese Bauten das sog. Forum Fridericianum (heute Lindenforum). Im Klassizismus ent-

| 5

| 6

»Unter den Linden«; im Hintergrund links der Dom (1894–1904), rechts der ehemalige Palast der Republik (1973–76), dahinter der Fernsehturm am Alexanderplatz (1966–69) | **6** Die Philharmonie wurde 1960–63 von Hans Scharoun erbaut

standen die Bauten K. F. Schinkels (u.a. Neue Wache, 1816–18; Altes Museum, 1822–30; Schauspielhaus, 1818–21; Friedrichswerdersche Kirche, 1824–30, restauriert, seit 1987 Schinkel-Museum), das →Brandenburger Tor, das Wahrzeichen B.s, sowie Schloss Bellevue (Ende 18. Jh., heute Sitz des Bundespräsidenten). Einheitlichstes Bauensemble ist der Gendarmenmarkt mit Schinkels Schauspielhaus, flankiert von Dt. und Frz. Dom (1701–08, Kuppeltürme 1780–85). C. D. Rauchs Reiterstandbild Friedrichs d. Gr. (1839–51), nach dem 2. Weltkrieg im Park von Sanssouci aufgestellt, befindet sich seit 1981 wieder Unter den Linden. Von den Bauten der wilhelmin. Zeit ragen die Siegessäule auf dem Großen Stern im Tiergarten (1869–73) und das Reichstagsgebäude (1884–94, 1933 und 1945 stark zerstört; wieder aufgebaut; 1995 Verhüllung durch Christo; zz. im Umbau zum Sitz des Bundestags) und der Dom (1894–1904) heraus, bed. auch das Rote Rathaus (1861–70; in rotem Backstein mit Terrakotten); die Turmruine der zerstörten Kaiser-Wilhelm-Gedächtniskirche wurde in den Kirchenneubau von E. Eiermann 1961 einbezogen. Ein einmaliges Bauensemble ist die Museumsinsel mit Altem Museum, Neuem Museum (1843–55, im Wiederaufbau), Nationalgalerie (1866–76), Bode-Museum (1897–1904) und Pergamon-Museum (1909–30).

Das 20. Jh. weist eine Vielzahl von Beispielen moderner Architektur auf: Funkturm (H. Straumer, 1924–26), Haus des Rundfunks (H. Poelzig, 1930), Shellhaus (E. Fahrenkamp, 1931), Olympiastadion (W. March, 1934–36) und wegweisende Wohnsiedlungen, u.a. in Siemensstadt und Britz. 1949 wurde das sowjet. Ehrenmal errichtet. Als Gedenkstätte für die Hingerichteten in Plötzensee entstand 1961–63 die Kirche Maria Regina Martyrum. Zu den vielen Neubauten nach dem 2. Weltkrieg gehören im Westteil der Stadt das von internat. Architekten erbaute Hansaviertel (1955–60), der Wohnblock von Le Corbusier am Olympiastadion, die Kongresshalle (1957; 1980 z.T. eingestürzt, 1986 wieder aufgebaut), die Philharmonie (H. Scharoun, 1963), die neue Nationalgalerie (L. Mies van der Rohe, 1965–68), die neue Staatsbibliothek (1967–78), das Europa-Center (1963/64 von H. Hentrich und H. Petschnigg), das Internat. Congress Centrum (ICC, 1976–79), das Bauhaus-Archiv/Museum für Gestaltung (Entwurf W. Gropius 1964, verändert ausgeführt 1976–79). Neue Großsiedlungen für je 50 000 Ew. sind die Gropiusstadt im SO und das Märkische Viertel im N. Im Rahmen der Internat. Bauausstellung B. (IBA) 1987 wurden weitere Neubebauungen und Sanierungen durchgeführt (südl. Friedrichstadt, Luisenstadt). Im östl. Stadtteil entstanden v.a. seit 1951 neue Wohn- und Einzelbauten, anfänglich historisierend, v.a. aber in Großblock- und Großplattenbauweise (Karl-Marx-Allee [ehem. Stalin-Allee], Lückenbebauung Unter den Linden [u.a. Botschaftsgebäude], Wohngebiete Fischerinsel, Leipziger Straße, Rathausstraße). Die Randbebauung des Alexanderplatzes (u.a. Haus des Lehrers, Kongresshalle, Hotel »Stadt B.«) sowie der 365 m hohe Fernsehturm wurden bis auf das Berolinahaus und das Warenhaus nach 1960 fertig gestellt. 1976 wurde der Palast der Republik, früher Sitz der Volkskammer, am Marx-Engels-Platz (heute Schloßplatz) eröffnet; 1984 entstand der neue Friedrichstadt-Palast als modernstes Revuetheater Europas; bis 1987 erfolgte unter Einbeziehung moderner Bauelemente der Wiederaufbau des Nikolaiviertels; 1988–95 wurde in der Oranienburger Straße die Neue Synagoge (1857 ff., 1943 zerstört) als Centrum Judaicum wieder aufgebaut. Mit der neuen Funktion B. als Hauptstadt Dtl.s sind zahlr. Neubauprojekte in Planung und Ausführung, u.a. Neugestaltung der Berliner Stadtmitte

Berlin: Größe und Bevölkerung (1995)

Bezirke	Fläche in km²	Ew. in 1000	Ew. je km²
Charlottenburg	30,3	181,3	5983
Friedrichshain	9,8	106,4	10857
Hellersdorf	28,1	137,2	4883
Hohenschönhausen	26,0	120,4	4631
Köpenick	127,4	108,8	854
Kreuzberg	10,4	155,8	14981
Lichtenberg	26,4	168,3	6375
Marzahn	31,5	159,7	5070
Mitte	10,7	80,6	7533
Neukölln	44,9	314,9	7013
Pankow	61,9	112,0	1809
Prenzlauer Berg	10,9	144,6	13266
Reinickendorf	89,4	253,1	2831
Schöneberg	12,3	153,9	12512
Spandau	91,9	224,4	2442
Steglitz	32,0	192,1	6003
Tempelhof	40,8	191,5	4694
Tiergarten	13,4	92,1	6873
Treptow	40,6	107,6	2650
Wedding	15,4	168,3	10929
Weißensee	30,1	55,6	1847
Wilmersdorf	34,4	143,5	4172
Zehlendorf	70,5	99,4	1410
Berlin	889,1	3471,4	3904

im Spreebogen (künftiges Regierungsviertel), auf der Spreeinsel, am Alexander-, Potsdamer, Leipziger und Pariser Platz.

Institutionen und Veranstaltungen: B. ist seit Anfang 1994 Amtssitz des Bundespräsidenten (Schloss Bellevue), ferner Sitz mehrerer Bundesbehörden (u.a. Bundeskartellamt, Umweltbundesamt, Außenstellen des Bundeskanzleramts und der Bundesministerien, Bundesversicherungsanstalt für Angestellte); Sitz des Bischofs der Ev. Kirche in B.-Brandenburg, eines kath. Erzbischofs sowie des russisch-orth. Bischofs für Dtl. (seit 1992); Humboldt-Univ. (gegr. 1809/10), Freie Univ. (gegr. 1948) und TU (gegr. 1946) sowie zahlr. andere Hochschulen (u.a. zwei Kunsthochschulen, Hochschule für Musik, Hochschule für Schauspielkunst und Staatliche Ballettschule, Europ. Wirtschaftshochschule, neun FH); B.-Brandenburg. Akademie der Wiss., B.-Brandenburg. Akademie der Künste, Dt. Film- und Fernsehakademie; andere wiss. Forschungseinrichtungen, u.a. Max-Planck-Institute für Bildungsforschung, Infektionsbiologie, molekulare Genetik, Kolloid- und Grenzflächenforschung, extraterrest. Physik, Plasmaphysik, Wissenschaftsgesch., Fritz-Haber-Inst. der Max-Planck-Gesellschaft, Hahn-Meitner-Inst. (mit Forschungsreaktor), Heinrich-Hertz-Inst. für Nachrichtentechnik, Dt. Archäolog. Inst., Dt. Inst. für Urbanistik, Dt. Inst. für Wirtschaftsforschung, DIN Dt. Inst. für Normung, Wissenschaftszentrum B. für Sozialforschung, Wissenschaftskolleg. Bibliotheken: Univ.bibliothek der Humboldt-Univ., der TU und Freien Univ., die Bibliothek des Ibero-Amerikan. Inst., die Staatsbibliothek zu Berlin – Preuß. Kulturbesitz (nach Plänen von H. Scharoun, 1978), die Amerika-Gedenkbibliothek, die Zentral- und Landesbibliothek B.; Dt. Oper Berlin, Staatsoper, Kom. Oper, 53 Theater (u.a. Schiller-Theater, Dt. Theater, Schloßpark-Theater, Berliner Ensemble, Maxim-Gorki-Theater, Schaubühne, Theater des Westens), Konzerthaus (im ehem. Schauspielhaus), Kleinkunstbühnen (»Stachelschweine«). Zahlr. Museen: v.a. Staatl. Museen – Preuß. Kulturbesitz (in B.-Mitte: Museumsinsel, Schinkel-Museum, Otto-Nagel-Haus; in B.-Charlottenburg: Museum für Vor- und Frühgesch., Ägypt. Museum, Antikenmuseum; in B.-Kreuzberg: Jüd. Museum (Eröffnung 1997); in B.-Dahlem: Gemäldegalerie, Museen für Ind. Kunst, für Islam. Kunst, für Ostasiat. Kunst, Museum für Völkerkunde, Museum für Dt. Volkskunde; in B.-Tiergarten: Kunstgewerbemuseum, neue Nat.galerie; in B.-Köpenick: Kunstgewerbemuseum), Bauhaus-Archiv/Museum für Gestaltung, B.-Museum, Berlinische Galerie, seit 1986 im Gropiusbau, Brücke-Museum, Bröhan-Museum (Kunst der Jh.wende), Museumsdorf Düppel, Museum für Verkehr und Technik, Dt. Histor. Museum (Sammlungen im Dt. Histor. Museum und ehem. Museum für Dt. Geschichte im Zeughaus), Berliner Landesmuseum für Kultur und Geschichte (Sammlungen im Märk. Museum und B.-Museum). Außerdem Kongresshalle, neuer Friedrichstadt-Palast, Ausstellungsgelände am Funkturm (alljährlich Internat. Grüne Woche und Internat. Funkausstellung), Internat. Tourismus-Börse, botan. und zoolog. Gärten, zwei Sternwarten und zwei Planetarien. Sportstätten (Olympiastadion, Olymp. Spiele 1936). Wichtige kulturelle Veranstaltungen sind die Internat. Filmfestspiele, Berli-

Baustelle Berlin

Mit der Entscheidung der Bundesregierung und des Deutschen Bundestages, bis zum Jahr 2000 in die Bundeshauptstadt Berlin umzuziehen, wurde Berlin endgültig zur Großbaustelle, auf der sich fast die gesamte internationale Architektenelite profiliert. Die Verkehrsplanung basiert auf einem Nord-Süd-Tunnel unter dem Tiergarten und dem Spreebogen. Neuer Hauptbahnhof wird der Lehrter Bahnhof (Architekturbüro M. von Gerkan und V. Marg). Das Lehrter Quartier errichtet der Wettbewerbssieger O.M. Ungers. Ebenfalls nach Architekturwettbewerben erhielten N.J. Foster den Auftrag für das Parlamentsgebäude (Umbau des Reichstagsgebäudes), Axel Schultes und Charlotte Frank für Bundeskanzleramt und Regierungsviertel und Martin Gruber und Helmut Kleine-Kranenburg für das Bundespräsidialamt im Schlosspark von Bellevue. Die Neugestaltung des Potsdamer Platzes setzt auf hohes Wirtschaftswachstum und Büroraumbedarf, Bauherr ist v.a. debis (Daimler Benz InterServices), dessen leitender Architekt R. Piano (mit Christoph Kohlbecker).

ner Festtage, Berliner Festwochen, Berliner Jazztage, Loveparade. – Bedeutendste Hörfunk- und Fernsehstationen sind »Sender Freies Berlin«, »DeutschlandRadio«, n-tv und der türk. Sender TRT-INT.; überregionale Tageszeitungen »Die Welt«, »tageszeitung« und »Neues Dtl.«.

Bevölkerung: Groß-B. hatte 1939 4,34 Mio. Ew. und 1943 mit fast 4,5 Mio. seinen maximalen Bev.stand erreicht. Nach dem 2. Weltkrieg stieg die Einwohnerzahl wieder auf (1953) 3,39 Mio. Seitdem ging in B. (West) aus den verschiedensten polit. und demograph. Gründen die Bev.zahl zurück (1970: 2,12 Mio., 1987: 1,88 Mio. Ew.). Der hohe Anteil der Ausländer (1985 rd. 250 000, davon rd. 110 000 Türken) verhinderte einen noch stärkeren Bev.schwund. Die Bev. von B. (Ost) hingegen nahm seit 1961 etwas zu (1970: 1,08 Mio., 1987: 1,24 Mio. Ew.). Nach der Vereinigung 1990 hatte B. 3,43 Mio. Ew. (2,16 Mio. Ew. im Westteil, 1,27 Mio. Ew. im Ostteil). – B. gehört kirchlich zur Evang. Kirche in B.-Brandenburg und zum kath. Bistum B. (Erzbistum seit 1994).

Wirtschaft: B. ist die größte dt. Ind.stadt und eines der bed. Wirtschaftszentren Europas. Dominierende Ind.zweige sind Elektrotechnik/Elektronik und Gerätebau, Nahrungs- und Genussmittelind., Maschinen- und Fahrzeugbau, gefolgt von chem., pharmazeut., Papierind.; die Textil- und Bekleidungsind. hat an Bedeutung verloren. Im Dienstleistungsbereich hat der öffentl. Sektor ein überdurchschnittl. Gewicht. Weiterhin hat B. auch Bedeutung als Kongress- und Messestadt sowie als tourist. Ziel.

Verkehr: B. ist ein wichtiger Verkehrsknoten für den Fern- und Nahverkehr. Durch einen Ring um das Stadtgebiet wird der Eisenbahnverkehr aus allen Richtungen aufgenommen und zu den sechs Fernbahnhöfen Zoo, Hauptbahnhof, Lichtenberg, Schönefeld, Wannsee und Spandau geleitet. Die S-Bahn hat ein Streckennetz von etwa 360 km, die U-Bahn von über 160 km und die Straßenbahn (meist in Ost-B.) 332 km Länge. Internationale Flughäfen in Schönefeld und Tegel sowie Teilnutzung des Flughafens Tempelhof. Durch den Oder-Spree-, Oder-Havel- und Teltowkanal ist B. mit dem europ. Wasserstraßennetz verbunden; Haupthäfen sind West- und Osthafen an der Spree. Ein Autobahnring umgibt das Stadtgebiet.

Verfassung: Nach der durch Referendum vom 22. 10. 1995 für die wieder vereinigte Stadt bestätigten neuen Verf. ist B. Hauptstadt des vereinten Dtl. und reguläres Bundesland. Die Legislative liegt beim Abg.haus (mindestens 150 Abg., für 4 Jahre gewählt). Träger der Exekutive ist der Senat (Landesreg.) mit dem Regierenden Bürgermeister an der Spitze und höchstens zehn weiteren Mitgl. (Bürgermeister und Senatoren).

Geschichte: Um die Burgen Köpenick (gen. 1209) und Spandau (gen. 1197) entstanden im 12. Jh. Siedlungen, gleichzeitig die auf der Spreeinsel gelegene Fernhandelssiedlung Cölln (erste urkundl. Erwähnung 1237). Zw. 1230 und 1240 gründeten die brandenburg. Markgrafen auf dem rechten Spreeufer die Stadt B. (erste urkundl. Erwähnung 1244). B. und Cölln wuchsen bald zur Doppelstadt (Magdeburger Stadtrecht) zus. (1307 Union; 1432 Vereinigung); seit 1470 ständige Residenzstadt der Kurfürsten von Brandenburg. Nach dem Dreißigjährigen Krieg nahm die Entwicklung einen neuen Aufschwung, u. a. durch die (seit 1685) starke Ansiedlung von Hugenotten und die Funktion als Hptst. des erheblich vergrößerten Brandenburg-Preußen. 1709 wurden (Alt-)B., Cölln und weitere Orte zur Residenzstadt B. mit 56 000 Ew. vereinigt (1800: 172 000 Ew.). 1809/10 Gründung der Univ. Im März 1848 lösten die Straßenkämpfe in B. die Revolution in Preußen aus. Nach 1871 Reichshptst., wurde B. zunehmend von der Ind. geprägt (1880: 1,32 Mio. Ew.). 1918/19 war B. Zentrum der Spartakuskämpfe (Novemberrevolution). 1920 wurde B. mit den umliegenden Städten und Dörfern zur 4-Mio.-Stadt *Groß-B.* vereinigt. Nach 1933 Ausbau zur NS-Reichshptst.; im 2. Weltkrieg wurde B. 1943–45 schwer zerstört (20. 4.–2. 5. 1945 »Schlacht um B.«). Im Mai 1945 in vier Besatzungssektoren eingeteilt und von den vier Siegermächten zunächst gemeinsam regiert, fungierte B. als Sitz des Alliierten Kontrollrats. Im Nov. 1945 gestand die UdSSR den Westalliierten drei Luftkorridore nach Westdtl. zu. Im Mai 1945 hatte der sowjet. Stadtkommandant einen kommunistisch beherrschten Magistrat unter dem parteilosen Oberbürgermeister A. Werner (1945/46) ernannt; die Wahlen in ganz B. im Okt. 1946 gewann die SPD, der 1947 zum Oberbürgermeister gewählte E. Reuter (SPD) wurde durch sowjet. Einspruch am Amtsantritt (bis Dez. 1948) gehindert; am 16. 6. 1948 zog sich die UdSSR aus der Alliierten Kommandantur für B. zurück. Die Durch-

Wahlen zum Abgeordnetenhaus in Berlin 1989–95[1]

Parteien	29. 1. 1989[2]	2. 12. 1990[3]	22. 10. 1995[3]
CDU	55; 37,0%	101; 40,4%	87; 37,4%
SPD	55; 37,3%	76; 30,4%	55; 23,6%
PDS	–; –	23; 9,2%	34; 14,6%
FDP	–; 3,9%	18; 7,1%	–; 2,5%
AL	17; 11,8%	12; 5,0%	–; –
Bündnis '90/Grüne	–; –	11; 4,4%[4]	30; 13,2%
Republikaner	11; 7,5%	–; 3,1%	–; 2,7%
Andere	–; 1,7%	–; 0,4%	–; 6,1%

[1] Sitzverteilung und Stimmenanteil der Parteien (in %). – [2] Wahlgebiet: Berlin (West). – [3] Wahlgebiet: Gesamt-Berlin. – [4] Aufgrund der vom Bundesverfassungsgericht gebotenen Teilung des Wahlgebietes in Berlin (Ost) und Berlin (West) errang die Gruppe Bündnis '90/Grüne in Berlin (Ost) 5,2% der dort abgegebenen gültigen Stimmen und konnte damit im Abgeordnetenhaus Mandate erringen.

führung der Währungsreform in den Westsektoren am 23. 6. 1948 hatte die → Berliner Blockade zur Folge, während der B. (West) durch die Luft versorgt wurde. Im Sept. 1948 war B. schließlich politisch in B. (West) und B. (Ost) gespalten.

Berlin

6,4 Prozent der Stadtfläche Berlins sind von Wasser bedeckt. Das ist mehr als die Wasserflächen Venedigs, Amsterdams und auch noch Stockholms zusammen. Diese Städte haben auch alle miteinander weniger Brücken als die deutsche Hauptstadt, in der 650 Brücken über das Wassernetz gespannt sind. Die Flüsse Spree, Havel und Dahme, die Kanäle und Seen ergeben 800 km Wasserläufe, von denen 182 km schiffbar sind. Aber da es keine prächtigen Promenaden gibt, ist das viele Wasser nicht so recht ins Bewusstsein der Berliner und der Stadtbesucher gerückt – ausgenommen natürlich der berühmte Wannsee! Der Wasserreichtum Berlins beruht auf der geologischen Situation: Große Teile der Stadt erstrecken sich in der Niederung eines Urstromtals. Hier steht denn auch der Grundwasserspiegel bereits in 2–5 Meter Tiefe an. Nicht zuletzt bedeutet dies eine Herausforderung an das Bauingenieurwesen, wie ein Blick in die zum Teil über 20 Meter tiefe wassergefüllte Baugrube am Potsdamer Platz veranschaulicht.

Berlin (West): Gezwungen vom Verhalten der SED und der sowjet. Besatzungsmacht, verlegten Magistrat und Abg.haus ihren Sitz im Sept. 1948 u. a. ins Rathaus Schöneberg im W der Stadt. Unter E. Reuter begann der wirtsch. und kulturelle Wiederaufbau; im Rahmen der Besatzungsvorbehalte entwickelten sich immer engere Beziehungen zur Bundesrep. Dtl., wobei die Westalliierten die Bestimmungen des GG für B. suspendiert hatten und an der Viermächteverantwortung für Groß-B. festhielten. Die Verf. von 1950 wies zwar B. (West) als Land der Bundesrep. Dtl. aus, doch galt diese Bestimmung bis 1990 nur eingeschränkt. Auch das Berlinabkommen von 1971 stellte fest, dass B. (West) »kein konstitutiver Teil« der Bundesrep. Dtl. sei. Die Hoheitsgewalt über B. (West) wurde von den drei Westalliierten ausgeübt: Die Vertreter von B. (West) im Bundestag (nicht von der Bev., sondern vom Abg.haus gewählt) und im Bundesrat hatten kein volles Stimmrecht. Bundesgesetze bedurften zu ihrer Gültigkeit in B. (West) der Zustimmung des Abg.hauses (Berlinklausel). Außer 1953–55 (CDU-FDP-Koalition unter W. Schreiber) stellte die SPD bis 1981 den Regierenden Bürgermeister: O. Suhr (1955–57), W. Brandt (1957–66), H. Albertz (1966/67), K. Schütz (1967–77), D. Stobbe (1977–81), H.-J. Vogel (Jan.–Juni 1981), seitdem bildete die CDU unter R. von Weizsäcker den Senat (seit 1983 Koalition CDU/FDP), 1984–89 unter E. Diepgen. Die Febr. 1989 gebildete Koalition von SPD und Alternativer Liste (seit 1981 im Abg.haus) unter W. Momper brach Ende Nov. 1990 auseinander.

Berlin (Ost): Im Sept. 1948 wurde F. Ebert (SED) Oberbürgermeister im Ostsektor. Obwohl nicht integraler Bestandteil der 1949 gegründeten DDR, behandelte die DDR-Reg. B. (Ost) widerrechtlich als Hptst. und praktisch wie einen Bez. der DDR (z. B. 1962 trotz entmilitarisiertem Status von Gesamt-B. Einführung der Wehrpflicht, seit 1981 Direktwahl der Ostberliner Abg. für die Volkskammer); dabei blieben alliierte Besatzungsvorbehalte (z. B. Bewegungsfreiheit alliierten Personals in Gesamt-B.) immer unangetastet. Am 17. 6. 1953 war B. (Ost) ein Zentrum des Arbeiteraufstands gegen das SED-Regime. Nachdem das sowjet. Ultimatum von 1958 (Umwandlung von B. [West] in eine freie entmilitarisierte Stadt) eine neue B.-Krise ausgelöst hatte, führte der anhaltende Flüchtlingsstrom aus der DDR am 13. 8. 1961 zum Bau der → Berliner Mauer. Seitdem versuchte die SED, verstärkt seit den 70er-Jahren, B. (Ost) zum repräsentativen Machtzentrum auf- und auszubauen. Eine ungeahnte Ausmaße annehmende Fluchtbewegung im Sommer und Herbst 1989 sowie anhaltende Massenproteste, in B. (Ost) zunächst am Rande der Feiern zum 40. Jahrestag der DDR-Gründung, dann als Höhepunkt die Kundgebung am 4. 11. 1989 auf dem Alexanderplatz, führten am 9. 11. 1989 zur Öffnung der Berliner Mauer (am 22. 12. 1989 des Brandenburger Tores) und damit zu einem ungehinderten Zugang nach B. (West). Nach den ersten freien Kommunalwahlen in B. (Ost) am 7. 5. 1990 entwickelte sich unter Oberbürgermeister T. Schwierzina (SPD) eine verstärkte Zusammenarbeit beider Stadtteile auf vielen Gebieten.

Seit 1990: Im Zuge der Vereinigung der beiden dt. Staaten (1. 7. 1990 Aufhebung der Grenzkontrollen; 2. 10. 1990 Suspendierung der alliierten Hoheitsrechte; 3. 10. 1990 feierl. Staatsakt zum Beitritt der DDR zum GG vor dem Reichstagsgebäude) kam es auch zur Wiederherstellung der Einheit B.s; die ersten freien Wahlen in Gesamt-B. seit 1946 am 2. 12. 1990 führten im Jan. 1991 zur Bildung eines CDU-SPD-Senats unter E. Diepgen.

Am 20. 6. 1991 beschloss der Bundestag, den Sitz von Parlament und Reg. nach einer Übergangszeit von Bonn nach B. zu verlegen (→ Berlin/Bonn-Gesetz). Zum Ausbau von B. als Hauptstadt wurde am 25. 8. 1992 ein Abkommen zw. Bundesreg. sowie den Bundesländern B. und Brandenburg unterzeichnet (Hauptstadtvertrag); er regelt die Zusammenarbeit von Bundesreg. und Berliner Senat bei der städtebaul. Entwicklung von B. und die Kooperation mit Brandenburg. Die geplante Vereinigung der Länder B. und Brandenburg zum Bundesland B.-Brandenburg (Staatsvertrag vom 2. 4. 1995) scheiterte in der Volksabstimmung vom 5. 5.

1996. Am 27. 9. 1996 beschloss auch der Bundesrat, seinen Sitz nach B. zu verlegen.

📖 HAUS, W.: *Geschichte der Stadt B. Mannheim u. a. 1992.* – *Metropolis B.: B. als deutsche Hauptstadt im Vergleich europäischer Hauptstädte 1871–1939, hg. v.* G. BRUNN *u.* J. REULECKE *Bonn u. a. 1992.* – *Hauptstadt B. – wohin mit der Mitte? Histor., städtebaul. u. architekton. Wurzeln des Stadtzentrums, hg. v.* H. ENGEL *u.* W. RIBBE. *Berlin 1993.* – *B. auf der Suche nach dem verlorenen Zentrum, bearb. v.* H. BODENSCHATZ *u. a. Hamburg 1995.* – *Hauptstadtplanung u. Denkmalpflege. Die Standorte für Parlament u. Regierung in B., Beiträge v.* P. LEMBURG *u. a. Berlin 1995.*

Berlin ['bə:lɪn], Irving, eigtl. Israel Baline, amerikan. Komponist, *Temun (Sibirien) 11. 5. 1888, †New York 22. 9. 1989; schrieb u. a. das Musical »Annie get your gun« (1946); zahlr. Songs (u. a. »White Christmas«, 1942) und Filmmusiken.

Berlinabkommen, Kurzbez. für das Viermächteabkommen über Berlin vom 3. 9. 1971 zw. den USA, Großbritannien, Frankreich und der Sowjetunion, legte die polit. Bindungen und verkehrstechn. Verbindungen von Berlin (West) zur Bundesrep. Dtl. in ihren Grundzügen fest. Das B. war ein Rahmenabkommen, dessen Ziele durch besondere Abmachungen zw. der Bundesrep. Dtl. und der DDR (Verkehrsvertrag, Grundvertrag) ausgefüllt wurden. Mit der Wiederherstellung der dt. Einheit (3. 10. 1990) und dem Verzicht der vier Mächte auf noch bestehende Rechte und Verantwortlichkeiten in Bezug auf Berlin und Dtl. (»Suspendierungserklärung«) im Zwei-plus-vier-Vertrag wurde das B. gegenstandslos.

📖 RENGEL, J.: *Berlin nach 1945. Politisch-rechtl. Untersuchungen zur Lage der Stadt im geteilten Deutschland. Frankfurt am Main u. a. 1993.* – SCHWARZER, G.: *Friedl. Konfliktregulierung Saarland – Österreich – Berlin. Eine vergleichende Untersuchung territorialer Machtkonflikte. Tübingen 1994.*

Berlinale, alljährl. →Filmfestspiele in Berlin.

Berlin/Bonn-Gesetz, Bundesges. vom 26. 4. 1994 zur Umsetzung des Beschlusses des Dt. Bundestages vom 20. 6. 1991 über die Vollendung der Einheit Deutschlands. Zweck des Gesetzes ist es, Grundsätze für die Verlagerung von Bundestag und Bundesreg. in die Bundeshauptstadt Berlin zu bestimmen sowie die Wahrnehmung von Reg.tätigkeiten in der Bundeshauptstadt Berlin und in der Bundesstadt Bonn zu sichern und einen Ausgleich für die Region Bonn zu gewährleisten. Bonn erhielt durch das Ges. die offizielle Bez. **Bundesstadt.**

Berline [nach der Stadt Berlin] *die,* viersitziger Reisewagen, erstmals im 17. Jh. in Gebrauch.

Berliner, Emil, Elektrotechniker, *Hannover 20. 5. 1851, †Washington (D. C.) 3. 8. 1929, ging 1870 in die USA, erfand 1877 ein Mikrofon für Fernsprecher, verbesserte den Phonographen Edisons durch Einführung runder Schellackplatten.

Berliner Mauer

»Jetzt wächst zusammen, was zusammengehört.«

Mit diesen Worten kommentierte Willy Brandt am 10. November 1989 den Fall der Berliner Mauer. Schon wenige Monate später, als die wirtschaftlichen und politischen Schwierigkeiten der deutschen Wiedervereinigung immer deutlicher zu spüren waren, entstanden auch pessimistische Abwandlungen dieses Ausspruchs wie »Jetzt bricht zusammen, was zusammengehört«.

Berliner, der →Berliner Pfannkuchen.

Berliner Bank AG, Teil der →Bankgesellschaft Berlin AG.

Berliner Blau (Pariser Blau, Preußischblau), tiefblauer Farbstoff aus einer Lösung von Eisen(III)-Salz und gelbem Blutlaugensalz. Verwendung als Anstrichmittel und zum Tapetendruck. Gegenmittel bei Vergiftungen mit radioaktivem Cäsium.

Berliner Blockade, die von der sowjet. Besatzungsmacht in der SBZ verhängte Blockade (24. 6. 1948 bis 12. 5. 1949) der Westsektoren Berlins durch Sperrung aller Land- und Wasserwege zu den westl. Besatzungszonen Dtl.s, zur SBZ und zum Ostsektor Berlins. Dieser Versuch der UdSSR, ganz Berlin unter ihre Kontrolle zu bringen, scheiterte am Widerstand der Westmächte (bes. der USA) und der Bev. von Berlin (West), die seit dem 26. 6. 1948 über eine →Luftbrücke versorgt wurde.

Berliner Ensemble [-ã'sãbl], Abk. **BE,** Theatertruppe, 1949 in Berlin (Ost) von B. Brecht und seiner Frau H. Weigel gegr., seit 1954 im eigenen Haus am Schiffbauerdamm, bis zu ihrem Tod (1971) von Weigel geleitet. Weitere Leiter des BE waren 1971–77 R. Berghaus, 1977–91 M. Wekwerth, 1993–95 vorübergehend ein Fünfergremium (P. Zadek, Heiner Müller, Fritz Marquardt, P. Palitzsch, M. Langhoff), zuletzt H. Müller allein, nach dessen Tod Ende Dez. 1995 der Schauspieler M. Wuttke (bis Ende 1996); ab 1999 wird C. Peymann die Intendanz des Ensembles übernehmen. Das BE erarbeitete urspr. bes. Modellaufführungen der Werke Brechts.

Berliner Kongress, Zusammenkunft leitender Staatsmänner der europ. Großmächte und des Osman. Reiches vom 13. 6. bis 13. 7. 1878 in Berlin unter Vorsitz Bismarcks als »ehrl. Makler«, die die Bedingungen für den russisch-türk. Friedensschluss nach dem russisch-türk. Krieg 1877/78 und dem Vorfrieden von San Stefano endgültig festsetzte. Russland verzichtete auf ein Protektorat Groß-Bulgarien, das in ein Fürstentum unter türk. Oberhoheit und in eine türk. Prov. Ostrumelien geteilt wurde. Russland erhielt von Rumänienals Ausgleich Teile Bessarabiens. Makedonien wurde dem Osman. Reich zugesprochen. Rumänien, das seinerseits den größten Teil der Dobrudscha gewann, wurde mit Serbien und Montenegro für unabhängig erklärt. Österreich-Ungarn gewann das Mandat zur Besetzung von Bosnien und der Herzegowina. Großbritannien erhielt Zypern.

Berliner Mauer: Begeistert von der Grenzöffnung am Abend vorher besteigen am 10. November 1989 zahlreiche Menschen das Symbol der Teilung Berlins in der unmittelbaren Nähe des Brandenburger Tores

Berliner Mauer, von der DDR-Reg. mit Zustimmung der Mitgl. des Warschauer Pakts errichtetes, scharf bewachtes militär. Sperrsystem, das unter der Bez. »Antifaschist. Schutzwall« seit dem 13. 8. 1961 die Sektorengrenze zw. Berlin (Ost) und Berlin (West) bis auf sieben Übergänge (am bekanntesten Checkpoint Charlie) hermetisch abriegelte; sollte v.a. den steigenden Flüchtlingsstrom aus Berlin (Ost) stoppen. Die B. M. hatte eine Länge von 43,1 km durch Berlin (verlief direkt am Brandenburger Tor vorbei) und 111,9 km im städt. Umland. Die Grenzanlagen wurden ständig ausgebaut. Beim Versuch, die B. M. von O nach W zu überwinden, wurden aufgrund des →Schießbefehls über 80 Menschen getötet. Im Zusammenhang mit den polit. Umwälzungen in der DDR öffnete deren Reg. am 9. 11. 1989 die B. M.; am 1. 7. 1990 wurden die Grenzkontrollen eingestellt. Der Abbau der B. M. begann noch im Nov. 1989, offiziell ab Jan. 1990, und wurde im innerstädt. Bereich am 30. 11. 1990 abgeschlossen; Reste bleiben als Denkmäler erhalten (z.B. die 1,3 km lange »East-Side-Galerie«). INFOKASTEN S. 73

📖 *Opfer der Mauer. Die geheimen Protokolle des Todes, Beiträge v.* W. FILMER *u.* H. SCHWAN. *München 1991.*

Berliner Pfannkuchen (Berliner), mit Konfitüre oder Mus gefülltes und umzuckertes rundes Hefegebäck.

Berliner Philharmoniker (Berliner Philharmonisches Orchester), 1882 aus der 1867 gegründeten Kapelle des Dirigenten Benjamin Bilse (*1816, †1902) hervorgegangenes Orchester; zählt zu den Spitzenorchestern der Welt. Dirigenten: H. von Bülow, A. Nikisch, W. Furtwängler, S. Celibidache, H. von Karajan, C. Abbado.

Berliner Porzellan, die Erzeugnisse der 1751 gegründeten Berliner Porzellanmanufaktur; unter Friedrich d. Gr. wurde sie 1763 Königl. Porzellan-Manufaktur (KPM). Die seit 1918 Staatl. Porzellan-Manufaktur wurde im 2. Weltkrieg zerstört, arbeitete vorübergehend in Selb, seit 1955 wieder in Berlin (West).

Berliner Testament, eine Form des gemeinschaftl. Testaments, in dem sich die Ehegatten gegenseitig als Alleinerben einsetzen und bestimmen, dass nach dem Tod des Längstlebenden der beiderseitige Nachlass an einen Dritten fallen soll (§ 2269 BGB).

Berliner Weiße, ein obergäriges naturtrübes Bier, wird meist mit Himbeer- oder Waldmeistersirup gemischt (»Weiße mit Schuss«).

Berliner Zimmer, großes Durchgangszimmer mit einem Fenster zum Hof in Berliner Mietshäusern (2. Hälfte 19. Jh.).

Berlinghieri, Berlinghiero, italien. Maler, *um 1190, †Lucca um 1242. Sein Hauptwerk ist ein Kruzifix (um 1220) für das Kloster Santa Maria degli Augeli in Lucca.

Berliner Porzellan: Büste der Königin Luise nach einem Entwurf von Gottfried Schadow (um 1790)

Berlinguer, Enrico, italien. Politiker, *Sassari 15. 5. 1922, †Padua 11. 6. 1984; Mitgl. der KPI, gehörte seit 1968 ihrem Politbüro und dem italien. Parlament an. Seit 1972 Gen.-Sekr. der KPI, verstärkte durch seine Politik des »histor. Kompromisses« mit den Christdemokraten (→Eurokommunismus) in den 70er-Jahren den polit. Einfluss seiner Partei.

Berlinklausel (Berliner Klausel), Gesetzes- bzw. völkerrechtl. Vertragsklausel, die die Geltung des Bundesrechts der Bundesrep. Dtl. und der völkerrechtl. Verträge der Bundesrep. Dtl. in Berlin (West) regelte. Aufgrund des Genehmigungsvorbehaltes der Besatzungsmächte galten die vom Bundestag beschlossenen Gesetze in Berlin (West) nicht unmittelbar, konnten jedoch im Gesetzgebungswege vom Berliner Abg.haus in Geltung gesetzt werden.

Berlioz [bɛrˈljɔs], Hector, frz. Komponist, * La Côte-Saint-André (Dép. Isère) 11. 12. 1803, † Paris 8. 3. 1869; Vertreter der Programmmusik, der er mit der Ausnutzung instrumentaler Klangfarben im Orchester neue Wege wies.

Werke: Sinfonien: »Symphonie fantastique« (1830); »Harold in Italien« (1834); »Romeo und Julia« (mit Chor und Soli, 1839). Chorwerke mit Orchester: »Messe solennelle« (um 1824); Requiem (1837); »Die Kindheit Christi« (1854); Te Deum (1855). Opern: »Benvenuto Cellini« (1838) mit der Ouvertüre »Röm. Karneval«; »Die Trojaner« (1855–58); »Béatrice und Bénédict« (1862). Schrift: »Instrumentationslehre« (1844).

Hector Berlioz

Berlitzschulen, private Sprachschulen mit meist ausländ. Lehrkräften, die in ihrer Muttersprache lehren; 1878 von dem Deutschamerikaner Maximilian David Berlitz (* 1852, † 1921) gegründet.

Berlocke [frz.] *die,* zierlicher Schmuckanhänger, seit der 2. Hälfte des 18. Jh. bis um 1900 meist an der Uhrkette getragen.

Berlusconi [-ˈko-], Silvio, italien. Unternehmer und Politiker, * Mailand 29. 9. 1936; baute auf dem Bau-, Werbe- und Kommunikationssektor ein Wirtschaftsimperium mit großem polit. Einfluss auf. B. begründete den privaten Fernsehsender »Canale Cinque« und übernahm die TV-Sender »Italia Uno« und »Rete Quattro«. Zahlreiche Aktivitäten auf dem Medien- unf Dienstleistungssektor konzentrierte er in der Holdinggesellschaft »Fininvest S. p. A.«. Vor dem Hintergrund der zu Beginn der 90-er Jahre einsetzenden italien. Staatskrise organisierte er 1993 als polit. Formation im rechten Parteienfeld die »Forza Italia«, die sich mit anderen Parteien zur »Alleanza Nazionale« verband. Nach deren Wahlsieg 1994 war B. 1994–95 MinPräs.

Silvio Berlusconi

Berme [niederländ.], der waagerechte Absatz einer Böschung; auch der schwach geneigte Randstreifen am Fuß eines Deichs.

Bermejo [-xo] (Río B.), im Mittellauf **Río Teuco,** rechter Nebenfluss des Paraguay in N-Argentinien, entspringt in S-Bolivien, 1 050 km lang.

Bermudadreieck, Seegebiet im südwestlichen Nordatlantik (Eckpunkte: Bermudainseln, Puerto Rico, Florida). Schiffs- und Flugzeugkatastrophen im B. werden gelegentlich mysteriösen oder übernatürl. Ursachen zugeschrieben. Diese Vorfälle lassen sich aber auch ohne bisher unbekannte Phänomene erklären.

Bermudagras, ein Futtergras, → Hundszahngras.

Bermudainseln (Bermudas, engl. Bermuda Islands), Inselgruppe im Atlant. Ozean, 920 km östl. von Kap Hatteras (USA), brit. Kronkolonie, 53 km², (1994) 60 500 Ew. (knapp zwei Drittel Schwarze und Mulatten); Hauptstadt: Hamilton. – Die Korallenkalkinseln (eine der nördlichsten Gruppen lebender Korallenriffe) erheben sich bis rd. 80 m ü. M. auf einem untermeer. Sockel aus vulkan. Gestein. Das Klima ist mild. Die Bev. lebt größtenteils auf der Hauptinsel **Great Bermuda** (39 km²). Grundlage der Wirtschaft ist der ganzjährige Fremdenverkehr. Die Bewohner zahlen weder Vermögen- noch Einkommensteuer, die öffentl. Einnahmen stammen zum größten Teil aus Zöllen und Pachteinnahmen; Sitz zahlr. Versicherungsges. und Offshorebanken; internat. Flughafen auf Saint David's Island. – 1503 von dem Spanier Juan Bermúdez entdeckt; seit 1684 sind die B. brit. Kolonie mit Selbstverwaltung (durch die Verf. von 1968) unter einem Gouverneur. Flotten- und Luftstützpunkt Großbritanniens (bis 1957 Garnison) und der USA (1941 für 99 Jahre gepachtet). Eine Volksabstimmung sprach sich 1995 gegen die Unabhängigkeit aus.

Bermudainseln
Wappen

Bern, 1) zweitgrößter Kanton der Schweiz, 5 961 km², (1995) 941 700 Ew. (rd. 85 % deutschsprachig). Der Kt. B. reicht vom Schweizer Mittelland nach N auf den Jura (Chasseral 1 607 m), nach S in das Berner Oberland (→ Berner Alpen). Haupterwerbszweige: Milchviehzucht (Emmen-, Simmen-, Saanetal, Oberland), Weinbau (Bieler See), Uhren-, Nahrungsmittel- und Textilind. (Emmental, Oberaargau); Maschinen-, Apparate- und Fahrzeugbau, chem., Metall verarbeitende und Elektroind. sind v. a. in den Ballungsräumen B. und Biel (BE) angesiedelt. Fremdenverkehr (Seen, Oberland). Amtssprachen: Deutsch und Französisch. – Zur Geschichte → Bern 2).

📖 Junker, B.: *Geschichte des Kantons B. seit 1798, 2 Bde. Bern 1982–1990.*

Bern 1)
Kantonswappen

2) Hptst. der Schweiz (»Bundesstadt«) und Hptst. von 1), 128 400 Ew.; liegt im Tal der Aare, über die sieben größere und mehrere kleinere Brücken führen. Es ist Sitz der Bundesbehörden, der ausländ. Vertretungen, des Weltpostvereins, wiss. und kultureller Gesellschaften; Univ. (1834 gegr.), Schweizerische Landesbibliothek; Histor., Kunst-, Naturhistor. und Alpines Museum u. a.

Bern 2)
Stadtwappen

Sammlungen und Archive; Maschinen-, Apparate- und Fahrzeugbau, graf., Metall-, Nahrungsmittel-, Textil- und chem. Industrie.

Die eng gebaute, auf einem Sporn in einer Flussschlinge liegende Altstadt hat mit ihren Lauben, alten Brunnen und Türmen, wie dem Zeitglockenturm und Käfigturm (mit Kulturzenrum), und ihren barocken Zunft- und Bürgerhäusern den Charakter einer wohlhabenden alten oberdt. Stadt bewahrt (UNESCO-Weltkulturerbe). Weitere Bauwerke sind das spätgot. Münster (1421–1598)), die barocke Heiliggeistkirche (1726–29), und das Rathaus (1406–17, 1940–42 erneuert). Unter den zahlr. jüngeren Kultur- und Verwaltungsgebäuden ist bes. das 1852–1902 erbaute Bundeshaus (Parlament und Verwaltungsgebäude) erwähnenswert.

Bern 2): Das Bundeshaus (1852–1902)

B., 1191 durch Herzog Berchthold V. von Zähringen gegr., wurde 1218 Reichsstadt und trat 1353 der schweizer. Eidgenossenschaft (wurde hier neben Zürich bedeutendste Stadt) bei. Die Stadt unterwarf sich allmählich die umliegende Landschaft, entriss den Habsburgern 1415 einen Teil des Aargaus, 1536 die Waadt den Savoyern. 1528 wurde die Reformation eingeführt. Unter der frz. Oberherrschaft (1798–1803) wurden der Aargau und die Waadt als selbstständige Kantone abgetrennt; dafür erhielt B. 1815 den Hauptteil des früheren Hochstifts Basel (Berner Jura). B. wurde Hptst. des neuen Kt. B. und 1815 Vorort der Schweiz. Die alte aristokrat. Verf. für Stadt und Kanton mit den Vorrechten der Hauptstadt wurde erst 1831 durch eine demokrat. ersetzt, die wiederholt ergänzt wurde (u.a. Einführung der Volksinitiative, 1893; Wahl des Reg.rats durch das Volk, 1906). Seit 1848 ist B. Hptst. der Schweiz. Nach Volksabstimmungen 1974 und 1978 wurde mit Wirkung vom 1. 1. 1979 der Kanton →Jura abgetrennt; am 1. 1. 1994 ist der Bezirk Laufen zum Kt. Basel-Landschaft übergegangen.

📖 *Nürnberg u. B. Zwei Reichsstädte u. ihr Landgebiet, hg. v.* R. ENDRES. *Erlangen 1990.*

3) (Welsch-Bern), alter dt. Name der Stadt Verona; daher in der dt. Heldensage →Dietrich von Bern.

Bernadette [-'dɛt], eigtl. Maria Bernarda Soubirous, frz. kath. Ordensschwester, *Lourdes 17. 2. 1844, †Nevers 16. 4. 1879; erlebte 1858 in einer Höhle bei →Lourdes mehrere Marienvisionen (1862 kirchlich bestätigt); 1933 heilig gesprochen; Tag: 18. 2.

Bernadotte [-'dɔt], **1)** Jean Baptiste Jules, frz. Marschall, wurde als Karl XIV. Johann König von Schweden und Norwegen (→Karl, schwed. Könige); Stammvater der Dynastie Bernadotte.

2) Folke, Graf von Wisborg, schwed. Philanthrop, *Stockholm 2. 1. 1895, †Jerusalem 17. 9. 1948; seit 1946 Präs. des Schwed. Roten Kreuzes. 1948 ging er im Auftrag der UNO nach Palästina, um einen israelisch-arab. Waffenstillstand zu vermitteln. Dort wurde er von jüd. Extremisten ermordet.

3) Gustaf Lennart, Graf von Wisborg, *Stockholm 8. 5. 1909; Neffe König Gustavs VI. Adolf, erhielt 1932 die Insel Mainau zum Geschenk und machte sie zu einem Garten- und Blumenparadies. 1951 rief B. die alljährl. Tagung der Nobelpreisträger in Lindau (Bodensee) ins Leben.

Bernanos, Georges, frz. Schriftsteller, *Paris 20. 2. 1888, †Neuilly-sur-Seine 5. 7. 1948; Künder einer geistigen Erneuerung auf kath. Grundlage, schrieb religiöse Gewissensromane (»Die Sonne Satans«, 1926; »Tagebuch eines Landpfarrers«, 1935) und das Drama »Die begnadete Angst« (1948). Als Zeitkritiker griff er wiederholt mit Kampfschriften in öffentl. Auseinandersetzungen ein (z.B. gegen den span. Faschismus und das Vichy-Regime).

Bernard [bɛr'naːr], Claude, frz. Physiologe, *Saint-Julien (Dép. Rhône) 12. 7. 1813, †Paris 10. 2. 1878, Prof. am Collège de France, Mitgl. der Académie française. B. erkannte u.a. die Bedeutung der Bauchspeicheldrüse für die Fettverdauung und wies die Zuckerbildung in der Leber nach.

Bernardino, Alpenpass, →San Bernardino.

Bernardino de Sahagún [bɛrnar'ðino ðe saa'ɣun], eigtl. B. Ribeira, span. Franziskaner und Ethnologe, *Sahagún (bei León) vermutlich 1499 oder 1500, †Tlatelolco (heute zu Mexiko) 23. 10. 1590; seine von jungen Azteken diktierte »Historia general de las cosas de Nueva España« (12 Bde.) ist das bedeutendste Quellenwerk für die Kultur der Azteken vor der span. Eroberung.

Bernau, Stadt im Landkr. Barnim, Brandenburg, nordöstl. von Berlin, 19 600 Ew.; FH für öffentliche Verw.; Schichtpressstoffwerk, Fahrzeugausrüstungen, Backwarenherstellung. – B. wurde um 1230 gegr., 1296 erstmals als Stadt erwähnt; Pfarrkirche St. Marien (v.a. Ende 15. Jh.; bed. spätgotischer Hochaltar aus der Werkstatt L. Cranachs d. Ä., um 1520). – B. war bis 1993 Kreisstadt.

Bernauer, Agnes, Tochter eines Baders in Augsburg, mit der sich Albrecht III. von Bayern-München 1432 heimlich vermählte. Sein Vater Herzog Ernst ließ sie als Zauberin am 12. 10. 1435 in der Donau bei Straubing ertränken. – Künstler. Behandlung: Drama von F. Hebbel (1855), Oper von C. Orff (1947).

Bernburg, 1) Landkreis in Sa.-Anh., 389 km^2 und 73 100 Einwohner.

2) Bernburg (Saale), Krst. von 1), an der Saale, 35 900 Ew.; FH Anhalt, Abteilung B.; Maschinen- und Apparatebau, Mühlen, Zuckerfabrik, Zementwerk, Serumwerk. Auf den Salzlagern der Umgebung beruht die Kali- und Sodaindustrie. – Aus den Siedlungskernen Tal- (Stadtrecht 1279) und Bergstadt (Stadtrecht zw. 1442 und 1457) zusammengewachsen. 1252–1468 und 1603–1765 Residenz des anhalt. Fürstenhauses. In der Bergstadt Renaissanceschloss (v.a. 16. Jh., Museum).

Berndorf, Industriestadt in Niederösterreich, im Triestingtal, 8 300 Ew.; Aluminiumverarbeitung, Kugellagerfabrik.

Berneck, Bad, Stadt in Bayern, →Bad Berneck im Fichtelgebirge.

Berner Alpen, Teil der Westalpen; sie umfassen das Berner Oberland (zum Kt. Bern gehörender Teil der Westalpen) bis zum Thuner See im N und das anschließende Walliser Gebiet bis zur Rhone im W und S. Der westl. Teil reicht von den Diablerets (3 209 m) bis zum Wildstrubel (3 244 m); der östl. Teil zw. Gemmi- und Grimselpass erreicht seine größten Höhen in der Finsteraarhorngruppe mit Finsteraarhorn (4 274 m), Jungfrau (4 158 m), Mönch (4 099 m) und Eiger (3 970 m); bekannte Fremdenverkehrsorte (z. B. Interlaken, Grindelwald, Gstaad, Adelboden).

Berner Klause, Engtalstrecke der Etsch, →Veroneser Klause.

Berner Konventionen, internat. Übereinkommen: **1)** Berner Vertrag vom 9. 10. 1874, →Weltpostverein.

2) →Internationales Übereinkommen über den Eisenbahnfrachtverkehr.

Berner Oberland, Teil der →Berner Alpen.

Berner Übereinkunft, ein völkerrechtl., in Bern am 9. 9. 1886 abgeschlossener Vertrag zum Schutz von Werken der Lit. und der Kunst. Er wurde wiederholt abgeändert (daher Revidierte B. Ü., Abk. RBÜ), u.a. 1896 und 1971 in Paris. Diese internat. Regelung des Urheberrechts verpflichtet die Verbandsländer **(Berner Union)** zur rechtl. Gleichstellung der Urheber aus den Vertragsstaaten mit den inländischen (Inländerbehandlung). Verbandsländer sind fast alle europ. sowie zahlreiche außereurop. Staaten. Die USA stehen außerhalb des Berner Staatenverbandes, sind jedoch Vertragsstaat des →Welturheberrechtsabkommens.

📖 FRANZ, E.: *Der Werkbegriff der B. Ü. zum Schutz von Werken der Literatur u. Kunst. Baden-Baden 1993.*

Berneuchener Kreis, eine 1923 auf dem Gut Berneuchen gegründete, durch die Jugendbewegung beeinflusste Bewegung zur liturg. Erneuerung des evang. Gottesdienstes. Aus dem B. K. ging die →Michaelsbruderschaft hervor. (→liturgische Bewegungen)

Bernburg 2)
Stadtwappen

Bernfeld, Siegfried, Pädagoge und Psychologe, *Lemberg 7. 5. 1892, †San Francisco (Calif.) 2. 4. 1953; wirkte in Wien als Laienanalytiker (seit 1925 in Berlin), emigrierte 1937; Arbeiten v.a. über Sozialismus und Psychoanalyse sowie antiautoritäre Erziehung.

Bernhard, Herrscher:

Niederlande. **1) B.,** Prinz der Niederlande, *Jena 29. 6. 1911; aus dem Haus Lippe-Biesterfeld, seit 1937 ⚭ mit →Juliana (1948–80 Königin der Niederlande).

Bernhard,
Prinz der Niederlande

Sachsen-Weimar. **2) B.,** Herzog, Feldherr des Dreißigjährigen Krieges, *Weimar 16. 8. 1604, †Neuenburg (Baden) 18. 7. 1639; zeichnete sich unter Gustav II. Adolf aus; erhielt 1633 das Herzogtum Franken (die Bistümer Würzburg und Bamberg) als schwed. Lehen und den Oberbefehl über das schwed. Heer in Süd-Dtl., erlitt aber eine schwere Niederlage bei Nördlingen (6. 9. 1634) und verlor sein Herzogtum. 1635 trat B. in frz. Dienste mit der Anwartschaft auf das Elsass. Er kämpfte erfolgreich in Lothringen gegen die Kaiserlichen und eroberte 1638 Breisach.

Bernhard, 1) Christoph, Komponist, *Kolberg (heute Kołobrzeg, Wwschaft Koszalin) 1. 1. 1628, †Dresden 14. 11. 1692; war 1664–74 Kantor an der Jacobikirche in Hamburg, später Kapellmeister in Dresden, schrieb geistl. Konzerte, Kantaten und Motetten sowie eine Kompositionslehre; einer der bedeutendsten Vertreter norddt.-prot. Musiktradition.

2) Thomas, österr. Schriftsteller, *Heerlen (bei Maastricht) 9. 2. 1931, †Gmunden 12. 2. 1989; stellt den Menschen als unter dem Gesetz von Krankheit und Tod stehend dar; düster-melanchol. Lyrik (»Gesammelte Gedichte«, 1991), eigenwillige Prosa (u.a. »Frost«, R., 1963), z. T. autobiographisch (»Die Ursache«, R., 1975; »Der Keller«, R., 1976), z. T. zeitkritisch (»Wittgensteins Neffe«, R., 1982; »Holzfällen. Eine Erregung«, R., 1984; »Auslöschung. Ein Zerfall«, R., 1986); auch tragikom.,

Thomas Bernhard

provokante Dramen (u. a. »Vor dem Ruhestand«, 1979; »Der Theatermacher«, 1984; »Heldenplatz«, 1988); seine Bühnenrollen schrieb er häufig für B. Minetti. 1970 Georg-Büchner-Preis.

Bernhardiner 1)

Bernhardiner, 1) *Biologie:* nach dem Kloster auf dem Großen Sankt Bernhard benannte Gebrauchshunderasse; kräftiger, muskulöser Rettungshund mit rotweißschwarzem Fell. Widerristhöhe bis etwa 80 cm.

2) *kath. Kirche:* Angehöriger des Mönchsordens der →Zisterzienser.

Bernhardskrebs, Art der →Einsiedlerkrebse.

Bernhardt [bɛr'na:r], Sarah, eigtl. Henriette-Rosine Bernard, frz. Schauspielerin, *Paris 22. 10. 1844, †ebd. 26. 3. 1923; spielte klass. und moderne Rollen (auch Männerrollen); berühmt wurde ihre Darstellung der »Kameliendame« (nach dem Roman von A. Dumas d. J.).

Sarah Bernhardt

Bernhard von Clairvaux [-klɛr'vo], Abt und Kirchenlehrer, *Schloss Fontaines (bei Dijon) 1091, †Clairvaux 20. 8. 1153; aus burgund. Adel, 1112 Mönch in Cîteaux, 1115 Gründer und Abt des Tochterklosters Clairvaux; brachte seinen Orden (→Zisterzienser; nach ihm auch Bernhardiner gen.) zu hoher Blüte; übte auf kirchl. und polit. Machthaber (Ludwig VII., Konrad III.) großen Einfluss aus; seine Kreuzpredigt regte den 2. Kreuzzug (1147/48) an. Die mittelalterl. Christusmystik und Marienverehrung wurden von seiner Art der Kontemplation bestimmt. Er beeinflusste stark Theologie und geistl. Leben seiner Zeit. Heiliger; Tag: 20. 8.

📖 WENDELBORN, G.: *B. von C. Frankfurt am Main u. a. 1993.*

Giovanni Lorenzo Bernini (Selbstporträt; Windsor, Königliche Bibliothek)

Berni, Francesco, italien. Dichter, *Lamporecchio (Prov. Pistoia) 1497, †Florenz 26. 5. 1535; prägte einen burlesken, später **bernesk** genannten Stil in satirisch-kom. Gedichten.

Bernina, Gebirgsgruppe in den Rätischen Alpen zw. Oberengadin (Graubünden, Schweiz) und Veltlin (Italien), aus Granit, Gneis und metamorphen Schiefern aufgebaut, vergletschert. Hauptgipfel: **Piz B.** (4049 m), Piz Zupó (3996 m), Piz Seerseen (3971 m), Piz Roseg (3937 m), Piz Palü (3905 m). Die O-Grenze bildet der **B.-Pass** (2328 m), über den eine Straße und die 1906–10 erbaute **B.-Bahn** (elektr. Schmalspurbahn) von Sankt Moritz nach Tirano im Veltlin führen.

Bernini, Giovanni Lorenzo (Gianlorenzo), italien. Baumeister, Bildhauer und Maler, *Neapel 7. 12. 1598, †Rom 28. 11. 1680. B. hat Skulptur und Architektur des 17. und 18. Jh. in Italien, Spanien und den Ländern nördl. der Alpen nachhaltig beeinflusst und das barocke Rom maßgebend gestaltet. Er hinterließ auch ein umfangreiches zeichner. und maler. Werk. – *Hauptwerke* (in Rom): Bronzebaldachin für den Papstaltar in St. Peter; Grabmal Urbans VIII., ebd.; Verzückung der hl. Theresia in Santa Maria della Vittoria; Apoll und Daphne, Galleria Borghese; Vier-Ströme-Brunnen auf der Piazza Navona; Kolonnaden des Petersplatzes; Sant' Andrea al Quirinale; Scala Regia im Vatikan.

Giovanni Lorenzo Bernini: Porträtbüste des päpstlichen Leibarztes Gabriele Fonseca (um 1668–75; Rom, San Lorenzo in Lucina)

Bernkastel-Kues [-'ku:s], Stadt im Landkr. Bernkastel-Wittlich, Rheinl.-Pf., 7200 Ew.; Weinort an der Mosel; Weinbauschule; Sektkellerei; Fremdenverkehr; Fachwerkhäuser, Burg Landshut (seit 1693 Ruine); erhielt 1291 Stadtrecht; im Stadtteil Kues (1905 mit Bernkastel vereinigt) Hospital (1447 von Nikolaus von Kues gestiftet); sein Geburtshaus wurde im 16. Jh. umgebaut.

Bernkastel-Wittlich, Landkreis im RegBez. Trier, Rheinl.-Pf., 1178 km², 112800 Ew.; Krst. ist Wittlich.

Bernoulli [bɛrˈnʊli], **1)** Daniel, schweizer. Physiker, Mathematiker und Mediziner, *Groningen 8. 2. 1700, †Basel 17. 3. 1782, Sohn von 2); Prof. in Sankt Petersburg und Basel, begründete die Hydrodynamik und schuf die ersten Ansätze zu einer kinet. Gastheorie.

2) Jakob, schweizer. Mathematiker, *Basel 6. 1. 1655 (27. 12. 1654 alten Stils), †ebd. 16. 8. 1705, Vater von 1), Bruder von 3); Prof. in Basel (seit 1687); trug mit seinem Bruder Johann entscheidend zur Anwendung der Infinitesimalrechnung auf Geometrie und Mechanik bei, förderte die Wahrscheinlichkeitsrechnung und lieferte wichtige Beiträge zur Theorie der Differenzialgleichungen.

3) Johann, schweizer. Mathematiker, *Basel 6. 8. 1667, †ebd. 1. 1. 1748, Bruder von 2), Prof. in Groningen und seit 1705 in Basel; lieferte wichtige Beiträge zur Theorie der Differenzialgleichungen, wendete die Infinitesimalrechnung auf mechan. und hydraul. Probleme an und stellte den Satz von der »Erhaltung der lebendigen Kraft« (Energiesatz) auf. Einer seiner Schüler war L. Euler.

Bernoulli-Gleichung [bɛrˈnʊli-; nach D. Bernoulli], Beziehung in der zur Strömungslehre zählenden Theorie der stationären, reibungsfreien, inkompressiblen Flüssigkeiten und Gase; demnach ist (ohne Berücksichtigung der Schwerkraft) die Summe aus stat. Druck p und dynam. Staudruck ${}^1/_2\,\rho\upsilon^2$ konstant: $p + {}^1/_2\,\rho\upsilon^2 = p_{ges}$ = konstant (ρ = Dichte des strömenden Mediums). Durch Messung von Gesamtdruck p_{ges} und stat. Druck lässt sich die Strömungsgeschwindigkeit υ ermitteln.

Bernstein [von mnd. bernen »brennen«] (Succinit), fossiles Harz von Nadelbäumen, das aus 73,7–78,6 % Kohlenstoff, 9,5–10,5 % Wasserstoff, 10,5–16,2 % Sauerstoff und 0,1–0,4 % Schwefel besteht. Der chem. Struktur nach ist B. ein Polyester aus Harzsäuren (v. a. Abietinsäure) u. a. Säuren (darunter 3–8 % B.-Säure); amorph, Dichte 1,05–1,1 g/cm³, Mohs-Härte 2–2,5, Schmelzpunkt zw. 290 und 384 °C, Farbe hellgelb bis schwarzbraun, undurchsichtig bis durchsichtig, brennbar, beim Reiben negativ elektrisch. – B. findet sich meist auf sekundärer (oder tertiärer) Lagerstätte in Schichten vom Devon bis ins Quartär; weltweit bekannteste Vorkommen mit Abbau im Samland, z. T. mit Einschlüssen von Tieren (bes. Insekten) und Pflanzenteilen. Gewonnen wird der B. v. a. im Tagebau. B. wird für Schmuck, Zigarrenspitzen und Pfeifenmundstücke verwendet. Minderwertige Stücke werden u. a. zu Press-B. verarbeitet. – Der B. wurde früh und weit gehandelt. Im 13. Jh. bildete sich ein Eigentumsrecht des Landesherrn **(B.-Regal)** heraus, das von den Herzögen von Pommerellen auf den Dt. Orden und von diesem auf die Herzöge von Preußen überging. Seit dem 17. Jh. waren Königsberg und Danzig die Mittelpunkte der künstler. Bearbeitung. Nach 1945 neue Bearbeitungsstätten u. a. in Idar-Oberstein und Erbach im Odenwald.

Bernstein: Zikade (links) und Gallmücke (rechts) in einem zum Schmuckstück geschliffenen dominikanischen Bernstein (Stuttgart, Staatliches Museum für Naturkunde)

Bernstein, 1) Eduard, Politiker, *Berlin 6. 1. 1850, †ebd. 18. 12. 1932; schloss sich 1872 den Sozialdemokraten an, war führend an der Ausarbeitung des Gothaer Programms beteiligt; ab 1887 in London Kontakt zu F. Engels; kritisierte 1899 (»Die Voraussetzungen des Sozialismus und die Aufgaben der Sozialdemokratie«) den Marxismus (→Revisionismus). 1902–06, 1912–18 und 1920–28 MdR; 1917–20 Mitgl. der USPD.

2) [ˈbɔːnstaɪn], Leonard, amerikan. Komponist, Pianist und Dirigent, *Lawrence (Mass.) 25. 8. 1918,

Eduard Bernstein

»Das Ziel ist nichts, die Bewegung alles.«

Diese Maxime derjenigen Richtung in der Arbeiterbewegung, die den Sozialismus nicht durch Revolution und Diktatur des Proletariats, sondern ausschließlich durch eine Politik der sozialen Reformen innerhalb einer parlamentarischen Demokratie erreichen wollte, wurde so erstmals von dem deutschen Politiker und sozialdemokratischen Theoretiker Eduard Bernstein in der Zeitschrift »Die Neue Zeit« (I, 1897/98, S. 556) formuliert.
Für ihn war die Reform der kapitalistischen Verhältnisse das nahe liegende Ziel der Sozialdemokratie, statt Revolution wollte er ein friedliches Hineinwachsen in den Sozialismus. Heute werden diese Worte – losgelöst von ihrem ursprünglichen Sinngehalt – als tadelnder Kommentar verwendet, wenn Richtungsstreit und Strategiediskussion in einer politischen Gruppierung wichtiger geworden sind als die Erreichung des gesetzten Zieles und so statt Progression Stagnation eingetreten ist.

Leonard Bernstein

†New York 14. 10. 1990; 1958–69 Leiter der New Yorker Philharmoniker; schrieb Sinfonien, Kammermusik und Musicals (»West side Story«, 1957) sowie eine Oper (»A quiet place«, 1983).

Bernsteinküste, N- und NW-Küste des Samlandes, Gebiet Kaliningrad (Russland), Fundstätte des Bernsteins (Tagebau bei Palmnicken).

Bernsteinsäure (Butandisäure), eine Dicarbonsäure; 1546 von G. Agricola bei der Destillation von Bernstein entdeckt, kommt u. a. in Pflanzensäften vor. B. wird zur Herstellung von Farbstoffen, pharmazeut. Präparaten, Polyester- und Alkydharzen verwendet. Die Salze und Ester der B. heißen **Succinate** (z. B. Kochsalzersatz in Diätkost).

Bernsteinschnecken (Succineidae), Familie der Landlungenschnecken; an Sumpf- und Uferpflanzen die **Gemeine B.** (Succinea putris) mit bernsteinfarbenem durchscheinendem Gehäuse.

Bernsteinzimmer, → Puschkin (Stadt).

Bernsteinschnecken: Die Verfärbung des rechten Fühlers der Gemeinen Bernsteinschnecke (Länge etwa 20 mm) ist bedingt durch Befall mit dem Parasiten Leucochloridium macrostomum, einem mit dem Bilharzioseerreger verwandten Plattwurm

Bernstorff, mecklenburg. Adelsgeschlecht.

1) Andreas Peter Graf von, dän. Staatsmann, *Hannover 28. 8. 1735, †Kopenhagen 21. 6. 1797, Neffe von 2); war 1773–80 und wieder seit 1784 Außenmin.; setzte 1788 die Bauernbefreiung in Dänemark und Schleswig-Holstein durch.

Berry
Historisches Wappen

2) Johann Hartwig Ernst Graf von, dän. Staatsmann, *Hannover 13. 5. 1712, †Hamburg 18. 2. 1772, Onkel von 1); ab 1751 Außenmin., wurde 1770 durch Struensee gestürzt. Er wahrte im Siebenjährigen Krieg die dän. Neutralität, förderte innere Reformen im Geiste des aufgeklärten Absolutismus und unterstützte Gelehrte (C. Niebuhr) und Dichter (F. L. Klopstock).

3) Johann Heinrich Graf von, Diplomat, *London 14. 11. 1862, †Genf 6. 10. 1939; bemühte sich als Botschafter in Washington (1908–17) vergeblich, die Erklärung des uneingeschränkten U-Boot-Krieges und damit den Kriegseintritt der USA in den 1. Weltkrieg zu verhindern.

Bernward, Bischof von Hildesheim (seit 993), *um 960, †Hildesheim 20. 11. 1022; Erzieher Kaiser Ottos III. Unter B., der selbst künstlerisch tätig war, wurde Hildesheim eines der wichtigsten Kunstzentren der Jahrtausendwende. Es entstanden die Michaeliskirche mit den bronzenen Türflügeln und der bronzenen Christussäule, ferner kostbares kirchl. Gerät wie Bernwardskreuz und Bernwardsleuchter **(Bernwardskunst).** Schutzheiliger der Goldschmiede, Tag: 26. 10.

Béroff, Michel, frz. Pianist, *Épinal (Dép. Vosges) 9. 5. 1950; v. a. Interpret der Werke von C. Debussy, M. Ravel, O. Messiaen, I. Strawinsky, S. S. Prokofjew und B. Bartók.

Berolina, nlat. Name für Berlin.

Beromünster, Gemeinde im Kt. Luzern, Schweiz, zw. Baldegger See und Sempacher See, 2 000 Ew.; roman. Stiftskirche (mit Krypta, Ende 17. Jh. umgestaltet; Kirchenschatz, 7./8. Jh.). In der Nähe Landessender.

Berossos (Berosos), Priester Bels zu Babel, lebte im 4.–3. Jh. v. Chr.; später Lehrer der Astrologie auf der Insel Kos; Verfasser des Werkes (»Babyloniaka«) in grch. Sprache: Mit einer Kosmologie beginnend, stellt B. die babylon. Geschichte bis hin zu Alexander d. Gr. dar.

Berostung, an Früchten die aufgeraute bräunl. Verkorkung auf der Fruchtschale, häufig bei Äpfeln.

Berruguete [-'ɣete], Alonso de, span. Bildhauer und Maler, *Paredes de Nava (Prov. Palencia) zw. 1486 und 1489, †Toledo Sept. 1561, ausgebildet in Italien; sein bewegter, im Ausdruck ekstat. Stil wirkte schulbildend. Sein Vater Pedro B. (*um 1450, †1504) vermittelte die italien. Renaissancemalerei nach Spanien.

Berry [bɛ'ri], histor. Provinz (Herzogtum) in Mittelfrankreich, auf der von Cher, Indre und Creuse zerschnittenen Jurakalktafel des südl. Pariser Beckens, heute etwa die Dép. Cher und Indre. Kernlandschaft ist die **Champagne berrichonne** mit intensivem Getreideanbau, im O auch Weinbau.

Berry [bɛ'ri], frz. Adelsgeschlecht.

1) Charles Ferdinand de Bourbon, Herzog von, *Versailles 24. 1. 1778, †Paris 13. 2. 1820; zweiter Sohn des Grafen von Artois, des späteren frz. Königs Karl X.; wurde als damaliger letzter bourbon. Thronerbe von L. P. Louvel ermordet.

2) Jean de France, Herzog von, *Vincennes 30. 11. 1340, †Paris 15. 6. 1416; Sohn des frz. Königs Johann II.; Mitregent für Karl VI.; Kunstmäzen. Die für ihn geschaffenen Stundenbücher sind Hauptwerke der Buchmalerei.

Berry [-rɪ], Chuck, eigtl. Charles Edward B., amerikan. Rockmusiker (Gitarrist und Sänger), *Saint Louis (Mo.) 18. 10. 1931; wurde durch seinen (von Mambo und Calypso angeregten) Rock 'n' Roll und bes. seine Gitarrenriffs zum Vorbild vieler Beatgruppen (Beatles, Rolling Stones); erfolgreich u. a. mit »Roll over Beethoven«, »Sweet little sixteen« und »Johnny B. Goode«.

Bersaglieri [bersa'ʎɛ:ri], urspr. (1836) sardin., später italien. Schützenregimenter (leichte Infanterie); traditionelle Kopfbedeckung: Filzhut mit Federbusch. B. sind heute Panzergrenadierregimenter in den Panzerdivisionen der italien. Streitkräfte.

Bersenbrück, Stadt im Landkr. Osnabrück, Ndsachs., 6700 Ew., als Samtgem. 25300 Ew.; landwirtsch. Zentrum mit Metall-, Bekleidungsind., Kunststoffverarbeitung. – Kirche aus dem 13. Jh.

Berserker [altnord. »der Bärenhemdige«], in der altnord. Sagaliteratur in Bärenfell gehüllter Krieger, der sich durch kult. Übungen in Raserei versetzte; galt im Kampf als unverletzlich.

Berstscheiben, mechanisch wirkende Sicherheitseinrichtungen für Druckanlagen, die bei auftretendem Überdruck brechen und die Anlage in ungefährl. Richtung öffnen.

Berstschutz, gelegentlich geforderte zusätzl. Umhüllung des Kernreaktor-Druckbehälters, z. B. aus Spannbeton.

Berstversuch, *Werkstoffprüfung:* die Belastung eines Hohlkörpers durch Innendruck bis zum Bruch, wobei Verformungs- und Festigkeitsverhalten ermittelt werden. Wichtige Kennwerte sind der Fließbeginn, der Höchstdruck und der Berstdruck.

Bertalanffy, Ludwig von, kanad. Biologe österr. Herkunft, *Atzgersdorf (heute zu Wien) 19. 9. 1901, †Buffalo (N. Y.) 12. 6. 1972; Prof. (ab 1940) u. a. in Wien, Ottawa und Edmonton. Arbeitsgebiete: Physiologie, Biophysik, Krebsforschung, Systemtheorie; prägte den Begriff des Fließgleichgewichts.

Berté ['bɛrte:], Heinrich, ungar. Komponist, *Galgócz 8. 5. 1857, †Perchtoldsdorf (NÖ) 23. 8. 1924; schrieb u. a. Ballette und Operetten (»Das Dreimäderlhaus«, 1916, nach Melodien von F. Schubert).

Bertelsmann AG, einer der weltgrößten Medienkonzerne, Sitz: Gütersloh; geht zurück auf den 1835 von Carl Bertelsmann (*1791, †1850) in Gütersloh gegründeten **Verlag C. Bertelsmann;** nach dem 2. Weltkrieg unter der Alleingeschäftsführung von R. Mohn wieder auf- und ausgebaut, 1971 in eine AG umgewandelt. Hauptaktionär ist die seit 1991 von R. Mohn geleitete B.-Stiftung (gegr. 1977). Mit zahlreichen in- und ausländ. Verlagen und Gesellschaften ist B. in folgenden Bereichen tätig; Buchverlage: Blanvalet, Dt. Universitäts-Verlag, Gabler, Goldmann, Vieweg, Westdt. Verlag, Bantam, Doubleday, Dell; Buchclubs: B. Club, Dt. Buch-Gemeinschaft, Dt. Bücherbund; Zeitungen und Zeitschriften: Gruner + Jahr; Musikproduktion und -videos: Arista Records, BMG Ariola, BMG Classics/RCA Victor, BMG Video; Film-, Fernseh- und Hörfunkproduktion und -sender: Arbor TV-Fimproduktion, Trebitsch, UFA Film- und Fernseh-GmbH, Premiere (37,5%), RTL plus (39,1%), VOX (24,9%), Fratel (16,7%), Klassik Radio (61,8%), Berliner Rundfunk 30%), Radio Hamburg (29,2%); Multimedia: AOL B. Online Europa (50%); Druckereien, Papier- und Tonträgerproduktion, Dienstleistungen: Elsnerdruck, Graph. Großbetrieb Pösneck, maul-belser (75%), Mohndruck Graph. Betriebe, Cartiere del Garda, Sonopress, B. Distribution.

Bertha (Bertrada), Königin im Fränk. Reich, *um 725, †Choisy (heute Choisy-au-Bac, Dép. Oise) 12. 6. 783; Gemahlin Pippins d. J. und Mutter Karls d. Gr., spielt im karoling. Sagenkreis als ausgesetzte, aber wieder gefundene Braut eine große Rolle (Grundlage der Genovevalegende).

Berthelot [bɛrtə'lo], Marcelin Pierre Eugène, frz. Chemiker, *Paris 25. 10. 1827, †ebd. 18. 3. 1907; einer der Begründer der synthetischen organ. Chemie. Arbeiten zur Thermochemie (→Kalorimeter), zu Sprengstoffen und zur physiolog. Chemie.

Berthier [bɛr'tje], Alexandre, frz. Marschall (1804), Fürst von Wagram (seit 1809), *Versailles 20. 11. 1753, †Bamberg 1. 6. 1815; 1800–07 Kriegsmin. und 1805–14 Generalstabschef Napoleons I., lief 1814 zu Ludwig XVIII. über und floh bei Napoleons Rückkehr nach Bamberg. – »Mémoires«, 2 Bde. (1827).

Berthold der Schwarze (Bertholdus Niger), Mönch (vermutlich Bernhardiner oder Franziskaner) der 2. Hälfte des 14. Jh. in Freiburg im Breisgau (?); gilt als Erfinder des Schießpulvers und der Steinbüchse, eines mauerbrechenden Geschützes.

Berthold von Henneberg, Erzbischof und Kurfürst von Mainz (1484–1504), *1441/42, †21. 12. 1504; Führer der fürstl. Bestrebungen nach einer Reichsreform, nötigte Maximilian I. zur Einsetzung des Reichskammergerichts (1495) und eines ständ. Reichsregiments (1500).

Bertini, Gary, israel. Dirigent und Komponist, *Brichewo (Bessarabien) 1. 5. 1927; war 1983–91 Chefdirigent des Kölner Rundfunk-Sinfonieorchesters und 1987–90 Operndirektor in Frankfurt am Main; seit 1994 Leiter der New Israeli Opera in Tel Aviv. Er komponiert u. a. Lieder, Chöre sowie Bühnen- und Filmmusiken.

Berto, Giuseppe, italien. Schriftsteller, *Mogliano Veneto (Prov. Treviso) 27. 12. 1914, †Rom 2. 11. 1978; neorealist. Romane (»Der Himmel ist

Bernward: Bernwardsleuchter (Silberarbeit; Hildesheim, Domschatz)

Marcelin Berthelot

Bernardo Bertolucci

rot«, 1947; »Mein Freund, der Brigant«, 1951; »Meines Vaters langer Schatten«, 1964).

Bertolucci [berto'luttʃi], Bernardo, italien. Filmregisseur und Schriftsteller, *Parma 16. 3. 1941; drehte die Filme »Der große Irrtum« (1969), »Die Strategie der Spinne« (1970), »Der letzte Tango in Paris« (1972), »1900« (2 Teile, 1974–76), »Pu Yi – Der letzte Kaiser« (1987), »Himmel über der Wüste« (1990), »Little Buddha« (1994), »Geduld und Verführung« (1995).

Berton [bɛr'tɔ̃], **1)** Henri Montan, frz. Komponist, *Paris 17. 9. 1767, †ebd. 22. 4. 1844, Sohn von 2); schrieb zahlr. Opern (»Virginie«, 1823), Ballette, Oratorien, Instrumentalmusik.

2) Pierre Montan, frz. Komponist und Dirigent, *Maubert-Fontaine (Dép. Ardennes) 7. 1. 1727, †Paris 14. 5. 1780, Vater von 1); setzte sich als Leiter der Pariser Oper bes. für die Aufführung der Werke C. W. Glucks ein.

Bẹrtram (Anacyclus), Korbblütlergattung; der **Röm. B.** (Anacyclus pyrethrum) wird in Europa und N-Afrika kultiviert.

Bẹrtram, Maler, →Meister Bertram.

Bẹrtram, Ernst, Literarhistoriker und Schriftsteller, *Elberfeld (heute zu Wuppertal) 27. 7. 1884, †Köln 2. 5. 1957; Prof. für dt. Literatur in Köln, stand S. George nahe; konservative, nationalist. Grundhaltung (rechtfertigte die Bücherverbrennung 1933); schuf streng geformte Lyrik, schrieb u. a. »Nietzsche« (1918).

Bertran de Bọrn [bɛr'trã dɔ-], Vicomte d'Hautefort, provenzal. Troubadour, *Schloss Hautefort bei Salagnac (Dép. Dordogne) um 1140, †Kloster Dalon (Dép. Dordogne) vor 1215; bedeutendster Vertreter der krieger. Poesie und polit. Zeitsatire unter den Troubadours; über 40 überlieferte Dichtungen (Sirventes, Klagelieder, Kanzonen).

Bẹrtrich, Bad, Stadt in Rheinl.-Pf., →Bad Bertrich.

Bẹrtuch, Friedrich Justin, Schriftsteller und Buchhändler, *Weimar 30. 9. 1747, †ebd. 3. 4. 1822; Übersetzer und Herausgeber span. und portugies. Literatur, Mitbegründer der »Allg. Literaturzeitung« (1785).

Berücksichtigungszeiten, in der gesetzl. Rentenversicherung Zeiten, in denen aufgrund der Erziehung von Kindern bis zu deren 10. Lebensjahr keine Beiträge gezahlt wurden.

Beruf [zu mhd. beruof »Leumund«, seit Luther in der heutigen Bedeutung, zunächst als »Berufung«, dann auch für »Stand« und »Amt«], innerhalb einer bestimmten gesellschaftl. Organisationsform von Arbeit ein Muster spezialisierter Tätigkeiten, das zum Zwecke der (materiellen) Bedürfnisbefriedigung von Menschen übernommen wird (objektiver bzw. äußerer B.). Zugleich meint B. die auf Ausbildung bzw. auf spezielle Kenntnisse, Fertigkeiten und Erfahrungen gegründete, auf Dauer angelegte, sinnerfüllte innere Bindung einer Person an einen Funktionsausschnitt aus der arbeitsteilig strukturierten Gesellschaft (subjektiver bzw. innerer B.). Objektiver und subjektiver B. sind aufeinander bezogen. Ursachen für sich ändernde Auffassungen vom B. sind v. a. der Wandel traditioneller Wertorientierungen, tief greifende Veränderungen der B.-Inhalte und B.-Strukturen durch die wirtschaftl.-techn. Entwicklung sowie die verschlechterte Möglichkeit einer dauerhaften befriedigenden Integration in das Arbeitsleben (B.-Wechsel, Arbeitslosigkeit, »lebenslanges Lernen«).

Im asket. Protestantismus (Kalvinismus, Pietismus) wurde die sittl. Leistung der Arbeit stark betont und der B. zum Gebot der Pflichterfüllung gesteigert. Diese Haltung hat sich als **B.-Ethos,** als innere, enge Verbundenheit des Menschen mit seinem B., z. T. bis heute erhalten. Eine Verweltlichung der B.-Auffassung erfolgte durch den dt. Idealismus, der im B. das Postulat der Persönlichkeitsentfaltung entdeckte.

Berufkraut (Erigeron), Gattung gelblich-violett blühender Korbblütler mit fädigen Zungenblüten.

berufliche Bildung (Berufsbildung), zusammenfassende Bez. für Maßnahmen der Berufsausbildung, berufl. Fortbildung und →Umschulung.

Die **Berufsausbildung** ist die Vermittlung von Fertigkeiten, Kenntnissen und fachspezif. Verhaltensweisen, die für die Berufsausübung erforderlich sind (Erstausbildung in einem staatlich anerkannten Ausbildungsberuf in Industrie, Handwerk u. a.); erfolgt i. d. R. im dualen System, d. h. im Betrieb (z. T. in überbetriebl. Berufsbildungsstätten) und in der Berufsschule; die betriebl. Ausbildung wird von Handwerks-, Industrie- und Handelskammern überwacht. Rechtl. Grundlagen sind das Berufsbildungsges. vom 14. 8. 1969 (mehrfach novelliert; für die betriebl. Ausbildung; gilt nicht im öffentl. Dienst) und das →Berufsbildungsförderungsgesetz. Das Berufsausbildungsverhältnis wird durch einen schriftl. Berufsausbildungsvertrag zw. Auszubildenden und Ausbildenden begr., dessen Mindestinhalt im Berufsbildungsges. fixiert ist. Es endet mit einer Abschlussprüfung. Für die Berufsbildung im Handwerk gilt die Handwerksordnung.

Die **berufl. Fortbildung** (qualifizierende Weiterbildung) umfasst die auf einer Berufsausbildung oder auf berufl. Erfahrung aufbauende Erweiterung berufl. Kenntnisse und Fertigkeiten. (→Ausbildungsbeihilfen)

Berufsakademie, eigenständige Bildungseinrichtung für Abiturienten, deren Abschlüsse den Abschlüssen an staatl. Fachhochschulen gleichgestellt sind. Das insgesamt dreijährige Studium und die Ausbildung im Betrieb entsprechend dem dualen System findet im vierteljährl. Wechsel an den staatl. Studienakademien (Lernort Theorie) und in den Betrieben (Lernort Praxis) statt.

Berufsaufbauschulen, Abk. **BAS,** Einrichtungen im Rahmen des zweiten Bildungsweges v. a. für Hauptschulabsolventen zur Erlangung der Fachschulreife als einjähriger Vollzeitunterricht nach oder als dreijähriger Teilzeitunterricht neben einer Berufsausbildung. Diese Art der Aufbauschule wurde seit Ende der 1960er-Jahre in einigen Bundesländern durch Fachoberschulen und die Klassen des 10. Schuljahrs an den Hauptschulen ersetzt.

Berufsberatung, Rat und Auskunft bei Berufswahl und Berufswechsel durch die Arbeitsämter, bes. für die neu in das Berufsleben eintretenden Jugendlichen. Die B. soll dem Rat Suchenden zu einem seinen Anlagen und Neigungen entsprechenden Beruf verhelfen. Sie berücksichtigt dabei die Entwicklung des Arbeitsmarktes sowie den Nachwuchsbedarf der Berufe. Hilfsmittel der B. sind u. a. Veröffentlichungen der Bundesanstalt für Arbeit (»Blätter zur Berufskunde«), Eignungstests und Berufsinformationszentren.

Berufsbild, Beschreibung von Voraussetzungen, Ausbildungsgang, Aufgabenfeldern, Aufstiegs-, Verdienstmöglichkeiten u. a. für einen Beruf, als **Ausbildungs-B.** Teil einer Ausbildungsordnung, die erforderl. Kenntnisse und Fertigkeiten, Prüfungsanforderungen u. a. angibt.

Berufsbildungsförderungsgesetz, Bundesges. vom 23. 12. 1981, das neben den entsprechenden Landes-Ges. die staatl. Berufsbildungsplanung und -forschung regelt. Auf seiner Grundlage ist das Bundesinstitut für Berufsbildung (Bonn) errichtet worden.

Berufsbildungsgesetz, →berufliche Bildung.

Berufsbildungswerke, außerbetriebl. Einrichtungen für behinderte Jugendliche oder zur berufl. Wiedereingliederung behinderter Erwachsener (Berufsförderungswerke, Werkstätten für Behinderte).

Berufsfachschule, ein- bis dreijährige berufl. Vollzeitschule im Rahmen der berufl. Erstausbildung, z. B. kaufmänn., soziale, hauswirtsch., techn., bergbaul., landwirtsch. B.; der Abschluss berechtigt zum Besuch einer Fachoberschule. (→Handelsschulen)

Berufsfeld, klassifikator. Zusammenfassung von Ausbildungsberufen für die Berufsgrundbildung unter dem Aspekt gemeinsamer Ausbildungsinhalte.

Berufsförderungswerke, Einrichtungen der berufl. Wiedereingliederung behinderter Erwachsener, die infolge Krankheit oder Unfall umgeschult werden. Grundlagen sind das Arbeitsförderungs-Ges. (§§ 56 ff.) sowie das Rehabilitationsangleichungsgesetz.

Berufsfreiheit, das Recht des Einzelnen, einen bestimmten Beruf frei zu wählen und auszuüben. Das GG hat den seit dem 19. Jh. anerkannten Grundsatz der Gewerbefreiheit fortentwickelt und gewährleistet in Art. 12 Abs. 1 allen Deutschen das Recht, Beruf, Arbeitsplatz und Ausbildungsstätte frei zu wählen. Als Beruf gilt jede sinnvolle erlaubte Tätigkeit, sei sie gewerblich, freiberuflich oder arbeitsrechtlich unselbstständig. Während die Freiheit der Beurfsausübung von Gesetzes wegen aufgrund vernünftiger Erwägungen des Gemeinwohls beschränkt werden kann, sind Beschränkungen bei der Berufswahl nur erschwert zulässig; objektive, vom Einzelnen nicht beeinflussbare Zulassungsbeschränkungen sind nur bei schweren Gefahren für ein überragend wichtiges Gemeinschaftsgut (z. B. Volksgesundheit) zulässig. – Die Freiheit vom Arbeitszwang und das Verbot der Zwangsarbeit (Art. 12 Abs. 2 und 3 GG) ist die negative Entsprechung zur B.

Berufsgeheimnis, eine bestimmten Personen in Ausübung ihres Berufes anvertraute oder bekannt gewordene Tatsache (Geheimnis). Anwälte, Notare, Wirtschaftsprüfer, Steuerberater, Ärzte, Apotheker u. a. Angehörige anerkannter Heilberufe, Seelsorger, im Sozialbereich beratend Tätige u. a. unterliegen der Verpflichtung, Privat-, Betriebs- oder Geschäftsgeheimnisse, die ihnen kraft ihres Berufs anvertraut oder sonst bekannt geworden sind, geheim zu halten (Schweigepflicht). Im Prozess sind B. durch das Zeugnisverweigerungsrecht geschützt. Verletzung des B. wird nach §§ 203, 353 b StGB bestraft. Die Offenbarung von B. kann jedoch v. a. bei Kenntnis bes. schwerer Straftaten gesetzlich geboten sein (Anzeigepflicht). In *Österreich* und der *Schweiz* ist die Rechtslage vergleichbar. (→Bankgeheimnis, →Beichtgeheimnis, →Pressegeheimnis)

Berufsgenossenschaft, Träger der gesetzl. →Unfallversicherung. Mitgl. der B. sind alle Unternehmer der versicherungspflichtigen Betriebe. Die 36 gewerbl. B. sind nach Wirtschaftszweigen, die 21 landwirtsch. B. örtlich gegliedert. Sie sind Körperschaften des öffentl. Rechts mit Selbstverwaltung. Die Finanzierung erfolgt nach dem Umlageverfahren. Die Beitragshöhe richtet sich maßgeblich nach der Häufigkeit von Unfällen und Berufskrankheiten im jeweiligen Unternehmen. Zur Vermeidung von Arbeitsunfällen, arbeitsbedingten Gesundheitsgefahren und Berufskrankheiten erlassen die B. Unfallverhütungsvorschriften. Die B. überwachen deren Einhaltung und beraten die Betriebe in Fragen der Arbeitssicherheit und des Gesundheitsschutzes.

Berufsgerichte (früher Ehrengerichte), Disziplinargerichte für die Angehörigen bestimmter Berufe, die die innere Ordnung des Berufsstandes sichern und Verstöße gegen die Berufspflichten ahnden sollen (z.B. für Ärzte, Apotheker, Anwälte).

Berufsgrundbildung, ein der berufl. Fachbildung vorausgehender, allg. vorbereitender Teil berufl. Bildung; soll auf der Breite eines Berufsfeldes eine Grundlage von Wissen und Fähigkeiten vermitteln; als B.-Jahr im Anschluss an die Hauptschule.

Berufskrankheiten (früher Gewerbekrankheiten), meist chron. Erkrankungen, die durch Arbeitsweise, -verfahren oder zu verarbeitende Stoffe bei Ausübung einer gegen Unfall versicherten Arbeit entstehen. Die in einer B.-Liste erfassten anerkannten B. sind dem Arbeitsunfall gleichgestellt (Entschädigung durch die gesetzl. Unfallversicherung). B. sind meldepflichtig.

Berufskunde, Berufsklassifikation, die die Berufe in Geschichte und Gegenwart beschreibt; Schulfach und Grundlage der Berufsberatung.

Berufsoberschulen, Sammelbegriff für Fachschulen und berufl. Akademien. In Bayern eine 2½-jährige Schule für Jugendliche mit Fachschulreife nach Abschluss der Berufsausbildung mit dem Ziel der Fakultätsreife; in Bad.-Württ. auch als Mittelstufe für Absolventen der Berufsschule und einer Fachausbildung zur Erlangung der Fachschulreife.

Berufspsychologie, Teilgebiet der Psychologie. Mithilfe von Arbeitsanalysen und Arbeitsplatzbeschreibungen werden bestimmte Tätigkeiten als charakterist. Merkmale eines Berufes definiert. Die B. befasst sich v.a. mit den Grundlagen der Berufswahl sowie den Ursachen und Folgen von Berufswechsel; ihre Ergebnisse finden Anwendung in der Berufsberatung sowie v.a. auch in Eignungsuntersuchungen und bei Rehabilitationsmaßnahmen.

Berufsschule, Pflichtschule für Auszubildende, die als berufsbegleitende Schule i.d.R. drei Jahre besucht werden muss, und Pflichtschule für Jugendliche ohne Ausbildungsvertrag. In der Teilzeitform werden wöchentlich 8–12 Stunden unterrichtet, in der Blockform (→Blockunterricht) werden jährlich 13 Wochen Vollzeitunterricht erteilt.

Berufssportler (engl. Professional, Kw. Profi), Sportler, der vom Sport seinen Lebensunterhalt bestreitet, z.B. durch Gehalt, Geldpreise, Werbeeinnahmen; Ggs.: →Amateur.

Berufssprachen, →Standessprachen.

Berufsunfähigkeit, durch Krankheit oder andere Gebrechen hervorgerufene Unmöglichkeit, den bisherigen Beruf auszuüben. In der →Rentenversicherung begründet die B. bei Erfüllung der Wartezeit einen Anspruch auf **B.-Rente.** B. ist gegeben, wenn die Erwerbsfähigkeit unter die Hälfte derjenigen gesunder Versicherter mit ähnl. Ausbildung gesunken ist.

Berufsverband, freie und unabhängige Vereinigung von Angehörigen von Berufsgruppen zur Vertretung gemeinsamer Interessen, im Unterschied zu den öffentlich-rechtl. berufsständischen Vereinigungen.

Berufsverbot, die Untersagung der Berufsausübung, in diktator. Systemen gängiges Mittel zur Unterdrückung von Opponenten. Im dt. *Strafrecht* die gerichtl. Untersagung der Berufsausübung als Maßnahme zur Sicherung der Allgemeinheit vor Straffälligen, die eine Straftat unter grober Verletzung der ihnen kraft ihres Berufs oder Gewerbes obliegenden Pflichten begangen haben und befürchten lassen, dass sie bei weiterer Ausübung des Berufs neue erhebl. Taten solcher Art begehen werden. Das B. wird für ein bis fünf Jahre, unter Umständen aber auch für immer ausgesprochen (§70 StGB). – Darüber hinaus sehen Kritiker des →Radikalenerlasses in dessen Bestimmungen eine politisch bestimmte Form des B. im öffentlichen Dienst.

Berufsverbrecher, Menschen, die aus der Begehung von meist gleichartigen Straftaten ihren Lebensunterhalt bestreiten; neben der Bestrafung können Sicherungsverwahrung (nicht in den neuen Bundesländern) und Führungsaufsicht zur Vorbeugung gegen weitere Straftaten angeordnet werden.

Berufswahl, →Berufsberatung, →Berufsfreiheit.

Berufung, 1) *Hochschulwesen:* Angebot zur Übernahme einer leitenden Stelle oder eines Lehrstuhles.

2) *Recht:* Rechtsmittel, das die Rechtskraft eines Urteils hemmt und seine Überprüfung durch ein höheres Gericht in tatsächl und in rechtl. Hinsicht bezweckt. Im *Zivilprozess* ist sie gegen erstinstanzl. Endurteile grundsätzlich zulässig (bei vermögensrechtl. Streitigkeiten nur, wenn der Wert der →Beschwer 1500 DM übersteigt). Die B. ist innerhalb eines Monats nach Zustellung des Urteils **(B.-Frist)** durch einen Rechtsanwalt schriftlich beim B.-Gericht einzulegen (§§511–544 ZPO) und binnen einer weiteren Frist zu begründen. Rechtsmittel gegen B.-Urteile ist die →Revision. Im *Strafprozess* findet die B. gegen amtsgerichtl. Urteile des Strafrichters und des Schöffengerichts statt; B.-Frist: eine Woche (§§312–332 StPO).

Im *österr.* Zivilprozess darf in der B.-Verhandlung i.d.R. weder ein neuer Anspruch noch eine neue Einrede erhoben werden; Frist: vier Wochen. Im Strafprozess ist mit B. nur der Ausspruch über das Strafmaß und über mitentschiedene privatrechtl. Ansprüche befristet anfechtbar. In der *Schweiz* ist die B. im Zivil- und Strafprozess kantonal unterschiedlich geregelt.

Beruhigungsmittel (Sedativa), Arzneimittel, die die Erregbarkeit des Zentralnervensystems herabsetzen und dadurch erhöhte Reizbarkeit, Unruhe u. a. beseitigen. Man unterscheidet zw. B., die in höheren Dosen als →Schlafmittel wirken, den Tranquilizern, die Angst und innere Unruhe lösen, und den Neuroleptika (→Psychopharmaka), die den Antrieb dämpfen. Bei längerem Gebrauch können fast alle B. zu Gewöhnung und Abhängigkeit (Sucht) führen.

Berührung, *Mathematik:* zwei Kurven bzw. Flächen oder eine Kurve und eine Fläche berühren sich, wenn deren Tangenten bzw. Tangentialebenen in einem Punkt **(B.-Punkt)** übereinstimmen.

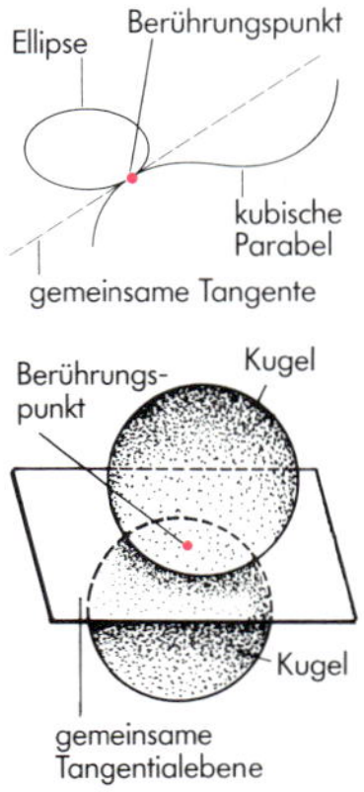

Berührung

Berührungsgifte, →Kontaktgifte.

Berührungsspannung, 1) *Elektrochemie:* (Kontaktspannung) elektr. Spannung, die bei enger Berührung zweier chemisch versch. Stoffe auftritt, da von dem einen Körper Elektronen an den anderen abgegeben werden, wodurch sich an der Berührungsstelle durch Ladungstrennung eine elektr. Doppelschicht ausbildet.

2) *Elektrotechnik:* die durch einen Defekt hervorgerufene Spannung, z. B. am Gehäuse eines elektr. Geräts, die bei Berührung einen Spannungsfluss durch den menschl. Körper zur Folge hat.

Bes: Sandsteinstatue aus Dendera, Höhe 96 cm (1. Jh. vor oder nach Christus; Kairo, Ägyptisches Museum)

Berührungszauber, *Aberglaube:* besondere Form der mag. Praxis, die auf dem Glauben beruht, dass durch Berührung (Kuss, Schlag, Zauberkraut) Kraftwirkungen übertragen werden.

Beryll [grch.] *der,* Mineral, $Be_3Al_2[Si_6O_{18}]$, farblos oder gefärbt, klar bis durchscheinend, hexagonale Säulen, Dichte um 2,7 g/cm^3, Härte 7,5–8; meist in Pegmatiten; wichtigster Berylliumrohstoff. **Gemeiner B.,** weißlich gelb, bis meterlange Kristalle; Edelsteinvarietäten: **Smaragd,** grün durch Chromoxid, in Glimmerschiefern; **Aquamarin,** blassblau, blau bis grünlich; **Goldberyll,** gelb, als **Heliodor** grünlich gelb; **Morganit,** rosenrot. – In der Antike wurde der B. graviert und ungraviert verarbeitet, im MA. geschliffen als opt. Hilfsmittel verwendet. Daraus leitet sich das Wort »Brille« ab. Die vergrößernde Wirkung des B. war seit dem 13. Jh. in Dtl. bekannt.

Beryll

Beryllium *das,* chem. Symbol **Be,** metall. Element aus der 2. Hauptgruppe des Periodensystems (Erdalkalimetall); Ordnungszahl 4, rel. Atommasse 9,01218, Dichte 1,848 g/cm^3, Schmelzpunkt 1285 °C, Siedepunkt 2970 °C. – B. ist ein stahlgraues, hartes, bei Zimmertemperatur sprödes, bei Rotglut dehnbares, leicht oxidierbares Leichtmetall, das sich in Säuren und Laugen löst und von Wasser nicht angegriffen wird; B. und seine Verbindungen sind toxisch. In der Natur kommt es selten vor (etwa 30 Minerale, v. a. Beryll). Es wird durch Elektrolyse oder Reduktion von B.-Chlorid oder -Fluorid dargestellt. – B. wird v. a. in der Raumfahrt und Raketentechnik verwendet. Als Legierungsbestandteil erhöht es Härte sowie Bruch- und Biegefestigkeit vieler Metalle. Es dient als Austrittsfenster für Röntgenstrahlen und als wichtiges Konstruktionsmaterial für Kernreaktoren. **B.-Oxid,** BeO, Schmelzpunkt 2530 °C, wird für hoch feuerfeste, gasdichte Keramiken und Spezialgläser verwendet.

Berzelius, Jöns Jakob Freiherr von (seit 1835), schwed. Chemiker, * Väversunda Sörgård (bei Linköping) 20. 8. 1779, † Stockholm 7. 8. 1848; begründete die Elementaranalyse, führte die heute gebräuchl. chem. Symbole sowie die Begriffe organ. Chemie und Isomerie ein. Genaue Atomgewichtsbestimmung sowie die Entdeckung der Elemente Cer, Selen, Lithium, Thorium und die Darstellung von Silicium, Zirkon und Tantal gehen auf ihn zurück. Seine dualist. elektrochem. Theorie besagt, dass die chem. Bindung durch elektrisch positiv und negativ geladene Atomgruppen zustande kommt. Verfasste u. a. das sechsbändige Lehrbuch der Chemie (1808–30).

Jöns Jakob von Berzelius

Bes, ägypt. Volksgottheit, Schutzdämon in Zwergengestalt, auch in Griechenland und Rom bekannt.

Besamung, *Biologie:* i. e. S. das Eindringen der Samenzelle in die Eizelle (→Befruchtung), i. w. S. das Einbringen der Samenflüssigkeit in die weibl. Geschlechtsorgane (→Begattung). Bei **künstl. B.** (fälschlich auch künstl. Befruchtung genannt) wird der Samen ohne Begattung übertragen (→künstliche Besamung).

Besançon Stadtwappen

Besan, das längsschiff stehende Segel (Schratsegel) des hintersten Mastes (B.-Mast oder Kreuzmast eines mehrmastigen Segelschiffes.

Besançon [bəzã'sɔ̃], Hptst. des frz. Dép. Doubs, am Doubs, 113 800 Ew.; Sitz eines Erzbischofs, Univ.; astronom. Observatorium; internat. Musikfestspiele; Metallwaren-, Textil- und Bekleidungsind., Zentrum der Uhrenind. des frz. Jura. Die Stadt wird von der Zitadelle aus dem 17. Jh. überragt. – B. ist das **Vesontio** des Altertums, die Hptst. der gall. Sequaner. Mit dem Königreich Burgund (Arelat) kam es 1032/34 an das dt. Reich und war 1307–1648 Reichsstadt (dt. **Bisanz**); mit der Freigrafschaft Burgund wurde es 1678 französisch.

Besant ['beznt], Annie, geb. Wood, engl. Theosophin und Politikerin, *London 1. 10. 1847, †Adyar (Madras) 20. 9. 1933; verteidigte zunächst den Atheismus und die Geburtenkontrolle; als sozialist. Kämpferin organisierte B. 1888 den großen Streik von Arbeiterinnen der Streichholzindustrie und setzte sich für eine Schulreform ein; nach ihrer Hinwendung zur Theosophie zahlr. Bücher und Artikel zur theosoph. Lehre; 1898 Gründung des Hindu College in Benares und Übersetzung des Bhagavadgita aus dem Sanskrit. B. wurde 1907 Präsidentin der Theosoph. Gesellschaft, 1918 zur Präsidentin des ind. Nationalkongresses gewählt.

Besançon: Luftbild der in einer Schlinge des Doubs gelegenen Altstadt

Besatz, 1) *Bekleidungsherstellung:* repräsentativ wirkende aufgenähte Kanten, Bänder u. a. an Kleidungsstücken.

2) *Bergbau* und *Tunnelbau:* inerter Stoff, zum Verschließen eines geladenen Bohrlochs.

3) *Tierzucht:* das Vorkommen bestimmter Tiere in einem Gebiet (→Bestockung).

Besatzungsrecht, von einer Besatzungsmacht für das besetzte Gebiet erlassene Rechtsvorschriften; i. e. S. die nach dem 2. Weltkrieg von den →Alliierten für das besetzte Dtl. erlassenen Rechtsvorschriften. In der Bundesrep. Dtl. wurde das B. 1949–55 von der Alliierten Hohen Kommission (→Besatzungsstatut), in der DDR 1949–55 durch die Sowjet. Kontrollkommission bzw. durch die sowjet. Hohe Kommission ausgeübt. Die Reste des B. wurden durch den →Zwei-plus-vier-Vertrag aufgehoben.

Besatzungsschäden, in der Bundesrep. Dtl. die vom 1. 5. 1945 bis 5. 5. 1955 durch Maßnahmen der Besatzungsbehörden, der Besatzungsstreitkräfte u. a. an Personen und Sachen verursachten Schäden, die nicht durch Reparationslieferungen, Ablieferungspflichten, Entflechtungen, Eingriffe in Urheberrechte usw. entstanden sind. Die betroffenen Personen **(Besatzungsgeschädigte)** erhielten Entschädigungen, Härteausgleiche oder Bundesdarlehen, wenn die B. durch widerrechtl. oder schuldhafte Handlungen entstanden waren, sowie unter sonstigen näher bestimmten Voraussetzungen (Ges. vom 1. 12. 1955). – Der im Okt. 1990 zw. der Bunderep. Dtl. und der Sowjetunion geschlossene Vertrag über die Modalitäten des Abzugs der sowjet. Truppen enthält Regelungen über den Ersatz von bestimmten Schäden, für die sowjet. Truppen verantwortlich sind, durch dt. Behörden.

Besatzungsstatut, die am 21. 9. 1949 in Kraft gesetzte Grundregelung des Besatzungsrechts der Westmächte im Gebiet der Bundesrep. Dtl. Danach wurde dem Bund und den Ländern die bis dahin den Besatzungsmächten zustehende gesetzgebende, vollziehende und Recht sprechende Gewalt übertragen, ausgenommen Entwaffnung, Entmilitarisierung, Ruhrkontrolle, Restitutionen, Dekartellierung u. a. Die Besatzungsmächte wurden durch die Alliierte Hohe Kommission vertreten (→Alliierte). Das B. wurde am 6. 3. 1951 gelockert (die Bundesrep. Dtl. erhielt bes. das Recht zur selbstständigen Außenpolitik) und durch die →Pariser Verträge (1955) und den →Deutschlandvertrag aufgehoben.

Besatzungstruppen, die in einem eroberten oder besetzten Gebiet stationierten Truppen. – 1945 besetzten innerhalb von vier Besatzungszonen amerikan., sowjet., brit. und frz. Streitkräfte Dtl. Nach Aufhebung des →Besatzungsstatutes wurde 1955 in den →Pariser Verträgen die Rolle der westl. B. in der Bundesrep. Dtl. neu festgelegt. In einem Truppenvertrag mit der DDR regelte die UdSSR 1957 die Rechte ihrer dort stationierten Streitkräfte. Im →Zwei-plus-vier-Vertrag wurde die Rechte der B. in Bezug auf Dtl. als Ganzes aufgegeben.

Besatzungsvorbehalte, aus der Besetzung Dtl.s herrührende Rechte, die die drei westlichen Besatzungsmächte bei Beendigung des Besatzungsregimes durch den Dtl.vertrag noch bis zur Herstellung der dt. staatl. Einheit am 3. 10. 1990 beibehielten. Das betraf Rechte in Bezug auf Berlin und auf Dtl. als Ganzes einschließlich der Wiedervereinigung Dtl.s und einer friedensvertragl. Regelung sowie Rechte auf Stationierung von Truppen.

Besatzungszone, *Völkerrecht:* von ausländ. Truppen besetztes Gebiet eines Staates, in dem eine fremde Staatsmacht die Gebietshoheit ausübt. B. entstanden u.a. in Dtl. nach dem Versailler Vertrag (1919) sowie nach dem 2. Weltkrieg auf dem Territorium des Dt. Reiches und Österreichs.

Beschaffung, diejenigen Tätigkeiten eines Unternehmens, die darauf gerichtet sind, alle für die Leistungserstellung notwendigen Produktionsfaktoren zu erlangen und bereitzustellen. I.w.S. zählen hierzu auch die B. von Arbeitskräften (→Personalwesen) und finanziellen Mitteln (→Finanzierung), i.e.S. allerdings nur die B. von Sachgütern (Roh-, Hilfs- und Betriebsstoffe) und Dienstleistungen (einschließlich Rechte und Informationen), z.T. auch die B. von Betriebsmitteln (z.B. Anlagen). Im Ggs. zum stark verrichtungsorientierten Begriff **Einkauf** wird durch den B.-Begriff die marktorientierte Ausrichtung der Versorgungsfunktion verdeutlicht. In der Praxis werden beide Begriffe gleichbedeutend verwendet.

Beschäftigung, *allg.:* Tätigkeit, Erwerbstätigkeit; in der *Betriebswirtschaftslehre* die Ausnutzung der Kapazität (bes. von Betriebsmitteln); in der *Volkswirtschaftslehre* der Einsatz der Produktionsfaktoren Kapital und Arbeit. **B.-Politik** ist die Gesamtheit aller staatl. Maßnahmen, die darauf abzielen, Vollbeschäftigung zu erreichen. Der Staat kann beschäftigungspolitisch wirken, indem er das Verhalten der Tarifpartner beeinflusst oder externe und interne Störungen der Güter- und Faktormärkte mit prozess- und ordnungspolit. Maßnahmen abzufedern versucht. Träger der B.-Politik sind v.a. die nat. Gebietskörperschaften und Sonderorganisationen (z.B. Bundesanstalt für Arbeit). Die Tarifvertragsparteien handeln Lohnsätze, Gehälter und Arbeitsbedingungen autonom aus (Tarifautonomie), sodass der Staat nur subsidiär durch die B.-Politik in den Arbeitsmarkt eingreift.

Die **B.-Theorie** als Teilgebiet der Wirtschaftstheorie befasst sich mit den Bestimmungsgründen des gesamtwirtschaftl. B.-Volumens bzw. B.-Grades mithilfe makroökonom. Modelle; sie geht v.a. auf J. M. Keynes zurück. Je nachdem, ob kurz- bis mittelfristige oder langfristige Gesichtspunkte vorherrschen, bestehen in B.-Theorie und B.-Politik enge Beziehungen zu den volkswirtsch. Teilgebieten Volkseinkommen und Konjunktur bzw. Wachstum.

Besatzungszonen in Deutschland und Österreich nach dem Zweiten Weltkrieg (ab Juli 1945)

Die klass. Nationalökonomie und deren modelltheoret. Erweiterungen in der Neoklassik bestreiten die Möglichkeit einer allg. unfreiwilligen Arbeitslosigkeit mit der Aufstellung des »Sayschen Theorems«. Danach stellt jedes Angebot an Gütern gleichzeitig eine Nachfrage nach Gütern dar. Die Nachfrage kann daher theoretisch nie vom volkswirtsch. Angebot abweichen. Preis-, Lohn- und Zinsmechanismus sorgen dafür, dass die Voll-B. stets als stabiler Dauerzustand erhalten bleibt. Der Monetarismus betont ebenfalls diese langfristige Betrachtung. Kernthese: Langfristig ist der private Sektor einer Volkswirtschaft stabil und im Gleichgewicht; Konjunktur- und B.-Schwankungen werden v.a. auf die kurzfristige staatl. Wirtschaftspolitik (Geld- und Fiskalpolitik) zurückgeführt.

Die B.-Theorie von Keynes beschränkt sich auf die kurzfristige Betrachtung; die volkswirtsch. Produktionsausrüstung (der »Kapitalstock«), das Arbeitspotenzial, die Produktionstechnik, der Lohnsatz und das Preissystem werden als gegeben vorausgesetzt. Unter diesen Annahmen ist die Höhe der B. im Ggs. zum sayschen Theorem von der Höhe der effektiven Nachfrage abhängig, d.h. von der kaufkräftigen Nachfrage nach Konsum- und Investitionsgütern. Da diese nichts anderes als das Volkseinkommen darstellt, stellt sich die Frage, was die Höhe des Volkseinkommens bestimmt. Ist die Höhe des gleichgewichtigen Volkseinkommens determiniert, so ist damit der B.-Grad einer Volkswirtschaft bestimmt. Dabei kann das Gleichgewichtsvolkseinkommen kleiner sein als das Volkseinkommen bei Voll-B., da die durch einkommensabhängige Ersparnisse ausgefallene Konsumnachfrage durch zinsabhängige Investitionsnachfrage nicht automatisch ausgeglichen wird (**Gleichgewicht bei Unter-B.**). Neuere Ansätze der B.-Theorie gehen nicht mehr von der Gleichgewichtsvorstellung, sondern von der Nichträumung der Märkte aus (Ungleichgewichtstheorien im Rahmen der neuen Mikroökonomik und der neuen Makroökonomik).

Bezüglich der grundlegenden **beschäftigungspolit. Strategien** unterscheidet man keynesian. und neoklassisch-monetarist. B.-Politik sowie die Strategien im Rahmen der angebotsorientierten Wirtschaftspolitik. Keynes sah Unter-B. als Folge einer relativ zum Produktionspotenzial zu geringen gesamtwirtsch. Nachfrage an und bezweifelte die »Selbstheilungskräfte« der Marktwirtschaft. Keynesian. B.-Politik sieht im Rahmen der »Nachfragesteuerung« (Globalsteuerung) in Rezessionsphasen stimulierende staatl. Ausgabenerhöhungen (Defizitfinanzierung) oder Steuersenkungen zur Stärkung der privaten Konsum- bzw. Investitions- und damit der gesamtwirtsch. Endnachfrage vor (z.B. B.-Programme).

Der Keynesianismus geht davon aus, dass die Reallöhne nicht hinreichend nach unten flexibel sind, weshalb eine Abstimmung zw. den Tarifpartnern (z.B. in Form der konzertierten Aktion) die Lohn-Preis-Lohn-Spirale durchbrechen und damit die Inflationsgefahr eindämmen soll. Es gibt aus keynesian. Sicht aber einen dauerhaften Zielkonflikt zw. Voll-B. und Preisniveaustabilität. Übersteigt die Inflationsrate die Zuwachsrate der Nominallohnsätze, dann sinkt der Reallohnsatz. Wenn der Reallohnsatz zunächst über dem Niveau bei Voll-B. lag, dann wird aufgrund des nunmehr verminderten Lohnsatzes eine Annäherung an das Arbeitsmarktgleichgewicht bewirkt; ein (unerwarteter) Anstieg der Inflationsrate hat auf diese Weise ein Sinken der Arbeitslosenquote zur Folge (Phillips-Kurve). Diese Sicht eines Zielkonflikts zw. Preisniveaustabilität und Voll-B. wird von den Monetaristen zurückgewiesen: Es gibt langfristig keinen Zielkonflikt, da die Inflationsratenentwicklung relativ rasch von den Wirtschaftssubjekten in ihr Verhalten einbezogen wird. Folglich wird eine inflationäre Geldpolitik als ungeeigneter Ansatzpunkt der B.-Politik angesehen.

Die monetaristisch-neoklass. Auffassung betrachtet als Hauptursachen von Arbeitslosigkeit überhöhte Reallohnsätze, verkrustete Arbeitsmarktstrukturen und eine die Wirtschaftssubjekte verunsichernde wirtschaftspolit. Stop-and-go-(Brems-und-Beschleunigungs-)Strategie. Produktivitätsorientierte Lohnpolitik, Verstetigung der Geld- und Fiskalpolitik (z.B. Zielvorgaben für das Wachstum der Geldmenge) sind deshalb Ansatzpunkte Erfolg versprechender B.-Politik. Hinzu kommen aus angebotstheoret. Sicht die Förderung der internat. Wettbewerbsfähigkeit durch eine hohe Investitions- und Innovationsdynamik (v.a. bei hohen Arbeitskosten), Deregulierung und Stärkung anpassungsfördernder Anreizsysteme (z.B. Reform der Arbeitslosenversicherung), um mehr B. dauerhaft rentabel zu machen.

In den Industriestaaten hat der Staat in den letzten Jahren verstärkt durch selektive Maßnahmen (Strukturpolitik) B.-Politik betrieben; hierzu zählen Maßnahmen der berufl. Bildung (z.B. Umschulung), Arbeitsbeschaffungsmaßnahmen und die Förderung der regionalen Mobilität der Produktionsfaktoren (Regionalpolitik). Die beschäftigungspolit. Wirksamkeit von Arbeitszeitverkürzung und -flexibilisierung wird kontrovers diskutiert.

Keynesian. B.-Politik mit der kurzfristigen Ausrichtung der Konjunkturpolitik ist nach Erfolgen in den 60er- und frühen 70er-Jahren inzwischen fragwürdig geworden: Bei anhaltender Unter-B. ergaben sich in Verbindung mit dem konjunkturpolitisch bedingten Anstieg der Staatsausgaben hohe Haushaltsdefizite und öffentl. Schulden, welche die Zinsausgaben des Staates erhöhten, die Ausgabenflexibilität und die staatl. Investitionsausgaben aber nachhaltig einschränkten. Subventionen und protektionist. Maßnahmen in Verbindung mit staatl. B.- und Konjunkturprogrammen haben zudem die Fähigkeit der Unternehmen vermindert, sich Strukturveränderungen anzupassen. Seit den 80er-Jahren setzt die B.-Politik der führenden Länder mehr auf neoklassisch-angebotstheoret. Ansätze, die auf eine allmähl. Wiedergewinnung und langfristige Sicherung der Voll-B. zielen. Da durch die Globalisierung die Einflussmöglichkeiten einer nationalstaatlich keynesianisch ausgerichteten Wirtschaftspolitik eingeschränkt wird, wird in der letzten Zeit eine international abgestimmte B.-Politik zB. in Form eines »Eurokeynesianismus« gefordert.

📖 *Beschäftigungspolitik statt Sozialabbau – Industrielle Kerne sichern: Alternativen der Wirtschaftspolitik, Memorandum '93, hg. v. der Arbeitsgruppe Alternative Wirtschaftspolitik. Köln 1993.* – HUCKEMANN, S. *u.* SUNTUM, U. VAN: *Beschäftigungspolitik im internationalen Vergleich. Länder-Ranking 1980–1993. Eine Studie im Auftrag der Bertelsmann Stiftung. Haupt- u. Tabellen-Bd. Gütersloh* [1-2]*1994.* – *Beschäftigungspolitik, Beiträge v.* U. ENGELEN-KE-

FER *u. a. Köln ³1995.* – SIEBERT, H.: *Geht den Deutschen die Arbeit aus? Wege zu mehr B. Neuausg. München 1995.* – *Vahlens Kompendium der Wirtschaftstheorie u. Wirtschaftspolitik, Beiträge v.* D. BENDER *u. a. Bd. 1. München ⁶1995.*

Beschäftigungsförderungsgesetz, am 1. 5. 1985 in Kraft getretenes und inzwischen mehrfach geändertes und verlängertes (zuletzt bis zum 31. 12. 2000) Artikel-Ges., das eine Reihe von arbeits- und sozialversicherungsrechtl. Einzelmaßnahmen zusammenfasst. Das B. erweitert und erleichtert die Zulassung befristeter Arbeitsverhältnisse (bis zu 24 Monaten), Möglichkeiten der Teilzeitarbeit wurden gesetzlich geregelt (Jobsharing, Arbeit auf Abruf), wobei die Teilzeitarbeit generell arbeitsrechtlich aufgewertet wurde. Weitere Elemente sind u. a.: Förderung der Wiedereingliederung ehemals erwerbstätiger Frauen ins Arbeitsleben, Erleichterungen und verlängerte Fristen bei Arbeitnehmerüberlassung, Erweiterung des Tätigkeitskatalogs bei Arbeitsbeschaffungsmaßnahmen und Senkung der Zuschüsse für derartige ABM-Maßnahmen, höhere Strafen bei illegaler Ausländerbeschäftigung, Aufhebung des Monopols der Bundesanstalt für Arbeit zur Arbeitsvermittlung und Änderungen beim Kurzarbeitergeld.

Beschäftigungsgesellschaft (Arbeitsförderungsgesellschaft), jurist. Person des öffentl. und/oder privaten Rechts, die von Arbeitslosigkeit bedrohte Arbeitnehmer mithilfe öffentl. Förderung befristet beschäftigt bzw. beruflich qualifiziert. B. basieren auf in den 1980er-Jahren in den alten Bundesländern entwickelten gewerkschaftlichen Konzeptionen, Einrichtungen zur Förderung des Strukturwandels in Krisenunternehmen und -regionen und zur Verhinderung drohender Entlassungen zu schaffen. B. spielen zur Überwindung der hohen Arbeitslosigkeit in den neuen Bundesländern eine besondere Rolle.

Beschäftigungsgrad, **1)** *Betriebswirtschaft:* (Kapazitätsausnutzungsgrad) das Verhältnis von tatsächlicher zu möglicher Produktionsleistung (Kapazität) von Anlagen, Abteilungen oder Betrieben, wobei gilt: B. = (Istleistung × 100)/Kannleistung. Als Messgröße dient v. a. die Zahl der Fertigungsstunden.

2) *Volkswirtschaft:* Verhältnis der tatsächl. zur mögl. Beschäftigung (Auslastung) der Produktionsfaktoren Kapital und Arbeit.

Beschäftigungspflicht, *Arbeitsrecht:* die Pflicht des Arbeitgebers, den Arbeitnehmer gemäß der vereinbarten Tätigkeit zu beschäftigen; Ausnahme z. B. bei Auftragsmangel. Die B. basiert auf dem Persönlichkeitsrecht des Arbeitnehmers, das es dem Arbeitgeber verwehrt, mit der Arbeitskraft des Arbeitnehmers beliebig zu verfahren.

Beschäftigungspolitik, → Beschäftigung.

Beschäftigungstheorie, → Beschäftigung.

Beschäftigungstherapie, Anleitung von Kranken (z. B. mit Nerven- und Gemütsleiden) bes. zu künstler. und handwerkl. Tätigkeit, bei Erkrankungen der Bewegungsorgane Vorstufe der → Arbeitstherapie; dient zus. mit Krankengymnastik der Rehabilitation. Die Ausbildung zum **Beschäftigungs- und Arbeitstherapeuten** erfolgt an Berufsfachschulen (drei Jahre).

📖 *B. Grundlagen u. Praxis, hg. v.* G. JENTSCHURA *u.* H.-W. JANZ, *2 Bde. Stuttgart ³1979.*

Beschäler [von ahd. scelo »Zuchthengst«], für die Zucht eingesetzter Hengst (Deckhengst).

Beschälseuche (Zuchtlähme, Dourine), durch Trypanosomen hervorgerufene, bei der Begattung übertragbare chronische Infektionskrankheit der Pferde; nach 1–4 Wochen kommt es zu Knoten- und Geschwürbildung an den Geschlechtsorganen, Lähmungen; anzeigepflichtig.

Beschauzeichen (Punze), Gütestempel, i. d. R. Stadt- oder Meisterzeichen, zur Bestätigung des Feingehaltes auf kunsthandwerkl. Arbeiten aus Edelmetall.

Beschauzeichen: Nürnberger Beschauzeichen und Meisterzeichen des Zinngießers Albrecht Preißensin (2. Hälfte des 16. Jh.)

Beschichten, **1)** *allg.:* das Aufbringen von Kunststoffmasse, Kautschuk oder Wachsen auf Gewebe, Papier, Folien u. a., wodurch die Flächen dicht, voluminös, korrosions- und abriebfest usw. werden.

2) *Fertigungstechnik:* das Aufbringen metallischer oder nichtmetallischer anorganischer oder organischer Überzüge auf ein Werkstück; erfolgt aus dem gasförmigen Zustand (z. B. Aufdampfen), aus dem flüssigen oder pastenförmigen Zustand (z. B. Spritzlackieren), durch elektrochem. Abscheidung aus Lösungen (z. B. Galvanisieren) oder aus dem festen Zustand (z. B. Hammerplattieren). Verfahren zum Aufbringen extrem dünner Beschichtungen (z. B. Vakuumverfahren) gewinnen in der heutigen Werkstofftechnik an Bedeutung.

3) *Holztechnik:* das Aufleimen tafel- oder folienförmiger Schichtpress- oder Kunststoffe auf Holz oder Holzwerkstoffe u. a. zum Schutz (Härte) oder zur Zierde.

Beschickung, *Hüttentechnik:* das meist maschinelle Einbringen von Brennstoff, Erzen und Zuschlägen in einen metallurg. Ofen.

Beschimpfung, *schweizerisch* für Beleidigung. In Dtl. ist die B. als bes. herabsetzende Form der Kränkung, wenn sie sich gegen den Staat oder seine Organe richtet, nach § 90 a StGB strafbar.

Beschlag, **1)** *Geologie:* (Anflug) feiner Überzug (auf Mineralen).

2) *Technik* und *Kunsthandwerk:* Verbindungsteil, das bei Türen, Fenstern, Möbeln u. Ä. die bewegl. Teile miteinander verbindet, gangbar und schließbar macht, z. B. Türbänder, Scharniere.

Beschlagnahme, zwangsweise behördl. Sicherstellung einer Sache zum Schutz öffentl. und privater Belange. Im Strafprozess erfolgt die B., um Gegenstände (z.B. Tatwaffen), die als Beweismittel für die Untersuchung von Bedeutung sein können oder dem Verfall oder der →Einziehung unterliegen, sicherzustellen. Die Anordnung der B. steht grundsätzlich nur dem Richter zu, bei Gefahr im Verzug auch der Staatsanwaltschaft und deren Hilfsbeamten (Polizei); doch unterliegt sie in diesen Fällen der gerichtl. Bestätigung (§ 94 ff., 111b ff. StPO). Ähnlich in *Österreich* (§§ 143 ff. StPO) und der *Schweiz* (Art. 65 Ges. über die Bundesstrafrechtspflege). Über B. im Zivilprozess →Pfändung, →Zwangsvollstreckung.

Beschleuniger, 1) *Chemie:* unspezif. Bezeichnung z.B. für →Aktivator, →Katalysator.

2) *Physik:* →Teilchenbeschleuniger.

beschleunigtes Verfahren, Strafverfahren, das gemäß §§ 417 ff. StPO vor dem Strafrichter oder dem Schöffengericht mit abgekürzter Ladungsfrist geführt werden kann, wenn der Sachverhalt einfach oder die Beweislage klar und zur sofortigen Verhandlung geeignet ist.

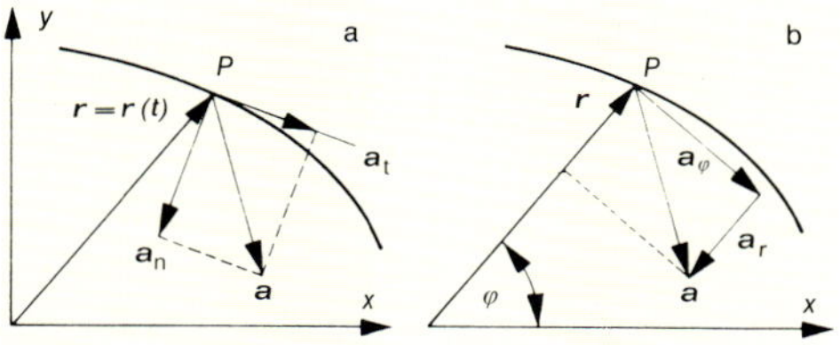

Beschleunigung: Zerlegung des Beschleunigungsvektors nach Komponenten (a) in Richtung der Bahntangente ($\boldsymbol{a}_t$) und senkrecht dazu ($\boldsymbol{a}_n$) sowie (b) in radialer ($\boldsymbol{a}_r$) und azimutaler Richtung ($\boldsymbol{a}_\varphi$)

Beschleunigung, *Physik:* die zeitl. Änderung der Geschwindigkeit nach Betrag und/oder Richtung; Formelzeichen $\boldsymbol{a}$, Einheit: m/s^2. Ein Körper erfährt eine **gleichförmige B.,** wenn in gleichen Zeitabschnitten Δt stets die gleiche Geschwindigkeitsänderung $\Delta \boldsymbol{v}$ eintritt, $\boldsymbol{a} = \Delta \boldsymbol{v}/\Delta t$. Sie beträgt beim freien Fall (→Fallbeschleunigung) 9,81 m/s^2. Die Momentan-B. einer **ungleichförmigen B.** berechnet sich aus der Ableitung der Geschwindigkeit $\boldsymbol{v}$ (bzw. des Ortsvektors $\boldsymbol{r}$) nach der Zeit t: $\boldsymbol{a} = \mathrm{d}\boldsymbol{v}/\mathrm{d}t = \mathrm{d}^2\boldsymbol{r}/\mathrm{d}t^2$. Da die B. ein Vektor ist, kann man sie in jedem Punkt der Bahn eines beschleunigten Körpers (Massenpunktes) in die Bahn- oder **Tangential-B.** in Richtung der Bahntangente und in die dazu senkrechte Normal- oder **Zentrifugal-B.** zerlegen.

Beschluss, *Prozessrecht:* gerichtl. Entscheidung, die weder Urteil noch Verfügung ist. B. ergehen meist ohne mündl. Verhandlung. Sie können i.d.R. durch Beschwerde angefochten werden. Das B.-Verfahren ist in allen Prozessordnungen vorgesehen. Ein besonderes B.-Verfahren gibt es im Arbeitsgerichts-Ges. zur Entscheidung über Streitigkeiten des kollektiven Arbeitsrechts und in bestimmten Verwaltungsverfahren, z.B. im Planfeststellungsverfahren..

Beschlussfähigkeit, die von der Anwesenheit einer bestimmten Anzahl von Mitgl. abhängige Fähigkeit eines Kollegialorgans, wirksame Beschlüsse zu fassen. Bei Volksvertretungen ist i.d.R. die Anwesenheit der Mehrheit der gesetzlichen Mitgl.zahl erforderlich.

Beschneidung, 1) *Medizin:* operative Entfernung der Vorhaut des Penis; eine medizinisch angezeigte B. wird bei Vorhautverengung (Phimose) vorgenommen.

2) *Religionsgeschichte* und *Völkerkunde:* Brauch vieler Völker, in einem bestimmten Lebensalter den Knaben mit einem rituellen Eingriff die Vorhaut des Penis zu beschneiden **(Zirkumzision)** oder einzuschneiden **(Inzision);** bei einigen Völkern werden auch Mädchen durch Entfernen der Klitoris oder der kleinen Schamlippen beschnitten. Nach jüd. Brauch erfolgt die B. am achten Tag nach der Geburt, bei Muslimen auch später oder bei Bekehrten bei der Aufnahme, während andere Völker sie erst bei der →Initiation vollziehen.

beschränkt, *Mathematik:* Eine Menge M reeller Zahlen heißt b., wenn es reelle Zahlen o und u gibt, sodass für jedes Element x von M gilt: $x \leqq o$ (nach oben b.) und $x \geqq u$ (nach unten b.); o und u werden **obere** bzw. **untere Schranke** von M genannt.

Beschuldigter, der einer Straftat Verdächtige, gegen den die Strafverfolgungsbehörden die Ermittlungen aufgenommen haben. Der B. wird zum Angeschuldigten, wenn die öffentl. Klage gegen ihn erhoben, zum Angeklagten, wenn die Eröffnung des Hauptverfahrens gegen ihn beschlossen ist (§ 157 StPO).

Beschuss, Prüfung von Handfeuerwaffen auf Haltbarkeit durch Schießen mit verstärkter Ladung. Die geprüften Waffen erhalten ein B.-Zeichen.

Beschwer, Voraussetzung für die Einlegung von Rechtsmitteln, bes. im Zivilprozess. Eine B. liegt grundsätzlich dann vor, wenn das Urteil vom Antrag des Rechtsmittelführers ungünstig abweicht **(formelle B.).** In Ausnahmefällen genügt es, wenn die angefochtene Entscheidung für den Rechtsmittelführer irgendwie nachteilig ist **(materielle Beschwer).**

Beschwerde, 1) *Prozessrecht:* gerichtl. Rechtsmittel, das in allen Verfahrensordnungen vorgesehen ist und eine gerichtl. Maßnahme (Beschluss, Verfügung, selten Urteil) nachprüfen soll. Sie wird i.d.R. bei dem Gericht eingelegt, dessen Entscheidung angefochten wird. Ist die B. statthaft und hält sie das Gericht, gegen dessen Entscheidung sie sich richtet, für begründet, so hilft sie ihr ab, andernfalls wird sie dem übergeordneten Gericht vorgelegt. Einfache B. können jederzeit, **sofortige B.** (im Gesetz ausdrücklich als solche bezeichnet) müssen innerhalb einer Woche (StPO) oder zwei Wochen (ZPO) eingelegt werden; B. gegen Kostenentscheidungen setzen eine Beschwer von wenigstens 100 DM, bei Prozesskosten 200 DM voraus (§567 ZPO). Die StPO (§ 310) kennt zudem die **weitere B.** gegen die Entscheidung über die B. Grundsätzlich haben B. keine aufschiebende Wirkung. (→Dienstaufsichtsbeschwerde, →Verfassungsbeschwerde). – Auch im *österr.* und *schweizer.* Recht gibt es verfahrensgestaltende B., im Zivilprozess Rekurs genannt. **Staatsrechtl. B.** ist in der Schweiz die Verfassungsklage (Bundesgericht) gegen kantonale Entscheide.

2) *Staatsrecht:* →Petition.

Beschwörung, im Volksglauben die magische Abwehr von Unheil (z.B. Krankheiten) oder Zuwendung von Heil durch die Macht des rituellen Wortes (B.-Formeln) und entsprechender Gebärden, bestimmtes Einhalten von Ort und Zeit, mag. Zeichen und Anrufen mag. Mächte wie Geister, Hexen, Teufel. (→Besprechen)

Beseler, Georg, Jurist und Politiker, *Rödemis (heute zu Husum) 2. 11. 1809, †Bad Harzburg 28. 8. 1888; Prof. in Basel, Rostock, Greifswald und Berlin. Sein Schüler war O. von →Gierke. In der Frankfurter Nationalversammlung von 1848/49 war B. einer der Führer des rechten Zentrums und der Erbkaiserpartei; an der Ausarbeitung der Grundrechte hatte er großen Anteil.

Besenginster (Sarothamnus), Gattung der Schmetterlingsblütler mit meist gelben Blüten; bis 2 m hohe Sträucher, deren Zweige früher zu Besen verarbeitet wurden.

Besessenheit, ausgeprägter psychophys. Erregungszustand oftmals mit Wahn- oder Krampfzuständen. – Die B. wird in bestimmten Religionen auf den Einfluss böser Geister oder Dämonen zurückgeführt. Die Austreibung solcher Geister (→Exorzismus) wurde zu allen Zeiten durchgeführt. In der Religionsgeschichte gilt B. als Überwältigung des Menschen durch eine fremde Macht, die die Verfügung über die eigene Person mehr oder weniger auslöscht (→Schamanismus).

Besetzung, 1) *Theater:* Rollenverteilung.

2) *Völkerrecht:* (Okkupation) Ausübung der tatsächl. Gewalt über ein fremdes Staatsgebiet. Die vorhandene Staatsgewalt wird für die Dauer der B. suspendiert, aber nicht beseitigt. Die **friedl. B.** beruht i.d.R. auf einem Vertrag, die **krieger. B.** (geregelt in der Haager Landkriegsordnung von 1907) setzt eine militärisch begründete Herrschaft über das Gebiet voraus. Die Besatzungsmacht soll die öffentl. Ordnung und das öffentl. Leben aufrechterhalten und die bestehende Rechtsordnung achten; sie kann eigene Gesetze erlassen (→Besatzungsstatut). Ihre Rechte sind durch die Genfer Konvention vom 12. 8. 1949 stark zugunsten der Zivilbevölkerung eingeschränkt.

Besetzungsinversion (Besetzungsumkehr), Zustand eines atomaren Systems, bei dem mindestens ein angeregtes Energieniveau stärker besetzt ist als energetisch tiefer liegende Niveaus; Voraussetzung für den Betrieb von →Lasern.

Besetzungszahl, Anzahl gleichartiger Teilchen eines mikrophysikal. Systems, die einen bestimmten Energie- oder Quantenzustand besetzen. Für Fermionen (z.B. Elektronen eines →Atoms) ist die B. aufgrund des →Pauli-Prinzips immer 0 oder 1, für Bosonen besteht keine solche Einschränkung.

Besigheim, Stadt im Landkr. Ludwigsburg, Bad.-Württ., am Zusammenfluss von Neckar und Enz, 10400 Ew.; Maschinen- und Werkzeugbau, Farbenfabrik; Weinbau. Evang. got. Stadtkirche (14./15. Jh.) mit einem prächtigen Schnitzaltar.

Bésigue [be'zi:k] *das* (Bézigue, Bézique), frz. Kartenspiel, meist zw. zwei Partnern mit zwei Spielen Pikettkarten (64 Blatt).

Besinnungslosigkeit, →Bewusstlosigkeit.

Besitz, die tatsächl. Herrschaft einer Person über eine Sache (§§854–872 BGB), im Unterschied zur rechtl. Herrschaft, dem Eigentum. Bei Rechtsverhältnissen wie Miete, Pacht, Nießbrauch, Verwahrung ist der Mieter, Pächter usw. **unmittelbarer,** der Vermieter, Verpächter usw. **mittelbarer Besitzer.** Besitzen mehrere eine Sache gemeinsam, liegt Mit-B. des Einzelnen vor. Gegen widerrechtl. B.-Entziehung oder B.-Störung (»verbotene Eigenmacht«) darf der Besitzer sich mit Gewalt wehren (§859 BGB). Als weiteren **B.-Schutz** kennt das BGB die B.-Entziehungsklage, die auf Wiedereinräumung des B., und die B.-Störungsklage, die auf Beseitigung von B.-Störungen gerichtet ist (§§861, 862). – Das *österr.* Recht unterscheidet zw. rechtmäßigem und unrechtmäßigem B. (§§316, 317 ABGB). In der *Schweiz* (Art. 919–941 ZGB) ist der Begriff des B. derselbe wie im dt. Recht. Wer aus eigenem Recht die Gewalt über eine Sache hat (z.B. der Eigentümer), ist **selbstständiger Besitzer** im Ggs. zum **unselbstständigen Besitzer** (z.B. dem Mieter).

besitzanzeigendes Fürwort, das Possessivpronomen (→Pronomen).

Besitzgesellschaft, →Betriebsgesellschaft.

Besitzsteuern, an Einkommen, Vermögen und Ertrag anknüpfende Steuern, z.B. Gewerbe-, Körperschaft-, Einkommen-, Vermögen- und Erbschaftsteuer.

Besenginster

Friedrich Wilhelm Bessel

Henry Bessemer

Charles H. Best

Beskiden *Pl.* (poln. Beskidy, tschech. und slowak. Beskydy), nördl. Teil der Westkarpaten, zw. der Mährischen Pforte und dem Quellgebiet von Theiß und Stryi; etwa 600 km lang, im W-Teil (poln. Babia Góra, slowak. Babiahora) 1725 m hoch; Fremdenverkehrsgebiet (zwei Nationalparks in Polen seit 1973).

Besoldung, die Dienstbezüge der öffentlich Bediensteten. Die B. ist einheitlich für alle Beamten und Richter in Bund, Ländern und Gemeinden sowie für Berufssoldaten im Bundesbesoldungs-Ges. (BBesG) geregelt; Landes-Ges. enthalten nur Ergänzungs- und Durchführungsbestimmungen. Die B. ist nach B.-Gruppen abgestuft und besteht aus Grundgehalt (bemessen nach B.-Gruppe und Dienstaltersstufen), Ortszuschlägen (abgestuft nach dem Familienstand), Zulagen in besonderen Fällen (Stellen- und Amtszulagen) und ggf. Auslandsdienstbezügen. Die B. wird den allg. wirtsch. und finanziellen Verhältnissen regelmäßig angepasst.

Besprechen, das meist leise Sprechen von mag. Segens-, Gebets-, Spruchformeln (Zaubersprüche), um Krankheiten zu heilen. – Besprechungsformeln sind u. a. aus german. Zeit (Merseburger Zaubersprüche) bekannt.

Bessarabien (Basarabia), histor. Landschaft zwischen Pruth, Dnjestr, Donau und Schwarzem Meer, der Hauptteil gehört zu Moldawien, der südl. Teil zur Ukraine; fruchtbares Agrarland (Weizen, Mais, Sonnenblumen, Tabak, Obst, Wein). – B., benannt nach dem walach. Fürstenhaus der Basarab, das im 14. Jh. das Land eroberte, geriet Anfang des 16. Jh. unter türk. Herrschaft und kam durch den Frieden von Bukarest (1812) an Russland; zw. 1812 und 1842 Ansiedlung dt. Kolonisten (B.-Deutsche). Nach dem Krimkrieg 1856 wurde der südwestl. Teil an das Fürstentum Moldau abgetreten, er kam aber 1878 (Berliner Kongress) zurück an Russland. 1918 schloss sich B. an Rumänien an, 1940 musste es an die UdSSR abgetreten werden. 1941–44 gehörte B. nochmals zu Rumänien.

Bessarabien-Deutsche, Nachkommen der zw. 1812 und 1842 urspr. im S Bessarabiens (heute Ukraine) angesiedelten dt. Kolonisten (v. a. aus Schwaben und Mittel-Dtl.); zumeist pietist. Protestanten. Nach dem dt.-sowjet. Vertrag vom 26. 6. 1940 Aussiedlung der etwa 93 000 B. und Ansiedlung im Warthegau bzw. in Danzig-Westpreußen; 1945 Vertreibung.

Bessarion, Johannes, byzantinischer Theologe, *Trapezunt (heute Trabzon, Türkei) 2. 1. 1403 (?), †Ravenna 18. 11. 1472; Erzbischof von Nicäa; förderte die Wissenschaften und war Anhänger des Platonismus, den er für den christl. Glauben fruchtbar machen wollte; maßgeblich beteiligt an den Unionsverhandlungen zw. der Ostkiche und Rom (1438).

Bessel, Friedrich Wilhelm, Astronom und Mathematiker, *Minden 22. 7. 1784, †Königsberg (Pr) 17. 3. 1846; lieferte grundlegende Arbeiten über astronom. und geodät. Fundamentalgrößen **(B.-Normalellipsoid, B.-Jahr),** zur astronom. Refraktion, Potenzialtheorie und Theorie der planetar. Störungen. Er bestimmte 1838 als Erster eine Fixsternparallaxe.

Bessemer, Sir (seit 1879) Henry, brit. Ingenieur, *Charlton (bei Hitchin, Cty. Hertfordshire) 19. 1. 1813, †London 15. 3. 1898; erfand 1855 den nach ihm benannten **B.-Prozess,** ein Windfrischverfahren (→Stahl). Das Roheisen wird in einem mit feuerfesten, sauren Steinen ausgekleideten birnenförmigen Gefäß **(B.-Konverter, B.-Birne)** mit bis zu 60 t Fassungsvermögen von unten mit Luft durchblasen. Dabei verbrennen die Eisenbegleiter, bes. der Kohlenstoff.

Besserungsmaßnahmen, →Maßregeln der Besserung und Sicherung.

Best, Charles Herbert, amerikan. Physiologe, *West Pembroke (Me.) 27. 2. 1899, †Toronto 31. 3. 1978; entdeckte 1921 mit F. Banting das Insulin.

Bestallung, →Approbation.

Bestand, durch Baumart, Alter und Wachstum von seiner Umgebung unterscheidbarer, mindestens 0,5 ha großer Waldteil.

Bestandteil, *Recht:* körperl. Sache, die nicht als selbstständig zu betrachten ist, sondern mit einer anderen so verbunden ist, dass das Ganze als einheitl. Sache erscheint, z. B. die Türen eines Autos (§§ 93 ff. BGB). B. teilen i. Allg. das rechtl. Schicksal der Hauptsache, können aber auch Gegenstand besonderer Rechte sein. Ist die Trennung eines B. nicht möglich, ohne dass der eine oder andere Teil zerstört oder in seinem Wesen verändert wird **(wesentliche B.),** so können an den Teilen besondere Rechte nicht begründet werden (Ausnahme: das Wohnungseigentum, das Gebäudeeigentum in den neuen Bundesländern, →Grundstück). →Zubehör.

Bestandvertrag, in *Österreich* der zusammenfassende Ausdruck für Miete und Pacht (§§ 1090 ff. ABGB). Die Parteien werden als **Bestandgeber** (Vermieter, Verpächter) und **Bestandnehmer** (Mieter, Pächter) bezeichnet, der Gegenstand des B. als **Bestandsache.**

Bestattung (Beerdigung, Begräbnis, Totenbestattung), die Totenfeier und Beisetzung Verstorbener. Im europ. Kulturkreis sind – auch religiös bedingt – die Erd-B. und die →Feuerbestattung auf dem →Friedhof üblich; seltener sind Versenken ins Meer (See-B.), Einbalsamierung und Beisetzen in besonderen Bauten (Gruften) u. a. Ruheorten. – *Brauchtum:* Schon seit der Altsteinzeit verbanden versch. Bräuche **(Funeralriten)** Tod und B. (→Grab, →Grabmal, →Totenkult). Handlungen zum Wohl des Verstorbenen sollen diesem die Jenseitsreise oder den Aufenthalt im Totenreich erleichtern, z. B. durch Grabbeigaben (Totengaben bzw. Totenbegleitopfer); Unheil abwehrende Handlungen der Hinterbliebenen sollen das Verbleiben des Toten im Haus oder seine Rückkehr (als Wiedergänger) verhindern. Durch andere Riten glaubte man den Verstorbenen weiterhin mit den Lebenden verbunden, z. B. Haus-B., Heroen-, Heiligen- und Reliquienverehrung. Im europ. Kulturkreis konzentriert sich das Brauchtum auf die Vorbereitung der Leiche zur B., die Aufbahrung, die Leichenwache, den Leichenzug und das Totenmahl (Leichenschmaus). – *Rechtliches* →Leiche.

Bestäubung, die bei den Samenpflanzen der Befruchtung vorausgehende Übertragung des Blütenstaubes (Pollen) auf die Narbe einer Blüte. Bei **Selbst-B. (Autogamie)** werden Pollen derselben Blüte übertragen, bei **Fremd-B. (Allogamie)** Pollen aus einer anderen Blüte gleicher Art. Überträger sind Wind, Wasser, Tiere. **Wasser-B.** ist selten und kommt bei untergetaucht wachsenden Wasserpflanzen vor (z. B. Seegras, Hornblatt). Bei der **Tier-B.** ist die **Insekten-B.** durch Bienen, Schmetterlinge oder Fliegen am häufigsten; in trop. und subtrop. Gebieten B. auch durch Vögel (z. B. Kolibris).

Bestechung, *Strafrecht:* das verbotene Anbieten, Versprechen oder Gewähren von Vorteilen (z. B. Geldgeschenke) an Amtsträger u. ä. Personen, damit diese als Gegenleistung eine Diensthandlung vornehmen und dadurch ihre Dienstpflichten verletzen (§ 334 StGB, **aktive B.**, Strafe: Freiheitsstrafe von drei Monaten bis zu fünf Jahren). Soll eine im Ermessen des Amtsträgers stehende Diensthandlung beeinflusst werden, ohne dass Dienstpflichten verletzt werden, liegt milder bestrafte **Vorteilsgewährung** vor (§ 333). Der **passiven B.** macht sich ein Amtsträger schuldig, der Vorteile fordert, annimmt oder sich versprechen lässt für eine Handlung, die eine Dienstpflicht verletzt (§ 332, **Bestechlichkeit**, Strafe: Freiheitsstrafe von sechs Monaten bis zu fünf Jahren), oder für eine an sich nicht pflichtwidrige Handlung (§ 331, **Vorteilsannahme**). Richter-B. wird härter bestraft. Seit 1994 wird die **B. von Abgeordneten** (»Stimmenkauf«), gleich welcher Ebene, durch § 108 e StGB erfasst. Die B. von Angestellten der privaten Wirtschaft gilt als unlauterer Wettbewerb. In *Österreich* enthalten §§ 304, 307, 308 StGB ähnl. Strafbestimmungen, in der *Schweiz* Art. 288, 315, 316 StGB.

Besteck, 1) *allg.:* (Essbesteck) Messer, Gabel und Löffel.

2) *Medizin:* Samml. von Instrumenten.

3) *Schifffahrt:* der nach geograph. Länge und Breite bestimmte Ort eines Schiffs auf hoher See. Das Besteckehmen **(wahres** oder **beobachtetes B.)** erfolgt durch Peilungen und Abstandsbestimmung von Landmarken und Seezeichen **(terrestr. B.)**, durch Messung von Gestirnshöhen **(astronom. B.)** oder durch Vergleich des vorhergehenden astronom. B. mit dem seither gesteuerten Kurs **(geschätztes** oder **gegisstes B.)**.

Besteg, *Geologie:* feiner mineral. Belag auf Kluftflächen.

Besteuerung, →Steuern.

Bestäubung

Sich fortzupflanzen scheint in der großen Vielfalt des Pflanzenreichs ein schwieriges Geschäft zu sein. Auf die Idee könnte man jedenfalls kommen, wenn man sieht, welchen Aufwand die Pflanzen mit ihren Blüten treiben, um bestäubende Tiere, vor allem Insekten und Vögel, herbeizulocken. Der unscheinbare Kolben des Aronstabes beispielsweise ist dazu von einem auffälligen Hochblatt umhüllt, längs gestreifte Blütenblätter führen beim Ehrenpreis auf den rechten Weg. Einige Orchideen unserer Breiten treiben ein vollkommenes Trugspiel, indem sie einfach das Aussehen eines weiblichen Insekts nachahmen. Ganz ausgeklügelt treibts der Salbei: Lässt sich ein Insekt auf der Lippe (das ist ein flaches, sehr weiches Blütenblatt) nieder, so beugt sich das Staubgefäß von alleine herab und legt seine Pollen auf dem Rücken des Tieres nieder, das sie weitertragen soll.

Bestiarium: Illustration aus einer Dichtung des 12. Jahrhunderts

Besthaupt (Sterbhaupt), im MA. eine Art Erbschaftsteuer für hörige Bauern; oft das beste Stück Vieh.

Bestiarium [zu lat. bestia »(wildes) Tier«] *das* (frz. Bestiaire), mittelalterl. allegor. Tierdichtung;

Quelle ist der →Physiologus; die B. enthalten symbol. Deutungen von Tieren (z.B. der Löwe als Symbol Christi) und edlen Steinen in Bezug auf die christl. Heilslehre.

Bestimmung, *Biologie:* das Erkennen einer dem Betrachtenden unbekannten, aber bereits beschriebenen Pflanze oder eines Tieres; auch die Einordnung einer noch nicht beschriebenen Art in das biolog. →System. Als Hilfsmittel hierzu dient ein B.-Schlüssel, der durch das Abfragen von morpholog. Strukturen (Vorhandensein bestimmter Merkmale, Größe, Farbe, Form, Anzahl u.a.) eine zunehmende Spezifizierung bis hin zur genauen B. der Art oder weiterführend der Unterart (Rasse) ermöglicht.

Bestimmungswort, in einer Zusammensetzung (Kompositum) ein das Grundwort näher bestimmendes Wort, z.B. das Adjektiv »alt« in »Altmetall«.

Bestockung, 1) *Botanik:* die Bildung von Seitentrieben aus tief stehenden Knospen, bes. bei Getreide das Sprossen von Seitenhalmen an den unterird. Halmknoten (B.-Knoten).

2) *Forstwirtschaft:* Bewuchs einer Fläche mit Waldbäumen.

3) *Tierzucht:* (Besatzdichte) das Verhältnis von Viehzahl zur benutzten Weidefläche.

Bestrahlung, *Medizin:* →Strahlentherapie.

Bestrahlungsstärke, *Physik:* Formelzeichen E, E_e, Strahlungsgröße; Quotient aus der auf eine Fläche auftreffenden Strahlungsleistung (→Strahlungsfluss) und dieser Fläche; SI-Einheit W/m^2.

Bestseller [zu engl. best »am besten« und to sell »verkaufen«] *der,* bes. erfolgreiches Buch, das schnell eine hohe Auflage erreicht; zumeist belletrist. Werke und Sachbücher.

Bestwig, Gemeinde im Hochsauerlandkreis, NRW, an der oberen Ruhr, 290–745 m ü.M., 12 100 Ew.; Eisen-, Metall-, chem. Ind.; Besucherbergwerk (früher Blei- und Zinkmine) mit Bergbaumuseum.

Beta *das,* Β, β, der zweite Buchstabe des grch. Alphabets.

Betablocker, →Sympatholytika.

Betacyane, Pflanzenfarbstoffe, →Betalaine.

Betain *das* (Trimethylglycin), biogenes Amin, Zwitterion mit positiver und negativer Ladung, das in der Zuckerrübe (Beta vulgaris) und als Oxidationsprodukt des Cholins beim Eiweißstoffwechsel vorkommt. B. senkt den Blutcholesterinspiegel; angewendet bei Leberkrankheiten und zur Substitution von Magensalzsäure.

Betalaine, rotviolette **(Betacyane)** oder gelbl. **(Betaxanthine)** Pflanzenfarbstoffe.

Beta-Lyrae-Sterne, *Astronomie:* Klasse der →Bedeckungsveränderlichen.

Betanin *das,* Hauptfarbstoff der Roten Rübe, zum Färben von Lebensmitteln; gehört zu den Betalainen.

Betarezeptorenblocker, →Sympatholytika.

Betastrahlung (β-Strahlung), Korpuskularstrahlung mit Energien bis zu mehreren MeV, die bei einer bestimmten Art des radioaktiven Zerfalls (→Radioaktivität) von Atomkernen **(Betazerfall)** auftritt. B. besteht aus (negativ geladenen) Elektronen (β^--Strahlen) oder (positiv geladenen) Positronen (β^+-Strahlen). Die ausgesandten Teilchen heißen **Betateilchen,** die aussendenden Radionuklide **Betastrahler.** Bei den natürlich vorkommenden radioaktiven Kernen wird ein Neutron in ein Proton umgewandelt, dabei entstehen ein Elektron und ein Anti-Elektronneutrino, die abgestrahlt werden **(β^--Zerfall, Elektronenemission).** Der **β^+-Zerfall (Positronenemission** oder **-zerfall),** bei dem ein Proton in ein Neutron umgewandelt wird und ein Positron und ein Elektronneutrino entstehen, tritt nur bei künstlich hergestellten Radionukliden auf. I.w.S. zählen auch der Elektroneneinfang (→Einfangprozesse) und lepton. Zerfälle zum Betazerfall. – Die Reichweite der B. hängt von der Strahlungsenergie und der Dichte des durchstrahlten Materials ab. Sie beträgt in Luft mehrere Meter, in festen Stoffen einige Millimeter. B. wird durch Stoffe hoher Ordnungszahl oder großer Dichte abgeschirmt (Blei, Eisen). Zum Nachweis und zur Intensitätsmessung der ionisierenden Strahlung dienen Nebel- und Blasenkammern sowie Zählrohre. In der Werkstoffprüfung werden Betastrahler z.B. zur Dickenmessung angewendet. Die B. ruft als stark ionisierende Strahlung im menschl. Körper starke Schädigungen hervor und wird deshalb z.B. in der Krebstherapie (u.a. ^{60}Co) eingesetzt, aber auch bei physiologisch-chem. Untersuchungen (→Radioimmunassay) und bei biolog. Untersuchungen von Strahlenschäden und -wirkungen.

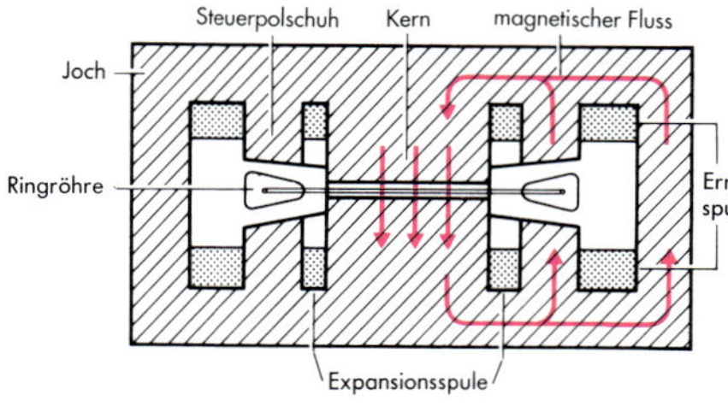

Betatron: Schematischer Querschnitt

Betatron [Kw. aus **Beta**strahlen und Elek**tron**] *das* (Rheotron), Beschleunigungsanlage für Elektronen (→Teilchenbeschleuniger) nach dem Prinzip des Transformators: Um ein zeitlich veränderl. Magnetfeld entsteht ein ringförmiges elektr. Feld, das eine geschlossene evakuierte Beschleunigungsröhre (als Sekundärspule) durchsetzt, in die Elektronen eingeschossen werden. Das Magnetfeld wird dabei so gesteuert, dass es als Führungsfeld für eine stabile Elektronenbahn sorgt. Die Elektronen können nach etwa 10^6 Umläufen Energien bis zu 300 MeV erreichen; höhere Energien sind nicht möglich, da die bewegten Elektronen elektromagnet. Strahlung aussenden, deren Energie dann gleich der Beschleunigungsenergie wird. Verwendung in der Kernphysik, bei der Werkstoffprüfung und in der Medizin zur Strahlentherapie (bis 50 MeV).

Betäubung, a) die teilweise Ausschaltung des Bewusstseins durch mechan. Einwirkung (Stoß, Schlag oder Fall) auf das Gehirn, durch Substanzen, die auf das Großhirn lähmend wirken (z.B. Opium, Alkohol), oder auch durch heftige psych. Erregung; b) der künstlich herbeigeführte Zustand der Unempfindlichkeit des Großhirns (→Narkose) oder einzelner Körperabschnitte (lokale →Anästhesie).

Betäubungsgewehr (Narkosegewehr), Gewehr, dessen Bolzen mit einem Betäubungs- oder Lähmungsmittel gefüllt ist. Das B. wird bei frei lebenden Tieren und Haustieren verwendet, ist bei der Jagdausübung in Dtl. jedoch verboten.

Betäubungsmittel, pharmakologisch uneinheitl. Gruppe von Arzneimitteln, die v.a. Schmerzen, Hunger, Durst und Angstgefühl aufheben, bei den meisten Menschen einen lustbetonten Zustand (Euphorie) hervorrufen und eine →Sucht (Abhängigkeit) erzeugen können. – Unter das **B.-Ges.** vom 28. 7. 1981 (früher *Opium-Ges.*) fallen Stoffe wie Opium, Morphin, Thebain, Kokain und Codein (rd. 150 versch. Naturstoffe oder künstl. chem. Verbindungen); es regelt u.a. den Umgang mit B., deren Herstellung, Handel, ärztl. Verordnung, staatl. Kontrolle.

Betaxanthine, Pflanzenfarbstoffe, →Betalaine.

Betazerfall, →Betastrahlung.

Bête [bɛ:t; frz. »dumm«] *die, Kartenspiel:* Einsatz, Strafsatz oder das Geld des Verlierenden; **B. ziehen,** Satz oder Spiel gewinnen; **B. machen,** setzen; **bête sein,** (das Spiel) verloren haben.

Beteigeuze [arab.] *der,* rötl. Stern 1. Größe (α) im Sternbild →Orion, Riesenstern mit etwa 500fachem Sonnendurchmesser.

Beteiligter, Person, die in einem Gerichts- oder förml. Verwaltungsverfahren eine bestimmte Funktion ausübt (ohne das Verfahren zu führen) und berechtigt ist, Anträge zu stellen. Im Verw.-Prozess sind Kläger, Beklagte und Beigeladene (diejenigen, deren rechtl. Interessen durch das Verfahren berührt werden, z.B. der Bauwillige im Streit zw. Baugenehmigungsbehörde und klagendem Nachbarn) sowie der Vertreter des öffentl. Interesses Beteiligte.

Beteiligung, Eigentum von Anteilen an einem Unternehmen (Aktien einer AG, Kommanditeinlagen in einer KG) zum Zwecke einer langfristigen kapitalmäßigen Bindung (z.B. Einflussnahme auf das B.-Unternehmen). Bei Kapitalges. gilt im Zweifel der Besitz von 25% des Grund- oder Stammkapitals als B. (→Sperrminorität). B. unter 25% werden als Minderheits-B., B. über 50% als Mehrheits-B. bezeichnet. Durch die kapitalmäßige Verflechtung entsteht ein Verbund rechtlich selbstständig bleibender Unternehmen (verbundene Unternehmen, Konzern).

Beteiligungsgesellschaft, sowohl Synonym für eine Holdinggesellschaft als auch Bez. für eine Gesellschaft, die Unternehmen befristet Eigenkapital zur Verfügung stellt, indem sie eine Minderheitsbeteiligung (unter 50%) auf Zeit eingeht.

Betel [malaiisch] *der,* Genussmittel zum Kauen, aus Betelnüssen, Blättern von Betelpfeffer, etwas gebranntem Kalk oder Tabak; schmeckt würzig bitter, wirkt anregend, färbt den Speichel rot, die Zähne dunkel; verbreitet in S-, SO-Asien, Melanesien, O-Afrika.

Betelnusspalme (Areca catechu), südasiat. Palme. Die Früchte sind pflaumen- bis hühnereigroß und enthalten je einen Samen, die **Betelnuss;** reich an Gerbstoff und rotem Farbstoff; ganz kleine Stücke werden zum **Betelkauen** (wirkt euphorisierend-stimulierend) genommen.

Beth, der zweite Buchstabe des hebräischen Alphabets.

Bethanien, Ort nordöstlich von Jerusalem, Wohnort des Lazarus, der nach Joh. 11,38 durch Jesus hier vom Tod auferweckt wurde; daher auch Name von christl. Krankenhäusern.

Hans Albrecht Bethe

Bethe, Hans Albrecht, amerikan. Physiker dt. Herkunft, *Straßburg 2. 7. 1906; 1943–46 Direktor der Abteilung für theoret. Physik im Atomforschungsinstitut in Los Alamos. – Wichtige Arbeiten: die Theorie der Bremsung von Elektronen durch Materie 1934 **(B.-Heitler-Formel),** die Untersuchungen zur Energieerzeugung in Fixsternen 1939 (→Bethe-Weizsäcker-Zyklus) und die theoret. Erklärung des Lamb-Shifts 1947. 1967 erhielt B. den Physik-Nobelpreis für seine Theorie der Kernprozesse in Sternen.

Bethel [hebr. »Haus Gottes«], **1)** das heutige Baitin, Ort nördlich von Jerusalem, in der Legende teils auf Abraham (1. Mos. 12,8), teils auf Jakob zurückgeführte Kultstätte (1. Mos. 28); in Wirklichkeit ein vorisrael. Heiligtum mit einem hl. Stein als Kultobjekt.

2) Ortsteil von Bielefeld mit den →Bodelschwinghschen Anstalten.

Bethesda, Doppelteichanlage (Schafteich) mit heilkräftigem Wasser, umgeben von fünf Säulenhallen (Joh. 5,2); durch Ausgrabungen bei der St. Annenkirche Jerusalems nachgewiesen.

Bethe-Weizsäcker-Zyklus [nach H. A. Bethe und C. F. von Weizsäcker] (Kohlenstoff-Stickstoff-Zyklus, CN-Zyklus), Kernreaktionen-Zyklus mit Kohlenstoff- (C), Stickstoff- (N) und Sauerstoffkernen (O), bei dem Wasserstoff unter Energieabgabe in Helium umgewandelt wird. Der B.-W.-Z. liefert wahrscheinlich den Hauptteil der Strahlungsenergie massereicher Hauptreihensterne.

Theobald von Bethmann Hollweg

Bethlehem, 1) (arab. Bait Lahm), Stadt im Westjordanland, 10 km südlich von Jerusalem, 30 000 Ew.; Fremdenverkehr (v. a. Pilger). – Heimat Davids und nach dem N. T. der Geburtsort Jesu. Über der als Geburtsstätte geltenden Grotte wurde von Konstantin 326–335 die fünfschiffige Geburtskirche erbaut (unter Justinian um 540 erneuert). – 1948 zu Jordanien, 1967 von Israel besetzt.

2) ['beθlɪhem], Stadt in Pennsylvania, USA, 72 400 Ew.; Univ. (gegr. 1865); Eisen- und Stahl- u. a. Ind. – B. wurde 1741 von Missionaren der Brüdergemeine gegründet; jährl. Bachfest.

Mongo Beti

Bethlen, 1) B. von Bethlen, István (Stephan) Graf, ungar. Politiker, * Gernyeszeg (heute Gornești, Rumänien) 8. 10. 1874, † bei Moskau 14. 1. 1947; errichtete als MinPräs. (1921–31) ein autoritäres Regime, schloss 1927 ein Bündnis mit Italien; wurde 1945 in die UdSSR verschleppt.

2) B. von Iktár, Gabriel, ungar. B. Gábor, Fürst von Siebenbürgen (1613–29), * Marosillye (heute Ilia bei Hunedoara, Rumänien) 1580, † Weißenburg (heute Alba Iulia) 15. 11. 1629; Verbündeter der böhm. Protestanten (Kalvinist). B. sah im Dreißigjährigen Krieg eine Chance, von Siebenbürgen aus das unabhängige Königreich Ungarn wiederherzustellen. 1619–26 führte er drei Kriege gegen die Habsburger (Kaiser Ferdinand II.), die Ende 1621 einen Teil von Oberungarn abtraten.

Wer erfand den Beton?

Die Römer.

Das früheste Beispiel für die Mischung von Zement, Wasser und Zuschlagstoffen (zum Beispiel kleine Steine) ist das Fundament des 121 v. Chr. in Rom erbauten zweiten Concordiatempels.

*Eines der schönsten Beispiele römischer Betonierkunst ist die Kuppel des unter Kaiser Hadrian (*76, †138 n. Chr.) errichteten Pantheons. Im Mittelalter geriet der Beton in Vergessenheit und wurde erst wieder Anfang des 19. Jahrhunderts in Frankreich verwendet, wo auch 1855 der Stahlbeton erfunden wurde.*

Bethmann, Bankiersfamilie in Frankfurt am Main. Johann Philipp B. (* 1715, † 1793) trat in das Handelsgeschäft seines Onkels Jakob Adami in Frankfurt am Main ein und gründete mit seinem Bruder Simon Moritz B. (* 1721, † 1782) das Bankhaus »Gebrüder B.«, eines der angesehensten seiner Zeit.

Bethmann Hollweg, Theobald von, Politiker, * Hohenfinow (bei Eberswalde) 29. 11. 1856, † ebd. 2. 1. 1921; wurde 1905 preuß. Innenmin., im Juli 1909 wurde er auf Empfehlung des im Juni 1909 zurückgetretenen Reichskanzlers B. von Bülow zum Reichskanzler und preußischen MinPräs. ernannt. Ihm gelangen einige Reformwerke (Reichsfinanzreform, Reichsversicherungsordnung); er brachte die Verfassung Elsass-Lothringens zum Abschluss. Erfolglos bemühte er sich um eine dt.-brit. Verständigung. Im 1. Weltkrieg vermochte er sich gegenüber den Militärs als Gegner des unbeschränkten U-Boot-Kriegs nicht durchzusetzen und wurde im Juli 1917 verabschiedet.

Beti, Mongo, eigtl. Alexandre Biyidi, kamerun. Schriftsteller, * Mbalmayo (bei Yaoundé) 30. 6. 1932; lebt seit 1951 in Frankreich (frz. Staatsbürger); kritisiert in seinen Romanen Kolonialismus und christl. Missionierung wie die nachkoloniale nat. Regierung; u. a. »Der arme Christ von Bomba« (1956), »Tam-Tam für den König« (1958), »Sturz einer Marionette« (1979), »La revanche de Guillaume Ismaël Dzewatoma« (1984), in denen er die Auswirkungen von Kolonialismus und christl. Mission in seiner Heimat schildert.

Beton [be'tɔŋ, be'tɔ̃, auch be'to:n; frz., aus lat. bitumen »Erdharz«], Baustoffgemenge aus Bindemitteln (z. B. Zement, Bitumen, Silikat, Ton), Zuschlagstoffen (z. B. Kies, Schotter, Splitt) und Wasser. Die Eigenschaften des B., wie hohe Druckfestigkeit, geringe Zugfestigkeit, Haftfähigkeit an Stahl, Witterungs- und Feuerbeständigkeit, sind abhängig von der Art und Güte der Bindemittel, der Oberflächenbeschaffenheit und Kornform der Zuschlagstoffe, dem Wasser-Zement-Verhältnis (Wasserzementwert) und der Verdichtung. Nach der Rohdichte unterscheidet man **Schwer-B.** (über 2,8 t/m^3), **Normal-B.** (2,0–2,8 t/m^3) für den Tief-, Wasser- und Hochbau sowie **Leicht-B.** (unter 2,0 t/m^3) mit hohem Gehalt an Luftporen, die durch leichte Zuschlagstoffe (Blähschiefer, -ton) eingebracht oder durch Gasblasen künstlich erzeugt werden. Man unterscheidet **Frisch-B.** (noch nicht abgebunden) und **Fest-B.** (abgebunden, erhärtet).

Leicht-B. ist wärmedämmend und wird für Außen- und Innenwände eingesetzt. Im Bauwesen wird unter Anwendung verschiedener Betonierverfahren auf der Baustelle hergestellter **(Ort-B.)** oder aus Fertigbetonanlagen in Spezialfahrzeugen zur Verwendungsstelle transportierter B. **(Transport-B.)** verwendet: Stampf-B. wird erdfeucht eingestampft, Guss-B. über Rinnen geführt, Spritz-B. mit Druckluft durch Düsen gespritzt.

Zur Erhöhung der Zugfestigkeit werden Stahleinlagen (Bewehrung) so in den B. eingelegt, dass sie die Zugkräfte aufnehmen. **Stahl-B.** ist nur möglich, weil Stahl und B. etwa die gleiche therm. Ausdehnung aufweisen.

Betonbau [→Beton], Bauweise, bei der unbewehrter Beton (im Ggs. zum Stahlbetonbau) angewendet wird, z.B. bei Wohnbauten.

Betonile *die,* Heilpflanze, →Ziest.

Betonmischmaschine [→Beton], Maschine, die ein Gemisch aus Zuschlagstoffen, Zement und Wasser fertigt. **Freifallmischer** (Kipptrommel-, Durchlauf-, Umkehrtrommelmischer) arbeiten absatzweise. Durch einen Schrägaufzug werden Zuschlagstoffe und Zement in eine Mischtrommel eingefüllt, durch eine Abmessvorrichtung Wasser zugesetzt. Kleinere Mischer werden durch Schwenken entleert, größere meist durch Umsteuern der Drehrichtung und Entleerungsschaufeln. Auf Großbaustellen werden auch absatzlos arbeitende **Stetigmischer** angewendet.

Betonstahl [→Beton], Stahl zur Aufnahme der Zugspannungen im →Stahlbeton.

Betonung, *Sprachwissenschaft:* →Akzent.

Betonwerkstein [→Beton] (Betonstein), Stein aus hochwertigem Beton, dessen Oberfläche geschliffen, poliert oder steinmetzmäßig bearbeitet ist.

Betrag (absoluter B.), *Mathematik:* Zeichen ||. Der B. einer *reellen Zahl a* ist definiert als $|a| = a$ für $a > 0$, $|a| = -a$ für $a < 0$, $|a| = 0$ für $a = 0$. Der B. einer *komplexen Zahl* $z = x + iy$ ist die reelle Zahl $|z| = x^2+y^2$. Die wichtigsten Gesetze für den B. lauten: $|a \cdot b| = |a| \cdot |b|$ und $|a+b| \leq |a| + |b|$. Der B. eines *Vektors* ist seine Norm bzw. anschaulich seine Länge.

Betreibung, in der Schweiz Bez. für die zwangsweise Einziehung von Geldforderungen. (→Zwangsvollstreckung)

Betreuung, Rechtsverhältnis zw. einem Betreuer (natürl. Person oder B.-Verein) und einem Volljährigen (Betreuter), der aufgrund einer psych. Krankheit oder einer körperl., geistigen oder seel. Behinderung seine Angelegenheiten ganz oder teilweise nicht selbst besorgen kann und deshalb der Hilfe bedarf (§§ 1896 ff BGB). Das neu geschaffene B.-Recht (in Kraft seit 1. 1. 1992) soll die Rechtsstellung des Kranken oder Behinderten verbessern und schafft zu diesem Zweck die Entmündigung ab. Die Vormundschaft über Volljährige und die Gebrechlichkeitspflegschaft werden durch die B. ersetzt. Die Geschäftsfähigkeit des Betreuten wird im Ggs. zur Entmündigung nicht automatisch beschränkt. Der Betreuer hat nur bestimmte Aufgaben wahrzunehmen, die der Betreute aufgrund seiner Krankheit oder Behinderung nicht selbst erledigen kann.

Betrieb, organisierte Wirtschaftseinheit, in der v.a. für den Bedarf Dritter Sachgüter produziert und Dienstleistungen erbracht werden.

In der *Betriebswirtschaftslehre* wird der Begriff B. unterschiedlich definiert, insbesondere variieren Begriffsumfang und -inhalt gegenüber »Unternehmung«: 1) B. und Unternehmung werden als gleich geordnete Bestandteile einer produktionswirtsch. Einheit aufgefasst, wobei der B. die Produktionsseite oder die technisch-wirtsch. Seite und die Unternehmung die Finanzseite oder die juristisch-finanzielle Seite darstellt; 2) der Begriff B. wird als der umfassendere aufgefasst, während die Unternehmung als histor. Erscheinungsform des B. nur in marktwirtsch. Systemen gilt; 3) die Unternehmung gilt als der umfassendere Begriff, der neben dem techn. Fertigungsbereich (B.) auch den Finanz- und Absatzbereich umfasst.

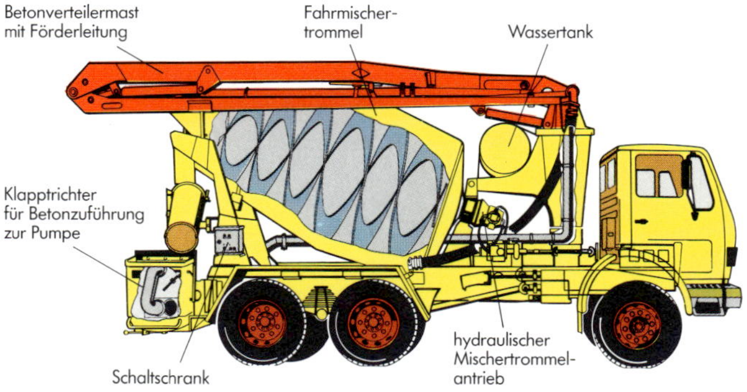

Betonmischmaschine: Transportmischer, bestehend aus einer rotierenden, auf einem Lkw-Untergestell montierten Trommel, in der der vorbereitete Beton während der Fahrt zur Baustelle gemischt wird

Arbeitsrechtlich wird unter B. die organisator. Einheit verstanden, innerhalb derer ein Arbeitgeber mit seinen Arbeitnehmern mithilfe von techn. und immateriellen Mitteln einen bestimmten arbeitstechn. Zweck fortgesetzt verfolgt. Der B. ist i.d.R. der Ort der Arbeitsleistung; die Verhältnisse im B. und die Dauer der Zugehörigkeit zum B. sind für Kündigungsschutz, Urlaub u.a. von Bedeutung; nach der Art des B. bestimmt sich die berufl. Gliederung der Arbeitnehmer, die Zugehörigkeit zu Berufsverbänden und damit der Geltungsbereich der Tarifverträge. Der Sitz des B. ist für zahlr. Rechtsfragen entscheidend. Der Begriff des **Gewerbe-B.** unterscheidet sich vom arbeitsrechtl. Begriff durch das zusätzl. Kriterium der Gewinnerzielung.

In der *Wirtschaftsstatistik* ist ein B. eine örtl. Einheit, d.h. die örtlich getrennte Niederlassung von Unternehmen des produzierenden Gewerbes.

Im *Steuerrecht* umfasst der Begriff B. **(B.-Stätte)** jede feste Geschäftseinrichtung oder Anlage, die der Ausübung des B. eines stehenden Gewerbes (stehender Gewerbe-B.) dient (§ 12 Abgabenordnung).

betriebliche Altersversorgung, die von den Arbeitgebern finanzierte Form der Alterssicherung. Die Leistungen der b. A. (»Betriebsrente«) erfolgen i. d. R. als laufende Altersrente, ggf. auch als Invalidenrente oder als Hinterbliebenenrente. Die Gründe für den Arbeitgeber, eine b. A. zu gewähren, sind v. a. personalpolit. und steuerl. Art (größere Verbundenheit mit dem Unternehmen, besseres Betriebsklima, Steuerstundung bzw. Betriebsausgabenabzug). Mögl. *Formen* der b. A. sind: 1) Pensionszusage (auch Direktzusage) mit Bildung von Pensionsrückstellungen durch den Arbeitgeber; 2) Direktversicherung bei einer Lebensversicherungsgesellschaft (Versicherungsnehmer und Beitragszahler ist der Arbeitgeber, Bezugsberechtigter der Arbeitnehmer); 3) Versorgung über eine Pensionskasse oder 4) über eine Unterstützungskasse. Nach dem Ges. zur Verbesserung der b. A. (Betriebsrenten-Ges.) von 1974 ist die Rentenanwartschaft beim Betriebswechsel unverfallbar, wenn die Versorgungszusage mindestens 10 Jahre zurückliegt oder bei mindestens 12-jähriger Betriebszugehörigkeit seit 3 Jahren eine Versorgungszusage besteht und der Arbeitnehmer das 35. Lebensjahr vollendet hat. Das Betriebsrenten-Ges. stellt sicher, dass Ansprüche aus Anwartschaften aus der b. A. nicht wegen Insolvenz des Arbeitgebers untergehen. Eine solche Insolvenzsicherung erfolgt über den Pensionssicherungsverein, dessen Mittel aus Arbeitgeberbeiträgen im Umlageverfahren aufgebracht werden.

Betriebsabrechnung, periodenbezogene innerbetriebliche Kosten- und Leistungsrechnung (→ Kostenrechnung).

Betriebsänderung liegt *betriebsverfassungsrechtlich* vor, wenn Betriebe oder Betriebsteile stillgelegt, eingeschränkt, ver- oder zusammen gelegt werden, ferner wenn Zweck, Organisation oder Anlagen des Betriebs geändert und grundlegend neue Arbeitsmethoden eingeführt werden. B. unterliegen dem Mitwirkungssrecht des Betriebsrates und können sozialplanpflichtig sein.

Betriebsart, 1) *Datenverarbeitung:* die Art der Bearbeitung von Daten, z. B. Stapel-, Dialog-, Echtzeit- und Mehrprogrammbetrieb.

2) *Technik:* bei elektr. Maschinen die zeitl. Folge und Dauer der Betriebszustände (z. B. Leerlauf, Belastung, Stillstand), für die das Betriebsmittel ausgelegt ist. Unterschieden werden u. a. Nenn-, Dauer-, Kurzzeit-, Aussetz-, Reversierbetrieb.

Betriebsarzt (Werksarzt), in Betrieben haupt- oder nebenberuflich tätiger Arzt, der den Arbeitgeber beim Arbeitsschutz (z. B. durch Betriebsbegehung) und bei der Unfallverhütung in allen Fragen der Arbeitsmedizin und des Gesundheitsschutzes unterstützt. Fachliche Voraussetzungen, Rechte und Pflichten sind u. a. im Arbeitssicherheits-Ges. vom 12. 12. 1973 und in einer speziellen Unfallverhütungsvorschrift festgelegt.

Betriebsaufspaltung, Teilung eines Betriebes in zwei rechtlich selbstständige Unternehmen (Doppelgesellschaft) zur Steuerersparnis und Risikobegrenzung. Die **Besitzgesellschaft** behält als Personengesellschaft das Vermögen, die **Betriebsgesellschaft** als Kapitalgesellschaft trägt mit beschränkter Haftung die Risiken der Produktion und des Vertriebes. Steuersparende Gewinnverschiebungen lassen sich z. B. durch entsprechende Vermietungs- und Geschäftsführerverträge erzielen.

Betriebserlaubnis, behördl. Anerkennung der Vorschriftsmäßigkeit eines Kraftfahrzeugs oder (allg.) Fahrzeugtyps.

Betriebsgeheimnis, → Geschäftsgeheimnis.

Betriebsgesellschaft, → Betriebsaufspaltung.

Betriebsjustiz, fälschl. Bez. für betriebl. Disziplinarmaßnahmen (Verweis, Geldbuße u. a.; nicht Entlassung) bei Verstößen gegen die betriebl. Ordnung. Die Disziplinarmaßnahmen müssen in einer Betriebsvereinbarung **(Betriebsbußenordnung)** unter genauer Bez. des rügefähigen Sachverhalts angedroht sein; der Ausspruch bedarf der Zustimmung des Betriebsrats. Das Verfahren muss rechtsstaatl. Grundsätzen entsprechen. Gegen die getroffenen Maßnahmen steht der Weg zum Arbeitsgericht offen.

Betriebskapital, → Umlaufvermögen.

Betriebsklima, Gesamtheit sozialer, psycholog., organisator. u. a. Faktoren, die die Arbeitsbedingungen beeinflussen. Dazu gehören Führungsstil, die Zusammensetzung von Gruppen, Entlohnung, Arbeitsorganisation und Arbeitsplatzgestaltung.

Betriebskrankenkassen, Krankenkassen (Körperschaften des öffentl. Rechts), die mit Zustimmung des Betriebsrates vom Arbeitgeber für seinen Betrieb errichtet werden können, sofern er auf Dauer mindestens 1000 Versicherungspflichtige beschäftigt und Bestand oder Leistungsfähigkeit der vorhandenen Allg. Ortskrankenkasse nicht gefährdet werden. In Dtl. sind rd. 10 % der Mitgl. der gesetzl. Krankenversicherung in einer der 699 (1995) Betriebskrankenkassen.

Betriebsobmann, → Betriebsrat.

Betriebsordnung, die Regelung betrieblicher Angelegenheiten, z. B. Arbeitszeit, Ruhepausen u. a.; sie erfolgt vielfach in → Betriebsvereinbarungen.

Betriebspsychologie, Teilbereich der angewandten Psychologie, befasst sich u. a. mit Eignungsuntersuchungen, Einsatz der Arbeitskräfte,

Schulung der Vorgesetzten, Beobachtung und Verbesserung des Arbeits- und Sozialklimas.

Betriebsrat, das gewählte Organ der betriebl. Mitbestimmung und die Interessenvertretung der Arbeitnehmer eines Betriebes der privaten Wirtschaft. Rechtl. Grundlage ist in Dtl. das →Betriebsverfassungsgesetz (in öffentl.-rechtl. Betrieben gilt das Recht der →Personalvertretung). B. sind in Betrieben mit mindestens fünf wahlberechtigten Arbeitnehmern (aktiv wahlberechtigt alle Arbeitnehmer über 18 Jahre, das passive Wahlrecht erfordert eine sechsmonatige Betriebszugehörigkeit) zu errichten. In Betrieben ohne B. können drei Wahlberechtigte oder die im Betrieb vertretene Gewerkschaft die Wahl eines B. durchsetzen. In Unternehmen mit mehreren Betrieben kann neben den einzelnen B. ein **Gesamt-B.**, in Konzernen ein **Konzern-B.** gebildet werden. Die Zahl der Mitgl. des B. ist nach der Größe des Betriebs gestaffelt und ungerade (ab drei); in Betrieben mit bis zu 20 wahlberechtigten Arbeitnehmern kann nur ein **Betriebsobmann** (mit verminderten Befugnissen) gewählt werden. Arbeiter und Angestellte müssen im B. anteilmäßig vertreten sein. Der B. wird in geheimer, unmittelbarer Wahl gewählt; seine Amtszeit beträgt vier Jahre, die Mitgl. sind im erforderl. Umfang von der Arbeit ohne Minderung des Arbeitsentgelts und ohne Rechtsnachteile freizustellen, sie genießen besonderen Kündigungsschutz und führen das Amt unentgeltlich. Die Kosten für die B.-Arbeit hat das Unternehmen zu tragen. In Betrieben mit über 300 Arbeitnehmern müssen ein oder mehrere B.-Mitgl. von der Arbeit freigestellt werden.

Aufgaben des B.: Das Ges. stellt das Verhältnis zw. Arbeitgebern und B. unter den Grundsatz der vertrauensvollen Zusammenarbeit. Neben **allgemeinen Aufgaben** (z.B. Überwachung der Einhaltung der Ges., Unfallverhütung, Beschwerden), die er wahrnimmt, wirkt er bes. in **sozialen Angelegenheiten** (z.B. Ordnung des Betriebes, Regelung der Arbeitszeit einschließlich Pausen und Urlaub, Grundsätze der Lohngestaltung) und in **personellen Angelegenheiten** (Einstellungen, Umgruppierungen, Versetzungen, Entlassungen) mit. Eine ohne vorherige Anhörung des B. erfolgte Kündigung ist unwirksam. In Unternehmen mit mehr als 100 ständigen Arbeitnehmern wird zur Unterrichtung des B. in wirtsch. Angelegenheiten ein →Wirtschaftsausschuss (nicht in Tendenzbetrieben) gebildet.

In *Österreich* haben die B. weitgehende Teilnahmerechte auf personellem und sozialem Gebiet (§§40, 88 Arbeitsverfassungs-Ges. vom 14. 12. 1973). In der *Schweiz* sind B. (»Arbeiterkommissionen«) nicht vorgeschrieben, bestehen jedoch häufig.

Geschichte: Seit 1891 gab es Arbeiterausschüsse in gewerbl. Betrieben, am 4. 2. 1920 wurde das Betriebsräte-Ges. erlassen. Das Arbeitsordnungs-Ges. von 1934 schaffte die B. ab. Nach 1945 wurden die B. durch das Kontrollrats-Ges. Nr. 22 und durch Länder-Ges. wieder errichtet; seit 1952 gilt das →Betriebsverfassungsgesetz.

📖 BLANK, M.: *Die Betriebsratswahl. Köln* [8]*1993.* – HROMADKA, W.: *Die Betriebsverfassung. München* [2]*1994.* – SCHAUB, G.: *Der B. München* [6]*1995.*

Betriebsrente, →betriebliche Altersversorgung.

Betriebsrisiko, das Lohnrisiko bei einem Arbeitsausfall infolge von Störungen, z.B. Stromausfall, die weder durch den Arbeitgeber noch durch die Arbeitnehmer verschuldet sind. I.d.R. trägt der Arbeitgeber das B., d.h., er muss den Lohn weiterzahlen, wenn die Störung nicht auf das Verhalten der Arbeitnehmer zurückzuführen ist (z.B. Teilstreik oder Streik in einem anderen Betrieb, bei diesem sog. Arbeitskampfrisiko können Vergütungsansprüche entfallen). Wenn durch die Zahlung der vollen Löhne die Existenz des Betriebes gefährdet würde, müssen die Arbeitnehmer eine Kürzung oder den völligen Lohnausfall hinnehmen.

Betriebsschutz, Teil des →Arbeitsschutzes. Der Arbeitgeber hat die Arbeitnehmer vor Gefahren zu schützen, die mit der Arbeitsleistung verbunden sind (z.B. durch entsprechende Wartung von Maschinen und Arbeitsräumen). Die Gewerbeordnung (§§120a ff.) und zahlr. auf ihr beruhende VO enthalten einschlägige Bestimmungen, die den Aufsichtsbehörden die Möglichkeit der Überwachung geben und Verstöße ahnden. Auch die Unfallverhütungsvorschriften der Berufsgenossenschaften sowie das Ges. über techn. Arbeitsmittel (»Gerätesicherheits-Ges.«) vom 24. 6. 1968 dienen dem Betrieb.

Betriebssoziologie, Teilgebiet der Wirtschaftssoziologie, das die Wechselwirkungen zw. dem sozialen Verhalten der Arbeitskräfte, dem Produktionsprozess und den allg. inner- und außerbetriebl. sozialen Vorgängen untersucht, ferner die sozialen Strukturierungen innerhalb des Betriebes.

Betriebsstätte, im *Steuerrecht* jede feste Geschäftseinrichtung oder Anlage, die der Tätigkeit eines Unternehmens dient. Als B. gelten: a) Stätten, an denen sich die Geschäftsleitung befindet, b) Zweigniederlassungen, Produktionsstätten, Warenlager, Ein- und Verkaufsstätten u.a. Geschäftseinrichtungen, c) Bauausführungen von über 6 Monaten. Die B. entscheidet u.a. über die Zuordnung der →Gewerbesteuer.

Betriebsstoffe, Fertigungsstoffe, die zur Herstellung der Erzeugnisse dienen, ohne in diese direkt einzugehen (z. B. Schmierstoffe, elektrischer Strom).

Betriebssystem (Systemsoftware), System von Programmen für einen Computer, das die Ausführung der Benutzerprogramme, die Verteilung der Hard- und Softwarekomponenten auf die einzelnen Programme und die Aufrechterhaltung der →Betriebsarten steuert und überwacht. Das B. enthält u. a. Programme zum Starten des Rechners, zur Prozesskoordination und Datenmanipulation, zum Übersetzen, für Ein- und Ausgabeoperationen und allg. Betriebsaufgaben.

Betriebsübergang, die rechtsgeschäftl. Übertragung eines Betriebes oder Betriebsteils auf einen anderen Inhaber (Eigentümer, Pächter). Der neue Inhaber tritt gesamtschuldnerisch in die Rechte und Pflichten aus den zum Zeitpunkt des B. bestehenden Arbeitsverhältnissen ein (§ 613 a BGB). B. ist kein Kündigungsgrund.

Betriebsunfall, →Arbeitsunfall.

Betriebsvereinbarung, schriftl. kollektivrechtl. Vereinbarung zw. Arbeitgeber und Betriebsrat über eine betriebsverfassungsrechtlich regelbare Materie, z. B. die Arbeitszeit. Die B. ist im Vergleich zu Ges. und Tarifvertrag nachrangig, gilt aber für alle Betriebsangehörigen unmittelbar. Sie endet durch Zeitablauf oder – mit Nachwirkung – durch Kündigung (§ 77 Betriebsverfassungsgesetz).

Betriebsverfassung, Gesamtheit der Regeln, die die Rechte und Pflichten des Arbeitgebers gegenüber dem Betriebsrat einerseits und die des Betriebsrats und der Betriebsversammlung als Organe der Belegschaft andererseits bestimmen. Die B. wird in Dtl. festgelegt durch das →Betriebsverfassungsgesetz.

Betriebsverfassungsgesetz, Abk. **BetrVG,** Bundes-Ges. vom 15. 1. 1972, das das BetrVG von 1952 abgelöst hat, welches in Teilen aber weiter gilt. Das B. regelt, ausgehend vom Grundsatz der »vertrauensvollen Zusammenarbeit«, die betriebl. →Mitbestimmung, d. h. das Zusammenwirken von Arbeitgeber und Arbeitnehmern, Letztere in Gestalt von →Betriebsrat und Betriebsversammlung als den bedeutsamsten betriebsverfassungsrechtl. Organen sowie die Stellung der Gewerkschaften im Betrieb. Für leitende Angestellte gilt das Ges. nicht, auch nicht für den öffentl. Dienst, karitative oder religiöse Einrichtungen und nur eingeschränkt in Tendenzbetrieben. Es ist die Grundlage für die Arbeit der Betriebsräte und der Jugend- und Auszubildendenvertretung, legt die Grundzüge ihrer inneren Ordnung und die Aufgaben der Betriebsversammlung fest. Seinen Schwerpunkt bilden die Regeln über die freiwillige und die erzwingbare Mitbestimmung (→Einigungsstelle), bes. bei personellen, sozialen und wirtschaftl. Angelegenheiten.

📖 *B., hg. v.* W. DÄUBLER *u. a. Köln* [4]*1994.* – LÖWISCH, M.: *Taschenkommentar zum B. Heidelberg* [3]*1994.* – ETZEL, G.: *Betriebsverfassungsrecht. Neuwied* [5]*1995.* – *B., begr. v.* K. FITTING, *bearb. v.* H. KAISER *u. a. München* [18]*1996.*

Betriebsvergleich, systematisch vergleichende Gegenüberstellung betriebl. Daten zur Beurteilung wirtsch. Tatbestände. Der innerbetriebl. Vergleich beruht auf dem Zahlenmaterial eines Betriebes (Unternehmens) und wird entweder als Zeitvergleich oder Soll-Ist-Vergleich durchgeführt. Der **zwischenbetriebl. Vergleich** erstreckt sich auf vergleichbare Daten versch. Bereiche (Unternehmen, Betriebe, Betriebsteile).

Betriebsvermögen, nach dem *Steuerrecht* alle dem Betrieb als Anlage- und Umlaufvermögen dienenden Wirtschaftsgüter. Bei ausschl. betrieblicher Nutzung (Fabrikgebäude, Maschinen u. a.) handelt es sich um **notwendiges B.;** Vermögensgegenstände, die man steuerrechtlich bindend entweder zu B. oder zu Privatvermögen erklären kann, sind **gewillkürtes B.** (z. B. Grundstücke).

Betriebsversammlung, als Organ der betriebl. Mitbestimmung die Versammlung aller Arbeitnehmer eines Betriebs. Sie ist einmal pro Kalendervierteljahr vom Betriebsrat einzuberufen und wird vom Vors. des Betriebsrats geleitet. Der Betriebsrat hat der B. seinen Tätigkeitsbericht zu erstatten, außerdem können Themen, die den Betrieb unmittelbar betreffen, erörtert werden; Parteipolitik ist unzulässig. Der Arbeitgeber ist hierzu einzuladen und hat Rederecht. Außerordentl. B. sind auf Antrag des Arbeitgebers oder von einem Viertel der wahlberechtigten Arbeitnehmer einzuberufen.

Betriebswasser (früher Brauchwasser), für gewerbl., industrielle, landwirtsch. oder ähnl. Zwecke bestimmtes Wasser, das nicht als →Trinkwasser benutzt werden darf.

Betriebswerke, Abk. **Bw,** früher Bahnbetriebswerke, ausführende Organe des Betriebsmaschinendienstes der Eisenbahn, sie sind zuständig für die Instandhaltung und/oder den Betrieb von Lokomotiven, Wagen, Kraftwagen, elektr. Anlagen, Stromerzeugungsanlagen aus Dampf- und Wasserkraft, Umformeranlagen, Umspannanlagen, Ober-, Speise- und Fernleitungen der elektrifizierten Strecken und von Hauptlagern zur Versorgung der übrigen Dienststellen mit Betriebsstoffen und Geräten.

Betriebswirt, Berufs-Bez. für einen Wirtschaftswissenschaftler, der das Studium der Betriebswirtschaftslehre an einer wiss. Hochschule als **Diplom-Kaufmann, Diplom-B.** oder an einer Fachhochschule als **Diplom-B. (FH), Diplom-Kaufmann (FH), Diplom-Finanzwirt (FH)** abgeschlossen hat. Absolventen einer Fachschulausbildung führen die Bez. **staatlich geprüfter B., techn. B.** oder **prakt. B.,** Absolventen der Verwaltungs- und Wirtschaftsakademien die Bez. **B. (VWA),** Absolventen der Dt. Angestelltenakademie die Bez. **B. (DAA),** Absolventen der Berufsakademien die Bez. **B. (BA)** oder **Diplom-B. (BA).**

Betriebswirtschaftslehre, Abk. **BWL,** Lehre von den Unternehmungen (Betrieben); sie gehört als wichtiges Teilgebiet der Wirtschaftswiss. zu den Sozialwissenschaften. Gegenstand der BWL ist die Beschreibung und Erklärung des Betriebes als Institution, die Untersuchung der wirtschaftl. Konsequenzen von Entscheidungen (Handlungen) unter Berücksichtigung des unternehmer. Umfeldes **(betriebswirtschaftl. Theorie)** sowie die Ableitung von Gestaltungsaussagen (angewandte BWL, **Betriebspolitik** oder **Unternehmenspolitik**). Betriebswirtschaftl. Entscheidungen betreffen die Art und Menge der zu beschaffenden Produktionsfaktoren (menschl. Arbeit, Investitionsgüter, Produktionsmittel und monetäre Einheiten) und deren Einsatz (Faktorkombination in der Leistungserstellung) sowie die Verwertung der erbrachten Leistung am Markt (Sachziel). Aus dem gesamten Entscheidungskomplex haben sich versch. Teilgebiete herausgebildet, die das Leistungs- oder Lenkungssystem eines Betriebes betreffen. Zum Leistungssystem zählen bes. die Teilfunktionen Beschaffung (Materialwirtschaft, einschließlich Lagerhaltung, Transport und Logistik), Produktion (Produktionswirtschaft, Leistungserstellung, Fertigung), Absatz (Absatzwirtschaft, Marketing, einschließlich Werbung, Vertrieb und Marktforschung) sowie Investition und Finanzierung (Kapitalwirtschaft, Finanzwirtschaft). Das Lenkungssystem als zielgerichtete Gestaltung des Leistungssystems umfasst die Bereiche Informationswirtschaft (betriebl. Rechnungswesen, personelle und techn. Informationssysteme), Personalwesen (Personalwirtschaft), Management und Unternehmensführung (Organisation und Führung, Planung und Überwachung, einschließlich Revision und Controlling).

Die bisher beschriebenen Teilgebiete bilden den Kernbereich der BWL **(allgemeine BWL).** Diesem stehen **spezielle** oder **besondere B.** gegenüber, die sich einmal in einer institutionellen Gliederung mit den Besonderheiten von Wirtschaftszweigen befassen **(Wirtschaftszweiglehren),** z. B. Industrie-, Handels-, Bank-, Versicherungs- und landwirtschaftl. Betriebslehre. Zum anderen lassen sich spezielle B. nach betriebl. Funktionen bilden; hierzu zählen z. B. auch betriebswirtschaftl. Steuerlehre, Wirtschaftsprüfung und Betriebsinformatik. In den letzten Jahren haben sich die ökologieorientierte und die internat. BWL etabliert, die sich mit unternehmensübergreifenden Fragen befassen und je nach Standpunkt der speziellen oder allgemeinen BWL zugerechnet werden.

📖 *Vahlens Kompendium der B., hg. v.* M. BITZ *u. a. 2 Bde. München* [3]*1993.* – WÖHE, G.: *Einführung in die allgemeinen B. München* [18]*1993.* – SCHIERENBECK, H.: *Grundzüge der B. München* [12]*1995.* – WÖHE, G. *u. a.: Übungsbuch zur Einführung in die allgemeine B. München* [8]*1996.*

Betrug, Vermögensdelikt, das begeht, wer in der Absicht, sich oder einem Dritten einen rechtswidrigen Vermögensvorteil zu verschaffen, das Vermögen eines anderen dadurch schädigt, dass er durch Täuschung einen Irrtum erregt oder unterhält und den Getäuschten zu einer Vermögensverfügung veranlasst (§§ 263 ff. StGB). B. begeht z. B. jemand, der sich unter Vortäuschung seiner Zahlungsfähigkeit oder -willigkeit Kredite oder Warenlieferungen erschleicht. B. gegen Angehörige, Vormünder, Erzieher wird nur auf Antrag verfolgt. B. kann mit Geld- oder Freiheitsstrafe bis zu 5, in bes. schweren Fällen bis zu 10 Jahren bestraft werden. Gesondert geregelte Fälle des B. sind z. B. der Computer-B., der Kapitalanlage-B., der Kredit-B. und der Versicherungs-B. – Ähnl. Vorschriften bestehen auch in *Österreich* (§§ 146 ff., 166/167, 278 StGB) und in der *Schweiz* (Art. 148, 150 StGB).

Betsäule, → Bildstock.

Betschuanaland, trockenes Hochland im südl. Afrika, S-Teil der Kalahari, 800–1300 m ü. M., bewohnt von den Tswana (früher Betschuana gen.), gehört politisch z. T. zu Botswana, z. T. zur Rep. Südafrika.

Betstuhl (Betpult), Kniebank mit Pult zum Auflegen der Hände und des Gebetbuchs beim Gebet.

Bett, 1) *allg.:* Nachtlager, Holz- oder Metallgestell mit Matratze. – *Geschichte.* Als selbstständiges Möbel (Gestell mit Füßen) ist das B. seit dem 2. Jt. v. Chr. in Ägypten und im Vorderen Orient nachweisbar. Bei Griechen und Römern bestand das Gestell aus Holz, vereinzelt aus Metall; der mit vier oder sechs Füßen versehene Rahmen war mit Gurten oder Riemen bespannt. Es diente zugleich als Speisesofa **(Kline).** Im MA. benutzte man einen Holzkasten, der auf vier niedrigen Pfosten stand, als Bettstatt; es überwog das Mehr-Personen-B. Baldachine oder B.-Himmel finden sich seit dem 12. Jh. Die Benutzung des Einzel-B. galt als Vorrecht des Adels. In höf. Kreisen wurde das B. zum Prunkmöbel, seit dem 18. Jh. mit vorkragendem Baldachin; um 1650 bekam das B. seinen Platz vielfach im Alkoven. Im 18. Jh. vollzog sich die Trennung von B. als Sofa und Schlafstätte. Auf dem Land war v. a. das Himmel-B. verbreitet, z. T. auch das Wand-B. (Butze). Im 19. Jh. kam das aus

Ugo Betti

eisernen Röhren bestehende B. mit Sprungfedermatratze auf.

2) *Geowissenschaften:* (Bach-, Fluss-, Strom-B.) von fließenden Gewässern geschaffene und dauernd oder zeitweilig von Wasser erfüllte Geländerinne.

3) *Maschinenbau:* Mauerung oder meist kastenförmiges Untergestell einer Maschine zur Aufnahme aller Bewegungsteile und deren Führungen.

Bettag, in der Schweiz ein staatlicher Feiertag mit patriotisch-religiösem Charakter (Eidgenöss. Dank-, Buß- und B.); 1832 eingeführt und auf den 3. Sonntag im September festgelegt.

Bettelheim, Bruno, österr.-amerikan. Psychologe, *Wien 25. 8. 1903, †(Freitod) Silver Spring (Md.) 13. 3. 1990; verfasste psychoanalyt. und sozialpädagog. Beiträge bes. zur Psychologie und Therapie gestörter Kinder, zur Sozialpsychologie und zur Psychologie des Märchens.

Bett 1): Himmelbett von Thomas Chippendale (um 1754; London, Victoria and Albert Museum)

Betteln, das Ansprechen von Fremden um Gaben (Almosen). Zu allen Zeiten und in fast allen Gesellschaften verbreitet, trat das Bettelwesen bes. im Spät-MA. in den anwachsenden Städten hervor (begünstigt durch ein religiös motiviertes Recht auf Hilfe bzw. die Pflicht zur Hilfeleistung). Im 19. Jh. ersetzte die staatl. Armengesetzgebung allmählich die private und kirchl. Wohltätigkeit.

Bettelorden (Mendikanten, Bettelmönche), kath. Mönchsorden, in denen im Ggs. zu den »Besitzorden« nicht nur der einzelne Mönch, sondern auch die Gemeinschaft auf Besitz verzichtet und sich durch Arbeit oder Betteln erhält; sie betreiben Seelsorge. Die B. entstanden im 13. Jh. als Abwehr der Verweltlichung der Kirche (mittelalterl. Armutsbewegung). Heute sind B. i. e. S. nur noch die Franziskaner und Kapuziner, i. w. S. auch die Augustiner, Dominikaner, Karmeliter u. a. – Religionsgeschichtliches Vorbild sind die Mendikantenorden des Dschainismus und Buddhismus, die selbst an die altind. Bettelasketen anknüpfen (→Brahmanismus).

📖 *B. u. Stadt, hg. v.* D. Berg. *Werl 1992.*

Betti, Ugo, italien. Schriftsteller, *Camerino (Prov. Macerata) 4. 2. 1892, †Rom 9. 6. 1953; Richter; stellte in seinen psychoanalytisch gefärbten Dramen (u. a. »Korruption im Justizpalast«, 1944) Weltschmerz und Tragik des hilflosen Menschen dar; schrieb auch Novellen, Lyrik und einen Roman.

Bettleroper, →Ballad-Opera.

Bettlerzinken, ein Geheimzeichen, →Zinken.

Bettnässen (Enuresis, Enurese), ungewollter Harnabgang bei Tag (Enuresis diurna) oder Nacht (Enuresis nocturna); bei Kindern nach vollendetem 3. Lebensjahr eine meist psychisch bedingte Unfähigkeit (z. B. bei übermäßiger Angst oder Eifersucht) den Entleerungsmechanismus der Blase zu beherrschen. B. wird durch Medikamente und Psychotherapie erfolgreich behandelt.

Bettung, *Straßenbau:* Schotterunterlage (eine Kiessand- oder Sandschicht, in die Pflastersteine gesetzt oder gerammt werden), und →Eisenbahnbau.

Bettwanze, →Plattwanze.

Betuwe ['be:ty:wə; niederländ. »Bataver-Aue«] *die,* fruchtbare Flussmarsch zw. Lek und Waal in der Provinz Gelderland, Niederlande; Zentren sind Arnheim und Nimwegen.

Betzdorf, Stadt im Landkr. Altenkirchen (Westerwald), Rheinl.-Pf., an der Sieg, 10 800 Ew.; Metall- und Textilind., Gerätebau.

Beuel, rechtsrhein. Stadtteil von Bonn.

Beugemittel, *Recht:* →Ordnungsmittel, →Zwangsmittel.

Beugemuskeln (Beuger, Flexoren), Muskeln, die an zwei gelenkig miteinander verbundenen Knochen so angeheftet sind, dass sich die Knochen beim Zusammenziehen (Verkürzen) der Muskeln einander nähern. Ggs.: Streckmuskeln.

Beughelball ['bø:xəl-], *Sport:* niederländ. Spiel, bei dem eine Holzkugel mit einem hölzernen Schläger durch einen in den Boden gesteckten Reifen getrieben wird; wird auch auf dem Eis gespielt.

Beugung, 1) *Physik:* (Diffraktion) bei Wellenvorgängen (Wasser-, Schall-, elektromagnet. Wellen) jede nicht durch Brechung, Reflexion oder Streuung bedingte Abweichung von der geradlinigen Ausbreitung, die insbesondere durch sich im Wege befindende Hindernisse (Kante, Spalt u. a.)

verursacht wird. Die B. lässt sich mit dem →huygensschen Prinzip erklären; sie wird merklich, wenn die Abmessungen des Hindernisses von ungefähr gleicher Größe oder kleiner als die Wellenlänge sind. – Bei der B. des Lichts an einem Spalt findet gleichzeitig Interferenz statt, sodass auf einem Schirm abwechselnd dunkle (B.-Minima) und helle (B.-Maxima) Streifen mit nach außen abnehmender Intensität als **B.-Bild** beobachtbar sind, aus deren Abstand mithilfe der Spaltbreite die Wellenlänge des Lichts berechnet werden kann. Die Erscheinung wird bes. deutlich, wenn anstelle eines Spaltes ein **B.-Gitter** (→Gitter) verwendet wird. Fällt nicht einfarbiges (monochromat.), sondern weißes Licht auf das Gitter, so entsteht das farbige **B.-Spektrum** (→Spektrum). Die B. ist die Ursache für die Begrenzung des Auflösungsvermögens in opt. Systemen. – B. ist auch mit Teilchenstrahlen möglich (experimenteller Nachweis von Materiewellen).

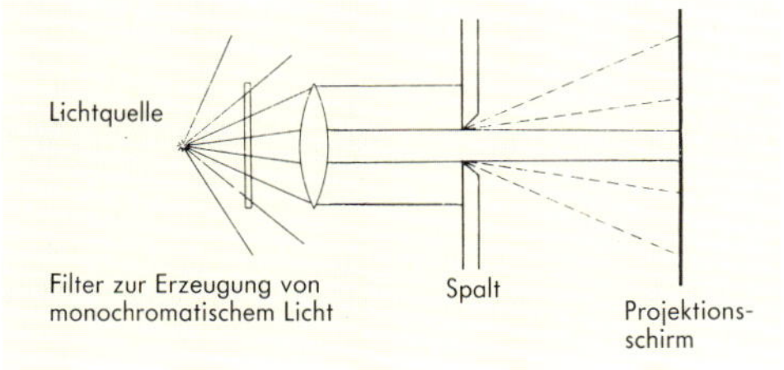

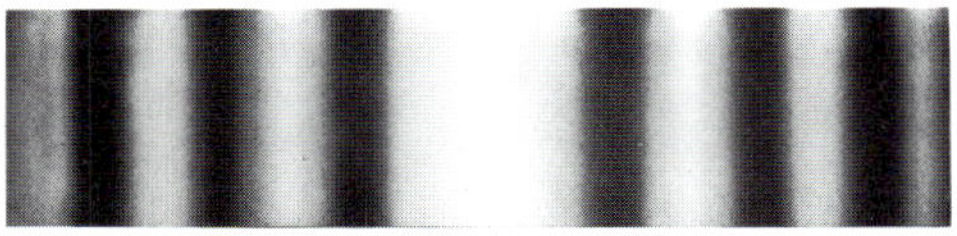

Beugung 1): Versuchsanordnung zur Beugung von monochromatischem Licht an einem Spalt (oben) und das entsprechende Beugungsbild auf dem Projektionsschirm

2) *Sprache:* die →Flexion.

Beule, schmerzhafte Anschwellung der Haut und des Unterhautzellgewebes durch Blutung, Ödem oder Entzündung.

Be|urkundung, von einer mit →öffentlichem Glauben versehenen Person (z.B. Notar) oder einer Behörde in der gesetzl. Form vorgenommene protokollar. Niederlegung der vor ihr abgegebenen Erklärungen; ist v.a. bei Grundstücksgeschäften notwendig.

Beuron, Gemeinde im Landkr. Sigmaringen, Bad.-Württ., 870 Ew.; Luftkurort und Wallfahrtsort im oberen Donautal, mit dem Mutterkloster der **Beuroner Kongregation** der Benediktiner (urspr. als Augustinerstift 1075 gegründet, 1803 säkularisiert und 1862 erneuert) mit Vetus-Latina-Inst. zur Herausgabe der altlatein. Bibel und Palimpsestforschung, Werkstätten, landwirtsch. und gärtner. Betrieben.

Beuschel (Beuscherl, Bäuschel), in Österreich und Bayern Bez. für die essbaren Innereien (Herz, Lunge, Leber, Milz) bes. von Kalb und Lamm.

Beust, Friedrich Ferdinand Graf (seit 1868) von, sächs. und österr. Politiker, *Dresden 13. 1. 1809, †Schloss Altenberg (bei Greifenstein, Niederösterreich) 24. 10. 1886; wurde 1849 sächs. Außenmin., 1852 auch Innenmin. und 1858 MinPräs. Er vertrat unter dem Aspekt seiner →Triasidee zunehmend eine antipreuß. Politik. Nach dem Dt. Krieg (1866) trat er von seinen Ämtern in Sachsen zurück. Im Okt. 1866 wurde B. österr. Außenmin., 1867 MinPräs. und Reichskanzler (Rücktritt 1871). Er setzte den österr.-ungar. Ausgleich von 1867 und die Wiederherstellung der konstitutionellen Verfassung durch.

Friedrich Ferdinand von Beust (Lithographie von Joseph Anton Bauer, 1870)

Beute, 1) *allg.:* bei Krieg, Jagd, Plünderung, Diebstahl angeeignetes Gut, →Beuterecht.

2) *Imkerei:* die Wohnung eines Bienenvolkes.

Beutelbär, der →Koala.

Beuteldachse, die →Bandikuts.

Beutelmeisen (Remizidae), Singvogelfamilie (früher den Meisen zugeordnet) mit zehn Arten, darunter die **Beutelmeise** (Remiz pendulinus), deren beutelförmiges Nest an Zweigspitzen hängt (oft über dem Wasser). Verbreitet v.a. in S- und O-Europa, Dtl., gemäßigten Zonen Asiens.

Beutelratten (Didelphidae), Familie der Beuteltiere, maus- bis katzengroße langschwänzige Tiere in Süd- und im südl. Nordamerika, mit Greifschwanz, spitzer Schnauze und raubtierähnl. Gebiss; Allesfresser. In Nordamerika lebt das rattengroße →Opossum.

Beutelratten: Links die baumbewohnende Vieraugenbeutelratte (Kopf-Rumpf-Länge etwa 30 cm), rechts die am und im Wasser lebende, bis 40 cm lange Schwimmbeutelratte

Beuteltiere (Marsupialia), Ordnung der Säugetiere, in der Gegenwart fast nur in Australien, Neuguinea und Südamerika vorkommend. Die Jungen werden meist in einem sehr frühen Entwicklungsstadium geboren und während ihrer Weiterentwicklung in einer Hauttasche (Beutel) am Bauch des Weibchens getragen, die die Zitzen einschließt und von einem Paar Beutelknochen gestützt wird. Scheide und Gebärmutter sind doppelt ausgebildet (deshalb auch Bez. **Didelphier**).

Beutelwolf (Beutelhund, Thylacinus cynocephalus), räuber. Beuteltier Tasmaniens, graubraun, schwarz getigert, 100–110 cm Körperlänge, Schwanzlänge etwa 50 cm; steht unter Naturschutz.

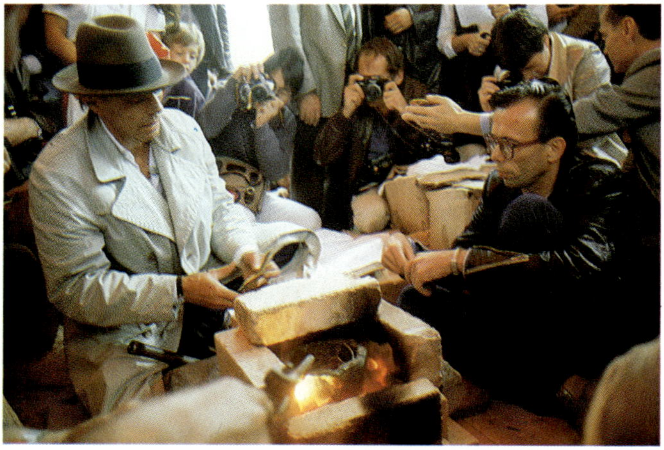

Joseph Beuys: Einschmelzaktion Zarenkrone – Friedenshase (1982; Kassel, documenta 7)

Beuterecht, das Recht einer Krieg führenden Macht, sich feindl. Gut anzueignen. Im Landkrieg ist feindl. Privateigentum geschützt; es darf nur bei dringender militär. Notwendigkeit weggenommen und nur für bestimmte Zwecke beschlagnahmt werden (→Requisition). Kulturgüter unterliegen dem B. nicht (→Kulturgüterschutz). Der einzelne Soldat oder Zivilist, der sich feindl. Gut aneignet, begeht Plünderung. Über das B. im Seekrieg (Seebeute) →Prise.

Beuthen, Stadt in Polen, →Bytom.

Joseph Beuys

Als Stukaflieger 1942 über der Krim abgestürzt, wurde der vom Niederrhein stammende Joseph Beuys von Tataren gerettet, indem sie den Schwerverletzten mit Fett salbten und in Filz hüllten. Seitdem galten ihm diese Materialien ebenso als Grundstoffe des Lebens wie Kupfer (als Energieleiter) und der nährende Honig.
Entsprechend stellte Beuys in seinen Plastiken und Rauminstallationen mit diesen wenig auf »Schönheit« zielenden, für ihn jedoch tiefe Bedeutung besitzenden Werkstoffen die Gegensätze Wärme und Kälte, Evolution und Erstarrung, Kreativität und Rationalität, Leben und Tod dar, auf der Suche nach der ursprünglich »ganzheitlichen«, d. h. Gefühl, Verstand, Magie und Körperlichkeit vereinenden Erfahrung menschlichen Lebens. In diesem Sinne wandte er sich auch ökologisch orientierten Kunstkonzepten zu (Projekt »Stadtverwaldung«, Kassel 1982) und entwickelte seine Vision der »sozialen Skulptur« einer Gesellschaft kreativer, sich selbst nicht mehr entfremdeter Menschen (»Jeder Mensch ist ein Künstler.«).

Beutler, Ernst, Literarhistoriker, *Reichenbach/Vogtl. 12. 4. 1885, †Frankfurt am Main 8. 11. 1960; seit 1925 Direktor des Freien Dt. Hochstifts und des Goethemuseums in Frankfurt am Main; schrieb u.a. »Essays um Goethe« (1941, 1996 erweiterte Ausgabe).

Beuys [bɔis], Joseph, Plastiker, Zeichner und Aktionskünstler, *Krefeld 12. 5. 1921, †Düsseldorf 23. 1. 1986; 1961–72 Prof. an der Kunstakademie Düsseldorf; begann mit Zeichnungen, später folgten Objekte, Environments, rituelle Aktionen in Zusammenhang mit der Fluxusbewegung sowie polit. und ökolog. Aktionen, mit denen er seine Theorien künstler. Kreativität auf alle Lebensbereiche auszudehnen versuchte. Seinem gesamten Schaffen liegt die Suche nach dem verlorenen »ganzen« Menschen zugrunde, in dem Natur und Kultur, Mythos und Wissenschaft wieder eins werden.

📖 ADRIANI, G. *u. a.: J. B. Neuausg. Köln 1994.* – LORENZ, I.: *Der Blick zurück. J. B. u. das Wesen der Kunst. Zur Genese des Werkes u. der Bildform. Münster 1995.* – *Vorträge zum Werk von J. B., hg. vom Arbeitskreis Block Beuys Darmstadt. Darmstadt 1995.*

Beveridge of Tuggal ['bevərɪdʒ əv-], William Beveridge, 1. Baron (seit 1946), brit. Sozial- und Wirtschaftspolitiker, *Rangpur (Bengalen, heute Bangladesh) 5. 3. 1879, †Oxford 16. 3. 1963; führte in Großbritannien Arbeitsämter und die Arbeitslosenversicherung ein. 1942 arbeitete er eine Denkschrift über Sozialversicherung aus **(B.-Plan),** die die brit. Sozialgesetzgebung von 1946 vorbereitete.

Beverley ['bevəlɪ], Stadt in der Cty. Humberside, England, 23 600 Ew.; got. Münster (13.–15. Jh.; mit Percy Shrine, nach 1339, im Decorated Style); Bau von Fischtrawlern.

Beverly Hills ['bevəlɪ 'hɪlz], Stadt in Kalifornien, USA, vom Stadtgebiet von Los Angeles umgeben, 32 000 Ew.; exklusives Wohngebiet.

Beverstausee, 2 km² großer Stausee in der Bever (Zufluss der Wupper), im Bergischen Land bei Hückeswagen.

Beverungen, Stadt im Kr. Höxter, NRW, an der oberen Weser, 15 700 Ew.; Holzverarbeitung; Kernkraftwerk in Würgassen. – Burganlage des 14. Jh.; seit 1417 Stadt.

Beverwijk [-'wɛjk], Gemeinde in der niederländ. Provinz Nordholland, im IJmuiden-Velsener Industriegebiet an der Mündung des Nordseekanals, 35 200 Ew.; Hafen; Gartenbau. Der Ortsteil **Wijk an Zee** ist Seebad. – Seit 1298 Stadt.

Bevin [bevn], Ernest, brit. Politiker (Labour Party) und Gewerkschafter, *Winsford (Cty. Somerset) 9. 3. 1881, †London 14. 4. 1951; war 1922–40 Gen.-Sekr. der von ihm gegründeten Transportarbeitergewerkschaft, 1940–45 Arbeitsmin.; förderte als Außenmin. (1945–51) den Abschluss des Brüsseler Vertrags und des Nordatlantikpakts.

Bevölkerung, die Gesamtheit aller Personen, die in einem bestimmten Gebiet leben. Je nach Fragestellung kann ein solches Gebiet die gesamte Erde umfassen (Welt-B.) oder sehr eng eingegrenzt sein (z.B. Stadtteil). B.-Zahlen werden durch Volkszählung ermittelt und durch Mikrozensen und Fortschreibung aktualisiert. Die B.-Zahl dient als Bezugsgröße für demograph. Kennzahlen (z.B. B.-Dichte, Geburtenziffer) und für Wirtschaftsstatistiken (z.B. Pro-Kopf-Einkommen, Fahrzeuge pro Ew.). Sie ist in regionaler Gliederung für Verwaltung (z.B. Finanzausgleich) und Planung (z.B. Wohnungs- und Straßenbau, Bildungswesen, Marktforschung) wichtig. Die B.-Zahl unterliegt durch die **natürl.** (biosoziale) **Bevölkerungsbewegung** (Geburten, Sterbefälle) und die **räuml. Bevölkerungsbewegung** (Wanderungen und Umzüge) einer ständigen Veränderung.

Bevölkerungsdichte, der Quotient aus der Bev.zahl und der Fläche, auf der diese Bev. lebt, i.d.R. angegeben in Ew. je km^2.

Bevölkerungsentwicklung, die Veränderung der Bev.zahl eines bestimmten Gebietes, die v.a. von den Faktoren Geburtenhäufigkeit, Lebenserwartung, Sterblichkeit und Altersstruktur abhängig ist. Da sich die globale B. bislang immer nur durch einen Anstieg der Weltbev. auszeichnete, wird die Bez. **Bevölkerungswachstum** in einem nahezu synonymen Sinn verwendet, und da eine hohe Zuwachsrate eine immer größere absolute Zunahme der Bev.zahl bewirkt, wird bei der B. seit den 1970er-Jahren häufig von einer »Bev.-explosion« gesprochen. Das Maß der B. ist die Wachstumsrate der Bev., die definiert ist als die jährl. Zu- oder Abnahme der Bev.zahl, ausgedrückt in Prozent. Die Weltbev. vergrößerte sich in den Jahrhunderten vor Christi Geburt wie auch danach nur sehr langsam. Bei einer Wachstumsrate von nahezu null bedurfte es mehrerer Jahrtausende, bis sich die Weltbev. verdoppelt hatte. Um 1650 gab es etwa 500 Mio. Menschen auf der Erde, die Wachstumsrate betrug 0,3% jährlich; dies entsprach einer Verdoppelungszeit von rund 250 Jahren. 1970 betrug die Weltbev. etwa 3,7 Mrd., 1985 etwa 5,7 Mrd. Menschen, was einer Wachstumsrate von 1,6% und einer Verdoppelungszeit von 44 Jahren entspricht.

Die durchschnittliche jährl. Wachstumsrate der Bev. für 1990–95 betrug in Afrika 2,8%, in Mittel- und Südamerika 1,8%, in Asien 1,7%, in Australien und Ozeanien 1,6%, in Nordamerika 1,0 und in Europa 0,2%.

Seit etwa dem Ausgang des MA. unterliegt die B. derjenigen Völker, die sich in der Einflusssphäre des zivilisatorisch-techn. Fortschritts befinden, einem gesetzmäßigen Mechanismus: Nach einer Periode relativ stabilen Gleichgewichtes bzw. nur geringer Geburtenüberschüsse, in der hohen Geburtenraten entsprechend hohe Sterberaten gegenüberstehen, sinken infolge der Verbesserung der medizin. und hygien. Verhältnisse zunächst die Sterberaten, wodurch hohe Geburtenüberschüsse entstehen. Im weiteren Verlauf passen sich jedoch die Geburtenraten den – weiterhin abnehmenden – Sterberaten an.

Auf relativ hohen Zivilisationsstufen spielt sich i.d.R. wiederum ein Gleichgewicht ein, bei dem die Bev.zahl über lange Zeit stagniert oder sogar zurückgeht. Bestimmende Faktoren hierfür sind der ökonom. und soziale Wandel: die Verstädterung, die Veränderung der Lebensgewohnheiten (z.B. höhere Aufwendungen für einen angemessenen Lebensstandard des Einzelnen) und v.a. der Lebenssicherung, da die soziale Sicherung durch Großfamilie und Sippenverband durch gesellschaftl. Einrichtungen (Sozialversicherung, Altersversorgung) ersetzt und somit die Kleinfamilie begünstigt wird. Erst in jüngster Zeit treten zusätzlich Familienplanung und Geburtenkontrolle in Erscheinung, verstärkt durch Frauenerwerbstätigkeit, Konsum- und Freizeitstreben sowie Individualisierung.

William Beveridge of Tuggal

Während die westl. Industrienationen diesen »Bevölkerungszyklus« nahezu vollständig durchlaufen haben und im Wesentlichen stabile, wenn nicht zurückgehende Bev.zahlen aufweisen, befinden sich die Länder der Dritten Welt überwiegend in der Anstiegsphase dieses Prozesses. Bev.veränderungen vollziehen sich in der Dritten Welt vielfach in anderen Größenordnungen als bei den Industrienationen. Nach Schätzungen der UN wird die Weltbev. im Jahre 2025 etwa 8,3 Mrd. Menschen betragen.

📖 Birg, H. *u.a.: Biograph. Theorie der demograph. Reproduktion. Frankfurt am Main u.a. 1991.* – Birg, H.: *World population projections for the 21st century. Frankfurt am Main 1995.*

Bevölkerungsgeographie, Teilgebiet der Anthropogeographie; befasst sich mit der Verteilung der Bev. auf der Erde und in deren Teilräumen sowie ihren Veränderungsprozessen und funktionalen Beziehungen.

Bevölkerungspolitik, zielgerichtete Maßnahmen, um Zahl und/oder Zusammensetzung einer Bev. zu beeinflussen. Man unterscheidet zw. einer **quantitativen B.,** die es mit den Problemen eines Zuviel oder Zuwenig an Menschen in einem Land zu tun hat, und einer **qualitativen B.,** die auf die Zusammensetzung der Bevölkerung einzuwirken sucht. Die qualitative B. ist im Hinblick auf die Beeinflussung der Geburtenentwicklung wegen ihrer rassist. Tendenzen (z.B. im nat.-soz. Deutschland) und ihrer Nähe zur Manipulation (Eugenik, Gentechnik) stark in Misskredit geraten. Ansatzpunkte einer B. können die Geburtenentwicklung, die Wanderungen sowie die Heirats- und Scheidungshäufigkeit sein. Wegen der vielfältigen Wechselwirkungen der für eine B. relevanten Entscheidungen im Mikrobereich der Familie (Geburten, Heirat, Scheidung, Umzug) mit Einflüssen aus dem Makrobereich von Staat und Gesellschaft (z.B. Arbeits-, Wohnverhältnisse, steuerl., sozialrechtl. Regelungen) ist eine Abstimmung der B. u.a. mit der Sozial-, Wohnungs-, Arbeitsmarkt-, Steuerpolitik, in Entwicklungsländern v.a. auch mit der globalen Entwicklungspolitik, unerlässlich. Während die Sterblichkeit durch die Gesundheitspolitik und die Wanderungen primär durch die Ausländer- und Raumordnungspolitik beeinflusst werden, versucht man auf die Geburtenentwicklung mittels familienpolit. Maßnahmen einzuwirken, in Entwicklungsländern v.a. über Familienplanungsprogramme.

Bevölkerungsprojektion, →Bevölkerungsstatistik.

Bewcastle: Der 4,30 m hohe Schaft des Steinkreuzes mit angelsächsischen Runeninschriften des 7. Jahrhunderts

Bevölkerungsstatistik, Zweig der angewandten Statistik, der zahlenmäßige Angaben über die Bev.entwicklung liefert und deren Analyse mit demograph. und bevölkerungsmathemat. Maßzahlen ermöglicht; i.e.S. Bezeichnung für die Methodenlehre zur Durchleuchtung der bei der Bev.entwicklung ablaufenden Prozesse.

Die Statistik des Bevölkerungsstandes ermittelt für einen Stichtag durch Volkszählung und Mikrozensus die Größe und die Struktur der Bev. nach Alter, Geschlecht, Familienstand und Nationalität, ihre regionale Verteilung, ihre Zusammensetzung nach Bildung, Konfession, Beruf, Erwerbstätigkeit sowie ihre Gliederung in Haushalts- und Familienformen. Die Veränderung des Bev.standes wird mittels der Statistiken der Bevölkerungsbewegung von Jahr zu Jahr aktualisiert und fortgeschrieben oder auch in die Zukunft weitergeschätzt (Bevölkerungsprojektion). Als Quellen dienen die monatlich und jährlich ausgewerteten Verwaltungsunterlagen der Standesämter, Meldebehörden und Familiengerichte.

Bevölkerungstausch, staatlich organisierte Umsiedlung nationaler Minderheiten zw. zwei Staaten, gewöhnlich durch zweiseitige Staatsverträge vereinbart, die sowohl die Gegenseitigkeit als auch die ordnungsgemäße Durchführung sichern. Bedingung dafür ist die wechselseitige Anerkennung der Rechtsansprüche aller Betroffenen (z.B. Freiwilligkeit, Optionsrecht, Vermögensansprüche).

Bevölkerungswachstum, →Bevölkerungsentwicklung.

Bevölkerungswissenschaft (Demographie), die Lehre von der Struktur und Entwicklung einer Bev. sowie von den dafür verantwortl. Ursachen und den daraus möglicherweise erwachsenden künftigen Wirkungen; wird häufig unterteilt in einen mehr quantitativ und in einen primär qualitativ orientierten Zweig. Der quantitative Zweig (Demographie i.e.S.) konzentriert sich auf die Bevölkerungsstatistik, der qualitative Zweig (auch als **Bevölkerungsforschung** bezeichnet) untersucht die Gestaltungsmöglichkeiten innerhalb der Bev.entwicklung, womit sich v.a. die Bev.politik befasst.

Geschichte: Die systemat. Beschäftigung mit Bev.problemen kann bereits bei frühen Denkern Asiens, der europ. Antike und des MA. nachgewiesen werden. Der Aufbau einer eigenständigen Wiss. setzte jedoch erst spät ein, da die Entdeckung quantitativer Beziehungen im Bev.aufbau und bei dessen Veränderungen zunächst lediglich als Beleg für die »göttl. Ordnung« (J. P. Süßmilch, 1741) verstanden wurde. Die von J. Graunt (1662), C. Neumann (1689), Sir W. Petty (1690) und E. Halley (1693) entwickelten Modelle zur Beschreibung der Absterbeordnung (Sterbetafel) und der Reproduktion haben die Ausgangsbasis der Demographie geschaffen. Die Bev.theorie begann sich dann v.a. aus den Auseinandersetzungen zu entwickeln, die von der Streitschrift T. R. Malthus' gegen die Armengesetzgebung (1798) ausgelöst wurden.

Bevollmächtigter, Inhaber einer →Vollmacht.

Bewaffnung, die Ausstattung eines Soldaten, einer militär. Einheit, eines Kampffahrzeugs, Kriegsschiffes oder Militärflugzeuges mit Waffen und Abschusseinrichtungen.

Bewährungsfrist, →Strafaussetzung zur Bewährung; →bedingte Verurteilung

Bewährungshelfer, vom Gericht bestellte Person, die die Lebensführung eines Verurteilten sowie die Erfüllung von Auflagen und Weisungen während der Bewährungsfrist überwacht und ihm helfend und betreuend zur Seite steht.

Bewässerung, die Zufuhr von Wasser an den Boden zur Förderung des Pflanzenwachstums, im Frühjahr auch zur Erhöhung der Bodentemperatur. Die B. kann auf einfache Weise durch **Überstauung** von mit Dämmen umgebenen Bodenflächen geschehen (Reis- und Zuckerrohranbauflächen). Das über einen längeren Zeitraum innerhalb der Dämme liegende Wasser kann jedoch zur Versauerung des Bodens führen; um dies zu vermeiden, wird die **Stauberieselung** angewandt, bei der ständig frisches Wasser zu- und verbrauchtes Wasser abgeführt wird. Bei natürl. oder künstlich erzeugtem Bodengefälle von mindestens 2% wird, bes. für Grünland, oft reine **Berieselung** verwen-

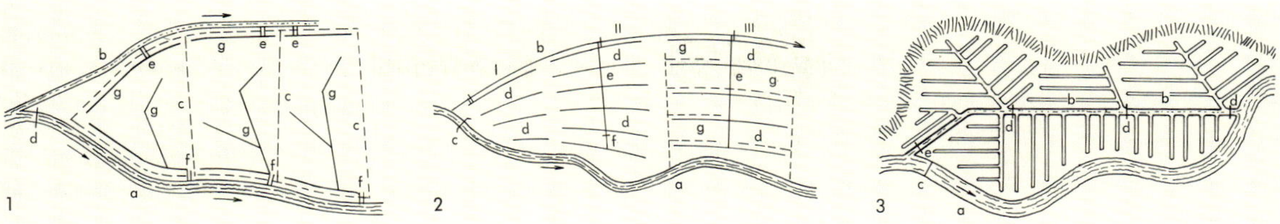

Bewässerung: 1 Überstauung; a Fluss, b Zuleiter, c Dämmer, d Stauschleuse, e Einlassschleusen, f Auslassschleusen, g Verteil- und Entwässerungsgräben;
2 Natürlicher Hangbau mit verschiedenen Unterarten (I bis III); a Fluss, b Zuleiter, c Stauschleuse, d Rieselrinnen, e Verteilgraben, f verschiebbarer Abschluss, durch den der unmittelbar darüber gelegene Hangabschnitt mit Frischwasser versorgt wird, g Abzugsrinnen, die das bereits benutzte Wasser ableiten und so eine Versorgung der tiefer liegenden Hangabschnitte mit Frischwasser ermöglichen;
3 Grabeneinstau; a Fluss, b Zuleiter, c Wehr, d Stauschleusen, e Einlassschleuse

det. Im Ackerbau wird auch die **Furchenberieselung (Grabeneinstauung)** angewendet, wobei der Wasserhaushalt im Boden durch Verschließen oder Öffnen der Entwässerungsgräben geregelt wird. In neuerer Zeit tritt die künstl. **Beregnung** immer mehr in den Vordergrund. Beregnungsanlagen bestehen aus einer Wasserpumpe, Rohr- oder Schlauchleitungen und den Spritzdüsen zum Versprühen des Wassers. Man unterscheidet zw. **Reihenregnerverfahren,** bei denen mehrere an die Rohrleitung angeschlossene Regner betrieben werden, sowie Einzelregner- und Tropfbewässerungsverfahren. Die **Einzelregnermaschinen** arbeiten mit Großflächenregnern mit Wurfweiten bis zu 100 m. Die **Tropfbewässerung** (engl. **Drip Irrigation**) für Obst- und Gemüseanlagen sowie Staudenkulturen führt das Wasser durch am Boden liegende, mit Löchern versehene Schläuche oder Rohre tropfenweise den Pflanzen zu.

Be- und Entwässerung sind uralte Verfahren der Bodenkultur. In Trockengebieten wie Ägypten, Indien oder China wurde die B. schon Jahrtausende v. Chr. betrieben. Auch im gemäßigten Klima von Europa spielte die B. schon frühzeitig eine Rolle.

📖 SCHENKEL, W.: *Die Bewässerungsrevolution im alten Ägypten. Mainz 1978. – Antiker Wasserbau. Beiträge v.* H. KALCYK *u. a. Mainz 1986.* – VISCHER, D. *u.* HUBER, A.: *Wasserbau. Hydrolog. Grundlagen, Elemente des Wasserbaues, Nutz- u. Schutzbauten an Binnengewässern. Heidelberg u. a.* [5]*1993.*

Bewcastle ['bjuːkɑːsl], Gem. in der Cty. Cumbria, N-England. Hier steht der 4,30 m hohe Schaft eines Steinkreuzes mit angelsächs. Runeninschriften (7. Jh.).

Beweglichkeit, *Physik:* bei Ladungsträgern (z. B. Ionen in Elektrolyten) Quotient aus mittlerer Geschwindigkeit (Driftgeschwindigkeit) und elektr. Feldstärke.

Bewegung, 1) *Biologie:* ein Kennzeichen lebender Organismen, bes. der Tiere und Menschen, aber auch der Pflanzen. **Passive B.** ist die Ausnutzung fremder B.-Energie, z. B. die Verbreitung von Pflanzensamen durch den Wind, die Ausnutzung der Wellen-B. beim Schwimmen, der Transport kleinerer Organismen (Parasiten) durch größere. **Aktive B.** umfasst Lage- bzw. Ortsveränderungen, bei denen der Organismus die benötigte Energie selbst aufbringt; **indirekte B.** geschieht z. B. durch Sekretion von Gasen (Schwimmblase), bei Pflanzen auch durch Turgoränderung; **direkte B.** durch reversible Strukturänderung der Eiweißmoleküle des lebenden Plasmas. Die wichtigsten Formen sind: **amöboide B.** durch Scheinfüßchen bei Einzellern, bei den weißen Blutkörperchen; **Zilien-** und **Geißel-B.** durch fadenförmige Plasmastrukturen von Zellen bei Pantoffeltierchen, Samenzellen, Strudelwürmern; **Muskel-B. (Kontraktions-B.)** durch größere Zellverbände bei mehrzelligen Tieren.

2) *Musik:* das Fortschreiten einer Melodie oder Einzelstimme. Beim mehrstimmigen Satz unterscheidet man im Verhältnis der einzelnen Stimmbewegungen zueinander die **Parallel-B.,** die **Gegen-B.** und die **Seitenbewegung.**

3) *Physik:* die Ortsänderung physikal. Systeme relativ zu einem anderen Körper oder zu einem Bezugssystem **(Relativ-B.).** Bei einer **gleichförmigen B.** ist die Geschwindigkeit konstant, bei **ungleichförmigen B.** tritt eine Beschleunigung auf. *Gleichförmig beschleunigt* ist eine B. bei konstant positiver, *gleichförmig verzögert* bei konstant negativer Beschleunigung. Bei **krummlinigen B.** existiert eine zur Bahn senkrechte Beschleunigung. Bei **period. B.** kehren in regelmäßigen Abständen gleiche B.-Zustände wieder. Jede Bewegung eines Körpers kann aus einer **fortschreitenden B.** (→ Translation) und einer **Dreh-B.** (→ Rotation) zusammengesetzt werden. – Wird von der Ursache der B. abgesehen, so wird die B.-Lehre auch als **Kinematik** bezeichnet; im Ggs. dazu werden in der **Dynamik** die Kräfte als B.-Ursache untersucht.

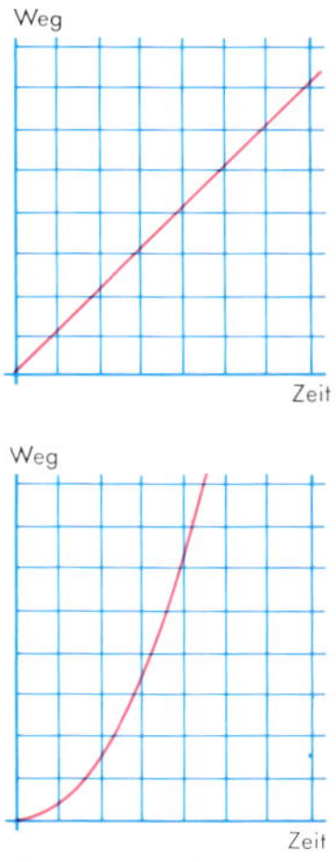

Bewegung 3): Bei gleichförmiger Bewegung ergibt sich im Bewegungsdiagramm eine Gerade (oben), bei gleichförmig beschleunigter Bewegung eine Parabel (unten)

Bewegungsapparat, die Gesamtheit der Bewegungsorgane bei Mensch und Tier. Bei den Wirbeltieren und beim Menschen besteht der B.

aus einem passiven (Knochen, Bänder, Gelenke) und einem aktiven Anteil (Muskeln, Sehnen, Sehnenscheiden, Schleimbeutel).

Bewegungsenergie, die kinet. →Energie.

Bewegungskrankheit, →Kinetose.

Bewegungskrieg, Kriegführung durch schnelle, raumgreifende Operationen; Ggs.: Stellungskrieg.

Bewegungslehre, *Sportwissenschaft:* Disziplin, die die Bewegung als zielgerichtetes Verhalten sowie u. a. ihre mechan. und anatom. Faktoren untersucht, um zur Entwicklung optimaler Leistungen beizutragen.

Bewegungssehen, Wahrnehmung der Ortsveränderung von Gegenständen (→Sehen). Beim B. sind v. a. drei Informationsquellen wirksam: 1) die strukturierte Umwelt, deren Elemente teilweise verdeckt oder freigegeben werden; 2) relative Positionsveränderung im Vergleich zu anderen Objekten der Umwelt; 3) Transformation des Objektes, das von unterschiedl. Seiten wahrgenommen wird. Beim B. gibt es zahlreiche **Bewegungstäuschungen** (etwa Scheinbewegungen nicht bewegter Objekte; →Stroboskop).

Bewegungsspiel, jedes Lauf- und Ballspiel, das die Bewegung fördert, z. B. Fußball, Basketball, Hockey, Tennis.

Bewegungsstudi|e, Teilgebiet der Arbeitsstudie, untersucht mithilfe fotograf. Aufnahmen die Arbeitsbewegungen des Menschen; isoliert Bewegungselemente, ermittelt den Zeitwert (abhängig von Weglänge, Genauigkeitsanforderung, Gewichtsbelastung) und dient der bestmögl. Gestaltung der Arbeitsbewegungen und der Werkzeuge.

Bewegungstherapie (Kinesiotherapie), Oberbegriff für alle Verfahren der →Krankengymnastik.

Bewehrung, 1) *Bau:* (Armierung) zur Verstärkung von Baustoffen eingelegte Fasern und Stäbe, z. B. B.-Stäbe aus Betonstahl für Stahlbeton und Spannbeton.

2) *Elektrotechnik:* äußere Ummantelung eines Kabels.

3) *Heraldik:* Krallen, Schnäbel u. Ä. der Wappentiere.

Beweinung Christi, die Darstellung der nach der Kreuzabnahme um den Leib Christi Trauernden; seit dem 12. Jh. eines der Hauptthemen der christl. Kunst.

Beweis, 1) *Logik, Wissenschaftstheorie:* Darlegung der Richtigkeit **(Verifikation)** oder Unrichtigkeit **(Falsifikation)** von Urteilen durch log. oder empir. Gründe (→Deduktion, →Induktion). Ein B. ist somit ein gültiger →Schluss 2) aufgrund von wahren Aussagen (→Prämissen, →Konklusion).

2) *Recht:* Die Erkenntnis, die dazu bestimmt ist, das Gericht von der Wahrheit oder Unwahrheit einer Tatsache zu überzeugen. In Verfahren, die der →Verhandlungsmaxime folgen, bes. im Zivilprozess, wird B. erhoben, wenn die Tatsachenbehauptung für die Entscheidung erheblich und beweisdürftig ist, d. h. vom Gegner bestritten ist. **B.-Mittel** sind Augenschein, Zeugen, Sachverständige, Urkunden und Parteivernehmung. Der Zeugen-B. wird nur auf Antrag erhoben, andere B. auch von Amts wegen. Die **B.-Aufnahme** wird durch einen besonderen B.-Beschluss angeordnet. – Im Strafprozess hat das Gericht von sich aus zur Erforschung der Wahrheit die B.-Aufnahme auf alle entscheidungserhebl. Tatsachen zu erstrecken. Es muss zwar grundsätzlich den weiterführenden B.-Anträgen der Prozessbeteiligten folgen, kann diese aber unter gesetzlich bestimmten Voraussetzungen (bes. Ungeeignetheit oder Unerreichbarkeit der B.-Mittel, Prozessverschleppung) zurückweisen. Die B.-Erhebung unterliegt allg. dem Grundsatz der freien richterl. B.-Würdigung (z. B. § 286 ZPO), d. h., es kommt auf die richterl. Überzeugung an. Hierfür genügt ein hoher Grad an Wahrscheinlichkeit, den auch vernünftige Zweifel nicht beseitigen können.

Beweislast, die den Parteien im Zivilprozess obliegende Verpflichtung, ihre Tatsachenbehauptungen zu beweisen. Kann die Wahrheit oder Unwahrheit von Tatsachenbehauptungen nicht bewiesen werden, wird zuungunsten desjenigen entschieden, der die B. trägt.

Beweinung Christi: Fresko von Giotto di Bondone (vermutlich 1305/06; Padua, Arenakapelle)

Beweissicherung, *Zivilprozess:* vorsorgl. Beweisaufnahme außerhalb des Urteilsverfahrens (vor einem mögl. späteren Prozess), die auf Antrag stattfindet, wenn der Gegner zustimmt oder die Gefahr besteht, dass das Beweismittel verloren geht oder seine Benutzung erschwert wird, oder wenn ein rechtl. Interesse an der Feststellung des Zustandes einer Sache besteht.

Bewerbung, Angebot eines Arbeit Suchenden an einen Arbeitgeber u.a. in der Wirtschaft oder im öffentl. Dienst zur Begründung eines Arbeits- oder Ausbildungsverhältnisses. Das **B.-Schreiben** soll Lebenslauf, Lichtbild, Zeugnisse und, soweit möglich, Referenzen enthalten.

Bewertung, *Betriebswirtschaft:* die Zuordnung einer Geldgröße auf bestimmte Güter oder Handlungsalternativen. Höhe und Art des Wertansatzes hängen vom Zweck der B. ab (z.B. Gewinnermittlung, Preisbildung). Die Wertansätze im Jahresabschluss (Bilanz, Gewinn- und Verlustrechnung) gründen sich entsprechend den handels- und steuerrechtl. Vorschriften (v.a. §252–256 und 279–283 HGB, §6 EStG) auf die Anschaffungskosten, die Herstellungskosten, den Teilwert und den gemeinen Wert. Die Kostenrechnung legt den Tageswert zugrunde, um nicht Scheingewinne oder -verluste auszuweisen, oder Verrechnungspreise. Bei der B. ganzer Unternehmen werden v.a. der Substanzwert und der Ertragswert herangezogen.

Handels- und steuerrechtl. B.-Grundsätze ergeben sich aus dem kaufmänn. Vorsichtsprinzip. Hiernach dürfen nur realisierte Wertsteigerungen als Gewinne berücksichtigt werden **(Realisationsprinzip):** Noch nicht abgesetzte Güter und Dienstleistungen müssen mit den Anschaffungs- oder Herstellungskosten **(Anschaffungswertprinzip),** nur abgesetzte Leistungen dürfen mit dem (höheren) Marktpreis bewertet werden (Zeitpunkt der Forderungsentstehung). Noch nicht realisierte, aber schon abzusehende Wertminderungen (negative Erfolgsbeiträge) müssen bei Erkennen ergebnismindernd berücksichtigt werden **(Imparitätsprinzip).** Eine bes. Ausprägung des Imparitätsprinzips ist das handelsrechtliche **Niederstwertprinzip (Niedrigstwertprinzip)** nach §§253, 279 HGB: Weichen Anschaffungs- oder Herstellungskosten eines Wirtschaftsgutes einerseits und der aus dessen Markt- und Börsenpreis am Abschlussstichtag abgeleitete bzw. der beizulegende Wert andererseits voneinander ab, so darf nur der niedrigere Wert angesetzt werden (strenges Niederstwertprinzip). Dieses gilt z.B. für das Umlaufvermögen; für Anlagegüter kann der Anschaffungs- oder niedrigere →Teilwert ausgewiesen werden (gemildertes Niederstwertprinzip). Dem Niederstwertprinzip auf der Aktivseite der Bilanz entspricht auf der Passivseite das **Höchstwertprinzip.**

Bewetterung, *Bergbau:* die →Grubenbewetterung.

Bewick ['bju:ɪk], Thomas, englischer Grafiker, *Cherryburn (Cty. Northumberland) 12. 8. 1753, †Gateshead (Cty. Tyne and Wear) 8. 11. 1828. Im Mittelpunkt seiner Arbeit standen Tierdarstellungen in der von ihm entwickelten Technik des Holzstichs (z.T. als Buchillustrationen veröffentlicht).

Thomas Bewick: »Der wilde Stier«, Holzstich (1789)

Bewirtschaftung, →Rationierung.

Bewölkung, Bedeckung des Himmels mit Wolken, einer sichtbaren Ansammlung in der Luft schwebender Wassertröpfchen, Eisteilchen oder beidem durch Kondensation des in der Luft vorhandenen Wasserdampfes bei Wasserdampfsättigung.

Bewurf, Mauerputz.

Bewusstlosigkeit (Besinnungslosigkeit), Verlust des Bewusstseins infolge Gehirnschädigung durch Krankheit oder Unfall; schwerster Grad der →Bewusstseinsstörung. Im Unterschied zum Schlaf besteht bei B. keine Ansprechbarkeit, je nach dem Schweregrad sind jedoch noch reflektor. Abwehrbewegungen auslösbar, beim Koma fehlt jede Reaktion. (ÜBERSICHT erste Hilfe)

Bewusstsein, die Summe der Icherfahrungen und Vorstellungen sowie die Tätigkeit des wachen, geistigen Gewahrwerdens von Eindrücken. In der *Psychologie* werden unterschieden: das, was einem bewusst ist oder sein kann, der B.-Inhalt (Objekt), dasjenige, dem etwas bewusst ist, das Ich (Subjekt) sowie die Beziehung des Ich auf einen inneren oder äußeren Gegenstand, das **Gegenstands-B.** Die B.-Inhalte stehen infolge ihrer durchgängigen Ichbezogenheit in einem einheitl. Zusammenhang (Einheit des B.). Das Wissen um die Identität des eigenen Subjekts und der Persönlichkeit in den versch. B.-Abläufen heißt **Ich-B.,** i.w.S. auch **Selbst-B.** Der Träger dieser B.-Einheit ist ein Einzelwesen **(Individual-B.);** im übertragenen Sinne kann er eine Gemeinschaft sein **(Kollektiv-B., Gesamt-B.,** z.B. Standes-B.). Vorbewusste, vergessene und verdrängte Inhalte liegen im Unter-B. und bilden mit noch nicht Bewusstem und prinzipiell nicht Bewusstseinsfähigem das Unbewusste, welches nur indirekt durch Wirkungen auf das Verhalten, Träume u.Ä. erschlossen werden kann.

Die **B.-Schwelle** ist die Grenze, an der unbewusste Inhalte ins B. treten. – Die Psychologie war bis Ende des 19. Jh. auf die Erforschung bewusster Seelenvorgänge beschränkt. Die Bedeutung des Unbewussten erkannt zu haben ist das Verdienst der Psychoanalyse.

In der *Philosophie* ist B. ein den Menschen charakterisierendes Wesensmerkmal, das einzig unbezweifelbar von allen Gegenständen des vermeintl. Wissens ist (Descartes) und die Bedingung der Möglichkeit von Erfahrung und (für den Idealismus) von Wirklichkeit darstellt. Für realist. und materialist. Strömungen ist B. lediglich Epiphänomen einer außerhalb und unabhängig von ihm existierenden Wirklichkeit. So versteht der Materialismus B. als das höchste Entwicklungsprodukt der Materie und als ideelle Widerspiegelung der materiellen Welt.

📖 DENNETT, D. C.: *Philosophie des menschl. B.s. A. d. Amerikan. Hamburg 1994.*

Bewusstseinsstörung, Oberbegriff für alle krankhaften Veränderungen des Bewusstseins. Man unterscheidet **B. qualitativer Art,** die vom Normalen abweichende Bewusstseinsinhalte in Form von Denkstörungen (z. B. Zwangs- und Wahnideen) oder Wahrnehmungsstörungen (abnorme Körperempfindungen, Halluzinationen, Illusionen) aufweisen, und **B. quantitativer Art,** die durch Störungen der Bewusstseinsklarheit (→Benommenheit, →Dämmerzustand, →Delirium, →Somnolenz, →Sopor, →Koma) gekennzeichnet sind.

Bewusstseinsstrom, →Stream of Consciousness.

Bexbach, Stadt im Saar-Pfalz-Kreis, Saarland, 19 500 Ew.; Kunststoffverarbeitung, Turbinenbau u. a. Industrie.

Bey, türk. Titel, →Bei.

Frank Beyer

Beyer, 1) Frank, Filmregisseur, *Nobitz (Landkr. Altenburger Land) 26. 5. 1932; drehte Spiel- und Fernsehfilme: »Nackt unter Wölfen« (1962), »Spur der Steine« (1966), »Jakob der Lügner« (1974), »Geschlossene Gesellschaft« (TV-Film, 1978), »Der Aufenthalt« (1983), »Der Bruch« (1989), »Ende der Unschuld« (TV-Film, 1991).

2) Wilhelm, Bildhauer, Maler und Porzellanmodelleur, *Gotha 27. 12. 1725, †Schönbrunn (heute zu Wien) 23. 3. 1806; seit etwa 1760 Modellmeister der Porzellanmanufaktur Ludwigsburg, ging 1767 nach Wien; schuf 1773–80 klassizist. Gartenskulpturen in Schönbrunn.

Beyle [bɛl], Henri, frz. Schriftsteller, →Stendhal.

Theodor Beza (Ausschnitt aus einem anonymen Gemälde, 1600)

Beza [-za], Theodor, eigtl. Théodore de Bèze, schweizer. ref. Theologe frz. Herkunft, *Vézelay 24. 6. 1519, †Genf 13. 10. 1605; förderte die Reformation in Frankreich, wurde 1564 Calvins Nachfolger.

bezahlt, Abk. **b., bez., bz.,** Angabe in Kurszetteln (→Kurs).

Bezeichnendes, *Sprachwissenschaft:* →Signifikant.

Bezeichnetes, *Sprachwissenschaft:* →Signifikat.

Béziers: Blick auf die über den Orb führende Alte Brücke aus dem 13. Jh., im Hintergrund die ehemalige Kathedrale Saint-Nazaire (12.–15. Jh.)

Beziehung, *Soziologie:* der Grad der Verbundenheit oder Distanz zw. Individuen, die in einem sozialen Prozess vereint sind; bes. von G. Tarde, E. Dupréel, G. Simmel und A. Vierkandt eingeführter Grundbegriff der Beschreibung sozialer Systeme. L. von Wiese sah in der Erforschung der B. und B.-Gebilde die Hauptaufgabe einer allg. Soziologie und schuf eine systemat. **B.-Lehre (B.-Soziologie).**

Beziehungswahn, Wahnvorstellung, bei der der Kranke ihn nicht betreffende Gespräche, Handlungsweisen u. a. auf sich bezieht, z. B. bei Schizophrenie.

Beziehungszahlen, *Statistik:* →Verhältniszahlen.

Béziers [beˈzje], Stadt im südfrz. Dép. Hérault, am Canal du Midi und am Orb, 71 000 Ew.; Weinbau und -handel (Weinmuseum); Traktorenbau, Düngemittelind.; ehem. Kathedrale Saint-Nazaire (12.–15. Jh.), Alte Brücke (13. Jh.). – Seit 119 v. Chr. röm., wurde um 418 westgot., 752 fränk.; 1209 in den Albigenserkriegen stark zerstört, kam 1247 zur frz. Krone.

bezifferter Bass, →Generalbass.

Bézigue [beˈziːk, frz.] (Bézique), Kartenspiel, →Bésigue.

Bezirk [ahd., zu lat. circus »Kreis«], der räuml. Zuständigkeitsbereich einer Behörde oder eines Gerichts (Amts-B.), i. e. S. einer Verwaltungsinstanz (z. B. Verwaltungs-B., Regierungs-B.; in Österreich Polit. Bezirk). In der DDR war B. die staatl. Gebietseinheit, die 1952 anstelle der Länder eingeführt wurde. Oberstes staatl. Organ war der B.-Tag, ausführendes Organ der Rat des B. Mit Wirkung vom 14. 10. 1990 wurden aus den 15 B. die Länder Brandenburg, Mecklenburg-Vorpommern, Sachsen, Sachsen-Anhalt und Thüringen gebildet. O-Berlin, das als B. galt, wurde mit W-Berlin zum Land Berlin vereinigt.

Bezirksgericht, 1) in der *DDR* seit 1952 die gerichtl. Mittelinstanz: Je ein B. war für einen der 15 Bez. zuständig. Nach dem Einigungsvertrag blieben die B. in den neuen Bundesländern zunächst bestehen, bis diese die im Gerichtsverfassungs-Ges. vorgesehenen Ger., zumeist Oberlandesger., eingerichtet hatten.

2) in *Österreich* und in einigen Kt. der *Schweiz* das Ger. 1. Instanz, das, ähnlich dem dt. Amtsger., die Gerichtsbarkeit in Zivil- und Strafsachen ausübt.

Bezirkshauptmannschaft, in Österreich Organ der allg. staatl. Verwaltung 1. Instanz mit breit gefächerter Zuständigkeit, geleitet vom **Bezirkshauptmann**.

Bezoarziege: Männliches Tier

Bezoar [arab., aus pers. »Gegengift«] *der,* bei Wiederkäuern (selten bei Kleinkindern) die Zusammenballung aus verschluckten und verfilzten Haaren und/oder Pflanzenfasern im Magen oder Darm.

Bezoarziege (Capra aegagrus), Wildziegenart, Stammform der Hausziege, männl. Tier mit dichtem langem Kinnbart; früher in Gebirgen Vorderasiens und auf den grch. Inseln weit verbreitet, heute im Bestand bedroht.

Bezogener, *Wechsel- und Scheckrecht:* derjenige, auf den ein Wechsel/Scheck gezogen ist, d.h. der bezahlen soll **(Trassat).**

bezügliches Fürwort, das Relativpronomen, →Pronomen.

Bezugsberechtigung (Begünstigung), das Recht einer vom Versicherungsnehmer genannten Person auf die Versicherungsleistung im Versicherungsfall (Tod des Versicherten).

Bezugsgruppe, *Soziologie:* Gruppe und soziales Gebilde (z.B. soziale Schicht), auf die sich eine Person bezieht und an welcher sie ihr Denken, Handeln, Vorstellen und Wünschen (z.B. Aufstiegsorientierung) ausrichtet. Beliebige Gruppen werden zu B. erst durch ihre Bedeutung, die sie für Mitgl. als Eigengruppe oder für Nichtmitgl. als Fremdgruppe haben.

Bezugsperson, Person, an der sich das Denken und Verhalten einer anderen orientiert, z.B. die Mutter, der Vater für das Kleinkind.

Bezugsrecht, das (handelbare) Recht der Aktionäre, bei Kapitalerhöhungen neue Aktien im Verhältnis ihrer bisherigen Beteiligung zu erwerben (§ 186 Aktien-Ges.).

Bezugssatz, der Relativsatz (ÜBERSICHT Syntax).

Bezugssystem, 1) *Physik:* der Messung oder mathemat. Beschreibung eines physikal. Sachverhalts zugrunde gelegtes Koordinatensystem, z.B. ein →Inertialsystem.

2) *Psychologie:* im Lauf der individuellen Entwicklung aufgebautes System von Normen, Bedeutungen und Erfahrungen, das (meist unbewusst) allen aktuellen Äußerungen und Wahrnehmungen bestimmend zugrunde liegt.

Bezugstemperatur, *Technik:* diejenige Temperatur, bei der Werkstücke und Messmittel die angegebene Größe und garantierte Messgenauigkeit haben; internat. auf 20 °C festgelegt.

BfA, Abk. für →**B**undesversicherungsanstalt **f**ür **A**ngestellte.

BfG Bank AG, Kreditinstitut, Sitz Frankfurt am Main; gegr. 1958 durch Verschmelzung von sechs Gemeinwirtschaftsbanken zur Bank für Gemeinwirtschaft AG; seit 1991 jetziger Name. Aktionäre sind Credit Lyonnais (50% plus eine Aktie), AMB Aachener und Münchener Beteiligungs-AG (25% plus eine Aktie), Beteiligungsges. der Gewerkschaften AG (25% minus 2 Aktien).

BFH, Abk. für →**B**undes**f**inanz**h**of.

bfn, Abk. für →**b**rutto **f**ür **n**etto.

BGB, Abk. für →**B**ürgerliches **G**esetz**b**uch.

BGBl, Abk. für →**B**undes**g**esetz**bl**att.

BGH, Abk. für →**B**undes**g**erichts**h**of.

BGS, Abk. für →**B**undes**g**renz**s**chutz.

Bh, chem. Symbol für →Bohrium.

Bhadgaon (Bhaktapur), Stadt in Nepal, 1350 m ü. M., südöstlich von Kathmandu, 61100 Ew.; Palast- und Pagodenanlagen (15.–18. Jh.); dt. Stadtsanierungsprogamm.

Bhadgaon: Die Nyatapola-Pagode mit ihren fünf turmartigen Dächern (um 1700)

Bhadravati, Stadt in Karnataka, Indien, 130000 Ew.; Sitz der Karnataka Iron and Steel Ltd. (Herstellung von Gusseisen, Roh- und Spezialstahl), ferner Zement- und Papierindustrie.

Bhagalpur, Stadt in Bihar, Indien, am Ganges, 253000 Ew.; Univ., Seidenforschungsinst.; Verkehrsknotenpunkt und Handelszentrum, bes. für Seide und Agrarerzeugnisse.

Bhagavadgita (Bhagawadgita) [altind. »Gesang des Erhabenen«] *die,* religionsphilosoph. Gedicht, eines der meistgelesenen Bücher Indiens, das eine Episode von 18 Gesängen im Rahmen des ind. Volksepos →Mahabharata bildet: Der Gott Vishnu in seiner menschl. Gestalt als Krishna steht als Wagenlenker dem Helden Ardschuna vor der furchtbarsten Schlacht der ind. Epik zur Seite; er flößt ihm Mut ein und verkündet seine Lehre des selbstlosen Tuns, der Selbstverleugnung und Liebeshingabe (Bhakti). Beispielhafte Synthese der wichtigsten ind. Erlösungswege. Die B. gilt im Hinduismus als hl. Text.

Ausgabe: Bh. Indiens heilige Gesänge, übertragen u. kommentiert v. L. von Schroeder. Aschtavakragita, übertragen u. kommentiert v. H. Zimmer. München ^{8}1994.

Bhagvan [altind. »der Erhabene«] (Bhagwan), Ehrentitel für religiöse Lehrer des Hinduismus.

Bhumibol Aduljadeh, König von Thailand

Bhagvan-Bewegung (Osho-Rajneesh-Bewegung [osho, japan., »der Vollkommene«], Selbstbez. Neo-Sannyas-Bewegung [ind. »Entsager«]), religiöse Bewegung um den Inder C. M. →Rajneesh, der sich seit 1969 von seinen Anhängern als »Bhagvan«, seit 1989 als »Osho« verehren ließ, wird seit seinem Tod 1990 von einem Leitungskollektiv weitergeführt. Die B.-B. beruht auf der Verbindung von Psychologie (Selbsterfahrung) und meditativ-myst. Religionen (bes. Hinduismus, Tantrismus).

Bhaktapur, Stadt in Nepal, →Bhadgaon.

Bhakti, neben den Wegen des Handelns und des Erkennens dritter Weg (durch fromme Liebeshingabe an Gott) zur Erlösung innerhalb der ind. Religion.

Bharata Natya, bekanntester klass. indischer Tanzstil, der vor mehr als 2000 Jahren in Indien entstand (→indischer Tanz).

Bhartrihari, ind. Dichter und buddhist. Mönch des 7. Jh. n. Chr., unter dessen Namen drei Spruchsammlungen in Sanskrit überliefert sind.

Bhatpara, Stadt in West Bengal, Indien, am Hooghly, 304300 Ew.; Jute-, Baumwollverarbeitung, Papierindustrie.

Bhave, Vinoba, ind. Sozialreformer, *Gagoda (Maharashtra) 11. 9. 1895, †Paunar Ashram 15. 11. 1982; Schüler Gandhis, versuchte seit 1947 als Wanderprediger, die Großgrundbesitzer zur Landübertragung an besitzlose Bauern zu bewegen. In der **Bhudan-**(Landschenkungs-)**Bewegung** wurden seit 1951 rd. 2,5 Mio. ha übereignet. Seit 1955 entwickelte er die Bewegung zur Schenkung ganzer Dörfer an die Dorfgemeinschaft **(Gramdan-Bewegung).**

Bhavnagar (früher Bhaunagar), Stadt in Gujarat, Indien, Haupthafen der Halbinsel Kathiawar, 401000 Ew.; Univ.; Textil-, Metall-, chem. Industrie.

BHE, →Gesamtdeutscher Block/**B**und der **H**eimatvertriebenen und **E**ntrechteten.

Bhil, Volk im NW von Indien, etwa 3,7 Mio. Menschen; Herkunft ungeklärt. Die B. sprechen heute Gujarati und nahmen Hindusitten an.

Bhilainagar, Industriestadt in Madhya Pradesh, Indien, 390000 Ew.; auf der Basis reicher Hämatitvorkommen südlich von B. seit 1959 Stahlwerk.

Bhopal, Hptst. von Madhya Pradesh, Indien, 1,06 Mio. Ew.; Univ.; Elektrogerätefabrik, Baumwollverarbeitung, Metall-, Papier-, chem. Ind.; Bahnknotenpunkt, Flugplatz. – Am 3. 12. 1984 kam es in B. zu einer Giftgaskatastrophe (über 2800 Tote, 200000 Verletzte), verursacht durch Methylisocyanat, das einem defekten Tank im Werk des amerikan. Chemiekonzerns Union Carbide Corp. entströmte.

Bhutan

Fläche: 47 000 km²
Einwohner: (1995) 1,64 Mio.
Hauptstadt: Thimphu
Verwaltungsgliederung: 20 Distrikte
Amtssprache: Dzongkha
Nationalfeiertag: 17. 12.
Währung: 1 Ngultrum (NU) = 100 Chhetrum (CH)
Zeitzone: MEZ +4½ Std.

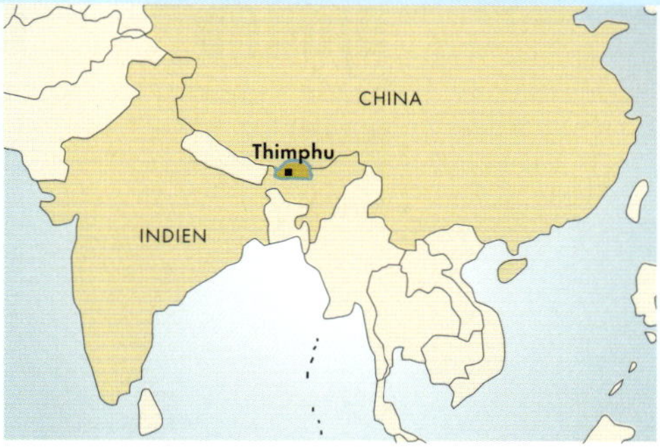

Bhotia, Volk im Himalaja, →Bhutija.

Bhubaneswar (Bhubaneshwar), Hptst. von Orissa, Indien, 411500 Ew.; kath. Erzbischofssitz, Univ., landwirtschaftl. Hochschule; Zentrum des Jagannathkultes; zahlr. Tempel im Stil der späten Guptazeit (8. Jh.) und v. a. aus dem 9.–11. Jh., mit bienenkorbförmigen Schreinen; weitere Tempelbauten aus dem 12.–15. Jahrhundert.

Bhumibol Aduljadeh (Rama IX.), König von Thailand (seit 1946), *Cambridge (Mass.) 5. 12. 1927; in der Schweiz erzogen, seit 1950 ⚭ mit **Sirikit** (*1932); auch Jazzmusiker und Komponist.

Bhubaneswar: Der bienenkorbförmige Schrein (vorne) und die Kulthalle des Mukteshvaratempels, Sandstein (9. Jh.)

Bhutan (amtlich Druk Yul [»Drachenreich«], dt. Königreich B.), Staat an der S-Abdachung des östl. Himalaja, grenzt im N an China (Tibet), im O, S und W an Indien.

Staat und Recht: B. ist ein unabhängiges Königreich; Staatsoberhaupt und Reg.chef ist der König, dem der Königl. Rat beratend zur Seite steht. Die Legislative liegt beim Ständeparlament, der Nat.versammlung. Parteien existieren nicht.

Landesnatur: B. besitzt ausgesprochenen Gebirgscharakter. Im Bereich des Hohen Himalaja erheben sich vergletscherte Gipfel bis 7554 m ü. M. (Kula Kangri). Der südlich anschließende Vorderhimalaja (2000–5000 m ü. M.) wird von breiten, von N nach S verlaufenden Tälern (Hauptsiedlungsräume) durchzogen. Über die Siwalikketten (bis 1500 m) und eine vorgelagerte Hügelzone (bis 600 m) fällt das Land zum Ganges-Brahmaputra-Tiefland (Duars) ab. Die Niederschläge des Monsunklimas erreichen im Gebirgsstau bis zu 5000 mm im Jahr, in den intramontanen Tälern nur 500–700 mm.

Bevölkerung: 60 % der Bev. sind Bhutija (tibet. Herkunft), die Dzongkha (eine sinotibet. Sprache) sprechen, 25 % gehören nepales. Volksgruppen an, im S leben auch ind. Einwanderer. Es besteht keine allg. Schulpflicht. Knapp 70 % der Bev. sind Anhänger des lamaist. Buddhismus, etwa 25 % des Hinduismus und etwa 5 % des sunnit. Islam.

Wirtschaft, Verkehr: Der wichtigste Sektor der Wirtschaft ist die Landwirtschaft (Reis-, Weizenanbau, Obstkulturen, Viehzucht), die den größten Teil der Erwerbstätigen beschäftigt. Neben dem traditionellen Handwerk (Weberei, Silberschmiedekunst, Holzverarbeitung) gibt es nur kleine Ind.betriebe. Wichtige Deviseneinnahmen erbringen der Verkauf von Briefmarken und der Tourismus. Der unbed. Außenhandel wird fast ausschl. mit Indien abgewickelt.

Geschichte: Etwa seit dem 9. Jh. wanderten die Bhutija aus Tibet ein, von wo aus auch der Buddhismus in das zuvor hinduist. Fürstentum eingeführt wurde. Ende des 16./Anfang des 17. Jh. errichtete ein tibet. Mönch die theokrat. Königsherrschaft; der Lamaismus (Mahajana-Buddhismus) wurde Staatsreligion. Nach mehreren brit. militär. Übergriffen (seit 1773/74) musste B. 1865 die Vormachtrolle Britisch-Indiens anerkennen (1910 Protektoratsvertrag). 1907 wurde die geistl. und weltl. Doppelherrschaft mit brit. Hilfe durch eine erbl. Monarchie abgelöst (die heute noch re-

Staatswappen

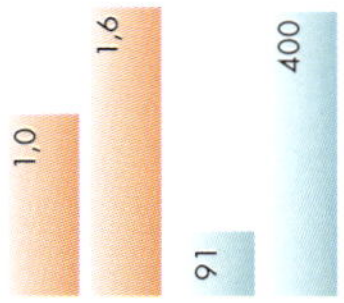

Bevölkerung (in Mio.) Bruttosozialprodukt je Ew. (in US-$)

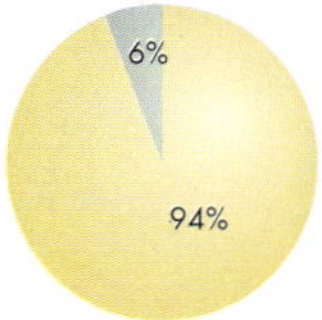

Bevölkerungsverteilung 1993

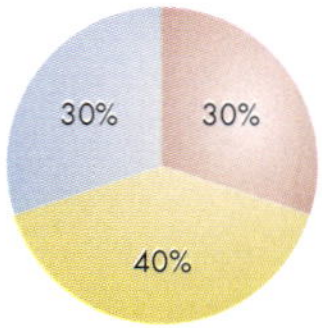

Bruttoinlandsprodukt 1993

gierende Wangchuk-Dynastie). 1949 erkannte Indien formell die Unabhängigkeit von B. an, behielt sich aber die Wahrnehmung der außenpolit. Angelegenheiten vor. Seit 1971 Mitgl. der UNO, strebt B. unter König Jigme Singhye Wangchuk (seit 1972) nach außenpolit. Emanzipation. Um die

Bhutan: Bäuerliches Anwesen im Himalaja

Dominanz der buddhist. Kultur gegenüber der religiösen Minderheit der Hinduisten und der ethn. Minderheit der Nepalesen zu sichern, leitete die königl. Regierung 1989 mit rigorosen Mitteln eine »Bhutanisierungskampagne« ein, die bei den betroffenen Minderheiten eine Fluchtbewegung in die Nachbarstaaten Nepal und Indien auslöste.

Benazir Bhutto

📖 KARAN, P. P.: *Bh. Environment, culture and development strategy. Neu-Delhi 1990.* – WILHELMY, H.: *Bh. Land der Klosterburgen. München 1990.* – POMMARET, F.: *Bh. Fotos v.* Y. IMAEDA *u. a. Konzeption der dt. Fassung* K. GALLAS *u. a. A. d. Engl. Nürnberg 1992.* – BRAUEN, M.: *Irgendwo in Bh. Wo die Frauen (fast immer) das Sagen haben. In Zus.arbeit mit dem Völkerkundemuseum der Univ. Zürich. Frauenfeld 1994.*

Bhụtija (Bhotia), urspr. tibet. Volk (über 1 Mio. Menschen) in Bhutan (dort staatstragend), Sikkim und Nepal; Buddhisten.

Zulfikar Ali Bhutto

Bhụtto, 1) Benazir, pakistan. Politikerin, *Karachi 21. 6. 1953, Tochter von 2); übernahm 1979 die Führung der Pakistan People's Party (PPP); während der Herrschaft Zia ul-Haqs 1977–84 unter Hausarrest und 1984–86 im Exil. Nach Wahlsiegen ihrer Partei war sie 1988–90 und 1993–96 als erste Frau in einem islam. Staat MinPräs. In beiden Amtszeiten wurde sie jeweils unter dem Vorwurf der Korruption vom Staatspräs. entlassen.

2) Zulfikar Ali, pakistan. Politiker, *Larkana (Prov. Sind) 5. 1. 1928, † (hingerichtet) Rawalpindi 4. 4. 1979, Vater von 1); Rechtsanwalt, 1963–66 Außenmin., 1967 Gründer und seitdem Vors. der Pakistan People's Party (PPP), wandte sich entschieden gegen die Separationsbestrebungen von Ostpakistan (seit 1971 als Bangladesh selbstständig). 1971–73 war er Staatspräs., 1973–77 MinPräs. Außenpolitisch suchte er das Verhältnis seines Landes zu Bangladesh und Indien zu entspannen. Innenpolitisch verfolgte er zunehmend einen autoritären Regierungsstil. 1977 wurde B. durch einen Militärputsch gestürzt, verhaftet und 1978 von einem Militärgericht (wegen Anstiftung zum Mord) zum Tode verurteilt.

Günter Bialas

BHW Bausparkasse AG, Hameln, große dt. Bausparkasse (gegr. 1928 aufgrund des Beamtenheimstätten-Ges. von 1927), seit 1991 heutiger Name. Hauptanteilseigner sind der Dt. Beamtenbund sowie der DGB und Einzelgewerkschaften.

Bi, 1) [von lat. bismutum], chem. Symbol für →Wismut.

2) Einheitenzeichen für →Biot.

bi... [lat.], doppel(t)..., zwei..., *Chemie:* 1) nicht mehr zulässiges Präfix für saure Salze, jetzt ersetzt durch →Hydrogen; z. B. Bicarbonat = Hydrogencarbonat. 2) Präfix anstelle von →di... bei Verdopplung ident. Reste, z. B. Biphenyl.

Biạfra, Name, unter dem 1967 die Ostregion →Nigerias einen selbstständigen Staat bildete (Reg. unter O. Ojukwu). Nach einem blutigen Bürgerkrieg (1967–70) wurde B. wieder dem nigerian. Staat eingegliedert. – Bis 1967 war B. nur im Namen der **Bucht von B.,** des östlich der Nigermündung gelegenen Teils des Golfs von Guinea, im Gebrauch; diese wird heute als Bucht von Bonny bezeichnet.

Biała Podlạska ['bjau̯a-], Hptst. der Wwschaft B. P. im östl. Polen, 55 000 Ew.; Textil-, Nahrungsmittelindustrie.

Biạlas, Günter, Komponist, *Bielschowitz (heute Bielszowice, Wwschaft Katowice) 19. 7. 1907, †Glonn (Landkr. Ebersberg) 8. 7. 1995; schrieb Bühnenwerke (»Jorinde und Joringel«, Märchenspiel, 1963), Orchester- und Vokalwerke sowie Kammermusik.

Biạlik, Chajim Nachman, hebr. Dichter, *Rady (Wolhynien) 9. 1. 1873, †Wien 4. 7. 1934; schilderte in Gedichten und Erzählungen das ostjüd. Leben; trug zur Wiederbelebung der hebr. Sprache und geistigen Neuorientierung des Judentums bei.

Białọgard ['bjau̯ɔ-] (dt. Belgard [Persante]), Stadt in Hinterpommern, Wwschaft Koszalin (Köslin), Polen, an der Persante, 24 000 Ew.; Museum; Nahrungsmittel-, Holz-, Lederind.; Verkehrsknotenpunkt. – Die Burgsiedlung erhielt 1299 lüb. Stadtrecht.

Białostocki [bjau̯ɔs'tɔtski], Jan, poln. Kunsthistoriker, *Saratow 14. 8. 1921, †Warschau 25. 12. 1988; seit 1962 Prof. in Warschau.

Werke: Stil und Ikonographie. Gesammelte Aufsätze (1966); Propyläen-Kunstgesch., Bd. 7.

Spät-MA. und beginnende Neuzeit. Die Kunst des 15. Jh. (1972); Dürer and his critics (1984).

Bialowiezer Heide (Belowescher Heide, poln. Puszcza Białowieska), sumpfreiches, relativ unberührtes Waldgebiet zu beiden Seiten der weißrussisch-poln. Grenze, 1250 km², davon 580 km² in Polen; reiche Flora und Fauna (Wisente, Wildpferde, Wölfe), daher auf poln. Seite Nationalpark (UNESCO-Welterbe; 51 km²), auf weißruss. Seite Naturschutzgebiet.

Białystok [bja'u̯ɪ-], Hptst. der Wwschaft B., NO-Polen, 274 000 Ew.; Hochschulen; Textil-, Holz-, Nahrungsmittelindustrie. – Im 14. Jh. gegr., im 17. Jh. Residenz der Magnatenfamilie Branicki; wurde 1795 preußisch, 1807 russisch.

Bianca [italien. »die Weiße«], ein Mond des → Uranus.

Biarritz (bask. Miarritze), frz. Stadt am Golf von Biscaya, Dép. Pyrénées-Atlantiques, 29 000 Ew.; Seebad mit Meeresmuseum, sieben Spielkasinos und internat. Reitturnieren.

Bias, grch. Staatsmann und Richter aus Priene in Ionien, um 625–540 v. Chr.; einer der Sieben Weisen Griechenlands.

Biathlon [grch. »Doppelkampf«] *das,* ein sportl. Winterwettkampf; umfasst für Herren Skilanglauf über 10 km mit zwei und über 20 km mit vier Schießübungen sowie 4 × 7,5-km-Staffel mit zwei Schießübungen je Läufer; für Damen: 5 km mit zwei, 10 km mit drei, Staffel 3×5 km mit je zwei Schießübungen. Das Kleinkalibergewehr wird mitgeführt. Fehlschüsse ergeben Strafzeiten (1 min) oder Strafrunden (≈ 150 m). Im Mannschaftswettkampf laufen vier gemeinsam gewertete Sportler zusammen. Biathlon gehört zu den olymp. Sportarten.

Bibalo, Antonio, norweg. Komponist italien. Herkunft, * Triest 18. 1. 1922; schrieb Opern (»Das Lächeln am Fuße der Leiter«, 1965; »Fräulein Julie«, 1975, Neufassung 1984; »Gespenster«, 1981), Orchesterwerke, Kammer- und Klaviermusik sowie Chorwerke.

Bibbiena, italien. Künstlerfamilie, → Bibiena.

Bibel [grch. tà biblía »die Bücher«] (Buch der Bücher, Heilige Schrift), die Schriften, die von den christl. Kirchen als Urkunden der göttl. Offenbarung **(Wort Gottes)** und als verbindlich für Glauben und Lehre angesehen werden (Kanon). Sie bestehen aus dem hebr. **Alten Testament** (A. T.) und dem grch. **Neuen Testament** (N. T.).

Entstehung und Gliederung. Die 39 alttestamentl. Schriften, die auch heute noch die Hl. Schrift der Juden sind, wurden innerhalb der jüd. Gemeinde vom 5. bis 2. Jh. v. Chr. zusammengestellt; die Entstehung einzelner Bestandteile reicht in sehr viel frühere Zeiten zurück. Das A. T. ist in drei

Biarritz: Blick über den alten Fischereihafen auf die Kirche Sainte-Eugénie, im Hintergrund rechts eines der sieben Spielkasinos

Teile gegliedert: das Gesetz (Thora), die Propheten und die Schriften. Über den Textbestand sind die christl. Kirchen untereinander und mit dem Judentum nicht einer Meinung; → Apokryphen. Das N. T. ist zum großen Teil im 1. Jh. entstanden (die ältesten Bestandteile des N. T. sind die in den Jahren 50–64 entstandenen Paulusbriefe); schon am Ende des 2. Jh. war das N. T. in seinem Bestand im Wesentlichen abgeschlossen, im 4. Jh. einheitlich in der christl. Kirche anerkannt. Es enthält 27 Bücher: 5 geschichtl. Bücher (Evangelien und Apostelgeschichte), 21 briefl. Lehrschriften und eine prophet. Schrift (Offenbarung des Johannes). Die heute übl. Gliederung der B. in Kapitel und Verse ist verhältnismäßig jungen Ursprungs (A. T. 16. Jh.; N. T. Kapitel seit S. Langton, † 1228, Verse seit Stephanus, 1551).

Handschriften: Die alttestamentl. Schriften verteilen sich nach ihrer Entstehung etwa über ein Jahrtausend und sind mehrfach überarbeitet worden. Der hebr. Wortlaut verfestigte sich seit dem

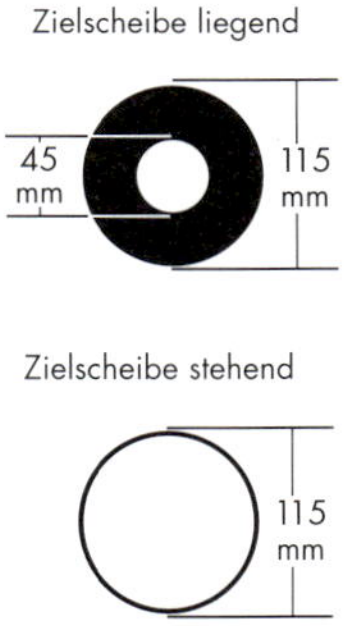

Biathlon

Bias

Omnia mea mecum porto

Der altgriechische Staatsmann und Philosoph Bias soll bei der Flucht aus seiner Heimatstadt Priene von einem anderen Flüchtling aufgefordert worden sein, doch wie alle anderen so viel wie möglich mit sich zu nehmen. Die Antwort des Weisen überliefert Cicero in seinen »Paradoxa Stoicorum«: »Ego vero ... facio: Omnia mea porto mecum.« (»Aber das ... tue ich ja: Alles, was mir gehört, trage ich bei mir.«; I, 1, 8). Damit wollte er zum Ausdruck bringen, dass das Leben selbst und das geistige Vermögen die höchsten, eigentlichen Güter des Menschen sind.

Bücher der Bibel

Vulgata	*Lutherbibel*	*Loccumer Richtlinien*[1]	*Abkürzungen*[2]		
Altes Testament (A. T.)					
Genesis	1. Buch Mose	Genesis	Gen	Gn	1. Mos.
Exodus	2. Buch Mose	Exodus	Ex		2. Mos.
Leviticus	3. Buch Mose	Levitikus	Lev	Lv	3. Mos.
Numeri	4. Buch Mose	Numeri	Num	Nu	4. Mos.
Deuteronomium	5. Buch Mose	Deuteronomium	Dtn	Dt	5. Mos.
Josua	Buch Josua	Buch Josua	Jos		Josua
Richter (Judicum)	Buch der Richter	Buch der Richter	Ri	Jd	
Ruth	Buch Ruth	Buch Rut	Rut		Ruth
1 Samuel (1 Könige, 1 Regum)	1. Buch Samuel	1. Buch Samuel	1 Sam	1 S	
2 Samuel (2 Könige, 2 Regum)	2. Buch Samuel	2. Buch Samuel	2 Sam	2 S	
1 Könige (3 Könige, 3 Regum)	1. Buch von den Königen	1. Buch der Könige	1 Kön	1 Rg	
2 Könige (4 Könige, 4 Regum)	2. Buch von den Königen	2. Buch der Könige	2 Kön	2 Rg	
1 Chronik (1 Paralipomenon)	1. Buch der Chronik	1. Buch der Chronik	1 Chr		1. Chron.
2 Chronik (2 Paralipomenon)	2. Buch der Chronik	2. Buch der Chronik	2 Chr		2. Chron.
Esdras (1 Esdras)	Buch Esra	Buch Esra	Esra		
Nehemias (2 Esdras)	Buch Nehemia	Buch Nehemia	Neh		
Tobias (Tobit)[3]	*Buch Tobias*	*Buch Tobit*	Tob		
Judith[3]	*Buch Judith*	*Buch Judit*	Jdt		
Esther[4]	*Buch Esther*	*Buch Ester*	Est		
1 Makkabäer[3]	*1. Buch der Makkabäer*	*1. Buch der Makkabäer*	1 Makk		
2 Makkabäer[3]	*2. Buch der Makkabäer*	*2. Buch der Makkabäer*	2 Makk		
Psalmen	Psalter	Psalmen	Ps		
Job (Hiob)	Buch Hiob	Buch Ijob	Ijob	Hi	Hiob
Sprüche (Proverbia)	Sprüche Salomos	Buch der Sprichwörter	Spr		
Prediger (Ecclesiastes)	Prediger Salomos	Kohelet	Koh	Eccl	
Hohes Lied (Canticum canticorum)	Hohelied Salomos	Hohelied	Hld	Cant	
Buch der Weisheit (Sapientia)[3]	*Weisheit Salomos*	*Buch der Weisheit*	Weish	Sap	
Jesus Sirach (Ecclesiasticus)	*Buch Jesus Sirach*	*Buch Jesus Sirach*	Sir	JesSir	
Isaias	Jesaja	Buch Jesaja	Jes	Is	
Jeremias	Jeremia	Buch Jeremia	Jer		
Klagelieder (Threni)	Klagelieder Jeremias	Klagelieder des Jeremia	Klgl	Thren	
Baruch[3]	*Buch Baruch*	*Buch Baruch*	Bar		Baruch
Ezechiel	Hesekiel	Buch Ezechiel	Ez	Hes	
Daniel[4]	Daniel	Buch Daniel	Dan		
Oseas (Osea, Hosea)	Hosea	Buch Hosea	Hos		Hosea
Joel	Joel	Buch Joël	Joël		Joel
Amos	Amos	Buch Amos	Am		Amos
Abdias	Obadja	Buch Obadja	Obd	Ob	
Jonas	Jona	Buch Jona	Jona		
Michäas	Micha	Buch Micha	Mi	Mi	
Nahum	Nahum	Buch Nahum	Nah		Nahum
Habakuk	Habakuk	Buch Habakuk	Hab		
Sophonias	Zephanja	Buch Zefanja	Zef		Zeph.
Aggäus	Haggai	Buch Haggai	Hag		
Zacharias	Sacharja	Buch Sacharja	Sach	Sa	
Malachias	Maleachi	Buch Maleachi	Mal		

2. Jh. n. Chr. und wurde seit dem 7. Jh. n. Chr. von jüd. Schriftgelehrten, den Masoreten, überwacht (→ Masora). Die ältesten Handschriften (Hss.) von Teilen der B. stammen aus den Funden in der Genisa (Schatzkammer) der Synagoge von Kairo und den ersten Funden aus den Höhlen bei → Qumran (2. Jh. v. Chr.); fast alle Hss. des grch. A. T. sind christl. Herkunft. Die Schriften des N. T. sind wahrscheinlich gleich nach ihrer Entstehung vielfach abgeschrieben worden. Die wichtigsten neutestamentl. Hss. sind neben den Papyri, die bis ins 2. Jh. zurückreichen (Bodmer-Papyri, Chester-Beatty-Papyri), der Codex Sinaiticus (4. Jh.; in London) und der Codex Vaticanus (4. Jh.; in Rom), der Codex Alexandrinus (5. Jh.; in London), der Codex Ephraemi Syri rescriptus (5. Jh.; in Paris). Diese Handschriften enthalten auch ganz oder z. T. das Alte Testament.

Übersetzungen: Die älteste grch. Übersetzung des A. T. ist die → Septuaginta. Die wichtigsten B.-Übersetzungen sind die bis ins 2. Jh. zurückreichende syr., die kopt. und die lat. Übersetzung, die in der kath. Kirche als → Vulgata für authentisch erklärt wurde, die got. Übersetzung des Wulfila (um 370 n. Chr.) und die dt. Übersetzung Luthers aus dem Urtext (1521 das N. T., Erstausg.

Bücher der Bibel (Fortsetzung)

Vulgata	*Lutherbibel*	*Loccumer Richtlinien*[1]	*Abkürzungen*[2]	
Neues Testament (N. T.)				
Matthäus-Evangelium	Evangelium des Matthäus	Evangelium nach Matthäus	Mt	
Markus-Evangelium	Evangelium des Markus	Evangelium nach Markus	Mk	
Lukas-Evangelium	Evangelium des Lukas	Evangelium nach Lukas	Lk	
Johannes-Evangelium	Evangelium des Johannes	Evangelium nach Johannes	Joh	Jo
Apostelgeschichte	Apostelgeschichte des Lukas	Apostelgeschichte	Apg	Act
Römerbrief	Brief des Paulus an die Römer	Brief an die Römer	Röm	R
1. und 2. Korintherbrief	1. und 2. Brief des Paulus an die Korinther	1. und 2. Brief an die Korinther	1/2 Kor	1/2 K
Galaterbrief	Brief des Paulus an die Galater	Brief an die Galater	Gal	G
Epheserbrief	Brief des Paulus an die Epheser	Brief an die Epheser	Eph	E
Philipperbrief	Brief des Paulus an die Philipper	Brief an die Philipper	Phil	Ph
Kolosserbrief	Brief des Paulus an die Kolosser	Brief an die Kolosser	Kol	K
1. und 2. Thessalonicherbrief	1. und 2. Brief des Paulus an die Thessalonicher	1. und 2. Brief an die Thessalonicher	1/2 Thess	1/2 Th
1. und 2. Timotheusbrief	1. und 2. Brief des Paulus an Timotheus	1. und 2. Brief an Timotheus	1/2 Tim	1/2 T
Titusbrief	Brief des Paulus an Titus	Brief an Titus	Tit	T
Philemonbrief	Brief des Paulus an Philemon	Brief an Philemon	Phlm	Phm
Hebräerbrief	Brief des Paulus an die Hebräer	Brief an die Hebräer	Hebr	H
Jakobusbrief	Brief des Jakobus	Brief des Jakobus	Jak	J
1. und 2. Petrusbrief	1. und 2. Brief des Petrus	1. und 2. Brief des Petrus	1/2 Petr	1/2 P
1., 2. und 3. Johannesbrief	1., 2. und 3. Brief des Johannes	1., 2., 3. Brief des Johannes	1/2/3 Joh	1/2/3 J
Judasbrief	Brief des Judas	Brief des Judas	Jud	Jd
Geheime Offenbarung	Offenbarung des Johannes	Offenbarung des Johannes	Offb	

[1] Entsprechend dem »Ökumen. Verzeichnis der bibl. Eigennamen nach den Loccumer Richtlinien« ([2]1981). – [2] Als erste werden die Abkürzungen nach den »Loccumer Richtlinien« angegeben, es folgen gegebenenfalls weitere gebräuchliche Abkürzungen. – [3] Griechisch. – [4] Mit griech. Zusätzen. – *Kursiv* gesetzt sind die apokryphen bzw. deuterokanon. Bücher.

1522, sog. Septembertestament; 1523–34 das A. T.), die für die evang. Kirchen maßgebend wurde. Wiedergaben von Teilen des N. T. sind der →Heliand und die →Evangelienharmonie. Ins Hochdeutsche wurde die B. aus der Vulgata schon im 14. Jh. übersetzt und bis 1518 hochdeutsch vierzehnmal, niederdeutsch viermal gedruckt. Die Übersetzung der B. ist bes. die Aufgabe der →Bibelgesellschaften. Die B. ist heute in fast alle Sprachen übersetzt. – Neuere kath. Übersetzungen sind: Allioli-Arndt ([9]1925) für das A. T. und N. T.; Rießler (1924/25) für das A. T.; Tillmann ([2]1928) für das N. T.; V. Hamp u. a. ([29]1988) für das A. T. und N. T. und bes. die Einheitsübersetzung der Heiligen Schrift. Neuere evang. Übersetzungen sind: Zürcher Bibel (1931); H. Menge ([13]1954) für das A. T. und N. T.; E. Kautzsch ([4]1922/23) für das A. T.; C. Weizsäcker (Neudr. 1922) und L. Thimme (1946) für das N. T.; H. Bruns ([10]1988) für das A. T. und N. T.; J. Zink ([4]1941, Teilübers.); Luther-Revision des N. T. (1975). Neuere jüd. Übersetzungen stammen von M. Buber und F. Rosenzweig (1926–62).

📖 KAISER, O.: *Grundriß der Einleitung in die kanonischen u. deuterokanonischen Schriften des Alten Testaments, 3 Bde. Gütersloh 1992–94.* – MEYER, RUDOLF: *Beiträge zur Geschichte von Text u. Sprache des Alten Testaments. Berlin 1993.* – CONZELMANN, H. *u.* LINDEMANN, A.: *Arbeitsbuch zum Neuen Testament. Tübingen [11]1995.*

Bibelgesellschaften, christl. Vereine zur Herstellung und Verbreitung der Bibel. Die älteste B. ist die evang. **von Cansteinsche Bibelanstalt** (gegr. 1710) in Halle (Saale). Zu Beginn des 19. Jh. entstanden zahlreiche B. im Dienst der Mission, deren älteste die 1804 in London gegr. »British and Foreign Bible Society«, die »Basler B.« (1804), die Württemberg. Bibelanstalt in Stuttgart (1812, seit 1976 Dt. B.) und die Preuß. Hauptbibelanstalt in Berlin (1814, seit 1947 Evang. Haupt-B., Berlin) sind. Die B. in der Bundesrep. Dtl. schlossen sich 1981 zur Dt. B. (Evang. Bibelwerk in der Bundesrep. Dtl.), Sitz Stuttgart, zusammen; 1991 traten ihr die (zusammengeschlossenen) B. der ehem. DDR als 29. B. bei.

Bibelinstitut, →Päpstliches Bibelinstitut.

Bibelkommission, →Päpstliche Bibelkommission.

Bibelkonkordanz, Nachschlagewerk aller in der Bibel enthaltenen Wörter **(Verbalkonkordanz)** oder der Begriffe und Sachen **(Realkonkordanz).**

Bibelwissenschaft, Teilgebiet von Exegese und Theologie.

Biber, Heinrich Ignaz Franz, eigtl. H. I. F. von Bibern, österr. Komponist und Violinist, * Warten-

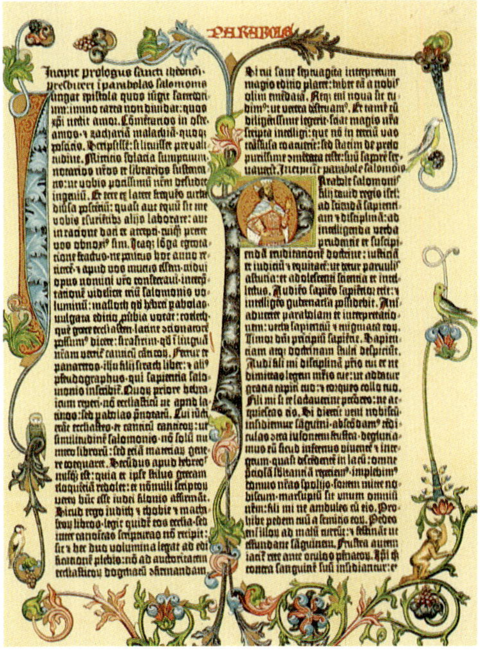

Bibel: Buchmalerei aus dem Kommentar zu den Sprüchen Salomos in der »Gutenberg-Bibel« (vollendet 1456 in Mainz)

berg (Böhmen) 12. 8. 1644, † Salzburg 3. 5. 1704; erweiterte in seinen zahlr. Violinsonaten (u. a. 16 sog. »Mysterien-Sonaten«, um 1675) die Kunst des Geigenspiels durch die Einführung der virtuosen Doppelgrifftechnik; schrieb auch Opern (nur eine erhalten) und Kirchenmusik.

Biber, 1) (Castoridae) Familie der Nagetiere mit zwei Arten in Eurasien, N-Amerika, Neufundland und in Kalifornien; mit rd. 1 m Länge und 30 kg Masse ist der B. das größte europ. Nagetier. In Anpassung an das Wasserleben hat er einen horizontal abgeplatteten, schuppigen Schwanz (»Kelle«) und Schwimmhäute an den Hinterfüßen. Er hat kastanienbraunes Fell und wirft bis zu vier Junge pro Jahr. Die Innenwände der Geil- oder Kastorsäcke zw. After und Geschlechtsteilen sondern das **B.-Geil (Castoreum)** ab. Die Nahrung besteht aus Rinde und anderen Pflanzenteilen. Der B. baut Burgen, deren Kammern nur durch unter Wasser mündende Gänge zugänglich sind, und Dämme zur Regulierung des Wasserstandes um die Behausung herum. In Dtl. ist der B. vom Aussterben bedroht und steht unter Naturschutz.

2) *Textiltechnik:* kräftiges Baumwollgewebe in Köperbindung, beiderseitig stark geraut (bes. für Bettwäsche).

Biberach, Landkreis im RegBez. Tübingen, Bad.-Württ., 1410 km², (1996) 175 600 Einwohner.

Biberach an der Riß, VerwSitz des Landkr. Biberach im RegBez. Tübingen, Bad.-Württ., Große Krst., 30 900 Ew.; Wielandarchiv; pharmazeut., feinmechan. Ind., Baumaschinenherstellung; mittelalterliches Stadtbild. – B. a. d. R., eine stauf. Gründung (nach 1170), erhielt um 1218 Stadtrecht (1258 bezeugt), wurde im 14. Jh. freie Reichsstadt; 1803 kam es an Baden, 1806 an Württemberg.

Bibernelle, die →Pimpinelle.

Biberratte (Nutria), Gattung der →Ferkelratten.

Biberschwanz, ein flacher Dachziegel.

Bibiena (Bibbiena, Galli da B.), Familie italien. Baumeister und Maler, tätig in ganz Europa bes. als Theaterarchitekten und Bühnengestalter. Ferdinando da B., * Bologna 18. 8. 1657, † ebd. 3. 1. 1743; war u. a. in Parma, Turin, Barcelona und Wien tätig; entwarf ab 1706 das Hoftheater in Mantua (1732 durch einen Schüler vollendet); von seinen Söhnen schuf Alessandro da B., * Parma 11. 10. 1687, † Mannheim 5. 8. 1748, die Pläne für die Jesuitenkirche in Mannheim (1733–60) sowie Teile des Mannheimer Schlosses und das Mannheimer Opernhaus (1742; abgebrannt 1795); Antonio B., * Parma 1. 1. 1698 (?), † Mailand 28. 1. 1774, das Theater in Bologna (1756–63), Siena (1751–53), Florenz und Wien; Giuseppe da B., * Parma 5. 1. 1696, † Berlin 1756, mit seinem Sohn Carlo da B. die Innenausstattung des Theaters in Bayreuth (1748).

Bibel: »Die Leiden Hiobs«, Miniatur aus der »Gumperts-Bibel«, entstanden im 12. Jh. im Salzburger Skriptorium (Erlangen, Universitätsbibliothek)

Biblia Pauperum [lat.], die →Armenbibel.

biblio... [von grch. biblíon], buch..., bücher...

Bibliographie [grch. »Bücherbeschreibung«] *die,* die Lehre von den Bücher- oder Literaturverzeichnissen, diese selbst und ihre Herstellung. **Allg. B.** verzeichnen literar. Erzeugnisse ohne Rücksicht auf fachl. Zugehörigkeit, oft in zeitl. Beschränkung oder nach Ländern bzw. einem Sprachraum (z. B. Dt. National-B.), auch nach bestimmten Gattungen (Zeitschriften, Hochschulschriften u. a.). Die **Fach-B.** verzeichnen die Lit. nach dem Inhalt, den einzelnen Wissenschafts- und Sachgebieten. Dazu gehören auch die Personal-B. (Lit. über einzelne Personen). Zu den B. zählt man auch die **Barsortimentskataloge,** ferner Verzeichnisse lieferbarer Bücher (VLB).

📖 BARTSCH, E.: *Die B. München u. a.* [2]*1989.* – RAABE, P.: *Einführung in die Bücherkunde zur deutschen Literaturwissenschaft. Stuttgart u. a. 95.–99. Tsd.,* [11]*1994.*

Bibliographisches Institut & F. A. Brockhaus AG, dt. Verlagsunternehmen, Sitz in Mannheim; 1984 entstanden durch Vereinigung der Bibliograph. Inst. AG mit F. A. →Brockhaus. – Das Bibliograph. Inst. wurde 1826 von Joseph Meyer in Gotha gegr., 1828 nach Hildburghausen, 1874 nach Leipzig verlegt; ab 1915 AG; 1946 enteignet und in Leipzig in einen volkseigenen Betrieb umgewandelt. 1953 wurde Mannheim Sitz der AG; daneben bestand 1946–90 der VEB Bibliograph. Inst. in Leipzig, ab 1990 Bibliograph. Inst. Leipzig GmbH, seit 1991 Tochterunternehmen der B. I. & F. A. B. AG. – Der Verlag wurde v. a. bekannt durch Meyers Konversationslexika (1. Aufl. 1840–55), Meyers Atlanten und Brehms Tierleben sowie v. a. die Duden-Rechtschreibung und illustrierte Standardwerke. Die heutige Verlagsproduktion umfasst allg. Lexika (»Meyers Enzyklopäd. Lexikon«, 25 Bde. und 7 Ergänzungsbde., 1971–84, »Meyers Großes Universallexikon«, 15 Bde., 1981–86), Taschenlexika u. a., Nachschlagewerke zur dt. Sprache (»Duden«, 21. Aufl. 1996, »Dt. Universalwörterbuch«, »Das große Wörterbuch der dt. Sprache in 8 Bdn.«), Nachschlagewerke für Schüler (»Schülerduden« u. a.), Fachlexika, naturwiss. Bücher sowie elektron. Publikationen (»Duden Multimedia«, »Meyer Multimedia«, »PC-Bibliothek«, »LexiROM«).

Bibliomantie [grch.] *die,* das Wahrsagen durch beliebiges Aufschlagen von Textstellen in Büchern, bes. der Bibel.

Bibliophilie [grch.] *die,* Bücherliebhaberei. **Bibliophile,** Bücherfreunde, bes. Sammler von schönen, seltenen oder geschichtlich wertvollen Büchern.

Bibliotheca Hertziana, Forschungsstätte und Spezialbibliothek zur Kunstgeschichte Italiens,

Biberach an der Riß: Marktplatz mit Giebelhäusern aus dem 15./16. Jh. und der Pfarrkirche Sankt Maria und Martin aus dem 14./15. Jahrhundert

Einrichtung der Max-Planck-Gesellschaft in Rom; 1913 im Palazzo Zuccari eröffnet, den 1912 die dt. Kunstmäzenin Henriette Hertz (*1846, †1913) der Kaiser-Wilhelm-Gesellschaft vermacht hatte; das Institut, das v. a. die nachantike klass. Kunst Italiens (1450–1800) sowie die kulturhistor. Wechselbeziehung zw. Dtl. und Italien erforscht, konnte inzwischen durch den Ankauf des Palazzo Stroganoff (1963) und des Villino Stroganoff (1981) erweitert werden.

Bibliothek [grch., eigtl. »Büchergestell«], (Bücherei), planmäßig angelegte Büchersamml. (auch Samml. von Handschriften sowie von audiovisuellem Material), ferner das Gebäude, in dem sie aufgestellt ist. Die öffentl. B. im Besitz von Staat, Gemeinde oder sonstigen öffentlich-rechtl. Körperschaften sind entweder **wiss. B.** oder **öffentl. Büchereien** (früher Volksbücherei, →öffentliche Bibliothek); sämtl. Wissensgebiete werden in den **allg.** oder **universalen B.** geführt (National-, Staats-, Landes-, Univ.- und Stadt-B.), einzelne Wiss. in **Spezial-** oder **Fach-B.** (Werks-, Instituts- und Behörden-B.). Einige große Privat-B. sind ebenfalls öffentlich zugänglich. Die öffentl. B. werden von →Bibliothekaren verwaltet. Die Benutzung der Bücher ist beim **Präsenzsystem** nur in der B. selbst möglich, im Ggs. zum **Ausleihesystem.** Der Leihverkehr zw. den B. ermöglicht es, ein in der Orts-B. nicht vorhandenes Buch aus einer anderen B. kommen zu lassen **(Fernleihe).** In neuzeitl. B.-Gebäuden sind Benutzungs- und Verwaltungsräume oft von den Bücherräumen getrennt **(Magazinsystem).** Zu den Benutzungsräumen gehören ein oder mehrere Lesesäle für Bücher und Ztschr., mit Hand-B. und Arbeitstischen, ferner Räume für Publikumskataloge und Ausleihe. – Der Einsatz der EDV verändert zunehmend die Arbeitsabläufe in den B. (Literatur- und Katalogdatenbanken statt Mikrofichekatalogen und Zettelkatalogen u. a.). Die traditionelle Unterscheidung zw. wiss. und öffentl. B. (in Dtl.) tritt zurück zugunsten der Einbeziehung aller vorhandenen B. in ein Gesamtsystem der Literatur- und Informationsversorgung (nat. Informationsverbund).

Bibliothek: Die Bibliothek des Benediktinerstifts Sankt Gallen von Peter Thumb (1758–66)

Geschichte: Die älteste bisher bekannt gewordene B. ist die Tontafelsammlung des Assyrerkönigs Assurbanipal in Ninive. Die bedeutendsten B. des grch. Altertums waren die Alexandrin. B. sowie die B. von Pergamon und Ephesus. Das antike Rom kannte bed. Privat-B. sowie auch große öffentl. Sammlungen. – Im frühen MA. waren Klöster und Stifte Sammelstätten der Literatur (S. Colombano bei Bobbio/Prov. Piacenza, Monte Cassino, Cluny, St. Gallen, Bamberg und die Reichenau). Aus den Kollegien-B. der frühen Universitäten im späten MA. (Salamanca 1243, Paris 1257, Prag 1366) entwickelten sich die Universitäts-B.; die erste zentrale Universitäts-B. wurde an der 1386 gegr. Universität in Heidelberg aufgebaut. Humanismus und Renaissance brachten einen starken Aufschwung des öffentl. Bibliothekswesens (Biblioteca Medicea Laurenziana in Florenz, Marciana in Venedig, Vaticana in Rom, Corvina in Ofen). Die Erstarkung fürstl. Macht führte zur Gründung fürstl. B., aus denen später die Staats- und Landes-B. hervorgingen: Wien (1526), Dresden (1556), München (1558), Berlin (1661). Die bedeutendste dt. B. des 16. Jh. war die Palatina in Heidelberg (1553), die des 17. Jh. die Augusta in Wolfenbüttel (1604). Die erste öffentl. B. Englands war die Bodleiana in Oxford (1602), die erste Frankreichs die Mazarine (1645) in Paris. Die Frz. Revolution und die Säkularisation um 1800 vereinigten den geistl. Bücherbesitz in den staatl. B. Seit 1850 gibt es Volksbüchereien (→öffentliche Bibliothek).

📖 KRIEG, W.: *Einführung in die Bibliothekskunde, hg. v.* R. JUNG. *Darmstadt* ²*1990.* – THAUER, W. *u.* VODOSEK, P.: *Geschichte der Öffentlichen Bücherei in Deutschland. Wiesbaden* ²*1990.* – *Die wissenschaftliche B. Traditionen, Realitäten, Perspektiven, hg. v.* H. HAUFFE *u. a. Innsbruck 1990.* – HACKER, R.: *Bibliothekarisches Grundwissen. München u. a.* ⁶*1992.* – *B. - Kultur - Information, hg. v.* P. VODOSEK *u. a. München u. a. 1993.* – *Die Entwicklung des Bibliothekswesens in Deutschland 1945–1965, hg. v.* P. VODOSEK *u.* J.-F. LEONHARD. *Wiesbaden 1993.* – JOCHUM, U.: *Kleine Bibliotheksgeschichte. Stuttgart 1993.* – SEIDEL, S.: *Bibliotheken. Die schönsten Räume, die wertvollsten Sammlungen. Deutschland, Österreich, Schweiz. München 1995.*

Bibliothekar (Bibliothekarin), Bibliotheksbeamter oder -angestellter in wissenschaftl. Bibliotheken (auch in →öffentlichen Bibliotheken). Bei den wiss. Bibliotheken unterscheidet man den Beamtenlaufbahnen entsprechend den höheren, gehobenen und mittleren Dienst sowie einen einfachen Dienst ohne bibliothekar. Fachausbildung. Voraussetzung für den höheren Dienst ist ein abgeschlossenes Hochschulstudium und ein 2-jähriger Vorbereitungsdienst als Bibliotheksreferendar an einer Ausbildungsbibliothek sowie an einer Bibliotheksschule, für den gehobenen Dienst der Abschluss einer einschlägigen Fachhochschulausbildung und für den mittleren Dienst (erforderlich: Realschulabschluss oder eine bibliotheksverwandte, abgeschlossene Berufsausbildung) eine 2-jährige prakt. und theoret. Ausbildung (Abschluss als Bibliotheksassistent).

Bibliothekstantieme (Bibliotheksabgabe), →Urheberrecht.

Biblis, Gemeinde im Landkr. Bergstraße, Hessen, 9 100 Ew.; Möbel- und Konservenind., Gemüseanbau; großes Kernkraftwerk (zwei Blöcke mit insgesamt 2 500 MW, die Mitte der 1990er-Jahre aufgrund von Störfällen mehrfach abgeschaltet werden mussten).

Biblizismus *der,* theolog. Haltung, die im Ggs. zur historisch-krit. Bibelforschung die Bibel Wort für Wort als göttl. Offenbarung versteht; i. e. S. pietist. Auffassung der Bibel als geschlossenes System der göttl. Gedanken.

Bibracte, befestigter Hauptort der kelt. Aeduer, auf dem Mont Beuvray, 20 km westlich von Autun, Frankreich. Hier schlug Cäsar 58 v. Chr. die Helvetier; um 5 v. Chr. Umsiedlung der Bev. in das neu gegr. Augustodunum (heute Autun).

Große Bibliotheken (Auswahl)

Stadt, Bibliothek, (Neu-)Gründung	Bände in 1000	Handschriften
Ann Arbor (Mich.), B der Univ von Mich.	6555	–
Basel, UB (nach 1460)	2700	60000
Berkeley (Calif.), B der Univ. von Kalifornien	7697	–
Berlin, SB zu Berlin – Preußischer Kulturbesitz (1616, 1995)	8400	137000
Berlin, UB (B der Humboldt Univ., 1831)	2570	408
Berlin, ZB, LB (1995)	2000	12000
Bern, Schweizer. LB (1895)	2307	110000
Bologna, UB (1712)	789	7624
Brüssel, Königl. B von Belgien NB (1837)	3000	35000
Budapest, NB Szechényi (1802)	2527	630000
Bukarest, B der Akademie (1867)	9662	10100
Cambridge, UB (Anfang 15. Jh.)	5204	130000
Cambridge (Mass), B der Harvard University (1638)	12169	–
Dresden, Sächs. LB, SB, UB (1556 und 1828)	2580	30600
Dublin, B des Trinity College (1592)	3000	5000
Edinburgh, NB von Schottland (1680)	6000	50000
Florenz, NB (1747)	5000	24000
Florenz, B Medicea Laurenziana (1571)	150	13000
Frankfurt am Main, StB, UB/Senkenbergische B (1484/1763)	3240/1045	–
Frankfurt am Main/Leipzig, Die Dt. B, NB (vereinigt: 1990)		
Frankfurt am Main, Dt. B (1947)	6234	–
Leipzig, Dt. Bücherei (1912)	10407	95
Genf, öffentl. B, UB (1562)	1800	15000
Göttingen, Niedersächs. SB, UB (1734)	3600	12000
Halle/Saale, UB, LB Sachsen-Anhalt (1696)	1600	111762
Hamburg, SB, UB (1479)	2530	8037
Jerusalem, Jüd. NB, UB (1892)	4000	10000
Kairo, NB (1870)	1500	64000
Kalkutta, NB (1903)	2018	3124
Kiew, ZB der Ukrain. Akademie der Wissenschaften (1919)	12000	339000
Kopenhagen, Königl. B. (1653)	4200	59000
Krakau, Jagiellon. B (1364)	3017	23390
Kyoto, UB (1899)	5059	–
Leiden, UB (1575)	2200	19000
Leipzig, UB (1543)	4200	8724
London, British Library (1973; 1753, British Museum)	18000	128700
Lund, UB (1671)	4400	129000
Lüttich, UB (1817)	2000	5500
Madrid, NB (1712)	4000	22000
Mailand, B Nazionale Braidense (1770)	965	2107
Mailand, B Ambrosiana (1609)	850	35000
Moskau, Russ. StB (1862, reorganisiert 1925)	30000	345000
Moskau, UB (1755, Lomonossow-Univ.)	6630	–
Moskau, B der Russ. Akademie der Wissenschaften (B der Geistes-Wissenschaften; 1969)	13500	8868
München, Bayer. SB (1558)	6300	71500
Neapel, NB (1804)	1672	31502
New Heaven (Conn.), B der Yale University (1701)	9937	–
New York (N. Y.), B der Columbia University (1794)	6000	–
Oslo, UB und NB (1811)	4421	38000
Ottawa, Kanad. NB (1953)	13000	–
Oxford, Bodleiana (1602)	6000	144300
Paris, NB (14. Jh.)	9000	350000
Paris, UB (Sorbonne u. a.; 1762)	3000	2129
Peking, NB (1909)	15980	–
Prag, NB (1348 als UB)	6000	9000
Princeton (N. J.), UB (1746)	4400	10000
Pretoria, Transvaal Library (1943)	5517	–
Riga, NB (1919)	5600	6100
Rio de Janeiro, NB (1810)	8000	65600
Rom, NB (1876)	4500	6511
Rom, Vaticana (1475)	1500	150000
Sankt Petersburg, Russ. NB (1795)	32000	303500
Sankt Petersburg, B der Russ. Akademie der Wissenschaften (1714)	19000	20000
Santiago de Chile, NB (1813)	3500	75000
Stanford (Calif.), UB (1885)	6100	–
Stockholm, Königl. B. (im frühen 17. Jh.)	3000	65000
Stuttgart, Württemberg. LB (1765)	2300	14218
Sydney, UB (1852)	4500	–
Tiflis, SB (1946)	8000	600
Tokio, NB (1948)	5887	–
Toronto, UB (1891)	7230	–
Uppsala, UB (1620)	5000	32000
Utrecht, UB (1584)	3100	10000
Venedig, B Nazionale Marciana (1468)	900	13000
Warschau, NB (1928)	4871	12427
Washington (D. C.), Library of Congress (1800)	28000	–
Weimar, Herzogin Anna Amalia B (1691)	850	2012
Wien, Österr. NB (16. Jh.)	2700	97653
Wolfenbüttel, Herzog-August-B (1572)	765	11670
Zagreb, NB, UB (17. Jh.)	1840	130500
Zürich, ZB (1914)	2630	25000

B = Bibliothek(en), Bibliotheca, Bibliothèque; HB = Hochschulbibliothek; LB = Landesbibliothek; NB = Nationalbibliothek; SB = Staats- oder staatl. Bibliothek; StB = Stadtbibliothek; UB = Universitätsbibliothek; ZB = Zentralbibliothek. – Die Bestandszahlen (v. a. Handschriften) sind wegen der Verschiedenheit der Zählung oder Schätzung bes. in den osteurop. und außereurop. Ländern nur annähernd vergleichbar.

Bichsel, Peter, schweizer. Schriftsteller, *Luzern 24. 3. 1935; war Lehrer, wurde bekannt mit »Eigentlich möchte Frau Blum den Milchmann kennenlernen« (1964), v. a. karikierende Geschichten aus dem kleinbürgerl. Alltagsmilieu; schrieb ferner u. a. »Kindergeschichten« (1969), »Der Busant« (Erz., 1985), »Irgendwo anderswo« (Prosa, 1986), »Im Gegenteil. Kolumnen 1986–1990« (1990), »Gegen unseren Briefträger. Kolumnen 1990–1994« (1995).

📖 *P. B.. Texte, Daten, Bilder, hg. v.* H. HOVEN. *Hamburg u. a. 1991. – P. B., hg. v.* R. JUCKER. *Cardiff 1996.*

Bicinium [lat. »Zwiegesang«] *das,* zweistimmiges, meist vokales Musikstück kirchl. oder weltl. Art, bes. im 16. und 17. Jh. beliebt; aus dem B. entwickelten sich das Duo und das Duett.

Bickbeere, *norddt.:* Heidelbeere.

Bidault [bi'do:], Georges, frz. Politiker, *Moulins 5. 10. 1899, †Cambo-les-Bains 27. 1. 1983; seit 1941 führend in der Widerstandsbewegung, leitete 1944 den Pariser Aufstand. 1949–52 war er Vors. des MRP, zw. 1944 und 1954 mehrfach Außenmin., 1946 und 1949/50 MinPräs. Als Verfechter des »Frz. Algeriens« bekämpfte er die Algerienpolitik Präs. C. de Gaulles. 1962–68 lebte B. im Exil.

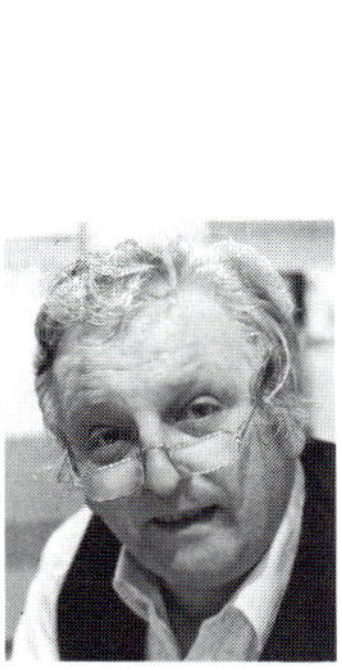
Peter Bichsel

Bidermann, Jacob, Barockdichter, *Ehingen (Donau) 1578, †Rom 20. 8. 1639; bedeutendster Vertreter des neulat. Jesuitendramas (u.a. »Cenodoxus«, Uraufführung 1602, hg. 1666); schrieb auch satirisch-didakt. Prosa, u.a. den Roman »Utopia« (1604).

Bidet [bi'de:, frz.] *das,* Sitzwaschbecken für die Intimhygiene.

Bidonvilles [bidɔ̃'vil; frz »Blechkanisterstädte«], Bez. für Slums der großen Städte, bes. in Entwicklungsländern (urspr. auf NW-Afrika beschränkt).

Bié (Bihé) [bjɛ], fruchtbares, dicht bevölkertes Grashochland im mittleren Angola, bis 2619 m hoch; gleichzeitig Provinz.

Biebesheim am Rhein, Gemeinde im Landkr. Groß-Gerau, Hessen, im Hessischen Ried, 6600 Ew.; seit 1981 Sondermüll-Verbrennungsanlage mit Rauchgasreinigung und Stromerzeugung (Jahreskapazität 60000t Müll); in der Nähe Naturschutzgebiet »Kühkopf«.

Kurt Biedenkopf

Biebrich, Stadtteil (seit 1926) von →Wiesbaden; Barockschloss (1700–44).

Biedenkopf, Stadt im Landkr. Marburg-B., Hessen, an der oberen Lahn, 14300 Ew.; Maschinen-, Stahl- und Modellbau; Burg (nach 1180 erbaut).

Biedenkopf, Kurt, Wirtschaftsjurist und Politiker (CDU), *Ludwigshafen a. Rh. 28. 1. 1930, 1964–70 Prof. in Bochum, 1973–77 Gen.-Sekr. der CDU, 1976–80 und seit 1987 MdB, 1980–88 MdL in NRW, war 1977–86 Vors. des CDU-Landesverbandes Westfalen-Lippe und 1986/87 des Landesverbandes NRW. Im Prozess der Wiedervereinigung wurde B. im Okt. 1990 MdL und MinPräs. von Sachsen (1994 wieder gewählt). Von Dez. 1991 bis Okt. 1995 war er auch Landesvors. der sächs. CDU.

Biedermeier, treuherziger und spießbürgerlicher Mensch; urspr. ein Pseudonym, unter dem L. →Eichrodt und A. Kußmaul in den »Fliegenden Blättern« 1855–57 literar. Parodien als »Gedichte des schwäb. Schullehrers Gottlieb Biedermaier...« veröffentlichten; danach Bez. für die **B.-Zeit** 1815–48 (auch »Vormärz« oder »Restaurationsperiode« gen.), in der man später, bes. um 1900, ein Wunschbild »bürgerl. Daseins« sah. Die bei aller Behaglichkeit bescheidene bürgerl. Lebenshaltung verwirklichte sich v.a. in der Wohnkultur, die von der bürgerl. Kunst Englands ausging und den Empirestil zu nüchterner Strenge und sachl. Zweckmäßigkeit abwandelte. – Heute erweist sich diese Zeit als ein geschichtl. Spannungsfeld; ihre vordergründige Harmonie steht vor einem höchst konfliktreichen Hintergrund. – Zur Literatur →deutsche Literatur; zur Malerei →deutsche Kunst.

📖 Himmelheber, G.: *Biedermeiermöbel. München 1991.* – Mittendorfer, K.: *B. oder: das Glück im Haus. Bauen u. Wohnen in Wien u. Berlin 1800–1850. Wien 1991.* – Stone, D. R.: *Die große Zeit des B., 1815–1845. A. d. Engl. Hamburg 1991.*

Biegen, *Fertigungstechnik:* das Umformen von Werkstücken mit Biegewerkzeugen oder Biegemaschinen. Man unterscheidet **Winklig-B.** (Abkanten, Bördeln, Falzen) und **Rund-B.** Ergibt Letzteres kreis- oder halbkreisförmige Querschnitte, spricht man von **Runden.** Für das B. von Rohren gibt es besondere Vorrichtungen und Maschinen, die durch Dorne oder durch das Rohr umfassende Formteile den Rohrdurchmesser erhalten und Faltenbildung verhindern. Holz wird im Sattdampf (100–120 °C) gedämpft oder in Wasser gekocht, es lässt sich dann leicht um Formen biegen. Um ein Reißen an der Außenseite zu verhindern, wird ein Stahlband aufgelegt, das die Zugspannungen aufnimmt (Thonet-Verfahren). Glas wird bis zum Erweichen erhitzt und dann gebogen. Von Kunststoffen können nur Thermoplaste gebogen werden. Sie werden nach Anwärmen über Formen gebogen und in dieser Lage bis zum Abkühlen gehalten.

Biegeversuch, mechan. Werkstoffprüfungsverfahren zur Bestimmung der Festigkeitskennwerte (Biegefestigkeit, Elastizitätsmodul und Verformbarkeit) von Bauteilen oder Probekörpern aus Beton, Glas, Gusseisen u.a. durch definierte Biegebeanspruchung.

Biegung, *Festigkeitslehre:* elast. oder plast. Formänderung von längl. Körpern (z.B. Balken) durch Biegemomente, d.h. Paare von Kräften, die

Biedermeier: Globustischchen aus Wien (um 1825; München, Bayerisches Nationalmuseum)

in gewissem Abstand voneinander in entgegengesetzter Richtung auf den Körper wirken.

Biel (BE) (frz. Bienne), Bezirkshauptstadt im Kt. Bern, Schweiz, 52 200 Ew. (zwei Drittel dt.- und ein Drittel frz.sprachig); 435 m ü. M., am Fuß des Jura nahe der Mündung der Schüß in den **Bieler See** (rd. 40 km^2 groß, bis 74 m tief); Technikum, Musik-, Holzfachschule, Museum Schwab mit vorgeschichtlichen Sammlungen; Uhren- und Präzisionswerkzeugproduktion, Maschinenbau, elektron. u. a. Ind. Drahtseilbahnen nach Leubringen (705 m) und Magglingen (900 m; Eidgenöss. Turn- und Sportschule). – Gut erhaltene Altstadt.

Bielascher Komet ['bjela-], 1777 erstmals und 1826 durch den Astronomen Wilhelm von Biela (*1782, †1856) wieder entdeckter Komet, Umlaufzeit 6,62 Jahre, teilte sich im Jan. 1846 in zwei Teile, die 1852 letztmals gesehen wurden. Der später mehrmals auftretende Meteorstrom der **Bieliden** (Andromediden) geht wahrscheinlich auf die Überreste des B. K. zurück.

Bielawa [bjɛ'lava] (dt.Langenbielau), Stadt in der poln. Wwschaft Wałbrzych (Waldenburg/Schlesien), am O-Fuß des Eulengebirges, 34 000 Ew.; Baumwoll-, elektrotechn. Industrie. – Hier und im benachbarten Peterswaldau brach 1844 der Weberaufstand aus.

Bielefeld, kreisfreie Stadt im RegBez. Detmold, NRW, am Teutoburger Wald, 324 100 Ew.; Univ. (gegr. 1969), kirchl. Hochschule Bethel, FH, Kunsthalle, Bauernhausmuseum; Textil- und Bekleidungsind., Herstellung von Maschinen, Fahrrädern, Nährmitteln, chemisch-pharmazeut. Erzeugnissen. Im Ortsteil Bethel südlich der Sparrenburg (13. Jh.) liegen die →Bodelschwinghschen Anstalten. – B., 1015 erstmals gen., wurde von den Grafen von Ravensberg neu angelegt (1214 Stadtrecht); 1380 Mitgl. der Hanse.

Bieler, Manfred, Schriftsteller, *Zerbst 3. 7. 1934; übersiedelte 1968 nach München. Sein Roman »Maria Morzeck oder Das Kaninchen bin ich« (überarbeitet 1969), die fiktive Autobiographie einer Abiturientin aus Ost-Berlin, und dessen Verfilmung wurden in der DDR verboten; neben weiteren Romanen, u. a. »Der Mädchenkrieg« (1975); »Der Kanal« (1978); »Der Bär« (1983), »Still wie die Nacht« (1989) auch Drehbücher.

Bieler See, schweizer. See, →Biel.

Bieliden, →Bielascher Komet.

Bielitz-Biala, dt. für →Bielsko-Biala.

Biella, 1) italien. Provinz, in Piemont, 913 km^2, (1993) 191 000 Einwohner.

2) Hptst. von 1), am Alpenrand, 48 100 Ew.; führend in der italien. Wollind., ferner Baumwoll-, Papier-, Hüte-, Möbelindustrie.

Bielsko-Biała ['bjɛlskɔ 'bjaụa] (dt. Bielitz-Biala), Hptst. der poln. Wwschaft Bielsko am N-Fuß der Beskiden, 179 600 Ew.; Trickfilmstudio; Textil-, Kfz-, Maschinenbau-, elektrotechn., Papierindustrie. – Bielitz, im 13. Jh. gegr., war bis 1945 der kulturelle Mittelpunkt einer dt. Sprachinsel.

Biene (Honig-B., Imme, Apis mellifera), gesellig lebender Hautflügler, →Bienen. Das **B.-Volk** (B.-Stock) besteht aus 20 000–60 000 Arbeits-B. (Arbeiterinnen), meist nur einer Königin und im Sommer 500–2 000 Drohnen. Die **Königin (Weisel)** legt täglich rd. 1200 Eier. Die **Drohnen** (Männchen), von denen 6–10 die Königin begatten, sind kräftig, mit auffallend großen Facettenaugen und stachellos. Sie werden einige Monate nach dem Hochzeitsflug aus dem Staat vertrieben. Die nur 12–14 mm langen **Arbeits-B.** (unfruchtbare Weibchen) verbringen etwa drei Wochen im Stock (Wabenbau, Brutpflege) und fliegen dann zum Sammeln von Nektar und Pollen aus. Bei ihnen sind die Mundwerkzeuge kräftiger; am Hinterbein befindet sich am Unterschenkel außen das Körbchen, eine rings mit Borsten besetzte Mulde zur Aufnahme des Pollens, der am Bein »Höschen« bildet. Das hierauf folgende Fersenglied hat auf der Unterseite eine Bürste zum Pollensammeln. Der Stachel mit zwei Stechborsten und Giftdrüse sitzt am Hinterende. Beim Einbohren in zähe Haut wird der Stachel herausgerissen, eine Verletzung, die für die B. tödlich ist.

Entwicklungsverlauf: Drei Tage nach der Eiablage schlüpft die Larve, die sich nach sechs Tagen verpuppt. 10–18 Tage später schlüpft aus der Puppe (Nymphe) die junge Biene. Die Entwicklung erfolgt in einer sechseckigen Zelle aus Wachs. Die Zellen bilden die Waben; eine Anzahl Waben den Stock. Die Zellen werden teils für die Ernährung der Larven mit Speisebrei, teils mit Honig als Nahrung für das Volk gefüllt. Wenn nach Ausschlüpfen und Hochzeitsflug die begattete Königin in den Stock zurückkehrt, beginnt sie Eier zu legen. Die in eine Körpertasche geleitete Samenflüssigkeit reicht zeitlebens aus, ihre abgehenden Eier zu befruchten. Aus unbefruchteten Eiern entwickeln sich Drohnen. Wenn im Mai der Schwarmtrieb erwacht, werden Königinnenzellen errichtet und darin aus weibl. Larven durch Füttern mit dem Weiselfuttersaft (Gelée royale) Königinnen gezogen; die alte Königin fliegt mit einem Teil des Volkes aus (Schwarm) und gründet ein neues Volk.

Der Honig entsteht aus Blütensaft (Nektar) im Honigmagen der Arbeits-B., das Wachs in Blättchenform aus Drüsen der Bauchseite (den Wachsspiegeln). Außerdem sammeln die B. Blütenstaub (Pollen), der zu Nahrungsbrei für die Larven verarbeitet wird. Durch tanzartige Flugbewegungen zeigen sie ihren Artgenossen im Stock die Nahrungsquelle an. Die wilde Honig-B. baut ihre Wa-

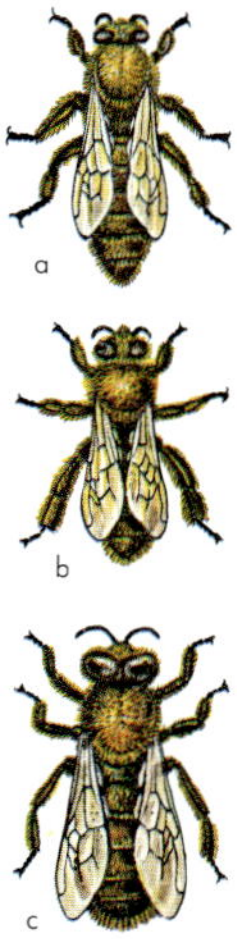

Biene:
a Königin,
b Arbeitsbiene,
c Drohne

Bielefeld
Stadtwappen

ben in Baumlöcher und Felsnischen. – In Südamerika leben unbestachelte, beißende Honig-B. (Meliponen) aus anderer Familie. – Über Bienenhaltung →Bienenzucht. Über Verletzung durch Stechen der B. →Insektenstiche (→Mörderbienen). – Die Überlieferung der antiken Vorstellung, dass die B. ihre Brut nicht zeugen, sondern von den Blüten sammeln, ließ die Christen die B. als Symbol der Jungfräulichkeit ansehen (B.-Korb auf Marienbildern). Auch als Herrschaftsemblem und Wappentier (Napoleon).

📖 HESS, G.: *Die Biene. Stuttgart* [7]*1992.* – RUTTNER, F.: *Naturgeschichte der Honigbienen. München 1992.*

Horst Bienek

Bienek, Horst, Schriftsteller, *Gleiwitz 7. 5. 1930, †München 7. 12. 1990; in den ersten Jahren der DDR als junger Autor gefördert (Schüler von Brecht); Ende 1951 Verurteilung wegen »Spionage«, bis 1955 Zwangsarbeit in Sibirien. 1956 Übersiedlung in die Bundesrep. Dtl.; sein Werk umfasst Romane: »Die Zelle« (1968), »Die erste Polka« (1975), »Gleiwitzer Kindheit« (1976), »Septemberlicht« (1977), »Zeit ohne Glocken« (1979), »Erde und Feuer« (1982), »Der Blinde in der Bibliothek« (1986), »Reise in die Kindheit« (1988) sowie Lyrik: »was war das ist« (1966), »Die Zeit danach« (1974), »Wer antwortet wem« (hg. 1991).

📖 *H. B. Aufsätze, Materialien, Bibliographie, hg. v.* T. URBACH. *München u. a. 1990.*

Bienen (Blumenwespen, Apoidea), zu den Stechimmen zählende Hautflüglerüberfamilie mit etwa 20 000 Arten, Körperlänge zw. 2 und 40 mm. B. sind Blütenbesucher mit Sammelapparaten aus Haar- und Borstenkämmen für Pollen und Nektar; betreiben Brutpflege in geschützten Nestern mit Brutzellen. Nach der Lebensweise unterscheidet man: soziale (gesellige, Staaten bildende) B., wie Honigbiene (→Biene) und Hummel, solitäre (allein lebende) B. und Schmarotzer-B. (Kuckucks-B., d. h. B. mit kuckuckähnl. Brutaufzucht).

Bienenameisen (Ameisenwespen, Spinnenameisen, Mutillidae), meist trop., bunte Hautflüglerfamilie mit flügellosen Weibchen, die ihre Eier bes. in Hummelnester legen.

Bienenfresser (Meropidae), Vogelfamilie farbenprächtiger, langschnäbliger, drosselgroßer Insektenfresser in S-Europa, NW-Afrika und S-Asien.

Bienenkäfer (Trichodes), Buntkäfer, deren Larven v. a. von Bienenbrut leben.

Bienenkorb, künstl. Bienenwohnung, →Bienenzucht.

Bienenlaus (Braula caeca), braune, etwa 1 mm lange, flügellose Fliege; Schmarotzer der Bienenkönigin.

Bienenmotten, die →Wachsmotten.

Bienenstich, 1) →Insektenstiche.

2) flacher, mit Vanillecreme gefüllter Hefekuchen mit einer Auflage aus geriebenen Mandeln, Butter und Zucker.

Bienenwachs, knetbares Ausscheidungsprodukt der →Biene; zur Herstellung von Salben, Bohnerwachsen, Wachsplastiken, bes. Kerzen.

Bienenwolf, 1) →Wachsmotten.

2) →Grabwespen.

Bienenzucht (Imkerei), die Bienenhaltung zur Gewinnung von Honig und Wachs und zur Blütenbestäubung. Bis zum MA. ist in Mitteleuropa die **Wald-B.** betrieben worden; als Beute (Bienenwohnung) wurden hohle oder ausgehöhlte Bäume benutzt. Die spätere **Korb-B.** arbeitete mit fest eingebautem, unbewegl. Wabenbau in strohgeflochtenen Körben. Heute werden die Bienen in **Bienenständen** gehalten, Kästen **(Mobilbauzucht)** mit auswechselbaren Rähmchen. Sie können einzeln unter einem Schutzdach aufgestellt sein oder in Gruppenständen, am besten ortsbewegl. Wanderständen, oder im geschlossenen Bienenhaus. – Tätigkeiten des Bienenzüchters (Imker): im Frühjahr die Freigabe von genügend Raum zur Brutbildung (Ausbau neuer Waben); in Notzeiten Versorgung des Volkes mit Futter (Zuckerlösung); Lenkung des Schwarmtriebes, der zur Vermehrung und Verjüngung der Völker führt; Entnahme überschüssiger Honigvorräte; Ernährung mit Winterfutter (Zuckerlösung), Einrichten witterungsgeschützter Stellen zum Überwintern der Völker. – Gerätschaften des Imkers: Hut, Schleier, Imkerpfeife.

📖 *Von Bienen u. Imkern, von Wachs u. vom Honig, Beiträge v.* E. HÖRANDNER *u. a. Bildessay v.* G. ROTH. *Wien 1993.*

Biẹn Hoa [biən hu̯a], Hauptstadt der Prov. Dong Nai, Vietnam, nordöstlich von Ho-Chi-Minh-Stadt (früher Saigon), rd. 273 900 Ew.; Eisen-, Papierind., Kautschukverarbeitung.

biẹnn [lat.] (zweijährig), mit zweijähriger Lebensdauer (bei Pflanzen).

bi|ennạl, zwei Jahre dauernd, alle zwei Jahre stattfindend.

Bi|ennạle [italien.] *die,* alle zwei Jahre stattfindende Ausstellung, repräsentative Schau oder Vorführung (bes. im Bereich der bildenden Kunst und des Films); bekannt ist v. a. die B. in Venedig.

Bienne [bjɛn], frz. Name von →Biel (BE).

Bier [ahd. bior, wohl zu spätlat. biber »Trank«], jedes aus stärkehaltiger Substanz durch alkohol. Gärung gewonnene Getränk; nach dem B.-Steuer-Ges. i. d. F. v. 15. 4. 1986 das aus Gerstenmalz, Hopfen, Hefe und Wasser durch alkohol. Gärung hergestellte untergärige B. Für obergärige B. können andere Malze und, außerhalb Bayerns, auch Zucker und Farbmittel verwendet werden. Die Herstellung **(Brauerei)** gliedert sich in das Mälzen

(Malzbereitung), das Würzekochen (eigtl. Brauvorgang) und die Vergärung. Zur Würzebereitung wird das Malz grob gemahlen, geschrotet und im Sudhaus mit heißem Wasser zur **Maische** gemischt (gemaischt), wobei Abbaustoffe der Stärke (Dextrine, Malzzucker) und des Eiweißes sowie Mineralstoffe u.a. als »Extrakt« in Lösung gehen. Dann wird abgeläutert, d.h., man entfernt im Läuterbottich oder der Filterpresse die Malzrückstände, die **Treber,** die als Futter dienen. Hierauf kocht man die Flüssigkeit mit Hopfen, dessen Bitterstoffe Eiweiß ausfällen und das B. würzen, haltbarer und

Bier: Die älteste Darstellung eines Bierbrauers im deutschsprachigen Raum (um 1397; Nürnberg, Stadtbibliothek)

bekömmlich machen, zur eigtl. **Würze** ein. Nachdem die Hopfenrückstände abgefiltert wurden, kühlt man die Würze, wobei sich das Kühlgeläger, der **Trub,** absetzt und eine Kruste von **B.-Stein** (hauptsächlich oxal- und phosphorsaurer Kalk) bildet. In den Gärgefäßen versetzt man nun die Würze mit Hefe (Satz, Zeug), die unter Gärung einen Teil des Zuckers der Würze in Alkohol und Kohlendioxid verwandelt. Bei der älteren **Obergärung,** bei der die Hefe obenauf schwimmt, entstehen bei 12–25°C in 2–3 Tagen die obergärigen B. (z.B. Weiß-B., Alt-B., Porter, Ale), bei der **Untergärung,** bei der die Hefe unter geringerer Erwärmung am Grunde des Gärbottichs bleibt, die haltbareren untergärigen B. Die Gärung dauert 8–10 Tage und wird durch Kühlung auf 4–10°C gehalten. Das entstandene Jung-B. wird möglichst klar auf Lagerfässer gehebert (geschlaucht) und ist nach 9–24 Tagen Nachgärung fertig zum Abfüllen in Fässer und Flaschen. In den Letzteren wird es durch Erhitzen auf 60–70°C pasteurisiert.

Der Extraktgehalt der Würze vor der Vergärung, die sog. **Stammwürze,** liefert nach dem B.-Steuer-Ges. die Einteilung der B.-Gattungen: Einfach-B. 2–5,5%, Schank-B. 7–8%, Voll-B. 11–14%, Stark-B. über 16% Stammwürze.

Unter B.-Sorte versteht man die Bez., u.a. Lager-, Export-, Märzen-, Bock-, Alt-, Nähr-Bier.

Als B.-Typen gelten u.a die sich durch Farbe, Geschmack unterscheidenden B. wie Pilsner, Dortmunder, Münchener, die man in die drei Gruppen der hellen, mittelfarbigen und dunklen B. unterteilt.

Besondere B.-Arten: **Malz-B.,** ein schwach gehopftes, süßes B., dem nach der Gärung noch Zucker zugesetzt wird (unter 0,5 Vol.-% Alkohol). Für **Diät-B.** (für Diabetiker) wird die Stärke des Malzes in vergärbare Maltose umgewandelt. Diese B. sind verhältnismäßig alkoholreich. Beim **Nähr-B.** wird dagegen die Gärung frühzeitig abgebrochen oder mit Organismen durchgeführt, die Maltose nicht angreifen, sodass der Alkoholgehalt nur 0,5% (alkoholfreies B.) oder 1–1,5% (alkoholarmes B.) beträgt.

Bei den übl. B. liegt der Alkoholgehalt bei Dünn-B. zw. 1,5 und 2,0 Vol.-%, Voll-B. zw. 3,5 und 4,5 Vol.-%, Stark-B. zw. 4,8 und 5,5 Vol.-%.

📖 JACKSON, M.: *B. international. A. d. Engl. Bern u.a. 1994.* – NARZISS, L.: *Abriß der Bierbrauerei, unter Mitarbeit v.* W. BACK. *Stuttgart* [6]*1995.*

Bier, August, Chirurg, *Helsen (heute zu Arolsen) 24. 11. 1861, †Sauen (Kr. Beeskow) 12. 3. 1949, 1907–32 Prof. in Berlin; verbesserte die Amputationschirurgie, entwickelte die Lumbalanästhesie und führte die Blutstauung als Behandlungsmethode ein; trat für die Homöopathie und Naturheilkunde ein.

Bierbaum, Otto Julius, Schriftsteller, *Grünberg (in Schlesien) 28. 6. 1865 †Dresden 1. 2. 1910; vielseitiger Literat (variationsreiche Gedichte und Chansons); satir. Zeitromane: »Stilpe« (1897; die Darstellung eines Berliner Literaten soll E. von Wolzogen zur Gründung des Kabaretts »Überbrettl« angeregt haben) und »Prinz Kuckuck«, 3 Bde. (1906–07).

Bierce [biəs], Ambrose, amerikan. Schriftsteller, *Meigs County (Ohio) 24. 6. 1842, †(verschollen) in Mexiko 1914; Meister der Kurzgeschichte, die sich durch bissigen Humor, makabre Inhalte und präzise Beschreibungen psych. Ausnahmesituationen auszeichnen (in dt. Auswahl u.a.: »Die Spottdrossel«, hg. 1976; »Lügengeschichten und fantast. Fabeln«, hg. 1987; »Aus dem Wörterbuch des Teufels«, hg. 1964).

Bierdruckapparat, Vorrichtung, mit der das im Keller lagernde Bier in Röhren zur Schankstelle (Büfett) durch Kohlendioxid oder Druckluft emporgedrückt wird.

Biermann, Wolf, Lyriker und Liedersänger (mit Gitarre), *Hamburg 15. 11. 1936; ging 1953 in die DDR; 1963 Ausschluss aus der SED, 1965 Auftrittsverbot nach Erscheinen der Lyriksammlung »Die Drahtharfe« in Berlin (West); nach B.s Ausbürgerung 1976 (während eines Gastspiels in der Bundesrep. Dtl.) Emigrationswelle von Schriftstel-

Wolf Biermann

lern aus der DDR. B.s kontrastgeladene Lyrik nimmt in unverwechselbarem Ton v.a. auf F. Villon, H. Heine und B. Brecht Bezug; erhielt 1991 den Georg-Büchner-Preis.

Weitere Werke: Mit Marx- und Engelszungen (1968); Es gibt ein Leben vor dem Tod (1975; Schallplatte); Preußischer Ikarus (1978); Klartexte im Getümmel (1990); Süßes Leben, saures Leben (1996; CD).

Biermer-Anämie, die nach dem Internisten Anton Biermer (*1827, †1892) benannte →perniziöse Anämie.

Biersteuer, eine der ältesten Verbrauchsteuern. In Dtl. sind Steuerschuldner die Brauereien, die Steuersätze sind nach Hektolitermenge und Stammwürzegehalt gestaffelt. Die den Ländern zustehenden kassenmäßigen Einnahmen aus der B. betrugen (1995) 1,779 Mrd. DM.

Bierut ['bjɛrut], Bolesław, poln. Politiker, *Rury Jezuickie (bei Lublin) 18. 4. 1892, †Moskau 12. 3. 1956; als KP-Funktionär 1933–38 in Haft; schuf als Vors. des Landesnationalrats (1944–47) und Vertrauensmann Stalins 1944/45 die Grundlagen der kommunist. Machtergreifung in Polen. 1947–52 war er Staatspräs., 1952–54 MinPräs., 1948–54 Vors. und 1954–56 Erster Sekr. der kommunist. »Poln. Vereinigten Arbeiterpartei«.

Bierverleger, Großhändler, der Bier im Auftrag von Brauereien verkauft.

Biesbosch ['bi:zbɔs, »Binsenwald«] *der,* durch den Durchbruch der Maas 1421 entstandener Meerbusen, südöstlich von Dordrecht, Niederlande; seit dem 18. Jh. eingedeicht; heute vorwiegend Natur- und Vogelschutzgebiet.

Biesenthal, Stadt im Landkr. Barnim, Brandenburg, 4600 Ew.; Naherholungszentrum für Berlin.

Biesfliegen, die →Dasselfliegen. **Bieswurm,** Larve der Dasselfliege.

Biestmilch, volkstüml. Bez. für das Kolostrum der weibl. Säugetiere.

Bietigheim-Bissingen, Große Krst. im Landkr. Ludwigsburg, Bad.-Württ., im unteren Enztal, 40100 Ew.; Herstellung von Bodenbelägen und Autozubehör; Maschinen- und Werkzeugbau, chem., Glas-, Textilind. – Denkmalgeschützte histor. Altstadt. – Bietigheim wurde 789 erstmals urkundlich erwähnt, 1364 Stadtrecht; 1975 mit Bissingen vereinigt; mittelalterliches Stadtbild.

Big Ben in London, vom Victoria Tower aus gesehen (vollendet 1858)

Bifang (Beifang) [ahd. »Umfang«], im MA. Ackerneuland der Markgenossenschaft.

bifilar [lat.], zweifädig.

bifilare Wicklung, *Elektrotechnik:* Wicklungsart, bei der der Draht gegenläufig gewickelt ist, sodass sich das Magnetfeld in benachbarten Windungen weitgehend aufhebt; die Induktivität ist gering.

Bifokalgläser [lat.], Doppelbrennpunktgläser (Zweistärkengläser) für Fern- und Nahsicht, →Brille.

biform [lat.], doppelgestaltig.

Bifurkation [lat.] *die, Geologie:* die Gabelung eines Wasserlaufs und Verteilung des Wassers auf zwei getrennte Flussgebiete.

Biga [lat.] *die,* Zweigespann; einachsiger Streit-, Renn- und Schauwagen der Antike.

Bigamie [lat.-grch.] *die* (Doppelehe), das Eingehen einer weiteren Ehe bei bereits bestehender. Die B. ist verboten und nichtig (§§ 5, 20 Ehe-Ges.) und strafbar (171 StGB).

Bigband [-'bænd; engl. »große Band«] *die,* Jazz- oder Tanzorchester, in dem im Ggs. zur Combo einzelne Instrumente mehrfach, z. T. chorisch besetzt sind und sich in Gruppen gegenüberstehen.

Big Bang [-'bæŋ; engl. »großer Knall«] *der, Kosmologie:* der →Urknall.

Big Ben *der,* Name der Glocke im Glockenturm des Parlamentsgebäudes in London, 13,5 t schwer; auch der Turm selbst (vollendet 1858).

Big Ben

Der mächtige Glockenturm ist eines der Wahrzeichen Londons. Er entstand als Teil der Houses of Parliament (mit den beiden Parlamenten Oberhaus und Unterhaus), die 1840–88 nach einem großen Brand neu errichtet wurden, wobei die erhalten gebliebene Westminster Hall und die Krypta einbezogen wurden. Big Ben erhielt seinen Spitznamen nach Sir Benjamin (»Ben«) Hall, der 1859 die große Glocke stiftete. Die BBC wählte den Glockenschlag von Big Ben als Pausenzeichen, womit der Parlamentsturm und seine Glocke ein Symbol für ganz Großbritannien wurden.

Big-Bounce-Theorie [-ˈbaʊns-, engl.], →Kosmologie.

Bighorn River [ˈbɪghɔ:n ˈrɪvə] *der,* rechter und größter Nebenfluss des Yellowstone River, USA, 742 km lang. →Little Bighorn River.

bigott [frz.], frömmelnd, scheinheilig.

Bihać [ˈbiha:tɕ], Stadt in Bosnien und Herzegowina, im nordwestl. Bosnien an der Una, 45 800 Ew.; chem., Textil-, Nahrungsmittel-, Holzindustrie. – Die Burg Bihać wurde 1260 erstmals erwähnt. Unter König Béla IV. (1235–70) freie Stadt und später Residenz der ungarisch-kroatischen Könige, 1592–1878 unter türk. Herrschaft. Im 2. Weltkrieg ein Zentrum des (serbisch dominierten) Partisanenwiderstandes und zeitweilig unabhängige Region unter dem muslim. Milizenführer H. Miljković. – Stadt und Umgebung von B. (80 km²; muslim. Enklave) wurden im Krieg (1991–95) von bosn. und kroat. Serben eingeschlossen (Mai 1993 zur UN-Schutzzone erklärt) und Anfang August 1995 von Reg.-Truppen eingenommen. Im N-Teil der **Region B.** (**»Casinska Krajina«;** 1991 etwa 240 000 Ew., 1995 etwa 200 000, inzwischen 90 % Muslime [Bosniaken], starke Ein- und Abwanderung von Flüchtlingen) bestand von Ende September 1993 bis Mitte/Ende August 1994 eine »Autonome Region W-Bosnien« (»Präs.« Fikret Abdić [* 1929], Zentrum: Velika Kladuša; Separatfrieden mit Serben und Kroaten im Oktober 1993). – Nach dem Abkommen von Dayton (1995) wurde B. Zentrum des Unsko-Sanski-Kantons der bosniakisch-kroat. Föderation.

Bihar, Staat in Indien, Hptst.: Patna. B. erstreckt sich vom Fuß des Himalaja bis in die Ausläufer des Hochlands von Dekhan. – B. ist die Wiege des →Dschainismus und des Buddhismus (Heimat Buddhas). Es kam als Teil Bengalens 1765 an Großbritannien; 1912–36 Teil der anglo-ind. Provinz **B. und Orissa,** wurde 1936 dann eigene Provinz und 1947, nach Entlassung Indiens in die Unabhängigkeit, ein Staat der Indischen Union, 1948 wurden die kleinen Staaten Saraikela und Kharsawan mit B. vereinigt.

Bihargebirge, →Bihorgebirge.

Bihé, Hochland in Angola, →Bié.

Bihorgebirge (Bihargebirge), Gebirge in Rumänien, mittlerer Teil des Westsiebenbürg. Gebirges, bis 1848 m hoch, z. T. Karstformen; Bauxit- und Erzabbau, Mineralquellen (Heilbäder).

Bijapur [-dʒ-], Stadt im nördl. Karnataka, Indien, 187 000 Ew.; Marktort (Hirse- und Baumwollhandel); Textilind., Metallverarbeitung; prächtige Moscheen und Paläste (16. und 17. Jh.) im islam. Stil mit hinduist. Einschlägen. – B. war Hptst. des 1489 gegr. Sultanats von B. (kulturelle Blütezeit), kam 1686 an das Mogulreich; 1818–1947 britisch (ab 1883 Verwaltungszentrum).

Bijektion [lat.], *Mathematik:* eineindeutige Abbildung, d. h., sie ist sowohl injektiv als auch surjektiv.

bijektiv [lat.], *Mathematik:* eineindeutig (umkehrbar eindeutig).

Bijouterie [biʒutəˈri:; von frz. bijou »Kleinod«] *die,* Juweliergewerbe, Juwelierarbeit; auch unechter Schmuck.

Bikaner, Stadt in Rajasthan, Indien, 416 000 Ew.; elektrotechn., Glas-, Woll-, Zigarettenind.; umgeben von einer 5 km langen Festungsmauer, viele Moscheen, Tempel und Paläste. – Gegr. 1488.

Bikini *der,* knapper zweiteiliger Badeanzug.

Bikini, nördlichstes Atoll in der Ralikgruppe (Marshallinseln); 1946–58 Kernwaffenversuche der USA.

Bikomponentenfasern, Chemiefasern aus zwei verschiedenen Polymeren; bei unterschiedlicher Schrumpfneigung entsteht eine stabile Kräuselung, bei versch. Schmelzpunkt lassen sich Vliesstoffe thermisch »verschweißen«.

bikonkav, beiderseits konkav (hohl, nach innen gewölbt), **bikonvex,** beiderseits konvex (→Linse).

Bilabial [lat.] *der, Phonetik:* mit Ober- und Unterlippe gebildeter →Laut, z. B. »b« in »bilabial«.

Bilanz [italien., von lat. bilanx »zwei Waagschalen habend«] *die, Betriebswirtschaftslehre:* Gegenüberstellung der Aktiva (Vermögen: Mittelverwendung) und Passiva (Kapital: Mittelherkunft) einer Unternehmung zu einem bestimmten Zeitpunkt (B.-Stichtag). Zus. mit der Gewinn-und-Verlust-Rechnung bildet die B. den **Jahresabschluss.** Nach dem Zweck unterscheidet man die **Handels-B.,** und die **Steuer-B.** (»ordentl.« B.) und aus bestimmten Anlässen erstellte »außerordentl.« B., z. B. Gründungs-, Fusions-, Sanierungs-, Liquidationsbilanz.

Für die Aufstellung der »ordentl.« B. gelten die zu den Grundsätzen ordnungsgemäßer →Buchführung gehörenden **Bilanzierungsgrundsätze:** Wahrhaftigkeit, Klarheit, Vollständigkeit, sachlich und zeitlich richtige Abgrenzung, Vergleichbarkeit, Stetigkeit. Nach den allg. handelsrechtl. Vorschriften (HGB §§ 242–247) hat jeder Kaufmann zu Beginn seines Handelsgewerbes und für den Schluss eines jeden Geschäftsjahres neben dem Inventar eine B. aufzustellen, in der Anlage- und Umlaufvermögen, Eigenkapital sowie Rechnungsabgrenzungsposten gesondert auszuweisen und hinreichend aufzugliedern sind. Die Bewertungsvorschriften sind in den §§ 252–256 HGB aufgeführt. Durch das B.-Richtlinien-Ges. vom 19. 12. 1985 wurden die Rechnungslegungsvorschriften einschließlich der handelsrechtl. Bewertungsvorschriften neu geregelt. Kapitalgesellschaften (AG, KG, GmbH) haben ergänzende Vorschriften (§§ 264–266 HGB) zu beachten, die sich u. a. auf

Bilanz: Gliederung für große und mittelgroße Kapitalgesellschaften nach § 266 HGB

Aktivseite

A. Anlagevermögen:
I. Immaterielle Vermögensgegenstände:
1. Konzessionen, gewerbl. Schutzrechte und ähnl. Rechte und Werte sowie Lizenzen an solchen Rechten und Werten;
2. Geschäfts- oder Firmenwert;
3. geleistete Anzahlungen;
II. Sachanlagen:
1. Grundstücke, grundstückseigene Rechte und Bauten einschl. der Bauten auf fremden Grundstücken;
2. techn. Anlagen und Maschinen;
3. andere Anlagen, Betriebs- und Geschäftsausstattung;
4. geleistete Anzahlungen und Anlagen im Bau;
III. Finanzanlagen:
1. Anteile an verbundenen Unternehmen;
2. Ausleihungen an verbundene Unternehmen;
3. Beteiligungen;
4. Ausleihungen an Unternehmen, mit denen ein Beteiligungsverhältnis besteht;
5. Wertpapiere des Anlagevermögens;
6. sonstige Ausleihungen.
B. Umlaufvermögen:
I. Vorräte:
1. Roh-, Hilfs- und Betriebsstoffe;
2. unfertige Erzeugnisse, unfertige Leistungen;
3. fertige Erzeugnisse und Waren;
4. geleistete Anzahlungen;
II. Forderungen und sonstige Vermögensgegenstände:
1. Forderungen aus Lieferungen und Leistungen;
2. Forderungen gegen verbundene Unternehmen;
3. Forderungen gegen Unternehmen, mit denen ein Beteiligungsverhältnis besteht;
4. sonstige Vermögensgegenstände;
III. Wertpapiere:
1. Anteile an verbundenen Unternehmen;
2. eigene Anteile;
3. sonstige Wertpapiere;
IV. Schecks, Kassenbestand, Bundesbank- und Postgiroguthaben bei Kreditinstituten.
C. Rechnungsabgrenzungsposten.

Passivseite

A. Eigenkapital:
I. Gezeichnetes Kapital;
II. Kapitalrücklage;
III. Gewinnrücklagen:
1. gesetzl. Rücklage;
2. Rücklage für eigene Anteile;
3. satzungsmäßige Rücklagen;
4. andere Gewinnrücklagen;
IV. Gewinnvortrag/Verlustvortrag;
V. Jahresüberschuss/Jahresfehlbetrag.
B. Rückstellungen:
1. Rückstellungen für Pensionen und ähnl. Verpflichtungen;
2. Steuerrückstellungen;
3. sonstige Rückstellungen.
C. Verbindlichkeiten:
1. Anleihen, davon konvertibel;
2. Verbindlichkeiten gegenüber Kreditinstituten;
3. erhaltene Anzahlungen auf Bestellungen;
4. Verbindlichkeiten aus Lieferungen und Leistungen;
5. Verbindlichkeiten aus der Annahme gezogener Wechsel und der Ausstellung eigener Wechsel;
6. Verbindlichkeiten gegenüber verbundenen Unternehmen;
7. Verbindlichkeiten gegenüber Unternehmen, mit denen ein Beteiligungsverhältnis besteht;
8. sonstige Verbindlichkeiten, davon aus Steuern, davon im Rahmen der sozialen Sicherheit.
D. Rechnungsabgrenzungsposten.

die B.-Gliederung beziehen. Spezielle Gesetze zu den versch. Rechtsformen (Aktien-Ges., GmbH-Ges., Genossenschafts-Ges. u.a.) enthalten weiterführende B.-Bestimmungen.

Eine **Steuer-B.** (neben der Handels-B.) muss von den Unternehmen nach den §§ 5–7 EStG aufgestellt werden, um das Einkommen aus dem Gewerbebetrieb zu ermitteln, das bei Einzelkaufleuten und Mitinhabern von Personengesellschaften der Einkommensteuer, bei Kapitalgesellschaften der Körperschaftsteuer unterliegt; aus diesem Einkommen wird der (Rein-)Ertrag abgeleitet, von dem die Gewerbeertragsteuer zu entrichten ist. Für die Steuer-B. ist die Handels-B. maßgebend soweit nicht besondere steuerrechtl. Vorschriften entgegenstehen. (→ Rechnungslegung)

📖 BUSSE VON COLBE, W.: *Bilanzen. Wiesbaden* [5]*1988.* – SCHULT, E.: *Bilanzanalyse. Freiburg* [8]*1991.* – KNOBBE-KEUK, B.: *B.- u. Unternehmenssteuerrecht. Köln* [9]*1993.* – COENENBERG, A. G.: *Jahresabschluß u. Jahresabschlußanalyse. 2 Tle. Landsberg am Lech* [8-15]*1994–95.* – *Beck'scher B.-Kommentar, bearb. v.* W. D. BUDDE *u.a. München* [3]*1995.* – *Handbuch der Rechnungslegung. Kommentar zur Bilanzierung u. Prüfung, hg. v.* K. KÜTING *u.a., auf 2 Bde. ber. Stuttgart* [4]*1995 ff.*

Bilanzanalyse, vorwiegend externe systemat. Untersuchung von Jahresabschlüssen (Bilanz, Gewinn-und-Verlust-Rechnung) und Geschäftsberichten. Sie ist die Grundlage der Bilanzkritik zur Beurteilung der Finanzsituation, Rentabilität, Wirtschaftlichkeit und Liquidität einer Unternehmung.

Bilanzprüfer, → Wirtschaftsprüfer.

Bilanzsumme (Bilanzvolumen), Summe der linken (Aktiva) oder rechten (Passiva) Seite der Bilanz; zählt zu den wichtigen Kennzahlen von Unternehmen, bes. von Banken.

Bilanztheorie (Bilanzauffassung), Erklärungen für den formalen und materiellen Inhalt von Buchführung und Jahresabschluss. Formal geht es um die Frage, was durch den Jahresabschluss dargestellt werden soll, materiell darum, was zu bilanzieren und wie zu bewerten ist. Die **stat. B.** sieht in der Bilanz eine Vermögensrechnung (ältere B.) oder eine Kapitalrechnung (jüngere B.); die Gewinn-und-Verlust-Rechnung spielt nur eine untergeordnete Rolle. Nach der **dynam. B.** (E. Schmalenbach) hat der Jahresabschluss die Aufgabe, den Jahreserfolg zu ermitteln. Bezüglich Bilanzierung und Bewertung werden beide Theorien weitgehend von den Grundsätzen ordnungsmäßiger Buchführung bestimmt. In der **organ. B.** (F. Schmidt) wird der richtige Vermögens- und Erfolgsausweis angestrebt. Dazu wird mit Tagespreisen bewertet und in Umsatzerfolg und Vermögenswertänderungen (Scheingewinn, Scheinverlust) unterschieden.

bilateral [lat.], *Politik:* zweiseitig, von zwei Seiten ausgehend, zwei Seiten betreffend (z.B. Verträge).

Bilbao, Hauptstadt der baskischen Prov. Vizcaya, Spanien, am Nervión, 383 800 Ew.; wichtige Ind.-, Handels- und Hafenstadt; kath. Bischofssitz; zwei Univ.; Theater und Museen; Banken- und Börsenzentrum; Roheisen- und Stahlerzeugung, Schiffbau, Maschinen- und Fahrzeugbau, chem. Ind., Werften, Erdölraffinerie; Flughafen. – Kathedrale (14./15. Jh.), Klosterkirche de la Encarnación (1554–60). – B., 1300 gegr., war im 15./16. Jh. ein wichtiger, später oft umkämpfter Hafen; im Span. Bürgerkrieg (1936–39) bis 1937 Zentrum der Republikaner.

Bilch, → Schlafmäuse.

Bild, Straßenverkaufszeitung, gegr. 1952 im Axel Springer Verlag, bis 1971 **Bild Zeitung;** Gesamtauflage aller täglich erscheinender 32 Regionalausgaben: 5,6 Mio. Im gleichen Verlag erscheinen neben **Bild am Sonntag** (gegr. 1956; 3,4 Mio.), **Bild der Frau** (gegr. 1983; 2,7 Mio.), **Auto-Bild** (gegr. 1986; 1,3 Mio.), **Sport-Bild** (gegr. 1988; 1,1 Mio.) und **Computer-Bild** (gegr. 1996).

Bild, 1) *allg:* Darstellung auf einer Fläche, z.B. Zeichnung oder Fotografie; Anblick, Ansicht; Vorstellung, Eindruck.

2) *geometr. Optik:* → Abbildung.

3) *Literatur:* zusammenfassender Begriff für Metapher und Gleichnis (Vergleich), v.a. in der Lyrik; auch Bez. für die Abschnitte eines Dramas (statt »Akt« und »Szene«). (→ Allegorie, → Emblem, → Symbol)

📖 Pongs, H.: *Das B. in der Dichtung, 4 Bde. Marburg* $^{1-3}$*1967–73.*

Bildaufnahmeröhre, spezielle Elektronenstrahlröhre, die in der Fernsehkamera das opt. Bild unter Ausnutzung des Photoeffektes in elektr. Signale umwandelt. Jede B. hat eine photoelektr. Schicht, eine Speicherplatte und eine Abtasteinrichtung. Die Lichtintensität jedes Bildpunktes (bei Farb-B. die einer Farbkomponente) wird so in eine elektr. Spannung umgewandelt und zeitlich nacheinander entsprechend der Fernsehnorm übertragen.

bildende Kunst, i.e.S. zusammenfassende Bez. für Bildhauerei, Malerei, Grafik, Kunsthandwerk; i.w.S. zählen zur b.K. auch Architektur und künstler. Fotografie.

Bilderbogen, Druckblätter mit Bildfolgen (Heiligen-, Zeit-, Spott-, Uniform-, Trachtenbilder u.a.; Bilderzählungen) und kurzen, meist gereimten Texten; hervorgegangen aus dem Einblattdruck des 15. Jh. Der oft handkolorierte Holzschnitt wurde durch den Kupferstich und die ein- und mehrfarbige Lithographie verdrängt. Bes. bekannt wurden im 19. Jh. die bunten B. von Épinal (seit 1796), Nürnberg, Neuruppin und München. Die B. – heute dokumentiert in reproduzierten Sammelbüchern – wurden durch die → Comics verdrängt.

Bilderbogen von Épinal (um 1850)

Bilderbuch, illustriertes Kinderbuch; entsprechend den jeweiligen Altersstufen bietet es einfache Gegenstände (und Tiere) aus der Erfahrungs- und Fantasiewelt des Kinds (ohne Text), Bildgeschichten oder Illustrationen zu längeren Texten (zum Vorlesen). Das poet. B. trat in Dtl. etwa seit 1830 hervor (Illustratoren: L. Richter, F. von Pocci, W. von Kaulbach u.a.). 1845 erschien H. Hoffmanns »Struwwelpeter«; im 20. Jh.: B. von K. Hofer, K. F. E. von Freyhold, Else Wenz-Viëtor, F. Koch-Gotha; in der Gegenwart finden sich neben märchenhaft-fantast. B. auch satir. und sozialkrit. (A. Carigiet, E. Carle, Janosch, L. Lionni,

1

2

3

4

5

1 Relief aus Assur mit dem Sonnengott Schamasch auf einem Fabeltier (8.–7. Jh. v. Chr.; Berlin, Vorderasiatisches Museum) | **2** »Dornauszieher«, römische Kopie nach einem hellenistischen Original; Bronze (1. Jh. v. Chr.; Rom, Kapitolinische Museen) | **3** Matthias Steinl, »König Joseph I. zu Pferd«; Elfenbein (1693; Wien, Kunsthistorisches Museum) | **4** Antonio Canova, »Amor und Psyche«; Marmor (1787; Paris, Louvre) | **5** Henry Moore, »Large two forms« (1966; Bonn, Bundeskanzleramt)

A. Mitgutsch, Jörg Müller, M. Sendak, T. Ungerer, F. K. Waechter, W. Klemke).

📖 *Das B. Geschichte u. Entwicklung ..., hg. v.* K. Doderer *u. a. Weinheim* [2]*1975. – Neue Erzählformen im B. Untersuchungen zu einer veränderten Bild-Text-Sprache, hg. v.* J. Thiele. *Oldenburg 1991.* – Dietschi Keller, U.: *Bilderbücher für Vorschulkinder. Bedeutung u. Auswahl. Zürich 1995.*

Bilderrätsel (Rebus), Zusammenstellung einzelner Bilder und Zeichen (Buchstaben, Silben oder Zahlen), aus deren Lautwert ein Wort oder Satz, z. B. ein Sprichwort, zu erraten ist.

Bilderschrift (Piktographie), Schrift, die eine Folge von Denkinhalten in bildhafter Form darstellt. Man unterscheidet nach dem Grad der Abstraktion versch. Arten: Die **Ideenschrift** stellt Sachverhalte durch Bilder ohne Bindung an eine feste sprachl. Form dar. Die Bilder werden ausgedeutet, aber nicht eigentlich gelesen. Bei der **Wort-B.** entspricht jedem Wort ein Bildzeichen. Bei ihrer Phonetisierung entsteht eine Lautschrift – das Bildzeichen deutet auf den mit einem Wort verbundenen Lautkomplex hin. Alle selbstständig entstandenen Schriftsysteme der Kulturvölker (chin. Schrift, Keilschrift, altägypt. Schrift) verwendeten als Schriftzeichen ursprünglich Bilder.

Bildersturm, → Bilderverehrung.

Bilderverehrung (Bilderkult, Ikonolatrie, Idolatrie), Verehrung Gottes und göttl. Kräfte in bildl. Darstellungen, die als Gott selbst (Fetischismus) oder als Sinnbild des unsichtbaren Gottes (höhere Religionen) betrachtet werden. In der christl. Kirche kam die B. im Zusammenhang mit der Heiligenverehrung auf. Der byzantin. Bilderstreit **(Ikonoklasmus)** im 8. und 9. Jh., in dem mehrere Kaiser die B. verboten und mehrere Päpste sie billigten, endete 843 mit der Zulassung der B. In der Reformationszeit kam es häufig zum **Bildersturm.** Das Konzil von Trient bestimmte für die kath. Kirche die Beibehaltung der Bilder und die Erweisung der ihnen schuldigen Verehrung. Die luther. Kirche ließ den Bilderschmuck in ihren Kirchen zu, die reformierte lehnte ihn ab.

Bildfeldwölbung, ein → Abbildungsfehler.

Bildfrequenz, die Anzahl der je Sekunde wiedergegebenen Phasenbilder von bewegten Bildszenen. Bei Verwendung von Filmen sind 16 bis 32 Bilder je Sekunde nötig, um eine Wiedergabe in normaler Geschwindigkeit bei ausreichender Wiedergabequalität zu ermöglichen. Im Fernsehen wird das Zeilensprungverfahren angewendet (Übertragung von Halbbildern, CCIR-Norm 50 Hz).

Bildhauerkunst (Bildhauerei, Bildnerei), die Kunst, aus festen Stoffen dreidimensionale Gebilde zu schaffen. Die **Skulptur** umfasst die gemeißelten Werke in Stein und die Bildschnitzerei in Holz, Bein u. a.; die **Plastik** i. e. S. nur Werke aus modellierbaren Stoffen (Ton, Gips, Porzellan, Wachs u. a.), auch aus gießbarem Material (Metall, Kunststoff). Der Größe nach unterscheidet man **Klein-** und **Monumentalplastik,** der Form nach die **Voll-** oder **Rundplastik** und das → Relief. I. w. S. umfasst die B. nicht nur dreidimensionale Kunstwerke, sondern auch Gebrauchsgegenstände mit plast. Schmuck (Kultgeräte, Keramik, Waffen). Die Grenzen zum Kunsthandwerk sind fließend. (→ Bronzekunst, → Elfenbeinschnitzerei, → Holzbildhauerei, → Steinplastik, → Tonplastik, → Treibarbeit, → moderne Kunst)

📖 BAUMGART, F.: *Gesch. der abendländ. Plastik von den Anfängen bis zur Gegenwart. Neuausg. Köln 1966.* – PISCHEL, G.: *Große Weltgeschichte der Skulptur. A. d. Italien. München 1982.* – TRIER, E.: *Bildhauertheorien im 20. Jh. Berlin* ^{4}*1992.*

Bildmessung, die → Photogrammmetrie.

Bildnis, 1) *Kunst:* → Porträt.

2) *Recht:* B. dürfen nur mit Einwilligung des Abgebildeten verbreitet werden, nach seinem Tod zehn Jahre lang nur mit Einwilligung der Angehörigen (**Recht am eigenen Bild,** § 22 Kunsturheber-Ges.). Ausnahmen gelten bes. bei Personen der Zeitgeschichte (aber auch hier darf die Privatsphäre nicht verletzt werden), für B. von Personen, die nur als Beiwerk (z. B. einer Landschaft) oder als Teil einer Versammlung abgebildet sind.

Bildplatte (Videoplatte), schallplattenähnl. audiovisueller Programmträger aus Kunststoff, der die Bild- und Tonsignale eines aufgezeichneten Fernsehprogramms, Films u. a. fest gespeichert enthält. Die B. ist eine spezielle optische Speicherplatte. Die Bild- und Toninformationen werden als frequenzmodulierte Signale in einer gemeinsamen Spur auf der B. gespeichert. Zur Wiedergabe dieser Signale wird ein B.-Spielgerät benötigt, das an ein Fernsehgerät angeschlossen wird. Die von verschiedenen Herstellern entwickelten B.-Systeme sind nicht kompatibel und arbeiten mit verschiedenen Speicher- und Abtastsystemen (optisch, mechanisch, kapazitiv, magnetisch) und verschiedenen Aufnahme- und Wiedergabegeschwindigkeiten. Heute stehen für die Unterhaltungselektronik v. a. folgende drei Systeme zur Auswahl: das mit Laserstrahlabtastung arbeitende opt. System **LV,** Abk. für **laser vision,** das kapazitive System **CED,** Abk. für **capacitance electronic disc,** sowie das ebenfalls kapazitiv abtastende System **VHD,** Abk. für **video high density.** Starke Konkurenz zur B. ist das → Videoband.

Bildröhre (Bildwiedergaberöhre), beim Fernsehempfänger die → Elektronenstrahlröhre, auf deren Kolbenboden der Leuchtschirm aufgebracht ist. Der von der Kathode ausgehende Elektronenstrahl wird in seiner Intensität von den der Steuerelektrode (Wehnelt-Zylinder) zugeführten Bildsignalen gesteuert. In einer Elektronenlinse wird der Strahl so konzentriert, dass auf dem Leuchtschirm ein punktförmiger Leuchtfleck entsteht. Von den magnet. Feldern der Ablenkspulenpaare wird der Strahl zeilenweise über den Leuchtschirm geführt.

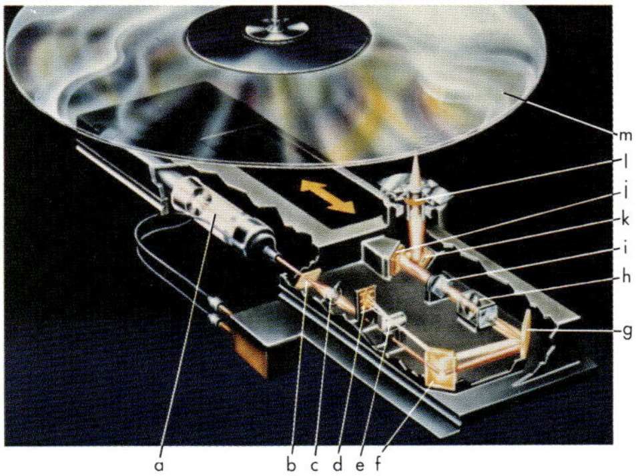

Bildplatte: Aufbau und Strahlengang eines Plattenspielers zur optischen Abtastung einer Laser-Vision-Bildplatte; a Laser, b Strahlenteiler, c Zwischenlinse, d Photodiode, e Zylinderlinse, f und g Umlenkspiegel, h dreiteiliges Prisma (Wollaston-Prisma), i Viertel-Lambda-Platte, j radialer Drehspiegel, k tangentialer Drehspiegel, l Objektiv, m Laser-Vision-(LV-)Bildplatte

Bildschirm, 1) Leuchtschirm in Fernsehgeräten bzw. allg. in braunschen Röhren.

2) *Datenverarbeitung:* (Display, Monitor) Sichtgerät mit Elektronenstrahlröhre, Plasma- oder Flüssigkristallbildschirm, das den Zustand oder die Ausgabe einer Computeranwendung anzeigt.

Bildstock mit Kreuzigungsgruppe in Euerhausen bei Ochsenfurt (1592)

Carl Bildt

Bildschirmspiel, das →Videospiel.

Bildschirmtext, Abk. **Btx,** seit 1995 Bestandteil von **T-Online** (→Onlinedienste). Btx ist der Datendienst, der über das Datex-J-Netz (→Datexnetz) zur Verfügung gestellt wird und verschiedene Dienste, z.B. Fahrplanauskünfte oder Telebanking, anbietet. T-Online beinhaltet neben Btx weitere Komponenten wie den Zugang zum Internet oder E-Mail (→elektronische Post). Btx kann über Modem und Zusatzdecoder mit dem Fernsehgerät empfangen werden, T-Online ist für die Computeranwendung geeignet.

Bildspeicherung, 1) *Audiovision:* alle Verfahren zur Speicherung von Bildern oder Bildsignalen analog den Verfahren der Schallspeicherung, mit dem Zweck, die Bilder jederzeit wiedergeben zu können.

2) *Fernsehen:* die in Bildspeicherröhren angewandte Methode der kurzzeitigen Speicherung von Bildern zur Erhöhung der Empfindlichkeit von →Bildaufnahmeröhren.

Bildstein (Agalmatolith), Mineral, dichte Varietät von →Pyrophyllit.

Bildstock (Betsäule), ein an Wegen frei stehender Pfeiler aus Holz oder Stein, der in einem tabernakelartigen Aufbau ein Kruzifix oder eine Heiligendarstellung enthält; als Andachtsbild, als Erinnerung an Verstorbene oder als Sühnemal errichtet.

Bildstörung, *Fernsehen:* durch Fehler im Fernsehstudio, im Fernsehsender oder im Übertragungsweg verursachte Störung bei der Wiedergabe des Bildes auf dem Bildschirm des Fernsehempfängers, wie z.B. fehlendes Bild (Ausfall von Geräten im Studio, im Sender oder im Übertragungsweg), durch laufendes oder verzerrtes Bild (Synchronisationsstörung) oder verrauschtes Bild (verringerte Feldstärke).

Bildt, Carl, schwed. Politiker, *Halmstad 15. 7. 1949; seit 1986 Vors. der konservativen Gemäßigten Sammlungspartei, trat als MinPräs. (1991–94) entschieden für den Beitritt Schwedens zur Europ. Union ein. Seit 1995 ist er EU-Beauftragter für Bosnien und Herzegowina.

Bildtelefon (Bildfernsprechen, Fernsehtelefon), Form der →Telekommunikation, die eine interaktive audiovisuelle Kommunikation zw. Gesprächspartnern an verschiedenen Orten ermöglicht. Die Übertragung erfolgt digital über die Telefonleitung oder das ISDN-Netz. Bildkommunikation ist aber auch in Kombination mit speziell ausgerüsteten Computern möglich, wobei Sprache, Videos, Grafiken, Bilder, Texte und Daten übermittelt werden können (Videokonferenz).

Bildtelegrafie, Festbildübertragung von **Halbtonbildern** mit beliebigen (analogen) Grauwerten (z.B. Fotografien). Die B. ähnelt im Verfahren dem Fernsehen. Im Sender beleuchtet ein Lichtstrahl punktförmig das auf eine Trommel gespannte Original. Drehung und Vorschub der Trommel bewirken eine zeilenweise Abtastung. Das durch unterschiedl. Grauwerte der Bildpunkte reflektierte Licht (Lesestrahl) liefert über ein lichtempfindl. Element (Photozelle, Photodiode) ein übertragbares elektr. Signal. Im Empfänger wird damit über eine steuerbare Lichtquelle (Kerr-Zelle) die Intensität des Schreibstrahls gesteuert. Auf einer mit lichtempfindl. Papier bespannten Trommel mit zur Sendetrommel synchroner Bewegung (Drehung und Vorschub) entsteht eine Reproduktion des Originals, das amplitudenmoduliert über störungsarme Fernsprechkanäle oder frequenzmoduliert über Funkwege (Funkbild, Bildfunk) übertragen wird. Die Übertragungsdauer je nach Bildgröße und Bildgüte ist mehrere Minuten je Bild. Die getrennte Übertragung von Farbauszügen in den drei Grundfarben Blau, Gelb und Rot ermöglicht die Reproduktion von Farbbildern.

Anwendungsgebiete der B. sind u.a. die Nachrichtendienste der Zeitungen (Pressefoto), der Polizei (Fahndungsbilder) und des Wetterdienstes (Wolkenbilder von Satelliten).

Bildteppich (Gobelin), →Bildwirkerei.

Bildung, der Begriff B. bezeichnet die Entwicklung des Menschen im Hinblick auf seine geistigen, seelischen, kulturellen und sozialen Fähigkeiten. Basierend auf religiös-myst. und naturphilosoph. Wurzeln trat der B.-Begriff seit der Renaissance v.a. im 18. Jh. im Zusammenhang von Aufklärung, Goethezeit und Neuhumanismus – v.a. durch J. H. Pestalozzi und W. von Humboldt – neben den herkömml. Terminus Erziehung. Während dieser jedoch primär die Hilfen bezeichnet, die dem Heranwachsenden auf seinem Weg zu Lebenstüchtigkeit und Mündigkeit durch andere, i.d.R. Erwachsene, zuteil werden, gilt B. heute v.a. als lebenslange, nie endgültig abschließbare Leistung der Eigentätigkeit und Selbstbestimmung des sich bildenden Menschen. Problematisch ist der Bruch zw. B. (Allgemein-B.) und Ausbildung (Berufsausbildung).

📖 MENZE, C.: *Wilhelm von Humboldts Lehre u. Bild vom Menschen. Ratingen 1965.* – LICHTENSTEIN, E.: *Zur Entwicklung des Bildungsbegriffs von Meister Eckhart bis Hegel. Heidelberg 1966.* – BECKER, H.: *Widersprüche aushalten. Aufgaben der B. in unserer Zeit, hg. v.* F. HAGER. *München u.a. 1992.* – UHLE, R.: *B. in Moderne-Theorien. Eine Einführung. Weinheim 1993.* – *B. u. Erziehung an der Schwelle zum dritten Jahrtausend. Multidisziplinäre Aspekte, Analysen, Positionen, Perspektiven, hg. v.* N. SEIBERT *u.* H. J. SERVE. *München 1994.* –

LENZ, W.: *Menschenbilder – Menschenbildner. Pädagog. Reflexionen. Wien u. a. 1994.*

Bildungsbarri|eren, ein bildungspolitisches Schlagwort zur Bez. soziokultureller Einflüsse (bes. schichtspezif. Benachteiligung; →Sprachbarriere) oder politisch-ökonom. Hemmnisse, die Kindern aus bestimmten Bev.gruppen den Erwerb einer ihren Fähigkeiten entsprechenden Bildung erschweren oder unmöglich machen und deren Abbau im Rahmen der Chancengleichheit gefordert wird.

Bildungsfernsehen, Sammelbez. für die durch das Medium Fernsehen vermittelten Bildungsangebote und Erziehungsimpulse; in Dtl. v. a. das Schulfernsehen und das Telekolleg.

Bildungsforschung, die Erforschung des Bildungswesens in äußerer (Bildungsstatistik, Rechtsgrundlagen, wirtsch. Struktur, Gesellschaftsbezüge, pädagog. Praxis, Leistungsniveau u. a.) und innerer Hinsicht (didakt. Forschung und Curriculumforschung). Als Forschungszentrum besteht in Berlin-Dahlem das Inst. für B. der Max-Planck-Gesellschaft.

Bildungsgefälle, Unterschiede im Bildungsstand versch. Bev.gruppen, bedingt durch →Bildungsbarrieren.

Bildungsgesamtplan, →Schule.

Bildungsgewebe (Meristem), *Botanik:* embryonales, zur Zellteilung fähiges Zellgewebe, so am →Vegetationspunkt.

Bildungsökonomie, wirtschaftswiss. Disziplin, die sich mit betriebs- und volkswirtsch Aspekten des Bildungssystems befasst. Untersucht werden u. a. die Zusammenhänge zwischen Bildungsinvestitionen, Humankapitalerweiterung und Wirtschaftswachstum. Die B. ist Grundlage für Bildungsplanung und -politik.

Bildungsplanung, zusammenfassende Bez. für die Entwicklung systemat. Entwürfe zur Gestaltung des Bildungswesens, die sich auf die Ergebnisse der Bildungsforschung, -statistik, -ökonomie und Standortforschung stützt.

Bildungspolitik, die im Rahmen der allg. Kultur- und Gesellschaftspolitik auf den Erhalt und die Weiterentwicklung des Bildungswesens gerichteten polit. Aktivitäten. Dabei sind neben der Anpassung an gewandelte sozioökonom. Rahmenbedingungen auch Vermutungen über künftige Entwicklungen bedeutsam.

Bildungsroman →Roman.

Bildungssoziologie, Teilgebiet der Soziologie, das die Wechselbeziehungen zw. Bildungsinstitutionen, -prozessen und -inhalten und den übrigen Sozialstrukturen (bes. polit. und ökonom. System) untersucht.

Bildungsstatistik, quantitative Erfassung und Darstellung des Bildungswesens, d. h. des allgemeinen und berufl. Schulwesens, der Schulanlagen, der Einrichtungen der Lehrerbildung, der Studien- und Berufswünsche, der Ausbildungsförderung, der Bildungsaktivitäten versch. Medien sowie die Hochschulstatistik.

Bildungsurlaub, Freistellung von Arbeitnehmern zusätzlich zum Erholungsurlaub zur berufl. oder polit. Weiterbildung; der B. ist in Tarifverträgen und einigen Landesgesetzen vorgesehen. Nach dem Betriebsverfassungs-Ges. haben Betriebsratsmitgl. Anspruch auf B. zur Teilnahme an Schulungs- und Bildungsveranstaltungen, die für die Arbeit des Betriebsrats erforderlich sind.

Bildungswärme (Reaktionswärme), die Wärmemenge, die bei der Bildung chem. Verbindungen frei (exotherme Reaktion) oder verbraucht (endotherme Reaktion) wird.

Bildverarbeitungssysteme, *grafische Technik:* Einrichtungen zur elektron. Aufbereitung von Strichzeichnungen oder Halbtonvorlagen in der Druckvorstufe, v. a. im Zusammenhang mit digitalen Drucksystemen von Bedeutung. Die Bildvorlagen werden über einen Flachbett- oder Trommelscanner in Pixel (Bildpunkte; engl. dots) zerlegt. Mit einem Bildbearbeitungsprogramm können die Einzelfarben elektronisch retuschiert werden, d. h., Farbfehler, Kratzer oder Flecke können beseitigt, gewünschte Effekte verstärkt oder Bildelemente zusammengestellt werden.

Bildwand, die →Projektionswand.

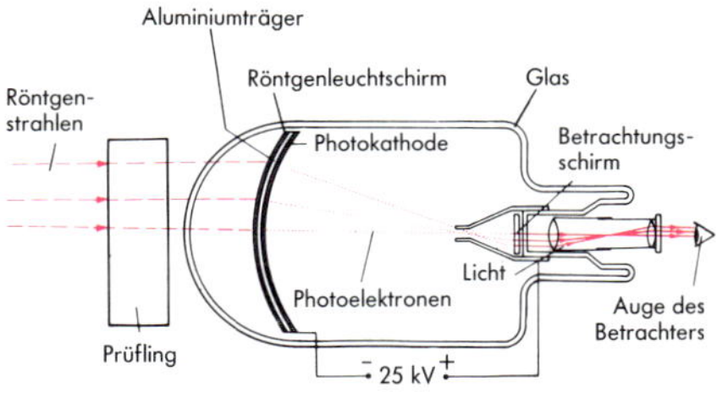

Bildwandler: Röntgenbildwandler

Bildwandler, elektron. Anordnung zur Verstärkung und Umwandlung von Bildern, die durch eine sehr schwache, sichtbare oder unsichtbare Strahlung (Röntgenstrahlen, Ultraviolett- oder Infrarotlicht) erzeugt werden, in lichtstarke, sichtbare Bilder. B. werden u. a. verwendet als Röntgenbildverstärker sowie (mit Infrarotlicht) für Nachtsichtgeräte.

Bildweite, physikal. Größe bei der opt. Abbildung (BILD →Abbildung).

Bildwerfer, der →Projektor.

Bildwirkerei, Herstellung von Woll- oder Seidenstoffen, bes. von Teppichen, in ornamentaler oder bildhafter Ausführung. Bei der B. werden jeweils verschieden gefärbte Schussfäden über einer so großen Anzahl von Kettfäden in Leinwandbindung hin- und hergeführt, wie es die gewünschte Gestaltung der Farbflächen erfordert. Wo versch. Farben aneinander grenzen, entstehen vertikale Schlitze, die später zusammengenäht werden.

Bildwirkerei: Weiblicher Genius (Nereide?), koptische Wollwirkerei auf Leinen (Cleveland, Oh., Museum of Art)

Reste von B. des 2. Jt. v. Chr. wurden in Ägypten gefunden. Aus frühchristl. Zeit sind kopt. Wirkereien (5.–8. Jh.) sowie Beispiele aus Kleinasien und Byzanz bekannt. Zu den ältesten in Dtl. gehören die Fragmente eines Bildteppichs aus St. Gereon in Köln (11. Jh.) und die Bildteppiche im Halberstädter Dom (12./13. Jh.). Seit dem Ende des 13. Jh. blühte die B. vor allem in Frankreich (Hauptwerke: Apokalypse-Teppiche in Angers, 1375–79). Hervorragende Wirkstätten gab es auch am Oberrhein und in Franken. Neben religiösen Darstellungen zeigte die B. Szenen des höf. Lebens und Sagenmotive. Führend im 15. und 16. Jh. waren die Werkstätten in Arras (→Arazzi), Tournai und später in Brüssel, das bis ins 18. Jh. Mittelpunkt der B. blieb. 1662 wurde im Haus des Färbers Gobelin die Königl. Manufaktur in Paris gegründet, die große Teppichfolgen nach Entwürfen von C. Lebrun u. a. wirkte. Diese Erzeugnisse erhielten die Bez. **Gobelins;** der Name wurde dann verallgemeinert. Im 20. Jh. entstanden durch Zusammenarbeit der Manufakturen mit Malern wie J. Lurçat u. a. wieder künstlerisch wertvolle Werke. Die moderne kunstgewerbl. Teppichkunst wird heute allg. mit dem frz. Begriff →Tapisserie belegt. – Im vorkolumb. Amerika gab es B. bes. in Peru, ferner bei den Nordwestküstenindianern.

Bild Zeitung, →Bild.

Bileam (Vulgata: Balaam), Prophet zur Zeit der Landnahme Israels (um 1200 v. Chr.; 4. Mos. 22–24); galt im späteren Judentum und im N. T. als Prototyp aller Verführer und Irrlehrer (2. Petr. 2,15, Off. 2,14).

Bilfinger und Berger Bauaktiengesellschaft, Mannheim, Bauunternehmen; gegr. 1880, seit 1906 AG; zahlr. Beteiligungen im In- und Ausland.

Bilge [engl.] *die,* unterer, ungenutzter Raum im Bereich des Schiffsbodens, wo sich das Leckwasser **(Bilgewasser)** sammelt.

Bilharziose [nach dem Tropenarzt T. Bilharz, *1825, †1862] *die* (Schistosomiasis), Gruppe von Wurmerkrankungen, durch versch. Arten der Gattung Schistosoma (früher Bilharzia gen.) hervorgerufen. Die Übertragung erfolgt über einen Wirtswechsel. Die Eier gelangen mit den Ausscheidungen infizierter Personen ins Wasser, und die Larven dringen in bestimmte Süßwasserschnecken ein. Von den Schnecken schwärmen Larven (Zerkarien) aus, die die menschl. Haut (bzw. beim Trinken verseuchten Wassers die Schleimhaut) durchbohren und in den Blutstrom gelangen können. Je nach Erregerart kommt es zum Befall von Harnwegen **(Blasen-B.)** mit Blasenschmerzen und blutigem Harn (verbreitet im trop. Afrika und Vorderasien) oder Darm **(Darm-B.)** mit ruhrähnl. Erscheinungen (bes. in Afrika, Asien, Teilen von Südamerika) sowie Leber und Milz mit Leberschrumpfung. Die B. ist nach der Malaria die verbreitetste Tropenkrankheit, von der etwa 300 Mio. Menschen befallen sind. Die Behandlung erfolgt mit dem Wurmmittel Praziquantel. Bester Schutz ist die Vermeidung jegl. Hautkontaktes mit Binnengewässern in Verbreitungsgebieten.

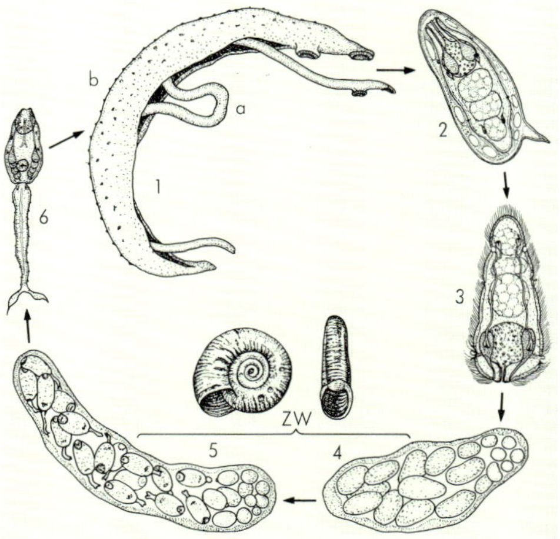

Bilharziose: Entwicklungskreis des Bilharziose-Erregers Schistosoma mansoni; 1 Weibchen (a) in der Bauchfalte eines Männchens (b), 2 Ei, 3 Wimpertierlarve, 4 und 5 Larvenstadien im Zwischenwirt (ZW, Schnecke), 6 Zerkarie

📖 *Tropenmedizin in Klinik u. Praxis, hg. v.* W. LANG. *Stuttgart u. a. 1993.*

Bílina (dt. Bilin), Stadt in N-Böhmen, Tschech. Rep., am Fuß des Erzgebirges, 18 100 Ew.; Glasind. In der Umgebung Braunkohlebergbau. Vorkommen alkal. Säuerlinge.

Bilinearform [bilinear, lat. »doppellinig«], *Mathematik:* Polynom mit den Variablen x_i und y_i, bei dem jede Variable nur in der ersten Potenz auftritt, z. B. $2x_1 + 3x_2y_2 + 9y_3$.

bilingual [lat.], zweisprachig.

Bilirubin *das,* → Gallenfarbstoffe.

Biliverdin *das,* → Gallenfarbstoffe.

Bill [engl. aus mlat. billa, bulla »Urkunde«] *die,* im angloamerikan. Recht mehrdeutig: die förml. Urkunde; der dem Parlament vorgelegte Ges.-Entwurf; das feierliche Gesetz (→ Bill of Rights).

Bill, Max, schweizer. Architekt, Maler, Designer, Plastiker, * Winterthur 22. 12. 1908, † Berlin 9. 12. 1994; entwickelte u. a. Schleifenplastiken aus der möbiusschen Fläche. Seine Arbeiten sind der wichtigste schweizer. Beitrag zur → konkreten Kunst. B. baute 1953–55 die Hochschule für Gestaltung in Ulm, deren Rektor er 1951–61 war.

Max Bill: Stabilisierte weiße Kerne (1964/71; Zürich, Kunsthaus)

Billard ['bɪljard, frz. bi'ja:r; frz., zu bille »Kugel«, »Ball«] *das,* Spiel für mindestens zwei Spieler auf einem 79–80 cm hohen B.-Tisch, einer rechteckigen Schieferplatte, die mit einem dünnen, grünen Tuch überspannt ist und eine federnde Umrandung (Bande) aufweist. Gespielt wird mit Elfenbein- oder Kunststoffkugeln (»Bälle«); sie werden mit einem konischen Stab (Queue), der mit einer Lederkuppe versehen ist, aneinander gestoßen. Die Anzahl der Kugeln, Verlauf und Ziel ihrer Bewegungen variieren je nach Spielform. Bei der **Karambolagepartie** (ein roter und zwei weiße Bälle) soll der Spielball den roten und den gegner. weißen Ball in einem Gang nacheinander treffen (1 Karambolage = 1 Point). Bei der schwierigeren **Cadrepartie** (seit 1883) ist die Spielfläche in Felder eingeteilt, in denen nur eine bestimmte Anzahl von Karambolagen gespielt werden darf. Wettbewerbe werden im Ein- und Dreiband, Cadre 47/1, Cadre 47/2, Cadre 71/2, der freien Partie, im Kunststoß und im Fünfkampf ausgetragen. Fachsprache ist Französisch.

Beim **B.-Kegeln** müssen mit dem Spielball möglichst viele der in der Mitte aufgestellten Kegel regelgerecht umgeworfen werden. Das **Pool-B. (American Pool),** wird mit sechs Löchern an den Ecken und Längsseiten des Tisches gespielt. Es gilt, mit dem weißen Spielball, ohne dass dieser in ein Loch fällt, die 15 verschiedenfarbigen und mit unterschiedl. Punkten bewerteten Bälle in die Löcher zu spielen.

Billa Warenhandel AG, Abk. für **bil**liger **La**den, größtes österr. Einzelhandelsunternehmen, gegr. 1953, AG seit 1977. Die B. W. wurde 1996 von der dt. Rewe-Handelsgruppe übernommen.

Bille *die,* rechter Nebenfluss der Elbe, rd. 55 km lang, durchfließt von der Hahnheide (Oberlauf unter Naturschutz) bis Bergedorf (Hamburg) die Geest, dann die Marsch, mündet in Hamburg-Rothenburgsort; Unterlauf durch Deiche, Kanalisierung und Hafenbecken stark verändert.

Billendorfer Gruppe, nach dem Gräberfeld bei Billendorf in der Niederlausitz (heute Białowice, Wwschaft Zielona Góra) benannte spätbronze- und früheisenzeitliche Kulturgruppe (9.–5. Jh.).

Billetdoux [bijɛ'du], François, frz. Schriftsteller, Schauspieler und Regisseur, * Paris 7. 9. 1927, † ebd. 26. 11. 1991; hatte Erfolg mit Theaterstücken, u. a. »Tschin-Tschin« (1959), »Durch die Wolken« (1964).

Billett [bil'jɛt, frz.] *das,* Fahrkarte, Eintrittskarte; *veraltet:* kurzes Schreiben.

Billiarde [frz.] *die,* 1 000 Billionen = 10^{15}.

billiges Geld (Politik des billigen Geldes, engl. Easy Money), geldpolit. Konzept zur Belebung der Konjunktur durch Senkung des gesamten Zinsniveaus.

Billigflaggen (billige Flaggen), Flaggen mancher Staaten (z. B. Liberia, Panama, Tonga), unter denen fremde Reeder Schiffe wegen steuerl. Vorteile sowie zur Umgehung von sozialrechtl. und Sicherheitsbestimmungen registrieren.

Billigkeit, *Recht:* die Beurteilung eines Rechtsfalles nach dem natürl. Gerechtigkeitsempfinden, in Ergänzung des geschriebenen Rechts, um Härten zu mildern. Die Idee der B. kommt u. a. in §§ 133, 242 BGB (Auslegung von Erklärungen nach »Treu und Glauben«) zum Ausdruck.

Richard Billinger

Theodor Billroth

Bilsenkraut
Schwarzes Bilsenkraut

Billinger, Richard, österr. Schriftsteller, *St. Marienkirchen (bei Schärding) 20. 7. 1890, †Linz 7. 6. 1965; Lyriker, Erzähler und Dramatiker von barocker Sprachkraft aus der Volkstradition. Dramen: »Das Perchtenspiel« (1928), »Der Gigant« (1937; verfilmt »Goldene Stadt«), »Bauernpassion« (1960). Erhielt 1932 (zus. mit E. Lasker-Schüler) den Kleist-Preis.

Billion *die,* 1 Million Millionen = 1000 Milliarden = 10^{12}; in den USA 1000 Millionen = 10^9.

Billiton, indones. Insel, →Belitung.

Bill of Rights [-ɔv ˈraɪts; engl. »Gesetz der Rechte«] *die,* engl. Staatsgrundgesetz von 1689, wurde nach der Vertreibung Jakobs II. vom Parlament entworfen und von den neuen Herrschern Wilhelm III. von Oranien und Maria II. angenommen; die Bestimmungen richten sich gegen den Katholizismus und Absolutismus, verbriefen u.a. die parlamentar. Redefreiheit, machen die Erhebung von Steuern und den Unterhalt eines stehenden Heeres von der Billigung des Parlaments abhängig. Die B. of R. schuf mit die Voraussetzungen für die parlamentar. Reg.form in Großbritannien.

Billroth, Theodor, Chirurg, *Bergen auf Rügen 26. 4. 1829, †Abbazia (heute Opatija) 6. 2. 1894; Prof. in Zürich und Wien; führte u.a. neuartige Magen- und Kehlkopfoperationen ein. Von B. stammt die Mischnarkose mit Äther und Chloroform **(B.-Narkose).**

Billunger, sächs. Fürstengeschlecht, das wahrscheinlich 961 mit Hermann Billung (†973) die sächs. Herzogswürde erhielt; starb 1106 aus.

Bilsenkraut (Teufelsauge, Tollkraut, Hyoscyamus), Gattung der Nachtschattengewächse. Wichtigste Art ist das **Schwarze B.** (Hyoscyamus niger), eine giftige Arzneipflanze. Das B. gehört zu den ältesten Gift- und Zauberpflanzen.

Bilsteinhöhle, Tropfsteinhöhle im Sauerland, im devon. Massenkalk des Arnsberger Waldes, südwestlich von Warstein, NRW.

Biluxlampe®, Zweifadenlampe für Fahrzeugscheinwerfer mit zwei getrennt schaltbaren Leuchtkörpern: für Fernlicht im Brennpunkt des Scheinwerferspiegels, für Abblendlicht außerhalb und durch Kappe abgedeckt.

Bimetall, feste, durch Schweißen, Löten oder Walzen hergestellte Verbindung zweier Metalle mit unterschiedl. Temperaturkoeffizienten. **B.-Streifen** krümmen sich bei Temperaturänderung verschieden stark und können u.a. elektr. Kontakte steuern. **B.-Platten** dienen als Druckplatten beim Offsetdruck.

Bimetallismus [lat.] *der,* →Doppelwährung.

Bimini, Inselgruppe der Bahamas, östlich von Miami (Florida).

Bimsstein [ahd. bumiz, aus lat. pumex »Lava«] (Bims), helles, aus kieselsäure- und gasreicher Lava schaumig erstarrtes Gesteinsglas. Ausgeworfene Lavafetzen werden abgelagert als **Bimssand** und **Bimskies;** verfestigt als **Bimstuff.** B. dient gemahlen als Polier- und Schleifmittel sowie als Beton- und Seifenzusatz.

binär [lat.], aus zwei Einheiten oder Zeichen bestehend, z.B. binäre Zahlen, Zahlen des →Dualsystems; binäre oder binominale →Nomenklatur.

Binärcode, Code, der nur aus zwei versch. Zeichen **(Binärzeichen)** aufgebaut ist (→Codierung); bes. geeignet zur Darstellung von Daten, die in digitaler Form übertragen oder mittels Computer verarbeitet werden sollen. Wichtig sind die aus Tetraden (d.h. 4-Bit-Einheiten) zusammengesetzten B., z.B. Aiken-Code, BCD-Code, Gray-Code.

Binärkampfstoffe, →Kampfstoffe.

binaurales Hören, das Abhören einer stereophon. Darbietung mit einem Kopfhörer oder zwei Lautsprechern (→Stereophonie); vermittelt einen räumlichen Eindruck.

Binchois [bɛ̃ˈʃwa], Gilles, frankofläm. Komponist, *Mons um 1400, †Soignies (Hennegau) 20. 9. 1460; war 1430–56 Kaplan der burgund. Hofkapelle; schrieb Kirchenwerke, Chansons.

Gilles Binchois mit Guillaume Dufay (links) in einer Buchillustration von 1442 (Paris, Bibliothèque Nationale)

Binde, gewebter oder geschnittener Streifen aus den verschiedensten Materialien (Mull, Gaze, Leinen, Papier) zum Anlegen von Verbänden; spezielle B. sind z.B. **Gips-B.** (zur Fixierung eines Körperteils) oder die mit Gummifäden verwebten **elast. B.** (zur Kompression von Weichteilen oder Krampfadern).

Bindegewebe, versch. gestaltetes Gewebe, das aus ortsständigen Zellen (z.B. Fibrozyten), frei bewegl. Zellen (z.B. Histiozyten) und einer Zwischenzellsubstanz (Interzellularsubstanz, die sich aus Fasern und ungeformter Grundsubstanz zusammensetzt) besteht. B. umhüllt Organe, verbindet sie miteinander, besitzt Stützfunktion, erfüllt versch. Stoffwechselleistungen und spielt eine Rolle in der Immunabwehr. Entsprechend der Differenzierung der Zellen werden embryonales B., gallertiges B., retikuläres B., Fettgewebe, fibrilläres B., lockeres B., straffes B., Knorpelgewebe und Knochengewebe unterschieden.

Bindegewebsentzündung, die →Zellgewebsentzündung.

Bindegewebsmassage, spezielle Form der Massage (Reflexzonenmassage), bei der durch intensives Streichen mit den Fingerkuppen ein Reiz auf das Unterhautbindegewebe ausgeübt wird, wodurch reflektorisch eine günstige funktionelle Beeinflussung der den massierten Körpersegmenten zugeordneten inneren Organe (→Head-Zonen) angestrebt wird. Anwendung bei Funktionsstörungen, z.B. Durchblutungsstörungen der Beine, und organ. Erkrankungen.

Bindehaut (Konjunktiva), die Lidinnenhaut (→Auge).

Bindehautentzündung (Konjunktivitis), entzündl. Erkrankung der Bindehaut, äußert sich in Rötung, Brennen, Fremdkörpergefühl, Lichtscheu und vermehrter Absonderung. Ursachen: Lichtreiz, Rauch, Fremdkörper, Gifte, Krankheitserreger.

Bindemittel, *Bautechnik:* Stoffe, die Festkörperpartikel untereinander und häufig auch mit dem Untergrund verbinden. Als B. werden ebenso die verbindenden Stoffe in Klebstoffen, Dichtungsmassen u.a. bezeichnet. Das Abbinden (Erhärten) kommt durch physikal. Vorgänge oder chem. Reaktionen zustande. **Anorgan. B.** sind pulverförmige, mit Wasser zu verarbeitende Stoffe, **hydraul. B.** (z.B. Zement) erhärten durch Hydratation an der Luft oder unter Wasser, **Luft-B.** erhärten nur an der Luft durch Reaktion mit Kohlendioxid (Kalk) oder durch Hydratation, **organ. B.** sind z.B. Alkyd- und Epoxidharze, Bitumen.

Binder, *Bautechnik:* 1) bei Ziegelmauerwerk der rechtwinklig zur Mauerflucht liegende Ziegel; B. werden in Schichten abwechselnd mit den längs der Mauerflucht liegenden **Läufern** vermauert; 2) bei Dachkonstruktionen senkrecht zur Firstlinie stehende Fachwerk- oder Vollwandträger.

Binderfarben, →Dispersionsfarben.

Bindestrich, zwei Wörter verbindender Querstrich.

Bindewort, →Konjunktion.

Bindigkeit, **1)** *Bodenkunde:* der Zusammenhalt von Bodenteilchen. Mit steigendem Gehalt an feinstkörnigen Bestandteilen und Feuchtigkeit nimmt die B. zu, die Bearbeitbarkeit ab (schwere Böden).

2) *Chemie:* (Bindungswertigkeit), Zahl der von einem Atom ausgehenden Atombindungen (d.h. der Elektronenpaare).

Binding, **1)** Karl, Strafrechtler, *Frankfurt a. M. 4. 6. 1841, †Freiburg i. Br. 7. 4. 1920, Vater von 2); Führer der an der Vergeltungstheorie festhaltenden klass. Schule im Strafrecht.

Werke: Die Normen und ihre Uebertretung, 4 Bde. (1872–1919); Die Schuld im dt. Strafrecht (1919).

2) Rudolf G(eorg), Schriftsteller, *Basel 13. 8. 1867, †Starnberg 4. 8. 1938, Sohn von 1); schrieb traditionalist. Prosa mit Betonung von Opfer und Heroismus. »Legenden der Zeit« (1909), »Opfergang« (1912), »Keuschheitslegende« (1919), »Moselfahrt aus Liebeskummer« (1932). Bekannte sich (passiv) zu den Ideen des Nationalsozialismus.

Bindung, **1)** *Fechten:* das Zur-Seite-Drücken der gegner. Klinge mit der eigenen.

2) *Physik, Chemie:* Zusammenhalt atomarer oder nuklearer Teilchen aufgrund von B.-Kräften versch. Art. Die Energiedifferenz zw. dem gebundenen System und dem Zustand, in dem die einzelnen Teilchen vollständig getrennt sind, heißt **B.-Energie.** Sind die Teilchen Atome, die zu einem Molekül oder Kristall zusammentreten, spricht man von →chemischer Bindung. Bei Nukleonen, die einen Atomkern bilden **(Kern-B.),** ist die B. mit einem →Massendefekt verbunden.

3) *Psychologie:* enge emotionale Beziehung eines Menschen zu einem anderen Menschen, auch die dauerhafte Bejahung bestimmter Werte; die Fähigkeit B. einzugehen oder der Grad der Skepsis gegenüber B. ist entscheidend für die Persönlichkeit eines Individuums.

4) *Skisport:* Vorrichtung zur Verankerung des Skischuhs auf dem Ski.

5) *Sprachwissenschaft:* in der generativen Grammatik die Beziehung zw. Nomen und Pronomen innerhalb eines Satzes.

6) *Textiltechnik:* die Art der Fadenverschlingungen. Zu einem Gewebe **(Web-B.)** gehören zwei sich rechtwinklig kreuzende Fadensysteme (Kette und Schuss). Die drei Grund-B. der Weberei sind: **Leinwand-B.** (bei Seide **Taft-B.**), **Köper-B.** und **Atlas-B.** – Wirk- und Strickwaren **(Wirk-B.)** haben entweder einen Faden, der mit sich selbst zur Masche verhängt wird (Kulierware), oder ein System von Fäden (Kettenwirkware), die miteinander als Maschen verbunden werden. – Bei Verkreuzung mehrerer Fäden nach Art eines Zopfes in Diagonalrichtung entstehen **Geflechte.**

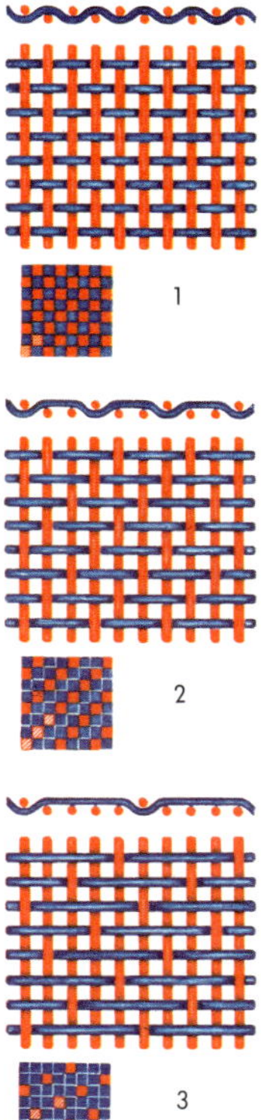

Bindung 6):
1 Leinwand- oder Taftbindung;
2 Köperbindung;
3 Atlasbindung

Bindungswertigkeit, die →Bindigkeit.

Bin el-Ouidane [bin ɛlwiˈdan, frz.], Talsperre im Mittleren Atlas in Marokko, 1948–55 errichtet, Stausee fasst 1,5 Mrd. m^3 Wasser, angeschlossen sind zwei Kraftwerke (zus. 500 MW).

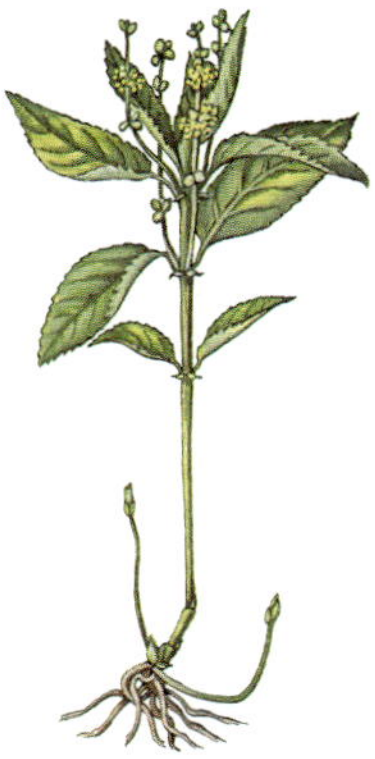

Bingelkraut

Gerd Binnig

Binet [bi'nɛ], Alfred, frz. Psychologe, *Nizza 11. 7. 1857, †Paris 18. 10. 1911; seit 1894 Direktor des psychophysiolog. Inst. an der Sorbonne. Der **Binet-Simon-Test,** der erste brauchbare Intelligenztest, enthält für 3- bis 15-Jährige altersspezif. Intelligenzaufgaben zur Bestimmung des Intelligenzalters.

Binge (Pinge), *Bergbau:* oberflächlicher Erdeinbruch durch das Zusammenstürzen von Grubenbauen.

Bingelkraut (Mercurialis), Gattung der Wolfsmilchgewächse mit gegenständigen Blättern und grünl., drei- bis vierblättrigen Blüten; giftig.

Bingen am Rhein, Stadt im Landkr. Mainz-Bingen, Rheinl.-Pf., an der Nahemündung, 24700 Ew.; FH; Apparate-, Automatenbau; Holzhandel, Weinbau, -handel, -brennereien, Sektherstellung; Fremdenverkehr. – Mit dem links der Nahe gelegenen, seit der 2. Hälfte des 19. Jh. entstandenen, bis 1945 preuß. **Bingerbrück** (seit 1968 eingemeindet), ist es durch die alte Drususbrücke verbunden. In B. am R. Stiftskirche St. Martin (15. Jh.); auf einer Felsklippe im Rhein der →Mäuseturm, nördlich davon das **Binger Loch** mit gefährl. Stromschnellen; hier beginnt das Durchbruchstal des Rheins durch das Rhein. Schiefergebirge. Über B. Burg Klopp, östlich der Rochusberg. – B. am R., das röm. **Bingium,** kam 983 an das Erzstift Mainz, 1816 an Hessen-Darmstadt.

Bingo [engl.] *das,* dem Lotto ähnl. Glücksspiel.

Binnenfischerei, →Fischwirtschaft.

Binnengewässer, *Völkerrecht:* die zum Gebiet eines Staates gehörenden und seiner Rechtsetzung unterworfenen natürl. und künstl. Wasserflächen (bes. Flüsse, Häfen, Reeden, Buchten).

Binnenhafen, Hafenanlagen an Kanälen, Flüssen, Binnenseen. (→Hafen)

Binnenhandel, Handel innerhalb der Grenzen eines Landes; Ggs.: Außenhandel.

Binnenland, die inneren, meerfernen Teile eines Festlandes; an der dt. Nordseeküste auch das innerhalb der Deiche liegende, geschützte Land im Gegensatz zum Butenland (Außenland).

Binnenmeer, nur durch eine schmale Meerenge mit dem Ozean verbundener Teil des Weltmeeres (z. B. Schwarzes Meer).

Binnenreim, Reim innerhalb der Verszeile.

Binnenschifffahrt, Schifffahrt auf Binnengewässern. Sie hat den Vorteil niedriger Kosten, denen allerdings die relative Langsamkeit der Beförderung und eine Abhängigkeit von Wasserstand, Strömungsgeschwindigkeit, Eis gegenüberstehen. Die B. eignet sich daher bes. für die Beförderung geringwertiger Massengüter. Daneben dient die B. auch der Beförderung von Personen (bes. Ausflugsverkehr). Von der dt. B. wurden (1993) insgesamt 218,3 Mio t Güter befördert. Der Rhein ist die wichtigste Wasserstraße. – Die bedeutendsten dt. Binnenhäfen sind Duisburg, Köln, Hamburg, Karlsruhe, Mannheim, Ludwigshafen, Frankfurt a. M. – Die privatrechtl. Verhältnisse in der B. werden durch das B.-Ges., u. a. die Rechtsstellung des Schiffseigners, Befugnisse und Pflichten des Schiffsführers und Grundzüge des Arbeitsrechts der Schiffsbesatzung. Aufgaben des Bundes bestehen in der Förderung der Binnenflotte und des Binnenschiffsverkehrs, der Abwehr von Gefahren für die Sicherheit und Leichtigkeit des Verkehrs, der Verhütung von der Schifffahrt ausgehender schädl. Umwelteinwirkungen, der Schiffseichung u. a. (B.-Aufgaben-Ges. i. d. F. v. 4. 8. 1986). Wirtschaftsrechtl. Regelungen (z. B. über Frachtentgelte) enthält das Ges. über den gewerbl. Binnenschiffsverkehr i. d. F. v. 8. 1. 1969. Verkehrspolizeil. Bestimmungen beinhaltet die B.-Straßenordnung, wobei für Donau, Mosel und Rhein Sondervorschriften gelten. Der Wahrung von Interessen der B.-Unternehmen dient der Bundesverband der dt. B. e. V., Duisburg. Zentrale Organisation ist der Verein für B. und Wasserstraßen e. V., Duisburg.

Binnenwanderung, der Wechsel des Wohnsitzes innerhalb der Staats- oder Landesgrenze; Ggs.: Ein- und Auswanderung.

Binnenwirtschaft, inländ. Wirtschaft einschl. des Zahlungsverkehrs und der Währungsgestaltung.

Binnig, Gerd, Physiker, *Frankfurt a. M. 20. 7. 1947; seit 1978 am IBM-Forschungslaboratorium in Rüschlikon (bei Zürich); entwickelte mit H. Rohrer das →Rastertunnelmikroskop. Hierfür erhielten beide 1986 den Nobelpreis für Physik (zus. mit E. Ruska).

Binningen, Gemeinde im schweizer. Kt. Basel-Landschaft, 13800 Ew.; astronomisch-meteorolog. Inst. der Univ. Basel.

Binoche [bi'nɔʃ], Juliette, frz. Filmschauspielerin, *Paris 9. 3. 1964; überzeugte das internat. Filmpublikum als Charakterdarstellerin v. a. in den Filmen »Die Liebenden von Pont Neuf« (1991); »Drei Farben: Blau« (1993) und »Der englische Patient« (1996).

Weitere Filme: Die Nacht ist jung (1986); Die unerträgliche Leichtigkeit des Seins (1987); Verhängnis (1992).

Binokel [lat.], **1)** *das, veraltet:* Brille, Lupe, Fernrohr für beide Augen.

2) *der,* schweizer. Kartenspiel mit 2 × 24 Blatt (Pikettkarte) für drei Personen.

binokular [lat.], für beide Augen eingerichtet; plastisch.

Binom [zu lat. bi- »zwei« und nomen »Name«] *das,* zweigliedriger mathemat. Ausdruck der Form $a + b$ oder $a - b$.

Binomialkoeffizienten, die Koeffizienten $\binom{n}{k}$ [gesprochen »n über k«] des →binomischen Lehrsatzes; für alle natürl. Zahlen n und k ($k<n$) gilt mit $\binom{n}{0}=1$:

$$\binom{n}{k} = \frac{n(n-1)\cdot n(n-2)\cdot \ldots \cdot n(n-k+1)}{k!} = \frac{n!}{(n-k)!\,k!}$$

mit $k! = 1\cdot 2\cdot 3\cdot \ldots \cdot k$ (→Fakultät). Beispiel:

$$\binom{10}{5} = \frac{10\cdot 9\cdot 8\cdot 7\cdot 6}{1\cdot 2\cdot 3\cdot 4\cdot 5} = \frac{30240}{120} = 252.$$

Die B. spielen eine große Rolle in der Wahrscheinlichkeitsrechnung, z.B. gibt es $\binom{49}{6}$ Möglichkeiten, 6 Zahlen aus einer Menge von 49 Zahlen auszuwählen. Die B. werden in der **Binominalverteilung** verallgemeinert, die für große Zahlen in die →Normalverteilung übergeht.

binomische Formeln, Formeln für die Produkte und Potenzen von Binomen; es gilt:

$$(a+b)\cdot(a-b) = a^2-b^2$$
$$(a\pm b)^2 = a^2 \pm 2ab+b^2$$
$$(a\pm b)^3 = a^3 \pm 3a^2b+3ab^2 \pm b^3 \text{ usw.,}$$

die allg. Formel liefert der →binomische Lehrsatz.

binomischer Lehrsatz, Formel zur Berechnung höherer Potenzen von Binomen; es gilt für alle natürl. Zahlen n:

$$(a+b)^n = \binom{n}{0}a^n + \binom{n}{1}a^{n-1}b + \binom{n}{2}a^{n-2}b^2 + \ldots + \binom{n}{n}b^n$$

die Koeffizienten $\binom{n}{k}$ heißen →Binomialkoeffizienten. Der b. L. lässt sich für beliebige reelle Zahlen (statt n) verallgemeinern.

Binormale *die, Mathematik:* die Senkrechte auf Tangente und Normale in einem Punkt einer Raumkurve.

Binse, grasähnliche Sumpfpflanze (→Binsengewächse).

Binsengewächse (Juncaceae), Familie der Einkeimblättrigen, mit etwa 300 krautigen, grasähnl. Arten in kühleren Erdgebieten, meist Sumpfpflanzen; häufig vielblütige Blütenstände.

Binswanger, Ludwig, schweizer. Psychologe und Psychiater, * Kreuzlingen 13. 4. 1881, † ebd. 5. 2. 1966; begründete, beeinflusst durch S. Freud, E. Husserl und M. Heidegger und in Auseinandersetzung mit der Psychoanalyse, die daseinsanalyt. Forschungsrichtung und Psychotherapie.

Werke: Grundformen und Erkenntnis menschl. Daseins (1942); Der Mensch in der Psychiatrie (1957).

Ludwig Binswanger

Bintan, Hauptinsel der Riauinseln, Indonesien, 1075 km², rd. 50 km südöstlich von Singapur, etwa 124000 Ew.; von Malaien und Chinesen bewohnt; Bauxit-, Zinnerzabbau.

Binturong [indones.] *der* (Bärenmarder, Marderbär, Arctictis binturong), nachtaktive →Schleichkatze Indiens und S-Chinas; Baumtier mit Greifschwanz.

Binz: Das Kurhaus (1907)

Binz, Gemeinde (Ostseebad) an der O-Küste der Insel Rügen, Landkreis Rügen, Meckl.-Vorp., 6200 Ew.; nahebei das Jagdschloss Granitz (1836–46).

bio... [grch.], leben(s)...

Bioakkumulation, die Anreicherung v.a. von oft giftig wirkenden anorgan. und organ., auch von radioaktiven Substanzen in Organismen nach Aufnahme aus Luft, Boden und Wasser.

Biobío [bio'βio], Hauptfluss im mittleren Chile, 380 km, mündet bei Concepción in den Pazif. Ozean.

Biochemie, die Lehre von der Zusammensetzung und dem Zusammenwirken der am Aufbau der Lebewesen und deren Stoffwechsel beteiligten chem. Verbindungen. Sie ist ein Grenzgebiet zw. Chemie, Medizin und Biologie. Die **stat.** oder **deskriptive B.** behandelt die Zusammensetzung, Struktur und Beschreibung der organ. Naturstoffe einschl. der Enzyme, Vitamine, Hormone, Proteine, Träger der Erbinformation u.a. Die **dynam. B.** sucht das Zusammenwirken der versch. Komponenten, die Steuerungs- und Regulationsmechanismen des Stoffwechsels, der Assimilation oder der Übermittlung der genet. Information zu erforschen.

📖 STRYER, L.: *B. A. d. Amerikan. Heidelberg u. a. ⁴1996. – Lexikon der B. u. Molekularbiologie, Redaktion* R. SAUERMOST. *3 Bde. u. 2 Erg.-Bde. Freiburg i. Br. u. a. 1991–95.* – BUDDECKE, E.: *Grundriß der B. für Studierende der Medizin, Zahnmedizin u. Naturwissenschaften. Berlin u. a. ⁹1994.* – KARLSON, P. *u. a.: Kurzes Lehrbuch der B. für Mediziner u. Naturwissenschaftler. Stuttgart u. a. ¹⁴1994.*

biochemischer Sauerstoffbedarf, Abk. **BSB,** Kenngröße für den Gehalt an biologisch abbaubaren Wasserinhaltsstoffen. Der b. S. ist die Sauerstoffmenge, die Mikroorganismen bei 20 °C innerhalb einer bestimmten Zeit verbrauchen.

Biochip [-tʃɪp, engl.], ein in der Entwicklung befindl., aus organ. Verbindungen (Biopolymere) mit Halbleitereigenschaften bestehender Mikroprozessor mit sehr hoher Schaltelementdichte (um den Faktor 1 Mrd. höher als bei Siliciumchips gleicher Größe). Aus B. zusammengesetzte Biocomputer könnten im Unterschied zu heutigen Computern ein dreidimensionales Informationsnetz aufbauen. Damit wäre – ähnlich wie beim menschlichen Gehirn – das Verarbeiten äußerst komplexer Muster möglich.

Biochorion [grch.] *das* (Biochore), kleiner inselartiger Teil eines Biotops mit den darin lebenden Arten.

Biodiversität, →Konvention zum Schutz der biologischen Vielfalt.

Biodynamik, Wissenschaft, die sich mit den Einflüssen physikal. Faktoren wie Beschleunigung, Stoß, Vibration und Schwerelosigkeit auf die organ. Funktionen und die Verhaltensweise von Organismen befasst.

Bioelemente (biophile Elemente), am Aufbau der Lebewesen beteiligte Elemente: Kohlenstoff, Wasserstoff, Sauerstoff, Stickstoff, Schwefel, Phosphor, Chlor, Natrium, Kalium, Calcium, Magnesium, Eisen und katalytisch wirksame →Spurenelemente.

Bioenergetik, Teilgebiet der Biophysik; untersucht die stoffl. Umwandlungen, die sich unter Veränderung des Energiegehaltes vollziehen.

Bioenergie, aus dem Primärenergieträger →Biomasse durch Energieumwandlung nutzbar gemachte Energie.

Bioethik, Teilgebiet der angewandten Ethik, das sich mit sittl. Fragen zu Geburt, Leben und Tod im Hinblick auf neue Entwicklungen und Möglichkeiten der biologisch-medizin. Forschung und Therapie befasst.

Biofilter, zur biolog. Abgas- oder Abluftreinigung verwendeter Filter, z. B. aus Torf oder Kompost; bes. geeignet bei geruchsintensiven Schadstoffen geringer Konzentration.

Biogas (Faulgas), brennbares Gasgemisch, das bei der Zersetzung von Biomasse wie Fäkalien, Gartenabfällen, Stroh u. a. durch Bakterien unter Luftabschluss (anaerob) entsteht. Beim Einsatz von Klärschlamm spricht man von **Klärgas.** B. enthält 50–70 % Methan, 30–45 % Kohlendioxid, geringen Mengen Stickstoff, Wasserstoff, Schwefelwasserstoff u. a. und hat einen Brennwert (bei 60 % Methan) von etwa 24 MJ/m³.

Biogemüse, Gemüse aus Anbaumethoden, bei denen u. a. statt mineral. Stickstoff (Stickstoffdünger) organisch gebundener (u. a. Mist, Kompost) verwendet wird (→biologischer Landbau).

biogen [grch.], durch Lebewesen entstanden.

biogenetische Grundregel (Rekapitulationstheorie), ein von E. Haeckel und F. Müller aufgestelltes Entwicklungsgesetz, wonach der Entwicklungsablauf (Ontogenese) eines Individuums eine kurze, gedrängte Wiederholung der Entwicklungsgeschichte (Phylogenese) des zugehörigen Stammes ist. Haeckel unterschied: **Palingenese** (Auszugsentwicklung), die Wiederholung der Stammesentwicklung, und **Zänogenese** (Störungsentwicklung), die Neuentwicklung oder Abwandlung der Stammesentwicklung in der Individualentwicklung. Beispiel: Bildung von Kiemenbögen bei allen Wirbeltierembryonen. Für die Rekonstruktion stammesgeschichtl. Zusammenhänge hat die b. G. nur beschränkten Wert.

Biogenie (Biogenese) [grch.] *die,* die Entstehung des Lebens, auch Bildungsgeschehen in lebenden Körpern.

Biogeochemie (Geobiochemie), zw. Bio- und Geochemie stehendes, der ökolog. Chemie verwandtes, interdisziplinäres Forschungsgebiet, das sich mit den Wechselwirkungen zw. Stoffen und Organismen in Litho-, Hydro- und Atmosphäre befasst. – Bei der **biogeochem. Prospektion (Biogeoprospektion)** dient die chem. Analyse von Metall anzeigenden Pflanzen oder Mikroorganismen zum Auffinden und Lokalisieren bes. von Erzlagerstätten.

Biogeographie, Lehre von der räuml. Verbreitung der Lebewesen (Pflanzen- und Tiergeographie), Erforschung der Struktur und Funktion von Arealen und Ökosystemen.

Biographie [grch.] *die,* wiss. oder literar. Darstellung der Lebensgeschichte eines Menschen. Zum biograph. Schrifttum gehören die z. T. monumentalen Sammel- und National-B., Parallel- und Einzel-B. sowie Heiligenviten, Nekrologe, Charakteristiken und biograph. Romane. – Die **Biographik** (Kunst der Lebensbeschreibung) ist ein Zweig der Geschichtsschreibung. In der **Auto-** oder **Selbst-B.** gibt der Verfasser selbst eine Darstellung seines Lebensweges. – Als literar. Gattung entstand die B. in der Antike (Plutarch, Tacitus, Sueton). Das MA. entwickelte die Heiligen-B. (→Hagiographie); daneben die Fürsten-B. Die Renaissance hob v. a. das Individuelle und den Ruhm einer Persönlichkeit hervor (G. Vasari); in späteren Jh. entwickelten sich Formen der B. auf Grundlage historisch-krit. Quellen, mit zeit- und geistesgeschichtl. Hintergrund, als witzig-iron. B. oder psychologisch einfühlsame literar. und histor. Porträts bis hin zur biograph. Belletristik.

📖 HIEBEL, F.: *Biographik u. Essayistik. Bern u. a. 1970.* – SCHEUER, H.: *B. Stuttgart 1979.* – *Deutsches Biograph. Archiv. Eine Kumulation aus 264 der wichtigsten biograph. Nachschlagewerke für den dt. Bereich bis zum Ausgang des 19. Jh.s, hg. v.* B. FABIAN, *bearb. v.* W. GORZNY *u. a., 1447 Mikrofiches. München u. a. 1982–85; als Register dient: Deutscher Biograph. Index, hg. v.* W. GORZNY, *bearb. v.* H.-A. KOCH *u. a., 4 Bde. München u. a. 1986; als CD-ROM u. d. T. Internationaler Biograph. Index, 1994.* – *Vom Anderen u. vom Selbst, hg. v.* R. GRIMM *u.* J. HERMAND. *Königstein/Ts. 1982.* – SCHLEUCHER, K.: *Der Biograph. Seine Versuche u. seine Versuchungen, hg. v. der Gesellschaft Hessischer Literaturfreunde. Darmstadt 1992.* – *B. zwischen Renaissance u. Barock. Zwölf Studien, hg. v.* W. BERSCHIN. *Heidelberg 1993.*

Bioindikatoren, Organismen mit speziellen Umweltansprüchen, deren Vorkommen oder Fehlen in einem Biotop entsprechende Umweltqualitäten anzeigt (z. B. Flechten als Indikatoren für Luftverschmutzung, Saprobien zur Beurteilung der Wasserqualität).

Biokeramik, keram. Werkstoffe (bes. hochreines Aluminiumoxid), die eine gute Verträglichkeit mit biolog. Gewebe aufweisen und daher als Knochen-, Gelenk- oder Zahnwurzelersatz in der Medizintechnik verwendet werden können.

Bioklimatologie (Bioklimatik), die Lehre von der Beeinflussung biolog. Vorgänge in Mensch, Tier und Pflanze durch Wetter und Klima.

Bioko (früher Fernando Póo), vulkan. Insel im Golf von Guinea, Teil der Rep. Äquatorialguinea, mit Hptst. Malabo, 2017 km², etwa 100 000 Ew.; im Pico de Santa Isabel 3007 m hoch, fast ganz von trop. Regenwald bedeckt. Die Ureinwohner gehören dem Bantustamm der Bubi an. Die Mehrheit der Bev. sind Nachkommen englischsprachiger Kreolen (Fernandinos). Hauptausfuhr: Kakao, Kaffee, Holz; Haupthafen Malabo. – Die Insel wurde 1469 von dem Portugiesen Fernão do Pó entdeckt, war 1778–1959 span. Kolonie, dann Provinz. 1968 wurde sie als Teil von Äquatorialguinea unabhängig.

Biokonversion, Verfahren, mit dessen Hilfe Biomasse durch mikrobielle Einwirkung in andere Produkte, bes. Energieträger (z. B. →Biogas), umgewandelt wird.

Biokraftstoff, aus Pflanzen oder pflanzl. Abfällen gewonnene Kraftstoffe. Hierzu gehören **Bioalkohol** (durch Vergärung z. B. von Zuckerrohr gewonnener Äthylalkohol), der v. a. im Gemisch mit Normalbenzin verwendet wird (→Gasohol) und **Biodiesel** (aus ölhaltigen Pflanzen wie Raps oder Nüssen gewonnen). Biodiesel kann in einem auf Pflanzenölbetrieb umgestellten Verbrennungsmotor (Elsbett-Motor) eingesetzt werden. Als Rapsmethylester (durch Zusatz von Methanol gewonnen) eignet er sich auch für übl. Dieselmotoren. – Versuchsprojekte für den zurzeit noch problemat. Einsatz (Abgasemissionen, -geruch, Temperatureinsatzbereich) von B. werden seit 1992 von mehreren Bundesländern gefördert.

Bioläden (Naturkostläden, Ökoläden, Makroläden), in Anlehnung an C. W. Hufelands Makrobiotik Bez. für Einzelhandelsgeschäfte, die v. a. Lebensmittel anbieten, die mit Methoden des →biologischen Landbaus erzeugt werden, aber auch naturbelassene Produkte (z. B. Textilien, Reinigungsmittel).

Biolith [grch.] *der,* aus Resten von Pflanzen **(Phytolithe)** oder Tieren **(Zoolithe)** gebildetes Sedimentgestein; brennbare B. heißen **Kausto-B.,** nicht brennbare **Akaustobiolith.**

Biological Monitoring [baɪəˈlɔdʒɪkəl ˈmɔnɪtrɪŋ, engl.] *das,* Verfahren zur Beurteilung der Belastung des Menschen durch bestimmte Arbeits-(Schad-)Stoffe unter besonderer Berücksichtigung der Arbeitswelt und Umwelt; dabei werden durch Messungen in biolog. Material (Blut, Harn) Umwandlungsprodukte im Körper oder andere biochem. Verbindungen nachgewiesen.

Biologie [grch.] *die,* Wissenschaft, die die Erscheinungsformen lebender Systeme (Mensch: Anthropologie; Tier: Zoologie; Pflanze: Botanik; Mikroorganismen: Mikrobiologie), ihre Beziehungen zueinander und zu ihrer Umwelt sowie die Vorgänge, die sich in ihnen abspielen, beschreibt und untersucht. Die **allgemeine B.** befasst sich mit den grundlegenden Erscheinungen und Gesetzmäßigkeiten des Lebens. Morphologie und Anatomie untersuchen den Bau des Organismus, Embryologie und Entwicklungsphysiologie die Vorgänge der Ontogenese. Die Paläontologie studiert die Lebewesen der Vorzeit. Die Biochemie untersucht den stoffl. Aufbau und die Reaktionen im molekularen Bereich, die Biophysik die physikal. Prozesse im Organismus und die Wirkung physikal. Faktoren auf ihn. Das Verhalten der Tiere untersucht die Ethologie, die Funktionen des Organismus und seiner Teile die Physiologie. Die Genetik erforscht die Gesetzmäßigkeiten der Vererbung. Die Abstammungslehre (Deszendenztheorie) ist die umfassendste biolog. Theorie; ihr Gegenstand sind die Entwicklung der Lebewesen im Verlaufe der Erdgeschichte (Phylogenetik) und die Ursachen der Entwicklung (Evolutionsfaktoren). Die Ökologie behandelt die Wechselbeziehungen zw. Organismus und Umwelt, die Biogeographie die Verbreitung der Pflanzen (Pflanzengeographie, Geobotanik) bzw. der Tiere (Tiergeographie, Zoogeographie) und ihre geographisch bedingte Veränderung. Die Systematik oder Taxonomie benennt und klassifiziert die Lebewesen entsprechend ihren Verwandtschaftsbeziehungen.

Die **spezielle B.** untersucht einzelne Organismengruppen, z. B. Ornithologie (Vögel), Entomologie (Insekten), Mykologie (Pilze).

Eine große Ausweitung haben v. a. in den letzten Jahrzehnten die zur **angewandten B.** zählenden Disziplinen erfahren. Beispiele sind: Gentechnologie (Genetik); Bionik (Biophysik); Pflanzenzucht, Phytopathologie und Pflanzenschutz, Forstbotanik (Botanik); Biotechnologie (Mikro-B.); Tierzucht, medizin. Entomologie, Parasitologie (Zoologie); Chromosomendiagnostik, Blutgruppendiagnostik (Human-B., Humangenetik).

Geschichte: Die wiss. Erforschung von Lebewesen begann in der grch. Antike, wobei die Naturbeobachtung meist in ein kosmolog. System einbezogen wurde. Aristoteles (4. Jh. v. Chr.) beschrieb Körperbau, Entwicklung und Lebensweise einzelner Tiere und versuchte eine systemat. Gliederung des Tierreichs. Theophrast (3. Jh. v. Chr.) gilt als Begründer der Botanik. Die Erfindung des Mikroskops lenkte im 17. Jh. das Augenmerk der Biologen auf die Mikro-B. und die Pflanzenanatomie. Das Experiment wurde in die B. eingeführt, physikal. Messinstrumente fanden in biolog. Experimenten Anwendung. Im 18. Jh. wurden die mikroskop. Forschungen bes. in der Entwicklungsphysiologie fortgesetzt. Um die Mitte des 19. Jh. vollzog sich die Wende zur modernen B. Anatomie und Morphologie wurden stärker gegen die Physiologie abgegrenzt, die experimentelle Physiologie wurde durch physikal. und chem. Erkenntnisse und Methoden gefördert. Etwa seit 1915 gelangen die Kultur und Züchtung lebender Gewebe außerhalb des Organismus. Ein Wandel in den Grundlagen der B. bahnte sich durch die Einbeziehung der Virusforschung und der Biochemie seit den 1930er-Jahren an.

📖 JAHN, I.: *Grundzüge der Biologiegeschichte. Jena 1990. – Allgemeine B., bearb. v.* E. GÜNTHER *u. a., hg. v.* E. LIBBERT. *Jena ⁷1991. – B. Ein Lehrbuch, hg. v.* G. CZIHAK *u. a. Berlin u. a. ⁶1996.*

biologisch-dynamische Wirtschaftsweise, biolog. Landbauverfahren auf der Grundlage der Anthroposophie: Naturdüngung, Wechsel der Fruchtfolge, biolog. Schädlingsbekämpfung, Aussaat bei bestimmten Mondstellungen.

Biologische Bundesanstalt für Land- und Forstwirtschaft, Abk. **BBA,** Hauptsitz Braunschweig; zuständig für Prüfung und Zulassung von Pflanzenschutzmitteln und -geräten, Rechtsangelegenheiten, Dokumentation und Information in Belangen des Pflanzen- und Vorratsschutzes; außerdem mehrere Forschungsinstitute.

biologische Medizin, → Naturheilkunde.

biologischer Landbau (alternativer Landbau, ökologischer Landbau), im Unterschied zur konventionellen (technisch-ökonom.) Landwirtschaft alle Formen des Landbaus, die gemeinsam folgende Grundsätze haben: Der landwirtsch. Betrieb ist ein Ökosystem, in dem ein geschlossener Kreislauf mit geringstmögl. Verbrauch nicht erneuerbarer Energie- und Rohstoffvorräte angestrebt wird; Bodenfruchtbarkeit hat den höchsten Stellenwert; Bodenbearbeitung nur unter Schonung der Bodenorganismen und der Bodenstruktur; keine Verwendung von synthet. Düngemitteln oder Herbiziden; möglichst Verzicht auf Pestizide; Anstreben der biolog. Selbstregulation des Ökosystems.

📖 *Ökolog. Landwirtschaft. Pflanzenbau, Tierhaltung, Management, hg. v.* I. LÜNZER *u.* H. VOGTMANN. *Mit Beiträgen v.* G. ALVERMANN *u. a. Loseblatt-Ausg. Berlin u. a. 1994 ff. – Ökolog. Landbau. Perspektive für die Zukunft. Beiträge zur Überwindung der Agrarkrise, hg. v.* JOCHEN MAYER *u. a. Bad Dürkheim 1994.* – PREUSCHEN, G.: *Ackerbaulehre nach ökolog. Gesetzen. Das Handbuch für die neue Landwirtschaft. Heidelberg ²1994.*

biologisches Gleichgewicht (biozönotisches Gleichgewicht, ökologisches Gleichgewicht), dynam. Gleichgewichtszustand in einer Lebensgemeinschaft, der die Stabilität seiner versch. Populationen erhält, wenn nicht durch Katastrophen (z. B. Feuer) oder durch menschl. Eingriffe (z. B. Kultivierung) das System zerstört wird.

biologische Waffen, → ABC-Waffen.

Biologismus *der,* krit. Bez. für die Anwendung biolog. Begriffe und Modelle auf nichtbiolog. Wissensbereiche; i. e. S. philosoph. Richtungen, die bes. unter dem Einfluss des Darwinismus die Wirklichkeit (einschließlich der seelisch-geistigen) auf der Grundlage des organisch-biolog. Lebens zu deuten und z. T. die Philosophie durch die Biologie (»Metabiologie«) zu ersetzen suchen.

Biom [zu grch. bíos »Leben«] *das,* Organismengemeinschaft eines größeren, einer bestimmten Klimazone entsprechenden geograph. Lebensraums, in dem sich ein einigermaßen ausgewogenes biolog. Gleichgewicht eingestellt hat.

BIOMASS, Abk. für engl. **B**iological **i**nvestigations **o**f **m**arine **A**ntarctic **s**ystems and **s**tocks, internat. Programm (1980–86) zur Erforschung des Ökosystems in den Meeren der Antarktis, bes. der Nahrungskette ihrer Lebewesen, deren Fortpflanzungsverhaltens und der menschl. Einflüsse.

Biomasse, Gesamtheit aller lebenden, toten und zersetzten Organismen und der von ihnen stammenden Substanz (hauptsächlich innerhalb eines bestimmten Lebensraums). Weltweit entstehen auf dem Festland jährlich etwa 200 Mrd. t B. (zu 99 % pflanzl. Ursprungs). Etwa 2 % der jährlich neu gebildeten B. dienen als Nahrungs- und Futtermittel, etwa 1 % wird zu Papier und Faserstoffen verarbeitet. Im Zuge des drohenden Versiegens der Rohstoffquellen steigt in neuerer Zeit das Interesse an B. als regenerativer Energiequelle.

📖 OSTEROTH, D.: *B. Rückkehr zum ökolog. Gleichgewicht. Berlin u. a. 1992. – Energie aus B. Eine Chance für die Landwirtschaft, hg. v.* H. FLAIG *u.* H. MOHR. *Berlin u. a. 1993.*

Biomathematik, Anwendung mathemat. Methoden auf biolog. Probleme, bes. die Analyse mathemat. Modelle und statist. Verfahren für Organismen und Populationen.

Biometeorologie (Meteorobiologie), Erforschung der Einflüsse meteorolog. Erscheinungen auf die Lebewesen.

Biometrik (Biometrie, biologische Statistik, Biostatistik) *die,* Erfassung und Bearbeitung von Mess- und Zählwerten in allen Bereichen der Biologie, Medizin und Landwirtschaft.

Biomineralisation, Bildung von Biomineralen (z. B. Apatit, Calcit, Kieselsäure) im lebenden Organismus zum Aufbau von Hartteilen (Knochen, Zähne; Korallenriffe) oder Fremdkörpern (Gallensteine).

Biomonitoring [-ˈmɔnɪtrɪŋ, engl.] *das,* Verfahren, bei dem durch Untersuchung und Beobachtung möglichst standorttreuer Vögel und Säugetiere der Grad der Gefährdung eines Ökosystems durch umweltbelastende Stoffe zuverlässig bestimmt werden kann. So kann man durch quantitativen Nachweis von Schwermetallen (z. B. Blei und Cadmium in Vogelfedern während der Mauser) Rückschlüsse auf die Belastung des betrachteten Ökosystems mit diesen Schwermetallen ziehen.

Bionik [Kw. aus **Bio**logie und Tech**nik**] *die,* technisch orientierte Wissenschaftsdisziplin mit dem Ziel, gegebene Konstruktionen der belebten Natur im Hinblick auf techn. Verwertbarkeit zu untersuchen und als Anregung für eigenständiges techn. Gestalten zu nehmen, z. B. Schwingflossenvortrieb nach Art der Fischflosse, Bilderkennungsschaltung nach Art des Insektenauges, Übertragung der Mutations-Selektions-Kriterien der natürl. Evolution auf die Technik (Prinzipien der »Evolutionsstrategie«).

📖 *Erfindungen der Natur. B. – die Technik lernt von Tieren u. Pflanzen, bearb. v.* Y. COINEAU *u. a. A. d. Frz., Nürnberg u. a. 1989.*

Biopharmazie, Fachrichtung der Pharmazie; befasst sich mit den physikalisch-chem. Eigenschaften von Arzneimitteln als Voraussetzung für deren Wirkung, v. a. deren →Bioverfügbarkeit.

Biophylaxe [zu grch. phýlaxis »Schutz«] *die* (Bioprotektion), →Lebensschutz.

Biophysik, Teilgebiet der →Physik, das biolog. Objekte und Vorgänge mit physikal. Methoden untersucht und erklärt. Wichtige Verfahren sind z. B. die Röntgenstrukturanalyse, bed. Teilgebiete u. a. die Biomechanik, Bioakustik, Bioenergetik und Thermodynamik offener Systeme, molekulare B. und Strahlen-B. (→Strahlenbiologie).

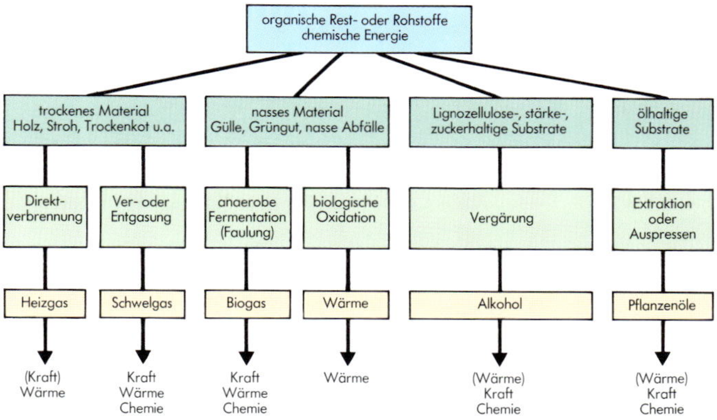

Quelle: Bundesminister für Ernährung, Landwirtschaft und Forsten. Bericht über die Energiesituation in der Land- und Forstwirtschaft, 1980

Biomasse: Darstellung der Umwandlung und Nutzung von Energie aus Biomasse

Biopsie [grch.] *die,* Untersuchung von Gewebe, das dem lebenden Organismus entnommen ist, zur Krankheitserkennung.

Biorhythmus (Biorhythmik), die Erscheinung, dass bei Organismen manche Lebensvorgänge in einem bestimmten tages- oder jahreszeitl. Rhythmus ablaufen (z. B. Winterschlaf bei Tieren, Eisprung). Davon abgeleitet die wiss. nicht fundierte Theorie, nach der das Leben des Menschen vom Tag der Geburt an in wellenförmigen (sinusförmigen) Phasen von 23 (phys. Aktivität), 28 (Gefühlsleben) und 33 (intellektuelle Leistungen) Tagen verläuft.

Biosatelliten, künstl. Erdsatelliten mit biomedizin. Aufgabenstellungen, z. B. Untersuchung der physiolog. und genet. Reaktionen unter kombiniertem Einfluss von Schwerelosigkeit und Strahlung auf Zellen, Pflanzen und Tiere.

Biosphäre, die Gesamtheit der mit Lebewesen besiedelten Schichten der Erde: Atmo-, Hydro- und Pedosphäre.

Biosphärenreservat, Bez. für ein von der UNESCO innerhalb ihres 1968 begonnenen Programmes »Mensch und Biosphäre« unter Schutz gestelltes Gebiet, das für das jeweilige →Biom repräsentativ ist oder eine Besonderheit darstellt; in Dtl. gab es 1996 folgende B.: Bayer. Wald, Berchtesgaden, Hamburgisches Wattenmeer, Mittlere Elbe, Niedersächsisches Wattenmeer, Pfälzerwald, Rhön, Schleswig-Holsteinisches Wattenmeer, Schorfheide-Chorin, Spreewald, Südost-Rügen, Vessertal-Thüringer Wald, Oberlausitzer Heide- und Teichlandschaft. ÜBERSICHT S. 144

Biosynthese, Aufbau organischer Substanzen (Zucker, Fette, Nucleinsäuren, Proteine) im lebenden Organismus oder in zellfreien Systemen durch die entsprechenden isolierten Zellkomponenten.

Biosphärenreservate in Deutschland (in ha; Stand 1996)

Biosphärenreservat	Kernzone	Pflegezone	Entwicklungszone	Gesamtfläche
Mittlere Elbe (seit 1979)	665	6337	35998	43000
Vessertal-Thüringer Wald (seit 1979)	276	2189	14777	17242
Bayerischer Wald (seit 1981)	10200	3100	–	13300
Berchtesgaden (seit 1990)	16982	3835	25925	46742
Schleswig-Holsteinisches Wattenmeer (seit 1990)	85275	199725	–	285000
Schorfheide-Chorin (seit 1990)	3500	23100	102500	129100
Rhön (seit 1991)	4199	67483	113257	184939
Spreewald (seit 1991)	969	8723	38771	48463
Südost-Rügen (seit 1991)	349	3204	19947	23500
Hamburgisches Wattenmeer (seit 1992)	10530	1170	–	11700
Niedersächsisches Wattenmeer (seit 1992)	130000	108000	2000	240000
Pfälzerwald (seit 1992)	1400	51900	126500	179800
Oberlausitzer Heide- und Teichlandschaft (seit 1996)	1035	11637	13683	26355

Biot [bjo; frz., nach J.-B. Biot] *das,* Einheitenzeichen **Bi,** Einheit für die elektr. Stromstärke im →CGS-System; 1 Bi = 10 Ampere.

Jean-Baptiste Biot
(anonymer Stich)

Biot [bjo], Jean-Baptiste, frz. Physiker und Astronom, *Paris 21. 4. 1774, †ebd. 3. 2. 1862; lieferte u.a. wichtige Beiträge zur Optik (Polarisation, Doppelbrechung) und stellte zus. mit F. →Savart das nach ihnen benannte **biot-savartsche Gesetz** der magnet. Wirkung stationärer elektr. Ströme auf.

Biotechnik, Wissenschaftsdisziplin im Grenzbereich zw. Biologie und techn. Physik, die die im Rahmen der →Bionik gewonnenen Erkenntnisse technisch nutzbar macht, z.B. im Bauwesen, Flugzeug- und Schiffsbau.

Biotechnologie, Wissenschaft von den Methoden und Verfahren, die zur techn. Nutzbarmachung biolog. Prozesse und bei der Umwandlung von Naturprodukten angewendet werden. Die B. erarbeitet die Grundlagen für die Verwendung von lebenden Organismen, v.a. Mikroorganismen, in techn. Prozessen (z.B. bei der biolog. Abwasserreinigung, bei Gärungsprozessen, bei der Herstellung von Enzymen, Antibiotika u.a.). Neben mikrobiolog. und biochem. werden zunehmend auch gentechnolog. Methoden wie Zellfusion, Genvervielfachung mittels Bakteriophagen und Plasmiden angewandt (→Gentechnologie).

Adolfo Bioy Casares

📖 *Handbuch der B., hg. v.* P. PRÄVE *u.a. München u.a.* [4]*1994. – B. – Gentechnik. Eine Chance für neue Industrien, hg. v.* TH. VON SCHNELL *u.* H. MOHR. *Berlin u.a. 1995.* – BUD, R.: *Wie wir das Leben nutzbar machten. Ursprung u. Entwicklung der B. A.d. Engl. Braunschweig u.a. 1995.*

Biotin *das,* Vitamin H (→Vitamine).

biotisch [zu grch. bíos »Leben«], auf Organismen, Lebensvorgänge bezogen.

Biotit [nach J.-B. Biot] *der,* Mineral, →Glimmer.

Biotop [zu grch. tópos »Ort«] *der* oder *das,* von einer Lebensgemeinschaft oder einer bestimmten Organismenart besiedelter Lebensraum (Moor, Wald, Wiese) innerhalb eines Ökosystems. Ein B.-Schutz ist Voraussetzung für einen wirksamen →Artenschutz.

Biotransformation (Biokonversion), Methode zur enzymatischen Veränderung von Substanzen mithilfe von Mikroorganismen, fixierten Zellen sowie isolierten freien oder trägergebundenen Enzymen.

Biotropie [grch.] *die,* eine die Lebensvorgänge beeinflussende Wirkung. Bestimmte Wettervorgänge sind **biotrop,** z.B. phys. und psych. Reaktionen bei Föhn.

Biotypen, Gruppe von genetisch gleichen Organismen einer Population, entstanden durch Selbstbefruchtung oder Parthenogenese.

Bioverfügbarkeit, Ausmaß und Geschwindigkeit, mit der ein Arzneistoff in wirksamer Form den Blutkreislauf erreicht. Die B. ist von der Freisetzung aus der Arzneiform (z.B. Tablette, Zäpfchen, Salbe) und der Resorption abhängig.

Bioy Casares ['biɔj ka'sares], Adolfo, argentin. Schriftsteller, *Buenos Aires 15. 9. 1914; neben J. L. Borges, mit dem er lange zusammenarbeitete (gemeinsames Pseudonym: H. Bustos Domecq), Vertreter der fantastischen argentin. Literatur (»Morels Erfindung«, R., 1940). – *Weitere Werke:* Abenteuer eines Fotografen in La Plata (R., 1985); Un campeón desparejo (R., 1993);

Biozönose [grch.] *die,* Lebensgemeinschaft, die den belebten Teil eines Ökosystems ausmacht und mit ihrem Standort (Biotop) eine aufeinander angewiesene Einheit bildet (→biologisches Gleichgewicht).

BIP, Abk. für **B**rutto**i**nlands**p**rodukt (→Sozialprodukt).

Biphenyl *das* (fälschlich auch Diphenyl), hitzebeständiger, fester Kohlenwasserstoff; als Heizflüssigkeit und zur (kennzeichnungspflichtigen) Konservierung von Zitrusfrüchten verwendet. Chlor-B. gehören zu den lange wirksamen Umweltgiften.

bipolar [lat.], zweipolig.

Bipolartechnik, Halbleitertechnologie zum Aufbau →integrierter Schaltungen aus bipolaren →Transistoren u.a. ebenfalls in dieser Technologie herstellbaren Bauelementen. In B. werden z.B. (analog arbeitende) Operationsverstärker und (digitale) TTL-Schaltungen aufgebaut. Nachteilig gegenüber der →MOS-Technik sind geringere Packungsdichte und aufwendigere Fertigungsprozesse.

biquadratische Gleichung, Gleichung 4. Grades der Form $ax^4 + bx^2 + c = 0$; lässt sich in eine quadrat. Gleichung umwandeln und dann lösen.

Bircher-Benner, Maximilian Oskar, schweizer. Arzt, *Aarau 22. 8. 1867, †Zürich 24. 1. 1939; war Leiter eines Sanatoriums in Zürich. B.-B. gelangte von Heilerfolgen mit Rohkost zu der nach ihm ben. **B.-B.-Diät** (z.B. **Birchermüesli**).

Werke: Eine neue Ernährungslehre (1924); Vom Werden des neuen Arztes (1938).

Birch-Pfeiffer, Charlotte (Karoline), Schauspielerin und Schriftstellerin, *Stuttgart 23. 6. 1800, †Berlin 25. 8. 1868; schrieb meist nach Romanen (bes. von V. Hugos und A. Dumas) gearbeitete Rührstücke.

Birck, Sixtus, Dramatiker, *Augsburg 24. 2. 1501, †ebd. 19. 6. 1554; schrieb dt. Schuldramen nach bibl. Stoffen, die er später ins Lateinische übersetzte (u.a. »Susanna«, 1532).

Birgel, Willy (Wilhelm Maria), Film- und Bühnenschauspieler, *Köln 19. 9. 1891, †Dübendorf (bei Zürich) 19. 12. 1973; Kavalier des dt. Films der 30er-Jahre.

Birger Jarl ['birjər-], schwed. Regent, Stammvater der Folkunger, *um 1200, †21. 10. 1266; als Vormund (seit 1250) seines zum König gewählten Sohnes Waldemar der eigentl. Herrscher Schwedens. Er unternahm einen Feldzug gegen Finnland (1249) und schloss in Schweden einen allg. Landfrieden und Handelsverträge mit der Hanse. Der Erichssaga nach gründete er Stockholm.

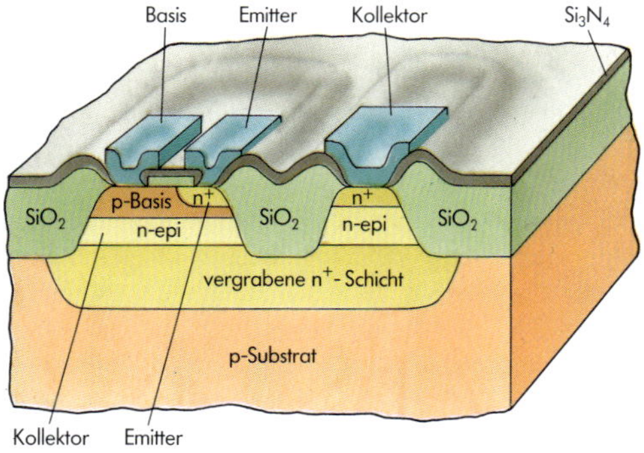

Bipolartechnik: Darstellung eines in Standardbipolartechnik gefertigten npn-Bipolartransistors

Birgitta (B. von Schweden, Brigitta), Mystikerin und Philosophin, *Finstagård (Schweden) um 1303, †Rom 23. 7. 1373; betonte die Einheit des dreieinigen Gottes; war in ihrer Mariologie ihrer Zeit weit voraus (Betonung der intellektuellen Bedeutung Marias als Mutter der Weisheit); kämpfte für eine geistlich-sittl. Erneuerung der Kirche und stiftete um 1346 den **Birgittenorden** (Erlöserorden, lat. Ordo Sanctissimi Salvatoris, Abk. Ossalv: Nonnen- und Männerorden in Doppelklöstern). Heilige (seit 1391); Tag: 8. 10.

Birka, Handelsplatz der Wikinger auf der Insel Björkö im Mälarsee (Schweden) von etwa 800 bis um 970. Die Funde zeugen von Handelsverbindungen zum Rhein, nach England, Byzanz, Persien und China.

Birke (Betula), Gattung der Birkengewächse mit rd. 40 Arten, in der nördl. gemäßigten und kalten Zone; eingeschlechtige Blüten in Kätzchen, geflügelte Nüsschenfrüchte. Die eurasiat. harzhaltige **Weiß-, Hänge-, Trauer-B.,** der **Maien** oder **Maienbaum** (Betula pendula) wächst auf sandigem wie auf feuchtem, moorigem Boden; weiter nördlich verbreitet ist die **Moor-B.** (Betula pubescens) in Moor- und Bruchwäldern. Die **Strauch-B.** (Betula humilis) wächst auf gebirgigen Torfmooren; auch die **Zwerg-B.** (Betula nana), ein niederliegender Strauch, benötigt Moore und Tundren in nördl. bis arkt. Regionen. In Dtl. wächst sie in Mittelgebirgen, im Ostseegebiet auch in der Ebene. – Das gelblich weiße **Birkenholz** mit gleichmäßiger Struktur wird u.a. als Möbel- und Drechslerholz verwendet. **Maser-B.** liefern Furniere mit lebhafter Zeichnung. Tee aus **Birkenblättern** wird als harntreibendes Mittel bei Rheuma angewendet.

Birkenfeld, 1) Landkreis im RegBez. Koblenz, Rheinl.-Pf., 777 km², (1996) 90 200 Einwohner.

2) Verw.sitz von 1), in Rheinl.-Pf., am Fuß des Hunsrücks, 6 500 Ew.; FH; Metall verarbeitende, Leder-, Kunststoffind., Ziegelei. – B., 981 erwähnt, erhielt 1332 Stadtrechte, 1584–1734 Sitz des Hauses Pfalz-Zweibrücken-B.; 1776 wurde es badisch, 1817 oldenburgisch, 1937 preußisch.

Birkenhead ['bə:kənhed], Hafenstadt in der engl. Metropolitan Cty. Merseyside, 93 100 Ew.; ozeanograph. Forschungsinst.; Schiffbau, Mühlen, Maschinenbau, Elektro-, Holz- und Textilind., Erdölhafen; Eisenbahntunnel und zwei Straßentunnel unter dem Mersey nach Liverpool. Pfarrkirche Saint Mary (1819–21) mit Ruinen eines im 12. Jh. gegründeten Benediktinerklosters.

Birkenpilz, ein Speisepilz, →Röhrlinge.

Birkenrindenöl, ätherisches Öl aus Birkenrinde, Parfümerierohstoff.

Birkenspanner (Biston betularius), weißschwarzer, etwa 5 cm spannender Schmetterling, bes. an Birken.

Birkerts ['bə:kəts], Gunnar, amerikan. Architekt lett. Herkunft, *Riga 17. 1. 1925; lebt seit 1949 in den USA; entwarf v.a. Bürobauten, Colleges und Museen, bei denen die Struktur der Konstruktion sichtbar bleibt.

Birkhuhn (Lyrurus tetrix), ein Waldhuhn Europas und Asiens, in Mischwald, auf Heide und Moor.

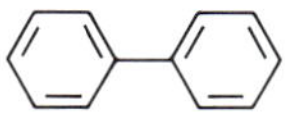

Biphenyl

Birke: Zweig der Hängebirke mit stäubendem Kätzchen (links); Fruchtstand

Willy Birgel

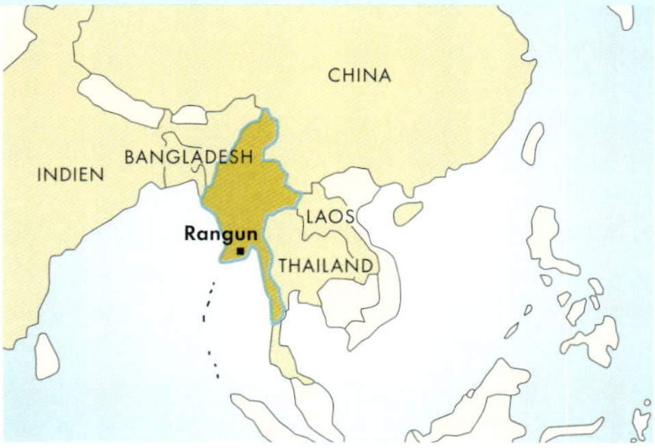

Birma

Fläche: 676 578 km²
Einwohner: (1995) 46,53 Mio.
Hauptstadt: Rangun (Yangon)
Verwaltungsgliederung: 7 Staaten, 7 Provinzen
Amtssprache: Birmanisch
Nationalfeiertag: 4. 1.
Währung: 1 Kyat (K) = 100 Pyas (P)
Zeitzone: MEZ +5½ Std.

Staatswappen

BUR

Internationales Kfz-Kennzeichen

Bevölkerung (in Mio.)

Bruttosozialprodukt je Ew. (in US-$)

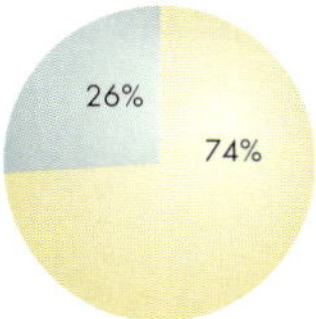

Stadt
Land

Bevölkerungsverteilung 1993

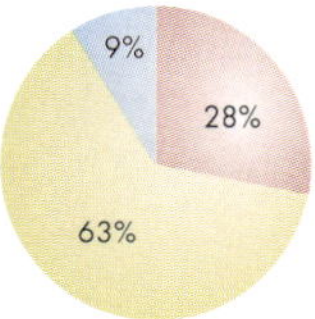

Industrie
Landwirtschaft
Dienstleistung

Bruttoinlandsprodukt 1993

Birma (engl. Burma, birman. Myanmar, amtlich Pyidaungsu Myanmar Naingngandaw, dt. Union Myanmar), Staat im NW Hinterindiens, begrenzt von China im N und NO, Laos und Thailand im O, Bangladesh, Indien und dem Golf von Bengalen im W und der Andamanensee im S; erstreckt sich im S auf der Halbinsel Malakka bis zum Isthmus von Kra.

Staat und Recht: Laut Verf. von 1974 ist B. eine Republik, seit 1988 de facto durch ein Militärregime ersetzt. Staatsoberhaupt und Reg.chef ist der Vors. des State Law and Order Restoration Council (aus 19 Militärs bestehendes oberstes Machtorgan). Das Parlament (485 Abg.) bleibt trotz gültiger Wahl von 1990 aufgelöst. – Wichtigste Parteien: National League for Democracy (NLD), National Unity Party (NUP; Nachfolgeorganisation der Burma Socialist Programme Party [BSPP]).

Landesnatur: Wirtsch. und kulturelles Kerngebiet ist das von Hügel- und kleinen Gebirgsregionen durchsetzte, rd. 1100 km lange Becken mit dem Stromgebiet des Irawadi und Chindwin. Die westbirman. Randgebirge (bis 3826 m) schließen das Land gegen Indien ab. Den O nimmt das Shanhochland (bis 2600 m) ein. Das trop. Klima ist von Monsunen beeinflusst, mit hohen sommerl. Niederschlägen im Küstengebiet und geringeren im Innern und einer winterl. Trockenzeit. Die Landesteile mit hohem Niederschlag (über 2000 mm) sind mit trop. Regen- oder Bergwald bedeckt; Monsunwald herrscht in den Gebieten mit 2000–1000 mm Niederschlag, Busch-, Grasland oder Trockensteppe im Innern (unter 1000 mm Niederschlag).

Bevölkerung: Besteht v.a. aus →Birmanen (69%), Shan (8,5%), Karen (6,2%), Chin (2,2%), Mon (2,4%) und Kachin; jährl. Bev.wachstum: 2,2%; Stadtbev.: 24%. Größte Städte: Rangun, Mandalay, Moulmein, Pegu und Bassein. – Schulpflicht vom 6. bis 10. Lebensjahr; Univ. in Rangun (1920 gegr.) und Mandalay (1964 gegr.); Analphabetenquote: 34%. – 85% der Ew. sind Buddhisten, ferner Animisten, Christen, Muslime, Hindus.

Wirtschaft, Verkehr: B. steht in der Welteinkommensskala am unteren Ende. Der andauernde Kriegszustand führte zu wirtsch. Stagnation und relativ hoher Auslandsverschuldung. Bedeutendster Wirtschaftszweig ist die Landwirtschaft, die fast 50% des Bruttoinlandproduktes erbringt und über die Hälfte der Erwerbstätigen beschäftigt. Im Deltatiefland des Irawadi werden bes. Reis und Zuckerrohr, in den trockeneren Gebieten Erdnüsse, Baumwolle, Jute, Tabak, im Tenasserimküstenland Kautschuk angebaut; Opiumgewinnung. Der Wald (fast 50% der Landesfläche waldbedeckt) liefert Teak- u.a. Harthölzer. B. hat reiche Bodenschätze, die nur z.T. ausgebeutet werden: Erdöl, Zinn, Wolfram, Kupfer, Antimon, Blei, Zink, Eisen, Nickel, Silber, Steinkohle und Edelsteine. Die gering entwickelte Ind. erzeugt Erdölprodukte, Baustoffe, Nahrungsmittel, Textilien, Möbel und chem. Erzeugnisse. – Reis ist das wichtigste Exportprodukt, gefolgt von Teakholz, Kautschuk, Jute und Bergbauprodukten. Haupthandelspartner: Japan, EU-Länder, Singapur, China, Indonesien, Malaysia, Südkorea. – Wichtigste Verkehrswege sind die Straßen, rd. 23 400 km, daneben die rd. 5800 km langen Binnenwasserstraßen (Irawadi, Chindwin) und Kanäle sowie Eisenbahnen (rd. 4500 km). Haupthafen ist Rangun, internat. Flughafen Mingaladon bei Rangun. Nat. Fluggesellschaft Myanmar Airways Corp.

Geschichte: Seit dem 1. Jh. n. Chr. existierten auf dem Gebiet von B. mehrere unter ind. Kultureinfluss stehende Reiche. Durch die Eroberung des mächtigen Mon-Reiches von Thaton (Sudhammavati) dehnte das erste birman. Reich unter König Anoratha (1044–77) seinen Machtbereich bis nach Süd-B. aus. Der Einfall der Mongolen unter Kubilai setzte der Pagan-Dynastie (1044–1287) ein Ende. Nach einer Periode wechselvoller Kämpfe zw. Birmanen, Shan und Mon um die Vorherrschaft einigte Alaungpaya, der Gründer der birman. Konbaung-Dynastie (1752–1885), das Reich. Drei britisch-birman. Kriege führten 1886 zum Anschluss B.s an Britisch-Indien, aus dem es

1937 wieder herausgelöst wurde (eigenständige Kolonie mit Selbstverwaltung). Im 2. Weltkrieg besetzte Japan 1942–45 das Land. Durch einen 1947 von → Aung San ausgehandelten Vertrag mit Großbritannien erlangte B. am 4. 1. 1948 die Unabhängigkeit. Kommunist. Aufstände (1948) und eine Erhebung der Karen (1949/50) konnten nur mühsam unterdrückt werden. U Nu, der als MinPräs. (1947–62 mit Unterbrechungen) eine Bodenreform einleitete und europ. Unternehmen verstaatlichte, wurde 1962 durch General Ne Win gestürzt. Dieser suspendierte die Verf. und verfolgte als Vors. eines Revolutionsrates einen staatssozialist. Kurs (»birman. Weg zum Sozialismus«, Nationalisierungs- und Verstaatlichungspolitik), gestützt

Birma

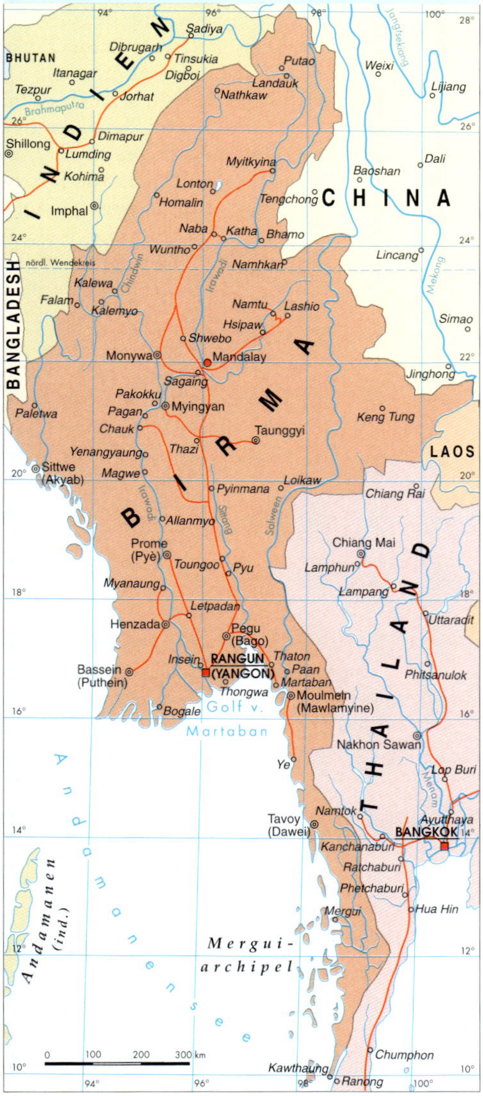

auf die allein zugelassene Burma Socialist Programme Party (BSPP) und unter Abschließung des Landes von der Außenwelt. 1967 kam es zu antichines. Ausschreitungen. Nach In-Kraft-Treten einer neuen sozialist. Verf. (1974) wurde Ne Win Staatsratsvors. (bis 1981, Nachfolger San Yu). Die Wirtschaft verfiel zusehends (bedrohl. Rückgang der Reisproduktion). Eine Protestbewegung gegen die Einparteienherrschaft führte 1988 zum Rücktritt von Ne Win als Vors. der BSPP und von Staatspräs. San Yu. Nach mehrfachem Wechsel im Präsidentenamt übernahm im Sept. 1988 das Militär unter General Saw Maung die Macht und löste das Parlament auf. Neues Führungsorgan wurde der »Staatsrat für die Wiederherstellung von Recht und Ordnung«. Nach Zulassung von Parteien im Sept. 1988 formierte sich rasch eine Opposition (Entstehung von mehr als 200 Parteien). Im Juni 1989 wurde der engl. Staatsname in »Union of Myanmar« geändert. Aus den Parlamentswahlen vom Mai 1990 ging trotz zahlr. Restriktionen die Oppositionspartei NLD siegreich hervor; dennoch blieben die Militärs an der Macht, die sie erst nach Verabschiedung einer neuen Verf. abgeben wollen. Die Opposition bildete daraufhin im Dez. 1990 mit Sein Lwin eine Gegenregierung unter Führung der NLD (Sitz in Manerplaw). Die Verfolgung der Muslime in B. durch das Militärregime löste Ende 1991 eine Massenflucht nach Bangladesh aus. Nachfolger des im April 1992 zurückgetretenen Chefs der Militärjunta Saw Maung wurde General Than Shwe. Ein vom herrschenden Militärregime einberufener Nationalkonvent berät seit 1993 eine neue Verfassung. Im Juli 1995 hob die Militärregierung den 1989 verhängten Hausarrest gegenüber der Oppositionspolitikerin Aung San Suu Kyi auf. Seit 1988 verschärfte sich der seit Jahrzehnten andauernde Bürgerkrieg zw. der Reg. sowie den Kachin, Karen, Shan, Mon u.a. Völkern und den chines. Opiumhändlern. BILD S. 148

📖 *Burma, hg. u. entworfen v.* H. HÖFER, *Text v.* W. KLEIN, *Fotografien v.* G. PFANNMÜLLER. *München 1988.* – DITTMAR, J.: *Thailand u. Burma. Tempelanlagen u. Königsstädte zwischen Mekong u. Indischem Ozean. Köln* ^{6}*1989.* – BLESS, R.: *»Divide et impera«? Britische Minderheitenpolitik in Burma 1917–1948. Stuttgart 1990.* – MYA MAUNG: *Totalitarianism in Burma. Prospects for economic development. New York 1992.* – SMITH, MARTIN: *Burma. Insurgency and the politics of ethnicity. London* ^{2}*1993.* – BLUME, B.: *Myanmar. Birma, Burma. Für Reisende ins Land der Pagoden. Hohenthann 1996.*

Birmanen (Burmanen), staatstragendes Volk in Birma, rd. 32 Mio., aus von N eingedrungenen tibetobirman. Stämmen mongolider Rasse zusammengewachsen. Die B. leben vorwiegend in Dörfern, von denen jedes seine Pagode, meist auch sein

Birma: Dorf am Inlesee im Shanhochland

Kloster hat. – Ihre Sprache, eine aus einsilbigen, unveränderl. Wortelementen aufgebaute Tonsprache, gehört zur tibetobirman. Sprachfamilie. Die Schrift ist auf ind. Schriftsysteme zurückzuführen. – Älteste Zeugnisse der Kultur sind aus Ziegelsteinen und Stuck errichtete Sakralbauten aus dem 3.–9. Jh.; Hochblüte der Kunst war die Zeit des 1044 gegr. birman. Reiches (bis 1287) mit der Hauptstadt Pagan (Reste von etwa 1000 Tempeln, z. T. mit Fresken).

Birmingham 1) Stadtwappen

Birmingham ['bə:mɪŋəm], **1)** Stadt und Distrikt der engl. Metropolitan Cty. West Midlands, zweitgrößte Stadt Großbritanniens, 961 000 Ew. (als Agglomeration 2,6 Mio. Ew.); Erzbischofssitz, anglikan. Bischofssitz; 2 Univ., Polytechnikum; Bibliotheken, Museen; botan. Garten. B. ist eine der bedeutendsten Ind.städte der Erde; Metall verarbeitende Ind., Maschinen- und Fahrzeugbau, Elektro-, Elektronik-, chem. Ind., Herstellung von Spielwaren und Modeschmuck, Druckereien und Verlage, Nahrungsmittelind. (Schokoladenfabrik); Messen, internat. Flughafen. – Kath. Kathedrale Saint Chad (19. Jh.), klassizist. Rathaus (1834), Justizpalast (1887–91), Symphony Hall (1991). Nach 1945 wurde die Innenstadt neu gestaltet. – B., 1085/86 erstmals erwähnt, erhielt 1166 Marktrechte; 1643 wurde es im Bürgerkrieg niedergebrannt. Im späten 18. Jh. Zentrum der industriellen Revolution, entwickelte sich B. rasch vom kleinen Ort mit Handwerksbetrieben (Ende 17. Jh.: 15 000 Ew.) zur aufstrebenden Ind.stadt (1770: 30 800, 1801: 80 000, 1901: 522 800 Ew.).

2) Stadt in Alabama, USA, 266 000 Ew.; kath. Bischofssitz; Univ.; Stahlwerke, elektrotechn., Flugzeug-, Baumwoll- und chem. Industrie. – Gegr. 1871.

Birnau, Wallfahrtskirche St. Maria in der Gem. Uhldingen-Mühlhofen, Bad.-Württ., am Bodensee. Die ursprüngl., der Zisterzienserabtei Salem gehörende Kirche wurde 1745 abgetragen. Der Neubau (1747–50 von P. Thumb; Ausstattung von J. A. Feuchtmayr und G. B. Götz) ist einer der bedeutendsten Spätbarockbauten SW-Deutschlands.

Birne, 1) *Botanik:* (Birnbaum, Pyrus) Gattung der Rosengewächse mit rd. 25 Arten in Eurasien und N-Afrika, darunter die **Holz-B.** (Pyrus piraster), ein Baum mit kleinen holzigen Früchten. Der **Kulturbirnbaum** (Pyrus communis) ist u. a. aus dieser Art hervorgegangen. Er ist ein Kernobstgehölz mit eiförmigen Blättern, weißen Blüten und längl., gegen den Stiel sich verschmälernden Sammelfrüchten. – Man unterscheidet Tafel-, Koch- und Mostsorten. Wohlschmeckende Tafelbirnen sind z. B. **Gute Luise, Alexander Lucas;** als Koch-B. eignet sich bes. die **Williams Christ;** guten Most liefert die **Grüne Jagdbirne.**

2) *Musik:* Verbindungsstück zw. Mundstück und Röhre der Klarinette.

Birnengitterrost, Rostpilz (→ Rost).

Birobidschan, Hptst. des Jüdischen Autonomen Gebiets, Russ. Föderation, Region Chabarowsk, an der Transsibir. Eisenbahn, 84 000 Ew.; Maschinenbau, Nahrungsmittelindustrie.

Birmanen: Die vergoldete Shwe-Dagon-Pagode in Rangun erreicht eine Höhe von 112 m (in ihrer heutigen Gestalt v. a. 16.–18. Jh.)

Biron (urspr. Bühren), kurländ. Adelsgeschlecht. Ernst Johann Reichsgraf (seit 1730) von B. (* Kalnezeem, Kurland, 23. 11. 1690, † Mitau 29. 12. 1772), Günstling und 1730–40 leitender Staatsmann der russ. Kaiserin Anna Iwanowna, wurde 1737 auch Herzog von Kurland. 1740–62 lebte er in der Verbannung. Von Katharina II. 1763 wieder als Herzog eingesetzt, dankte B. 1769 ab.

Bisamratte

Birrus [lat.] *der,* röm. Kapuzenmantel.

Birs *die,* 73 km langer, linker Nebenfluss des Rheins in der Schweiz, entspringt im Berner Jura, mündet östlich von Basel.

Birsfelden, Gemeinde im Kt. Basel-Landschaft, Schweiz, 11 700 Ew.; kleiner Rheinhafen; Elektromaschinen-, Nahrungsmittel- und pharmazeut. Ind., graf. Gewerbe.

Birtwistle ['bə:twɪsl], Sir (seit 1988) Harrison, brit. Komponist, *Accrington (Lancashire) 15. 7. 1934; wurde 1975 Direktor des National Theatre in London; Bühnenwerke (»Punch and Judy«, 1968; »The Second Mrs. Kong«, 1994), Kammer-, Vokalmusik u. a. Werke.

bis [lat. »zweimal«], in der Notenschrift Anweisung, die so bezeichnete Stelle zu wiederholen. In Frankreich und Italien ist »bis« als Ruf die Aufforderung zur Wiederholung eines Musikstücks.

Bis- [lat. »zweimal«], in chem. Namen der Hinweis, dass zwei ident. Substituenten vorliegen.

Bisam [mlat. aus hebr. bęsęm »Wohlgeruch«] *der,* **1)** der →Moschus.

2) Fell der Bisamratte.

Bisamkraut, das →Moschuskraut.

Bisamratte (Ondatra zibethica), Nagetier der Familie Wühler, urspr. im nördl. Nordamerika, 30–40 cm lang (ohne den seitlich abgeplatteten Schwanz), in der Lebensweise biberähnlich; durch Wühltätigkeit schädlich.

Bisamrüssler (Bisamspitzmäuse), die →Desmane.

Bisaya, Volksgruppen auf den Philippinen, →Visaya.

Biscaya *die* (Biskaya, Golf von B., span. Vizcaya, frz. Golfe de Gascogne), große Bucht des Atlant. Ozeans, zw. N-Spanien und W-Frankreich, größte Tiefe 5 872 m; wegen häufiger Stürme bei den Seefahrern gefürchtet.

Bisceglie [-'ʃeʎe], Hafenstadt in der italien. Prov. Bari (Apulien), am Adriat. Meer, 48 100 Ew.; Seebad; Gemüse-, Obst- und Weinhandel.

Bischapur, ehem. Residenzstadt der Sassanidenkönige, westlich von Schiras, Iran, begründet von Schapur I. (242–272). Durch Ausgrabungen erschlossen wurden das rechtwinklige Straßennetz, Paläste und Tempel; nahebei monumentale Reliefs mit Investitur- und Triumphszenen, in einer Grotte die Kolossalstatue Schapurs.

Bischarin, ein Stamm der Bedja, zw. Nil und Rotem Meer in N-Sudan. (→Kuschiten)

Bischkek (bis 1926 Pischpek, 1926–91 Frunse), Hptst. von Kirgistan, 750–900 m ü. M., am Fuß des Tienschan, 641 000 Ew.; Univ., sieben Hochschulen, Akademie der Wiss.; Maschinenbau, Textil-, Nahrungsmittelindustrie. – B. entstand ab 1864 als Militärsiedlung um die 1860/62 von den Russen eroberte Festung Pischpek.

Bischof [von grch. epískopos »Aufseher«], leitender Geistlicher christl. Gemeinden. Das B.-Amt wurzelt in den hellenist. Gemeinden. B. werden zusammen mit »Diakonen« erstmalig von Paulus (Phil. 1,1) erwähnt; vom Amt des Presbyters zunächst nicht scharf getrennt. Im 2. Jh. wird das B.-Amt monarchisch und gewinnt die Führung in der Gemeinde, Lehre und Leitung. In der *kath. Kirche* steht der B. in der ihm anvertrauten Diözese (Bistum, Sprengel) in der →apostolischen Nachfolge und ist durch B.-Weihe mit der Vollmacht des Lehr-, Priester- und Hirtenamtes ausgestattet. Er wird i. d. R. vom Papst aufgrund von Kandidatenlisten ernannt. Alle B. bilden das **B.-Kollegium.** Im teilkirchl. Bereich treten die B. zu gemeinsamer Ausübung des bischöfl. Dienstes in **B.-Konferenzen** (seit dem 19. Jh.) zusammen. Seit 1965 gibt es außerdem die dem Papst direkt verantwortl. **B.-Synode,** die den gesamten Episkopat der kath. Kirche repräsentiert. Zur Amtstracht gehören B.-Ring, Brustkreuz, B.-Stab und Mitra. Mit

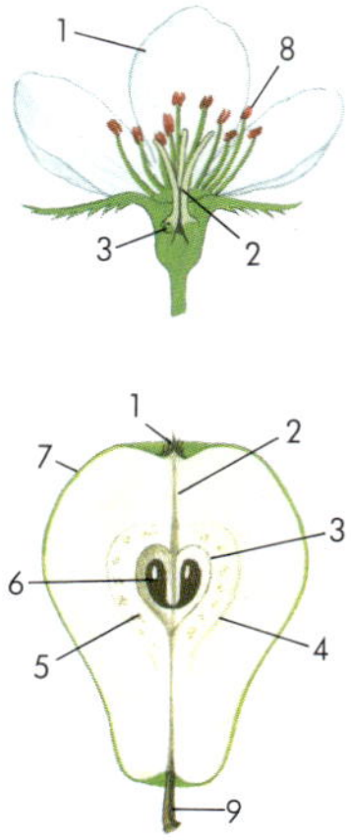

Birne 1): Im Längsschnitt Blüte (oben) und Frucht der Birne; 1 Kelch, 2 Griffel, 3 Fruchtblätter, 4 Leitbündel, 5 Steinzellennester, 6 Samen, 7 Schale, 8 Staubblätter, 9 verholzter Blütenstiel

Birnau: Innenraum der 1747–50 von Peter Thumb erbauten Wallfahrtskirche Sankt Maria

Vollendung des 75. Lebensjahres sind die B. gehalten, ihren Amtsverzicht einzureichen. – In den *evang. Kirchen* kennen einige Landeskirchen das B.-Amt, einige haben einen anderen Titel für ihren leitenden Amtsträger (z. B. Kirchenpräsident). Der B. wird i. d. R. von der Synode auf Lebenszeit gewählt, kann aber unter Umständen wieder abberufen werden. Zur Amtstracht gehört das goldene Brustkreuz (B.-Kreuz). – Auch die *Ostkirchen* kennen die apostol. Nachfolge im B.-Amt. Der B. wird hier i. d. R. von einer besonderen Wahlversammlung gewählt.

Michael J. Bishop

📖 KREMER, ST.: *Herkunft u. Werdegang geistl. Führungsschichten in den Reichsbistümern zwischen Westfälischem Frieden u. Säkularisation. Fürstbischöfe, Weihbischöfe, Generalvikare. Freiburg u. a. 1992.*

Bischof, kaltes Getränk aus Rotwein, Zucker, Orangenschalen und Orangensaft.

Bischofshọfen, Marktgemeinde an der Salzach, südl. von Salzburg, Österreich, 544 m ü. M., 10 100 Ew.; Wintersportort am Fuß des Hochkönigs; Glashütte, Baumaschinenherstellung; Bahnknotenpunkt. In der Bronzezeit Kupfererzabbau.

Bischofsstuhl: (Kathedra) des Erzbischofs Maximian von Ravenna mit biblischen Szenen in Elfenbeinschnitzerei (Mitte des 6. Jh.; Ravenna, Erzbischöfliches Museum)

Biskupin: Reste der Wallanlage aus der jüngeren Bronzezeit auf einer Halbinsel (früher Insel) des Sees von Biskupin

Bischofshut, *Heraldik:* flacher, runder Hut von grüner Farbe mit beiderseits herabhängenden Schnüren mit je sechs Quasten.

Bischofsmütze, gärtnerische Bez. für zwei Kakteenarten der Gattung Astrophytum.

Bischofspfennige, → Trochiten.

Bischofsring (Pastoralring, Pontifikalring), Ring, den der kath. Bischof (auch Kardinal und Abt) als Zeichen der geistl. Vermählung mit seiner Kirche trägt.

Bischofsstab (Krummstab, Hirtenstab), Zeichen der bischöfl. Würde (seit dem 10. Jh.).

Bischofsstuhl (Kathedra), Sitz des Bischofs in der Kirche, urspr. in der Apsis aufgestellt, später an der N-Seite des Chors. Vom B. hat die Kathedrale (Domkirche) ihren Namen.

Bischofssynode, → Bischof.

Bischofswẹrda (sorb. Biscopicy), Stadt im Landkr. Bautzen, Sachsen, am Fuß des Lausitzer Berglandes, 12 600 Ew.; Granitsteinbrüche, klein- und mittelständ. Ind.betriebe. – 227 erstmals, 1361 als Stadt erwähnt; 1813 von frz. Truppen niedergebrannt.

Bischofswi̲esen, Gemeinde im Kr. Berchtesgadener Land, Bayern, 7 400 Ew.; heilklimat. Kurort, Wintersportort.

Bịschweiler (frz. Bischwiller), Stadt im frz. Dép. Bas-Rhin (Unterelsass), nördlich von Straßburg, 10 800 Ew.; Textil- und Schuhindustrie.

Bi̲se, kalter, trockener Wind aus N bis NO im schweizer. und frz. Alpenvorland.

Bisẹrta (frz. Bizerte, arab. Benzert), Hafenstadt an der N-Küste Tunesiens, Verw.sitz des Gouvernorats B., 94 500 Ew.; Seebad; Erdölraffinerie, Zementwerk u. a. Ind.; Eisenbahnendpunkt. Altstadt (Medina) mit Altem Hafen und Kasba (13./17. Jh.); Zufahrtskanal zum **Lac de Bizerte,** einem 110 km^2 großen Strandsee. – 1881–1956 war B. frz., bis 1963 noch frz. Flottenstützpunkt.

Bisexualität, **1)** *Biologie:* (Zweigeschlechtigkeit) das Vorhandensein von weibl. und männl. Individuen bei einer Art. Unter **bisexueller Potenz** versteht man die Fähigkeit der Zellen, gesteuert durch Außen- oder Inneneinflüsse, sich in männl. oder weibl. Richtung entwickeln zu können. B. beim Menschen bedeutet das gleichzeitige Angelegtsein von männl. und weibl. Geschlechtsmerkmalen (Zwittertum).

2) *Psychologie:* die gleichzeitige Ausgeprägtheit einer hetero- und homosexuellen Tendenz der Libido.

Bishamon [-ʃ-], einer der vier Welthüter der japan. Religion, als Gott des Reichtums einer der sieben Glücksgötter.

Bishop ['bɪʃəp], Michael J., amerikan. Mediziner, *York (Pa.) 22. 2. 1936; seit 1972 Prof. an der University of California (San Francisco); erhielt 1989 mit H. E. Varmus für die Entdeckung des zellulären Ursprungs retroviraler Onkogene (Krebsgene) den Nobelpreis für Physiologie oder Medizin.

Bishop-Ring ['bɪʃəp-; nach dem amerikan. Missionar S. E. Bishop, †1909], durch Lichtbeugung und Reflexion an feinen Staubteilchen in der Erdatmosphäre hervorgerufener rötlich brauner Ring um die Sonne, der ein bläulich weiß leuchtendes Gebiet umschließt; sichtbar bes. nach Vulkanausbrüchen.

Bisk, Stadt in der Region Altai, Russische Föderation, am Fuß des Altai und an der Bija, 234 600 Ew.; Nahrungsmittel-, chem., Holzind., Maschinenbau; Ausgangspunkt der Tschuisker

Otto Fürst von Bismarck: Gemälde von Franz von Lenbach (um 1889; München, Städtische Galerie im Lenbachhaus)

Biserta: Altstadt (Medina) mit Altem Hafen

Autostraße in die Mongolei. – Gegr. 1709, seit 1782 Stadt.

Biskaya *die* (Golf von B.), →Biscaya.

Biskra, Oasenstadt in Algerien, am Südrand des Aurès, 128 000 Ew.; Dattelpalmenhaine; Ausgangspunkt der ostalger.Ghararoute; Flugplatz. Nahebei das Thermalbad Hammam Salahine.

Biskuit [bis'kvi:t; frz. »zweimal Gebackenes«] *das,* leichtes, sandkuchenartiges Gebäck.

Biskuitporzellan [bis'kvi:t], weiche, unglasierte Porzellanart **(B.-Porzellan).**

Biskupin, Gemeinde in der Wwschaft Bydgoszcz (Bromberg), Polen, mit Wallanlage der jüngeren Bronzezeit auf einer Halbinsel im See von B.; Reste von Blockhäusern und Straßen; Freilichtmuseum.

Lothar Bisky

Bisky, Lothar, Kommunikationswissenschaftler und Politiker (PDS), *Zollbrück (heute Korzybie, bei Rummelsburg) 17. 8. 1941; ab 1963 Mitgl. der SED, ab 1986 Prof. für Film- und Fernsehwiss. an der Hochschule für Film und Fernsehen in Potsdam-Babelsberg, wurde im Jan. 1993 Bundesvors. der PDS.

Bismarck ['bɪzmɑ:k; nach O. von Bismarck], Hptst. von North Dakota, USA, am Missouri, 49 300 Ew.; kath. Bischofssitz; Handelszentrum für Weizen und Vieh, Flusshafen. – Gegr. 1873, Hauptstadt seit 1889.

Bismarck, altmärk. Adelsgeschlecht, urspr. aus Stendal, seit Ende des 17. Jh. in die zwei Hauptlinien **B.-Crevese** und **B.-Schönhausen** geteilt.

1) Herbert, Fürst (1898) von B.-Schönhausen, *Berlin 28. 12. 1849, †Friedrichsruh 18. 9. 1904, ältester Sohn von 2); enger Mitarbeiter seines Vaters, seit 1874 im auswärtigen Dienst, 1886–90 Staatssekretär des Auswärtigen Amts.

2) Otto Eduard Leopold, seit 1865 Graf von B.-Schönhausen, 1871 Fürst von B., 1890 Herzog von Lauenburg, preußisch-dt. Staatsmann, *Schönhausen 1. 4. 1815, † Friedrichsruh 30. 7. 1898; ⚭ 1847 mit Johanna von Puttkamer (* 1824, † 1894). Nach dem Studium der Rechtswiss. in Göttingen und Berlin 1832–35, der Referendarzeit in Aachen 1836 bis 1839 und der Bewirtschaftung seiner Güter in Pommern, wo er mit einem Pietistenkreis in Berührung kam, war er 1847/48 konservatives Mitgl. des Vereinigten Landtags, nach 1848 Abg. in der Zweiten Kammer und im Erfurter Parlament. Als preuß. Gesandter am Frankfurter Bundestag erstrebte er gegenüber der österr. Präsidialmacht Gleichberechtigung für Preußen und dessen Vorherrschaft nördlich des Mains.

Nach Gesandtentätigkeit in Petersburg 1859–62 und einem kurzen Zwischenspiel als Botschafter in Paris wurde B. am 8. 10. 1862 von König Wilhelm I. zum preuß. MinPräs. ernannt. Er vertrat hartnäckig die Rechte der Krone in ihrer Auseinandersetzung mit der liberalen Parlamentsmehrheit wegen des Militärhaushalts und weitete damit den Heeres- zum Verfassungskonflikt aus. Er überspielte diesen – dadurch schon seine Virtuosität in der Verquickung und Lösung außen- und innenpolit. Krisen aufzeigend – durch eine Reihe außenpolit. Aktionen: die Unterstützung Russlands im Polenaufstand (1863), den gemeinsam mit Österreich geführten Krieg gegen Dänemark 1864 wegen →Schleswig-Holstein, die Lösung des dt. Dualismus durch einen Krieg mit Österreich 1866 (→Deutscher Krieg 1866). Damit war der Dt. Bund zerstört, Österreich aus Dtl. verdrängt und die preuß. Vorherrschaft in Nord-Dtl. besiegelt. Den Abschluss der dt. Einigung bildete der →Deutsch-Französische Krieg 1870/71, der am 18. 1. 1871 in Versailles zur Ausrufung Wilhelms I. zum Dt. Kaiser führte, mit der Eingliederung Elsass-Lothringens aber einen dauernden Ggs. zu Frankreich schuf.

Die von B. bestimmte Reichsverfassung von 1871 stellte einen Kompromiss dar zw. den monarchisch-föderalist. Ordnungsprinzipien von 1815, die im Bundesrat als dem Vertretungsorgan der 25 Einzelstaaten ihren Ausdruck fanden, und den neuen nat., liberalen und unitar. Kräften, die in dem aufgrund des allg., gleichen Wahlrechts gewählten Reichstag repräsentiert wurden. In der auf die Person B. zugeschnittenen Schlüsselstellung des Reichskanzlers (1871–90; außer 1872/73 zugleich preuß. Min.Präs.), der als einziger Min. nur dem Monarchen verantwortlich war, lag eine der grundlegenden Schwächen der preußisch-dt. konstitutionellen Monarchie. Die »Revolution von oben«, die heute stärker in dem globalen Zusammenhang der durch die Industrialisierung, Bev.explosion und Demokratisierung breiter Schichten freigesetzten Kräfte und der Gegenkräfte der alten Machtelite (Adel, Großbürgertum, Heer, Beamtenschaft) gedeutet wird, wurde im Wesentlichen durch die wirtschafts- und sozialpolit. Wende des Jahres 1879 abgeschlossen. Sie bedeutete den Übergang vom Freihandel zum Schutzzoll zugunsten der heim. Schwerindustrie und der Großagrarier. In ihrer Folge steht das sozialpolit. Reformwerk von 1881 bis 1889, das die Arbeiterschaft in die bestehende Staats- und Gesellschaftsordnung integrieren sollte, diese Wirkung aber wegen der parallel gegen sie laufenden Unterdrückungsmaßnahmen (→Sozialistengesetz) verfehlte. Verhängnisvoll für die gesellschaftl. Konsolidierung (innere Reichsgründung) wirkte sich der bald nach

Bismarcks Bündnissystem

der Reichsgründung einsetzende →Kulturkampf aus, der auch die kath. Volkskreise dem neuen Reich entfremdete, obwohl er angesichts seines Fehlschlags nach 1878 abgebaut wurde.

Gegenüber diesen von B. nicht unverschuldeten innenpolit. Dauerkrisen war seine Außenpolitik 1871–90 defensiv und friedliebend; sie zielte auf die Isolierung Frankreichs, auf die Annäherung an Österreich-Ungarn und auf gute Beziehungen zu Russland. Ausdruck dafür war ein immer kunstvoller gewobenes Bündnissystem, das ausging von dem nach dem →Berliner Kongress geschlossenen →Zweibund mit Österreich-Ungarn (1879) und über die Hauptstationen des →Dreibundes (1882) und des Mittelmeerabkommens (1887) zum →Rückversicherungsvertrag (1887) mit Russland führte. B. wurde am 20. 3. 1890 wegen persönl. und sachl. Gegensätze von Kaiser Wilhelm II. entlassen.

In der Bewertung B. nach 1945 stehen neben Reichsgründung und Friedenspolitik auch die Alternativen, die durch den Sieg des Machtstaates über Liberalismus und Demokratie verschüttet wurden. Ergebnisse seiner Politik waren auch Obrigkeitsstaat und Untertanengeist, Militarismus und die polit. Isolierung der Arbeiterschaft.

📖 ENGELBERG, E.: *B., 2 Bde. Tb.-Ausg. München 1991–93.* – *B. u. seine Zeit, hg. v.* J. KUNISCH. *Berlin 1992.* – GALL, L.: *B. Der weiße Revolutionär. Korrigierte Ausg. Frankfurt am Main u. a. 1993.* – HERRE, F.: *B. Der preußische Deutsche. Neuausg. Köln 1993.* – HILLGRUBER, A.: *B.s Außenpolitik. Freiburg im Breisgau ³1993.* – *B.s Sozialstaat, hg. v.* L. MACHTAN. *Frankfurt am Main u. a. 1994.*

Bismarckarchipel

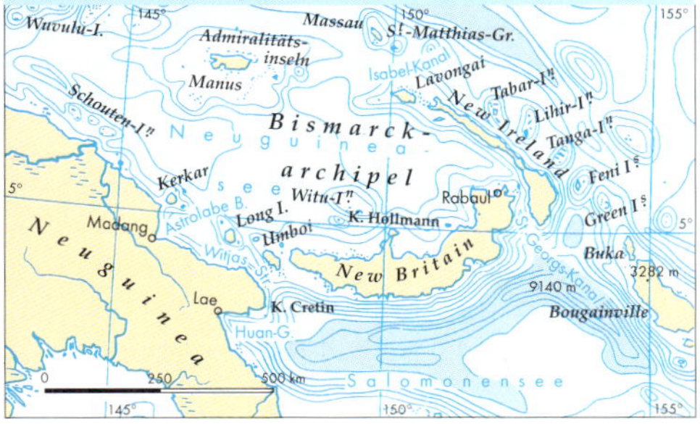

Bismarckarchipel, zu Papua-Neuguinea gehörende melanes. Inselgruppe mit über 200 Inseln, etwa 49 900 km², rd. 400 000 Ew. Die Inseln sind entweder vulkan. Ursprungs (mit noch tätigen Vulkanen; dicht bewaldet) oder Koralleninseln. Hauptinseln sind New Britain, New Ireland, Lavongai und die Gruppe der Admiralitätsinseln. Hauptort und Hafen: Rabaul (an der N-Küste von New Britain). Die Bewohner (meist Melanesier) leben vom Ackerbau und wenig Gewerbe (meist Flechtwaren). Ausfuhr: Kopra, Kakao, Perlmutter, Trepang, Palmöl, Holz. – Der B. (1616 von Niederländern entdeckt) war 1884–1918 dt. Schutzgebiet.

Bismarckgebirge, der nordöstl. Teil der zentralen Gebirgsketten Neuguineas, rd. 200 km lang, im Mount Wilhelm 4694 m hoch.

Otto von Bismarck

Ehrlicher Makler

Der Ausdruck im Sinne von »uneigennütziger Vermittler« geht wohl auf einen Ausspruch des Reichskanzlers Otto von Bismarck zurück, der sich am 19. 2. 1878 auf dem Berliner Kongress selbst so bezeichnete, wo er zwischen Russland einerseits und England und Österreich-Ungarn andererseits vermittelte, um den Balkankonflikt zu schlichten: »... ich denke sie (= die Mission der Vermittlung des Friedens) mir bescheidener, ja ... mehr die eines ehrlichen Maklers, der das Geschäft wirklich zustande bringen will.«

Bismarckhering, von Kopf und Gräten befreiter, marinierter Hering.

Bismut, fachsprachlich für →Wismut.

Bismuthin [zu lat. bismutum »Wismut«] *der* (Bismuthinit Wismutglanz), Mineral, Bi_2S_3, zinnweiß, oft bunte (bes. gelbl.) Anlauffarben. Wichtiges Wismuterz. Bei Verwitterung Übergang in gelben **Wismutocker,** $Bi_2O_3 \cdot 3\,H_2O$, oder **Bismutit,** $Bi_2[O_2|CO_3]$.

Bismuthin

Bison [lat. »Auerochse«, aus dem German.] *der* (Buffalo, Bison bison), massiges, bis 3 m langes und bis 1,9 m hohes Wildrind in Prärien und lichten Wäldern Nordamerikas. Man unterscheidet zwei Unterarten: den **Prärie-B.** und den **Wald-B.** Der rötlich dunkelbraune, an Kopf, Mähne und Schultern schwarze Prärie-B. war wichtigstes Jagdwild der Indianer Nordamerikas; um 1890 fast völlig ausgerottet, ist er heute in Schutzgebieten wieder stark vermehrt. B. lassen sich mit dem nahe verwandten Wisent fruchtbar miteinander kreuzen. BILD S. 154

Bispel (Beispiel), kürzere Verserzählung (→Lehrdichtung) der mhd. Literatur (der →Stricker) mit oft breit ausgeführter Moral, für Tierfabeln und Gleichnisse aller Art in Reimpaaren.

Bissagosinseln (portugies. Ilhas dos Bijagós), Inselgruppe vor der Küste von Guinea-Bissau, etwa 1500 km²; Hauptort Bubaque.

Bissau, Hptst. und wichtigster Hafen von Guinea-Bissau, W-Afrika, 127 000 Ew.; Ausfuhr von Harthölzern, Kopra, Erdnüssen; internat. Flughafen. – Gegr. 1687.

Bissier [bi'sje], Julius, Maler, *Freiburg im Breisgau 3. 12. 1893, †Ascona 18. 6. 1965; kam, angeregt von der ostasiat. Tuschmalerei, um 1930 zur abstrakten Malerei.

Bison: Nordamerikanische Präriebisons

Bissière [biˈsjɛːr], Roger, frz. Maler, *Villeréal (Lot-et-Garonne) 22. 9. 1888, †Marminiac (Lot) 2. 12. 1964; lebte 1910–39 in Paris. Angeregt durch den Kubismus und P. Klee, entwickelte er seine aus Farbklängen gebauten Formspiele.

Bisswunden, Verletzungen durch Biss (Infektionsgefahr), bes. häufig von Hunden, Katzen, Pferden, Schlangen, Ratten und Menschen. (ÜBERSICHT erste Hilfe: Hundebiss, Schlangenbiss)

bistabile Kippschaltung, →Flipflop.

Bister [frz.] *der* oder *das,* braune Tinte aus mit Leim und Wasser vermischtem Holzruß, seit dem 14. Jh. zum Lavieren von Zeichnungen verwendet.

Bistrița (dt. Bistritz), Stadt in Rumänien, in N-Siebenbürgen, 86 000 Ew.; Holzverarbeitung, Nahrungsmittel-, Textilind.; Obst- und Weinbauzentrum; Verkehrsknotenpunkt.

Bistritz (rumän. Bistrița), **1)** *die* (Große Bistritz), im Oberlauf **Goldene Bistritz,** Nebenfluss des Sereth in Rumänien, 290 km, durchfließt die waldreichen O-Karpaten.

2) Stadt in Rumänien, →Bistrița.

Bisutun: Das Relief stellt den durch seine Größe hervorgehobenen altpersischen König Dareios I. vor unterworfenen Aufständischen dar, über ihnen schwebt das Symbol des Gottes Ahura Masda; rings um das Relief die dreisprachige Inschrift

Bistro [frz.] *das,* kleine Gaststätte, Ausschank.

Bistum, Sprengel (Diözese) eines →Bischofs.

Bisutun (Bisotun), Felsmassiv rd. 30 km östlich von Kermanschah, Iran; hier ließ Dareios I., der Große (522–486) Reliefdarstellungen und eine dreisprachige Inschrift (altpersisch, elamisch, babylonisch) mit den Taten seiner Regierungszeit anbringen. Diese Inschrift lieferte den Schlüssel zur Entzifferung der babylon. →Keilschrift.

bit, Abk. für engl. **b**asic **i**ndissoluble informa**t**ion unit [»grundlegende, unzerlegbare Informationseinheit«], *Informationstheorie:* kleinste Einheit für den Informationsgehalt einer Nachricht, gegeben durch eine Binär-(ja/nein-)Entscheidung; wird ausgedrückt durch Größen (z. B. Entscheidungsgehalt), die durch den Logarithmus zur Basis 2 definiert sind.

Roger Bissière: Ohne Titel (1954; Hannover, Niedersächsisches Landesmuseum)

Bit *das,* Abk. für engl. **bi**nary digi**t** [»Binärziffer«, »Binärstelle«], kleinste Informationseinheit für binäre Daten, eine der beiden Ziffern 0 und 1 des binären Zahlensystems. In der Datenverarbeitung dienen sie zur Darstellung von Zahlen, Zeichen und Befehlen. Jede Speicherzelle eines Computers kann ein Bit aufnehmen. Die Zusammenfassung von acht Bit wird →Byte genannt.

Bitburg, Verw.sitz des Landkr. Bitburg-Prüm, Rheinl.-Pf., 12 400 Ew.; Mittelpunkt des fruchtbaren, alt besiedelten **Bitburger Gutlandes** auf der Südabdachung der Eifel; Brauerei, Metallverarbeitung; Reste des röm. Kastells. Stadtrechte seit 1262.

Bitburg-Prüm, Landkreis im RegBez. Trier, Rheinl.-Pf.; 1 626 km², (1996) 95 900 Ew.; Verw.sitz: Bitburg.

Biterolf und Dietleib, Epos (in Reimpaaren) eines unbekannten österr. Dichters (um 1260); behandelt Dietleibs Abenteuer auf der Suche nach seinem Vater Biterolf.

Bithynien, antike Landschaft in NW-Kleinasien, überwiegend von Thrakern bewohnt. B. kam um 550 v. Chr. zum Lydischen Reich, 546 an

Persien. Das 297 v. Chr. gegr. bithyn. Königreich wurde 74 v. Chr. vom König testamentarisch an Rom übertragen; seit 395 byzantin.; 1326–1413 war Prusa (→Bursa) in B. Hptst. des Osmanischen Reiches.

Bitonto: Relief am Kanzelaufgang (1229) der romanischen Kathedrale (1175–1200)

Bitlis, Hptst. der Provinz B., Türkei, 1500 m ü. M. südwestl. des Vansees, 38300 Ew.; Handelsplatz und Garnison am wichtigsten Pass über den östl. Taurus.

Bitola (serbisch Bitolj, türk. Monastir), zweitgrößte Stadt in Makedonien, 83100 Ew.; Univ.; Handelsplatz mit Ind. (v. a. Textil, Leder). – Orientalisch geprägtes Stadtbild. – An der Stelle des antiken **Herakleia Lynkestis** gegr.; seit 1395 türk., 1913 an Serbien.

Bitonto, Stadt in Apulien, Italien, Prov. Bari, 55000 Ew.; Bischofssitz; Olivenanbau mit Verarbeitungsind.; roman. Kathedrale (1175–1200).

Bittererde, Bez. für Magnesiumoxid.

Bitterfäule, Fruchtfäule durch Pilzbefall, macht Obst bitter.

Bitterfeld, 1) Landkreis in Sa.-Anh., 454 km^2 (1996) und 117600 Einwohner.

2) Verw.sitz von 1) in Sa.-Anh., westlich der Mulde, im N der Leipziger Tieflandsbucht, 16900 Ew.; bed. chem. Industrie (entstanden aufgrund des 1993 eingestellten Braunkohlebergbaus), Rohrwerke, Quarzglaswerk. – B., 1244 erstmals genannt, entstand im 12. Jh.; Mitte des 19. Jh. entwickelte sich die in einem großen Braunkohlenrevier gelegene Stadt durch Abbau und Verarbeitung der Kohle rasch zur Industriestadt.

Bitterklee (Fieberklee, Menyanthes trifoliata), Art der Fieberkleegewächse; ausdauerndes Kraut mit dreiteiligen Blättern und endständiger weiß- bis rosafarbener Blütentraube; in Flachmooren, Gräben, Sumpfwiesen, Verlandungsgebieten.

Bitterling, 1) (Rhodeus sericeus amarus) etwa 6 cm langer Weißfisch in Mittel- und O-Europa mit besonderem Brutpflegeverhalten. Das Weibchen bildet zur Laichzeit eine Legeröhre aus, mit der es die Eier in die Kiemen der Teich- und Malermuscheln als Entwicklungsstätten einführt.

2) (Bitterpilz) der →Gallenröhrling.

Bittermandelöl, fast ausschl. aus Benzaldehyd bestehendes äther. Öl, das durch Wasserdampfdestillation von Mandel-, Aprikosen- u. a. Steinobstkernen als Spaltprodukt des Amygdalins entsteht; nach Entfernung der Blausäure als Aromastoff verwendet.

Bittersalz, das Mineral →Epsomit.

Bitterspat, das Mineral →Magnesit.

Bitterstoffe, Pflanzeninhaltsstoffe, die bes. in Korbblütlern, Enziangewächsen und Lippenblütlern vorkommen. Sie regen reflektorisch die Magensaftsekretion an, teilweise auch die Ausschüttung von Gallenflüssigkeit und bewirken dadurch Steigerung des Appetits, Verbesserung der Bauchspeicheldrüsensekretion und Verdauung. B. werden zur Herstellung von Magenbitterlikören, Aperitifs und appetitanregenden Arzneimitteln **(Bittermittel, Amara)** verwendet.

Bittersüß, Art der Pflanzengattung →Nachtschatten.

Bitterwässer, →Heilquellen mit Magnesiumsulfat; zu Trinkkuren bei Erkrankungen der Verdauungsorgane und Stoffwechselstörungen verwendet.

Bittgang, die Flurprozession an den Bitttagen zur Erflehung des göttl. Segens, bes. für die Ernte, mit der Großen Litanei am Markustag, 25. 4. (nach dem 2. Vatikan. Konzil gestrichen), und der Kleinen Litanei an den drei Tagen vor Christi Himmelfahrt.

Bittner, Julius, österr. Komponist, *Wien 9. 4. 1874, †ebd. 9. 1. 1939; volkstüml. Opern (»Die rote Gret«, 1907) in der Tradition des Wiener Singspiels; auch Lieder und Orchesterwerke.

Bitterfeld

*In Bitterfeld fand 1959 die 1. und 1964 die 2. Bitterfelder Konferenz statt, auf der die offizielle Kulturpolitik der DDR formuliert wurde. Der **Bitterfelder Weg** umreißt das Programm zur Entwicklung der sozialistischen Nationalkultur in der Deutschen Demokratischen Republik. Die Kulturschaffenden sollten in der Produktion die Wirklichkeit der Werktätigen kennen lernen und sich mit ihrem künstlerischen Schaffen am sozialistischen Aufbau beteiligen, die Werktätigen sollten dieses Schaffen mit Interesse und Anteilnahme begleiten. Abweichler von diesem Programm des sozialistischen Realismus waren behördlichen Sanktionen ausgesetzt.*

Bitttage, →Bittgang.

Bitumen [lat. »Erdpech«] *das,* dunkelfarbiges, kolloidales, höher molekulares, halbfestes bis springhartes Kohlenwasserstoffgemisch.

Nach Vorkommen und Gewinnung unterscheidet man natürliche bituminöse Stoffe von den bei

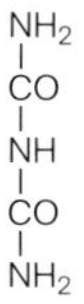

Biuret

Paul Biya

Georges Bizet

Boris Blacher

der Aufarbeitung bestimmter Erdöle gewonnenen Vakuumdestillationsrückständen. B. wird u. a. verwendet zur Herstellung von →Asphalt, Bautenschutzmitteln und Dachpappen.

Bituriger, keltischer Stamm in Gallien (Aquitanien), der in zwei Teilstämme zerfiel: die **Bituriges Cubi** mit dem Hauptort Avaricum (heute Bourges) und die **Bituriges Vivisci,** die in und um Burdigala (heute Bordeaux) ansässig waren.

Biuret *das,* hygroskopische organ. Verbindung, entsteht beim Erhitzen von Harnstoff auf 160 °C. In alkal. Lösung ergibt B. mit Kupfersulfat eine Komplexverbindung von rotvioletter Färbung. Analog reagieren z. B. Eiweißstoffe **(B.-Reaktion).**

Biwak [frz. bivouac, von niederdt. »Beiwache«] *das,* Lager im freien Gelände, in Zelten, z. B. in der Alpinistik oder bei Truppen.

Biwasee, größter See Japans, auf Honshū, 675 km^2, bis 96 m tief; fischreich.

Biya, Paul, kamerun. Politiker, *Mvoméka (S-Kamerun) 13. 2. 1933; 1975–82 Premiermin., seit 1982 Staatspräs., wurde 1988 ohne Gegenkandidat, 1992 mit 39,9 % der abgegebenen Stimmen (unter dem Vorwurf der Manipulation des Wahlergebnisses) wieder gewählt.

BIZ, Abk. für →**B**ank für **I**nternationalen **Z**ahlungsausgleich.

Bizeps [lat. biceps »zweiköpfig«] *der,* Muskel mit zwei Ursprüngen (Köpfchen); v. a. der zweiköpfige Oberarmmuskel, der das Ellenbogengelenk beugt und bei Kontraktur stark anschwillt.

Bizerte [bi'zɛrt], frz. Name von →Biserta.

Bizet [bi'ze], Georges, eigtl. Alexandre César Léopold B., frz. Komponist, *Paris 25. 10. 1838, †Bougival, 3. 6. 1875. Mit seinem Hauptwerk, der Oper »Carmen« (1875), erlangte er nach anfängl. Misserfolg Weltruhm.

Weitere Werke: Opern: Die Perlenfischer (1863); Das Mädchen von Perth (1867); Djamileh (1872). Suite: L'Arlésienne (1872). Orchestermusik.

Bizone [lat. bi- »doppel-«], Zusammenschluss (1946) der amerikan. und brit. Besatzungszone in Dtl., 1947 zum →Vereinigten Wirtschaftsgebiet zusammengefasst.

Bjelarus, weißruss. Name für →Weißrussland.

Bjerknes, Vilhelm, norweg. Physiker und Meteorologe, *Christiania (heute Oslo) 14. 3. 1862, †ebd. 9. 4. 1951; stellte eine Theorie zur Entwicklung von Tiefdruckgebieten (Polarfronttheorie) auf, schuf die Grundlagen der modernen Wettervorhersage und entwickelte neue Arbeitsmethoden für die Meteorologie und Ozeanographie.

Björneborg [-'bɔrj], schwed. Name der finn. Stadt →Pori.

Bjørnson ['bjø:rnsɔn], Bjørnstjerne, norweg. Schriftsteller, *Kvikne (Prov. Hedmark) 8. 12. 1832, †Paris 26. 4. 1910; Pfarrerssohn; schilderte in Erzählungen das norweg. Bauernleben (»Synnøve Solbakken«, 1857; »Arne«, 1858). Seine Dramen begründeten das moderne, realistische norweg. Theater (»Über die Kraft«, 1883; »Über unsere Kraft«, 1895; »Paul Lange und Tora Parsberge«, 1898). 1903 erhielt er den Nobelpreis für Literatur.

Bk, chem. Symbol für →Berkelium.

BKA, Abk. für →**B**undes**k**riminal**a**mt.

B. L., Abk. für lat. **B**accalaureus **L**egum, engl. Bachelor of Law, unterster jurist. Universitätsgrad in angloamerikan. Ländern.

Blacher, Boris, Komponist, *Niuzhuang (China) 19. 1. 1903, †Berlin 30. 1. 1975; schrieb Opern: »Die Flut« (1947); »Yvonne, Prinzessin von Burgund« (1973) u. a.; Ballette (»Tristan«, 1965), Konzerte, Chor- und Orchesterwerke, Kammermusik u. a.; er bezog auch Jazz und elektron. Musik in sein Schaffen ein.

Black [blæk], Sir (seit 1981) James Whyte, brit. Pharmakologe, *Uddingston (Schottland) 14. 6. 1924; arbeitete v. a. an der Entwicklung von Beta- und Magensäureblockern; seit 1984 Prof. in London. 1988 erhielt er für die Entwicklung des ersten klinisch anwendbaren Betablockers (mit G. B. Elion und G. H. Hitchings) den Nobelpreis für Physiologie oder Medizin.

Blackbottom ['blækbɔtəm, engl.] *der,* Gesellschaftstanz in synkopiertem $^4/_4$-Takt, kam 1926 aus den USA nach Europa, gehört musikalisch zur Gattung des →Ragtime.

Blackbox ['blækbɔks; engl. »schwarzer Kasten«] *die, Kybernetik* und *Wissenschaftsmethodik:* kybernet. System, dessen innerer Aufbau unbekannt oder im Rahmen einer vergleichenden Untersuchung unerheblich ist und von dem man nur seine am Ausgang messbare Reaktion auf bestimmte Eingangssignale kennt **(B.-Methode).**

Blackburn ['blækbə:n], Stadt und Distrikt in der engl. Cty. Lancashire, 136 600 Ew.; Textilmuseum; Zentrum der Textilind. im 19. Jh. (Baumwollweberei), inzwischen starker Niedergang; Maschinenbau, chem., Papier- und Elektroindustrie.

Blackett ['blækɪt], Patrick Maynard Stuart, Baron B. of Chelsea, brit. Physiker, *London 18. 11. 1897, †ebd. 13. 7. 1974; erhielt 1948 den Nobelpreis für Physik für die Verbesserung der Wilson-Kammer (→Nebelkammer) sowie die damit gemachten Entdeckungen im Bereich der Kernphysik und kosm. Strahlung.

Blackfoot ['blækfʊt; engl. »Schwarzfuß«] (Blackfeet, dt. populär auch Schwarzfuß-Indianer), zu den Plains-Indianern gehörender Stammesverband von Algonkin sprechenden Indianerstämmen Nordamerikas; etwa 20 000 B., darunter viele

Mischlinge; heute in Reservationen in Montana (USA) und Alberta (Kanada).

Black Hills ['blæk 'hɪlz; engl. »schwarze Hügel«], Gebirgsstock an der Grenze von Wyoming und South Dakota, USA, im Harney Peak 2207 m hoch; reiche Bodenschätze, bes. Gold.

Black Hole ['blæk 'həʊl, engl.] *das, Astrophysik:* →Schwarzes Loch.

Black Muslims ['blæk 'mʊslɪmz; engl. »schwarze Muslime«], straff organisierte religiöse Bewegung von Schwarzen in den USA, gegr. 1930 von W. D. Fard; nannte sich bis in die 70er-Jahre **The Lost-Found Nation of Islam** (»die verlorene-wiedergefundene Nation des Islam«), später **American Muslims Mission.**

📖 HIELSCHER, H.: *»Gott ist zornig, Amerika.« Der Aufstieg des Schwarzenführers Louis Farrakhan. Bonn 1996.*

Black-out ['blækaʊt; engl. »Verdunkelung«] *das* oder *der,* **1)** *Funktechnik:* Totalausfall von Radiowellen infolge des Mögel-Dellinger-Effekts in der Ionosphäre oder als Folge der ionisierenden Strahlung nuklearer Höhenexplosionen.

2) *Medizin:* vorübergehende Einschränkung der Sehfähigkeit infolge ungenügender Durchblutung der Netzhaut; kann unter Einwirkung hoher Beschleunigung beim Fliegen auftreten. Auch für gleichartige Zustände bei akutem Ausfall der Hirntätigkeit gebraucht. Umgangssprachl. ferner für plötzl., vorübergehenden Verlust des Erinnerungsvermögens (sog. Gedächtnislücke).

3) *Theater:* das plötzl. Verdunkeln der Szene für kurze Zeit.

Black Panther Party for Self-Defense ['blæk 'pænθə 'pɑːtɪ fɔː selfdɪ'fens; engl. »Partei der schwarzen Panther für Selbstverteidigung«], militante Organisation von Schwarzen in den USA; 1966 von H. P. Newton und B. Seale in Oakland (Calif.) gegründet.; Symbol: springender Panther.

📖 DEMNY, O.: *Die Wut des Panthers. Schwarzer Widerstand in den USA. Die Gesch. der Black Panther Party. Münster 1994.*

Blackpool ['blækpuːl], Stadt an der Irischen See in der engl. Cty. Lancashire, 146 000 Ew.; bed. Seebad; Nahrungsmittel-, Schuhind., Maschinenbau; Flugplatz.

Blackpower ['blækpaʊə; engl. »schwarze Macht«] *die,* seit Mitte der 1960er-Jahre Schlagwort des radikaleren Teils der amerikan. Bürgerrechtsbewegung der Schwarzen. Einige Gruppen fordern die Schaffung eines schwarzen Separatstaates in den USA.

Black Smokers ['blæk 'sməʊkəz, engl.], *Geologie:* →Schwarze Raucher.

Blagodạt, Berg im Mittleren Ural, Russland, westlich von Jekaterinburg, 364 m hoch, größtenteils aus Magnetit (Eisenerze weitgehend abgebaut).

Blagowẹschtschensk, Hptst. des Gebiets Amur, Russland, an der Mündung der Seja in den Amur, 208 000 Ew.; Hochschulen; Werft, Maschinenbau, Papier-, Holzind.; Stichbahn zur Transsibir. Eisenbahn, Flusshafen. – Gegr. 1856 als Militärstützpunkt.

Blähungen (Flatulenz, Meteorismus), das vermehrte Auftreten von Darmgasen infolge gestörter Verdauung, oft nach Genuss bestimmter Speisen (Kohl, Hülsenfrüchte u. a.). – *Behandlung:* Bewegung, Bauchmassage, Fenchel- und Kümmeltee, Kohle- und Verdauungsenzympräparate.

Tony Blair

Blair [bleə], Anthony (Tony) Charles Lynton, brit. Politiker, *Edinburgh 6. 5. 1953; Rechtsanwalt, seit 1975 Mitgl. der Labour Party, seit 1983 Abg. im Unterhaus, 1984–94 Sprecher der Opposition im Unterhaus auf versch. Gebieten (u. a. 1989–92 für Beschäftigungspolitik, 1992–94 für Innenpolitik), führt als Vors. (Leader) der →Labour Party (seit 1994) im Sinne seiner Amtsvorgänger N. Kinnock und J. Smith die Erneuerung seiner Partei als eine weniger dogmat. Mitte-Links-Partei fort, um so auch die breite Mittelschicht anzusprechen. Nach dem höchsten Wahlsieg in der Geschichte seiner Partei (1. 5. 1997) übernahm B. das Amt des Premierministers.

Patrick Blackett

Blake [bleɪk], **1)** Peter, brit. Maler, *Dartford 25. 6. 1932; Vertreter der →Pop-Art.

2) Robert, engl. Admiral, *Bridgewater (Somersetshire) 1599, †vor Plymouth 7. 8. 1657; erhielt unter Cromwell 1648 den Oberbefehl über die Flotte, besiegte die königl., 1653 die holländ., 1655 die tunes. und 1657 die span. Flotte.

3) William, englischer Dichter, Maler, Grafiker, *London 28. 11. 1757, †ebd. 12. 8. 1827; schuf Illustrationen u. a zu dem Buch Hiob sowie zu eigenen Werken; dabei wandte er eine eigene Technik der handkolorierten Kupfer- oder Zinkätzung an. B. dichtete und zeichnete sein myst. Weltbild, für das erst um die Mitte des 19. Jh. die Präraffaeliten um Verständnis warben. Seine Visionen und Gedanken hat B. mit großer Sprachkraft und in kühnen Bildern dargestellt. BILD S. 158

Blackpool
Stadtwappen

📖 DÖRRBECKER, D. W.: *Konvention u. Innovation. Eigenes u. Entliehenes in der Bildform bei W. B. u. in der brit. Kunst seiner Zeit. Berlin u. a. 1992.* – GREEN, J.: *Engl. Suite. Literar. Porträts. A. d. Frz. München 1992.*

Blạker [niederdt.], Wandleuchter mit Metallschild, der das Kerzenlicht reflektiert; v. a. im 16.–18. Jh. gebräuchlich.

Blakey ['bleɪkɪ], Art, amerikan. Jazzschlagzeuger, *Pittsburgh 11. 10. 1919, †New York 16. 10. 1990; bed. Vertreter des Bebop (→Jazz).

Louis Blanc

Blanc [blã], Louis, frz. Sozialist, *Madrid 29. 10. 1811, †Cannes 6. 12. 1882; trat für die Errichtung staatlich unterstützter Arbeiterproduktionsgenossenschaften ein. Er versuchte nach der Februarrevolution 1848 als Mitgl. der provisor. Reg. und Präs. ihrer Arbeiterkommission erfolglos, seine Vorstellungen zu realisieren (»Nationalwerkstätten«). Lebte 1848–70 im Exil.

Blanchard [blãˈʃaːr], Jean-Pierre, frz. Ballonfahrer, *Les Andelys 4. 7. 1750, †Paris 7. 3. 1809; überquerte 1785 mit dem Amerikaner J. Jeffries als Erster den Ärmelkanal in einem Ballon.

blanchieren [blãˈʃiːrən; frz. »weiß machen«], **1)** *Lebensmitteltechnik:* Gemüse, Obst mit kochendem Wasser übergießen um Mikroorganismen abzutöten und unerwünschte Geschmacksstoffe zu beseitigen.

2) *Lederfabrikation:* die Fleischseite von Haut durch spanabhebendes Entfernen der obersten Faserschicht glätten und egalisieren.

William Blake: Seite aus dem epischen Gedicht »America: A Prophecy« (1793) in Blakes eigener grafischer Gestaltung

Blanchot [blãˈʃo], Maurice, frz. Schriftsteller, *Quain (heute zu Devrouze, Dép. Saône-et-Loire) 19. 7. 1907; Romancier (»Thomas der Dunkle«, 1941, 2. Fassung 1950; »Die Frist«, 1948; »Warten, Vergessen«, 1962) und Essayist (»Thomas Mann«, 1955; »Von Kafka zu Kafka«, 1981 dt. Ausw. 1993); zählt zu den Anregern des Nouveau Roman und der Nouvelle Critique.

Blank, Theodor, Politiker (CDU), *Elz (Lahn) 19. 9. 1905, †Bonn 14. 5. 1972; als Beauftragter des Bundeskanzlers für Sicherheitsfragen (1951–55; Amt Blank) mit der Organisation eines dt. Verteidigungsbeitrags befasst. 1955–56 war er Bundesmin. der Verteidigung, 1957–65 für Arbeit und Sozialordnung.

Blankenburg, 1) → Bad Blankenburg.

2) B. (Harz), Stadt und Kurort im Landkr. Wernigerode, Sa.-Anh., am NO-Rand des Unterharzes, 18 000 Ew.; mittelständ. Ind., bes. Holzverarbeitung. Gotische Hallenkirche (14. Jh.), »Großes Schloss« (1705–18 umgebaut), »Kleines Schloss« (1725; 1777 umgestaltet; 1984 erneuert). – Nördlich von B. Burgruine Regenstein (12./14. Jh.), westlich das ehem. Zisterzienserkloster Michaelstein (12. Jh.), östlich die → Teufelsmauer. – B. wurde um 1200 am Fuß der gleichnamigen Burg gegründet, seit dem 14. Jh. Stadtrecht seit dem 14. Jh.

Blankenese, Ortsteil von Hamburg am nördl. Steilufer der Elbe (Süllberg 85 m), 14 000 Einwohner.

Blanker Hans, *Seemannssprache:* Bez. für die Nordsee, bes. bei Sturm. Aus dem zur Abwehr angerufenen Johannes (von Nepomuk) oder Hans wurde allmählich die Bez. für das Unheil selbst.

Blankett [zu blank] *das,* unausgefüllter oder noch nicht völlig ausgefüllter Vordruck einer Urkunde.

Blankettgesetz, Rechtsvorschrift, die eine Rechtsfolge anordnet, deren Voraussetzungen anderen (ausführenden) Rechtsvorschriften zu entnehmen sind. Sieht ein B. die Ermächtigung zum Erlass von Rechtsverordnungen vor, müssen Inhalt, Zweck und Ausmaß der erteilten Ermächtigung im B. selbst bestimmt werden (Art. 80 Abs. 1 GG).

blanke Waffen, im Ggs. zu den Feuerwaffen die Hieb- und Stichwaffen wie Säbel, Seitengewehr, Dolch und Lanze.

Blankleder, pflanzlich gegerbtes, mäßig gefettetes Rindleder, mindestens 2,5 mm dick, für Sattlerwaren, Aktenmappen u. a.

blanko [italien. bianco »weiß«], leer, unausgefüllt.

Blankoscheck, unterschriebener Scheck, bei dem der Betrag nachträglich eingesetzt wird.

Blankoverkauf (Leerverkauf), Verkauf von Waren (Wertpapieren) per Termin zum heutigen Preis (Kurs), die der Verkäufer noch nicht besitzt, aber zum Liefertermin billiger zu beschaffen hofft.

Blankvers, reimloser, jambischer Fünffüßer (→ Jambus), im engl. Drama bes. durch Shakespeare und seine Zeitgenossen verbreitet. Im dt. Schauspiel ist der B. seit J. E. Schlegel, C. M. Wieland und G. E. Lessing (»Nathan der Weise«, 1779) der am häufigsten verwendete Vers.

Blanqui [blã'ki], Louis Auguste, frz. Sozialist und Revolutionär, *Puget-Théniers 7. 2. 1805, †Paris 1. 1. 1881; war an den Aufständen von 1830 und 1848 führend beteiligt, ebenso 1871 an der Pariser Kommune; insgesamt 36 Jahre in Haft. Seine Anhänger, die **Blanquisten,** gingen 1901 im »Parti socialiste de France« auf.

Blantyre ['blæntaɪə], größte Stadt von Malawi, 1070 m ü. M., an der Bahnlinie Lilongwe–Beira, 332 000 Ew.; Sitz eines kath. Erzbischofs und eines anglikan. Bischofs; Polytechnikum; Handels- und Ind.zentrum (Zement, Tabak, Holz); internat. Flughafen.

Blasar *der* (engl. Blazar, BL Lac-Objekt), aus »BL Lacertae-Objekt« und »Quasar« gebildete Bez. für bes. aktive Galaxien. Ein B. sieht in opt. Teleskopen wie ein Stern aus und weist unregelmäßige, relativ schnelle Helligkeitsschwankungen auf, die vermutl. durch →Jets von Gasmassen verursacht werden. Neben dem Prototyp im Sternbild Lacerta (Eidechse) sind etwa 50 ähnl. Objekte nachgewiesen.

Bläs|chenflechte, durch Herpesviren hervorgerufene Infektionskrankheit (→Herpes).

Blasco Ibáñez [-i'βaɲeθ], Vicente, span. Schriftsteller, *Valencia 29. 1. 1867, †Menton (Frankreich) 28. 1. 1928; bed. Vertreter des span. Naturalismus; schrieb zuerst realist. Romane und Erzählungen, dann sozialist., antiklerikale Tendenzromane, später histor. und kosmopolit. Romane (»Die Scholle«, 1899; »Die Arena«, 1908; »Die apokalypt. Reiter«, 1916).

Blase, 1) *Anatomie:* bei Mensch und Tieren ein häutiges Hohlorgan zur Aufnahme von Flüssigkeiten (Harn-B., Gallen-B.) oder Luft (Schwimm-B. der Fische).

2) *Pathologie:* (lat. Bulla) die Ablösung der obersten Schichten von Haut oder Schleimhaut, unter denen sich Flüssigkeit (Wasser-B., Blut-B., Eiter-B.) oder Luft ansammeln können. B. entstehen durch Verbrennung, Quetschung, Reibung oder bei meist infektiösen Hautkrankheiten.

Blasebalg, das einfachste Gebläse. Zwei durch einen Lederbalg verbundene Platten werden gegeneinander bewegt. Dadurch wird die zw. ihnen befindl. Luft verdichtet und durch eine Düse ausgeblasen.

Blasenausschlag (Pemphigus), Oberbegriff für durch Blasenbildung charakterisierte, meist chron. Erkrankungen der Haut und Schleimhäute, mit gestörtem Allgemeinbefinden. Die Ursache ist unbekannt. Häufigste Form ist der **Pemphigus vulgaris,** bei dem es zur Ausbildung unregelmäßig begrenzter, flüssigkeitsgefüllter, am ganzen Körper auftretender Blasen kommt (die Mundschleimhaut ist fast immer beteiligt). – *Behandlung* durch Corticoide; zum Infektionsschutz Antibiotika.

Blankenburg 2): Gartenfront des »Kleinen Schlosses« (1725/77, 1984 erneuert) mit dem barocken Terrassengarten

Blasenentzündung (Blasenkatarrh, Zystitis), akute oder chron. Entzündung der Blasenschleimhaut; verursacht durch Bakterien (v.a. Kolibakterien, Strepto- oder Staphylokokken), die absteigend von der Niere oder (bes. häufig bei Frauen) aufsteigend über die Harnröhre in die Blase gelangen. Kennzeichen sind Schmerzen, gehäufter Harndrang und Brennen beim Wasserlassen. – *Behandlung:* Wärmeanwendung, reichl. Flüssigkeitszufuhr und zur Erregerbekämpfung Antibiotika und Sulfonamide.

Louis Auguste Blanqui

Blasenfüße (Fransenflügler, Thysanoptera), Gruppe winziger Insekten mit sehr schmalen, lang befransten Flügeln; z.T. schädlich als Pflanzensaftsauger und Virusüberträger.

Blasengrind, die →Impetigo.

Blasenkäfer (Meloidae), Käferfamilie mit vielen oft metallisch oder bunt gefärbten Arten. B. enthalten Cantharidin (→Spanische Fliege).

Blasenkammer (Glaser-Kammer), von D. A. →Glaser entwickeltes Gerät zum Nachweis und zum Sichtbarmachen der Spuren energiereicher Teilchen. Eine leicht siedende Flüssigkeit (z.B. Wasserstoff, Helium, Propan) wird in einem zw. den Polen eines Magneten angeordneten Behälter knapp über dem Dampfdruck gehalten. Durch plötzliche Verminderung des Drucks wird die Flüssigkeit überhitzt; die dann in die B. eintretenden ionisierenden Teilchen erzeugen längs ihres Weges Dampfblasen, die sich fotografieren lassen. Die B. hat die →Nebelkammer verdrängt.

Blasenkatarrh, die →Blasenentzündung.

Blasenkeim, die →Blastula.

Blasenkirsche (Judenkirsche, Lampionpflanze, Physalis alkekengi), Nachtschattengewächs in

Blasenkirsche: Zweig mit Blüte (oben) und Frucht

Auenwäldern und Gärten mit bei der Fruchtreife rotem, blasig aufgetriebenem Kelch, der eine scharlachrote Beere enthält; wird zu Trockensträußen verwendet.

Blasenstrauch: Zweig mit Blütenständen (oben) und Hülsen

Blasenkrebs (Harnblasenkrebs), bösartige Gewebeneubildung der Harnblase; geht meist von Papillomen des Übergangsepithels der Schleimhaut aus und gehört zu den zweithäufigsten bösartigen Geschwülsten des Harn- und Geschlechtssystems. Der B. tritt v.a. bei Männern auf und wird z.T. durch Krebs erregende Stoffe (z.B. aromat. Amine) hervorgerufen, auch auf Nikotinmissbrauch zurückgeführt. Frühsymptom ist ein in Intervallen auftretendes, schmerzfreies Blutharnen. Später kommt es zu Beschwerden, die denen einer Blasenentzündung entsprechen, ausstrahlenden Schmerzen, je nach Sitz und Größe der Geschwulst schließlich zu Inkontinenz oder Harnverhaltung. Die *Behandlung* besteht je nach Ausdehnung in einer endoskop. Elektroresektion der Schleimhautwucherungen (auch durch Kryochirurgie oder Lasertherapie), ggf. in einer Teilentfernung der Blasenwand, in späteren Stadien in einer völligen Entfernung der Harnblase und der angrenzenden Lymphknoten. Zur Harnableitung werden die Harnleiterenden in den Darm oder die Bauchwand eingepflanzt.

Blasenmole *die* (Traubenmole), Schwangerschaftsstörung mit blasenförmiger Entartung der Chorionzotten der Plazenta. Der normale Stoffaustausch ist gestört, die Leibesfrucht stirbt infolgedessen frühzeitig ab; es tritt eine Fehlgeburt ein. Die Entwicklung eines bösartigen **Chorionepithelioms** aus (Resten) der B. ist möglich (etwa 5% der Fälle), deshalb sind Nachuntersuchungen erforderlich.

Blasenspiegelung, die →Zystoskopie.

Blasensprung, Vorgang bei der →Geburt.

Blasensteine, in der Harnblase gelegene →Harnsteine, stammen meist aus der Niere. Beschwerden: häufiger Harndrang, Schmerzen, Blut im Harn. Ursachen der Steinbildung sind v.a. Blasenabflussbehinderungen (z.B. Prostatavergrößerung), Blasenentzündung oder bestimmte Harninfektionen.

Blässhuhn

Blasenstrauch (Colutea), Schmetterlingsblütlergattung mit unpaarig gefiederten Blättern, gelben bis roten Blüten und blasigen Hülsen; z.T. Ziersträucher.

Blasentang (Fucus vesiculosus), rd. 60 cm lange Braunalge mit lufthaltigen Blasen, gabelig verzweigt, enthält u.a. Jod und Alginsäure.

Blasenwurm, der Hundebandwurm (→Echinokokken).

Blasenwurmkrankheit, durch Bandwurmfinnen hervorgerufene Erkrankung (→Echinokokken).

Bläsertriebwerk (Fantriebwerk), ein →Strahltriebwerk mit großem Nebenstromverhältnis.

Blasinstrumente, Musikinstrumente, bei denen entweder die in einem festen Körper eingeschlossene Luft zum Klingen gebracht oder die Außenluft unmittelbar in Schwingung versetzt wird. Zur ersten Gruppe gehören: a) **Flöten,** b) **Schalmeien (Rohrblattinstrumente,** u.a. Oboe, Fagott, Klarinette, Saxophon), c) **Trompeten-(Kesselmundstück-)Instrumente** (u.a. Trompete, Posaune, Horn, Tuba), zur zweiten: d) **Instrumente mit Durchschlagzungen** (u.a. Harmonium, Zieh- und Mundharmonika). Die Orgel enthält Pfeifen der Typen a, b und d. Die Scheidung in Holz- und Blech-B. ist irreführend, da Flöten und Rohrblattinstrumente (z.B. das Saxophon) auch aus Metall gefertigt werden, Kesselmundstückinstrumente auch aus Holz (z.B. der Zink). Die Tonhöhe richtet sich bei den Typen a, b und c nach der Länge der Luftsäule. Bei schärferem Anblasen (»Überblasen«) erklingen höhere Teiltöne. Bei den Flöten wird der Luftstrom gegen den scharfen Rand einer oberen Öffnung getrieben, bei den Schalmeien wird er durch ein Rohrblatt oder Blattpaar, bei den Trompeteninstrumenten durch Ventile unterbrochen.

Blasius, Bischof von Sebaste (Armenien), Märtyrer, †um 316; einer der 14 Nothelfer, u.a. auch Patron der Ärzte und Halsleidenden. Weit verbreitet ist der **B.-Segen** (gegen Halsübel). Heiliger, Tag: 3. 2.

Blason [bla'zɔ̃, frz.] *der,* **1)** *Heraldik:* Wappenschild. (→Heraldik)

2) *Literatur:* gegen Ende des 15. Jh. in Frankreich entwickelte Gedichtart, die Lob oder Tadel und poet. Beschreibung eines Menschen oder Gegenstandes enthält.

Blasphemie [grch.] *die,* Gotteslästerung.

Blasrohr, eine Röhre (Holz, Bambus), durch die Geschosse (Tonkugeln, vergiftete Pfeile) mit dem Mund geblasen werden; Jagdwaffe bei Naturvölkern in SO-Asien sowie in Süd- und Mittelamerika.

Blässhuhn (Blesshuhn, Fulica atra), knapp entengroßer, schwarzer Wasservogel mit weißem Stirnschild und weißem Schnabel aus der Familie Rallen.

Blastem [grch. »Keim«, »Sproß«] *das,* Bildungsgewebe aus undifferenzierten Zellen, aus dem sich während der Embryonal- und Fetalentwicklung Organe oder Körperteile bilden.

Blastom [grch.] *das,* eine →Geschwulst.

Blastomykosen, eine Gruppe von (nach Erreger wie Verlauf verschiedenartigen) meist trop. Systempilzerkrankungen.

Blastula [grch.-lat.] *die* (Blasenkeim), frühes Entwicklungsstadium des Embryos vielzelliger

Tiere; im Verlauf der Furchungsteilungen aus der Eizelle entstehender, hohler Zellkörper.

Blatt, **1)** *Botanik:* meist flächiges, Chlorophyll enthaltendes Organ der Samen- und Farnpflanzen (i. w. S. auch der Moose). Es dient in erster Linie als Laub-B. dem Aufbau der Kohlenhydrate durch die Photosynthese und der Wasserabgabe durch Transpiration. Ausgewachsen gliedert sich das B. morphologisch in ein **Ober-B.** mit flacher oder nadelförmiger **Spreite** (Laub- oder Nadel-B.) und (meist) **B.-Stiel** sowie in ein **Unter-B.** mit **B.-Grund,** der das B. mit der Sprossachse verbindet. Geschlossene Leitbündel durchziehen als **B.-Adern, B.-Rippen** oder **B.-Nerven** die Spreite, bei zweikeimblättrigen Pflanzen meist netzartig, bei einkeimblättrigen i. d. R. parallel oder bogenförmig. Sie dienen der Versorgung mit Wasser und Nährsalzen sowie dem Abtransport der Assimilationsprodukte. Die flache Spreite der Laubblätter kann ungeteilt, gefiedert, gestielt oder ungestielt (sitzend) sein. Nach bestimmter, meist kurzer Lebensdauer werden viele Laubblätter im Unterschied zu den Nadelblättern abgeworfen. Nach der Entwicklungsfolge unterscheidet man folgende B.-Arten: Keimblätter, Niederblätter, Laubblätter (Laub-B., Nadel-B.), Hochblätter und die Blätter im Blütenbereich (→Blüte).

2) *Holztechnik:* Teil einer Holzverbindung.

3) *Weberei:* (Weberkamm, Webe-B., Riet), Teil der Webmaschine, schlägt den Schussfaden an das fertige Gewebe an.

Blattachsel, bei Pflanzen der Winkel zw. Sprossachse und Blatt.

Blattbräune, Pflanzenkrankheit, vorzeitiges Absterben der Blätter, oft unter Bräunung; häufig liegt Pilzbefall vor.

Blattkakteen: Epiphyllum (Phyllocactus)

Blatten, *Jägersprache:* das Anlocken von Rehböcken zur Brunftzeit durch Nachahmen des weibl. Kontakt-(»Fiep«-)Lautes; der Jäger bedient sich hierbei eines Pflanzenblattes oder eines Instruments.

Blätterkohl (Brassica oleracea var. acephala), krausblättrige, auf Blattmasse gezüchtete Formen des Kohls, heute fast allein durch den **Grünkohl** (auch **Braunkohl**) vertreten; reich an Eiweiß, Vitamin A und C.

Blätterkohle (Dysodil), feinblättrige, aus Faulschlamm entstandene Bitumenkohle, oft mit gut erhaltenen Fossilien.

Blätterkrone (Blattkrone), *Heraldik:* die →Helmkrone.

Blättermagen, einer der Vormägen der →Wiederkäuer.

Blattern, volkstüml. Bez. für die →Pocken.

Blätterpilze (Lamellenpilze), Bez. für Ständerpilze, an deren Hutunterseite sich radial verlaufende Lamellen (Blätter) befinden, z. B. Champignon, Knollenblätterpilz.

Blätterteig, Wasserteig, der mehrmals ausgerollt, mit Butter bestrichen, wieder zusammengefaltet und zu **B.-Gebäck** gebacken wird.

Blattfallkrankheiten, Pflanzenkrankheiten mit vorzeitigem Laubfall, durch Schädlingsbefall, Witterungseinflüsse, Nährstoffmangel, Immissionen; an Zierpflanzen entstehen sie oft durch falsche Pflege.

Blattfisch (Monocirrhus polyacanthus), etwa 10 cm langer, durch Aussehen und Schwimmweise wie ein treibendes Blatt erscheinender Fisch im Amazonasgebiet.

Blattflöhe, die Insektenfamilie →Blattsauger.

Blattfußkrebse (Blattfüßer, Phyllopoda), Unterklasse der Krebstiere mit zwei Paar Fühlern, einem kräftigen Oberkieferpaar und mindestens vier blattförmig gelappten Schwimmfüßen mit Kiemenanhängen. Körper schalenlos (Sommerkiemenfuß u. a.), mit schildförmiger (z. B. Kiefenfuß) oder zweiklappiger Schale (Wasserflöhe).

Blattgold, reines Gold, zu dünnen Blättchen von etwa 0,1 µm Stärke ausgeschlagen; dient zum Vergolden, bes. von Buchschnitt, Kuppeln und Denkmälern. – **Unechtes B.** →Schlagmetall.

Blattgrün, das →Chlorophyll.

Blatthornkäfer (Lamellicornia), Laub fressende Käfer, z. B. **Nashorn-, Hirsch-, Mai-, Mistkäfer;** ihre unterirdisch lebenden Larven **(Engerlinge)** schaden durch Wurzelfraß.

Blattkäfer (Chrysomelidae), Käferfamilie mit etwa 30 000 bis 35 000 Arten; meist gewölbt-eiförmig, metallisch glänzend oder bunt. Die Larven sind gestreckt-walzenförmig, oft mit Warzen oder Fortsätzen. Als Pflanzenfresser sind B. oft schädlich, z. B. **Kartoffelkäfer, Erdflöhe, Pappel-** und **Erlenblattkäfer.**

Blattkakte|en (Phyllokakteen), verbreiteter Name für Kakteen mit blattähnl. Flachsprossen; bes. die von Mexiko bis Argentinien verbreitete

Blatt 1)

Gattung **Epiphyllum** (Phyllocactus); mehrere Arten auch als Zimmerpflanzen.

Blattkiemer, Ordnung 1 mm bis 1,5 m langer Muscheln im Meer (u. a. Klaff-, Herz-, Riesenmuscheln) und in Süßgewässern (Flussmuscheln).

blaue Blume

Zu Beginn von Novalis' Roman »Heinrich von Ofterdingen« (hg. 1802) erfährt der junge Dichter Heinrich von Ofterdingen durch einen fremden Reisenden von der wunderbaren Blume. Sein ganzes Verlangen richtet sich von diesem Augenblick an darauf, sie zu finden: »Die blaue Blume sehn' ich mich zu erblicken. Sie liegt mir unaufhörlich im Sinn, und ich kann nichts anderes dichten und denken.« Heinrich Heine nimmt darauf in seiner Prosaschrift »Geständnisse« Bezug: »Die blaue Blume als das Symbol der romantischen Sehnsucht hat Novalis in seinem Roman ›Heinrich von Ofterdingen‹ erfunden und gefeiert.« In Wirklichkeit ist die blaue Blume schon vor der Zeit der Romantik zu finden. Sie gehört in die Volkssage, in der vielfach von einer blauen Wunderblume berichtet wird, die einer zufällig findet und die ihm den Zugang zu verborgenen Schätzen eröffnet.

Blattkrone → Helmkrone.

Blattläuse (Aphidina), Pflanzensauger mit acht Familien, darunter die **Röhren-, Blasen-, Zwerg-** und **Tannenläuse;** kleine weichhäutige, oft schwarze oder grüne Insekten mit vier durchsichtigen Flügeln oder flügellos; die zuckerhaltigen Exkremente der B. **(Honigtau)** werden von Ameisen und Bienen verzehrt. B. pflanzen sich durch Eier oder lebende Junge fort, Puppenstadium fehlt. Natürl. Feinde der B. sind Schweb- und Florfliegen sowie Marienkäfer. Die chem. Bekämpfung erfolgt mit Insektiziden.

Blattnasen, Familie der → Fledermäuse.

Blattpflanzen, Zierpflanzen mit großen dekorativen Blättern, aber unauffälligen Blüten.

Blattroller (Blattwickler), Käfer, die zur Eiablage Blätter einrollen, z. B. der **Birkentrichterwickler;** das vertrocknende Blattgewebe fressen die Larven.

Blattrollkrankheit, Viruskrankheit der Kartoffel, bei der sich die Blätter tütenartig vom Rand her einrollen; durch Blattläuse übertragen.

Blattsauger (Blattflöhe, Psyllidae), Familie sprungfähiger, zikadenähnl. Pflanzensauger mit durchsichtigen Flügeln; Pflanzenschädlinge, z. B. der Apfelblattsauger.

Blattschneiderameisen (Attini), südamerikanische Ameisen, die Blätter zerkauen und auf dem Brei Pilze züchten.

Blattschneiderbienen (Tapezierbienen), Gattung einzeln lebender Bienen, die Blattstücke ausschneiden und zu Brutkammern verarbeiten; Rosenschädlinge.

Blattsilber, wie Blattgold zu dünnen Blättchen ausgeschlagenes Silber. **Unechtes B.** sind Folien aus Aluminium, Zinn oder Neusilber.

Blau, Bez. für Farben, die im Spektrum zw. grün und violett, d. h. etwa zw. den Wellenlängen 440 und 485 nm (blaues Licht) liegen. B. entsteht auch durch additive → Farbmischung von grün und violett bzw. durch subtraktive Mischung von Blaugrün und Purpur.

Blaualgen, die → Cyanobakterien.

Blaubarsche (Pomatomidae), Familie der Barschfische mit der einzigen Art **Blaufisch** (Pomatomus saltatrix), einem silbern glänzenden, gefräßigen Fischjäger warmer Meere.

Blaubart (frz. Barbe-bleue), Titel eines Märchens; der Stoff fand durch C. Perrault Eingang in die neuere Kunstliteratur (1697): Der Ritter B. verbietet seiner jungen Frau, ein Zimmer zu betreten. Sie tut es dennoch und sieht darin die Leichen ihrer Vorgängerinnen. Der Schlüssel entfällt ihr; das Blut daran lässt sich nicht beseitigen. B. will sie töten, aber ihre Brüder retten sie.

Blaubeere, die → Heidelbeere.

Blaubeuren, Stadt im Alb-Donau-Kreis, Bad.-Württ., 520 m ü. M. in einem Talkessel am S-Rand der Schwäb. Alb (Teil der Flächenalb), am → Blautopf, 11 900 Ew.; elektrotechn. und pharmazeut. Industrie. – Das um 1085 gegr. Kloster ist seit 1817 evang.-theolog. Seminar, ehem. Klosterkirche (1491–99) mit Hochaltar (1493–94) von M. und G. Erhart (Gemälde von B. Zeitblom und B. Strigel); Stadtkirche (vor 1343). – Bei B. wurden in mehreren Höhlen vorgeschichtl. Kulturreste aufgefunden, bed. bes. die von → Sirgenstein und Geißenklösterle.

📖 *B. Die Entwicklung einer Siedlung in Südwestdeutschland, hg. v.* H. DECKER-HAUFF *u. a. Sigmaringen 1986.*

Blaubeuren: Der Hochaltar (1493–94) in der ehemaligen Klosterkirche (1491–99)

Blaubücher, →Farbbücher.

Bläue, →Blaufäule.

Blaue Berge (engl. Blue Mountains), **1)** →Blue Mountains.

2) Hauptgebirge der westind. Insel Jamaika, bis 2256 m hoch.

blaue Blume, Symbol der Dichtung in Novalis' Roman »Heinrich von Ofterdingen« (1802); seither das Symbol der romant. Poesie und ihrer Sehnsucht nach dem Unendlichen.

Blaue Division (División Azul), span. Freiwilligenverband, der 1941–43 auf dt. Seite in der Sowjetunion kämpfte.

Blaue Grotte auf der Insel Capri

Blaue Grotte (italien. Grotta Azzurra), Höhle von 54 m Länge, 30 m Breite und 15 m Höhe an der N-Küste der Insel Capri, Italien. Der Eingang zur Grotte ist rd. 1 m hoch. Das lasurblaue Licht dringt durch das Meerwasser ins Innere.

Blaue Liste, Zusammenschluss von zur Zeit 83 außeruniversitären Forschungsinstituten, die staatlich gefördert werden, →Wissenschaftsgemeinschaft Blaue Liste.

blaue Mauritius, Briefmarke, →Mauritius.

Blauen (Bläuen), *das* Überdecken des auch bei gebleichten Textilien noch schwach gelbl. Farbtons durch bläul. Farbstoff; heute durch →Aufhellung ersetzt.

Blauen *der,* Berg im südl. Schwarzwald, bei Badenweiler, 1165 m hoch.

blauer Fleck, →Bluterguss.

blauer Montag, Montag, an dem nicht gearbeitet (»blaugemacht«) wird. Der Name b. M. wird zurückgeführt auf die »blaue Messe« (nach der Farbe des Messgewandes), die am Montag nach dem auf einen Sonntag fallenden Jahresfest einer Zunft für die Toten der jeweiligen Zunft gefeiert wurde. Der b. M., 1731 durch die Reichshandwerksordnung (→Zunft) offiziell abgeschafft, hielt sich bis Ende des 19. Jahrhunderts.

Blauer Nil (arab. Bahr el-Asrak), wasserreicherer der beiden Quellflüsse des →Nil, durchfließt den Tanasee und vereinigt sich mit dem Weißen Nil bei Khartum.

Blauer Peter, internat. Signalflagge (blau mit weißem Rechteck): »Schiff verlässt binnen 24 Stunden den Hafen.«

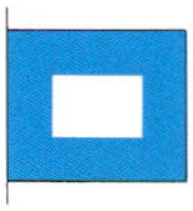

Blauer Peter

Blauer Reiter, Künstlergemeinschaft in Dtl., gegr. 1911 in München. Ihr gehörten F. Marc, W. Kandinsky, Gabriele Münter, A. Macke, P. Klee, A. Jawlensky, A. Kubin, H. Campendonk, Marianne von Werefkin u.a. an. Der Name stammt von einem Bild Kandinskys, das den Umschlag des Almanachs »Der B. R.« (1912) schmückte. Die Künstler des B. R. erstrebten eine Erneuerung der Kunst aus den Ursprüngen, ohne jedoch einen gemeinsamen Stil wie z.B. die Maler der →Brücke ausgebildet zu haben. Der 1. Weltkrieg beendete die Aktivitäten des B. R., dessen Ideen in vielen Bereichen der abstrakten Malerei weiterwirkten.

📖 *Der Blaue Reiter, hg. v.* W. KANDINSKY *u.* F. MARC, *neubearb. v.* K. LANKHEIT. *Neuausg. München u.a. 55.–58. Tsd.,* [9]*1994.*

Blaues Band, von 1838 bis 1952 symbolische Auszeichnung für die schnellste Überquerung des Atlantiks zw. Europa und Nordamerika mit einem Passagierschiff; seit dem Ausbau des transatlant. Flugverkehrs bedeutungslos, daher aufgegeben.

blaues Blut, volkstümliche Bez. für adlige Herkunft. Der Ausdruck hat seinen Ursprung im Spanien (»sangre azul«) der Maurenherrschaft, da die westgot. Edlen in der Umgebung dunkelhäutiger Menschen durch die unter der hellen Haut an Schläfen und Handrücken schimmernden Blutgefäße auffielen.

Blauer Reiter: Titelblatt des 1912 erschienenen Almanachs »Der Blaue Reiter« von Wassily Kandinski

Blaues Kreuz in Deutschland e. V.

Blaues Kreuz, christliche Vereine zur Bekämpfung des Alkoholismus u.a. Suchtgefahren; die ersten Vereine in Dtl. wurden 1884/85 gegründet.

blaue Zone, Stadtgebiet, in dem Kraftwagen auf bes. (meist blau) gekennzeichneten Flächen nur unter Verwendung einer Parkscheibe abgestellt werden dürfen.

Blaufäule (Bläue), blaugraue Verfärbung geschlagenen Nadelholzes durch **Bläuepilze;** B. ist wertmindernd (Schönheitsfehler).

Blaufisch, →Blaubarsche.

Blaufuchs, ein Polarfuchs, →Füchse.

Blauhai, Art der Grauhaie, →Haie.

Blauhelme, volkstümliche Bez. für die Soldaten der →UN-Friedenstruppe.

Blauholz (Kampecheholz, Blutholz), braunrotes bis braunviolettes, festes und schweres Kernholz des Schmetterlingsblütlers **Haematoxylum campechianum,** eines mittelamerikan. Baumes; diente früher der Farbgewinnung.

Blaukehlchen

Blaukehlchen, kleiner, gräulich brauner Singvogel, Männchen mit kornblumenblauer Brust und weißem (Mittel-, S-Europa) oder rotbraunem (Skandinavien) Stern am Hals; Buschbewohner in Sumpfgebieten.

Blaukohl (Rotkohl), ein Kopfkohl.

Blaukreuz, ein chem. Kampfstoff (→Kampfstoffe).

Blaulicht, blau blinkendes Warnlicht an Einsatzfahrzeugen der Polizei und Feuerwehr sowie an Krankenwagen; Fahrzeugen, die B. und Martinshorn bzw. Sirene eingeschaltet haben, ist sofort freie Bahn zu schaffen (§38 StVO); B. alleine begründet keine Sonderrechte.

Bläulinge (Lycaenidae), kleine Tagschmetterlinge mit asselförmigen Raupen; so der leuchtend rote oder violette **Feuerfalter.**

Blaumerle, Art der →Drosseln.

Blauracke

Blauracke (Mandelkrähe, Coracias garrulus), ein taubengroßer Rackenvogel, Kopf, Brust und Bauch blaugrün schimmernd; nistet in Mitteleuropa in hohlen Bäumen; Zugvogel.

Blausäure (Cyanwasserstoff, HCN), farblose, sehr giftige Flüssigkeit, die nach bitteren Mandeln riecht. B. ist, gebunden als Amygdalin, spurenweise in bitteren Mandeln und in den Kernen der Steinfrüchte enthalten. Die Salze der B. heißen **Cyanide** (→Dicyan). B. dient im Vorratsschutz als Begasungsmittel und zur Herstellung von Kunststoffen, Cyaniden, Farbstoffen u.a.

Blausäurevergiftung, Vergiftung durch Aufnahme von Blausäure oder ihrer Salze, bes. Kaliumcyanid, durch Magen-Darm-Kanal, Lunge oder Haut; beruht auf der Blockierung der inneren Zellatmung: Mit dem Eisenatom der Atmungsenzyme wird ein Eisen-Cyanid-Komplex gebildet, wodurch das Sauerstoffbindungsvermögen und die Sauerstoffaufnahme in den Zellen erlöschen. Je nach aufgenommener Blausäuremenge treten heftige Krämpfe, Atemnot, Erbrechen, Bewusstlosigkeit und schließlich der Tod durch Atemlähmung ein. – *Erste Hilfe:* Frischluftbeatmung (keine Atemspende, da Selbstgefährdung), Notruf!

Blauschimmel, Sammelbezeichnung für versch. →Schimmelpilze, z.B. bläul. Sporenrasen bildende Schadpilze (z.T. sehr giftig) auf Nahrungsmitteln, aber auch Penicillium roquefortii zur Verfeinerung von Käsesorten (**Blauschimmelkäse,** →Käse). **Tabakblauschimmel** ist eine durch den Pilz Peronospora tabacina hervorgerufene gefährl. Krankheit des Tabaks mit auf der Blattunterseite bläulich grauem Pilzrasen.

Blauschlick, Meeresablagerung v.a. festländ. Ursprungs, in 200–2700 m Tiefe am Kontinentalhang; durch Pyrit und halbzersetzte organ. Substanzen gefärbt; bedeckt etwa 15% des gesamten Meeresbodens.

Blauspat, das Mineral →Lazulith.

Blaustern, die Pflanzengattung →Scilla.

Blaustrumpf, urspr. Spottname für Damen eines literar. Kreises in London um 1750, in dem der Naturforscher Stillingfleet angeblich in blauen Kniestrümpfen erschien; später Spottname für intellektuelle Frauen.

Blautopf in Blaubeuren, in seinem Wasser spiegelt sich Turm und Dach der ehemaligen Klosterkirche

Blausucht (Zyanose), blaurote Färbung von Haut und Schleimhäuten infolge verminderter Sauerstoffsättigung des Kapillarblutes, am deutlichsten erkennbar an Fingerspitzen, Lippen, Ohrläppchen; Krankheitszeichen bei schwerer Beeinträchtigung von Herz- oder Lungenfunktion.

Blautopf, Karstquelle der Blau, eines linken Nebenflusses der Donau, in Blaubeuren, 41 m

Durchmesser, 20,6 m tief; Schüttung: 2200 l je Sekunde. Der Quelltopf setzt sich nach einer Engstelle als Höhle weiter fort.

Blauwal, größter →Furchenwal.

Karl Blechen: Im Park von Terni (1828/29; Stuttgart, Staatsgalerie)

Blauzungenkrankheit (englisch Bluetongue), akute Viruskrankheit bes. der Schafe, vorwiegend in Afrika; Kennzeichen sind u.a. Entzündung und Blaufärbung der Zunge.

Blavatsky, Helena Petrowna, geb. Hahn von Rottenstern, russ. Okkultistin, *Jekaterinoslaw (heute Dnjepropetowsk, Ukraine) 30. 8. 1831, †London 8. 5. 1891; trat in Ägypten, Russland und den USA als Medium auf, begründete mit H. S. Olcott 1875 in New York die Theosoph. Gesellschaft, die sich als Fortsetzung alter okkultist. Traditionen, des Pythagoreismus, Platonismus, Gnostizismus, der Mystik und insbesondere der ind. Religionen und des Sufismus verstand.

Blazer ['bleɪzə, engl.] *der,* leichte Klub- oder Sportjacke.

Blech, zu dünnen Platten, Bändern oder Streifen ausgewalztes Metall (meist Metalllegierungen). Man unterscheidet nach dem Verwendungszweck, der Profilierung (z.B. Well-, Riffel-, Warzen-B.), der Oberflächenbehandlung (z.B. Schwarz-, Hochglanz-B.), der Oberflächenveredlung (z.B. plattiertes, brüniertes, lackiertes, verzinktes, verzinntes, alitiertes B.) sowie nach der Dicke: Grob-B. (>4,76 mm), Mittel-B. (3–4,76 mm), Fein-B. (<3 mm).

Blẹch, 1) Hans Christian, Schauspieler, *Darmstadt 20. 2. 1925, † München 5. 3. 1993; Charakterdarsteller, zuletzt an den Münchner Kammerspielen; er spielte u.a. im »Woyzeck« und den »Physikern« sowie in Filmen: »Affäre Blum« (1948), »Der Zauberberg« (1981), »Das große Fest« (1992).

2) Leo, Dirigent und Komponist, *Aachen 21. 4. 1871, †Berlin 25. 8. 1958; war 1906–37 Dirigent in Berlin, ging 1937 nach Riga, 1941 nach Stockholm, kehrte 1949 nach Berlin (West) zurück; schrieb u.a. Lieder, Orchesterwerke und Opern (u.a. »Alpenkönig und Menschenfeind«, 1903; »Versiegelt«, 1908).

Hans Christian Blech

Leo Blech

Blechblasinstrumente (Blechinstrumente), gängige Bez. für die meist aus Metall (Messing) gefertigten Trompeteninstrumente.

Blẹchen, Karl (auch Carl), Maler, Radierer und Lithograph, *Cottbus 29. 7. 1798, †Berlin 23. 7. 1840; einer der bedeutendsten Künstler der dt. Romantik, zugleich ein früher Vorläufer des Impressionismus, dem er sich, durch die Eindrücke einer Italienreise bestimmt, in schlicht realist., die Landschaft in ihren Licht- und Farbwirkungen erfassenden Bildern näherte.

📖 *Carl B. Zwischen Romantik u. Realismus, hg. v.* P.-K. SCHUSTER, *Beiträge v.* S. ACHENBACH *u.a. Ausst.-Kat. Nationalgalerie Berlin. München 1990.* – MÖLLER, H. R.: *Carl B., romantische Malerei u. Ironie. Weimar 1995.*

Blechlehre, Messgerät zum Nachprüfen der Dicke handelsübl. Bleche und Drähte **(Drahtlehre)**.

Blẹd (früher dt. Veldes), Kurort in Slowenien, in den Julischen Alpen, 500 m ü. M., 5200 Ew.; Thermalquellen; Wallfahrtskirche auf der Insel im **Bleder See.**

Blei (lat. Plumbum), chem. Symbol **Pb,** blaugraues, an frischen Schnittstellen glänzendes metall. Element aus der 4. Hauptgruppe des Periodensystems. Ordnungszahl 82, Atomgewicht 207,2, Dichte 11,39 g/cm^3, Schmelzpunkt 327,5 °C, Siedepunkt 1751 °C. B. und seine Verbindungen sind sehr giftig (→Bleivergiftung). – B. hat vier natürl. und mehr als 20 künstl. radioaktive Isotope. Die stabilen Isotope sind Endprodukte der Zerfallsreihen von Uran-Actinium (^{207}Pb), Uran-Radium (^{206}Pb) und Thorium (^{208}Pb). Mithilfe dieser Isotope lassen sich geologische Altersbestimmungen durchführen (→Bleimethode). Mit Phosphor-, Salz- und Schwefelsäure entstehen unlösliche Schichten der entsprechenden B.-Verbindungen, an Luft bildet sich eine dünne Schicht von B.-Oxid. B. findet sich selten in gediegenem Zustand; wichtige B.-Erze sind **B.-Glanz, B.-Vitriol, Weiß-, Rot-** und **Gelbbleierz.**

B. wird aus sulfid. Erzen meist nach dem Röstreduktionsverfahren gewonnen, bei dem das B.-

Hedwig Bleibtreu

Karl Bleibtreu
(Zeichnung)

Sulfid zu B.-Oxid und Schwefeldioxid geröstet (→Rösten) und anschließend mit Kohle im Schachtofen zu unreinem B. (Roh-B., Werk-B.) reduziert wird. Durch versch. Raffinationsverfahren entfernt man die noch enthaltenen metallischen Verunreinigungen. Verwendet wird B. zur Herstellung von Akkumulatoren (rd. 60% des Verbrauchs), Kabelmänteln, Rohren, Farben und Gefäßen für aggressive Flüssigkeiten sowie im Strahlenschutz zur Absorption von Röntgen- und Gammastrahlen, ferner als Legierungsmaterial.

Verbindungen: Aus **B.-Chlorid,** $PbCl_2$, werden B.-Chromat, Lot und Flussmittel hergestellt. **B.-Chromat,** $PbCrO_4$, wird als Malerfarbe verwendet (Chromgelb, Chromgrün). Das schwarzbraune **B.-Oxid,** PbO_2, ist ein starkes Oxidationsmittel und findet u.a. in der Zündholzindustrie und Pyrotechnik Verwendung; **B.-Glätte** (B.-Oxid), PbO, mit einer gelben und einer roten Modifikation, u.a. für Akkumulatoren und für keramische Glasuren; **Blei(II,IV)oxid,** Pb_3O_4, ist die →Mennige. **B.-Nitrat,** $Pb(NO_3)_2$, wird in der Farbstoff-, Sprengstoff- und Zündholzind. verwendet. **B.-Sulfat,** $PbSO_4$ (als Mineral: Anglesit), dient als Beschwerungsmittel und weiße Malerfarbe. **B.-Azid,** $Pb(N_3)_2$, explodiert heftig bei Schlag oder Hitze und dient daher als Initialzündstoff. Bleiorgan. Verbindungen (z.B. Tetraäthylblei) dienten früher als Antiklopfmittel in Vergaserkraftstoffen.

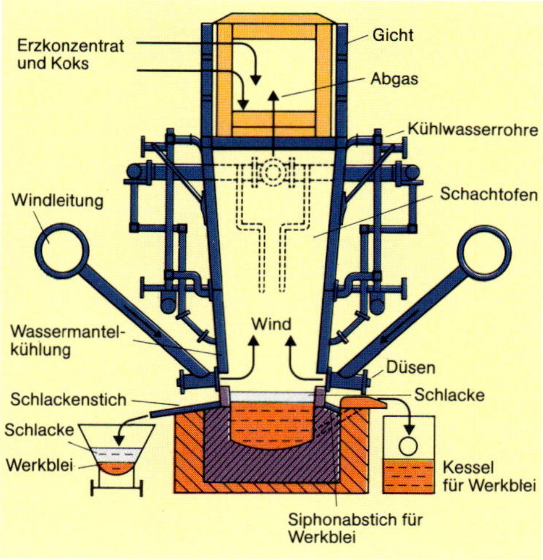

Blei: Prinzip der Bleigewinnung nach dem Röstreduktionsverfahren im Schachtofen

Die Weltbergwerksproduktion von B. betrug (1994) 3,341 Mio. t. Die wichtigsten der über 40 B.-Förderländer waren (1994, in 1000 t): Australien (519), USA (363), China (360), Peru (228), Kanada (173), Mexiko (164). Die Produktion in der Bundesrep. Dtl. (9000 t, 1989) deckt nur einen Bruchteil des Eigenverbrauchs.

📖 WANDERER, J.: *B. Eine Fachbibliographie, 4 Bde. Heere 1993. – Bleiverwendung im Bauwesen, hg. vom Informationszentrum Raum u. Bau der Fraunhofer-Gesellschaft, bearb. v.* H. FRITSCH. *Stuttgart* [4]*1995.* – MEIER, STEFAN W.: *B. in der Antike. Bergbau, Verhüttung, Fernhandel. Diss. Zürich 1995.*

Blei (Bley), Art der →Karpfenfische.

Blei, Franz, österr. Schriftsteller, *Wien 18. 1. 1871, †Westbury (N.Y.) 10. 7. 1942; v.a. Kritiker und Essayist, daneben Übersetzer; schrieb »Das große Bestarium der modernen Literatur« (1920).

📖 EISENHAUER, G.: *Der Literat. F. B. – ein biograph. Essay. Tübingen 1993.*

Bleiberg ob Villach, seit 1978 →Bad Bleiberg.

Bleibtreu, 1) Hedwig, österr. Schauspielerin, *Linz 23. 12. 1868, †Wien 24. 1. 1958; seit 1893 am Wiener Burgtheater, übernahm seit 1930 auch Filmrollen (»Der dritte Mann«, 1948).

2) Karl, Schriftsteller, *Berlin 13. 1. 1859, †Locarno 30. 1. 1928; Romancier; seine Schrift »Revolution der Literatur« (1886) geriet zum Programm des →Naturalismus.

Bleichen, 1) *Chemie:* das Entfärben von Materialien durch Adsorption der Farbstoffe an oberflächenaktiven Stoffen, Überdecken unerwünschter Farben durch Komplementärfarben oder Zerstörung der färbenden Begleitstoffe mit →Bleichmitteln .

2) *Fotografie:* (Farbumkehrentwicklung) Umwandlung des Silbers des negativen Bildes in lösl. Silberverbindungen.

Bleicherde, 1) *Bodenkunde:* (Podsol) Bodentyp des kühlfeuchten Klimabereichs; unter einer Rohhumusdecke folgt ein ausgebleichter, nährstoffarmer, grauer Bodenhorizont, darunter ein mit Eisen und Aluminiumoxiden angereicherter, rotbrauner Bodenhorizont, der oft zu **Ortstein** verhärtet ist.

2) *Mineralogie:* (Fullererde, Walkerde) fein verteilte, natürl. Feststoffe, die v.a. aus Tonmineralen der Montmorillonitgruppe (→Montmorillonit) bestehen; werden zum Entfärben von Fetten, Ölen und Wachsen verwendet.

Bleicherode, Stadt im Landkreis Nordhausen, Thür., am O-Rand des Eichsfelds, 7300 Ew.; elektrotechn. und Holzind.; der Kalibergbau wurde eingestellt. – B. wurde 1130 erstmals erwähnt und ist seit 1326 als Stadt bezeugt; spätgot. Marienkirche.

Bleichkalk, der →Chlorkalk.

Bleichmittel, Substanzen, die farbtragende Anteile von Fasern, Papier, Lebensmitteln u.a. chemisch so verändern, dass sie zu einer Aufhellung dieser Produkte führen. **Oxidierende B.** zerstören den Farbstoff. Zu ihnen gehören Chlor und Hypochlorite. Schonender wirken Chlordioxid, Natriumchlorit sowie Wasserstoff- und Natriumperoxid. Natriumperborat ist als bleichende Komponente in Waschmitteln enthalten. **Reduzierende B.** führen meist nur zu einer reversiblen Umwandlung des Farbstoffs, d.h. nicht zu einer bleibenden Entfärbung. Zu ihnen gehören Schwefeldioxid, Dithionite und Derivate der Sulfoxylsäure.

Bleiguss: Georg Raphael Donner, »Personifikation der March« vom Wiener Mehlmarktbrunnen (1737–39; heute Wien, Österreichische Galerie)

Bleichsucht, 1) *Botanik:* eine Pflanzenkrankheit, →Chlorose.

2) *Medizin:* volkstüml. Bez. für die Chlorose, eine nur noch selten auftretende Form der Eisenmangelanämie (→Anämie) bei Mädchen im Entwicklungsalter und bei jungen Frauen.

Bleifarben, Bez. für bleihaltige Pigmente, z.B. das sehr witterungsbeständige →Bleiweiß.

bleifreies Benzin, →Ottokraftstoffe.

Bleigießen, *Volksbrauch:* An bestimmten Tagen, früher v.a. in der Christnacht, heute zu Silvester, wird geschmolzenes Blei oder Zinn in Wasser gegossen, um aus den entstehenden Gebilden etwas Zukünftiges zu deuten.

Bleiglanz (Galenit, Bleisulfid), chem. Symbol PbS, häufigstes und wichtigstes Bleierz, bleigrau, enthält 86,6% Blei und bis zu 1% Silber; kristallisiert meist in Würfeln.

Bleiglas, Glas mit hohem Gehalt an Bleioxid; dient wegen seiner hohen Brechzahl als opt. Glas und Kunstglas sowie wegen der Absorption energiereicher Strahlen als Strahlenschutzglas.

Bleiguss, Verfahren, Bildwerke und Gebrauchsgegenstände aus Blei zu gießen. B. ist seit dem 16. Jh. bes. bei der Wiedergabe kleinplast. Werke (Plaketten, Medaillen) üblich; seit dem Barock auch bei Werken großen Formats, bes. von Garten- und Brunnenfiguren (z.B. Bildwerke im Park von Versailles, Brunnen von G. R. Donner in Wien).

Bleikammern, berüchtigtes Gefängnis (seit 1591) unter dem Bleidach des Dogenpalastes in Venedig, 1797 zerstört; hier wurde G. G. Casanova 1755/56 gefangen gehalten.

Bleikammerverfahren, →Schwefelsäure.

Bleikristall, geschliffenes Bleiglas, →Kristallglas.

Bleilochtalsperre, Talsperre in der oberen Saale, Thür., fertig gestellt 1932; mit einem Stauraum für 215 Mio. m^3 Wasser, der volumenmäßig größte dt. Stausee, 9,2 km^2 Seefläche, 59 m Stauhöhe; Staumauer 65 m hoch, 225 m lang.

Bleimethode, Verfahren der absoluten Altersbestimmung, v.a. von Mineralen, ben. nach dem stabilen Endprodukt beim radioaktiven Zerfall von Uran und Thorium (→Radioaktivität).

Bleisatz, *graf. Technik:* herkömml. Art der Zusammenfügung von Einzellettern oder Zeilen aus Bleilegierung mit der Hand oder mit Setzmaschinen, im Unterschied zum →Fotosatz. (→Setzerei)

Bleisoldaten, →Zinnfiguren.

Bleistift (genauer Graphitstift), Schreib- und Zeichenstift aus Holz mit eingelegter Graphitmine (früher Bleimine), auch in Form eines Dreh- oder Druck-B. (mit auswechselbarer Schreibmine). Die Minen werden nach Härtegraden (H, B, F) unterschieden.

Bleivergiftung (Bleikrankheit, Saturnismus), melde- und entschädigungspflichtige Berufskrankheit, verursacht durch Einatmen von bleihaltigem Staub, Rauch oder Dampf, z.B. in Akkumulatorenfabriken, Zink- und Bleihütten. Die Giftwirkung beruht v.a. auf der Inaktivierung von Enzymen, die im Porphyrinstoffwechsel für die Hämoglobinbildung wichtig sind, sowie auf der Störung der Blutbildung und der Gefäßnerven. Man unterscheidet **akute B.** (sehr selten) mit Magen-Darm-Störungen von **chron. B.,** die jedoch nur bei schweren, wiederholten Vergiftungen Dauerschäden verursachen. Kennzeichen sind allg. Schwäche, fahle Haut, schiefergrauer Bleisaum der Zahnfleischränder.

Bleiweiß, gut deckende weiße Malerölfarbe; chemisch das basische Bleicarbonat; in der Kunstmalerei als **Kremser Weiß** bekannt.

Bleiwurz (Plumbago), Gattung der Bleiwurzgewächse mit meist trop. und subtrop. Halbsträuchern; die **Europ. B.** (Plumbago europaea), im Mittelmeergebiet wild wachsend, hat kopfig-ährige, rosaviolette Blüten.

Blekinge, VerwBez. (Län) und histor. Provinz im SO Schwedens, 2941 km^2, (1993) 151300 Ew.;

Bleiglanz (kristallisiert)

Bleistift: Herstellungsstufen

Eugen Bleuler

Hauptort ist Karlskrona; Moränenlandschaft mit Buchenwäldern und Ackerland, an der stark gegliederten Küste mit zahlr. Schären konzentriert sich die Industrie; Fischerei.

Blende, 1) *Baukunst:* zum Schmuck der glatten Mauerfläche aufgelegter Bauteil, bes. der Blendbogen, oder das Aneinanderreihen solcher Bogen zur Blendarkade.

2) *Bergbau:* Bez. für durchsichtige bis durchscheinende, glänzende sulfid. Erze, z.B. Zinkblende.

3) *Mode:* aufgesetzter Zierstreifen am Kleid.

4) *Optik:* feste oder veränderl. Öffnung innerhalb eines opt. Systems zur Begrenzung des Querschnitts von Strahlenbündeln, durch die z.B. Streulicht abgeschirmt **(ausgeblendet)** wird.

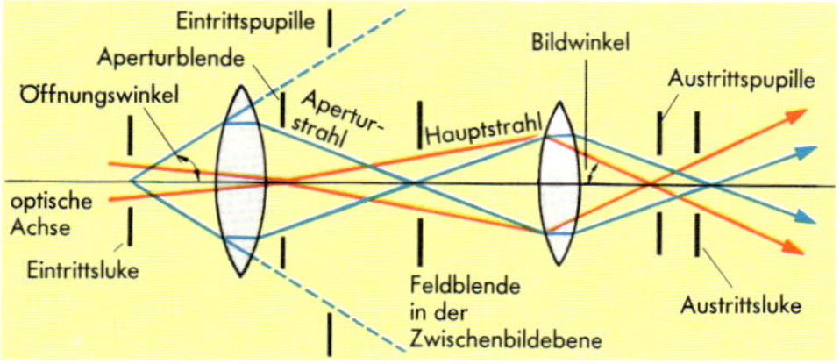

Blende 4): Verlauf der in optischen Systemen durch Blenden begrenzten Lichtstrahlenbündel

Blendenautomatik, → Belichtungsautomatik.

Blendrahmen, 1) *Bautechnik:* der fest mit der Mauer verbundene Rahmen, in den die Fenster- oder Türflügel eingehängt sind.

2) *Malerei:* → Keilrahmen.

Blendung, 1) *Medizin:* Störung des Sehvermögens durch allzu hohe Leuchtdichten; tritt ein, wenn die kurzfristig ansprechenden Schutzmechanismen des Auges (reflektor. Verkleinerung der Lidspalte, Verengung der Pupille) bei plötzlich erhöhtem Lichteinfall nicht mehr genügen, worauf es zu einer Störung der lokalen Lichtanpassung in der Netzhaut kommt, oder wenn auf einer umschriebenen Netzhautstelle allzu große Leuchtdichteunterschiede liegen (z.B. durch Autoscheinwerfer).

2) *Rechtsgeschichte:* die Zerstörung des Sehvermögens; schwerste Verstümmelungsstrafe des antiken und mittelalterl. Rechts, bei schwerem Diebstahl (hierfür noch in der »Peinlichen Gerichtsordnung« von 1532 vorgesehen), Meineid, Verrat, Falschmünzerei u.a. vollzogen.

Blenheim Palace ['blenɪm 'pælɪs], monumentales Schloss (UNESCO-Weltkulturerbe) in der Grafschaft Oxford, Großbritannien; 1705–22 von J. Vanbrugh für J. Churchill, 1. Herzog von Marlborough, erbaut und nach dessen Sieg bei Blenheim (→ Höchstädt a.d. Donau) benannt; Geburtsort von Sir W. Churchill.

Blennorrhö [grch.] *die,* schleimige oder eitrige Schleimhautabsonderung, v.a. der Augen **(Ophthalmo-B.)** bei eitriger Bindehautentzündung oder bei → Augentripper.

Blériot [ble'rjo], Louis, frz. Flugtechniker, *Cambrai 1. 7. 1872, †Paris 1. 8. 1936; überflog am 25. 7. 1909 als Erster den Ärmelkanal von Calais nach Dover in einem selbst gebauten Eindecker.

Blesse, weißer Stirnfleck bei Pferden, Kühen, Hirschwild und Vögeln.

Bleuler, Eugen, schweizer. Psychiater, *Zollikon (bei Zürich) 30. 4. 1857, †ebd. 15. 7. 1939; prägte psychiatr. Begriffe wie → Schizophrenie (zu deren Erforschung er maßgebl. Beiträge leistete) und Tiefenpsychologie; unterstützte die Psychoanalyse S. Freuds.

Bley, Carla, amerikan. Jazzkomponistin und -pianistin, *Oakland (Calif.) 11. 5. 1938; schrieb die Jazzoper »Escalator Over the Hill« (1971); bekannt wurden v.a. ihre Kompositionen »Ictus«, »Vashkar«, »Funnybird Song«.

Bliaud [bli'o, frz.] *der,* das in Frankreich vom 10. bis ins 13. Jh. getragene hemdkittelartige Obergewand beider Geschlechter; hervorgegangen aus der antiken Tunika.

Blickfeld, Sehbereich, der bei unbewegtem Kopf ausschließlich durch Bewegung der Augen überblickt werden kann, im Unterschied zum Gesichtsfeld. Das B. beträgt für das einzelne Auge nach allen Richtungen etwa 45°.

Blida, Stadt in Algerien, südwestlich von Algier, am N-Fuß des Atlas, 131 600 Ew.; Marktzentrum mit Zitrus-, Gemüse-, Rebkulturen; Lebensmittelindustrie.

Louis Blériot landet in Dover (zeitgenössischer Stich)

Blieskastel, Stadt im Saar-Pfalz-Kr., Saarland, an der Blies, 23 100 Ew.; Elektroind., Werkzeugbau; Kneippkurort. – Über der Stadt die Wallfahrtskapelle »Hl. Kreuz« mit dem Vesperbild »Muttergottes mit den Pfeilen« (14. Jh.).

Blimp *der,* **1)** in den USA Bez. für ein unstarres Kleinluftschiff.

2) schallschluckendes Gehäuse an Filmkameras (Handkameras).

Blinddarm (Zäkum, lat. Caecum oder Coecum), blinder Anfangsteil des Dickdarms, unterhalb der mit der Bauhin-Klappe versehenen Einmündungsstelle des Dünndarms liegend, bei Pflanzenfressern sehr lang, bei Fleischfressern kurz, beim Menschen etwa 7 cm lang; liegt im rechten Unterbauch und trägt als Anhang den bleistiftdicken, etwa 8 cm langen **Wurmfortsatz** (Appendix vermiformis, Kurzbez. Appendix), der umgangssprachlich fälschlich als B. bezeichnet wird.

Blinddarmentzündung, unkorrekte Bez. für die **Appendizitis,** eine Entzündung des Wurmfortsatzes am Blinddarm. Die **akute B.** beginnt mit einer entzündl. Schwellung des umgebenden lymphat. Gewebes und der Wurmfortsatzschleimhaut. Die Entzündung kann die Wand des Wurmfortsatzes durchdringen und eitrig werden; dies hat die Verbreitung der Krankheitserreger im Bauchraum und damit eine lebensbedrohende Bauchfellentzündung zur Folge. Kennzeichen der akuten B. sind ein meist plötzl. Beginn mit Schmerzen, die zunächst im Oberbauch lokalisiert sind, später jedoch im rechten Unterbauch spürbar werden, sowie Übelkeit und auch Erbrechen. Die Körpertemperatur ist anfangs meist wenig erhöht. Zu den wichtigsten Anzeichen zählen die Abwehrspannung der Bauchhöhle und die Auslösbarkeit des sog. Loslassschmerzes, der nach Eindrücken der linken Unterbauchgegend und anschließendem unvermitteltem Zurückziehen der eindrückenden Hand im rechten Unterbauch wahrgenommen wird. Akute B. geht oft in **chron. B.** über. Der Wurmfortsatz ist dann meist in Verwachsungen eingebettet. Anzeichen sind neben den wiederkehrenden Schmerzen im rechten Unterbauch Mattigkeit, leichte Temperaturerhöhung und Stuhlverhaltung. – *Behandlung:* unverzügl. operative Entfernung des Wurmfortsatzes **(Appendektomie).**

Blinddruck, »farbloses Drucken«, genauer: Prägen, um ein erhabenes oder vertieftes (geprägtes) Schriftbild oder Motiv zu erhalten.

Blindenbetreuung, durch den Staat bzw. auf gesetzl. Grundlage erfolgende Unterstützung der Blinden. Die B. umfasst alle öffentl. Maßnahmen und Leistungen der Versicherung, Versorgung und Fürsorge, die aufgrund von Sozialgesetzbuch, Bundesversorgungs-Ges., Arbeitsförderungs-Ges., Bundessozialhilfe-Ges. (**Blindenhilfe** als Barleistung) und den Blindengeld-Ges. der Länder **(Blindengeld)** vorgesehen sind. Weiter umfasst B. Maßnahmen zur schul. und berufl. Bildung sowie (nach dem Schwerbehinderten-Ges.) zur Beschaffung und Erhaltung eines geeigneten Arbeitsplatzes auf dem freien Arbeitsmarkt, in Werkstätten für Behinderte oder in Blindenwerkstätten zur Rehabilitation. Die öffentl. Maßnahmen werden durch die **Blindenselbsthilfe** der Blindenverbände ergänzt; deren Spitzenverbände sind der Dt. Blindenverband e.V., Bonn, und der Bund der Kriegsblinden Dtl.s e.V., Bonn.

Blindenführhunde, Hunde, die zum Führen von Sehgeschädigten geeignet sind (z.B. Dt. Schäferhund); ihre Ausbildung erfolgt in besonderen Schulen.

Blindenleitgeräte, Orientierungshilfsmittel, die mit Ultraschall- u.a. Ortungsverfahren Entfernung von Gegenständen in hörbare Zeichen umwandeln.

Blindenlesegeräte, Geräte, die normale Schrift mit Elektronenstrahlen abtasten und in hörbare oder mithilfe eines Vibrationstastenfeldes in tastbare Zeichen umsetzen.

Blindenpädagogik, Bereich der Sonderpädagogik, der sich mit Erziehung, Bildung und Rehabilitation Blinder und Sehbehinderter beschäftigt. Die Didaktik der B. stützt sich auf die Entfaltung und Koppelung des Tastens und Hörens und kommt in Sonderschulen zur Anwendung. Die Abschlüsse dieser Schulform entsprechen denen der Normalform bis hin zum Gymnasium.

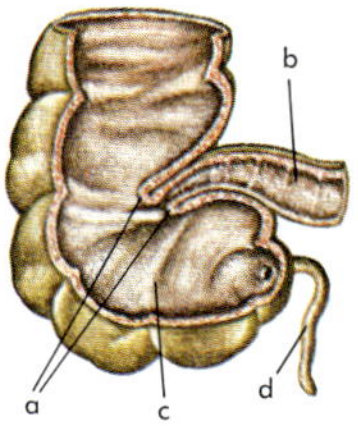

Blinddarm: a Bauhin-Klappe, b Dünndarm, c Blinddarm, d Wurmfortsatz

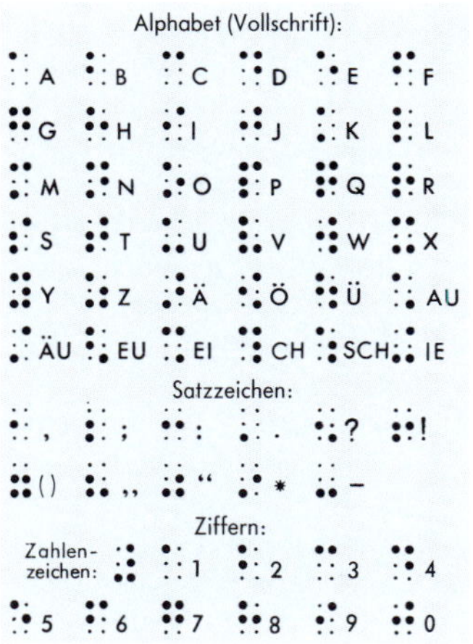

Blindenschrift (Brailleschrift)

Blindenschrift (Brailleschrift, Punktschrift), Schrift, die von Blinden und hochgradig Sehbehinderten abgetastet und eingedrückt werden kann. Die Grundlage der Buchstaben und Zeichen (Satzzeichen, Ziffern, Noten) bilden sechs erhabene Punkte, die in zwei Reihen zu je drei Punkten angeordnet sind; mit ihnen sind 63 Kombinationen möglich. Erfinder der B. sind der frz. Offizier C. Barbier (*1767, †1841) und der blinde Lehrer L. Braille. Beim Herstellen von Schriftstücken in B. werden die Buchstaben mit einem Metallgriffel von rechts nach links durch ein mit Schreibformen versehenes Lineal auf das zw. Rahmen und Schreibfläche eingelegte Papier eingedrückt, auf dessen Rückseite die tastbare Schrift entsteht; techn. Hilfsmittel hierbei ist die **B.-Bogenmaschine,** eine spezielle Schreibmaschine. Bildschirmtextgeräte für Blinde setzen die opt. Textzeichen elektronisch in B. um.

Blindensendung, Postsendung mit Schriftstücken in Blindenschrift oder mit für Blinde bestimmten Tonaufzeichnungen; Beförderung bis 7 kg unentgeltlich.

blinder Fleck, Eintrittsstelle des Sehnervs in das → Auge.

Blindflug, das Führen von Flugzeugen ohne Sicht, nur nach Bordinstrumenten (→ Instrumentenflug).

Blindgänger, Geschoss, dessen Sprengladung infolge Versagens der Zündvorrichtung nicht detoniert ist.

Blindheim, Gemeinde im Kreis Dillingen a. d. Donau, Bayern; nach deren engl. Namen, Blenheim, wird die Schlacht bei → Höchstädt a. d. Donau im Angloamerikanischen als »Battle of Blenheim« bezeichnet.

Blindheit (Amaurose), das völlige Fehlen oder eine starke Verminderung der Sehfähigkeit. In Dtl. besteht ein bes. enger B.-Begriff; danach gelten offiziell als blind »Beschädigte, die das Augenlicht vollständig verloren haben. Als blind sind auch die Geschädigten anzusehen, deren Sehschärfe so gering ist, dass sie sich in einer ihnen nicht vertrauten Umgebung ohne fremde Hilfe nicht zurechtfinden können. Dies wird i. Allg. der Fall sein, wenn bei freiem Blickfeld auf dem besseren Auge nur eine Sehschärfe von etwa $^1/_{50}$ besteht«, d. h. nur Helligkeitsunterschiede erkennbar sind.

Blindholz, das bei Furnieren zw. den Edelholzplatten liegende billige Füllholz.

Blindleistung, *Elektrotechnik:* der Anteil der elektr. Leistung in einem Wechsel- oder Drehstromsystem, der nicht zur nutzbaren Energieumformung beiträgt. Die B. hat ihre Ursache in der durch Induktivitäten und Kapazitäten hervorgerufenen Phasenverschiebung φ zw. Stromstärke I und Spannung U; $P = I_{\text{eff}} \cdot U_{\text{eff}} \cdot \sin \varphi$.

Blindleitwert, der Kehrwert des → Blindwiderstands im Wechselstromkreis.

Blindmaus, walzenförmiger, plumper, maulwurfartig lebender Nager des östl. Mittelmeergebietes und S-Russlands; 15–30 cm lang. Die B. hat rückgebildete, funktionslose Augen unter der Haut (bei Nagern einmalig).

Blindprobe, Nachweisreaktion zur Prüfung der Reinheit der bei chem. Analysen verwendeten Reagenzien, die ohne die zu bestimmende Substanz durchgeführt wird.

Blindschlangen (Typhlopidae), Familie wurmähnl. Schlangen; Bodenwühler z. T. mit kaum sichtbaren Augen und meist zahnlosem Unterkiefer; z. B. das südosteurop. **Blödauge.**

Blindschleiche

Blindschleiche (Anguis fragilis), beinlose, schlangenförmige und lebend gebärende Schleichenart; in fast ganz Europa, N-Afrika und Vorderasien heimisch; früher fälschlicherweise für giftig und wegen ihrer kleinen Augen für blind gehalten.

Blindspiel (Blindlingsspiel), Schachspiel aus dem Gedächtnis ohne Ansicht des Brettes; wird meist gegen mehrere (leistungsschwächere) Gegner geführt (Simultanspiel).

Blindstrom, der Anteil des elektr. Stromes, der zur Erzeugung der → Blindleistung erforderlich ist.

Blindversuch, Methode zur Feststellung echter Wirkungen von Arzneimitteln gegenüber Scheinwirkungen. Beim **einfachen B.** ist der Proband, beim **doppelten B.** sind Arzt und Proband nicht über die Art der verabreichten Untersuchungssubstanz (Scheinpräparat oder Wirkstoff) informiert.

Blindwiderstand (Reaktanz), *Elektrotechnik:* derjenige Anteil des → Scheinwiderstands eines Wechselstromkreises, der durch Kapazitäten (Kondensator) und/oder Induktivitäten (Spule) gebildet wird. Die Bez. rührt daher, dass Kondensator und Spule dem Wechselstrom zwar einen Widerstand entgegensetzen, jedoch keine verwertbare Leistung (z. B. Wärme, Licht) abgeben können. Der Kehrwert des B. ist der Blindleitwert.

Blindwühlen (Ringelwühlen, Gymnophiona), Ordnung trop. Lurche, mit etwa 165 Arten; wurmförmige, geringelte Bodenwühler mit verkümmerten oder fehlenden Augen.

Blinker, 1) die → Blinkleuchten.

2) Metallköder für die Sportfischerei.

Blinkfeuer, ein → Leuchtfeuer.

Blinkkomparator, *Astronomie:* opt. Gerät zum Vergleich zweier fotograf. Aufnahmen der gleichen Himmelsgegend zu verschiedenen Zeiten.

Blinkleuchten (Blinker), Leuchten an Kraftfahrzeugen als Fahrtrichtungsanzeiger, an beiden Seiten symmetrisch vorn und hinten; durch Einschalten eines Blinkgebers wird ihr periodisches Aufleuchten veranlasst. Mit der →Warnblinkanlage werden alle B. gleichzeitig geschaltet.

Blinklicht, *Straßenverkehr:* **1)** in kurzen (periodischen) Zeitabständen aufleuchtende gelbe Lichtquelle, die eine Gefahrenstelle anzeigt. Ein B. bedeutet weder Gebot noch Verbot, sondern verpflichtet zu besonderer Aufmerksamkeit. Von diesem B. zu unterscheiden ist die →Blinklichtanlage.

2) →Rundum-Kennleuchte.

Blinklichtanlage, 1) *Luftfahrt, Schifffahrt:* →Befeuerung.

2) *Straßenverkehr:* zur Sicherung von Bahnübergängen installierte Einrichtung, die durch Aufleuchten eines roten Blinklichtes (60-mal pro Minute) die Annäherung eines Zuges anzeigt; ist in einem Signalschirm am Andreaskreuz angebracht. Die B. wird durch Schienenkontakt vom Zug automatisch ein- und ausgeschaltet. In Verbindung mit B. können automatisch gesteuerte Halbschranken angeordnet sein.

Bliss, Sir (seit 1950) Arthur, engl. Komponist, *London 2. 8. 1891, †ebd. 27. 3. 1975; begann in der Nachfolge I. Strawinskys und M. Ravels, bevor er sich der Spätromantik zuwandte; schrieb u. a. Opern, Ballette, Sinfonien, Kammer- und Filmmusik sowie Lieder.

Bliss [nach C. Bliss, *1897, †1985] *das,* weltweit verbreitete Symbolsprache zur Kommunikation mit Behinderten, deren Sprachzentrum zerstört ist.

Blitz: Linienblitz über Rio de Janeiro

Blister [engl.] *der,* eine Klarsichtverpackung für kleinere Gegenstände.

Blitz, natürl. Funkenentladung zw. verschieden geladenen Wolken oder zw. einer Wolke und der Erde. Häufigste Form ist der flussnetzartig verästelnde **Linien-B.** Daneben gibt es **Flächen-B.** sowie die seltenen **Perlschnur-B.** und **Kugel-B.** Die Stromstärke der Linien-B. wird auf bis zu 100 000 Ampere geschätzt, die Spannung auf viele Millionen Volt. Der B. vermag Menschen und Tiere zu betäuben oder zu töten, brennbare Gegenstände zu entzünden und Metallteile zu schmelzen. Gebäude werden durch →Blitzableiter geschützt.

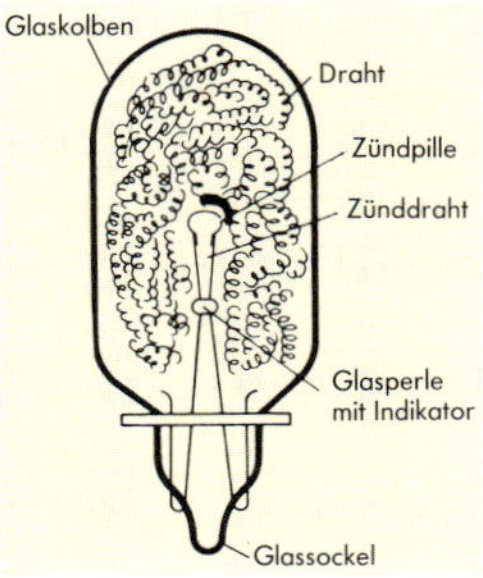

Blitzlicht: Aufbau einer Blitzlampe; die mittels einer Kondensatorentladung gezündete Zündpille leitet die den Lichtblitz erzeugende Verbrennung der Drahtfüllung ein

Blitzableiter, Vorrichtung zum Schutz von Gebäuden gegen Blitzschaden, besteht i. d. R. aus Fangleitungen, Gebäudeleitungen und Erdleitung. Die Gebäudeleitungen verbinden die Fangleitungen mit den Erdleitungen; sie müssen so stark sein, dass sie die hohe Stromstärke des Blitzes ohne Schaden ableiten können. Die Erdung besteht aus Platten oder Kupfernetzen, die möglichst im Grundwasser versenkt sein sollten. Die Wirkung des B. beruht darauf, dass der Blitz stets den am besten leitenden Weg wählt. Der erste B. wurde 1752 von Benjamin Franklin gesetzt.

Blitzkrieg, überfallartiger Angriffskrieg von kurzer Dauer. Der Begriff wurde erstmals für einige dt. Feldzüge im 2. Weltkrieg gebraucht, u. a. gegen Polen, Frankreich und Dänemark.

Blitzlicht, *Fotografie:* helle, künstl. Lichtquelle von sehr kurzer Leuchtdauer für Momentaufnahmen. Die ersten B. waren Gemische von Aluminium- oder Magnesiumpulver mit Sauerstoff abgebenden Substanzen. Die meisten heutigen B. bestehen aus dünnen Metalldrähten oder -folien, die in einem Glaskolben in einer Sauerstoffatmosphäre verbrannt werden **(Kolbenblitz, Vakublitz, Blitzlampe),** meist zu mehreren in einem **Blitzwürfel** zusammengefasst. Eine schnelle Lichtblitzfolge ermöglicht das →Elektronenblitzgerät. Der elektr. Kontakt für B.-Geräte ist der Synchronverschluss der Kamera. B.-Geräte sind mit →Reflektoren versehen.

Blitzröhre (Fulgurit), in Sand durch Blitzeinschlag (Aufschmelzung) entstandene unregelmäßige, bis mehrere Meter lange Röhre mit bis 2 mm dicker Wand aus Quarzglas.

Blitzschlag, Eindringen des Blitzes in einen zur Erde führenden Stromleiter, z. B. in einen Baum oder ein Gebäude. Beim Menschen ist ein B. oft tödlich durch Hitze-, Herzmuskelschädigungen oder Nervenlähmungen. Über Sofortmaßnahmen →erste Hilfe (ÜBERSICHT).

Tania Blixen

Blixen, Tania, eigtl. Baronin Karen Christence B.-Finecke, weitere Pseud.: Isak Dinesen, Pierre Andrézel, dän. Schriftstellerin, *Rungsted (bei Kopenhagen) 17. 4. 1885, †Rungstedlund 7. 9. 1962; lebte zeitweise in Kenia; schrieb fantasievolle Erzählungen, Schilderungen der Natur und des Tierlebens in Afrika (»Afrika, dunkel lockende Welt«, 1937; verfilmt 1985), »Schatten wandern übers Gras« (Erinnerungen, 1960).

📖 THURMAN, J.: *T. B. Ihr Leben u. Werk. A. d. Amerikan. Neuausg. Reinbek 16.–19. Tsd. 1993.* – SELBORN, C.: *Die Herrin von Rungstedlund. Erinnerungen an meine Zeit mit T. B. A. d. Dän. Neuausg. Reinbek 1995.*

Blizzard ['blɪzəd, engl.] *der,* mit starken Temperaturstürzen verbundener winterl. Schneesturm in Nordamerika auf der Rückseite von Tiefdruckgebieten, verursacht durch kräftige Kaltlufteinbrüche aus N bis NW. Aufgrund fehlender quer verlaufender Gebirge können B. weit nach S (bis zum Golf von Mexiko) vorstoßen.

BL-Lacertae-Objekt, der →Blasar.

Ernst Bloch

Bloch, 1) [engl. blɔk], Ernest, amerikan. Komponist schweizer. Herkunft, *Genf 24. 7. 1880, †Portland (Oreg.) 15. 7. 1959, lebte seit 1916 in den USA; versuchte, einen spezifisch jüd. Stil zu schaffen; schrieb die Oper »Macbeth« (1910), Orchester- und Kammermusik.

2) Ernst, Philosoph, *Ludwigshafen am Rhein 8. 7. 1885, †Tübingen 4. 8. 1977; 1933–48 im Exil, dann Prof. in Leipzig. Wegen zunehmender polit. Divergenzen (Beschränkung seiner Publikations- und Lehrtätigkeit, 1957 Zwangsemeritierung) siedelte er 1961 in die Bundesrep. Dtl. über und wurde Prof. in Tübingen. B. entwickelte, anknüpfend an Aristoteles, die »Linksaristoteliker« Ibn Sina und Ibn Ruschd, an Hegel und insbes. Marx, eine Ontologie des »Noch-Nicht«; ihr zugrunde liegt ein Begriff der Materie, der sie als reale Möglichkeit, offen für das Neue, denken lässt. Hieraus entfaltet B. seine »Philosophie der Hoffnung«; auf der Basis ihrer Entwicklungspotenzen soll die Gesellschaft durch die treibende Kraft des Hoffens zu einem »Reich der Freiheit« gestaltet werden. B. erhielt 1967 den Friedenspreis des Dt. Buchhandels.

Werke: Geist der Utopie (1918, 2. Fassung 1923); Thomas Münzer als Theologe der Revolution (1922); Spuren (1930); Subjekt–Objekt (1951); Das Prinzip Hoffnung (3 Bde., 1954–59); Naturrecht und menschl. Würde (1961); Tübinger Einleitung in die Philosophie (2 Bde., 1963–64); Atheismus im Christentum (1968); Das Materialismusproblem (1972); Experimentum mundi (1975).

📖 MARKUN, S.: *E. B. Reinbek 30.–32. Tsd. 1990.* – KRUTTSCHNITT, E.: *E. B. u. das Christentum. Mainz 1993.* – RIEDEL, M.: *Tradition u. Utopie. E. B.s Philosophie im Licht unserer geschichtl. Denkerfahrung. Frankfurt am Main 1994.*

Ernst Bloch

»Das Prinzip Hoffnung«

Dieser Titel wird heute meist dann zitiert, wenn ausgedrückt werden soll, dass man in einer bestimmten Situation nichts mehr tun kann, als nur noch zu hoffen. Das steht allerdings ganz im Gegensatz zu den Gedanken Blochs, der seine »Hoffnung« nicht als Warten auf einen zufällig glücklichen Ausgang oder eine günstige Wendung verstand, sondern als bewusst planendes und aktiv veränderndes Einwirken auf die Entwicklung von Natur, Mensch und Gesellschaft, als konkrete Utopie.

3) [engl. blɔk], Felix, amerikan. Physiker schweizer. Herkunft, *Zürich 23. 10. 1905, †ebd. 10. 9. 1983; Prof. an der Stanford University (USA), untersuchte u. a. den Durchgang geladener Teilchen durch Materie **(blochsche Bremsformel)** sowie ferromagnet. Probleme (→Bloch-Wand). B. erhielt 1952 zus. mit E. M. Purcell den Nobelpreis für Physik für die von ihm entwickelte Kernresonanzmethode der kernmagnet. Präzisionsmessung.

4) [engl. blɔk], Konrad Emil, amerikanischer Biochemiker dt. Herkunft, *Neisse (heute Nysa, Wwschaft Opole) 21. 1. 1912; emigrierte 1936 in die USA, erhielt für Arbeiten über den Cholesterin- und Fettsäurestoffwechsel 1964 mit F. F. K. Lynen den Nobelpreis für Medizin oder Physiologie.

Blochinzew, Dmitri Iwanowitsch, sowjet. Physiker, *Moskau 11. 1. 1908, †Dubna 27. 1. 1979; seit 1936 Prof. in Moskau; 1956–65 Direktor des Vereinigten Instituts für Kernforschung in Dubna; arbeitete über Festkörperphysik, Kernphysik (Theorie der Kernreaktoren) sowie die Quantenfeld- und Elementarteilchentheorie.

Bloch-Wand [nach F. Bloch], in ferromagnet. Stoffen Grenzschicht zw. verschieden magnetisierten →Weiss-Bezirken.

Block, 1) *Datenverarbeitung:* a) Zusammenfassung von Daten **(Daten-B.),** um sie gemeinsam speichern oder verarbeiten zu können. b) Programmeinheit, die als Folge von Anweisungen besteht und der klaren Strukturierung dient.

2) *Eisenbahnverkehr:* Einrichtung zur Sicherung von Eisenbahnzügen, →Signaltechnik.

3) *Hüttentechnik:* in Kokillen gegossene Stahlmasse.

4) *Medizin:* (Herzblock) eine →Herzrhythmusstörung.

5) *Politik:* Bündnis mehrerer Parteien vor und nach Parlamentswahlen zur gemeinsamen Arbeit im Parlament bzw. in der Regierung (→Koalition). In der Außenpolitik bezeichnet B. eine Staatengruppe, die sich unter bestimmten polit., wirtsch. und strateg. Aspekten zu einem Bündnis zusammengeschlossen hat; im Ggs. zu den →blockfreien Staaten.

6) *Statistik:* Gruppe von gleichartigen Einheiten in der statist. Experimentplanung.

Blockade [zu frz. bloquer »sperren«], *Völkerrecht:* Absperrung eines Gebietes von der Einfuhr lebens- oder kriegswichtiger Güter. Im Frieden verstößt B. ohne besondere Rechtfertigung (z. B. Selbstverteidigung) gegen das Verbot von Gewaltanwendung. Im Krieg ist B. als Mittel der Seekriegführung (Absperrung von Häfen und Küsten des Gegners) zulässig, wenn sie Gegnern und Neutralen erklärt und durch Streitkräfte wirksam durchgesetzt wird. Schiffe der **B.-Brecher** können aufgebracht und beschlagnahmt werden. B.-Regeln enthält die Pariser Seerechtsdeklaration von 1856. (→Berliner Blockade)

Blockbuch, in Buchform gefasste Folge von Holztafeldrucken des späten MA. mit kurzen Begleittexten, wobei immer eine Seite von einer Holztafel (Block) abgezogen wurde. Da jeder Bogen nur einseitig bedruckt werden konnte, wurden zwei Bögen (mit den Rückseiten) aneinander geklebt, in der Mitte gefaltet und mit Faden oder Lederriemen zusammengeschnürt. Die B. sind 1430–50 zumeist in Dtl. und den Niederlanden entstanden; Anfang des 16. Jh. wurden die B. durch Bücher mit Holzschnitten verdrängt.

📖 *Blockbücher des Mittelalters. Bilderfolgen als Lektüre, bearb. v.* S. MERTENS *u. a. Ausst.-Kat. Gutenberg-Museum. Mainz 1991.*

Blockbuch: Seite aus dem Codex Palatinus Germanicus 438 (1455–58; Heidelberg, Universitätsbibliothek)

Blockdiagramm, vereinfachtes Schema einer Anlage (z. B. einer elektron. Schaltung) oder eines Ausschnitts der Erdoberfläche (z. B. zur Veranschaulichung von Oberflächenformen).

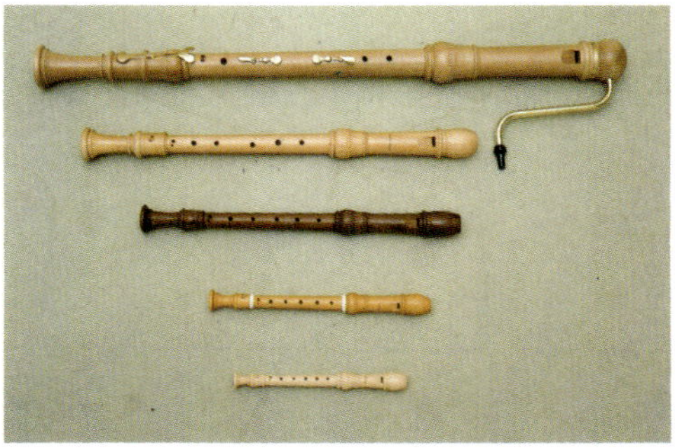

Blockflöte: Von oben: Bass (Gesamtlänge 94 cm), Tenor (60,5 cm), Alt (47,5 cm), Sopran (31 cm), Sopranino (24 cm)

Blockflöte, eine Längsflöte mit schnabelförmigem Mundstück, das durch einen Block (Kern) abgeschlossen wird, und acht Grifflöchern (sieben auf der Vorder-, und eins auf der Rückseite des Rohrs); wird in Sopran-, Alt-, Tenor- und Basslage gebaut. Die B. ist seit dem 11. Jh. nachweisbar, ihre Blütezeit lag im 16./17. Jh.; im 20. Jh. wird sie v. a. in der Laien- und Schulmusik verwendet.

blockfreie Staaten (Bewegung blockfreier Staaten), lockerer Zusammenschluss von 115 nicht paktgebundenen Ländern (Stand: Sommer 1996) und der Befreiungsorganisation PLO, die sich trotz unterschiedl. politischer Orientierung zu den Prinzipien der **Blockfreiheit** (Ablehnung einer Mitgliedschaft in Bündnissystemen) und der friedl. Koexistenz auf der Basis der Gleichberechtigung aller Staaten bekennen. An den Konferenzen nehmen darüber hinaus weitere Länder und Organisationen mit Beobachterstatus teil. Seit den 1980er-Jahren engagieren sie sich v. a. in internat. Organisationen für eine neue Weltwirtschaftsordnung und das Selbstbestimmungsrecht aller Völker. Die Gipfelkonferenz der Staatsoberhäupter und/oder Reg.chefs findet i. d. R. alle drei Jahre statt; das jeweilige Gastgeberland übernimmt bis zur nächsten Konferenz die Präsidentschaft. Ein Koordinierungsbüro in New York dient der Abstimmung aktueller Fragen. Die →Bandungkonferenz (1955) gilt als Vorläufer, die →Belgrader Konferenz als Gründungskonferenz der Bewegung. Das Gipfeltreffen 1992 in Jakarta widmete sich v. a. der Neuorientierung der Bewegung angesichts der Auflösung der alten Machtblöcke und einer Stärkung der Dritten Welt. Das Koordinierungsbüro wurde mit einem »Back-up-System« versehen, einer Art Sekretariat, das Entscheidungen kontrollieren und deren Verwirklichung fördern soll. Darüber hinaus wurde ein Komitee zur Koordinierung der Bezie-

Felix Bloch

Konrad E. Bloch

hungen zw. den b. S. und der Gruppe der 77 geschaffen. Auf ihrem Gipfeltreffen in Cartagena (Kolumbien) sprachen sich 1995 die b. S. für größere Mitspracherechte im Sicherheitsrat der UN aus.

Blockmeer bei Reichenbach, Gemeinde Lautertal (Odenwald)

Blockhaus, Haus aus waagerecht übereinander gefügten Holzstämmen, die an den Ecken überstehend miteinander verbunden sind.

Blockheizkraftwerk, ein mit Erdöl und Erdgas betriebenes kleines Kraftwerk, das mit einem Verbrennungsmotor betrieben wird, der um einen Heizkessel (Spitzenkessel) ergänzt ist. B. versorgen einen Komplex (z. B. Krankenhaus) oder eine Siedlung mit elektr. Energie und Fernwärme. Durch →Kraft-Wärme-Kopplung erzielen diese Anlagen im optimalen Betriebspunkt eine Brennstoffausnutzung von 80 bis 85 %. Für die Auslegung des B. maßgebend ist jedoch i. d. R. der Wärmebedarf; überschüssiger Strom wird in das Netz der öffentlichen Stromversorgung abgegeben, höherer Strombedarf aus diesem gedeckt.

Blockieren [von frz. bloquer, zu bloc »Klotz«], *Mechanik:* das plötzl. Sperren der Bewegung eines Körpers; das Verhindern der Drehbewegung eines Rades. Das B. der Fahrzeugräder lässt sich durch Blockier- oder Bremsschlupfregler verhindern (→ABS).

Blockkraftwerk, ein aus mehreren selbstständig funktionierenden Kraftwerksblöcken bestehendes Kraftwerkssystem.

Blockmeer (Felsenmeer), durch Verwitterung sowie Ausspülung des Feinmaterials entstandene Anhäufung von Blöcken grobklüftiger Gesteine; finden sich entweder am Ort der Bildung oder als zungenförmige **Blockströme,** die sich hangabwärts bewegt haben.

Blockpartei, →Blocksystem.

Blocksberg, volkstümlicher Name mehrerer dt. Berge (u. a. des Brockens); der B. gilt die in der Sage als Aufenthaltsort dämon. Wesen und als Versammlungsplatz der Hexen, die in der Walpurgisnacht oder an anderen Wendepunkten des Jahres dort mit dem Teufel orgiast. Feste feiern.

Blockschrift, Schreibweise von Großbuchstaben ohne Haarstriche und mit gleich starken Grundstrichen, z. B. BLOCKSCHRIFT.

Blocksystem, in Volksdemokratien die Zusammenfassung und polit. Gleichschaltung der Parteien **(Blockparteien)** und Massenorganisationen unter Führung der kommunist. Partei in einer Rahmenorganisation (in der DDR die →Nationale Front der DDR).

Blockunterricht, 1) in der beruflichen Ausbildung Unterricht in Form von Lernblöcken, z. B. vier Wochen Schule, acht Wochen Ausbildung im Betrieb; 2) themenbezogene, zeitlich begrenzte Zusammenfassung versch. Unterrichtsfächer; 3) Verkürzung des Zeitraums, über den hin ein Fach unterrichtet wird, bei entsprechender Erhöhung der Zahl der Unterrichtsstunden pro Woche.

Blockzeit, die Zeit von dem Augenblick, in dem sich ein Flugzeug vor dem Abflug in Bewegung setzt, bis zum Augenblick des Stillstands am Zielflughafen.

Bloemaert ['blu:ma:rt], Abraham Cornelisz., niederländ. Maler, *Gorinchem (Südholland) 25. 12. 1564, †Utrecht 27. 1. 1651; seine Frühwerke entstanden im Stil des Manierismus; elegante Linienführung und hellbunte Farbigkeit bestimmen seine späten Werke.

Abraham Bloemaert: Landschaft mit Bauerngehöft (1598; Berlin, Nationalgalerie)

Nicolaas Bloembergen

Bloembergen ['blu:mbə:gən], Nicolaas, amerikan. Physiker, *Dordrecht (Niederlande) 11. 3. 1920; seit 1957 Prof. an der Harvard University, Begründer der nichtlinearen Optik; erhielt 1981 zus. mit A. L. Schawlow den Nobelpreis für Physik für Beiträge zur Entwicklung der Laserspektroskopie (geteilt mit K. M. Siegbahn).

Bloemfontein [blu:mfɔn'teɪn], Hptst. der Prov. Freistaat, Rep. Südafrika, 1392 m ü. M. auf dem Hochland um den Naval Hill, 130 000 Ew. (städtische Agglomeration 300 100 Ew.); Sitz des Obersten Gerichtshofes, Sitz eines kath. Erzbischofs, Univ. (gegr. 1855), astronom. Observatorium; Vieh- und Wollhandel, Maschinenbau, Möbel-, Nahrungsmittelind.; Straßen- und Eisenbahnknotenpunkt, Flugplatz.

Blois: Der achteckige Renaissance-Treppenturm im Innenhof des Schlosses (13.–17. Jh.)

Blois [blwa], Hptst. des frz. Dép. Loir-et-Cher, an der Loire, 49 400 Ew.; Zentrum eines reichen Landwirtschaftsgebiets (Getreide-, Wein-, Gemüsebau), Elektro-, Lederind., Maschinenbau. – Das Schloss, mit großem Innenhof, hat Bauteile aus dem 13.–17. Jh., darunter der Renaissance-Trakt Franz' I. (1515–24) mit Loggienfassade und achteckigem Treppenturm, bewahrt.

Blọk, Alexandr Alexandrowitsch, *Sankt Petersburg 28. 11. 1880, †ebd. 7. 8. 1921; bedeutender symbolist. Lyriker, der sprachl. Musikalität mit der Erschließung neuer formaler Möglichkeiten verbindet. Berühmt sind sein Beitrag zur Revolutionsdichtung, das ep. Poem »Die Zwölf« (1918), sowie die lyr. Versdramen, u.a. »Die Schaubude« (1905), »Die Unbekannte« (1906). B. schrieb auch Gedichte, u.a. »Die Verse von der schönen Dame« (1904), »Die Skythen« (1918), lyr. Dramen und Aufsätze.

📖 Berberova, N.: *Alexandre B. et son temps. Arles 1991.*

Blọmberg, Stadt und Luftkurort im Kr. Lippe, NRW, im Lipper Bergland, 16 800 Ew.; Elektro- und Textilind., Holzverarbeitung. – Zahlreiche Bauten aus dem 16. Jh., u.a. das Rathaus.

Blọmberg, 1) Barbara, *1527 (1528?), †Ambrosero (Spanien) 18. 12. 1597; Nürnberger Bürgerin, wurde 1546 auf dem Reichstag zu Regensburg die Geliebte Karls V., Mutter des Don Juan d'Austria. – Ihr Leben wurde mehrfach literarisch behandelt, so im Schauspiel von C. Zuckmayer (1949).

2) Werner von, Generalfeldmarschall, *Stargard in Pommern (heute Stargard Szczeciński) 2. 9. 1878, †Nürnberg (in amerikan. Haft) 14. 3. 1946; 1933–35 Reichswehr- und 1935–38 Reichskriegsmin., suchte der Wehrmacht im Herrschaftssystem Hitlers einen herausragenden Platz zu sichern. Er leitete die dt. Wiederaufrüstung. Aufgrund einer vom Offizierskorps als nicht standesgemäß empfundenen Heirat sah er sich als Reichskriegsmin. zum Rücktritt gezwungen.

Alexandr Blok

Blomstedt ['blum-], Herbert, schwed. Dirigent, *Springfield (Mass.) 11. 7. 1927; war nach Stationen u.a. in Oslo und Kopenhagen 1975–85 Leiter der Dresdner Staatskapelle und 1977–85 Chefdirigent des Sinfonieorchesters des Schwed. Rundfunks in Stockholm. 1985 wurde er Chefdirigent des San Francisco Symphony Orchestra.

Blondel [blɔ̃'dɛl], **1)** François, frz. Baumeister und Architekturtheoretiker, *Ribemont-sur-Ancre (Dép. Somme) 1618, †Paris 21. 1. 1686; gilt als theoret. Begründer des frz. Classicisme (»Cours d'architecture«, 1675). Sein Hauptwerk ist die Porte Saint-Denis in Paris (1671–73, unter Mitwirkung von P. Bullet).

2) Jacques François, frz. Baumeister und Architekturtheoretiker, *Rouen 8. 1. 1705, †Paris 9. 1. 1774; war v.a. ein bed. Theoretiker, schrieb u.a. »L'architecture française«, 4 Bde. (1752–56, Neudruck 1904).

Maurice Blondel

3) Maurice, frz. Philosoph, *Dijon 2. 11. 1861, †Aix-en-Provence 4. 6. 1949; entwickelte – beeinflusst u.a. von Augustinus und Platon – gegen Rationalismus, Positivismus und Lebensphilosophie seine Philosophie der »action«, des ewig vorwärts treibenden geistigen Lebens, das aller Wirklichkeit zugrunde liegen und aus der Natur das Leben, aus dem Leben den Geist hin zu Gott treiben soll. B.s Philosophie gipfelt in einer kath. Philosophie der Offenbarung.

Blois, *am linken Steilufer der Loire gelegen, war im Mittelalter Hauptstadt der Grafschaft Blésois oder Blaisois, die 1391 von Herzog Ludwig von Orléans durch Kauf erworben wurde. Sein Enkel, König Ludwig XII., vereinigte das Gebiet 1498 mit der Krone. In Blois hatten die französischen Könige aus den Häusern Valois und Orléans bis 1589 ihre ständige Residenz.*
Ihr Schloss erhielt im Lauf der Jahrhunderte vier Flügel: zwei im Übergangsstil von der Gotik zur Renaissance, einer im reinen Renaissancestil und einer im französischen Klassizismus von dem Architekten François Mansart. In einem gut erhaltenen, ganz mit Holz verkleideten und mit Geheimfächern versehenen Kabinett im ersten Stock sollen sich die Giftschränke von Katharina de' Medici, der Mutter der letzten Valoiskönige, befunden haben.

Werke: Die Aktion (1893); Das Denken (2 Bde., 1934); Philosoph. Ansprüche des Christentums (1950).

📖 Wilmer, H.: *Mystik zwischen Tun u. Denken. Ein neuer Zugang zur Philosophie M. B.s. Freiburg im Breisgau 1992.*

Bloy [blwa], Léon, frz. Schriftsteller, *Périgueux 11. 7. 1846, †Bourg-la-Reine (Dép. Hauts-de-Seine) 3. 11. 1917; Wegbereiter einer modernen kath. Literatur, beeinflusste u.a. G. Bernanos, P. Claudel, F. Mauriac; schrieb u.a. die Romane »Der Verzweifelte« (1886) und »Die Armut und die Gier« (1897) sowie Tagebücher »Mon journal« (2 Bde., 1904–24).

Gebhard Leberecht Blücher (Lithographie nach einem Gemälde von Friedrich Carl Gröger, 1816)

Blücher, 1) Franz, Politiker (FDP; seit 1956 FVP), *Essen 24. 3. 1896, †Bad Godesberg (heute zu Bonn) 26. 3. 1959; war 1948 Mitgl. des Frankfurter Wirtschaftsrats, 1949–57 Vizekanzler und Bundesmin. für wirtsch. Zusammenarbeit, 1949–54 Vorsitzender der FDP.

2) Gebhard Leberecht Fürst B. von Wahlstatt (seit 1814), preuß. Generalfeldmarschall (seit 1813), *Rostock 16. 12. 1742, †Krieblowitz (Schlesien; heute Krobielowice) 12. 9. 1819; stand seit dem Siebenjährigen Krieg in preuß. Diensten (1773 verabschiedet). 1787 trat er wieder in die Armee ein und zeichnete sich in den Revolutionskriegen (1801 Generalleutnant) und in den napoleon. Kriegen aus. 1811 wurde B. auf Drängen Napoleons I. des Kommandos enthoben. Ab 1813 Oberbefehlshaber der Schles. Armee (mit Gneisenau als Chef des Generalstabes), schlug er die Franzosen an der Katzbach, erzwang bei Wartenburg den Elbübergang und trug in der Völkerschlacht bei Leipzig (16.–18. 10. 1813) entscheidend zum Sieg der gegen Napoleon I. verbündeten Armeen bei. In der Neujahrsnacht 1813/14 überschritt er mit seinen Truppen bei Kaub den Rhein und erfocht mit Wellington den entscheidenden Sieg über Napoleon I. bei →Waterloo. – B., genannt »Marschall Vorwärts«, war der volkstümlichste Heerführer der Befreiungskriege.

📖 Henderson, E. F.: *B. and the uprising of Prussia against Napoleon, 1806–1815. London u.a. 1911, Nachdr. Ditton 1994. – G. L. von B. u. seine Zeit. Redaktion* W. Karge. *Rostock 1992. – G. L. von B. Ein großer Sohn der Stadt Rostock. Lebenswerk, Vermächtnis u. Erbe, hg. v. der Universität Rostock, Philosophische Fakultät, Fachbereich Geschichtswissenschaften. Rostock 1993.*

3) (russ. Bljucher), Wassili Konstantinowitsch, eigtl. W. K. Gurow, sowjet. Marschall (seit 1935), *Barschtschinka (Gebiet Jaroslawl) 1. 12. 1890, †9. 11. 1938; war 1924–27 militär. Berater der chines. Kuomin-tang-Reg., leitete 1929–37 die »Besondere Fernöstl. Armee«. Im Zuge der »Großen Säuberung« wurde er erschossen (1956 rehabilitiert).

Bludenz, Bezirks-Hptst. in Vorarlberg, Österreich, 588 m ü. M., rechts der Ill, an der Arlbergbahn, 13 400 Ew.; Textilind., Schokoladenherstellung, Maschinenbau, Zementfabrik; Fremdenverkehr (Barockbauten). – 830 erstmals erwähnt, seit 1296 Stadt.

Blueback ['blu:bæk, engl.] *der* (Blaurücken), das Fell von Jungtieren der Klappmütze, einer Rüsselrobbenart.

Bluebox ['blu:bɔks, engl.], →Chromakey.

Bluechips ['blu:tʃɪps, engl.], amerikan. Bez. für Spitzenwerte des Aktienmarktes, d.h. Aktien substanz- und ertragsstarker Unternehmen.

Blue Ground ['blu: 'graʊnd; engl. »blaue Erde«] *der,* unverwitterter →Kimberlit; verwittert wird er **Yellow Ground** genannt.

Blüemlisalp (Blümlisalp), vergletschertes Gebirgsmassiv im Berner Oberland, mit Blüemlisalphorn (3590 m) und Wyssi Frau (3650 m ü. M.); am W-Fuß der Oeschinensee (Karsee).

Blue Mountains ['blu: 'maʊntɪnz], **1)** Bergland im nördl. Bereich des Columbia Plateau in NO-Oregon und SO-Washington, USA, bis 2775 m ü. M.; Eisenerzvorkommen.

2) Gebirge im O von Jamaika, bis 2292 m ü. M.

3) Teil der südl. Ostaustralischen Kordilleren, westlich von Sydney, bis 1362 m ü. M., mit dem B. M. National Park.

Blue Ridge ['blu: 'rɪdʒ], östl. Randgebirge der →Appalachen, USA.

Blues [blu:z, engl.] *der,* **1)** urspr. das volkstümliche weltl. Lied der schwarzen Sklaven in den Südstaaten der USA, mit schwermütig getragener Grundstimmung; maßgeblich an der Ausbildung des Jazz beteiligt. In der 2. Hälfte des 19. Jh. entstanden, wurde der B. zu Beginn des 20. Jh. auch in instrumentale Bereiche übertragen.

📖 Harrison, D.: *Die Welt des B. A. d. Engl. Erlangen 1994.* – Moll, D.: *Das Buch des B. Königswinter ^{2}1994.* – Oliver, P.: *Die Story des B. A. d. Amerikan. Neuausg. St. Andrä-Wöldern 1994.*

2) um 1920 aufgekommener Gesellschaftstanz im $^{4}/_{4}$-Takt.

Bluetongue ['blu:tʌŋ; engl. »blaue Zunge«] *die,* Tierkrankheit, die →Blauzungenkrankheit.

Robert Blum

Blum, 1) Léon, frz. Politiker und Schriftsteller, *Paris 9. 4. 1872, †Jouy-en-Josas (Dép. Seine-et-Oise) 30. 3. 1950; gründete 1902 mit J. Jaurès den »Parti socialiste français«, hatte 1905 großen Anteil an der Einigung der frz. Sozialisten in der SFIO und stieg zum unbestrittenen Führer dieser Partei auf. 1936/37 und 1938 war er MinPräs. von Volksfrontregierungen; 1943–45 in Dtl. interniert; 1946/47 nochmals Ministerpräsident.

2) Robert, Politiker, *Köln 10. 11. 1807, †Wien 9. 11. 1848; Theaterkassierer in Leipzig, volkstüml. Redner und polit. Schriftsteller, schloss sich 1845 der dt.-kath. Bewegung an; 1848 Führer der demokrat. Linken in der Frankfurter Nationalversammlung. Im Okt. dieses Jahres überbrachte er den in Wien kämpfenden Aufständischen eine Sympathieadresse der Frankfurter Nationalversammlung und beteiligte sich zeitweilig am Kampf. Nach der Niederschlagung des Aufstandes wurde er zum Tode verurteilt und erschossen.

Ausgabe: Ausgewählte Reden u. Schriften, hg. v. H. NEBEL, 10 Bde. Leipzig 1879–81.

Blüm, Norbert, Politiker (CDU), *Rüsselsheim 21. 7. 1935; Werkzeugmacher, Journalist, 1977–87 Hauptgeschäftsführer der CDU-Sozialausschüsse, 1981/82 Berliner Senator für Bundesangelegenheiten; leitete als Bundesmin. für Arbeit und Sozialordnung (seit 1982) Reformen u. a. im Rentenrecht ein und setzte im Rahmen der Sozialversicherung die Pflegeversicherung durch. Seit 1987 ist er auch CDU-Landesvors. in Nordrhein-Westfalen.

Blumau in Steiermark, Gemeinde im Bez. Fürstenfeld, Österreich, 1600 Ew.; mit →Bad Blumau.

Blumberg, Stadt im Schwarzwald-Baar-Kreis, Bad.-Württ., am SW-Rand der Schwäb. Alb, 10100 Ew.; 1935–42 Eisenerzbergbau; Metall-, Textilindustrie. – Seit 1420 Stadt.

Hermann Blumenthal: Hockender mit Tuch, Bronze (1937; Mannheim, Städtische Kunsthalle)

Blumberg ['blʊmbəːg], Baruch Samuel, amerikan. Mediziner, *New York 28. 7. 1925; entdeckte 1964 im Blut eines austral. Eingeborenen ein bisher unbekanntes Antigen (HBsAG), das sich als Erreger der Virushepatitis B (Serumhepatitis) herausstellte. Mit D. C. Gajdusek erhielt er 1976 den Nobelpreis für Physiologie oder Medizin.

Blume, 1) *Botanik:* Blüte, auch die Pflanze, die Blüten trägt (→Sommerblumen, →Stauden, →Zimmerpflanzen); Sinnbild der Schönheit, Reinheit und Zartheit.

2) *Gastronomie:* die Schaumkrone des (gezapften) Bieres; auch das Bukett des Weines.

3) *Jägersprache:* die weiße Schwanzspitze des Fuchses und des Wolfs; der Schwanz des Hasen.

Norbert Blüm

Blumenau, Stadt in Santa Catarina, Brasilien, 150000 Ew.; Textil-, Nahrungs- und Genussmittel-, Glas- und Porzellanindustrie. – 1852 von Hermann Blumenau (*1819, †1899) mit 17 Einwanderern als dt. Siedlung gegründet.

Blumenberg, Hans, Philosoph, *Lübeck 13. 7. 1920, †Altenberge 28. 3. 1996; zuletzt Prof. in Münster; entwarf eine Philosophie der Metapher: Auch in der Neuzeit, die in ihrem Selbstverständnis auf Rationalität und Denken gegründet ist, wird im Horizont vorgängiger Bilder gedacht, die die Sicht der Welt und das Selbstverständnis des Menschen strukturieren.

Werke: Paradigmen zu einer Metaphorologie (1960); Die kopernikanische Wende (1965); Die Legitimität der Neuzeit (1966); Das Lachen der Thrakerin (1987); Höhlenausgänge (1989).

Blumenbinder, →Florist.

Blumenbinse, die →Schwanenblume.

Blumenfliegen (Anthomyiidae), Familie der Fliegen mit rd. 1000 meist grau oder braun gefärbten Arten; leben oft auf Blüten; z. T. sind ihre Larven Pflanzenschädlinge (Wurzel-, Kohl-, Zwiebelfliege u. a.).

Blumenkohl (Karfiol, Brassica oleracea var. botrytis), Gemüsepflanze der Gattung Kohl aus dem östl. Mittelmeergebiet; gegessen werden die gestauchten, zu einer kopfförmigen »Blume« vereinigten, sterilen Blütensprosse.

Blumenkresse, →Kapuzinerkresse.

Blumenorden, deutsche Sprachgesellschaft, der →Pegnitzorden.

Blumenrohr, die Pflanzengattung →Canna.

Blumensprache (arab. Selam), der Gedankenaustausch durch Blumen entsprechend ihren Namen (Vergissmeinnicht) oder ihrer symbol. Bedeutung (Rose = Liebe, Lilie = Reinheit, Veilchen = Demut).

Blumenthal, Hermann, Bildhauer, *Essen 31. 12. 1905, †(gefallen) bei Kljastizy (Weißrussland) 17. 8. 1942; schuf Figürliches (bes. Jünglingsgestalten), Bildnisbüsten und Flachreliefs in Zink, Terrakotta und Bronze.

Blumentiere, die →Korallen.

Blumenzwiebel, unterird. Speicherorgan einiger einkeimblättriger Pflanzen (→Zwiebel).

Blumhardt, evangelische Theologenfamilie: 1) Christoph, *Möttlingen (heute zu Bad Liebenzell) 1. 6. 1842, †Boll 2. 8. 1919, Sohn von 2); zunächst

Baruch S. Blumberg

Blut

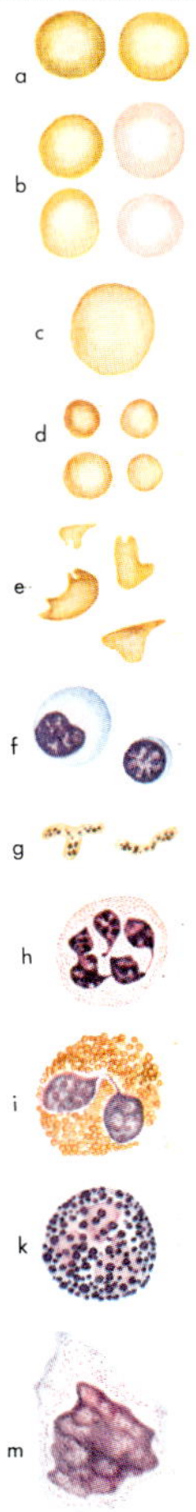

1

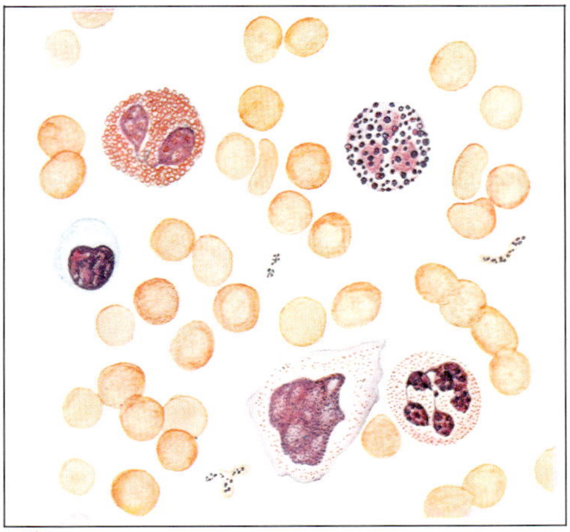

2

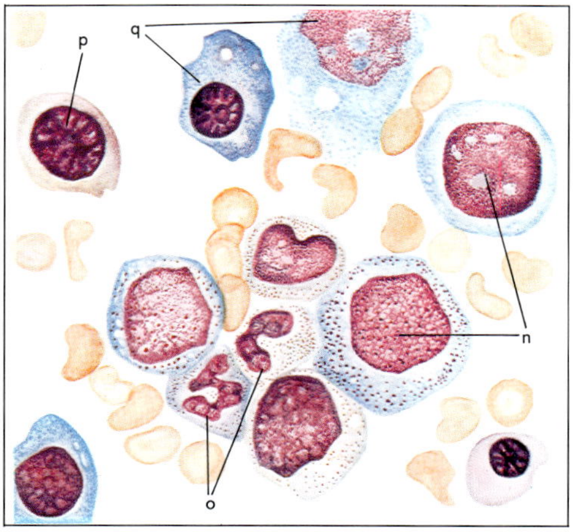

3

| **1** Rote Blutkörperchen (Erythrozyten) des Menschen: a normale, b polychromatische (d. h. sauren und basischen Farbstoff annehmend), c krankhaft große, d krankhaft kleine Erythrozyten, e missgestaltete Erythrozyten, die auf schwere Knochenmarksschädigungen hinweisen; weiße Blutkörperchen (Leukozyten): f großer und kleiner Lymphozyt, g Blutplättchen, h neutrophiler, i eosinophiler, k basophiler Granulozyt, m Monozyt | **2** Normales Blutbild | **3** Normales Knochenmark: n Vorstufen von Granulozyten, o Granulozyten, p Vorstufe eines Erythrozyten, q Gerüstzelle des Knochenmarks

Nachfolger seines Vaters in der Leitung von Bad Boll; gab sein Pfarramt auf und war 1900–06 württemberg. Landtagsabgeordneter; Vertreter eines →religiösen Sozialismus; hatte großen Einfluss auf K. Barth.

Ausgabe: Gesammelte Werke. Schriften, Verkündigung, Briefe, hg. v. G. Schäfer, auf zahlr. Bde. in 3 Reihen ber. Göttingen 1968 ff.

2) Johann Christoph, *Stuttgart 16. 7. 1805, †Boll 25. 2. 1880; Führer einer Erweckungsbewegung, seit 1852 in Bad Boll, behandelte seelisch Leidende und Kranke.

Blümlisalp, →Blüemlisalp.

Bluntschli, Johann Caspar, schweizer.-dt. Staats- und Völkerrechtler, *Zürich 7. 3. 1808, †Karlsruhe 21. 10. 1881; seit 1833 Prof. (in Zürich, München, seit 1861 in Heidelberg), führender Staatstheoretiker, hatte bes. Einfluss auf die Entwicklung des schweizer. Zivilrechts, war als gemäßigt Liberaler politisch tätig.

Werke: Gesch. des schweizer. Bundesrechtes (2 Bde., 1849–52); Allg. Staatsrecht, geschichtlich begründet (2 Tle., 1851/52).

Bluse, leichtes Oberbekleidungsstück für Frauen, auch Teil von Uniformen, z. B. Matrosen-B., Litewka.

Blut (lat. Sanguis), im Herz-Kreislauf-System (→Blutkreislauf) zirkulierende Körperflüssigkeit, die dem allg. Stofftransport und -austausch dient. Das B. kann als flüssiges Gewebe oder als Organ des Körpers angesehen werden. Es bringt als Transportmittel Sauerstoff aus der Lunge und Nährstoffe aus dem Darm in die Gewebe, Kohlendioxid und Abbauprodukte des Stoffwechsels in die Ausscheidungsorgane (Lunge, Niere) und überträgt Hormone, Vitamine und Enzyme. Es dient der chem. Verknüpfung der Organe und der Aufrechterhaltung des Wasser- und Salzhaushaltes des Körpers. Wichtige Eigenfunktionen des B. sind die Fähigkeiten, Puffer im Säure-Basen-Haushalt zu sein, als Träger von Antikörpern und Leukozyten eingedrungene Fremdstoffe, Gifte und Fremdorganismen abzuwehren (Immunreaktion) und eröffnete B.-Gefäße verschließen zu können (B.-Gerinnung). Die B.-Menge des Menschen beträgt etwa 7–8 % seines Körpergewichts, beim Erwachsenen (bei 70 kg Körpergewicht) etwa 5–5,5 l. Das B. setzt sich aus dem B.-Plasma (B.-Flüssigkeit) und aus den geformten Bestandteilen, den B.-Körperchen, zusammen.

Das **B.-Plasma** besteht aus Wasser (90 %), Elektrolyten (bes. Natrium, Kalium und Calcium), den transportierten Stoffen und aus Proteinen (6–8 %). B.-Proteine sind Albumine, die an der Regulation des Wasserhaushaltes beteiligt sind, Globuline, die Antikörper enthalten, und Fibrinogen, das für die B.-Gerinnung verantwortlich ist. Plasma ohne Fibrinogen wird als **B.-Serum** bezeichnet. Von den geformten B.-Bestandteilen überwiegen zahlenmäßig (etwa 4,5–5 Mio./mm^3) die **roten B.-Körperchen (Erythrozyten),** scheibenförmige, kernlose, in der Mitte eingedellte Zellen von etwa 0,007 mm Durchmesser. Sie bestehen aus einer Gerüstsubstanz, in die der B.-Farbstoff **(Hämoglobin)** eingelagert ist. Das Hämoglobin ermöglicht Atmung und Stoffwechselvorgänge durch seine Fähigkeit, Sauerstoff zu binden (in der Lunge) oder abzugeben (im Gewebe) entsprechend der in der Umgebung vorhandenen Sauerstoffkonzentration. Im Unterschied zu den roten sind die **weißen B.-Körperchen (Leukozyten)** kernhaltig und enthalten keinen Farbstoff. Ihre Zahl beträgt 4000–9000/mm³ Blut. Man unterscheidet Granulozyten, Monozyten und Lymphozyten; sie sind (mit Ausnahme der Lymphozyten) größer als die roten B.-Körperchen. Die **Granulozyten** werden je nach Anfärbbarkeit ihrer Körnchen (Granula) mit sauren oder bas. Farbstoffen in neutrophile, eosinophile und basophile Granulozyten unterteilt. Die neutrophilen Granulozyten machen den Hauptbestandteil der weißen B.-Körperchen aus. Sie sind aktiv beweglich, können, durch Stoffwechselprodukte von Krankheitserregern oder Zerfallsprodukten der Proteine angelockt, die B.-Bahn verlassen (Diapedese), nehmen die Fremdstoffe auf (Phagozytose) und verdauen sie. Zugrunde gegangene Granulozyten bilden die Hauptmasse des Eiters. Die anderen Arten von weißen B.-Körperchen sind ebenfalls an der Körperabwehr beteiligt. **Monozyten** sind zur Phagozytose größerer Fremdkörper in der Lage, die **Lymphozyten** besitzen die Fähigkeit, Antikörper zu bilden, und sind Grundlage der Immunität. Die ebenfalls farblosen **B.-Plättchen (Thrombozyten)** sind als Bruchstücke von Knochenmarkzellen die kleinsten B.-Körperchen (etwa 0,003 mm Durchmesser), ihre Zahl in 1 mm³ B. beträgt 200000–400000. Sie sind für die B.-Gerinnung wichtig. Die B.-Körperchen und ihre Vorstufen entstehen vorwiegend im Knochenmark.

📖 BIRKNER, B. *u.* HOFFMANN, GEORG: *Das B. Steckbrief unserer Gesundheit. Aufgaben im Körper, Barometer für Gesundheit u. Krankheit. München u. a. 1991.* – NAGAI, T. *u. a.: Über Blutmystizismus. Volksaberglaube, Märchen, Religion, Volksmedizin u. Wissenschaft. Pähl 1995.*

Blutalgen, meist Flagellaten und Blaualgen, deren Chlorophyll durch rote oder orange Farbstoffe verdeckt ist; bei massenhaftem Auftreten im Wasser oder auf Schnee und Eis tritt meist eine Rotfärbung auf (Blutseen; das Rote Meer; Blutschnee; Alpenrot).

Blutalkohol, Alkoholgehalt des Blutes nach →Alkoholgenuss, ausgedrückt in ‰ (g Alkohol je 1000 g Blut); wird durch die →Blutprobe ermittelt.

Blutandrang, die aktive oder arterielle →Hyperämie.

Blutarmut, die →Anämie.

Blutbank, medizin. Einrichtung, die der Herstellung, Aufbewahrung und Abgabe von Blutkonserven dient.

Blutbann, nach altem dt. Recht die Gerichtsbarkeit über Leben und Tod, die urspr. dem König zustand.

Blutbild, Übersicht über die wesentlichen Bestandteile des Blutes durch eine →Blutuntersuchung.

Blutblume (Elefantenohr, Haemanthus), Gattung der Amaryllisgewächse, südafrikan. Zwiebelgewächse mit meist nur zwei ledrigen Blättern und reichblütiger Dolde auf kurzem Schaft; mit roten oder weißen Blüten; lichtbedürftige Zimmerpflanzen.

Mittelwerte des Blutdrucks in Altersabhängigkeit

Alter	systolischer Blutdruck in mm Hg (hPa)		diastolischer	
Geburt	70	(93)	40	(53)
bis 10 Jahre	105	(140)	70	(93)
10.–30. Jahr	120	(160)	75	(100)
30.–40. Jahr	130	(173)	85	(113)
40.–60. Jahr	140	(186)	90	(120)
über 60 Jahre	145	(193)	90	(120)

Blutbuche, eine Varietät der Rotbuche mit rotbraunen Blättern.

Blutdoping [-dəʊpɪŋ] (Eigenblut-Retransfusion), *Sportmedizin:* die Zurückführung (4–6 Wochen nach Entnahme) von Eigenblut, meist in Form eines Konzentrats von roten Blutkörperchen oder Plasma; soll zur Steigerung der Ausdauerleistungsfähigkeit durch Erhöhung der maximalen Sauerstoffaufnahme führen. B. ist nach der Dopingliste des Internat. Olymp. Komitees (IOC) verboten.

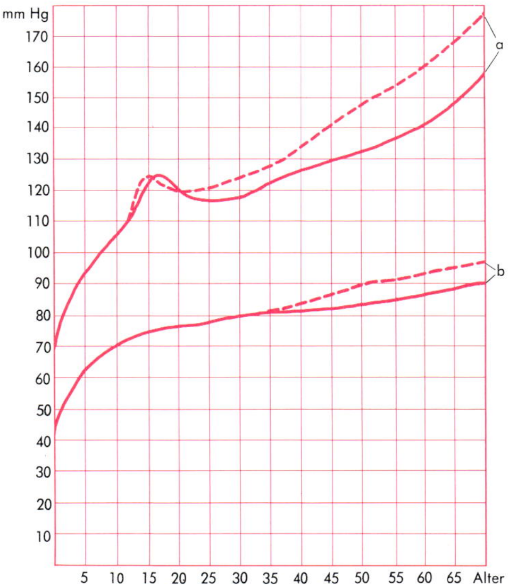

Blutdruck: Normalwerte des systolischen (a) und diastolischen (b) Blutdrucks bei Männern (durchgehende Kurve) und Frauen

Blutdruck, der durch die Tätigkeit des Herzens erzeugte Druck des strömenden Blutes im Blutgefäßsystem. Der B. ist in den herznahen großen Schlagadern am größten. Mit dem Umlauf des Blutes sinkt er und ist beim Einmünden der großen Venen in das Herz etwa gleich null. Die Höhe des B. ist abhängig von der Leistungsfähigkeit des Herzens, von Weite und Elastizität (Tonus) der Blutgefäße und von der inneren Reibung (Viskosität) des Blutes. Die Regulation des B. erfolgt durch B.-Zentren im Zwischenhirn, verlängerten Mark und Rückenmark. Die **B.-Messung** gilt als wichtigste Maßnahme zur Beurteilung der Kreislauffunktion. Zur Messung des arteriellen B. wird eine zunächst leere Gummimanschette, die mit einem Manometer verbunden ist, um den Oberarm gelegt. Die Manschette wird so lange aufgepumpt, bis der Blutstrom in der Armschlagader völlig abgedrosselt und der Pulsschlag nicht mehr zu tasten ist. Wird der Manschettendruck wieder vermindert, kann man durch ein im Bereich der Ellenbeuge aufgesetztes Stethoskop das Geräusch des wieder in die Armarterie einfließenden Blutes hören. Der dabei abgelesene Manometerwert zeigt den Spitzendruck (**systol. B.;** z.B. 120 mm Quecksilbersäule [Hg]) an. Verschwindet bei weiterer Reduzierung des Manschettendrucks das pulssynchrone Geräusch, so kann der Taldruck (**diastol. B.;** z.B. 80 mm Quecksilbersäule) abgelesen werden. Elektron. B.-Messapparate nehmen über ein Mikrofon in der Manschette die Pulsgeräusche auf und ermöglichen eine einfache Ablesung oder die automat. Registrierung. Gemessen wird der B. seit langem in mmHg (→Riva-Rocci), seit dem 1. 1. 1978 gelten als neue Druckeinheiten das Pascal (Pa) und das Bar (bar), jedoch ist die alte Maßeinheit weiterhin zulässig; Umrechnung: 1 mm Quecksilbersäule ≙ 133,322 Pa. Die Angabe des B. gibt den systol. und diastol. Wert als Verhältniszahl wieder (z.B. 120/80 mmHg). Der B. steigt mit zunehmendem Alter im Durchschnitt an. Auch beim Gesunden kann der B. schwanken, er steigt bei phys. und psych. Belastungen an und fällt im Schlaf leicht ab. Krankhaft sind dauernd erhöhte Werte (→Hochdruckkrankheit) und dauernd erniedrigte Werte (→Hypotonie).

📖 FAULHABER, H.-D.: *Hoher B. Frankfurt am Main u. a. 1994.*

Blüte, der geschlechtl. Fortpflanzung dienender, für die Samenpflanzen charakterist. Spross begrenzten Wachstums mit meist in Kreisen angeordneten Blättern spezieller Funktion. Die vollständige B. der Bedecktsamer besteht aus den an der B.-Achse sitzenden Staub- und Fruchtblättern, die von der B.-Hülle umgeben sind; diese ist unterteilt in meist grüne Kelch- und farbige Kronblätter. **Staubblätter** (Stamina, als Gesamtheit Andrözeum) tragen i. Allg. auf einem Stiel (Staubfaden, Filament) die Antheren (Staubbeutel), die aus zwei durch das Konnektiv verbundenen Fächern (Theken) bestehen. Jede Theke enthält zwei Pollensäcke, die viele Pollenkörner (Pollen, B.-Staub) erzeugen. Die **Fruchtblätter** (Karpelle, als Gesamtheit Gynözeum) werden zuletzt angelegt; sie tragen die Samenanlagen, frei bei den Nacktsamern, in einem geschlossenen Fruchtknoten bei den Bedecktsamern. Die Samenanlagen sind mit einem Stielchen (Funiculus) an der Plazenta befestigt. Sie enthalten den Embryosack mit der Eizelle. Eine B. mit Staub- und Fruchtblättern ist zwittrig (hermaphroditisch, monoklin), eine B. mit nur Staub- oder nur Fruchtblättern getrenntgeschlechtig (diklin). Wenn beide Geschlechter auf derselben Pflanze vereinigt sind (Monözie), ist die B.-Verteilung und die betreffende Pflanze einhäusig (monözisch), wenn sie hingegen auf versch. Pflanzen auftreten (Diözie) zweihäusig (diözisch). Die B.-Hüllblätter können als grüne **Kelchblätter** (Sepalen; ihre Gesamtheit: Kelch, Calyx) und als zartere, oft farbige oder weiße Kronblätter (Petalen; ihre Gesamtheit: Blumenkrone, Corolla) ausgebildet sein. Doppelte B.-Hüllen mit Kelch und Krone heißen Perianth. Ist keine zweigestaltige Ausbildung erkennbar, liegt ein Perigon vor. Die B.-Hülle dient teils zum Schutz, teils als Schauapparat zur Anlockung der Insekten (B.-Bestäubung, →Bestäubung); sie kann auch fehlen. Fehlt nur die Krone, heißt die B. apetal. – Die Blattgebilde an der B.-Achse sind schraubig (azyklisch) oder wirtelig (zyklisch, in Kreisen) angeordnet. Nach den Symmetrieverhältnissen unterscheidet man: polysymmetr. (radiäre, strahlige, aktinomorphe) B. mit mehr als zwei Symmetrieebenen (z.B. Nelke), disymmetr. B. mit zwei Symmetrieebenen (z.B. Tränendes Herz); monosymmetr. (zygomorphe) B. mit nur einer Symmetrieebene (achsensymmetr., z.B. Taubnessel) und asymmetr. B. (z.B. das Blumenrohr Canna). Die Zahlen- und Stellungsverhältnisse der B.-Blätter lassen sich im Grundriss als **B.-Diagramm** darstellen. Einen Überblick über die B.-Gestalt vermittelt die **B.-Formel.** In ihr werden die Symmetrieverhältnisse durch * (radiär) oder ↓(zygomorph) angegeben sowie P = Perigon, K = Kelch, C = Corolla, A = Andrözeum, G = Gynözeum (jeweils mit der Anzahl der zugehörigen Glieder). Die Fruchtknotenstellung wird durch einen Strich unter (oberständig) oder über (unterständig) oder über und unter (mittelständig) der Anzahl der Fruchtblätter bezeichnet. Untereinander verwachsene Glieder werden durch Klammern zusammengefasst. Für die Taubnessel lautet die **B.-Formel** z.B. ↓K(5) [C(5)A2+2]G($\underline{2}$).

Blutegel (Egel, Hirudinea), Unterklasse meist im Wasser als Räuber oder Blutsauger lebender Ringelwürmer mit rd. 300 Arten. Die bekannteste Art ist der **Medizin. B.** (Hirudo medicinalis), der zur Erreichung der Geschlechtsreife an Lurchen und Säugetieren (einschl. Mensch) saugt und dabei →Hirudin absondert. Er wird mitunter zur Behandlung von Venenerkrankungen und Thrombosen verwendet.

Blütenfarbstoffe, Naturfarbstoffe, die in Chromoplasten, Vakuolen oder Zellwänden von Blüten enthalten sind, z. B. →Flavone, →Anthocyane.

Blütenlese, die →Anthologie.

Blütenöle, →ätherische Öle.

Blütenpflanzen, die →Samenpflanzen.

Blütenstand (Infloreszenz), Blüten tragender, oft verzweigter Sprossabschnitt der Samenpflanzen. **Offene B. (razemöse B.)** haben keine Endblüte, z. B. Traube, Ähre, Kolben, Köpfchen, Körbchen, Dolde, Rispe und deren Abwandlungen; **geschlossene B. (zymöse B.)** mit Endblüte sind: Dichasium, Pleiochasium, Monochasium mit Fächel, Sichel, Wickel, Schraubel sowie Schein- oder Trugdolde und Spirre.

Blütenstaub, der →Pollen.

Blütenstecher (Anthonomus), Gattung der Rüsselkäfer; die Weibchen stechen Knospen an und legen in diese ein Ei. Die fußlose Larve zerstört das Knospeninnere; die Knospe sieht wie verbrannt aus. Beispiele sind **Apfel-B.** (Anthonomus rubi), **Birnenknospenstecher** (Anthonomus pomorum), **Erdbeer-B.** (Anthonomus piri).

Blütensträucher, reich blühende, winterharte Holzgewächse zum Blumenschnitt oder für Gartenanlagen, z. B. Seidelbast, Winterjasmin, Forsythie, Flieder, Rose, Hortensie, Hibiskus.

Bluter, →Bluterkrankheit.

Blut|erbrechen (Hämatemesis), das Erbrechen von Blut aus Speiseröhre oder Magen. Das Blut ist nach Einwirkung von Magensäure kaffeesatzartig braun, sonst hellrot. Ursachen sind u. a. Blutungen von Krampfadern in der Speiseröhre, Magengeschwür. (→erste Hilfe)

Blut|erguss (Hämatom), Austritt von Blut aus den Blutgefäßen in das Bindegewebe, unter die Haut (»blauer Fleck«), in die Muskeln oder Gelenke.

Bluterkrankheit (Hämophilie), geschlechtsgebundene, rezessiv vererbbare Erkrankung, die sich als mangelnde Gerinnungsfähigkeit des Blutes äußert. Schon nach geringfügigen Verletzungen kommt es zu schwer stillbaren Blutungen. An B. Leidende heißen **Bluter** (Hämophile). Die B. befällt nur das männl. Geschlecht, Frauen sind lediglich Träger der Erbanlage (Konduktoren). Zur *Behandlung* stehen neben Frischblutübertragung, antihämophilem Globulin und Plasma v. a. Konzentrate der fehlenden Gerinnungsfaktoren zur Verfügung.

Blut|ersatzmittel, ungenaue Bez. für die →Plasmaersatzstoffe.

Blutfahne (Blutbanner), im Hl. Röm. Reich die rote Fahne, mit der die mit dem Blutbann verknüpften Reichslehen verliehen wurden. In einigen dt. fürstlichen Wappen hat sich die B. als das rote bildlose **Regalienfeld** erhalten (Preußen, Sachsen [Ernestiner]).

Blutfarbstoff, →Hämoglobin.

Blutfink, der →Gimpel.

Blutfleckenkrankheit (Purpura), Krankheit, deren wichtigstes Zeichen Haut- und Schleimhautblutungen sind; sie kommt in drei Formen vor: Die **einfache B.** mit Hautblutungen bes. an den Unterschenkeln ist eine leichte, 2–3 Wochen dauernde Erkrankung. Beim **Schoenlein-Henoch-Syndrom** finden sich neben Hautblutungen an Armen und Beinen Zeichen eines akuten Gelenk- oder Muskelrheumatismus. Bei der **Werlhof-Krankheit** liegt eine durch Autoantikörper bedingte immunolog. Zerstörung der Blutplättchen (Thrombozyten) vor.

Blutgefäße (Adern), beim Menschen und höheren Tieren Röhren oder Schläuche mit versch. Durchmesser, in denen das Blut, angetrieben vom Herzen, durch den Körper fließt. Nach Aufbau und Funktion unterscheidet man die vom Herzen wegführenden →Arterien, die zum Herzen hinführenden →Venen und die vorwiegend für den Stoffaustausch in den Geweben bzw. Organen verantwortl. →Kapillaren. Zusammen bilden sie das Blutgefäßsystem.

Blutgefäßersatz, operative Überbrückung von Gefäßschäden durch Teile einer Körpervene oder Kunststoffprothesen.

Blutgefäßmal (Blutgefäßgeschwulst, Hämangiom), von Blutgefäßen ausgehende gutartige Geschwulstbildung, vorwiegend in der Haut und meist schon bei der Geburt vorhanden (»Muttermal«). Die einfachen B., volkstümlich **Feuermal** (Naevus flammeus), liegen in der Hautebene als rote bis blaurote Flecken mit oft unregelmäßiger Begrenzung, am häufigsten im Gesicht. – Das tiefe B., der **Blutschwamm** (kavernöses Hämangiom), überragt die Hautebene. Tiefe B. können in fast allen inneren Organen vorkommen und durch plötzl. Bersten oft tödl. innere Blutungen verursachen. – *Behandlung:* abhängig von Lokalisation und Größe, in schweren Fällen Röntgen- oder radioaktive Bestrahlung, operative Entfernung.

Blutgefäßverstopfung, →Embolie, →Thrombose.

Blutgeld, **1)** im dt. MA. Belohnung für denjenigen, durch dessen Zeugnis ein Verbrecher überführt wurde.

2) →Wergeld.

Blutgerinnung, das Erstarren des Blutes außerhalb der Blutgefäße durch Zerfallen der Blutplättchen, die als Selbstschutzmechanismus des Körpers gegen Verbluten aus kleinen und mittleren Wunden den Verschluss der Wunden ermöglicht.

Blutegel: Medizinischer Blutegel

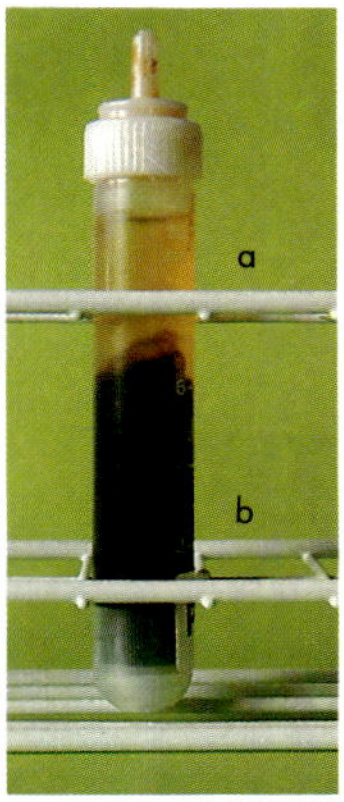

Blutgerinnung: a Blutserum, b Blutkuchen

Die B. ist ein komplexer, in mehreren Phasen ablaufender Vorgang, an dem 13 B.-Faktoren beteiligt sind. Bei Wirbeltieren und beim Menschen flockt ein B.-Enzym **(Thrombin)** ein Protein des Blutplasmas **(Fibrin)** aus, wobei unter Auspressen von Blutserum ein Pfropf **(Blutkuchen)** entsteht. B. innerhalb von Blutgefäßen führt zu Embolie in den Arterien und zu Thrombose in den Venen.

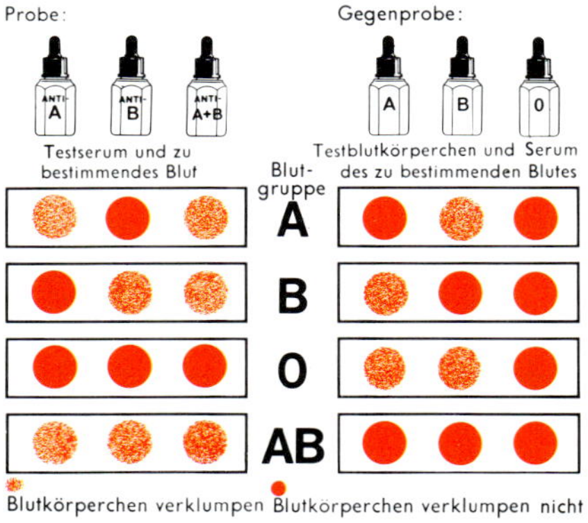

Blutgruppen: Schema der Blutgruppenbestimmung

Blutgerüst, das →Schafott.

Blutgruppen, erbbedingte serolog. Merkmale des Blutes, die zu sog. B.-Systemen zusammengefasst werden können und die unveränderl. Blutindividualität und außerdem die immunspezif. Struktur des Organismus bedingen. Die roten Blutkörperchen wirken als Antigene, wenn sie mit Blut von Trägern fremder B. zusammenkommen, und werden durch die Antikörper **(Alloagglutinine),** die sich in dessen Serum befinden, zusammengeballt (→Agglutination). Es werden über zehn versch. B.-Systeme mit mehr als 100 antigenen B.-Merkmalen unterschieden. Am längsten bekannt ist das (auch bei Menschenaffen vorkommende) **AB0-System.** Es umfasst die vier Hauptgruppen: 0 (in Mitteleuropa 38%), A (42%), B (13%) und AB (7%). Innerhalb des AB0-Systems unterscheidet man die beiden antigenen B.-Merkmale A und B, die gemeinsam vorkommen können (Blutgruppe AB) bzw. fehlen können (Blutgruppe 0). Neben dem AB0-System ist v.a. das **Rhesussystem (Rh-System)** von großer prakt. Bedeutung; 85% der Bev. haben das antigene Erythrozytenmerkmal Rh (Rhesusfaktor); sie sind Rh-positiv (Rh +). Bei 15% fehlt das Rh-Antigen; sie sind Rh-negativ (Rh –). Rh-negative Menschen bilden leicht Antikörper gegen das Rh-Antigen; sie werden beim Kontakt mit Rh-positivem Blut sensibilisiert.

Die B.-Bestimmung wird mithilfe der Zusammenballung roter Blutkörperchen (bei nicht auf die roten Blutkörperchen bezogenen B. entsprechend) durch Serum fremder B. durchgeführt. Blutserum mit bekannter Antikörpereigenschaft (Anti-A, Anti-B) werden als Testseren mit roten Blutkörperchen der unbekannten B. zusammengebracht, aus der Zusammenballung ist die B. ersichtlich. Ähnlich kann mit bekannten roten Blutkörperchen und unbekanntem Serum oder zur Kontrolle mit bekannten Blutkörperchen und bekanntem Serum verfahren werden. Die B.-Bestimmung ist eine unerlässl. Voraussetzung für die Bluttransfusion (→Kreuzprobe). Daneben dient sie auch in der Transplantationsmedizin zur Feststellung der Kompatibilität (Verträglichkeit) zw. den B. des Spenders und Empfängers (Vermeidung von Transplantatabstoßung u.a.). Außerdem ist sie für rechtsmedizin. (z.B. Identifizierung von Blutspuren) und anthropolog. Untersuchungen (Klärung von Fragen der Abstammung und Vererbung) von Bedeutung.

Blutharnen, die →Hämaturie.

Blut-Hirn-Schranke, Barriere für den Übergang bestimmter Stoffe aus den Blutgefäßen in das Gehirn.

Blüthner, Julius, Klavierbauer, *Falkenhain (heute zu Meuselwitz) 11. 3. 1824, †Leipzig 13. 4. 1910; gründete 1853 in Leipzig eine Klavierfabrik, heute J. B. Pianofortefabrik GmbH, Leipzig.

Bluthochdruck, →Hochdruckkrankheit.

Bluthochzeit (Pariser B.), die →Bartholomäusnacht.

Blutholz, →Blauholz.

Bluthund (engl. Bloodhound), ein Jagdhund; Schulterhöhe 65–70 cm; lange Rute, schmaler Kopf mit langen Hängeohren, Gesichtsfalten, Hängelefzen und Kehlwamme; Behaarung kurz.

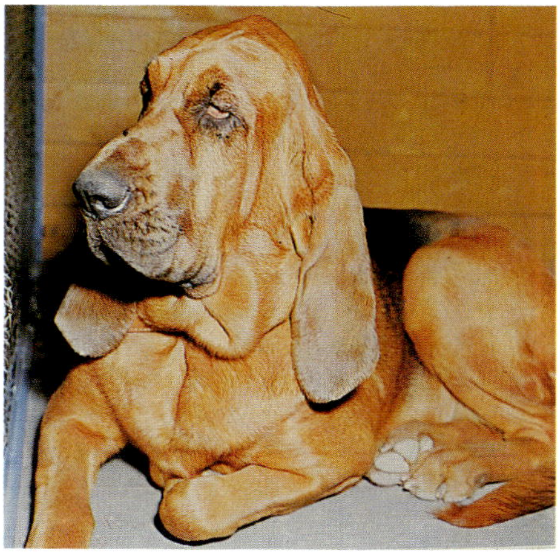

Bluthund

Bluthusten (Hämoptoe, Hämoptyse), das Abhusten von reinem Blut oder Blut mit wenig Bronchialsekret; Ursachen sind entzündl. Bronchial- und Lungenkrankheiten, Lungeninfarkt, Tumoren u.a. Bei erheblichen Blutmengen spricht man von **Blutsturz**.

Blutjaspis, ein Mineral, → Heliotrop.

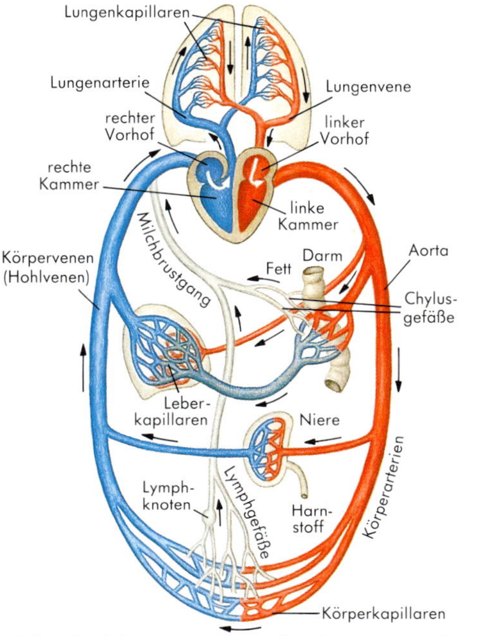

Blutkreislauf des Menschen (arterielles Blut rot, venöses Blut blau)

Blutkonserve, unter sterilen Bedingungen von Blutspendern gewonnenes, serologisch geprüftes und ungerinnbar gemachtes (Voll-)Blut, das in speziellen Gefäßen (Glasflaschen, Kunststoffbeutel) aufbewahrt und in Blutbanken gekühlt oder tiefgefroren gelagert wird. B. dienen entweder zur Bluttransfusion oder in Form von Blutpräparationen zur Substitution bestimmter Blutbestandteile (z.B. Blutplättchenkonzentrat bei Gerinnungsstörungen).

Blutkörperchen, → Blut.

Blutkörperchensenkung, Abk. **BKS** (Blutkörperchensenkungsgeschwindigkeit, Abk. BSG, Blutsenkung), Bestimmung der Geschwindigkeit, mit der die roten Blutkörperchen im stehenden, ungerinnbar gemachten Blut langsam absinken. Die Normalwerte (Ablesung erfolgt nach einer und nach zwei Stunden) betragen beim Mann 3–8 mm bzw. 5–18 mm, bei der Frau 6–11 mm bzw. 6–20 mm. Bei bestimmten Krankheiten (z.B. chron. Entzündungen) ist die B. durch Änderung der Zusammensetzung der Proteine im Blut beschleunigt oder auch erhöht (z.B. Lebererkrankungen).

Blutkrankheiten (Hämopathien), Erkrankungen des Erythrozytensystems (→ Anämie, → Polyzythämie), Erkrankungen mit Veränderungen des Leukozytensystems (→ Leukämie) und → Blutungsübel.

Blutkrebs, volkstümliche Bez. für → Hämoblastosen, v.a. → Leukämie.

Blutkreislauf (Blutzirkulation), die Strömung des Blutes, die beim Menschen und bei höheren Tieren in geschlossenen Gefäßbahnen durch die Triebkraft des Herzens sowie die Elastizität und den Tonus der Blutgefäße unterhalten wird, den Körperzellen Nährstoffe, Sauerstoff und Hormone zuführt sowie Kohlendioxid u.a. Stoffwechselprodukte abtransportiert. Bei Warmblütern dient der B. außerdem zur Regelung der Körpertemperatur. Beim Menschen und allen Wirbeltieren gehen vom Herzen die **Arterien** (Schlagadern) in den Körper, wo sie sich in **Kapillaren** (feinste Haargefäße) aufspalten, die die Zellen umspinnen und sich wieder zu größeren Gefäßen, den **Venen,** sammeln, die das Blut zum Herzen zurückleiten. Durch die Wand der Haargefäße vollzieht sich der Stoff- und Gasaustausch mit den umgebenden Gewebszellen und der Gewebsflüssigkeit. Das Herz arbeitet nach Art einer Druck- und Saugpumpe: Während sich die beiden Kammern des Herzens (gleichzeitig) zusammenziehen **(Systole)** und arterielles Blut auswerfen, erschlaffen und erweitern sich die Vorhöfe **(Diastole)** und saugen venöses Blut an. Die ausgeworfene Blutmenge **(Schlagvolumen)** beträgt beim erwachsenen Menschen normalerweise in Ruhe 70 ml, die Anzahl der Schläge je Minute **(Herzfrequenz, Puls)** 70. Die Herzfrequenz unterliegt in erster Linie der automat. Eigensteuerung des Herzens, sie kann jedoch ebenso wie die Schlagkraft über das Nervensystem beeinflusst und so den Bedürfnissen des Körpers (z.B. hoher Sauerstoffbedarf bei körperl. Belastung) angepasst werden. Das **Herz-Minuten-Volumen,** die in einer Minute vom Herzen geförderte Blutmenge, ist das Produkt aus Herzfrequenz und Schlagvolumen und beträgt in Ruhe etwa 5 l/min. Damit durchströmt etwa die gesamte Blutmenge des Menschen einmal in der Minute den Körper (mittlere Blutumlaufzeit). Bei körperl. Belastung kann das Herz-Minuten-Volumen durch Steigerung des Schlagvolumens bis zum Doppelten und der Herzfrequenz bis zum Dreifachen auf 30 l/min ansteigen. Durch den **großen Kreislauf (Körperkreislauf),** der mit der aus der linken Herzkammer entspringenden **Hauptschlagader (Aorta)** und ihren Ästen beginnt, wird das sauerstoff- und nährstoffreiche Blut im Körper verteilt und das sauerstoffarme und kohlendioxidreiche Blut zum rechten Herzvorhof durch die **untere** und **obere Hohlvene** zurück gepumpt. Vom rechten Vorhof strömt das Blut in die rechte Kammer, die das Blut durch die Lungen und damit durch den **kleinen Kreislauf (Lungenkreislauf)** treibt. In der Lunge

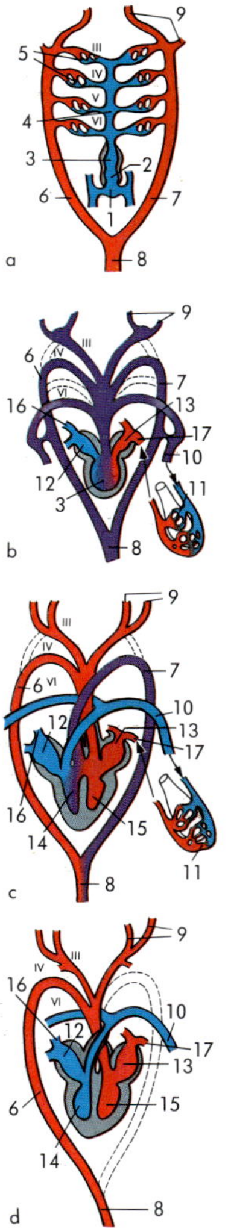

Blutkreislauf der Wirbeltiere: a Fische, b Lurche, c Kriechtiere, d Vögel; III–VI Arterienbögen (arterielles Blut rot, venöses Blut blau, Mischblut violett); 1 sackförmiger Gefäßteil, 2 Vorhof, 3 Herzkammer, 4 Arterienstamm, 5 Kiemenkapillaren, 6 rechte Aortenwurzel, 7 linke Aortenwurzel, 8 Aorta, 9 Kopfarterien, 10 Lungenarterie, 11 Lungenkapillaren, 12 rechter Vorhof, 13 linker Vorhof, 14 rechte Kammer, 15 linke Kammer, 16 Körpervene, 17 Lungenvene wird das Blut von Kohlendioxid befreit und mit Sauerstoff neu beladen. Eine Sonderstellung nimmt der **Pfortaderkreislauf** ein, bei dem venöses Blut aus dem Magen-Darm-Kanal und benachbarten Organen durch die Pfortader der Leber zufließt (im Unterschied zu anderen Organen, denen nur arterielles Blut zufließt), dort ein weiteres Kapillargebiet durchströmt und erst dann in die untere Hohlvene mündet.

Der *B. des Embryos* weicht wesentlich vom B. des Erwachsenen ab. Da der Embryo Sauerstoff und Nährstoffe über die Nabelvene aus dem Mutterkuchen (Plazenta) und damit dem mütterlichen B. erhält und auch Kohlendioxid und Abfallprodukte des Stoffwechsels über die Nabelarterien wieder dorthin abgibt, weist der B. des Embryos mehrere Kurzschlussverbindungen auf, die Blut an der Leber und v.a. an den Lungen vorbeileiten. So befindet sich zw. linkem und rechtem Herzvorhof eine Öffnung **(Foramen ovale),** die einen großen Teil des Blutes unter Umgehung des Lungenkreislaufs wieder dem Körperkreislauf zuführt.

Über die Störungen im B. →Kreislaufstörungen.

B. der Tiere: Als offenes Blutgefäßsystem entwickelte sich im Laufe der Evolution zuerst ein elast. muskulöser Herzschlauch, der an beiden Enden frei in Hohlräumen der Leibeswand mündete. Die Weichtiere besitzen ein Herz mit Vorkammer und Kammer. Auch Gliederfüßer und Manteltiere haben nur ein offenes Blutgefäßsystem. Ein geschlossenes Blutgefäßsystem tritt erstmals bei den Ringelwürmern auf.

Blutkuchen, →Blutgerinnung.

Blutlaugensalz, 1) gelbes B., Kaliumsalz der Hexacyanoeisen(II)-säure, Kaliumhexacyanoferrat(II); wird zur Färbung von Textilien und als Reagens verwendet.

2) rotes B., Kaliumsalz der Hexacyanoeisen(III)-säure, Kaliumhexacyanoferrat(III); dient als Stahlhärtungsmittel, Holzbeize, zur Herstellung von Blaupausen u.a.

Blutlaus (Eriosoma lanigerum), Blattlaus mit blutroter Körperflüssigkeit und Wachsausscheidungen, die einen weißen Flaum bilden; bes. an Kernobstbäumen schädlich. Die B. überwintern im Larvenstadium in Rindenritzen. Durch Saugen an Zweigen, Stämmen und Wurzeln entstehen krebsartige Wucherungen.

Blutleere (Ischämie), i.e.S. die Herabsetzung des Blutgehalts einer Gliedmaße durch Zusammendrücken eines Blutgefäßes (künstl. B.), von F. von Esmarch eingeführt; angewendet zur Blutstillung und zur Verminderung der Blutverluste vor Amputationen u.a. chirurg. Eingriffen; i.w.S. die krankhafte Verminderung oder Aufhebung der Blutzufuhr zu einem Gewebe (Organ, Körperteil) bei Durchblutungsstörungen.

Blutlini|e, *Pferdezucht:* Bez. für die über mehrere Generationen reichende Nachzucht eines wertvollen Stammtieres.

Blutprobe, Blutentnahme zur Blutuntersuchung, z.B. zur Feststellung der Blutgruppe bei Abstammungsstreitigkeiten oder des Alkoholgehalts des Blutes. – Rechtlich gesehen besteht eine erzwingbare Verpflichtung zur Duldung von B. nur zur Durchführung einer Blutgruppenuntersuchung und in bestimmten Fällen im Strafverfahren. Die B. wird durch den Richter, den Staatsanwalt oder dessen Hilfsbeamten angeordnet; sie darf nur von einem Arzt durchgeführt werden. Am häufigsten wird die B. als **Alkohol-B. (Alkoholprobe)** zur Ermittlung des Alkoholgehalts bei Verdacht auf Trunkenheitsdelikte angewandt (Blutalkoholbestimmung). Die Alkoholkonzentration beträgt im Blut (durch Stoffwechselvorgänge bedingt) normalerweise 0,024–0,06‰. Bereits bei 0,5–0,8‰ ist die Konzentrationsfähigkeit stark vermindert, ab 1,1‰ tritt absolute Fahruntüchtigkeit ein.

Blutrache, in frühen Stufen der Rechtsentwicklung das für die Familien- oder Sippenangehörigen bestehende Recht (auch die Pflicht), die Tötung oder Ehrenkränkung eines Angehörigen am Schuldigen oder an einem seiner Verwandten zu rächen. Die B. konnte zuweilen durch das →Wergeld abgelöst werden. Außer bei Naturvölkern ist die B. bei alten Völkern bezeugt, z.B. in isländ. Sagas; in manchen europ. Randgebieten (z.B. Korsika, Sizilien, Kaukasus) hielt sie sich bis ins 20. Jahrhundert.

Blutregen, durch rötliche Staubbeimengungen (z.B. Wüstenstaub aus der Sahara) gefärbter Niederschlag. B. galt in alter Zeit als ein schlimmes Vorzeichen.

Blutreinigung, alte Heilmethode der Volksmedizin. Das Blut soll durch stoffwechselanregende und ausscheidungsfördernde Maßnahmen von gesundheitsschädigenden Stoffen befreit werden; dazu dienen v.a. Pflanzendrogen mit ausscheidungsanregender Wirkung, z.B. Löwenzahn und Brennnessel, und Mineralwassertrinkkuren (mit schwach abführender Wirkung).

Blutsauger, Insekten, die sich vom Blut warmblütiger Tiere und des Menschen ernähren (z.B. Blutegel, Zecken, Wanzen, Flöhe, Läuse, Stechmücken).

Blutsbrüderschaft, bei vielen Völkern verbreiteter Brauch, dass zwei nicht verwandte Männer durch Vermischung von Blutstropfen einen Bund schließen, in dem sie sich gegenseitig Rechte und Pflichten von Brüdern geben.

Blutschande, der →Inzest.

Blutschnee, rote Flecken im Schnee von Arktis und Hochgebirge, durch →Blutalgen verursacht.

Blutschwamm, *Medizin:* ein →Blutgefäßmal.

Blutsenkung, die →Blutkörperchensenkung.

Blutserum, →Blut.

Blutsonntag, der 22. 1. 1905, an dem in Sankt Petersburg ein vom Priester G. A. Gapon geführter Massenbittgang zum Zaren Nikolaus II. von Gardetruppen niedergeschossen wurde (etwa 1000 Tote); Beginn der Revolution von 1905–07.

Blutspender, Person, die Blut zur →Bluttransfusion gibt.

Blutspiegel, die Konzentrationshöhe natürlich vorkommender oder künstlich zugeführter Stoffe im Blutserum, z. B. Blutzuckerspiegel, Blutcalciumspiegel.

Blutstauung, passive oder venöse →Hyperämie.

Blutstein, Mineral, völlig dichter →Eisenglanz.

Blutstillung (Hämostase, Stypsis), Maßnahmen, die eine Blutung zum Stehen bringen sollen. B. wird angestrebt durch Hochlagern der verletzten Gliedmaße, Druckverband auf die Wunde, Unterbinden des Gefäßes oder elektrisches Verschorfen. Große Gefäße werden genäht, Schleimhautblutungen verätzt, Hohlorgane tamponiert. **Blutstillende Mittel** (Hämostatika, Hämostyptika) bewirken Blutgefäßverengung (so Adrenalin) oder Förderung der Blutgerinnung (so Vitamin K). →erste Hilfe

Blutströpfchen, 1) *Botanik:* volkstüml. Name für rot blühende Pflanzen wie Ackergauchheil und Adonisröschen.

2) *Zoologie:* ein Schmetterling, →Widderchen.

Blutsturz, heftige →Blutung, →Bluthusten.

Blutsverwandtschaft, →Verwandtschaft.

Bluttaufe, der Märtyrertod eines Ungetauften für Christus, der die sakramentale Taufe ersetzt (so schon im frühen Christentum).

Bluttransfusion (Blutübertragung), Übertragen von Blut oder Blutbestandteilen (z. B. Erythrozytenkonzentrat) eines Menschen (Blutspender) in den Blutkreislauf eines andern, als Ersatz für verlorenes Blut nach schwerem Blutverlust und bei Blutkrankheiten. Die B. wird i. Allg. durch Infusion in eine Vene vorgenommen. Voraussetzung für eine B. ist die Gleichheit von Blutgruppe und Rhesusfaktor zw. Spender und Empfänger und die durch →Kreuzprobe festgestellte serolog. Verträglichkeit.

Blut-und-Boden-Dichtung, eine vom Nationalsozialismus geförderte, durch die Bewegung der →Heimatkunst vorbereitete Literaturrichtung (»Blubo«), in der die Idee einer »artreinen Führungsrasse« mehr oder weniger offen zutage tritt. Sie umfasst v. a. Bauern-, Siedler- und Landnahmeromane; Vertreter sind u. a. H. F. Blunck (*1888, †1961), H. Grimm (*1875, †1959), H. Anacker (*1901, †1971).

Blutung (Hämorrhagie), der Austritt von Blut aus der Blutbahn. Je nach Menge und Schnelligkeit unterscheidet man **Bluttröpfeln, Blutfluss** und **Blutsturz** (plötzl. Massenblutung). Bei **äußeren B.** ergießt sich das Blut aus einer Wunde unmittelbar an die Körperoberfläche, während bei **inneren B.** die Blutungsquelle in einer Körperhöhle liegt und das Blut meist nicht nach außen entleert wird. Bei arterieller B. hellrot spritzend, bei kapillaren B. flächenhaft sickernd, bei venöser B. dunkel, im Schwall. Stillstand einer B. tritt von selbst ein, wenn das blutende Gefäß durch einen Blutpfropf verschlossen wird oder der Blutdruck sehr gering geworden ist, auch durch Zusammenziehen der Gefäßwand. – Über künstl. Blutstillungsverfahren →Blutstillung.

Blutungsübel (hämorrhagische Diathese), Bez. für Krankheiten mit abnormer Blutungsneigung infolge verminderter oder fehlender Blutgerinnungsfaktoren, z. B. Bluterkrankheit, verringerter oder funktionsuntüchtiger Blutplättchen, z. B. Thrombopenie (sog. Blutplättchenmangel) oder durch Wandschädigung der feinsten Blutgefäße (Kapillaren), z. B. bei allerg. Darmschleimhautblutungen oder Skorbut.

Bluntuntersuchungen, Verfahren zur Feststellung der Blutzusammensetzung für diagnost. Zwecke. Das Blutbild dient der Bestimmung bes. von Zahl und Form der Blutkörperchen und des Blutfarbstoffs. Mit dem Blutbild einschl. der Zahl von Blutplättchen und Retikulozyten (jugendl. rote Blutzellen) werden Anämien u. a. Blutkrankheiten erfasst und wichtige Hinweise auf Entzündungen, Geschwulstleiden u. a. gegeben. **Chem. B.** werden an Vollblut, z. B. die Blutzuckerbestimmung zum Erkennen des Diabetes mellitus, oder am Blutserum durchgeführt, z. B. quantitative Bestimmung der wichtigsten Ionen (Natrium, Kalium u. a.) sowie die Untersuchung der Serumproteine **(Eiweißblutbild),** des Reststickstoffs (harnpflichtige Substanzen) und der Lipide (Fette und fettähnl. Stoffe). Durch **serolog. B.** werden z. B. die Blutgruppen bestimmt und Antikörper nachgewiesen; Letzteres dient der Erkennung von Infektionskrankheiten. **Bakteriolog. B.** (Blutkultur u. a.) ermöglichen den Erregernachweis. Weitere B. sind u. a. die →Blutkörperchensenkung, die →Blutprobe und die Bestimmung der Gerinnungseigenschaften des Blutes.

Blutvergiftung, umgangssprachl. Bez. für eine bakterielle Allgemeininfektion (→Sepsis).

Blutwäsche, uneinheitliche Bez. für versch. therapeutische Verfahren: 1) Bluttransfusion, bei der erkranktes Blut gegen gesundes ausgetauscht wird (Austauschtransfusion); 2) Hämodialyse (→künstliche Niere); 3) hämatogene →Oxidationstherapie.

Enid Blyton

Blutweide, Pflanzenart der Gattung →Hartriegel.

Blutzeuge, im Christentum der →Märtyrer.

Blutzirkulation, der →Blutkreislauf.

Blutzucker, die im Blut gelöste Glucose (wichtiges Kohlenhydrat im Blut). Die normale Konzentration beträgt 4,5 bis 5,5 mmol/l (80 bis 100 mg%). Der **B.-Spiegel** wird durch mehrere Hormone reguliert, Insulin wirkt senkend, Adrenalin, Glucagon und Wachstumshormon erhöhend. Er kann krankhaft erhöht (**Hyperglykämie,** →Diabetes mellitus) oder erniedrigt (**Hypoglykämie**) sein.

Blyton [blaɪtn], Enid Mary, engl. Schriftstellerin, *Beckenham (Cty. Kent) 11. 8. 1896, †London 28. 11. 1968; schrieb seit 1922 etwa 400 Abenteuerbücher für Kinder und Jugendliche; u.a. die Reihe »Hanni und Nanni«.

BMW, Abk. für →**B**ayerische **M**otoren **W**erke AG.

B'nai B'rith [hebr. »Söhne des Bundes«] (engl. United Order B. B., Abk. U. O. B. B.), unabhängiger jüd. Orden mit ethisch-karitativen Zielen; gegr. 1843 in New York.

B-Note, *Eis-, Rollkunstlauf:* künstler. Wertung der Kür; sie beurteilt den Gesamteindruck, rhythm. und fließende Bewegung im Takt der Musik, harmon. Aufbau, Schwung, Haltung und Raumaufteilung.

Bö (Böe), Windstoß, plötzl. starke Zunahme der Windgeschwindigkeit.

Boa [lat. »Wasserschlange«] *die,* **1)** *Biologie:* die Königsschlange (→Boaschlangen).

2) *Mode:* langer, schmaler Schal aus Pelz, Federn o.ä. Material.

Boardinghouse ['bɔ:dɪŋhaʊs, engl.] *das,* Fremdenheim, Familienpension (Wohnung mit Verpflegung).

Franz Boas

Boas, Franz, Ethnologe und Anthropologe, *Minden 9. 7. 1858, †New York 21. 12. 1942; seit 1899 Prof. an der Columbia University in New York, Begründer der modernen amerikan. Ethnologie; erforschte amerikanisch-asiat. Kulturzusammenhänge, untersuchte Sprache und Kultur der nordamerikan. Indianer.

Boaschlangen (Boinae), Unterfamilie der Riesenschlangen, mit einreihig angeordneten unteren Schwanzschildern. Alle B. sind nachtaktiv, lebend gebärend und töten ihre Beute durch Umschlingen. Bekannte Vertreter sind die 80 cm lange **Sandboa** (Eryx jaculus) in Europa und die **Abgottschlange** (**Königsschlange,** Boa constrictor) in Südamerika.

Boatpeople ['bəʊtpi:pl; engl. »Bootsleute«], Bez. für Flüchtlinge aus Vietnam, die das Land (oft mit seeuntüchtigen Booten) über das Südchines. Meer verlassen haben; wurden in den Ankunftsländern (u.a. Malaysia, Thailand) zumeist nur vorübergehend aufgenommen. Häufiges Ziel der B. war die brit. Kronkolonie Hongkong; 1991 schlossen Großbritannien und Vietnam ein Abkommen über die Rückführung dieser (rd. 60 000) Flüchtlinge.

Bob [engl.], Kurzform für Bobsleigh (→Bobsport).

Bobak [poln.] *der,* das Steppenmurmeltier (→Murmeltiere).

Bobby [nach Sir Robert (Bobby) Peel] *der,* Spitzname der Londoner Polizisten.

Bober *der* (poln. Bóbr), linker Nebenfluss der Oder, 272 km lang, entspringt im Riesengebirge, mündet bei Krosno Odrzańskie.

Bober-Katzbach-Gebirge (polnisch Góry Kaczawskie), Bergland in SW-Polen (Niederschlesien), im Kammerberg 724 m ü. M.

Bobigny [bobi'ɲi], Ind.stadt nordöstlich von Paris, Frankreich, VerwSitz des Dép. Seine-Saint-Denis, 44 400 Ew.

Bobine [frz.] *die,* **1)** *Bergbau:* spulenartige Seiltrommel für bandartige Förderseile.

2) *Papierverarbeitung:* schmales Papierband in Rollenform.

3) *Spinnerei:* flache Spule für den Schussfaden von Bobinetwebmaschinen; zylindr. Kammzugwickel.

Boaschlangen: Abgott- oder Königsschlange (Länge etwa 4 m)

Bobinet *der,* leichtes, durchsichtiges Gewebe für Gardinen und Kleider, auf B.-Maschinen hergestellt (ab 1880 auch in Dtl.); ersetzte den bis dahin handgeklöppelten Tüll; wurde Mitte des 20. Jh. durch Rascheltüll (von Raschelmaschinen) ersetzt.

Böblingen, 1) Landkreis im RegBez. Stuttgart, Bad.-Württ., 618 km², (1996) 351 000 Einwohner.

2) Krst. von 1) in Bad.-Württ., Große Kreisstadt, südwestlich von Stuttgart, am Rand des Schönbuch, 46 500 Ew.; Entwicklungsabteilung der IBM

Deutschland; Stahl-, Maschinen-, Fahrzeugbau, Elektrotechnik. – Stadtrecht seit 1250.

Böblinger, schwäb. Steinmetzfamilie. Hans B. († 4. 1. 1482) leitete den Bau der Frauenkirche in Esslingen. Sein Sohn, Matthäus B. (* um 1450, † 1505), war am Ulmer Münsterturm, später am Chor der Frauenkirche in Esslingen tätig.

Bobo (Bwa), ethn. Gruppe in Westafrika, zw. oberem Niger und oberem Schwarzen Volta im W von Burkina Faso und im angrenzenden Mali. Die etwa 250 000 B. wohnen in Gehöften, die aus Lehmgebäuden bestehen und durch hohe Verteidigungsmauern den Charakter von Lehmburgen erhalten. Die B. haben eine bed. Holzschnitzkunst (Masken).

Bobo-Dioulasso [-diu'laso], zweitgrößte Stadt und Wirtschaftszentrum von Burkina Faso, 450 m ü. M., 231 200 Ew.; kath. Bischofssitz; Verkehrsknotenpunkt an der Bahn von Abidjan nach Ouagadougou; internat. Flughafen; Handel mit Erdnüssen, Baumwolle, Vieh; Moscheen in sudanes. Lehmbauweise.

📖 ROTH, CL.: *Und sie sind stolz. Zur Ökonomie der Liebe. Die Geschlechtertrennung bei den Zara in B.-D., Burkina Faso. Zeichnungen v.* M. HOPHAN. *Frankfurt am Main 1994.*

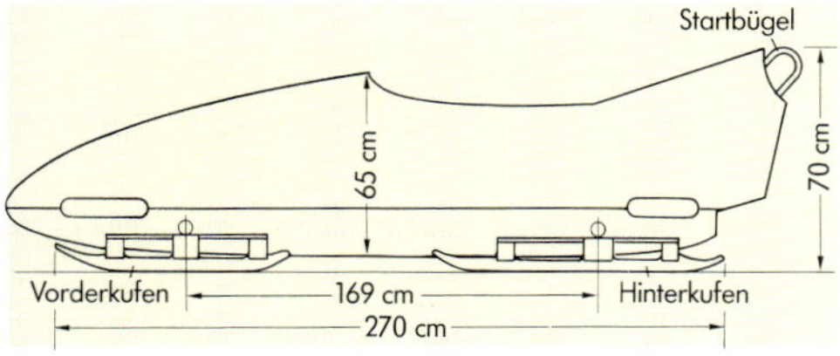

Bobsport: Aufbau eines Zweierbobs (Spurweite 67 cm)

Bobrowski, Johannes, Schriftsteller, * Tilsit 9. 4. 1917, † Berlin (Ost) 2. 9. 1965; zuletzt Verlagslektor; schrieb Gedichte (»Sarmatische Zeit«, 1961; »Schattenland, Ströme«, 1962), Erzählungen und Romane (»Levins Mühle«, 1964; »Litauische Claviere«, hg. 1966).

Bobrujsk (weißruss. Babrujsk), Stadt in Weißrussland, 223 000 Ew.; Hafen an der Beresina; Holzverarbeitung, Reifenwerk, Maschinenbau.

Bobsport, Wintersport mit Spezialschlitten für eine schnelle Talfahrt auf besonders dafür ausgebauten, kurvenreichen, vereisten Gefällstrecken (Mindestlänge 1 500 m, Durchschnittsgefälle mindestens 8 %, mindestens fünf stark überhöhte Kurven). Der **Bob** (Zweier- oder Viererbob) besteht aus zwei durch einen Rahmen verbundenen Stahlkufenpaaren, von denen das vordere drehbar ist. Gelenkt wird gewöhnlich durch Seilsteuerung. Die Bahn muss in vier Durchgängen (Läufen) in möglichst kurzer Zeit durchfahren werden; es werden Geschwindigkeiten von über 100 km/h erreicht. Der B. gehört seit 1924 zum olymp. Programm. Den ersten Rennschlitten konstruierte 1888 der Schweizer C. Mathis (* 1861, † 1965).

Bobo-Dioulasso: Moschee in sudanesischer Lehmbauweise

Boccaccio [bok'kattʃo], Giovanni, italien. Dichter und Humanist, * wahrscheinlich Florenz (oder Certaldo) 1313, † Certaldo (bei Florenz) 21. 12. 1375; seit 1340 Notar und Richter in Florenz, Freund F. Petrarcas. B., Verfasser von »Das Leben Dantes« (um 1360), erhielt 1373 den ersten öffentl. Lehrstuhl (in Florenz) zur Erklärung von Dantes »Divina commedia«. In anmutigen Verserzählungen führte er die → Stanze aus der Volksdichtung in die Kunstdichtung ein (»Il Filostrato«, Versepos, um 1338, dt. u. d. T. »Troilus und Kressida«; »L'amorosa visione«, allegor. Gedicht, 1342/43; »Fiammetta«, Versroman, 1343; »Die Nymphe von Fiesole«, Dichtung, um 1345; »Corbaccio«, Satire, 1

Giovanni Boccaccio

Das reiche literarische Werk des italienischen Dichters und Humanisten Giovanni Boccaccio wird gekrönt durch die zwischen 1348 und 1353 entstandene und 1470 gedruckte Novellensammlung »Il Decamerone«. In eine Rahmenerzählung – sieben Mädchen und drei Jünglinge fliehen vor der Pest (1348) auf ein Landgut, wo sie sich zehn Tage lang (daher der Titel: von griechisch deka »zehn« und hemera »Tag«) mit Geschichten unterhalten – sind 100 Novellen verwoben, die in übermütiger, humorvoller, auch tragischer und satirischer Gestaltung einen lebendigen Querschnitt durch die Gesellschaft des 14. Jahrhunderts geben. Dabei gelingt Boccaccio eine meisterhafte, psychologisch geschickte Charakterisierung der verschiedenen Typen.
Seine Stoffe, die von lyrischer Zartheit, dann wieder von obszöner und rustikaler Derbheit sind, entnimmt er östlichen Literaturen ebenso wie der griechischen, römischen und zeitgenössischen volkssprachlichen Dichtung. Eine raffiniert einfache Sprache, der leichte Stil und die überlegene künstlerische Form lassen Boccaccio als einen der größten italienischen Prosaschriftsteller erscheinen, der auf die Weltliteratur entscheidenden Einfluss ausgeübt hat.

Boccaccio: Ausschnitt aus einem Fresko von Andrea del Castagno aus der Folge der »Uomini famosi« (1446; Florenz, Kirche Santa Apollonia)

1354/55). In seinem »Decamerone« (»Zehntagewerk«; entstanden 1348–53, gedruckt 1470), einer Sammlung von 100 sinnenfrohen Novellen mit einer Rahmenhandlung, erreichte die italien. Novellistik des 14. Jh. einen Höhepunkt; die Sammlung hat stark auf die italien. Kunstprosa und die europ. Novellenkunst eingewirkt. B. verfasste auch zahlreiche lat. geschriebene, gelehrte Sammelwerke.

Bochum Stadtwappen

📖 Grabher, C.: *G. B. Leben u. Werk des Frühhumanisten. A. d. Italien. Hamburg 1946.* – Rüdiger, H. u. Hirdt, W.: *Studien über Petrarca, B. u. Ariost in der deutschen Lit. Heidelberg 1976.* – Branca, V.: *G. B. Profilo biografico. Florenz* ²*1992.*

Boccherini [bokke-], Luigi, italien. Komponist und Violoncellist, *Lucca 19. 2. 1743, †Madrid 28. 5. 1805; komponierte in einem kantablen, aber auch virtuosen Instrumentalstil u. a. Sinfonien, Konzerte, Streichtrios, -quartette und -quintette.

Boccia ['bɔttʃa, italien.] *das* oder *die,* Kugelspiel. Eine kleine Kugel wird als Ziel ausgeworfen; die Spieler versuchen, ihre größeren Kugeln nahe an die Zielkugel heranzuwerfen oder Kugeln der Gegner wegzutreiben. Ein dem B. ähnliche Spiel ist Boule.

Boccioni [bot'tʃo:ni], Umberto, italien. Maler und Bildhauer, *Reggio di Calabria 19. 10. 1882, †(gefallen) bei Verona 17. 8. 1916; Mitgründer (1910) und Wortführer des italien. Futurismus, ein Wegbereiter der abstrakten Plastik.

August Böckh

Boche [bɔʃ] *der,* frz. Schimpfwort unklarer Herkunft für Deutsche.

Bocheński, Joseph Maria, schweizer. Philosoph poln. Herkunft, *Czuszów (Polen) 30. 8. 1902, †Freiburg (Schweiz) 8. 2. 1995; Prof. in Freiburg (Schweiz); Arbeiten zur Logik, Wissenschaftsmethodik und zur sowjet. Philosophie: »Europ. Philosophie der Gegenwart« (1947), »Der sowjetruss. dialekt. Materialismus« (1950), »Formale Logik« (1956) u. a.

Bocher (Bacher) [jidd., von hebr. bachur »junger Mann«] *der,* im *Judentum* 1) Schüler einer Talmudschule; 2) Junggeselle.

Bochnia ['bɔxnja], Stadt in der poln. Wwschaft Tarnów, östl. von Krakau, 28 000 Ew.; Salzbergbau (seit dem 12. Jh.); Metall-, Maschinenind., Walzwerk. – Pfarrkirche mit frei stehendem Glockenturm aus Lärchenholz (1609).

Bocholt, Stadt im Kreis Borken, NRW, an der Bocholter Aa, nahe der niederländ. Grenze, 70 400 Ew.; Textil-, Bekleidungs-, elektrotechn. Ind., Maschinenbau; Speditionen. Pfarrkirche St. Georg (15. Jh.), Renaissancerathaus. – Seit 1222 Stadt.

Bochum, kreisfreie Stadt im RegBez. Arnsberg, NRW, am Hellweg, zw. Emscher und Ruhr, 400 100 Ew.; B. ist Sitz der »Ruhr-Univ.« (seit 1965), der Bundesknappschaft, der Bergbau-Berufsgenossenschaft, der Industriegewerkschaft Bergbau und Energie; Landgericht, FH, Dt. Forum für Figurentheater und Puppenspielkunst, Dt. Bergbaumuseum, Städt. Kunstgalerie; Schauspielhaus; Sternwarte mit Großplanetarium und Inst. für Satelliten- und Weltraumforschung; bis 1973 Steinkohlenbergbau, heute Automobilproduktion (Opel), Eisen- und Metallverarbeitung, Nahrungs- und Genussmittelind. (Brauereien). Im 1975 eingegliederten **Wattenscheid** auch Bekleidungs- und Elektroindustrie. Freizeitzentrum Kemnade am Ruhrstausee mit Wasserburg. – B., 1041 zuerst erwähnt, wurde 1321 Stadt; Propsteikirche (15./16. Jh.), in Wattenscheid neugot. Propsteikirche (Turm 12. Jh.).

Bochum: Malakoffturm der Zeche »Hannover« in Bochum-Hordel (1860; heute Nordrhein-Westfälisches Industriemuseum)

Bock, 1) *Biologie:* ausgewachsenes männl. Tier bei Reh, Schaf, Ziege, Kaninchen u. a.

2) *Turnen:* in der Höhe bis zu 1,60 m verstellbares Sprunggerät; es erleichtert das Erlernen von Pferdsprüngen.

Böckchen: Klippspringer (Schulterhöhe 67–70 cm)

Bock, 1) Fedor von, Generalfeldmarschall (seit 1940), *Küstrin 3. 12. 1880, †Lensahn (Kr. Ostholstein) 3. 5. 1945; führte im 2. Weltkrieg Heeresgruppen gegen Polen, Frankreich und Russland; im Juli 1942 wegen eines Konflikts mit Hitler verabschiedet.

2) Hieronymus, gen. Tragus, Botaniker, *Heidelsheim (heute zu Bretten) 1498, †Hornbach (bei Zweibrücken) 21. 2. 1554; eigtl. evang. Pfarrer und Arzt, gilt als einer der Begründer der Botanik in Dtl.; Verf. von Kräuterbüchern.

3) Jerry Lewis, eigtl. Jerrold L. B., amerikan. Komponist, *New Haven (Conn.) 23. 11. 1928; komponierte Musicals, von denen »Fiddler on the roof« (1964; in Dtl. als »Anatevka«; nach dem Roman des jidd. Schriftstellers Scholem Alejchem »Tewje der Milchiger«, 1894, dt. »Tewje, der Milchmann«) bes. erfolgreich war.

Bockbier [aus bair. Oambock, nach der für ihr Bier berühmten Stadt »Einbeck«] (Bock), Starkbier mit mindestens 16% Stammwürze.

Böckchen (Neotraginae), Zwergantilopen des trop. Afrika, z.B. der in felsigen Landschaften lebende **Klippspringer,** das **Moschus-B.** O-Afrikas und der **Oribi** (Bleich-B.) S-Afrikas.

Bockenem, Stadt im Landkreis Hildesheim, Ndsachs., im Ambergau, 11600 Ew.; Autozubehörind., Apparatebau, Zuckerfabrik. – B. erhielt 1300 Stadtrechte.

Böckh, August, klass. Philologe, *Karlsruhe 24. 11. 1785, †Berlin 3. 8. 1867; Prof. in Heidelberg und Berlin; Begründer der histor. Altertumswissenschaft.

Bockkäfer (Böcke, Cerambycidae), Käferfamilie (rd. 27000 Arten), mit schlankem Leib, langen Beinen und langen gekrümmten Fühlern. Die zirpfähigen, im weibl. Geschlecht mit Legeröhre versehenen Larven sind z.T. gefährl. Holzschädlinge; bes. schädlich der bis 5 cm lange, noch länger gehörnte **Held-, Spieß-** oder **Eichenbock,** der **Große Pappelbock,** der kleinere →Hausbock und der metallisch grüne **Moschusbock.**

Böckler, Hans, Gewerkschafter (seit 1894) und Politiker (SPD), *Trautskirchen (bei Bad Windsheim) 26. 2. 1875, †Düsseldorf 16. 2. 1951; 1928–33 MdR; begann 1945 den Wiederaufbau der Gewerkschaften und wurde 1949 Vors. des DGB. Er begründete das →Wirtschafts- und Sozialwiss. Institut in der Hans-Böckler-Stiftung.

Bocklet, Markt in Bayern, →Bad Bocklet.

Böcklin, Arnold, schweizer. Maler, *Basel 16. 10. 1827, †San Domenico (bei Fiesole) 16. 1. 1901; Schüler von J. W. Schirmer in Düsseldorf, tätig in Weimar, München, der Schweiz und Italien; gab seiner reichen, von Sage und Dichtung angeregten Fantasie in klaren Formen und leuchtkräftigen Farben Ausdruck. Seine Bilder stellen v.a. südl. Landschaften mit Götter- und Fabelwesen dar, die in der Natur wirkende Kräfte verkörpern. Seine Villen- und Ruinendarstellungen sind von melanchol. Stimmung geprägt, die sich im Spätwerk zu düsterem Ernst steigert. B. vermittelte zw. Spätromantik und Symbolismus.

Werke: Selbstbildnis mit fiedelndem Tod (1872; Berlin, Nationalgalerie); Kentaurenkampf (1873, Basel); Triton und Nereide (1873, München); Toteninsel (1880–86, 5 Fassungen); Hl. Hain (1882, Basel); Die Pest (1898, Zürich).

📖 *»In uns selbst liegt Italien«. Die Kunst der Deutsch-Römer, hg. v.* CHR. HEILMANN. *Ausst.-Kat. Bayerische Staatsgemäldesammlungen. München 1987.* – LINNEBACH, A.: *A. B. u. die Antike. München 1991.*

Hans Böckler

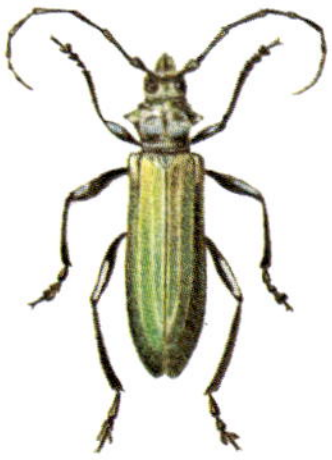

Bockkäfer: Moschusbock (Länge 16–32 cm)

Arnold Böcklin: »Toteninsel« (1880; Basel, Kunstmuseum)

Friedrich von Bodelschwingh (Vater)

Friedrich von Bodelschwingh (Sohn)

Bocksbart (Tragopogon), staudige Korbblütlergattung mit schmalen, meist ganzrandigen Blättern; Blütenstand ausschl. mit Zungenblüten. Einheimisch u. a. der auf Wiesen und an Wegrändern vorkommende, gelb blühende **Wiesen-B.** (Tragopogon pratensis). Die violett blühende **Haferwurzel** (Tragopogon porrifolius) ist in S-Europa Wurzelgemüse.

Bocksbeutel, bauchig-runde, recht flache Weinflasche für Qualitäts- und Prädikatsweine Frankens und des bad. Bereichs Tauberfranken sowie von vier Orten der Ortenau. Ähnl. Flaschen werden auch in Portugal, Chile und Frankreich (Armagnac) verwendet.

Bocksdorn (Teufelszwirn, Lycium), Gattung der Nachtschattengewächse mit rotvioletten Blüten, scharlachroten, giftigen Beerenfrüchten und hängenden Zweigen.

Bockshorn, Frucht des Johannisbrotbaums; enthält süßl. Mark.

Bockshornklee (Trigonella), Gattung der Schmetterlingsblütler; bes. im Mittelmeergebiet und in Vorderasien, Würzkraut.

Bocskay ['botʃkɔi], István (Stephan), Fürst von Siebenbürgen (seit 1605), *Klausenburg (Cluj) 1557, †Košice 29. 12. 1606; erreichte als Führer eines Aufstands ungar. Protestanten (seit 1604) im Wiener Frieden (1606) ständ. und religiöse Freiheiten im habsburg. Ungarn.

Bocuse [bɔ'ky:z], Paul, frz. Küchenmeister, *Collonges-au-Mont-d'Or (Dép. Rhône) 11. 2. 1926; Schöpfer der »Nouvelle Cuisine« (dt. »Neue Küche«) mit leicht bekömml. und nährstoffverminderten (kalorienarmen) Gerichten; schrieb u. a. »Neue Küche« (1976).

Bodaibo, Stadt im Gebiet Irkutsk, Russland, 16 000 Ew., Zentrum der Goldgewinnung am Lenanebenfluss Witim in Ostsibirien.

Bodden [aus niederdt. boddem »Meeresboden«], seichte, unregelmäßig geformte Bucht mit enger Öffnung zum Meer, durch Eindringen des Meeres in junge Grundmoränenlandschaft entstanden. Die **B.-Küste** ist für Mecklenburg und Vorpommern kennzeichnend (u. a. Saaler, Großer Jasmunder, Greifswalder Bodden).

Bode *die,* linker Nebenfluss der Saale, 169 km, entspringt am Brocken, durchbricht den Harznordrand in einer steilwandigen Schlucht zw. Rosstrappe und Hexentanzplatz bei Thale, mündet bei Nienburg (Saale); acht Stauwerke, u. a. an der →Rappbode.

Bode, Wilhelm von (seit 1914), Kunsthistoriker, *Calvörde (Landkr. Haldensleben) 10. 12. 1845, †Berlin 1. 3. 1929; tätig an den Berliner Museen. Gründer des 1904 eröffneten Kaiser-Friedrich-Museums (heute Bode-Museum); Autor bed. Arbeiten über die Gesch. der europ. Malerei.

Werke: Rembrandt, 8 Bde. (mit C. Hofstede de Groot, 1897–1905); Florentiner Bildhauer der Renaissance (1902); Die Meister der holländ. und vläm. Malerschulen (1917).

Bodega [span.] *die,* Weinkeller, Weinschenke.

Bodel [bɔ'dɛl], Jean, altfrz. Dichter, *Arras um 1165, †ebd. 1210; verfasste ein Epos über den Sachsenkrieg Karls d. Gr. (»La chanson des Saisnes«, vor 1202), das Mirakelspiel »Le jeu de Saint-Nicolas« (um 1200) und das Abschiedslied »Li congié« (um 1205), mit dem er sich als Leprakranker der Barmherzigkeit der Mitwelt empfahl.

Bödeli *das,* Talebene zw. Thuner und Brienzer See, mit Interlaken.

Bodelschwingh, 1) Friedrich von, gen. »Vater B.«, evang. Theologe, *Tecklenburg 6. 3. 1831, †Bethel (heute zu Bielefeld) 2. 4. 1910, Vater von 2); seit 1872 Pastor und Leiter der →Bodelschwinghschen Anstalten, die er zum größten Hilfswerk der dt. Inneren Mission machte.

2) Friedrich von, evang. Theologe, *Bethel (heute zu Bielefeld) 14. 8. 1877, †ebd. 4. 1. 1946, Sohn von 1); seit 1910 Leiter der Bodelschwinghschen Anstalten (seitdem Zentrum der Epilepsieforschung); konnte seine Kranken vor der nat.-soz. Euthanasie schützen.

Bodelschwinghsche Anstalten, Verbund diakon. Einrichtungen mit dem Hauptstandort im Bielefelder Ortsteil Bethel, u. a. **Anstalt Bethel** (gegr. 1867) v. a. für Anfallskranke und milieugeschädigte Jugendliche; **Westfäl. Diakonissenanstalt Sarepta** (gegr. 1869), Mutterhaus und Ausbildungsstätte für Diakonissen und freiberufl. Schwestern, Schule für sozialpfleger. Berufe; **Westfäl. Diakonenanstalt Nazareth** (gegr. 1877), Ausbildung von Diakonen und Diakonissen, heilpädagog. Institut. Hauptarbeitsgebiete sind Alten-, Jugend-, Behindertenhilfe (bes. Epilepsiebehandlung und -forschung) sowie Psychiatrie.

Boden, 1) *Geologie:* die oberste, belebte Verwitterungsschicht der Erde. Der Grad der →Verwitterung hängt von physikal., chem. und biolog. Faktoren ab. Die Böden weisen eine im Profil sichtbare horizontale Schichtung **(B.-Horizonte)** auf, die den jeweiligen Zustand oder die Entstehung des B. kennzeichnen **(B.-Typen).** Der **A-Horizont,** wegen der Humusanreicherung auch **Krume** genannt, bildet die oberste Schicht, der **C-Horizont** den unveränderten Untergrund. Kennzeichnend ist das A/C-Profil der Steppenböden im kontinentalen Klima, in denen Humus stark angereichert ist **(Schwarzerden).** Im gemäßigten Klima entstehen bei starker Zersetzung der organ. Substanz **Braunerden.** Überwiegt die Durchwaschung des B., so wird der A-Horizont zum **Eluvialhorizont,** und die Verlagerungsprodukte werden im neu gebildeten B-Horizont

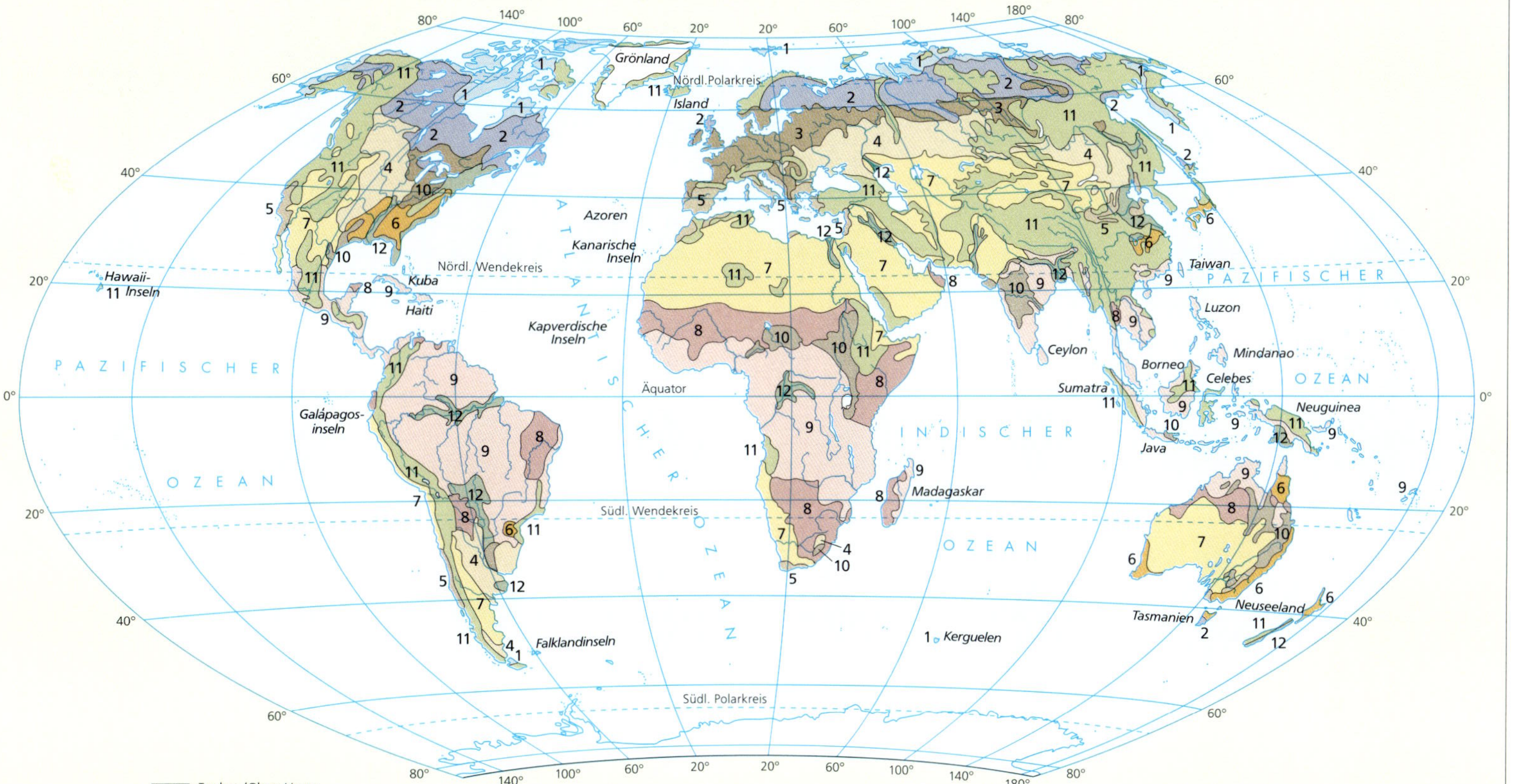

1 Tundren- (Gleye, Moore, Gleypodsole) und Frostmusterböden
2 Podsole u.a. Böden der borealen Nadelwaldzone
3 Böden der gemäßigten Zone (Braunerde, Parabraunerde, Pseudogley)
4 Steppenböden (Tschernosem, Kastanosem)
5 Terra rossa u. a. mediterrane Böden (Braunerde, Parabraunerde)
6 Rotgelbe podsolige Böden der Subtropen
7 Wüsten- und Halbwüstenböden (Rohböden, Salzböden)
8 Braune und rote Böden der Savannen (Roterde, Rotlehm u. a.)
9 Lateritische tropische Böden
10 Vertisole
11 Gebirgsböden
12 Niederungsböden (hydromorphe Böden)
Inlandeis und Gletscher

(Illuvial- oder **Einschwemmungshorizont)** abgesetzt (→Bleicherde). Der verdichtete und stark versauerte eisenhaltige B-Horizont heißt **Ortstein. Gleyböden** entstehen durch wechselnden Grundwasserstand. Überwiegt die Verdunstung des B., kommt es zu Salzausblühungen, es entstehen **Salzböden.** Verwitterung unter trop. Bedingungen führt zu **Laterit, Latosol, Roterde, Plastosol, Rotlehm** oder **Vertisol**; diese sind arm an Kieselsäure und Humus .

Boden: Bodenarten (stark vereinfacht)

	Bezeichnung	*Korngrößen Durchmesser in mm*	*Körnige Bestandteile*	*Nutzung in Mitteleuropa*
Grobböden	Schutt	> 20	Gesteinsbruchstücke bzw. Gerölle	Ödland
Grobböden	Grus	20–2	kleine Steine bzw. Feinkies	Weideland
Feinböden	Sand	2–0,063	überwiegend Quarzkörner	Nadelwald, Roggen, Kartoffeln
Feinböden	Schluff	0,063–0,002	Quarzkörner Tonmineralien	Laubwald, Wiesen, Weizen
Feinböden	Ton	< 0,002	Tonmineralien	Buchenwald, Wiesen, Zuckerrüben, Hopfen

Die **B.-Arten** werden nach der Korngröße der Bestandteile unterschieden: Bei »schweren« Böden **(Ton-** bis **Lehm-B.)** überwiegen die feinen Teilchen, bei »leichten« Böden **(Sand-B.)** grobe Teilchen. Die Sand- und Steinanteile werden als **B.-Skelett** bezeichnet. Die wertvollsten mineral. Fraktionen sind der Schluff und der Ton. Die **Humusstoffe** sind Verrottungsprodukte aus organ. Substanzen. Vom Kalkgehalt des B. wird der Säurezustand (pH-Wert, **B.-Acidität, B.-Versauerung**) bestimmt. – Die Oberfläche der Tonminerale ist der Ort der chem. und physikal. Aktivität des Bodens. Die dort adsorbierten Ionen sind u.a. für die Ernährung der Pflanzen wirksam. Günstig für Wasserhaushalt und Durchlüftung ist die Vereinigung der Einzelteilchen zu Aggregaten **(Krümelstruktur);** bedeutend ist v.a. die Krümelfraktion zw. 1 und 10 mm Durchmesser. Die Tätigkeit pflanzl. und tier. Organismen beeinflusst Krümelung und Durchlüftung des Bodens. – Als **antiphytopathogenes Potenzial des B.** bezeichnet man seine Fähigkeit, Pflanzenkrankheiten auslösende Keime oder Bestandteile durch bodeneigene Bakterien, Algen und Pilze zu unterdrücken oder zu hemmen. (→Bodenerosion)

📖 *Bodenkunde, hg. v.* GEORG MÜLLER. *Berlin-Ost [3]1989.* – HARTGE, K. H. *u.* HORN, R.: *Einführung in die Bodenphysik. Stuttgart [2]1991.* – SCHEFFER, F. *u.* SCHACHTSCHABEL, P.: *Lehrbuch der Bodenkunde. Stuttgart [13]1992.* – SCHROEDER, D.: *Bodenkunde in Stichworten. Berlin [5]1992.* – SEMMEL, A.: *Grundzüge der Bodengeographie. Stuttgart [3]1993.* – MÜCKENHAUSEN, E.: *Die Bodenkunde u. ihre geolog., geomorpholog., mineralog. u. petrolog. Grundlagen. Frankfurt am Main [4]1993.* – *Bodenkunde, Beiträge v.* H. KUNTZE *u. a. Stuttgart [5]1994.*

2) *Volkswirtschaftslehre:* originärer Produktionsfaktor (neben Arbeit und Kapital), der der landwirtsch. Erzeugung, der Rohstoffgewinnung und als Fläche zur Bebauung dient. Der B. ist außer durch Meliorationen und/oder Neulandgewinnung nicht beliebig vermehrbar. (→Bodenertrag, →Bodenpolitik, →Grundrente)

Bodenanalyse, physikal., chem. und biolog. Untersuchung eines Bodens im Labor, um z.B. seine Körnung, seinen pH-Wert, Humus- und Nährstoffgehalt oder seine Sorptionseigenschaften (→Sorption) zu bestimmen. Die B. soll einen Einblick in Aufbau, Eigenschaften und Leistungsfähigkeit eines Bodens in land- und forstwirtsch. Hinsicht vermitteln. Sie ist damit Grundlage der Bodenschätzung. Zus. mit der im Gelände durchgeführten **Bodenkartierung** (Erstellung von Bodenkarten, die die räuml. Verbreitung bes. der Bodenarten und -typen enthalten) liefert die B. die Voraussetzung für eine sinnvolle Bodennutzung.

Bodenatmung, Gasaustausch zwischen Boden- und atmosphär. Luft, insbesondere Abgabe des von den Pflanzenwurzeln und Bodenlebewesen produzierten Kohlendioxids sowie Aufnahme von Sauerstoff.

Bodenbearbeitung, alljährlich wiederkehrende Maßnahmen in der Land- und Forstwirtschaft, die auf das Bodengefüge einwirken, um v.a. die für den Pflanzenbau günstigste stabile Gefügebildung, die →Bodengare, auszulösen. Im Ackerbau unterscheidet man Grund-B. und Saatbettbereitung. Erstere bricht den durch Befahren zur Pflege und Ernte der Kulturpflanzen verdichteten Boden wieder auf, lockert und mischt ihn. Die Saatbettbereitung zerkleinert gröbere Bodenstücke und ebnet den Boden ein. Zur Grund-B. setzt man Pflug und Grubber, zur Saatbettbereitung Eggen ein; beide Aufgaben kann die Bodenfräse erfüllen.

Bodenbelag, →Fußboden.

Bodenbiologie (Pedobiologie), Teilgebiet der Bodenkunde; beschäftigt sich mit der Lebensweise der →Bodenorganismen und ihrem Einfluss auf den Boden.

Bodendruck, 1) *Fahrzeugtechnik:* der Quotient der Masse eines Fahrzeugs und der Aufstandsfläche der Reifen (oder Auflagefläche der Gleisketten), eine Kenngröße für die Geländegängigkeit eines Fahrzeugs oder für die Verdichtungskräfte von Radwalzen beim Straßenbau.

2) *Physik:* Druck, den eine Flüssigkeit in einem Gefäß auf dessen Boden ausübt (→Hydrostatik).

Bodeneffekt, Veränderung der Strömung um Körper oder von Gasstrahlen in Bodennähe, weil die vertikale Strömungskomponente behindert wird. Bei Tragflügeln wird der induzierte Widerstand vermindert, der Auftrieb vergrößert, die Flugstabilität verbessert. Der Schub von Hubschrauberrotoren sowie der Strahlschub von Hubtriebwerken nehmen mit Annäherung an den Boden zu. Ein spezieller B. liegt der Wirkungsweise der B.-Fahrzeuge zugrunde (Airfoil-Fluggerät, Luftkissenfahrzeug).

Bodeneis, → Dauerfrostboden.

Bodenentseuchung (Bodendesinfektion), Bekämpfung pflanzl. und tier. Schaderreger im Boden durch Behandlung des Bodens mit Wasserdampf oder Zufuhr von Pestiziden.

Bodenerosion in Pflugfurchen

Bodenerosion (Bodenabtragung, engl. soil erosion), durch die Tätigkeit des Menschen ausgelöste oder verstärkte und durch Wasser oder Wind bewirkte, über das natürliche Maß hinausgehende Abtragung von Böden, die bis zur völligen **Bodenzerstörung** führen kann. Hauptursache ist die Beseitigung der natürl. Vegetation für die Gewinnung von Acker- und Weideflächen, bes. in Trockengebieten, und die daraus folgende Versteppung. Gegenmaßnahmen: Anbau von Bodenschutzpflanzen, dem Gelände angepasster Streifenanbau, hangparalleles Konturpflügen, Pflanzung von Hecken- und Baumreihen als Windschutz, Hangterrassen und Zwischenfruchtanbau.

📖 BORK, H.-R.: *B. u. Umwelt. Verlauf, Ursachen u. Folgen der mittelalterl. u. neuzeitl. B. Braunschweig 1988. – B. u. Bodenschutz, hg. v.* REINHARD-G. SCHMIDT. *Trier 1994.* – LU, P.: *Die Entwicklung der Forschung zu B. u. Bodenschutz in Mitteleuropa. Müncheberg 1994.*

Bodenertrag, Rohertrag des landwirtsch. Bodens. Der B. ist abhängig von Bodenart und Klima sowie dem Einsatz von Kapital (Düngemittel) und Arbeit. Nach dem **B.-Gesetz,** zuerst von J. Turgot formuliert, hat der vermehrte Einsatz von Kapital und Arbeit von einer bestimmten Grenze an kein entsprechendes Steigen des B. zur Folge (verallgemeinert im → Ertragsgesetz).

Bodenfeuchtigkeit, → Bodenwasser.

Bodenfeuer, das → Lauffeuer.

Bodenfilter, dränierte Böden ohne landwirtsch. Nutzung zur Reinigung von Oberflächenwasser und zur Grundwasseranreicherung.

Bodenfließen, die → Solifluktion.

Bodenfräse (Ackerfräse), Bodenbearbeitungsmaschine, die den Boden mit umlaufenden, meist federnden Werkzeugen feinkrümelig zerschlägt, umschichtet und auch mit Dünger mengt. Auf leichteren und mittelschweren Böden kann sie den Pflug ersetzen.

Bodenfreiheit, *Fahrzeugtechnik:* kleinster Abstand zw. Fahrzeugboden und dem Erdboden, bei manchen Fahrzeugen einstellbar.

Bodenfrost, → Frost.

Bodenfruchtbarkeit, Eignung des Bodens für das Pflanzenwachstum, d.h. seine Fähigkeit, die Lebensbedürfnisse der Pflanzen zu befriedigen, z.B. ihre Wurzeln mit Wasser, Luft und Nährstoffen zu versorgen. Natürl. B. erfüllt diese Aufgabe im Landbau von Natur aus, kann aber durch Anbau von Monokulturen, Bodenversalzung, Bodenerosion u.a. gemindert oder gar zerstört werden; durch Melioration erworbene B. steigert den Ertrag langfristig oder macht den Boden überhaupt erst kulturfähig.

Bodengare (Gare, Ackergare), Zustand des Bodens, bei dem die für das Wachstum der Pflanzen günstigen physikal., chem. und biolog. Bedingungen vorliegen. B. kann durch Bodenbearbeitung, Düngung und Witterung (Frostgare) gefördert werden.

Bodengefüge (Bodenstruktur), die räuml. Anordnung der festen Bodenbestandteile, die durch den mit Wasser oder Luft gefüllten Porenraum getrennt werden. Das B. ist von entscheidendem Einfluss auf den Wasser-, Luft-, Wärme- und Nährstoffhaushalt, auf die Durchwurzelbarkeit und Bearbeitbarkeit des Bodens sowie auf Verschlämmung der Bodenoberfläche und Verlagerungsvorgänge im Boden.

Bodenheizung, → Flächenheizung.

Bodenhorizonte, → Boden.

Bodenhygi|ene, alle Maßnahmen zur Beseitigung von Schaderregern und Krankheiten im Boden, um die Entwicklung gesunder Kulturpflanzen zu gewährleisten. Wichtigste Maßnahme, um der Bodenmüdigkeit vorzubeugen, ist die geregelte Fruchtfolge. (→ Bodenentseuchung)

Bodenkartierung, → Bodenanalyse.

Bodenklima, mittlerer Zustand und zeitl. Ablauf von Temperatur, Feuchtigkeit und Zusammensetzung der Luft im Boden, bes. in den oberen Bodenschichten (→Bodenluft, →Bodentemperatur).

Bodenkunde (Pedologie), die Wissenschaft vom →Boden; befasst sich mit der Entstehung und Zusammensetzung der Böden, den im Boden ablaufenden Prozessen, der Entwicklung der Böden, den Gesetzmäßigkeiten ihrer räuml. Verbreitung und den Möglichkeiten ihrer Nutzung und Verbesserung. Wichtige Anwendungsgebiete sind Land- und Forstwirtschaft sowie Umweltschutz (→saurer Regen, →Waldsterben).

Bodenluft, die Luft in den nicht mit Wasser erfüllten Bodenporen. Der Luftgehalt kann in Abhängigkeit vom wechselnden Wassergehalt und von den Bodenarten zw. 0 Vol.-% (volle Wassersättigung) und etwa 40 Vol.-% schwanken. Die B. ist für die biolog. Aktivität und die Bodenentwicklung (Oxidations- und Reduktionsvorgänge) von entscheidender Bedeutung.

Bodenmais, Marktgemeinde im Landkr. Regen, Bayern, südwestlich des Großen Arber im Bayer. Wald, 3500 Ew.; Wintersport- und Luftkurort; Glasveredelung. – B. entwickelte sich seit dem Spät-MA. auf der Grundlage des Bergbaus (bis 1965).

Bodenmechanik (Erdbaumechanik), Lehre von den physikal. Eigenschaften des Baugrundes (Zusammendrückbarkeit, Scherfestigkeit, elast. und plast. Eigenschaften, Bodenverfestigung). Die **prakt. B.** befasst sich z. B. mit der →Gründung von Bauwerken, der Aussteifung von Baugruben beim Tunnel-, Stollen-, Böschungsbau.

Bodenmüdigkeit, Rückgang der Ertragsfähigkeit eines Bodens als Folge wiederholten Anbaus der gleichen Kulturpflanze. Ursachen: Aufzehrung des Bodenvorrats an bestimmten Pflanzennährstoffen, Überhandnehmen bestimmter Schädlinge im Boden u.a.; Gegenmaßnahmen: vielfältige Fruchtfolge, Bodenhygiene.

Bodenorganisation, *Luft- und Raumfahrt:* Verwaltung und Betrieb (durch das **Bodenpersonal)** der zur Durchführung und Sicherung des zivilen und militär. Flugbetriebes notwendigen Bodenanlagen (→Flughafen, →Flugsicherung, →Luftfahrtpersonal, →Luftverkehr). In der Raumfahrt Anlagen für Raketenstart und Bahnverfolgung.

Bodenorganismen (Bodenlebewesen, Edaphon), pflanzl. und tier. Organismen, die ganz oder vorwiegend im Boden leben (Einzeller, Algen, Pilze, Würmer, Milben, Insekten, Maulwürfe u.a.), Pflanzen- und Tierreste zersetzen und an der Bildung bodeneigener organ. Stoffe (Huminstoffe) beteiligt sind. Sie tragen zur Bildung von Kohlendioxid, Strukturstabilität, Stickstoffbindung und Nährstofftransformation bei.

Bodenpolitik, die Gesamtheit der Maßnahmen und Bestrebungen, die auf die optimale Verwendung und Verteilung des in einer Volkswirtschaft vorhandenen Bodens zielen. Als originärer Produktionsfaktor umfasst der Boden in der Volkswirtschaftslehre die Erdoberfläche als Produktionsgrundlage für Land- und Forstwirtschaft (Anbauboden) und als Standort (u.a. für Unternehmen, Infrastruktur, Wohn- und Erholungszwecke), die Bodenschätze als standortgebundene Rohstoffe sowie die natürl. Energiequellen (Abbauboden). Der Boden unterscheidet sich von anderen Faktoren v.a. durch seine Unbeweglichkeit und seine grundsätzl. Unvermehrbarkeit (trotz Neulandgewinnung oder -erschließung).

Träger der B. sind v.a. Gebietskörperschaften. Der Gegenstand der B. ist weniger die gesamte Bodenfläche einer Volkswirtschaft (Rohboden), sondern es sind v.a. die Bodenflächen, die nach Maßgabe der Bauleitplanung und durch Erschließungsmaßnahmen in Bauboden (Bauland) überführt werden. Diese »Produktion« von Bauland wird von den Gemeinden finanziert und durchgeführt, und zwar unter Beachtung des Flächennutzungsplans der übergeordneten Raumordnung und Landesplanung.

Bodenrecht, die Gesamtheit der Rechtsvorschriften, die die Beziehungen der Menschen zu Grund und Boden regeln. Zum B. gehören die Vorschriften über die Ordnung des Baubodens, insbesondere das →Baugesetzbuch (→Städtebau). Für die Landwirtschaft sind v.a. das Flurbereinigungs-Ges. i.d. F. v. 16. 3. 1976 und das Grundstücksverkehrs-Ges. vom 28. 7. 1961 wichtig. Zunehmende Bedeutung erlangt das Recht des Natur- und Landschaftsschutzes.

Bodenreform, i.w.S. die Reform des Besitzrechts am Boden allgemein, i.e.S. am landwirtschaftlich genutzten Boden. Während im →Agrarsozialismus in der Aufhebung des privaten Grundeigentums und der Vergemeinschaftung des Bodens ein Ansatzpunkt für die Neugestaltung der Gesellschafts- und Wirtschaftsordnung gesehen wurde, strebten die Bodenreformer (J. S. Mill, Henry George, F. Oppenheimer, A. Damaschke u.a.) nur die Beseitigung der Bodenspekulation und der Grundrente durch Gesetze an. Als B. mit begrenztem Ziel ist in Dtl. die seit den 80er-Jahren des 19. Jh. in den preuß. Ostprovinzen durchgeführte Siedlung zu verstehen. – Eine grundlegende Änderung der Besitzverhältnisse am landwirtsch. Nutzland wurde nach dem 1. Weltkrieg u.a. in Russland 1917/18 und im Baltikum 1919/22 sowie verstärkt nach 1945 (nach russ. Vorbild) in den Ländern des Ostblocks durchgeführt.

Die in den Ländern der westl. Besatzungszonen Dtl.s 1946–48 erlassenen Gesetze zur B. sahen gestaffelte Landabgaben bei Betrieben über 100 ha (in der brit. Zone 150 ha) oder über einem bestimmten Einheitswert gegen Entschädigung vor und dienten v.a. als Neubauern- und Siedlerstellen für Vertriebene. Die in der SBZ Anfang Sept. 1945 verabschiedeten B.-Verordnungen führten zur entschädigungslosen Enteignung von 14000 landwirtsch. Groß- und Spezialbetrieben (der gesamte Großgrundbesitz über 100 ha) mit etwa 3,3 Mio. ha Land, die zunächst v.a. an Landarbeiter, landlose Bauern und Vertriebene (»Umsiedler«) verteilt wurden. Durch die Zwangskollektivierung ging dieses Land bis 1960 zumeist in das Eigentum von Landwirtsch. Produktionsgenossenschaften (LPG) über. Die im Einigungsvertrag von 1990 getroffene Festlegung, dass Enteignungen in der SBZ (1945–49) nicht mehr rückgängig zu machen sind, wurde vom Bundesverfassungsgericht in seiner Entscheidung vom 23. 4. 1991 bestätigt. Entschädigungsregelungen enthalten das Ausgleichsleistungs-Ges. vom 27. 9. 1994 und das Entschädigungs-Ges. vom 27. 11. 1994. Die »Bodenverwertungs- und -verwaltungs-GmbH« (BVVG), eine Nachfolgeorganisation der Treuhandanstalt, privatisiert die von ihr verwalteten (»staatl.«) Ländereien. - B. sind auch häufig Bestandteil von Agrarreformen in Entwicklungsländern.

Bodenrente, die → Grundrente.

Bodenschätze, nutzbare mineral. Rohstoffe als natürl. Anreicherung in der Erdkruste, z.B. Erze, Kohlen, Erdöl und -gas, Salze.

Bodenschätzung (Bonitierung, Taxation), Bewertung von landwirtschaftlich genutztem Boden nach Beschaffenheit, Entwicklungsstufe, Klima, Lage, Ertragsfähigkeit usw.; dient nicht nur einer gerechten Steuerverteilung, sondern bildet auch die Grundlage für Käufe, Beleihungen, Entschädigungen bei Enteignungen u.a. (B.-Gesetz vom 16. 10. 1934 mit Änderungen und Durchführungsbestimmungen).

Bodenschutz, der Schutz des Erdbodens vor zunehmender Belastung durch Schadstoffe, zunehmendem Landverbrauch, Verlust heimischer Tier- und Pflanzenarten u.a. Gefährdungen. 1993 wurde von der Bundesreg. ein Entwurf eines B.-Gesetzes vorgelegt; es wird von Umweltschutzverbänden kritisiert, da es weniger umfassend ist als die 1985 vorgelegte B.-Konzeption.

Bodensee [nach der karoling. Pfalz Bodman], 571,5 km² (nach Neuvermessung 1994) großer Alpenvorlandsee am Ausgang des Alpenrheintales (»Schwäbisches Meer«), größte Tiefe 254 m; Anrainerstaaten sind Dtl. (305 km² Seeanteil), Österreich (60 km²) und die Schweiz (173 km²). Die Uferlänge beträgt 273 km. Die Seespiegelhöhe liegt bei 395 m ü.M. Das Hauptbecken, der **Obersee,** ist 63,5 km lang und bis zu 14 km breit. Der westl. B. ist in den **Überlinger See** mit der Insel Mainau im N und in den **Untersee** (mit Gnadensee und Zeller See) mit der Insel Reichenau im S geteilt. Ober- und Untersee werden vom Rhein durchflossen. Große Bedeutung hat der B. für die Wasserversorgung des Hinterlandes (St. Gallen, Großraum Stuttgart). Das milde Klima begünstigt den Frühgemüse- und Obstbau, der den Weinbau zurückgedrängt hat. Der See ist sehr fischreich. Wichtigster Wirtschaftsfaktor ist der Fremdenverkehr; größte Städte sind Konstanz, Lindau, Friedrichshafen, Bregenz und Radolfszell. – Der B. liegt in einer alten Kulturlandschaft; in seinem Umkreis lassen sich mittelsteinzeitl. Siedlungsspuren nachweisen. Die »Pfahlbauten« gehören überwiegend in die Jungsteinzeit bzw. frühe Bronzezeit.

Bodensee: Die auf einer Insel gelegene Altstadt von Lindau ist durch eine Straßenbrücke und einen Eisenbahndamm mit dem Festland verbunden; im Hintergrund der Bregenzer Wald

📖 BRAUN, E. *u.* SCHÄRPF, K.: *Internationale B.-Tiefenvermessung 1990. Stuttgart 1994.* – THORBECKE, F.: *B. Im Wandel der Zeit. Ein Portrait in Luftbildern aus 70 Jahren. Konstanz 1994.*

Bodenseekreis, Landkreis im RegBez. Tübingen, Bad.-Württ., 665 km², (1996) 192900 Ew. Kreisstadt ist Friedrichshafen.

Bodenstedt, Friedrich Martin von, Schriftsteller, *Peine 22. 4. 1819, †Wiesbaden 18. 4. 1892; wurde 1854 Prof. für slaw. Sprachen in München. B. übersetzte oriental. Dichtung, auch russ. und ältere engl. Literatur; Verfasser der »oriental.« Gedichte »Die Lieder des Mirza-Schaffy« (1851), die längere Zeit als Übersetzung oriental. Lyrik galten.

Bodentemperatur, sowohl die Temperatur der Luft an der Bodenoberfläche (gemessen in 2 m

Höhe, als Temperatur am Erdboden in 5 cm Höhe) als auch die Temperatur im Erdboden.

Bodenturnen, Disziplin des Kunstturnens auf vorgeschriebener Bodenfläche (12 × 12 m): Wechsel von gymnastisch einwandfreien Bewegungen, Gleichgewichtsteilen, Halteteilen, Kraftteilen, Sprüngen, Kippen, Überschlägen und Salti, 70–90 s bei Frauen, 50–70 s bei Männern. B. ist seit 1932 olymp. Disziplin.

Bodentypen, → Boden.

Bodenverbesserung, die → Melioration.

Bodenverdichter (Bodenverdichtungsgeräte), *Bautechnik:* Geräte zur Bodenverdichtung, der Erhöhung der Tragfähigkeit; bei bindigen Böden Walzen, Explosionsramme (→ Ramme), bei nichtbindigen Böden Rüttelgeräte.

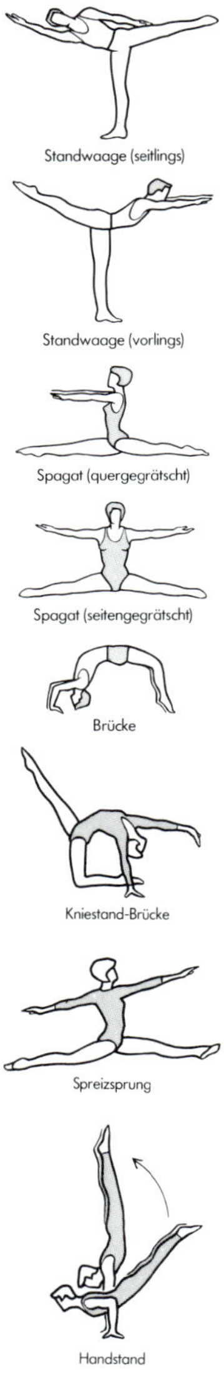

Bodenturnen: Darstellung verschiedener Übungen

Bodenverdichtung, für das Pflanzenwachstum negative Veränderung des Bodengefüges durch Verminderung des Porenvolumens, insbesondere der Grobporen des Bodens.

Bodenverfestigung, die dauerhafte Erhöhung der Frostbeständigkeit und Tragfähigkeit von Böden durch Zumischung von hydraul. (Zement) oder bituminösen Bindemitteln.

Bodenversalzung, natürl. oder vom Menschen verursachte Anreicherung von Salzen im Boden, v. a. in Trockengebieten (Bildung von Salzböden). Die in jüngerer Zeit stark ausgeweitete Bewässerung führt oft zur Versalzung großer Bodenflächen, die damit auch für eine weitere landwirtsch. Nutzung unbrauchbar wurden.

Bodenversiegelung, die Verdichtung oder Abdichtung des Bodens im Bereich der Siedlungen, industriell und landwirtschaftlich genutzter Flächen sowie Verkehrsflächen. Die B. hat negative Auswirkungen auf den Naturhaushalt: Das vernetzte Ökosystem bricht zusammen, Oberflächenwasser kann nicht mehr versickern, die Temperaturen schwanken stärker und verschlechtern das Mikroklima.

Bodenwasser, dem Boden größtenteils aus Niederschlägen zugeführtes Wasser, in dem die für die Pflanzen wichtigen Nährstoffe gelöst sind; **Sickerwasser** (frei bewegl. Wasser) und **Haftwasser** (Bodenfeuchtigkeit; an feste Bodenteilchen angelagert oder in feinen Poren stagnierend).

Bodenwelle, *Nachrichtentechnik:* die längs der Erdoberfläche sich ausbreitende elektromagnet. Welle; Ggs.: Raumwelle. Langwellen sind immer, Mittelwellen nur bei Tage Bodenwellen.

Bodenwerder, Stadt im Landkr. Holzminden, Ndsachs., beiderseits der Weser, 6 300 Ew.; Luftkurort und Jod-Sole-Bad; Schiffbau, Baustoffindustrie. – Ehem. Herrenhaus der Freiherren von Münchhausen (z. T. Museum), Fachwerkhäuser.

Bodenwertzuwachssteuer, eine Form der → Wertzuwachssteuer, die die Wertsteigerung von Grundstücken erfasst. In Dtl. und Österreich wird derzeit keine B. erhoben; die Bodenwertzuwächse werden bei Veräußerungen wie Kapitalgewinne im Rahmen der Einkommensteuer (mit Zeitgrenzen) erfasst.

Bodenwind, die unmittelbar über dem Erdboden bestehende Luftströmung; die B.-Geschwindigkeit wird an einer Wetterstation in 6 m, bei Bebauung oder Wald in 10 m Höhe gemessen; Ggs.: Höhenwind.

bodenzeigende Pflanzen, die → Zeigerpflanzen.

Bode-Titius-Reihe, → Titius-Bode-Reihe.

Bodhisattva [Sanskrit »Erleuchtungswesen«] *der,* im Hinajana-Buddhismus der Anwärter künftiger Buddhaschaft, auch der histor. Gautama (Gotama), ehe er zum Buddha wurde; im Mahajana-Buddhismus der mitleidsvolle Heilbringer, der zum Trost, und um Hilfe zu gewähren, an der Schwelle zum Nirwana zurückbleibt, bis alle Wesen bereit sind, vor ihm ins Nirwana einzugehen.

📖 GERNER, W.: *Das B.-Ideal im Mahayanabuddhismus u. seine Verwirklichung im Leben des ladakhischen Volkes. Frankfurt am Main u. a. 1991.* – MEYER-UHLENRIED, K.-H.: *Rudolf Steiner u. die B.-Frage. Text u. Bibliographie. Freiburg im Breisgau 1995.*

Bodin [bɔ'dɛ̃] (latinisiert Bodinus), Jean, frz. Philosoph und Staatstheoretiker, * Angers 1529 (oder 1530), † Laon 1596; Jurist und Kronanwalt in Laon; verfocht während der frz. Hugenottenkriege die Forderung der Glaubensfreiheit, setzte sich in seinem Hauptwerk »Les six livres de la république« (1576) für die – religiösen und naturrechtl. Bindungen unterworfene – Souveränität des Staates ein (→ Absolutismus). Er formulierte die → Quantitätstheorie des Geldes.

Bodenwerder: Der Münchhausen-Brunnen zu Ehren des »Lügenbarons«

Bodley ['bɔdlɪ], Sir Thomas, engl. Diplomat und Gelehrter, * Exeter 2. 3. 1545, † London 28. 1. 1613; begründete 1598 die bes. an grch. und oriental. Handschriften reiche Univ.bibliothek Oxford **(Bodleiana, Bodleian Library)** durch seine Geld- und Bücherstiftungen.

Bodman-Ludwigshafen, Fremdenverkehrsgemeinde im Landkr. Konstanz, Bad.-Württ., am S-Ufer des Überlinger Sees, 4 000 Ew. – Altes Siedlungsgebiet (Pfahlbauten), 753 erwähnt, im 9. Jh. karoling. Pfalz **Bodman.**

Johann Carl Bodmer: Tänzer des Hundebundes bei den Prärie-Indianern; Kupferstich aus dem ersten Band der »Reise in das innere Nord-America in den Jahren 1832–1834« von Maximilian Prinz zu Wied

Bodmer, 1) Johann Carl, schweizer. Maler und Lithograph, *Zürich 11. 2. 1809, †Barbizon 30. 10. 1893; wurde v.a. bekannt durch seine Indianerdarstellungen. Er war Begleiter von Maximilian Prinz zu Wied, dessen Reisebericht (»Reise in das innere Nord-America in den Jahren 1832–1834«, 2 Bde.) er 1839–41 illustrierte.

2) Johann Jakob, Historiker und Schriftsteller, *Greifensee (bei Zürich) 19. 7. 1698, †Gut Schönenberg (bei Zürich) 2. 1. 1783; war 1725–75 Prof. der schweizer. Geschichte in Zürich, seit 1737 ebd. Mitgl. des Großen Rats. Gegenüber J. C. Gottsched trat er zus. mit J. J. Breitinger für die Berechtigung der (das »Wunderbare« einschließenden) Fantasie als poet. Grundkraft ein. B. war auch der erste bed. Wiederentdecker der mittelalterl. Dichtung (»Sammlung von Minnesingern«, 1757/58).

Weitere Werke: Bibl. Epen (Noah, 1750). – Abhandlung vom Wunderbaren (1740). – Zus. mit Breitinger Hg. der Wochenschrift Discourse der Mahlern (1721–23).

Bodmerei, Darlehensvertrag, den der Kapitän eines Seeschiffes in Notfällen eingehen darf. Dabei werden Schiff, Fracht und/oder Ladung verpfändet.

Bodo, Gruppe von Stämmen mit tibetobirman. Sprachen (z.B. Garo). Sie besiedelten wohl einst geschlossen die Täler des Brahmaputra und Surma in Assam und O-Bengalen; seit dem 13. Jh. von fremden Eroberern aufgesplittert und in die Berge verdrängt (heute etwa 1,3 Mio. Menschen).

Bodø ['bu:dø], Hafenstadt und Verw.sitz der Prov. Nordland, N-Norwegen, 37 900 Ew.; Endpunkt der Nordlandbahn; Reedereien, Fischerei, Holzverarbeitung. – Im Mai 1940 Sitz der norweg. Reg.; durch einen dt. Bombenangriff völlig zerstört.

Bodoni, Giambattista, italien. Buchdrucker, *Saluzzo (Prov. Cuneo) 16. 2. 1740, †Parma 29. 11. 1813; schuf hervorragende Druckwerke, bes. Ausgaben altgrch., röm., italien. und frz. Klassiker, und schnitt selbst Lettern **(B.-Schriften).**

📖 Cluss, U.: *Giovanni Battista B. München 1991.*

Body-Art ['bɔdɪɑ:t; engl. »Körperkunst«] *die,* aus der Happening- und Fluxusbewegung der 1960er-Jahre hervorgegangene Richtung der modernen Kunst, bei der der Körper als Medium der Kunstobjekte dient (z.B. Bemalung des Körpers, Körperabdrücke). Die an ihm vorgenommenen Veränderungen und Manipulationen werden durch Fotografie, Film und Video zur Dokumentation der Selbsterfahrung festgehalten. B. ist nur schwer von Performance und Prozesskunst zu unterscheiden, da sie mit den gleichen Mitteln arbeitet wie diese. Vertreter u.a. Vito Acconci, Gilbert & George, Klaus Rinke, Rebecca Horn.

Bodybuilding ['bɔdɪbɪldɪŋ, engl.] *das,* Muskelausbildung durch Kraftübungen, in Nordamerika und Westeuropa mit Schauwettbewerben, Verleihung der Titel Mister/Miss Universum, Europe, Germany u.a.; Wettkampfsport für Frauen und Männer in versch. Gewichtsklassen mit Pflicht und Kür.

Bodycheck ['bɔdɪtʃek] *der, Eishockey:* erlaubter Körperangriff auf den die Scheibe führenden Spieler unter Einsatz von Brust, Schulter und Hüfte, jedoch nicht des Schlägers.

Böe, heftiger Windstoß →Bö.

Boeck-Krankheit, die →Sarkoidose.

Boehmeria [nach dem dt. Botaniker Georg Rudolf Boehmer, *1723, †1803], *die,* Nesselgewächsgattung, z.T. mit Bastfasern **(Chinagras),** z.B. die →Ramie.

Boehringer Ingelheim Unternehmensverband, Ingelheim, chemisch-pharmazeut. Unternehmen; Tochterges.: C. H. Boehringer Sohn und Boehringer Ingelheim International GmbH; gegr. 1885.

Boeing Co. ['bəʊɪŋ 'kʌmpənɪ], weltgrößtes Unternehmen der Luft- und Raumfahrtind., gegr. 1916, Sitz: Seattle (Wash.). Bekannteste Erzeugnisse des größten amerikan. Rüstungsunternehmens sind der Bomber B 52, die Zivilflugzeuge Boeing 707, 727, 737 (erfolgreichstes Düsenverkehrsflugzeug der Erde), 747 (»Jumbojet«), 757, 767, 777 und die Raketen »Minuteman« und »Saturn«. Darüber hinaus werden Urananreiche-

Giambattista Bodoni (Kupferstich)

Humphrey Bogart

rungsanlagen produziert. 1996 wurde die beabsichtigte Fusion mit McDonnell Douglas bekanntgegeben.

Boerhaave ['bu:rha:və], Hermann, niederländ. Arzt, *Voorhout (bei Leiden) 31. 12. 1668, †Leiden 23. 9. 1738; war ab 1709 Prof. der Medizin und Botanik in Leiden; galt in seiner Zeit als herausragender Kliniker und medizin. Lehrer, zu dessen zahlr. Schülern auch A. von Haller gehörte, und beeinflusste die Schulmedizin bis zum Ausgang des 18. Jh.; seine gesammelten medizin. Schriften (»Opera medica omnia«) erschienen postum 1766.

Boethius (Boetius), Anicius Manlius Torquatus Severinus, röm. Staatsmann und Philosoph, *Rom um 480, †Pavia um 524; Konsul (seit 510) und »Magister Palatii« des Ostgotenkönigs Theoderich, von diesem des Hochverrats beschuldigt und hingerichtet. Durch seine Übersetzung und Kommentierung der log. Schriften des Aristoteles prägte er die lat. Terminologie der Scholastik und wurde so zum wichtigsten Vermittler zwischen Altertum und MA. Ferner wurde B. bekannt durch sein Werk »Trost der Philosophie«, das er während langer Kerkerhaft schrieb und das vom Neuplatonismus beeinflusst ist; weitere Schriften über Theologie, Musik und Mathematik.

📖 ENSSLIN, W.: *Theoderich der Große. München* [2]*1959. – B., hg. v.* M. FUHRMANN *u. a. Darmstadt 1984.* – CAMPENHAUSEN, H. FRHR. VON: *Lateinische Kirchenväter. Stuttgart u. a.* [7]*1995.*

Leonardo Boff

Boff, Leonardo, brasilian. kath. Theologe und Franziskaner (seit 1958), *Concórdia 14. 12. 1938; war 1970–91 Prof. für systemat. Theologie in Petrópolis; führender Vertreter der →Befreiungstheologie; versteht sich als »Alliierter der Armen« und »Anwalt Lateinamerikas«; 1984 wegen seines kirchenkrit. Buches »Kirche: Charisma und Macht« (1981) vor die Glaubenskongregation zitiert und 1985 mit einjährigem Publikationsverbot belegt; beantragte 1992 seine Versetzung in den Laienstand.

Boffrand [bɔ'frã], Germain, frz. Baumeister, *Nantes 7. 5. 1667, †Paris 18. 3. 1754; baute Schlösser und Stadtpalais in Paris und der Provinz. Seine Innenraumausstattungen (z. B. Hôtel de Soubise, Paris) sind Meisterleistungen des frz. Rokoko, als dessen Hauptvertreter er gilt.

Bogarde ['bəʊgɑ:d], Sir (seit 1992) Dirk, eigtl. Derek Jules Gaspard Ulric Niven van den Bogaerde, brit. Schauspieler und Schriftsteller, *Hampstead (heute zu London) 28. 3. 1921; spielte an Londoner Theatern, dann in zahlr. Filmen, bes. in solchen von J. Losey (»Der Diener«, 1963; »Accident – Zwischenfall in Oxford«, 1971) und L. Visconti (»Der Tod in Venedig«, 1971); ferner u. a. in »Der Nachtportier« (1974), »Eine Reise ins Licht – Despair« (1978).

Bogart ['bəʊgɑ:t], Humphrey, eigtl. H. de Forest B., amerikan. Film- und Bühnenschauspieler, *New York 25. 12. 1899, †Beverly Hills (Calif.) 14. 1. 1957; Charakterdarsteller; wurde nach seinem Tod zur Legende; Filme: »Die Spur des Falken« (1941), »Casablanca« (1942), »Tote schlafen fest« (1946), »Die Caine war ihr Schicksal« (1954), »An einem Tag wie jeder andere« (1955), »Schmutziger Lorbeer« (1956).

📖 GOODMAN, E.: H. B. Porträt einer Kinolegende. A. d. Amerikan. München 1993.

Boğazkale: Die Ruinen von Hattusa, Götterrelief am Königstor

Boğazkale [bɔ:'ɑzkɑlə] (bis 1937 Boğazköy), Dorf, rd. 200 km östlich von Ankara, Türkei, mit den durch Ausgrabungen freigelegten Ruinen (UNESCO-Weltkulturerbe) von **Hattusa,** der alten Hptst. (seit 1570 v. Chr.) des Reiches der →Hethiter. Die Ruinen wurden 1834 entdeckt; seit 1905 Ausgrabungen: Festungsmauern, reliefgeschmückte Tore, Paläste und Tempel. Sehr wertvolle Funde sind einige Tausend Tontafelurkunden mit Keilschrifttexten in hethit. Sprache.

Bogdanovich [bɔg'dænəvɪtʃ], Peter, amerikan. Filmregisseur und Schriftsteller, *Kingston (N. Y.) 30. 7. 1939; schrieb u. a. Monographien über Filmregisseure wie A. Hitchcock und H. Hawks; Filme: »Is' was, Doc?« (1971), »Die letzte Vorstellung« (1972), »Paper moon« (1973), »Nickelodeon« (1976), »Die Maske« (1985), »Texasville« (1990), »Noises Off – Der nackte Wahnsinn« (1992).

Bogdanow, Alexandr Alexandrowitsch, eigtl. A. A. Malinowski, russ. Philosoph, Politiker und Arzt, *Tula 22. 8. 1873, †Moskau 7. 4. 1928; seit 1903 Anhänger der Bolschewiki; versuchte gegen Plechanow und Lenin eine Modifizierung der marxist. Theorie: Das Bewusstsein konstruiere und »organisiere« die Wirklichkeit; gesellschaftl. Sein und Bewusstsein seien identisch. B. forderte v. a. Brechung des Wissensmonopols der herrschenden Klasse. – *Werke:* Die Wissenschaft und die Arbeiterklasse (dt. 1920), Allg. Organisationslehre: Tektologie (dt. 2 Bde., 1926–28).

Bogda Shan [- ʃan] *der* (Bogdo Ula), vergletscherte nördl. Randkette des östl. Tienschan (China), etwa 300 km lang, bis 5445 m hoch.

Bogen, Stadt im Landkr. Straubing-Bogen, Bayern, am SW-Fuß des Bayer. Waldes, 9900 Ew.; Kunststoffwerk; vorgeschichtl. Ringwall und spätgot. Wallfahrtskirche; Fremdenverkehr.

Bogen, 1) *Bankwesen:* Wertpapierurkunde, die im Ggs. zum →Mantel Erträgnisscheine (Zins- und Gewinnanteilschein) und den Erneuerungsschein (Talon) enthält. Ohne B. sind Wertpapiere i.d.R. nicht lieferbar.

2) *Baukunst:* in der Baukonstruktion ein gewölbtes Tragwerk, das als Abschluss eine Öffnung überspannt; besteht aus Stahl, Stahlbeton oder Stein. In der Baustatik ein Träger mit gekrümmter Achse, der bei senkrechten Lasten Horizontalschübe auf die Auflager (Widerlager) ausübt. Es gibt Zweigelenk-B., Dreigelenk-B. und fest eingespannte Bögen. Aus dem Kreis entwickelte sich auch der Kleeblatt-B. (Spätromantik) sowie der Flach-, Stich- oder Segment-B. (ebenfalls 12. Jh., Renaissance und Barock). Der Spitz-B. ist ein got. Stilelement, der Hufeisen-B. ist maurisch bzw. islamisch.

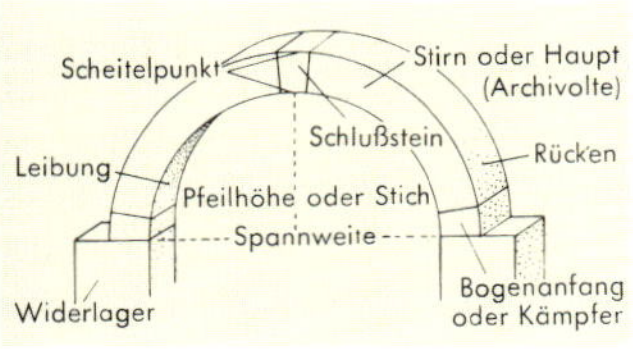

Bogen 2): Bauelemente

3) *Mathematik:* allg. das Teilstück einer Kurve, speziell eines Kreises (Kreis-B.). Die **B.-Länge** berechnet sich bei einem Kreis mit dem Radius r und dem Zentriwinkel α zu: $b = 2\pi r\,(\alpha/360°)$.

4) *Musik:* biegsamer Hartholzstab, der mit einem an seinen Enden (Frosch und Spitze) befestigten Bezug (aus Pferdehaaren) versehen ist und zur Tonerzeugung bei Streichinstrumenten dient. Der B. hat sich aus einem urspr. selbstständigen primitiven Instrument →Musikbogen entwickelt. Die B.-Stange war urspr. stark gekrümmt, heute ist sie gerade. Die Spannung des Bezugs wird durch eine Stellschraube am Frosch fixiert.

5) *graf. Technik:* Oberbegriff u.a. für: 1) Format-B.: von der Papierfabrik oder vom Papiergroßhandel gelieferter Papier-B.; 2) Papier-B.: plan liegender unbedruckter Papierzuschnitt im Format DIN A3 und größer; Papierzuschnitte von kleinerem Format bezeichnet man als Blatt (→DIN-Formate); 3) Satz-B.: Maßeinheit für den Umfang eines literar. Werkes; 4) Druck-B.: bedruckter B., dessen Größe bei B.-Druckmaschinen dem verwendeten B.-Format entspricht und bei Rollendruckmaschinen – nach dem Trennen der Papierbahn – durch die Papierbahnbreite und den Zylinderumfang bestimmt ist; 5) Buchbinder-B.: gefalzter Papier- oder Druck-B. mit 16 Seiten Umfang.

Bogen 6): Jagd mit Pfeil und Bogen im Gebirge; Abrollung eines sumerischen Kalkstein-Siegelzylinders, Höhe 5 cm (3. Jahrtausend v. Chr.; Berlin, Staatliche Museen)

6) *Waffenwesen* und *Sport:* älteste eigentl. Schusswaffe für Jagd und Krieg, mit Ausnahme von Australien und Teilen Melanesiens über die ganze Erde verbreitet und seit der Altsteinzeit bekannt; besteht aus einem aus biegsamen Material (Holz, Bambus, Kunststoff, Leichtmetall) angefertigten Stab und einer an dessen Enden befestigten Sehne. – Der **Sport-B.** (aus Kombinationen von Holz, Stahl und Glasfiber) ist etwa 1,70 m lang, die Pfeile 65–75 cm. Im Wettkampf wird bei Entfernungen von 90, 70, 50 und 30 m (Herren) und 70, 60, 50 und 30 m (Damen) auf Scheiben mit ∅ von 80 und 122 cm geschossen, die in zehn Wertungszonen geteilt sind; als Vierkampf gewertet. **B.-Schießen** ist olymp. Sportart.

Bogenentladung, elektr. →Gasentladung hoher Strom- und Leuchtdichte (→Lichtbogen), die z.B. zum Schweißen oder in Bogenlampen ausgenutzt wird.

Bogenfries, Gesimsband aus einer gleichmäßigen oder überkreuzten Folge von Rund- oder Spitzbogen; bes. an roman. Bauten.

Bogenführung (Bogenstrich, Strich), beim Spiel von Streichinstrumenten die Handhabung des Bogens, von der Stärke, Charakter des Tons und Ausdruck des Spiels abhängen.

Bogengang, *Bau:* →Laubengang 2).

Bogengänge, Teilorgane (drei halbkreisförmige Gänge) des inneren Ohrs, die dem Gleichgewichtssinn dienen.

Bogenhanf, ein Agavengewächs (→Sansevierie).

Bogenlampe, elektrische Lichtquelle hoher Leuchtdichte durch Ausnutzung der elektr. Bogenentladung und der Temperaturstrahlung zw. zwei Elektroden (Kohle, Wolfram); früher z. B. in Scheinwerfern und Filmprojektoren verwendet, heute durch Höchstdruckentladungslampen abgelöst.

Bogomilen

Aus der »Predigt gegen die Bogomilen« des Presbyters Kosma:

»Es geschah, dass zur Herrschaftszeit des rechtgläubigen Zaren Peter ein Pope namens Bogomil (das heißt Gottlieb) in den bulgarischen Landen auftauchte, der besser Bogunemil (das heißt Gottnichtlieb) genannt werden sollte. Er war der Erste, der ketzerische Lehren in bulgarischen Gebieten predigte ...«

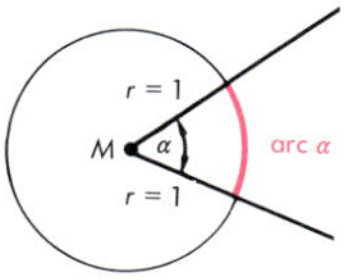

Bogenmaß: M Kreismittelpunkt, r Radius, arc *α* Bogenmaß des Winkels *α*

Bogenlänge, *Mathematik:* der → Bogen.

Bogenmaß (Arkus, Arcus), Zeichen arc, Maß für die Größe eines ebenen Winkels; es ist definiert als das Verhältnis der Bogenlänge *b* des von den Winkelschenkeln eingeschlossenen Kreisbogens zum Radius *r* des um den Scheitel gelegten Kreises, $\hat{\alpha} = b/r = \text{arc}\,\alpha$. Der im B. gemessene Winkel $\hat{\alpha}$ und der im Gradmaß gemessene Winkel α hängen gemäß $\hat{\alpha} = 2\pi\ (\alpha/360°)$ zusammen. Zum B. 1 gehört der Winkel 1 rad (→ Radiant).

Bogenminute, Bez. für die Winkeleinheit Minute (im Ggs. zur gleich lautenden Zeiteinheit); Teil eines → Grades; 1 B. hat 60 (Altsekunden) oder 100 (Neusekunden) **Bogensekunden**.

Bogenschießen, → Bogen 6).

Bogenschützen, mit Pfeil und Bogen bewaffnete Krieger, Kerntruppe der asiat. Heere im Altertum und MA.; in Europa bes. bei den Normannen und im engl. Heer.

Bogenspektrum, in stromstarken Bogenentladungen angeregtes Linienspektrum neutraler Atome oder Moleküle.

Bogotá Stadtwappen

Bogotá vor dem Bergzug Montserrate (3 165 m)

Bogheadkohle ['bɔghed-; nach dem schott. Ort Boghead], asche- und gasreiche Kohlenart; aus bitumenreichen Algen, eine Bitumen- oder Sapropelkohle.

Bogoljubow, Nikolaj Nikolajetwitsch, russ. Mathematiker und Physiker, * Nischni Nowgorod 21. 8. 1909; Prof. in Kiew (1936–43) und Moskau; arbeitete ab 1932 zus. mit N. M. Krylow über nichtlineare Mechanik und entwickelte eine Theorie der nichtlinearen Schwingungen. Danach wandte er sich der Quantenfeldtheorie und der statist. Physik zu, wobei er neue Methoden erarbeitete.

Bogomilen (Bogumilen) [slaw. »Gottesfreunde«], eine im orth. Kleinasien entstandene, dem Manichäismus und den Paulikianern verwandte Sekte, seit Mitte des 10. Jh. bes. auf der Balkanhalbinsel, die auf die Katharer wirkte; ging mit der türk. Eroberung Bosniens (1463) unter.

Bogomolez, Alexandr Alexandrowitsch, russ. Pathologe und Physiologe, * Kiew 24. 5. 1881, † ebd. 19. 7. 1946; Prof. in Moskau und Saratow; entwickelte ein (umstrittenes) Serum (B.-Serum), das die Tätigkeit des Bindegewebes anregen und dadurch gesundheitsfördernd wirken soll.

Bogor (früher Buitenzorg), Stadt auf Java, Indonesien, südl. von Jakarta, 247 000 Ew.; Sommersitz des Staatspräs., kath. Bischofssitz; mehrere Hochschulen, berühmter botan. Garten (seit 1818). – Niederländ. Gründung von 1745.

Bogotá (amtl. Santafé de B.), Hptst. von Kolumbien, 2 650 m ü. M., in einem Hochbecken der Ostkordillere, 5,1 Mio. Ew. (Agglomeration); Sitz von Reg. und Parlament, 14 Univ. u. a. Hochschulen, Natur- und Kunstmuseen, astronom. Observatorium und Planetarium, Nationalbibliothek, Militärakademie; Erzbischofssitz; Haupthandelszentrum des Landes und wichtige Ind.stadt (chem., elektrotechn., pharmazeut. Ind., Maschinenbau, Brauereien); internat. Flughafen. – Kathedrale im klassizist. Baustil, zahlreiche Barockbauten. – B., 1538 von Spaniern gegr., war seit 1598 die Hptst. des span. Generalkapitanats und späteren Vizekönigreichs Neugranada (bis 1819). 1810 wurde in B. die Unabhängigkeit von der span. Kolonialmacht verkündet.

📖 BÄHR, J. *u.* MERTINS, G.: *Die lateinamerikan. Großstadt. Verstädterungsprozesse u. Stadtstrukturen. Darmstadt 1995.*

Bogusławski [-'su̯afski], Wojciech, poln. Schauspieler und Dramatiker, * Glinno (bei Posen) 9. 4. 1757, † Warschau 23. 7. 1829; Begründer des modernen poln. Theaters; leitete das Warschauer Nationaltheater.

Boguszów-Gorce [bɔ'guʃuf 'gɔrtsɛ] (dt. Gottesberg in Schlesien), Stadt in der poln. Wwschaft Wałbrzych (Waldenburg), im Waldenburger

Steinkohlenrevier, 20000 Ew.; Kohlen- und Barytbergbau; Bekleidungsind., Brauerei. – B.-C. erhielt 1499 Stadt- und Bergrecht.

Dominikus Böhm: Kirche Sankt Engelbert in Köln-Riehl (1930–32)

Bo Hai (früher Golf von Chihli), nordchines. Küstenmeer, nordwestl. Teil des Gelben Meeres, weniger als 50 m tief; Zufluss ist der Hwangho; Erdölförderung (Offshoretechnik).

Boheme [bɔ'ɛːm; frz. »Böhmen«] *die,* die Künstlerwelt bes. des Pariser Quartier latin; nach H. Murgers »Scènes de la vie de bohème« (1851); Opern von Puccini (1896) und Leoncavallo (1897).

Bohl, Friedrich, Politiker (CDU), *Rosdorf (Landkr. Göttingen) 5. 3. 1945; Jurist, 1970–80 MdL in Hessen, seit 1980 MdB, 1989–91 Erster Parlamentar. Geschäftsführer der CDU/CSU-Bundestagsfraktion, seit 1991 Bundesmin. für besondere Aufgaben und Chef des Bundeskanzleramts.

Bohle, Schnittholz von mindestens 40 mm Dicke.

Böhlen, Stadt im Landkreis Leipziger Land, Sachsen, in der Leipziger Tieflandsbucht, 6200 Ew.; Braunkohlentagebau, Brikettfabrik, Großkraftwerk, Herstellung techn. Gase, Behälterbau.

Bohlenweg (Bohlbrücke), durch Bohlen, Faschinen u.a. befestigter Weg auf weichem, bes. moorigem Untergrund.

Bohley [-lai], Bärbel, Künstlerin und Bürgerrechtlerin, *Berlin 24. 5. 1945; freischaffende Malerin und Grafikerin, trat in Initiativgruppen der Friedensbewegung hervor; deshalb 1983/84 und 1988 in Haft. Im Herbst 1989 war sie Mitbegründerin des Neuen Forums und wurde eine Symbolfigur der friedl. Revolution in der DDR.

Böhlitz-Ehrenberg, Industriegemeinde im Landkreis Leipziger Land, Sachsen, an der Weißen Elster, 7600 Ew.; Kugellagerfabrik, Getriebewerk, Gießerei.

Bohlwerk (Bohlwand, Bollwerk), Uferbefestigung aus Bohlen, die horizontal oder vertikal eingebaut werden.

Bohm, 1) [engl. bəʊm], David Joseph, amerikan. Physiker und Naturphilosoph, *Wilkes-Barre (Pa.) 26. 12. 1917, †27. 10. 1992; zuletzt Prof. für theoret. Physik in London; führend auf dem Gebiet der Quantenphysik und ihrer Deutung; entwarf gegen die positivist. orientierte Kopenhagener Deutung eine »Theorie der verborgenen Variablen«, wonach die physikal. Realität eine über weite Räume zusammenhängende ganzheitl. Struktur bilde.

2) Hark, Regisseur und Schauspieler, *Hamburg 18. 5. 1939; behandelt in seinen Filmen häufig die Probleme Jugendlicher. Filme: »Nordsee ist Mordsee« (1976), »Moritz, lieber Moritz« (1975), »Der Fall Bachmeier: Keine Zeit für Tränen« (1984), »Für immer und immer« (1996).

Böhm, 1) Dominikus, Architekt, *Jettingen (heute zu Jettingen-Scheppach, Landkreis Günzburg) 23. 10. 1880, †Köln 6. 8. 1955, Vater von 4); erneuerte den kath. Kirchenbau (u.a. Christkönigkirche in Bischofsheim bei Mainz, 1926).

Bärbel Bohley

2) Franz, Jurist und Politiker, *Konstanz 16. 2. 1895, †Rockenberg (Wetteraukreis) 26. 9. 1977; trat als Mitbegründer und Theoretiker des →Neoliberalismus für den Aufbau einer geordneten Wirtschaftsverfassung und gegen Wettbewerbsbeschränkungen ein. Seit 1937 Prof. in Jena, wurde wegen seiner Kritik an der nat.-soz. Judenverfolgung 1940 in den Wartestand versetzt. 1952 leitete er die dt. Delegation bei den Wiedergutmachungsverhandlungen mit Israel und den jüd. Weltverbänden. 1953–65 war B. MdB.

3) Georg, Komponist und Organist, *Hohenkirchen (Landkr. Gotha) 2. 9. 1661, †Lüneburg 18. 5. 1733. Seine Cembalosuiten und Orgelkompositionen waren von Einfluss auf J. S. Bach.

Gottfried Böhm: Die Wallfahrtskirche im Pilgerzentrum von Neviges (Teil der Stadt Velbert; 1962–64)

4) Gottfried, Architekt, *Offenbach am Main 23. 1. 1920, Sohn von 1); im Rückgriff auf den Expressionismus entwickelt B. eine höchst bildhafte, über den Kanon des Funktionalismus hinausweisende Architektur.

Werke: Rathaus in Bensberg (1964); Wallfahrtskirche Neviges, Velbert (1962–64); Verwaltungsgebäude der Firma Züblin, Stuttgart-Vaihingen (1985); Dt. Bank, Luxemburg (1992); Arbed-Gebäude, ebd. (1994); WDR-Gebäude, Köln (1996).

5) Hans, gen. Pfeifer von Niklashausen, Hirte und Spielmann, *Helmstadt (bei Würzburg) um 1450, †(hingerichtet) Würzburg 19. 7. 1476; ein Vorbote des Bauernkrieges, wurde 1476 wegen seiner Predigten gegen Kaiser und Papst als Ketzer verbrannt.

6) Karl, österr. Dirigent, *Graz 28. 8. 1894, †Salzburg 14. 8. 1981, Vater von 7); war 1934–43 Leiter der Dresdner, 1943–45 und 1954–56 der Wiener Staatsoper; bed. als Interpret bes. der Werke von W. A. Mozart, R. Strauss und A. Berg.

7) Karlheinz, Schauspieler, *Darmstadt 16. 3. 1928, Sohn von 6); wurde bekannt durch Unterhaltungsfilme (»Sissi«-Filme, 1955–57); Wandlung zum Charakterdarsteller u.a. in »Augen der Angst« (»Peeping Tom«, 1959) und Filmen von R. W. Fassbinder (»Effi Briest«, 1974; »Faustrecht der Freiheit«, 1975); gründete 1981 das Hilfswerk »Menschen für Menschen«.

Böhm-Bawerk (Böhm von Bawerk), Eugen Ritter von, österr. Volkswirtschaftler, *Brünn 12. 2. 1851, †Kramsach (Tirol) 27. 8. 1914; Prof. in Innsbruck und Wien, wiederholt österr. Finanzmin., Mitbegründer der →Grenznutzenschule, insbesondere in Anwendung auf das Problem des Kapitalzinses (»Kapital und Kapitalzins«, 2 Bde., 1884–89).

Jakob Böhme (Kupferstich von Pieter van Gunst)

Böhme, Jakob, Mystiker, *Altseidenberg (heute Stary Zawidów, bei Zgorzelec) 1575, †Görlitz 17. 11. 1624; seit 1599 Schuhmachermeister in Görlitz. Seine Lehre ist eine Verschmelzung von pantheist. Naturphilosophie und dt. Mystik. Gott und damit die Natur als Ausfaltung göttl. Qualitäten erzeuge sich selbst aus der in seine Einheit eingeschlossenen Gegensätzlichkeit von Gutem und Bösem. Ähnlich zeigt sich beim Menschen das Gute nur auf dem Grund des Bösen; er kann zw. beiden frei entscheiden. Die Lehre B.s wirkte bes. auf den Pietismus, die Romantik und Hegels Philosophie. Da B. erstmalig philosoph. Schriften in dt. Sprache veröffentlichte, wurde er »Philosophus Teutonicus« genannt.

Werke: Die drei Prinzipien des göttl. Wesens (1619); Mysterium magnum (eine Auslegung der Genesis, 1623); Aurora oder die Morgenröte im Aufgang (1612 im Auszug gedruckt).

🕮 WEHR, G.: *J. B. Reinbek 26.-28. Tsd. 1991.*

Böhmen Historisches Wappen

Böhmen (tschech. Čechy), histor. Landschaft Mitteleuropas, heute Kernland der Tschech. Republik. B. bildet ein von waldreichen Gebirgen (Böhmerwald im SW, Fichtel- und Erzgebirge im NW, Sudeten im NO und Böhmisch-Mähr. Höhe im SO) umschlossenes Gebiet. Es wird von der Elbe und Moldau mit ihren Nebenflüssen durch das Elbsandsteingebirge nach N entwässert. Die Bev. der Randlandschaften und einiger Sprachinseln bestand seit dem MA. bis zur Vertreibung nach 1945 aus Deutschen (→Sudetendeutsche), die des Landesinneren aus Tschechen. Wirtschaftlich ist B. hoch entwickelt. Die Landwirtschaft erzeugt neben Getreide und Hackfrüchten bes. Zuckerrüben, Hopfen und Obst. Bergbau (Stein- und Braunkohle, Eisen, Graphit, Kaolin u.a.) und Ind. (Textil-, Papier-, Holzind.) sind vielseitig. Von europ. Rang sind die Heilbäder in Karlsbad, Marienbad, Franzensbad sowie Teplitz-Schönau. Hptst. sowie wirtsch. und kultureller Mittelpunkt ist Prag.

Geschichte: Der Name B. (lat. **Boiohaemum** »Boierheim«) geht auf die kelt. Boier zurück, die um 60 v. Chr. den Germanen wichen. Um 9 v. Chr. besetzten die Markomannen das Land. Als sie Anfang des 6. Jh. n. Chr. nach Bayern wanderten, drangen slaw. Stämme ein, von denen die Tschechen im 9./10. Jh. unter ihren Herzögen (→Přemysliden) die Führung gewannen. Im 9. Jh. (bis 907) Teil des Großmähr. Reiches, wurde B. im 10. Jh. Teil des Hl. Röm. Reiches (unter Wenzel I., dem Heiligen Annahme des Christentums). Zu Beginn des 11. Jh. wurden Mähren und Schlesien mit B. vereinigt. Als dt. Reichsfürsten erhielten die Přemysliden (Ottokar I.) 1198 die erbl. Königswürde, 1290 die Kurwürde. Im 13. Jh. förderten sie die dt. Kultur, gründeten viele Städte und zogen dt. Siedler nach Böhmen. 1306 starben die Přemysliden aus, B. fiel an die Luxemburger (1310–1437). Johann von Luxemburg (1310–46) gewann das Egerland (1322), die Oberlausitz und die Lehnshoheit über Schlesien (1327/29). Sein Sohn, Kaiser Karl IV. (1346–78), regierte das Hl. Röm. Reich von B. aus und führte eine Blütezeit B.s herauf (1348 erste dt. Univ. in Prag). Die Hussitenkriege (1419/20–1433/34) brachten eine Erstarkung des tschech. Nationalbewusstseins unter Führung von Georg von Podiebrad. 1471–1526 war B. unter den Jagiellonen mit Ungarn verbunden. 1526–1918 gehörte B. zum habsburg. Österreich.

Die Reformation ergriff den größten Teil der Bev.; die Zuspitzung des konfessionellen Gegensatzes führte 1618 zum Böhm. Aufstand und in dessen Folge zum →Dreißigjährigen Krieg. Kaiserliche Siege förderten die Gegenreformation. Von den böhm. Nebenländern ging die Lausitz 1635 an Kursachsen, Schlesien 1742 an Preußen verloren. Maria Theresia behauptete im Österr. Erbfolgekrieg B. gegen die Ansprüche Bayerns (1740–45). In der 1. Hälfte des 19. Jh. entstand eine tschech.

Nationalbewegung, die in der Revolution 1848/49 politisch hervortrat. Durch das neue Wahlrecht von 1880 ging die Mehrheit im Landtag von den Deutschen auf die Tschechen über. Diese beanspruchten die Alleinherrschaft und erstrebten im österr. Gesamtstaat eine föderalist. Verfassung. Wiederholte Versuche eines nat. Ausgleichs scheiterten. Im Herbst 1918 ging B. in der neu gegründeten Tschechoslowakei auf.

HOENSCH, J. K.: *Die Geschichte Böhmens. München 1987. – Deutsche Geschichte im Osten Europas, begr. v.* W. CONZE, *hg. v.* H. BOOCKMANN *u. a. Bd. Böhmen u. Mähren. Berlin ²1995.*

Böhmerwald, das bayerisch-böhm. Waldgebirge, reich bewaldetes, stark abgetragenes Mittelgebirge, erstreckt sich 250 km von der Wondrebsenke im NW bis zum Hohenfurther Sattel im SO. Auf seiner ganzen Länge verläuft die Staatsgrenze der Tschech. Rep. zu Dtl., im SO zu Österreich. Der B. besteht aus kristallinen Gesteinen, v. a. aus Graniten und Gneisen. Eine Tiefenzone, die von der Quarzrippe des Pfahl durchzogen wird, trennt den N-Teil, den →Oberpfälzer Wald (tschech. **Česky les**, meist unter 900 m) vom restl. Teil. Südwestlich längs der Donau liegt der **Vordere Wald** oder →Bayerische Wald. Der **Hintere Wald** (tschech. **Šumava**), der eigentl. B., weist fast geschlossene Waldbedeckung auf; höchste Berge: auf tschech. Seite Kubany (1362 m), auf dt. Seite der Große Arber (1456 m), der Große Rachel (1453 m) und am Dreiländereck der Plöckenstein (1378 m). – Das Gebirge entwässert nach SW zur Donau durch Waldnaab, Schwarzach, Regen und Ilz, nach NO zur Elbe durch die Moldau. Eine gewisse Rolle spielt die Nutzholzgewinnung; die Glasindustrie ist heute vorwiegend auf den Hinteren Wald beschränkt; der Abbau von Graphit, Feldspat, Flussspat, Quarz geht zurück. Ein wichtiger Wirtschaftsfaktor ist der Fremdenverkehr; mehrere Naturschutzgebiete.

Böhmische Brüder (Mährische Brüder), religiöse Gemeinschaft in Böhmen, im 15. Jh. aus den Hussiten und Waldensern hervorgegangen; erstrebte eine Erneuerung des Lebens im Geist des Urchristentums; trennte sich 1467 von der röm. Kirche. Nach der Schlacht am Weißen Berg (1620) mussten die B. B. ihre Heimat verlassen; aus ihnen ging die →Brüdergemeine hervor; heute in der Tschech. Rep. als »Evang. Kirche der B. B.« tätig.

Böhmisches Massiv (Böhmische Masse), geotekton. Einheit in Mitteleuropa, umfasst das teils von jüngeren Gesteinsserien überlagerte, in Schollen zerbrochene Grundgebirge (Granite, Gneise) im Raum Böhmens sowie der Randgebiete (Erzgebirge und Sudeten im Norden, Bayerischer Wald, Mühl- und Waldviertel im Süden).

Böhmerwald: Blick vom Großen Arber (1456 m) auf den Kleinen Arbersee mit seinen schwimmenden Inseln

Böhmisches Mittelgebirge (tschech. České středohoří), vulkan. Gebirgsgruppe beiderseits der Elbe in N-Böhmen, Tschech. Rep., im Milleschauer (tschech. Milešovka) 837 m hoch. Das B. M. ist in höheren Lagen bewaldet; an den unteren Flanken bes. Obst- und Gemüseanbau.

Böhmisch-Mährische Höhe (tschech. Českomoravská vrchovina), der SO-Rand der böhm. Gebirgsumwallung, in den Iglauer Bergen im SW bis 837 m hoch, in den Saarer Bergen im NO bis 836 m hoch; aus Gneis, Granit und kristallinen Schiefern aufgebaut. Über die B.-M. H. läuft die Hauptwasserscheide zw. Elbe und Donau.

Bohne, 1) *Botanik:* Bez. für Schmetterlingsblütler versch. Gattungen; meist Gemüse- und Futterpflanzen. Die **Acker-B.** (Vicia faba minor) stammt aus S-Asien; ihre Samen dienen als Viehfutter. Die **Sau-, Puff-** oder **Pferde-B.** (Vicia faba major) wird bes. in Europa und China als Gemüsepflanze und Viehfutter angebaut. Die **Garten-B.** (Phaseolus vulgaris), aus Amerika stammend, kommt als niedrige **Busch-B.** und als windende **Stangen-B.** vor; die Hülsen werden als Gemüse-B. (grüne und gelbe **Pflück-B.**), die Samen als Trocken-B. **(Zucker-B., Perl-B.)** genutzt. Die **Feuer-B.** (Phaseolus coccineus) wird meist als Zierpflanze angebaut. Die **Mond-B.** (Phaseolus lunatus) wird in den Tropen und Subtropen als Gemüse- und Trocken-B. kultiviert. Die **Mungo-B.** (Phaseolus aureus) ist Volksnahrungsmittel in Asien, Afrika und Mittelamerika. Die **Helm-** oder **Fasel-B.** (Dolichos lablab) wird in Ägypten und Vorderindien an-

Bohnenkraut

gebaut; ihr Stroh dient als Viehfutter. Die **Augen-B.** oder **Kuh-B.** (Vigna sinensis) wird bes. in Vorderindien und Afrika als Gemüse genutzt. Über Bohnen der Gattung **Glycine** →Sojabohne.

Im übertragenen Sinn Bez. für ähnlich geformte Samen völlig anderer Pflanzen, wie Kaffee- oder Kakaobohnen.

2) *Zoologie:* beim Pferd die →Kunde.

Bohnenkönigsfest (Bohnenfest), Volksbrauch am Dreikönigstag, bezeugt in Frankreich, England, den Niederlanden und Dtl.: Wer die in einem Kuchen eingebackene Bohne findet, ist **Bohnenkönig.**

Bohnenkraut (Pfefferkraut, Sommerbohnenkraut, Satureja hortensis), lila oder weiß blühende Art der Lippenblütler aus S-Europa; Würzpflanze.

Bohnerz, Eisenerz, →Brauneisen.

Bohol [boˈɔl], Insel der Visayasgruppe, Philippinen, 3865 km^2, 780000 Ew.; Anbau von Reis und Mais, Kopragewinnung.

Bọhr, 1) Aage Niels, dän. Physiker, *Kopenhagen 19. 6. 1922, Sohn von 2); entwickelte zus. mit B. R. Mottelson eine Theorie der Kernstruktur und Kerndeformation, mit der sich der von B. erkannte Zusammenhang zw. kollektiven Bewegungen und Partialbewegungen in Atomkernen beschreiben lässt; erhielt dafür 1975 mit B. R. Mottelson und L. J. Rainwater den Nobelpreis für Physik.

Niels Bohr

2) Niels Henrik David, dän. Physiker, *Kopenhagen 7. 10. 1885, †ebd. 18. 11. 1962, Vater von 1); Prof. in Kopenhagen; wandte 1913 die Quantenhypothese (M. Planck 1900, A. Einstein ab 1905) auf das Atommodell E. Rutherfords an und schuf das **bohrsche Atommodell** (→Atom), das erstmals sog. Quantenbedingungen enthielt. B. entdeckte das →Korrespondenzprinzip. Auf der Basis seines von A. Sommerfeld erweiterten Atommodells konnte er das Periodensystem der chem. Elemente theoretisch erklären. 1922 erhielt er den Nobelpreis für Physik. Nach der Aufstellung der Quantenmechanik gelang es B. 1926/27 in Zusammenarbeit mit W. Heisenberg, die Entwicklung der Quantentheorie vorläufig abzuschließen, wobei er zu der Überzeugung kam, dass zur vollständigen Beschreibung der atomaren Erscheinungen zwei verschiedene Bilder (Teilchen- und Wellenbild) notwendig seien. B. führte den Begriff des Compoundkerns ein und entwickelte das Tröpfchenmodell des Atomkerns. Seine Theorie der 1938 entdeckten →Kernspaltung des Urans war wichtig für deren spätere techn. Nutzung. 1943–45 arbeitete B. in Los Alamos (USA) an der Entwicklung der Atombombe.

Werke: Abhandlungen über Atombau (1913); Drei Aufsätze über Spektren und Atombau (1922); Atomphysik und menschl. Erkenntnis (1957); Essays 1958–1962 (1964).

📖 RÖSEBERG, U.: *N. B. Leben u. Werk eines Atomphysikers. Berlin u. a. ³1992.*

Niels Bohr *spielte als junger Mann, ebenso wie sein Bruder, der Mathematiker Harald Bohr (*1887, †1951), sehr erfolgreich Fußball und war mehrfacher Nationalspieler.*

Vor diesem Hintergrund ist es etwas verständlicher, dass eine Kopenhagener Zeitung 1922 meldete: »Dem bekannten Fußballspieler Niels Bohr wurde der Nobelpreis für Physik verliehen.«

Bohren, 1) *Bergbau:* Herstellen von Bohrungen u. a. zur Aufnahme von Sprengstoffen, zum Abteufen von Schächten und Strecken im Untertagebergbau, zur Untersuchung von Minerallagerstätten, zur Gewinnung von Erdöl, Erdgas und beim Tunnelbau. **Schlagende Bohrverfahren,** bei denen ein mit dem Bohrgestänge schwingender Meißel unter langsamer Drehung das Gestein durch Schläge zerstört, sind fast überall dem drehenden **Rotary-Bohrverfahren** gewichen. Dabei werden mit Hartmetall oder Diamanten besetzte Bohrer von hohlen Schwerstangen gegen die Bohrlochsohle gedrückt; das **Bohrgestänge** ist im **Bohrturm** aufgehängt. Um die Bewegung des schweren Bohrgestänges zu vermeiden, werden folgende Methoden angewandt: 1) **Schmelz-B.:** Aus den Düsen eines drehbaren Schneidbrenners treten heiße brennende Gase aus; bei 2300 °C wird das Gestein zertrümmert, Erze werden geschmolzen; 2) **Turbinen-B.:** Der Bohrmeißel (bis 600 U/min) wird durch eine Wasserturbine am unteren Ende des Bohrgestänges angetrieben; 3) **Elektro-B.:** Der Bohrer wird von einem Elektromotor über der Bohrlochsohle angetrieben.

2) *Fertigungstechnik:* Herstellen und Weiterbearbeiten von Löchern vorwiegend runden Querschnitts mit der Stirnseite eines meist zweischneidigen, spanabhebenden Werkzeugs. Dabei führt i. Allg. das Werkzeug die Schnitt- und Vorschubbewegung aus. Art und Form der **Bohrer** hängen ab vom Werkstoff sowie von Querschnitt und Art des zu bohrenden Lochs. Beim **Voll-B.** wird der ganze Werkstoff im Loch zerspant, beim **Kern-B.** (für Löcher mit großem Querschnitt) nur ein Hohlzylinder, der Kern wird dann herausgebrochen. Die Bohrer bestehen aus Stahl, sie haben für besondere Zwecke (z. B. Feinst-B.) mit Hartmetall oder Diamanten besetzte Schneiden. Gebräuchl. Bohrer sind: Schnecken-, Schlangen-, Zentrumbohrer (bes. für Holz und Kunststoffe), Wendel-(Spiral-), Lippen-, Zentrier-, Spitz-, Kernbohrer für Metalle. Bohrungen mit einem Länge-Durchmesser-Verhältnis von mehr als 5:1 bezeichnet man als **Tiefbohrungen.**

Der Schaft des Bohrers wird in ein Bohrfutter (Spannfutter) eingespannt. Man unterscheidet handgetriebene **Bohrgeräte** (Bohrknarre, Bohrwinde, Drillbohrer) und **Bohrmaschinen** (Handbohrmaschinen, z. B. Schlagbohrmaschinen, Tisch-, Säulen-, Ständerbohrmaschinen, für große Werkstücke Schwenkbohrmaschinen, Horizontalbohrwerke oder Waagerechtbohr- und Fräswerke sowie Universalbohrmaschinen). Für die Massenfertigung werden mehrspindelige Bohrmaschinen eingesetzt. **Bohrautomaten** führen die auf einem Rundtisch aufgespannten Werkstücke selbsttätig von einer Bohrspindel zur anderen; nach dem Weiterrücken wird an sämtl. Spindeln zugleich selbsttätig gebohrt. Man unterscheidet die Arbeitsverfahren B., Auf-B. (Aus-B.), Senken, Fein-B. und Reiben. Spezialverfahren zur Erzeugung sehr feiner Bohrungen sind das →Elektronenstrahlbohren sowie das Laserstrahl- und das Ultraschallbohren.

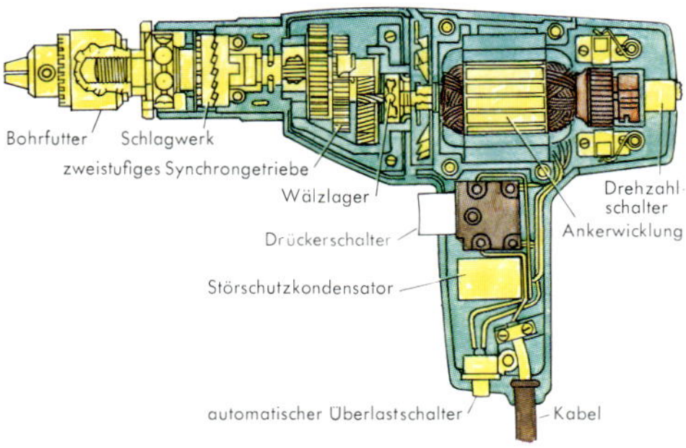

Bohren 2): Schlagbohrmaschine

3) *Zahnheilkunde:* das Ausbohren und Schleifen der Zähne mit zahnärztl. Bohrmaschinen, bei denen der Bohrer mit Elektromotor angetrieben wird. Die druckluftgetriebene **Dentalturbine** (Airotor) mit Drehzahlen bis zu 400 000 U/min arbeitet vibrationsarm.

Bohrfliegen (Fruchtfliegen, Trypetidae), Familie der Fliegen mit rd. 2 000 Arten; etwa 5 mm lang mit auffälligen braunen bis schwarzen Flügelzeichnungen. Die Weibchen legen die Eier mit einem Legebohrer in Pflanzenteile, denen die sich entwickelnden Larven schwere Schäden zufügen. Zu den B. gehören z. B. Kirschfruchtfliege, Olivenfliege, Spargelfliege.

Bohrhammer, kleines, schlagend oder drehendschlagend arbeitendes Bohrgerät zur Herstellung z. B. von Sprenglochbohrungen; mit der Hand oder an Laffetten geführt, oft auch auf Bohrwagen montiert.

Bohrinsel, allgemeine Bez. für Geräteträger zum Abteufen von Bohrungen nach Erdöl und Erdgas im Meer (→Offshoretechnik).

Bohrium [nach N. Bohr] *das,* Symbol **Bh,** 1981 an der Gesellschaft für Schwerionenforschung (GSI) in Darmstadt künstlich hergestelltes und (im Unterschied zu den 1976 im russ. Dubna durchgeführten Versuchen) eindeutig nachgewiesenes chem. Element mit der Kernladungszahl 107. Es sind heute drei Isotope bekannt, von denen $^{264}107$ die längste Halbwertszeit aufweist.

Bohrkäfer, →Holzbohrkäfer, →Werftkäfer.

Bohrmuscheln, zusammenfassende Bez. für Meeresmuscheln, die sich in Holz, Kreide oder Gestein durch drehend-raspelnde Bewegungen der gezähnten Schalenhälften einbohren können.

Bohrplattform, →Offshoretechnik.

Bohrschiff, →Offshoretechnik.

Bohrschwämme (Clionidae), auffallend gefärbte Schwämme, die in Muschelschalen, Korallen oder Kalkgestein kleine Kammern bohren. Diese können Zerklüftungen bewirken.

Bohrturm, in der Erdöl- und Erdgasförderung verwendetes, meist aus einer Stahlkonstruktion bestehendes **Bohrgerüst** zur Aufnahme der Last des Bohrstranges, zum Einbau von Futterrohren und zum Ein- und Ausbau von geophysikal. Bohrlochmesseinrichtungen.

Bohrwurm, die →Schiffsbohrmuschel.

Bohumín (dt. Oderberg), Stadt an der Oder im Nordmähr. Bezirk, Tschech. Rep., 24 500 Ew.; Röhrenwalzwerk, Drahtziehwerk, chem. Ind.; Grenzübergang nach Polen.

Bohuslän ['bu:hy:slɛ:n], histor. Provinz in Schweden, am Skagerrak und unteren Götaälv, bildet mit Göteborg den Verw.bezirk (Län) **Göteborg und Bohus.**

Boiardo, Matteo Maria, Graf von Scandiano, italien. Dichter, *Scandiano (bei Reggio nell'Emilia) um 1440, †Reggio nell'Emilia 19. 12. 1494; schrieb das Ritterepos in Stanzen »Orlando innamorato« (»Der verliebte Roland«, entstanden 1476–94; unvollendet), in dem Motive aus dem Sagenkreis um Karl d. Gr. behandelt werden; er begründete damit das Ritterepos der Renaissance.

Boie (Boje), Heinrich Christian, Schriftsteller, *Meldorf 19. 7. 1744, †ebd. 3. 3. 1806; war Mitgl. des Göttinger Hains und gab 1770–75 (1770 mit F. W. Gotter) den »Göttinger Musenalmanach«, 1776–91 das »Dt. Museum« (später »Neues Dt. Museum«) heraus.

Boieldieu [bwal'djø], François Adrien, frz. Komponist, *Rouen 16. 12. 1775, †auf seinem Landsitz Jarcy (bei Paris) 8. 10. 1834. Seine Opern zeichnen sich durch reiche, flüssige Melodik und rhythm. Lebendigkeit aus. Er gilt als Meister der Opéra comique. – *Werke:* »Der Kalif von Bagdad« (1800); »Johann von Paris« (1812); »Rotkäppchen« (1818); Die weiße Dame (1825).

Boier (Bojer, lat. Boii), kelt. Stamm, der von Gallien um 400 v. Chr. nach Oberitalien (Hptst. Bononia, heute Bologna) bzw. in das nach ihnen

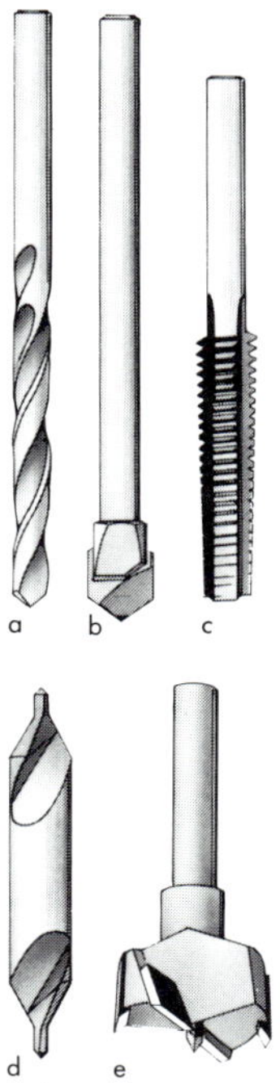

Bohren 2): Metallbohrer; a Spiralbohrer mit Zylinderschaft, b Spitzenbohrer mit Hartmetallschneidplatte (für Stahl), c Muttergewindebohrer, d Zentrierbohrer, e Zylinderkopfbohrer mit Zentrierspitze, zwei Vorschneiden und zwei Stirnschneiden

François Boieldieu

benannte Böhmen (Boiohaemum) eindrang. Der italien. Zweig wurde 193 v. Chr. von den Römern unterworfen; die böhm. B. siedelten größtenteils zw. Loire und Allier; die in den Raum zw. Donau und Theiß vorgedrungenen B. wurden 40 v. Chr. durch den Dakerkönig Burebista fast völlig vernichtet, der Rest von den Markomannen 8 v. Chr. unterworfen oder vertrieben.

📖 SCHRÁNIL, J.: *Die Vorgeschichte Böhmens u. Mährens. Berlin 1928.*

Boileau-Despréaux [bwalodepre'o], Nicolas, frz. Dichter, *Paris 1. 11. 1636, †ebd. 13. 3. 1711; wurde 1677 Historiograph Ludwigs XIV. Er schrieb »Satiren« (12 Bde., 1666–1711), Versepisteln (12 Bde., 1674–98,), das heroisch-kom. Kleinepos »Le lutrin« (»Das Chorpult«, 1674, endgültige Fassung 1683). Sein Hauptwerk ist »L'art poétique« (dt. »Die Dichtkunst«, 1674), ein Lehrgedicht über dichtungstheoret. Ordnungsregeln; es bestimmte das literar. Verständnis des europ. Klassizismus bis über die Mitte des 18. Jh. hinaus.

Nikolai Bojartschikow

Boiler [engl.] *der,* der →Heißwasserbereiter.

Bois de Boulogne [bwadbu'lɔɲ], 850 ha großer Waldpark engl. Stils mit künstl. Seen und Pferderennbahnen (Longchamp und Auteuil), am W-Rand von Paris.

Boise ['bɔɪsɪ], Hptst. von Idaho, USA, 125 700 Ew.; anglikan. und kath. Bischofssitz, Univ.; Handelszentrum für SW-Idaho, Konservenind., Holzverarbeitung.

Boisserée [bwa'sre], Sulpiz, Kunstgelehrter und Kunstsammler, *Köln 2. 8. 1783, †Bonn 2. 5. 1854; setzte sich gemeinsam mit seinem Bruder Melchior (*1786, †1851) für die Vollendung des Kölner Doms ein. Ihre bedeutende Sammlung dt. und niederländ. Malerei des MA. wurde 1827 von König Ludwig I. von Bayern für die Alte Pinakothek in München erworben. Die von B. hinterlassenen Tagebücher sind aufschlussreich für die Geschichte der dt. Romantik und die Goetheforschung.

Boito, Arrigo, italien. Komponist und Dichter, *Padua 24. 2. 1842, †Mailand 10. 6. 1918; schrieb Libretti für eigene Opern (u. a. »Mefistofele«, 1868) und die anderer Komponisten (u. a. für G. Verdis »Othello«, 1887, »Falstaff«, 1893); vielseitiger Musikkritiker und Übersetzer; schrieb Gedichte und Novellen unter dem Pseudonym Tobia Gorrio.

Boitout [bwa'tu:, frz. »trink alles!«] *der,* halbkugelförmiges Trinkglas, →Tummler.

Boizenburg/Elbe, Stadt im Landkr. Ludwigslust, Meckl.-Vorp., an der Mündung der Boize in die Elbe, 10 900 Ew.; Elbehafen, Werft, Fliesenwerk; seit 1241 Stadt.

Bojaren [russ.], Angehörige des Adels in Osteuropa: 1) im Kiewer Reich freie Gefolgsleute des Fürsten (→Druschina). Seit dem 12. Jh. der politisch einflussreiche russ. Landadel, sanken sie in der 2. Hälfte des 16. Jh. auf den Status von Dienstleuten herab und verschmolzen schließlich mit dem Dienstadel; 2) vom 15. bis 18. Jh. in Russland der nichterbliche, jedoch auf bestimmte Familien beschränkte oberste Rang von Adligen im Staatsdienst; berechtigte zu einem Sitz in der B.-Duma (→Duma); 3) litauisch Bajorai, der litauische Adel mit einer breiten Schicht des niederen Dienstadels und den Magnaten; 4) bis ins 10. Jh. Bez. für die vornehmen nichtslaw. Bulgaren; vom 9.–14. Jh. auch Adelstitel; 5) im 13./14. Jh. eine Art militär. Dienstadel **(boieri)** in den Donaufürstentümern, hatten seit dem 15. Jh. Staatsämter am Hof oder im Heer inne und waren vom 17. Jh. an auch in der Verwaltung tätig.

Bojartschikow, Nikolai Nikolajewitsch, russ. Choreograph und Ballettdirektor, *Leningrad (heute Sankt Petersburg) 27. 9. 1935; wurde 1978 Ballettdirektor am Leningrader Maly-Theater, einer der profiliertesten russ. Choreographen der Gegenwart, u. a. mit »Romeo und Julia« (1972), »Zar Boris« (1975), »Die Räuber« (1982), »Macbeth« (1984), »Der stille Don« (1988).

Boje, verankerter, tonnenförmiger Schwimmkörper, i. d. R. für Schifffahrtszwecke, bes. als →Seezeichen.

Bojer, kelt. Stamm, →Boier.

Bojer ['bɔɪər], Johan, norweg. Schriftsteller, *Orkdal (bei Trondheim) 6. 3. 1872, †Oslo 3. 7. 1959; schildert in seinen Romanen die harten Lebensbedingungen der norweg. Fischer: »Der große Hunger« (1916), »Die Lofotfischer« (1921).

Bokassa, Jean-Bedel, afrikan. Politiker, *Bobangui 22. 2. 1921, †Bangui 3. 11. 1996; wurde 1966 durch einen Putsch Staatschef der Zentralafrikan. Rep. und 1972 Präs. auf Lebenszeit. Im Dez. 1976 rief er sein Land zum Kaiserreich aus und krönte sich selbst unter dem Namen Bokassa I. am 4. 12. 1977 zum Kaiser. Wegen seiner Willkür- und Gewaltherrschaft 1979 im Zuge einer frz. Militäraktion abgesetzt, ging er ins Exil und kehrte 1986 zurück; wurde 1987 wegen mehrfachen Mordes zum Tode verurteilt (erstmals 1980 in Abwesenheit), 1988 zu lebenslanger Zwangsarbeit begnadigt und 1993 freigelassen.

Bokmål ['bukmɔ:l] *das,* →norwegische Sprache.

Bol, Ferdinand, niederländ. Maler, getauft Dordrecht 24. 6. 1616, begraben Amsterdam 24. 7. 1680; malte an Rembrandt geschulte religiöse Bilder sowie Bildnisse und Gruppenporträts.

Bola [span. »Kugel«] *die,* Schleuderwaffe südamerikan. Indianer zum Einfangen von Tieren, 2–3 mit Wurfleinen verbundene Kugeln, die sich beim Auftreffen um das Ziel wickeln.

Bolanden, eins der mächtigsten Reichsministerialengeschlechter des 13./14. Jh. Sein Herrschaftsgebiet, mit Burgsitz in Kirchheimbolanden, lag um den Donnersberg.

Bolanpass, 96 km lange Schlucht in Belutschistan, Pakistan, ermöglicht den Übergang vom Industiefland über Quetta nach Afghanistan; seit 1895 Eisenbahn bis Quetta.

Bolden ['bəʊldən], Buddy, amerikan. Jazzmusiker (Kornettist), *New Orleans (La.) um 1868, †Jackson (La.) 4. 11. 1931; legendärer Bandleader und ein Hauptvertreter des New-Orleans-Jazz.

Boldini, Giovanni, italien. Porträtist, * Ferrara 31. 12. 1832, † Paris 12. 1. 1931; lebte nach Studium in Florenz ab 1872 in Paris; porträtierte bekannte Zeitgenossen, u.a. G. Verdi (1886; Rom, Galleria Nazionale d'Arte Moderna) und Robert de Montesquiou (1897; Paris, Musée National d'Art Moderne im Centre Pompidou).

Giovanni Boldini: Robert de Montesquiou (1897; Paris, Musée National d'Art Moderne im Centre Pompidou)

Bolero [span.] *der,* **1)** *Mode:* kurzes Jäckchen mit und ohne Ärmel; urspr. das bestickte offene Jäckchen und der dazu getragene Hut des Toreros.

2) *Musik:* spanisch-andalus. Paartanz in mäßig bewegtem $^3/_4$-Takt, mit Gesang und Kastagnettenbegleitung; im 18. Jh. entstanden; auch in die Kunstmusik eingegangen; u.a. »Bolero« von M. Ravel.

Boleslaw (poln. Bolesław, tschech. Boleslav), slaw. Herzöge:

Böhmen: **1) B. I.,** Herzog (929–972 oder 935–972), musste 950 die Oberhoheit des dt. Königs (Otto I.) anerkennen.

Polen: **2) B. I. Chrobry** [-'xrɔbri, »der Tapfere«], Herzog (seit 992), König (1025), *966 oder 967, †17. 6. 1025; Piast, Sohn Mieszkos I., gewann Kleinpolen und Mähren und beherrschte 1002–04 Böhmen. Mit Kaiser Otto III. errichtete er die Kirchenprovinz Gnesen (Akt von Gnesen, 1000). In drei Kriegen gegen Heinrich II. (1002–18) gewann er die Lausitz und Teile der Mark Meißen.

Bolesławiec [-'su̯avjɛts], polnischer Name von →Bunzlau.

Boleyn ['bʊlɪn], Anna, engl. Königin, →Anna 1).

Bolgary (Bulgar), Dorf in Tatarstan, Russ. Föderation, nahe der Wolga; in der Nähe Ruinen der Hauptstadt des ehem. Wolgabulgar. Reiches; im 13. und 14. Jh. Handelszentrum der Goldenen Horde.

Bolid [grch.] *der,* **1)** *Astronomie:* Feuerkugel (→Meteor).

2) *Motorsport:* Bolide, einsitziger Rennwagen.

Boliden ['bu:l-], Bergbauort im Verw.bezirk Västerbotten, N-Schweden, gehört zur Großgemeinde Skellefteå; Hauptort des Bergbaureviers Skelleftefeld; Goldgewinnung, Abbau von Kupferkies, Pyrit u.a. Sulfiden (1925–70); Erzanreicherungswerk.

Bolingbroke ['bɔlɪŋbrʊk, auch 'bʊlɪŋbrʊk], Henry Saint-John, 1. Viscount B. (1713), brit. Staatsmann (Tory) und Schriftsteller, *Battersea (heute zu London) 16. 9. 1678, †ebd. 12. 12. 1751; einflussreicher Politiker unter Königin Anna (1702–14); als Außenmin. (1710–14) maßgeblich am Abschluss des Friedens von →Utrecht (1713) beteiligt; nach seiner Absetzung durch Georg I. 1715–25 Exil in Paris. Er verfasste auch politisch-philosoph. Schriften im Geist der Aufklärung.

Bolívar [bo'liβar] *der,* →Währung (ÜBERSICHT).

Bolívar [bo'liβar], Simón (de), lateinamerikan. General und Staatsmann, *Caracas 24. 7. 1783, †San Pedro Alejandrino (bei Santa Marta) 17. 12. 1830; maßgeblich beteiligt an der ersten Unabhängigkeitserklärung in Spanisch-Amerika (Bogotá 1810), trat in der Folge als bedeutendster militär. und polit. Führer im Kampf gegen die span. Kolonialmacht hervor. Seit 1819 war er mit diktator. Gewalt ausgestatteter Präs. der Rep. Groß-Kolumbien, die Neugranada (später Kolumbien) und Venezuela vereinigte und der sich das spätere Ecuador 1822 anschloss. 1823 gewann er die Macht auch in Peru; 1825/26 war B. außerdem Präs. von Bolivien, dem früheren Oberperu. Seine Versuche, die befreiten Länder zu einen und eine Integration aller amerikan. Staaten zu erreichen (Panamerikan. Kongress 1826), schlugen fehl. Nach dem Abfall Perus und Venezuelas (1830) dankte er ab.

📖 MADARIAGA, S. DE: *S. B. Der Befreier Spanisch-Amerikas. A. d. Engl. Zürich* ^{2}*1989.*

Bolívar, Pico ['pikobo'liβar], höchster Berg Venezuelas, in der Cordillera de Mérida, 5 002 m hoch; vergletschert.

bolivianische Literatur, →lateinamerikanische Literaturen.

Boliviano *der,* →Währung (ÜBERSICHT).

Simón Bolívar

Henry Saint-John Bolingbroke

Bolivien

Fläche: 1 098 581 km²
Einwohner: (1995) 7,41 Mio.
Hauptstadt: Sucre
Regierungssitz: La Paz
Verwaltungsgliederung: 9 Departamentos
Amtssprachen: Spanisch, Ketschua, Aimara
Nationalfeiertag: 6. 8.
Währung: 1 Boliviano (Bs) = 100 Centavos (c.)
Zeitzone: MEZ –5 Std.

Staatswappen

BOL

Internationales Kfz-Kennzeichen

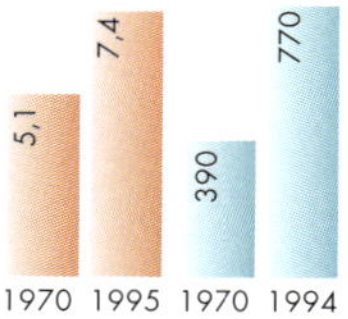

Bevölkerung (in Mio.) Bruttosozialprodukt je Ew. (in US-$)

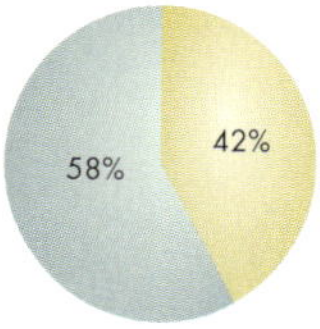

■ Stadt
■ Land

Bevölkerungsverteilung 1994

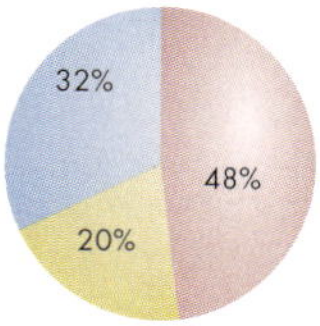

■ Industrie
■ Landwirtschaft
■ Dienstleistung

Bruttoinlandsprodukt 1994

Bolivien (amtlich span. República de Bolivia), Andenstaat in Südamerika, ohne Zugang zum Meer, grenzt im N und O an Brasilien, im SO an Paraguay, im S an Argentinien, im W an Chile und Peru.

Staat und Recht: Nach der Verf. von 1967 ist B. eine präsidiale Rep.; Staatsoberhaupt und Reg.chef ist der für vier Jahre direkt gewählte Präs. (Wiederwahl nach einer Pause von acht Jahren möglich); er ernennt und entlässt die Minister. Die Legislative liegt beim Kongress (für vier Jahre gewählt), bestehend aus Senat (27 Mitgl.) und Kammer (130 Abg.). Wichtigste Parteien: Movimiento Nacionalista Revolucionario (MNR), Acción Democratica Nacionalista (ADN), Movimiento de la Izquierda Revolucionaria (MIR). Verwaltungsmäßig ist B. in neun Dep. gegliedert.

Landesnatur: Das Hochgebirge der Anden im W und trop. Tiefland im O bilden die natürl. Großräume. Die beiden Hauptketten der Anden (Ost- und Westkordillere) mit über 6 000 m hohen Gipfeln (Illampu 6 427 m und Illimani 6 438 m) schließen ein 3 000–4 000 m ü. M. gelegenes Hochland (Altiplano) mit abflusslosen Becken (Titicacasee, Poopósee) ein, das nach S immer trockener wird. Die baumlose Hochlandsteppe (Puna) geht in eine Hochlandwüste mit großen Salzpfannen über. Das Klima ist trocken und kühl. Vom Ostabfall der Anden, dem durch die Quellflüsse des Amazonas- und La-Plata-Systems tief zertalten Bolivian. Bergland, geht B. in das östl. Tiefland über. Im S reicht dieses bis in das trockenheiße Buschland des Gran Chaco, im N bis in das feuchtheiße Randgebiet des Amazonasbeckens.

Bevölkerung: Rd. 42 % der Bev. sind Hochlandindianer (25 % Ketschua, 17 % Aimara), 30 % Mestizen (Cholos), etwa 15 % Weiße, meist span. Herkunft (herrschende Oberschicht) und 3 % Schwarze; die Zahl der Tieflandindianer (Guaraní) ist gering. Obwohl das Hochland nur ein Drittel der Gesamtfläche des Landes ausmacht, leben vier Fünftel aller Ew. in Höhen über 3 000 m. Das wirtschaftlich wenig entwickelte Tiefland im N und O ist sehr dünn besiedelt (weniger als 1 Ew./km²). Die jährl. Bevölkerungszuwachsrate liegt bei 2,3 %; größte Städte sind La Paz, Santa Cruz, Cochabamba, El Alto, Oruro, Potosí und Sucre. – Die allg. Schulpflicht (6.–12. Lebensjahr) wird von etwa 85 % der Kinder wahrgenommen; die Analphabetenquote liegt bei 23 %. Univ. in Sucre (gegr. 1624) und La Paz (1830), Fachschulen (als Univ. oder TU bezeichnet) in Cochabamba, Santa Cruz, Oruro, Potosí, Tarija, Trinidad. – Insgesamt 85 % der Bev. sind römisch-kath. (vier Erzbistümer); prot. und jüd. Minderheiten.

Wirtschaft, Verkehr: Trotz seines Reichtums an natürl. Ressourcen (Bodenschätze, Wälder, Wasserkraft) ist B. ein Entwicklungsland mit einem der niedrigsten Pro-Kopf-Einkommen in Lateinamerika (Bruttosozialprodukt je Ew. 1994: 770 US-$), einer hohen Arbeitslosenquote und Inflationsrate. Hauptursachen sind unzureichende Verkehrserschließung und Energieversorgung, Kapitalmangel, einseitige Abhängigkeit der Wirtschaft vom Bergbau, dessen Erzeugnisse rd. 80 % der Ausfuhr ausmachen. Die Tilgung der öffentl. Auslandsschulden beansprucht einen wesentl. Teil der Exporterlöse. – Altiplano und das Bolivian. Bergland haben große Erzvorkommen: bes. Zinn, ferner Blei, Zink, Kupfer, Eisenerz, Antimon, Wolfram, Wismut; die Andenrandzone im SO ist reich an Erdöl und Erdgas. – Die wenig effektive Landwirtschaft beschäftigt rd. die Hälfte der Erwerbstätigen. Im Zug der Bodenreform wurden seit 1953 rd. 22,8 Mio. ha an 385 000 Bauern verteilt, trotzdem deckt die Produktion nicht den Eigenbedarf. Die Viehhaltung (Rinder, Schafe) im östl. Tiefland gewinnt zusehends an Bedeutung. Anbau in der Ebene: Kaffee, Zuckerrohr, Baumwolle, auf dem Altiplano: Getreide, Kartoffeln, Quinoa. Nach Schätzungen hat sich der illegale Anbau von Kokasträuchern seit den 70er-Jahren um ein Mehrfaches erhöht. Über die Hälfte des Landes ist bewaldet; forstwirtsch. Nutzung erst in geringem Maß. – Die Ind. erzeugt v. a. Konsumgüter für den heimischen Bedarf; ferner gibt es Metallverhüttung,

Erdölraffinerien, chem. Ind., Zement-, Papierfabriken. Ausfuhrgüter sind Erdgas, Erdöl, Zinn, Zink, Silber, Gold, Schmuck, Soja, Holz. Haupthandelspartner: Argentinien, Brasilien, USA, EU-Länder.

Verkehr: Das Straßennetz (rd. 41 000 km) ist ausbaubedürftig. Die Eisenbahn (O- und W-Netz, zusammen 3 697 km) verbindet B. mit den chilen. Ausfuhrhäfen, mit Peru, Brasilien und Argentinien; Binnenschifffahrt (v. a. Fährschiffe) bes. auf dem Titicacasee. B. hat einen vertraglich geregelten Zugang zum Río Paraguay und Río Paraná. Durch einen von Argentinien eingeräumten Freihafen bei Rosario erhielt B. Zugang zum Atlant. Ozean. Erdölleitungen (u. a. nach Arica in Chile) und Erdgasfernleitungen (2 300 km); internat. Flughäfen: La Paz und Santa Cruz; nat. Fluggesellschaften: Lloyd Aéreo Boliviano, Aerosur.

Geschichte: B. gehörte in präkolumb. Zeit zum Inkareich und wurde 1538 von den Spaniern erobert. Es war dann Teil des span. Vizekönigreichs Peru und gehörte seit 1776 zum Vizekönigreich Buenos Aires (La Plata). Auf dem Gebiet B.s lagen die Silbervorkommen von Potosí, die bis Ende des 18. Jh. Hauptquelle des span. Silberreichtums waren. Nach seinem Sieg bei Ayacucho (1824) rief A. J. de Sucre am 6. 8. 1825 die Unabhängigkeit des Landes Bolivia (nach S. de Bolívar) aus. Erster Präs. wurde S. de Bolívar (bis 1826). Die peruanisch-bolivian. Union bestand nur 1836–39. Als Bundesgenosse Perus nahm B. 1879/80 am Salpeterkrieg gegen Chile teil und verlor 1884 seine Küstenprovinz Antofagasta an den Sieger. 1903 musste es die reiche Provinz Acre an Brasilien abtreten. Im 1. Weltkrieg brach B. 1917 die diplomat. Beziehungen zum Dt. Reich ab. Wirtschaftlich geriet es unter

Bolivien - Wirtschaft

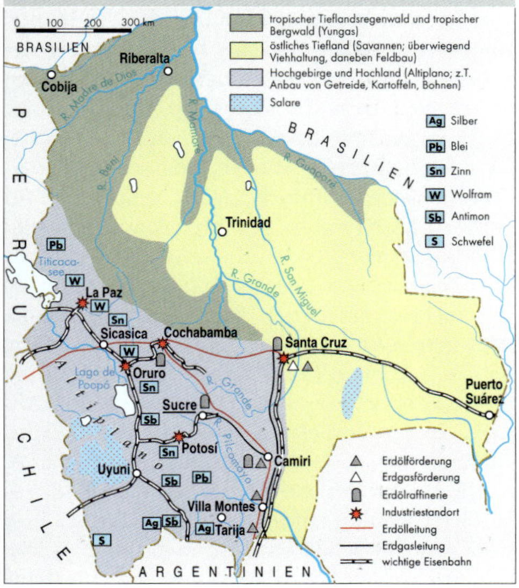

den Einfluss der USA. 1932–35 führte B. den verlustreichen Chacokrieg gegen Paraguay, um sich einen Zugang zum Meer zu verschaffen; der Friede vom 21. 7. 1938 sicherte nur einen schmalen Zugang zum Río Paraguay. Seitdem folgten Bauernunruhen, sozialrevolutionär bestimmte Staatsstreiche und Militärputsche aufeinander. Gestützt auf den MNR, verstaatlichte Präs. V. Paz Estenssoro die Zinnminen (1952) und leitete eine Landreform ein (1953). Die folgenden Jahre waren geprägt von wirtsch. Schwierigkeiten und polit. Radikalisierung. 1964 übernahm nach mehreren Putschen die Armee unter General René Barrientos Ortuño die Macht. Er zerschlug 1967 – mithilfe der USA – die Guerilla-Organisation von »Che« Guevara. General Alfredo Ovando Candida (1969–71) versuchte mit einem linksorientierten Programm, die Probleme zu lösen. Bis 1980 wurde B. von militär. Gruppierungen beherrscht, die durch Putsche einander ablösten (u. a. unter General Hugo Banzer Suárez, 1971–78). Der nach langen Auseinandersetzungen um eine demokrat. Staatsform als Kandidat der gemäßigten Linken (»Unión Democrata Popular«, UDP) 1980 gewählte Präs. Hernán Siles Zuazo konnte erst 1982 sein Amt antreten. Die Wahlen von 1985 gewann Paz Estenssoro für den MNR, doch zeigte auch sein Sanierungsprogramm (u. a. Abbau der Subventionen, Lohnstopp, Privatisierung von Staatsunternehmen) zunächst wenig Erfolg. Seit 1986 erholt sich die Wirtschaft langsam. Bei den Präsidentschaftswahlen vom Mai 1989 und Juni 1993 erzielte kein Kandidat die absolute Mehrheit, deshalb bestimmte das Parlament im Aug. 1989 Jaime Paz Zamora (MIR), im Aug. 1993 Gonzalo Sánchez de Lozada zum Präsidenten. Neben der Bewältigung der wirtsch. Probleme bemühten sich die versch. Regierungen um die Festigung der Demokratie und die Bekämpfung der Drogenkriminalität, bes. des Drogenhandels.

Mit der Überlassung von Nutzungsrechten an der peruan. Hafenstadt Ilo (mit Freihandelszone für zunächst 50 Jahre und der Verpachtung eines 5 km langen Küstenstreifens) erhielt B. 1993 erstmals seit 1879 wieder einen Zugang zum Meer. 1994 setzten B. und Paraguay einen endgültigen Schlussstrich unter den Chacokrieg

🕮 MANSILLA, H. C. F.: *Ausdehnung staatl. Funktionen u. Bürokratisierungstendenzen in B. Eine Studie über die polit. Kultur des Autoritarismus. Saarbrücken u. a. 1987.* – KREMPIN, M.: *Keine Zukunft für B.? Bedingungen u. Ursachen für das Scheitern der Regierung Siles Zuazo sowie Schlußfolgerungen im Hinblick auf die ökonom., sozialen u. polit. Perspektiven B.s. Saarbrücken u. a. 1989.* – WESTPHAL, W.: *Unter den Schwingen des Kondor. Das Reich der Inka gestern u. heute. Neuausg. Frankfurt am Main u. a. 1989.* – SORIA, F.: *B. Würzburg 1992.* – PAMPUCH,

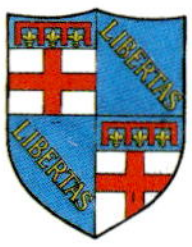

Bologna 2)
Stadtwappen

TH. *u.* ECHALAR ASCARRUNZ, A.: *B. München [2]1993.* – SARKISYANZ, M.: *Kollasuyo. Indianische Geschichte der Republik B. Idstein 1993.*

Bolków ['bɔlkuf] (dt. Bolkenhain), Stadt in Polen, in der Wwschaft Jelenia Góra (Hirschberg), Niederschlesien, 5600 Ew., zu Füßen der **Bolkoburg** (13. Jh., Museum); Holz-, Textil-, Lederind.; Fremdenverkehr.

Boll, Gemeinde im Landkreis Göppingen, Bad.-Württ., am NW-Fuß der Schwäb. Alb, 5700 Ew.; Herstellung von Heilmitteln; im Ortsteil **Bad B.** Schwefelquelle; Evang. Akademie und Sitz der →Brüdergemeine.

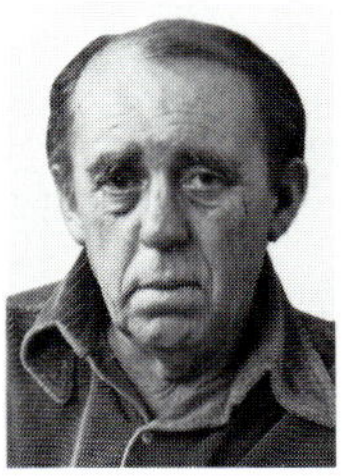

Heinrich Böll

Böll, Heinrich, Schriftsteller, *Köln 21. 12. 1917, †Langenbroich (heute zu Kreuzau) 16. 7. 1985; schrieb zunächst Romane und Erzählungen über Krieg und Nachkriegszeit, realist. Schilderungen seel. und materieller Not: »Der Zug war pünktlich« (1949), »Wo warst du, Adam?« (1951); kritisierte dann Missstände der westdt. Gesellschaft, etwa die Herrschaft der Wohlstandsideologie und des konformist. Denkens, bes. auch einen etablierten Katholizismus (»Ansichten eines Clowns«, 1963). Positiv gesehen werden einfache Menschen und individualist. Außenseiter. Breiter angelegte Versuche der Zeitdarstellung sind »Billard um halb zehn« (1959) und »Gruppenbild mit Dame« (1971). Viele Werke B.s sind satirisch angelegt. Neben Romanen (»Und sagte kein einziges Wort«, 1953; »Haus ohne Hüter«, 1954; »Fürsorgl. Belagerung«, 1979; »Frauen vor Flußlandschaft«, 1985) und Erz. (»Das Brot der frühen Jahre«, 1955; »Irisches Tagebuch«, 1957; »Doktor Murkes gesammeltes Schweigen«, 1958; »Entfernung von der Truppe«, 1964; »Ende einer Dienstfahrt«, 1966; »Die verlorene Ehre der Katharina Blum«, 1974; »Das Vermächtnis«, 1981; »Die Verwundung«, 1983) verfasste B. Hörspiele, Lyrik (»Wir kommen weither«, hg. 1986), Dramen, Reden, Aufsätze (»Berichte zur Gesinnungslage der Nation«, 1975; »Ein- und Zusprüche. Schriften, Reden und Prosa. 1981–1983«, 1984; »Die Fähigkeit zu trauern. Schriften und Reden 1983–1985«, hg. 1986). B. war 1971–74 Präs. des internat. P. E. N.-Clubs. 1967 erhielt er den Georg-Büchner-Preis, 1972 den Nobelpreis für Literatur. B. engagierte sich u. a. auch in der Friedensbewegung.

Heinrich Böll

Gesammeltes Schweigen

Dieses Zitat geht auf den Titel einer 1958 erschienenen Satire von Heinrich Böll zurück: »Doktor Murkes gesammeltes Schweigen«. Die Titelfigur, ein Redakteur beim Hörfunk, hat die Eigenart, diejenigen aus den Programmen herausgeschnittenen Tonbandabschnitte zu sammeln, auf denen nichts zu hören ist, weil der Sprechende gerade eine Pause macht, – die also sein Schweigen dokumentieren. In scherzhafter Anspielung auf diesen Böll-Titel kann man von jemandem, der sich zum Beispiel an einer Diskussion nicht beteiligt oder sich zu etwas nicht äußert, obgleich man das von ihm erwartet hätte, scherzhaft sagen, er falle durch sein gesammeltes Schweigen auf.

🕮 SOWINSKI, B.: *H. B. Stuttgart u. a. 1993.* – REICH-RANICKI, M.: *Mehr als ein Dichter. Über H. B. Neuausg. München 1994.* – *H. B. Bilder eines Lebens, hg. v.* H. SCHEURER. *Köln 1995.* – SCHRÖTER, K.: *H. B. Reinbek 55.-57. Tsd., [9]1995.* – *Das Werk H. B.s. Bibliographie mit Studien zum Frühwerk, hg. v.* W. BELLMANN. *Opladen 1995.*

Bollandisten, der zum Jesuitenorden gehörende Herausgeberkreis der →Acta Sanctorum.

Bollène [bɔ'lɛ:n], Stadt in S-Frankreich, Dép. Vaucluse, am Rhonezufluss Lez, 14000 Ew.; nördlich von B. das Wasserkraftwerk von Donzère-Mondragon am gleichnamigen Kanal und das Kernkraftwerk Tricastin.

Böller [mhd., zu boln »rollen, werfen«], im 16. Jh. Mörser, der Stein- und Eisenkugeln warf; seit dem 19. Jh. kleines Geschütz für Salutschüsse; auch Bez. für einen Feuerwerkskörper.

Bollnow [-o], Otto Friedrich, Philosoph und Pädagoge, *Stettin 14. 3. 1903, †Tübingen 7. 2. 1991; seit 1953 Prof. in Tübingen, behandelte, von W. Dilthey beeinflusst, philosoph. Anthropologie, Ethik, Existenzphilosophie und die damit verbundene Pädagogik.

Bollwerk, allg. Bezeichnung für ein zur Verteidigung gegen militär. Angriffe errichtetes Bauwerk. (→Bohlwerk).

Bologna [bo'loɲa], Giovanni da, →Giambologna.

Bologna [bo'loɲa], **1)** Provinz in der Emilia-Romagna, Italien, 3702 km², 906900 Einwohner.

2) Hptst. der norditalienischen Region Emilia-Romagna und der Provinz B., am N-Fuß des Apennin, 411800 Ew.; Erzbischofssitz. B. hat eine der ältesten Univ. Europas (gegr. 1119, hatte im 13. Jh. als Rechtsschule höchsten Ruf) u. a. Hochschulen; Pinakothek, Museen, Bibliotheken; Nahrungs- und Genussmittel-, chem., feinmechan. Industrie, Maschinenbau, Schuhfabriken; Buch- und Handelsmessen; Verkehrsknotenpunkt. – Bedeutende Kirchen u. a. Basilica di Santo Stefano (umfasst mehrere Kirchen: 5., 11. und 12. Jh.); Basilika San Petronio (begonnen nach 1390); Paläste (13.–18. Jh.) mit z. T. erhaltenen Geschlechtertürmen. Seit 1972 wird die Altstadt umfassend saniert.

B., das etrusk. **Felsina,** wurde im 4. Jh. v. Chr. von gall. Bojern erobert **(Bononia)**; 189 v. Chr. wurde es röm. Militärkolonie. Seit dem 6. Jh. gehörte es zum byzantin. Exarchat Ravenna und teilte dann die Schicksale des Langobardenreiches. Seit 1167 kämpfte B. als Mitgl. des Lombardenbundes gegen die Staufer. Blüte im Spät-MA., im 15. Jh. unter der Stadtherrschaft der Bentivoglio, seit 1512 endgültig zum Kirchenstaat; 1860 schloss sich die Stadt dem Königreich Italien an. Im 2. Weltkrieg wurde sie schwer beschädigt.

Bologneser [-ɔɲ-] *der,* Kleinhunderasse mit dichtem, weißem, lockigem Haar.

Bolometer [zu grch. bolḗ »Wurf«, »Strahl«] *das,* Gerät zum Messen der Energie einer (meist schwachen) Licht- oder Infrarotstrahlung (Strahlungsthermometer). Der strahlungsempfindl. Teil, z. B. ein sehr dünnes, geschwärztes Platinband **(Metall-B.)** oder ein →Thermistor **(Halbleiter-B.),** ändert durch die auftreffende Strahlung und die damit verbundene Temperaturerhöhung seinen elektr. Widerstand, der mit einer →Messbrücke gemessen wird. – Sehr hohe Empfindlichkeit erreichen **Supraleitungs-B.,** die starke Widerstandsänderungen erzeugen.

Bölsche, Wilhelm, Schriftsteller, *Köln 2. 1. 1861, †Schreiberhau (heute Szklarska Poręba) 31. 8. 1939; Mitbegründer des Berliner Naturalismus, volkstümlich-poet. Darstellungen naturwiss. Probleme: »Das Liebesleben in der Natur« (3 Bde., 1898–1903).

Bolschewiki [russ. »Mehrheitler«, zu bolsche »mehr«], →Kommunistische Partei der Sowjetunion.

Bolschewismus *der,* heute weniger gebräuchl. Sammelname für Theorie und Praxis des →Kommunismus sowjet. Prägung und der von ihm abhängigen oder beeinflussten Parteien.

Bolschoi-Ballett [russ. bolschoi »groß«], das ständige Ballettensemble des **Bolschoi-Theaters** in Moskau, gegr. 1776. BILD S. 212

Bolsenasee (in der Antike Lacus Volsiniensis), größter See des Vulkanhügellandes in Latium, Italien, nördlich von Viterbo, 115 km^2, bis 146 m tief. In der Stadt **Bolsena** wurden bedeutende röm., auch vorröm. Siedlungsreste freigelegt.

Bolt [bəʊlt], Robert Oxton, engl. Dramatiker, *Sale (bei Manchester) 15. 8. 1924, †bei Petersfield (Cty. Hampshire) 20. 2. 1995; schrieb Stücke v. a. im Stil des epischen Theaters: »Thomas Morus« (1961), »Vivat! Vivat Regina!« (1971); Filmdrehbücher zu: »Lawrence of Arabia« (1962), »Doktor Schiwago« (1965), »Die Mission« (1986).

Boltanski, Christian, frz. Künstler, *Paris 6. 9. 1944; versucht die fiktive Rekonstruktion früherer Lebensabschnitte mithilfe von Fotos und Gegenständen (→Spurensicherung).

Boltenhagen, Ostseebad, Gemeinde im Landkr. Nordwestmecklenburg, Meckl.-Vorp., Seebad an der W-Seite der Wismarer Bucht, 2400 Einwohner.

Bolton ['bəʊltən], Industriestadt in der engl. Metropolitan Cty. Greater Manchester, im NW

Bologna 2): Blick über das Stadtzentrum mit der Basilika San Petronio (links im Hintergrund; begonnen nach 1390), rechts dahinter der Turm des Doms San Pietro (1184 geweiht); davon rechts die Kuppel des Museo Civico; dazwischen im Hintergrund zwei der für Bologna typischen Geschlechtertürme

von Manchester, 147 100 Ew.; Theater, Museum; Zentrum der Baumwollindustrie, außerdem Maschinenbau und chem. Industrie.

Boltzmann, Ludwig, österr. Physiker, *Wien 20. 2. 1844, †(Selbstmord) Duino (heute Duino-Aurisina, bei Triest) 5. 9. 1906; Prof. in Graz, Wien, München, Leipzig; wandte als Erster die Gesetze der Statistik (→Boltzmann-Statistik) auf die Moleküle eines Gases an (→kinetische Gastheorie), entdeckte u. a. die Beziehung zwischen →Entropie und Wahrscheinlichkeit und begründete das →Stefan-Boltzmann-Gesetz.

Ludwig Boltzmann

Werke: Wiss. Abhandlungen, 3 Bde. (1909).

📖 KAIZIK, J.: *Versuch einer Begegnung. Mach gegen B. Wien 1986.* – STILLER, W.: *L. B. Altmeister der klass. Physik, Wegbereiter der Quantenphysik u. Evolutionstheorie. Thun u. a. 1989.* – GRIESER, D.: *Köpfe. Portraits der Wissenschaft. Wien 1991.*

Bologna

Im 13. Jahrhundert gab es in Bologna über 200 befestigte Wohntürme des Stadtadels. Neben ihrer verteidigungstechnischen Funktion bei innerstädtischen Auseinandersetzungen verkörperten die Geschlechtertürme den Machtanspruch der jeweiligen Familie. Verstießen jedoch die Besitzer gegen die städtische Ordnung, so konnte das Kürzen oder sogar das vollständige Schleifen des Turmes angeordnet werden. Die Bologneser Familien scheinen sich da einiges geleistet zu haben, denn es stehen in der Stadt nur noch 13 Türme, von denen allerdings der »Torre degli Asinelli« und der kleine »Torre Garisenda« aus dem 12. Jahrhundert Prachtexemplare sind.

Bolschoi-Ballett in einer Inszenierung von J. N. Grigorowitsch (1968)

Bernhard Bolzano

Boltzmann-Konstante [nach L. Boltzmann], Formelzeichen *k,* wichtige Naturkonstante der Thermodynamik zur Umrechnung von absoluten Temperaturen *T* auf therm. Energien der Teilchen; Quotient aus allgemeiner Gaskonstante und Avogadro-Konstante: $k \approx 1{,}381 \cdot 10^{23}$ J/K. In der klass. statistischen Mechanik ist $^1/_2 kT$ die mittlere Energie pro Freiheitsgrad eines Teilchens.

Boltzmann-Statistik (klassische Statistik), von L. Boltzmann 1871 begründete Gleichgewichtsstatistik für Systeme aus sehr vielen gleichen, aber unterscheidbaren Einzelteilchen, die nicht oder nur schwach in Wechselwirkung stehen. Grundannahme der B.-S. ist, dass die theoretisch wahrscheinlichste Verteilung der Teilchen auf die verschiedenen mögl. Zustände (Mikrozustände) im thermodynam. Gleichgewicht auch tatsächlich vorliegt. Die B.-S. liefert u.a. den Gleichverteilungssatz der Energie, die maxwellsche Geschwindigkeitsverteilung und die Dulong-Petit-Regel. Ihr Anwendungsbereich ist im Ggs. zur →Quantenstatistik auf Systeme beschränkt, die den Gesetzen der klass. Mechanik gehorchen.

Bolu, Hptst. der türk. Provinz B., NW-Anatolien, östlich des 980 m hohen Bolu-Dağ-Passes, von waldreichen Gebirgen umgeben, 60 600 Ew.; Holzind.; Badebetrieb dank heißer Quellen. – B., im Altertum **Bithynion,** später **Claudiopolis** wurde 1324 von den Osmanen erobert.

Bolus [grch. bólos »(Erd-)Klumpen«] *der* (Bol), **1)** *Geologie:* rötlich gefärbter Ton, entstanden als Rückstandsprodukt bei der Verwitterung von Kalkstein in Karsttaschen sowie als Zersetzungsprodukt basalt. Gesteine; wird für keram. Produkte und als Farberde sowie als Malgrund verwendet. **Weißer B.,** lat. **B. alba** (wasserhaltiges Aluminiumsilikat) in Pulverform wird äußerlich als Pudergrundlage, innerlich bei Darminfektionen verwendet.

2) *Tiermedizin:* (Bissen) große, weiche Arzneipille, für Pferde z.B. bis 50 g schwer.

Bolzano, italien. Name von →Bozen.

Bolzano, Bernhard oder Bernard, Philosoph und Mathematiker, *Prag 5. 10. 1781, †ebd. 18. 12. 1848; wurde 1805 kath. Priester und Prof. in Prag, 1819 wegen angebl. Irrlehren abgesetzt. Er führte die Trennung des Logischen vom Psychologischen konsequent durch, indem er zw. dem psychischen Vorgang und seinem logischen Inhalt unterscheidet; trug zur Begründung der Phänomenologie, der modernen Logik und der mathemat. Mengenlehre bei. Auf seiner Lehre fußen F. Brentano und E. Husserl.

Werke: Athanasia (1827); Lb. der Religionswiss., 4 Bde. (1834); Wissenschaftslehre, 4 Bde.(1837); Paradoxien des Unendlichen (1851).

📖 WINTER, E. *u. a.: B. B. Ein Denker u. Erzieher im österreichischen Vormärz. Graz 1967.* – BERG, J. *u.* MORSCHER, E.: *B.-Forschung 1989–1991. St. Augustin 1992.* – DÄHNHARDT, S.: *Wahrheit u. Satz an sich. Zum Verhältnis des Logischen zum Psychischen u. Sprachlichen in B. B.s Wissenschaftslehre. Paffenweiler 1992.* – TEXTOR, M.: *Bolzanos Propositionalismus. Berlin u. a. 1996.*

Bolzen, 1) *Fertigungstechnik:* runder Metallstift zur unlösbaren **(Niet-B.),** lösbaren **(Schrauben-B.)** oder gelenkigen **(Gelenk-B.)** Verbindung von Metall- und Maschinenteilen.

2) *Waffenkunde:* Geschoss, z.B. für die Armbrust; auch Bez. für den Schlagbolzen.

Bolzenschussapparat, Gerät zum Betäuben von Schlachttieren.

Bombage [-ˈbaːʒə, frz.] *die,* →Bombieren.

Bombarde [frz.] *die,* **1)** *Militärwesen:* schweres, großkalibriges Geschütz des Spät-MA. für Steinkugeln.

2) *Musik:* altes Holzblasinstrument, →Bomhart.

Bombardement [-ˈmɑ̃] *das,* im *Militärwesen* 1) anhaltender Beschuss mit großkalibrigen Sprengkörpern; 2) massierter Abwurf von Fliegerbomben auf ein begrenztes Gebiet.

Bombardierkäfer (Brachyninae), Unterfamilie der Laufkäfer, z.B. der europ. Gattung **Brachinus;** sondern zu ihrer Verteidigung unter schwachem Knall ein schnell vergasendes, scharfes Sekret ab.

Bombardon [-ˈdɔ̃, frz.] *das,* die tiefe →Tuba.

Bombax [grch.] *der,* der →Wollbaum.

Bombay [ˈbɔmbeɪ] (Marathi: Mumbai), Hptst. des ind. Bundesstaates Maharashtra, Wirtschafts- und Finanzzentrum sowie zweitgrößte Stadt Indiens, 9,91 Mio. Ew.; liegt auf einer Insel, die mit der Insel Salsette und dem Festland durch Straßen- und Bahndämme verbunden ist. B. hat versch.

Bombay Stadtwappen

Hochschulen (u.a. Frauen-Univ., seit 1949), Museen, zoolog. Garten; Erzbischofssitz; internat. Flughafen. B. ist Zentrum der ind. Baumwollind.; wichtigster Hafen Indiens mit Werften und Erdölraffinerien; chem. Werke, Automobilind., Maschinenbau, Elektroind.; Filmstudios. Ein großer Teil der Bev. lebt in Slums. – Im S der Stadt liegen die »Türme des Schweigens«, der Bestattungsplatz der Parsen. Zahlreiche Bauten im engl. Kolonialstil, viele Hindutempel; am Hafen das 1911 errichtete »Gateway of India«. – B. wurde 1534 von den Portugiesen erworben, 1661 an den engl. König Karl II., 1668 an die Ostind. Kompanie abgetreten, die B. zum Handelsmittelpunkt machte.

Bombay: Straßenbild vor dem Victoria-Bahnhof (1878–87)

Bombe [frz., zu grch. bómbos »dumpfes Geräusch«], **1)** *Chemie:* drucksichere, nahtlose Stahlflasche für stark verdichtete und flüssige Gase.

2) *Waffentechnik:* mit Kampf-, Brand- oder Sprengstoff gefüllter und mit einem Zünder versehener tonnenförmiger Hohlkörper (→ABC-Waffen, →Fliegerbombe, →Wasserbombe).

Bomber (Bombenflugzeug), allg. jedes Militärflugzeug, das für das Aufnehmen, Mitführen und den zielgenauen Abwurf von Bomben sowie von Lenkwaffen auf gegner. Ziele eingerichtet ist. Bomber i.e.S. sind für diesen Zweck konstruierte Angriffsflugzeuge, die über eine dem jeweiligen Aufgabenbereich entsprechende Nutzlastkapazität, Fähigkeit zur Durchdringung der gegner. Abwehr sowie für strateg. Einsätze über eine globale Reichweite verfügen müssen. (→Jagdbomber)

Bombieren [zu frz. bomber »sich wölben«], das Erzeugen von Rundungen in Blechquerschnitten. Als **Bombage** wird das Aufwölben einer Konservendose infolge Gasentwicklung bezeichnet.

Bombykol [zu grch. bómbyx »Seidenraupe«] *das,* Sexuallockstoff (→Pheromone) des weibl. Seidenspinners.

Bomhart *der* (Bombarde, Pommer), um 1400 aus der Schalmei hervorgegangenes Holzblasinstrument mit doppeltem Rohrblatt, später durch Fagott und Oboe ersetzt.

Bomst, Stadt in Polen, →Babimost.

Bon [bɔ̃; frz. »gut«] *der,* Gutschein; Kassenzettel.

bona fides [lat.], *Recht:* →guter Glaube.

Bonaire [bo:ˈnɛ:r], zweitgrößte Insel der Niederländ. Antillen, 288 km^2, 11 100 Ew. (überwiegend Schwarze und Mulatten); Hauptort: Kralendijk; Meersalzgewinnung, Fremdenverkehr.

Bonampak, Zeremonialzentrum der Mayakultur im trop. Regenwald von Chiapas (Mexiko); die Anlage bestand um 750 n. Chr. In einem der Bauwerke wurden 1946 relativ gut erhaltene, polychrome Wandmalereien entdeckt.

Bonaparte [-ˈpart] (urspr. Buonaparte), kors. Familie italien. Herkunft, der die frz. Kaiser Napoleon I. und Napoleon III. entstammen.

1) Buonaparte, Carlo Maria (Charles Marie), Vater von Napoleon I., *Ajaccio 29. 3. 1746, †Montpellier 24. 2. 1785, ⚭ mit 8); Jurist, kämpfte 1768/69 für die Unabhängigkeit Korsikas von Frankreich; 1771 frz. Adelsanerkennung; 1773 königl. Rat.

2) Caroline, eigentlich Marie-Annonciade, die jüngste Schwester Napoleons I., *Ajaccio 25. 3. 1782, †Florenz 18. 5. 1839; seit 1800 ⚭ mit Marschall J. →Murat; 1808–14 Königin von Neapel.

Bonampak: Einkleidung eines Maya-Priesterfürsten mit den Insignien seiner Würde, Wandmalerei (um 700 n. Chr.)

3) Charles Joseph, amerikan. Politiker, *Baltimore (Md.) 9. 6. 1851, †ebd. 28. 6. 1921, Enkel von 6) aus dessen erster Ehe mit Elizabeth Patterson; war 1905/06 Marinemin. unter T. Roosevelt. Als Justiz-Min. (1906–09) gründete er 1908 das Bureau of Investigation, das spätere FBI.

4) Charles Louis Napoléon, der frz. Kaiser Napoleon III. (→Napoleon).

5) Elisa, eigtl. Marie Anna, älteste Schwester Napoleons I., *Ajaccio 3. 1. 1777, †bei Triest 6. 8. 1820; war 1805–14 Fürstin von Lucca und Piombino, 1809–14 gleichzeitig Großherzogin der frz. Toskana.

6) Jérôme, der jüngste Bruder Napoleons I., König von Westfalen (1807–13), →Jérôme.

7) Joseph, der älteste Bruder Napoleons I., König von Spanien (1808–13), →Joseph, Fürsten, Spanien.

8) Laeticia (Maria Letizia), geb. Ramolino, Mutter Napoleons I., *Ajaccio 24. 8. 1750, †Rom 2. 2. 1836; seit 1764 ⚭ mit 1), lebte am Hof ihres Sohnes als »Madame Mère« (»Frau Mutter«).

9) Louis, der dritte Bruder Napoleons I., Vater Napoleons III., König von Holland (1806–10), →Ludwig, Fürsten, Holland.

10) Lucien, urspr. Lucian, Fürst (seit 1814) von Canino und Musignano, der zweite Bruder Napoleons I., *Ajaccio 21. 5. 1775, †Viterbo 29. 6. 1840; hatte als Präs. des Rates der Fünfhundert entscheidenden Anteil am Gelingen des Staatsstreiches vom 18. Brumaire (19. 11.) 1799. 1799/1800 war er frz. Innenmin., anschließend Gesandter in Madrid.

11) Napoléon, urspr. Napoleone, der frz. Kaiser Napoleon I. (→Napoleon).

12) Napoléon (II.), der einzige Sohn Napoleons I., König von Rom (bis 1815), dann Herzog von →Reichstadt.

13) Pauline, eigtl. Marie Paulette, Herzogin von Guastalla (1806–14), die zweite Schwester Napoleons I., *Ajaccio 20. 10. 1780, †Florenz 9. 6. 1825; seit 1803 in 2. Ehe ⚭ mit dem Fürsten Camillo Borghese.

Bonapartismus, urspr. die nach Napoleon I. und v. a. nach Napoleon III. benannte autoritäre Herrschaftstechnik; sicherte dem Bürgertum v. a. die Freisetzung der Wirtschaftskräfte gegen eine zunehmend aufkommende Industriearbeiterschaft, enthielt ihm aber die eigentl. politische Macht vor, die in der Hand des bonapartist. Staatsmannes konzentriert blieb.

Bonapartisten, polit. Gruppe in Frankreich, die Regierungssystem und Thronansprüche der Familie Bonaparte vertrat.

Bonatz, Paul, Architekt, *Solgne (bei Metz) 6. 12. 1877, †Stuttgart 20. 12. 1956; Prof. in Stuttgart (1908) und Istanbul (1949–53), schuf eindrucksvoll klar gegliederte Bauten.

Werke: Universitätsbibliothek Tübingen (1910–12); Hauptbahnhof Stuttgart (1913–27); Staatsoper Ankara (1947/48).

Paul Bonatz: Hauptbahnhof Stuttgart (1913-27)

Bonaventura, 1) italien. Franziskaner, Philosoph und Theologe, eigtl. Johannes Fidanza, *Bagnoregio (bei Orvieto) 1221 (?), †Lyon 15. 7. 1274; war Mystiker und ein führender Hochscholastiker; die Welt erschien ihm als Gleichnis Gottes, auf drei Stufen könne sich das Denken zu Gott selbst erheben. Es ergaben sich hieraus Anknüpfungspunkte zur Gedankenwelt Platons und Augustinus'. 1257 wurde B. General seines Ordens, 1273 Kardinalbischof von Albano. – 1482 heilig gesprochen, 1588 zum Kirchenlehrer erklärt (Ehrentitel »Doctor seraphicus«); Tag: 15. 7.

📖 HOEFS, K.-H.: *Erfahrung Gottes bei B. Untersuchungen zum Begriff »Erfahrung« in seinem Bezug zum Göttlichen. Leipzig 1989.*

2) Pseudonym des unbekannten Verfassers (möglicherweise F. G. Wetzel oder E. A. Klingemann) des romant. Romans »Nachtwachen. Von Bonaventura« (1804).

Bonbon [bɔ̃'bɔ̃; frz., eigtl. »gut-gut«] *der* oder *das,* Zuckerware, die durch Einkochen von Zuckerlösung mit Invertzucker oder Stärkesirup, Säuren, Aroma- und Farbstoffen hergestellt wird. Hartbonbons (Drops, Rocks) haben ein glasartiges Gefüge, Wassergehalt bis 3 %; Weichbonbons (Toffees) sind fetthaltig und zähplastisch, bis 8 % Wassergehalt.

Bonbonniere [bɔ̃bɔ'njɛ:rə] *die,* Dose, Schachtel für Bonbons, Pralinen.

Bond [engl.] *der,* angelsächs. Bez. für festverzinsl. Wertpapier, Obligation, Schuldverschreibung. **Zerobonds** sind Anleihen ohne laufende Verzinsung, die weit unter Nennwert emittiert und zum Nennwert am Ende der Laufzeit zurückgezahlt werden (»Abzinsungspapiere«), **Babybonds** Schuldverschreibungen mit sehr geringen

Nennbeträgen, um breite Bevölkerungsschichten zum Kauf zu bewegen; in Dtl. in der Verbindung Auslandsbonds (→Auslandsanleihen).

Bond, Edward, engl. Dramatiker, *London 18. 7. 1934; schreibt gesellschaftskritische Dramen mit Schockeffekten (»Gerettet«, 1965) und Dramen mit (pseudo-)historischen Stoffen (»Trauer zu früh«, 1968; »Lear«, 1972); nutzt Mittel des »Theaters der Grausamkeit«; weiterhin »Restauration« (1981), »Kriegsstücke« (Trilogie; 1985), »Jackets II« (1990); auch Filmdrehbücher und Texte u. a. für H. W. Henze.

Edward Bond

🕮 HERGET, K.: *Poesie u. Revolution im Werk E. B.s. Frankfurt am Main u. a. 1992.* – CORDES, TH.: *At opposite ends of town? Stoppards ästhetisierte Politik u. Bonds politisierte Ästhetik. Diss. Gießen 1993.*

Bongos

Bondarew, Juri Wassiljewitsch, russ. Schriftsteller, *Orsk (Gebiet Orenburg) 15. 3. 1924; schrieb bes. Kriegsliteratur (»Die letzten Salven«, 1959; »Die Zwei«, 1964).

Bondartschuk, Sergei Fjodorowitsch, russ. Schauspieler und Filmregisseur, *Belosjorka (Gebiet Odessa) 25. 9. 1920, †Moskau 20. 10. 1994; wurde bekannt durch seine Titelrollen in »Taras Schewtschenko« (1951) und »Othello« (1955), weiterhin: »Krieg und Frieden« (1965/66, Regie und Darstellung); »Waterloo« (1969, Regie); »Sie kämpften für die Heimat« (1975, Regie und Darstellung); »Boris Godunow« (1986, Regie).

Bonden [von engl. to bond »zusammenfügen«], *Halbleitertechnologie:* das Anbringen der elektr. Anschlusskontakte auf ungekapselten Halbleiterbauelementen (Dioden, Transistoren, integrierte Schaltungen) oder zur Verbindung einzelner Schaltkreise in Hybridschaltungen. Zum Anschließen von Drähten sind Durchmesser von etwa 20–200 µm nötig. Die Verbindungen werden durch **Thermokompressionsschweißen** oder **Ultraschallschweißen** mit den Kontaktflächen hergestellt.

Bonds, angelsächsische Bez. für festverzinsl. Wertpapiere, z. B. Anleihen; in Dtl. in der Verbindung Auslands-B. (→Auslandsanleihen).

Bondy, Luc, schweizer. Regisseur, *Zürich 17. 7. 1948; inszeniert an deutsch- und französischsprachigen Bühnen, auch Opernregie; drehte Filme (u. a. »Das weite Land«, 1986).

Bône [bo:n], bis 1963 Name der alger. Stadt →Annaba.

Bonebed ['bəʊnbed; engl. »Knochenlager«] *das* (Knochenbreccie), *Geologie:* aus Knochentrümmern, Zähnen und Schuppen von Reptilien, Fischen u. a. Wirbeltieren bestehende Gesteinsbank.

Bongos [span.], zwei kleine, miteinander verbundene Einfelltrommeln mit gleicher Höhe und unterschiedl. Durchmesser; als Rhythmusinstrument in der Tanzmusik und im Jazz verwendet.

Bonhoeffer, 1) Dietrich, evang. Theologe, *Breslau 4. 2. 1906, †(hingerichtet) KZ Flossenbürg 9. 4. 1945, Sohn von 2), Bruder von 3); 1935 Direktor des Predigerseminars der Bekennenden Kirche in Finkenwalde; schloss sich der Widerstandsbewegung um Canaris an. Die Kirche, die »nichtreligiöse« Auslegung der Bibel und die Diesseitigkeit des Christentums stehen im Mittelpunkt seiner Theologie.

🕮 *Die mündige Welt, hg. v.* E. BETHGE *u. a., 5 Bde. München* [1-3]*1955–69.* – *Religionsloses Christentum u. nicht-religiöse Interpretation bei D. B., hg. v.* P. H. A. NEUMANN. *Darmstadt 1990.* – BETHGE, E.: *D. B. Eine Biographie. Gütersloh* [8]*1994.*

2) Karl, Psychiater, *Neresheim 31. 3. 1868, †Berlin 4. 12. 1948, Vater von 1) und 3); stellte die exogen verursachten seel. Störungen den endogen verursachten gegenüber.

3) Karl Friedrich, Chemiker, *Breslau 13. 1. 1899, †Göttingen 15. 5. 1957, Sohn von 2), Bruder von 1); Prof. in Frankfurt a. M., Leipzig und Berlin, Direktor des Max-Planck-Instituts für physikal. Chemie in Göttingen; lieferte wichtige Beiträge zur Chemie des Wasserstoffs, zur Photo- und Elektrochemie.

Dietrich Bonhoeffer

Bonifacio [...fa'sjo, italien. ...'fa:tʃo], Stadt an der S-Spitze Korsikas, im frz. Dép. Corse-du-Sud, 2700 Ew.; Fischereihafen; Fremdenverkehr. Die **Straße von B.,** eine 12 km breite, bis 70 m tiefe Meeresstraße, trennt Korsika von Sardinien. – Malerische Altstadt mit Befestigungsanlagen und Zitadelle.

Bonifatius (eigtl. Winfried), der »Apostel der Deutschen«, *Wessex 672/673, †(erschlagen) bei Dokkum (Friesland) 5. 6. 754; angelsächs. Benediktinermönch, predigte seit 716 das Christentum in Friesland, Hessen, Thüringen und Bayern; in Rom

Bonn: Blick über das Stadtzentrum und den Rhein

Bonn
Stadtwappen

722 zum Bischof geweiht, nach erfolgreicher Germanenmission und kirchl. Aufbauarbeit 732 zum Erzbischof und zum Legaten für Dtl. ernannt. Er gründete u.a. die Klöster Fritzlar, Tauberbischofsheim, Fulda und die Bistümer Salzburg, Freising, Passau, Regensburg, Erfurt, Würzburg und Eichstätt. 747 übernahm B. das Bistum Mainz. Sein Grab ist im Dom zu Fulda. Heiliger, Tag: 5. Juni.

📖 LORTZ, J.: *B. u. die Grundlegung des Abendlandes. Wiesbaden 1954.* – SCHIEFFER, TH.: *Winfried – B. u. die christl. Grundlegung Europas. Freiburg im Breisgau 1954.* – SCHICK, E.: *Sein Name lebt fort von Geschlecht zu Geschlecht. B. – Apostel der Deutschen, Vater des Abendlandes, Wegweiser in eine ewige Zukunft. Fulda 1991.*

Bonifatius, Päpste: **1) B. VIII.** (1294–1303), urspr. Benedetto Caetani, *Anagni (bei Frosinone) um 1235, †Rom 11. 10. 1303; führte 1300 das Hl. Jahr (→Jubeljahr) in der kath. Kirche ein und erneuerte mit der Bulle »Unam sanctam« vom 18. 11. 1302 die Forderung nach dem Vorrang der geistl. vor der weltl. Macht. Sein Kampf gegen →Philipp IV. von Frankreich endete mit der Niederlage des Papsttums und der frz. Vorherrschaft.

2) B. IX. (1389–1404), urspr. Pietro Tomacelli, *Neapel um 1350, †Rom 1. 10. 1404; Nachfolger Urbans VI. in Rom, während in Avignon Klemens VII. regierte. Gegen diesen behauptete er sich mithilfe von England, Dtl. und Neapel. Sein Handel mit Ämtern und Ablässen schädigte das Ansehen des Papsttums.

Bonifatiuspfennige (Bonifaziuspfennige), →Trochiten.

Bonifatiuswerk der deutschen Katholiken, Verein zur Pflege des kath. Lebens in der Diaspora, bes. durch Gründung und Unterhaltung von Kirchen und Schulen; gegr. 1849 als Bonifatiusverein für das katholische Dtl. (1967 umbenannt), Sitz: Paderborn.

Bonifikation [lat.] *die, Wirtschaft:* Entschädigung für fehlerhafte Teile einer Ware; Vergütung (Provision) für die Unterbringung neu begebener Wertpapiere.

Bonininseln (japan. Ogasawara-Shoto), aus 30 Inseln bestehende japan. Inselgruppe vulkan. Ursprungs im westl. Pazifik, 1000 km südöstlich von Tokio, 104 km² groß, rd. 2000 Ew. Die Inseln wurden 1543 von den Spaniern entdeckt, 1593 von den Japanern wieder entdeckt; seit 1876 japanisch; 1951–68 unter Verwaltung der USA; seit 1972 Nationalpark.

Bonität [lat.] *die,* **1)** *allg.:* Güte oder Gütegrad von Waren.

2) *Bankwesen:* Güte eines Schuldners, d.h. seine Fähigkeit, aufgenommene Kredite einschließlich der Zinsen vereinbarungsgemäß zurückzahlen zu können. (→Rating)

Bonitierung, →Bodenschätzung.

Bonmot [bɔ̃ˈmoː, frz.] *das,* treffende, geistreich-witzige Bemerkung.

Bonn, kreisfreie Stadt (Bundesstadt) im Reg.-Bez. Köln, NRW, (noch) Reg.sitz der Bundesrep. Dtl., am Rhein, zw. Ville und Siebengebirge an der S-Spitze der Niederrhein. Bucht, 291400 Ew. Vom Stadtgebiet liegen etwa drei Viertel linksrheinisch. B. ist noch Sitz des Bundespräs., der Bundesreg., des Bundesrates und vieler Bundesbehörden; Museen (Rhein. Landesmuseum, Zoolog. Museum, Städt. Kunstmuseum, Kunst- und Ausstellungshalle der Bundesrep. Dtl. und Haus der Geschichte der Bundesrep. Dtl.); seit 1931 Beethovenfest (alle 2–3 Jahre). B. hat Univ., PH Rheinland (Abteilung B.), FH, Mittelrhein. Verwaltungs- und Wirtschaftsakademie, Max-Planck-Institute für Radio-

Bonn

1994 wurde in Bonn das Haus der Geschichte eröffnet. Seine Dauerausstellung vermittelt durch das Ineinandergreifen von Dokumenten, Objekten, Kunstwerken, rekonstruierten Inneneinrichtungen und audiovisuellen Präsentationen Einblicke in das politische, gesellschaftliche und kulturelle Leben der Bundesrepublik Deutschland und der Deutschen Demokratischen Republik vom Ende des Zweiten Weltkriegs bis in die heutige Zeit. Die Schau wird durch zeitgeschichtliche Wechselausstellungen, ein Informationszentrum und einen Museumsgarten ergänzt. Im »römischen Keller« sind beim Bau entdeckte Siedlungsreste zu sehen.

Bereits 1982 hatte Bundeskanzler Helmut Kohl in seiner Regierungserklärung ein zeitgeschichtliches Museum mit Blick auf die (damals noch) »geteilte Nation« angeregt. Ab 1984 wurden in zwei vorläufigen Museumsgebäuden fremde und eigene Ausstellungen gezeigt. Der Kulturausschuss des Europäischen Parlaments wählte das Haus der Geschichte zum europäischen Museum des Jahres 1995.

astronomie und Mathematik; Leichtmetall-, Keramik-, chemisch-pharmazeut. Betriebe, Kunststoffind., Druckereien, Orgelbau u.a. – Spätroman. Münster (11. Jh. ff.), got. Minoritenkirche (1274–1317), Jesuitenkirche (1688–1717); kurfürstl. Residenz (1697–1702; heute Univ.), Poppelsdorfer Schloss (1715–53), Rathaus (1737/38). Aus dem 20. Jh. stammen u.a. →Villa Hammerschmidt, Bundeshaus (1930–33 als Pädagog. Akademie; als Sitz des Bundestages 1949 erweitert, 1987–92 Umbau), Beethovenhalle (1956–59), Stadttheater (1962–65), Abgeordnetenhaus (1966–69), Stadthaus (1973–78), Bundeskanzleramt (1974–76) und Bundeskunsthalle (1989–92). In B.-Bad Godesberg Kurbetrieb mit Heilquelle; Kurhaus (Redoute, um 1790 bis um 1820) und Anlagen.

Ursprünglich röm. Kastell (**Bonna;** um 43 n.Chr. entstanden); um 400 von den Franken erobert; vor 800 Kanonikerstift, vor 11./12.Jh. Stiftsstadt; 1286 Erweiterung der städt. Rechte (Ratsverfassung). Ab 1525 Verw.zentrum und Residenz des Kurfürstentums Köln; mit diesem 1815 zu Preußen. 1949–90 Hptst. der Bundesrep. Dtl. Am 20. 6. 1991 entschied der Dt. Bundestag, nach einer Übergangszeit den Sitz von Parlament und Reg. von B. nach Berlin zu verlegen.

📖 *B. u. das Rheinland. Beiträge zur Gesch. u. Kultur einer Region, hg. v.* M. VAN REY *u.* N. SCHLOSSMACHER. *Bonn 1992. – B. Sinnbild deutscher Demokratie. Zur Debatte um Hauptstadt u. Regierungssitz, hg. v.* A. RUMMEL. *Bonn 1990. – B. Bundesstadt am Rhein. Texte v.* F. BRÜSE, *Fotos v.* M. SONDERMANN. *Essen u.a. 1994.*

Bonnard [-'na:r], Pierre, frz. Maler, *Fontenay-aux-Roses (Seine) 13. 10. 1867, †Le Cannet (bei Cannes) 23. 1. 1947; malte spätimpressionist. Bilder in lichten, heiteren Farben (v.a. Interieurs, Akte, Stillleben).

Bọnner Durchmusterung, Abk. **BD,** Sternkatalog von F. W. A. →Argelander.

Bọnny, Insel und Erdölhafen im Nigerdelta, Nigeria; Endpunkt von Pipelines, Erdgasverflüssigung.

Bononcini [-'tʃi:ni], italien. Musikerfamilie. Giovanni Battista B., *Modena 18. 7. 1670, †Wien 9. 7. 1747; Schüler seines Vaters Giovanni Maria B. (*1642, †1678, Komponist von Kirchen-, Kammermusik, Madrigalen und Arien), ging 1698 mit seinem Bruder Antonio Maria B. (*1677, †1726, Komponist von Opern, Oratorien, Kantaten) nach Wien (bis 1711); danach in Mailand und Rom, 1720–32 als Opernkomponist in London (Rivale Händels); komponierte auch Oratorien, Kammermusik u.a.

Bonsai [japan. »Zwergbäume«] *das,* alte (japan.) Kunst, aus Samen oder aus Pfropfreisern, Stecklingen, Ablegern von normalen Bäumen durch besondere Behandlung (Beschneiden der Zweige und Wurzeln), Zwergformen von etwa 15–80 cm Höhe aufzuziehen.

Pierre Bonnard: Akt im Gegenlicht (1908; Brüssel, Musées Royaux des Beaux-Arts)

Bọnsels, Waldemar, Schriftsteller, *Ahrensburg 21. 2. 1880, †Ambach (heute zu Münsing, Landkr. Bad Tölz-Wolfratshausen) 31. 7. 1952; schrieb erfolgreiche Natur- und Reisebücher mit einer Neigung zum Märchenhaften und zur Naturmystik, u.a. »Die Biene Maja und ihre Abenteuer« (1912).

Bontempẹlli, Massimo, italien. Schriftsteller, *Como 12. 5. 1878, †Rom 21. 7. 1960; schrieb, vom Futurismus beeinflusst, grotesk-fantast. und humorist. Kurzgeschichten und Romane (»Der Sohn zweier Mütter«, 1929; »Die Familie des Fabbro«, 1932); auch Dramen und Lyrik.

Bọnus [lat. »gut«] *der,* **1)** *allg.:* Gutschrift, (Sonder-)Vergütung.

Bonsai

Ungefähr im 12. Jahrhundert entwickelten die Japaner die Kunst des Bonsai. Das sind Miniaturbäumchen, mit denen man in Ostasien nach festen Regeln ganze Miniaturlandschaften mit Felsen, Grotten, Bächen, Brücken u.a. gestaltet.
Um einen Bonsai zu züchten, gibt man ihm zu Beginn des Wachstums meist sehr wenig Erde. Außerdem werden die Zweige systematisch beschnitten. Das verlangsamte Wachstum führt dann nach und nach zum Zwergentum. Übrigens haben die Japaner dabei ein natürliches Phänomen nachgeahmt. Denn auf sehr kargen und steinigen Böden wachsen beispielsweise Fichten und Kiefern nur sehr langsam. Bei ungünstigen Lebensbedingungen erreichen sie selbst nach mehreren Hundert Jahren nicht einmal 1 m Höhe.

William Booth

2) *Universitätswesen:* bei der Vergabe von Studienplätzen Aufschlag auf die Abiturnote(n) zur Herstellung einer z.B. zw. Bundesländern vergleichbaren Entscheidungsgrundlage. Ggs.: Malus.

3) *Wirtschaft:* a) bei Kapitalgesellschaften einmalige Gewinnausschüttung in Form einer Zusatzdividende; b) Gewinnbeteiligung der Versicherungsnehmer an den Überschüssen der Versicherungsunternehmen (Ggs.: Malus); c) nachträglich gewährter Lieferantenrabatt (Treueprämie) an den Kunden.

Bonvivant [bõvi'vã; frz., zu bon »gut« und vivre »leben«] *der,* Lebemann; auch als Rollenfach am Theater.

George Boole
(Zeichnung)

Bọnze [frz., von japan. bōzu »Priester«] *der,* 1) buddhist. Priester, Mönch.

2) *abwertend:* anmaßender, einflussreicher Funktionär.

Boogie-Woogie ['bʊgɪ'vʊgɪ, engl.], jazzverwandter Klavierstil des Blues, gekennzeichnet durch rollende, ständig wiederholte Bassfiguren. Aus dem B.-W. entwickelten sich versch. moderne Gesellschaftstänze.

Boole [bu:l], George, brit. Mathematiker, *Lincoln 2. 11. 1815, †Ballintemple (bei Cork, Irland) 8. 12. 1864; Prof. in Cork, Begründer der mathemat. Logik.

boolesche Algebra [bu:l-], von G. Boole angeregte und von E. Schröder (*1841, †1902) ausgebaute Algebra, die auf zweiwertigen logischen Aussagen beruht; wird z.B. in der Schaltalgebra angewandt.

Boom [bu:m, engl.] *der,* wirtsch. Aufschwung, Hochkonjunktur (→Konjunktur), auch auf andere Bereiche übertragen (z.B. Bau-, Reiseboom.).

Booster ['bu:stə; engl. »Verstärker«] *der, Physik* und *Technik:* allg. ein verstärkendes Zusatzteil, Hilfs- oder Zusatztriebwerk bei der Startphase von Raketen; auch Nachbeschleunigungsstrecke bei Teilchenbeschleunigern.

Boot, kleineres Wasserfahrzeug, offen oder mit einem durchlaufenden Deck; man unterscheidet: **Ruder-B.** (→Rudern, →Kanusport), **Segel-B.** (→Segeln) und **Motor-B.** (→Motorbootsport). Bauweisen: Stahl, Leichtmetall, Holz, flexibler oder faserverstärkter Kunststoff, Kompositbauweise (z.B. Leichtmetallinnenverbände und hölzerne Außenhaut). Antrieb: Paddel, Ruder, Segel, Motor oder Gasturbine.

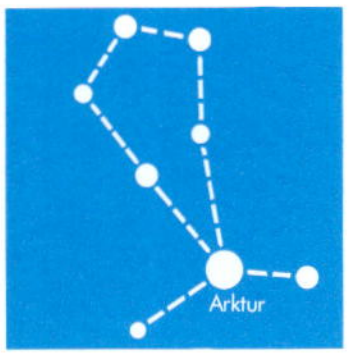

Bootes

Bootaxt, steinerne Streitaxt der späten Jungsteinzeit N-Europas, einem Boot ähnlich, Kennzeichen der jungsteinzeitl. **Bootaxtkultur**.

Boọtes [grch. »Ochsentreiber«] *der* (Bärenhüter), Sternbild des Nordhimmels, hellster Stern: Arktur (einer der hellsten Sterne am Himmel).

Booth [bu:ð], William, brit. Methodistenprediger, *Nottingham 10. 4. 1829, †London 20. 8. 1912; gründete 1861 in London die »Christl. Mission«, aus der 1878 die Heilsarmee entstand.

Boothia ['bu:θɪə] (früher B. Felix), Halbinsel in N-Kanada mit dem nördlichsten Punkt des amerikan. Festlands (72° n. Br.); 1829 von J. →Ross entdeckt.

Böọti|en (grch. Boiotia, ngrch. Viotia), grch. Landschaft zw. dem Golf von Korinth und dem Kanal von Euböa, eine rings von hohen Bergen umgebene Beckenlandschaft, durch Höhenzüge in fruchtbare Senken und Talebenen gegliedert; Hauptorte: Theben und Levadia; Anbau von Baumwolle, Weizen, Mais, Tabak und Trauben. – Die ältesten Bewohner des Landes wurden im 2. Jt. v. Chr. von den äol. Böotern verdrängt, die im 5. Jh. v. Chr. den **Böot. Bund** mit Theben an der Spitze gründeten. Der Bund erlangte im 4. Jh. v. Chr. unter Epaminondas die Höhe seiner Macht.

📖 RUCKERT, A.: *Frühe Keramik B.s. Mit einer Einleitung v.* K. SCHEFOLD. *Bern 1976.*

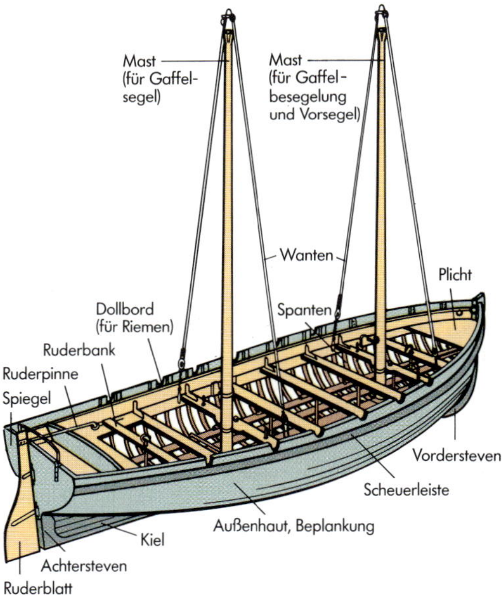

Boot: Als Ruder- oder Segelboot verwendbares Marinebeiboot

Bootle [bu:tl], Stadt in der engl. Metrop. Cty. Merseyside, mit Liverpool zusammengewachsen, an der Mündung des Mersey, 62 400 Ew.; Maschinenbau, Elektro-, chem. Ind., Getreidemühlen.

Bootsgast, Matrose, der in einem Boot die Riemen (Ruder) bedient; Ruderer.

Bootshaken, Stange mit einem Haken zum Festhalten oder Abstoßen eines Bootes.

Bootsmann, 1) auf Handelsschiffen das für den Decksbereich verantwortl. seemänn. Besatzungsmitglied.

2) in der dt. Marine dem Feldwebel entsprechender Dienstgrad.

Bopfingen, Stadt im Ostalbkreis, Bad.-Württ., am NO-Rand der Schwäb. Alb, 12500 Ew.; Textil-, Leder-, chem. Ind.; frühgot. Pfarrkirche, Rathaus (1586). – B., 1242 bereits Reichsstadt, kam 1802 zu Bayern, 1810 zu Württemberg. – Auf dem **Ipf,** einem Zeugenberg der Ostalb, befinden sich ausgedehnte Burgwallanlagen der Hallstattkultur.

BophuthaTswana, ehem. Homeland der Tswana im N der Rep. Südafrika; nach der Errichtung der neuen südafrikan. Provinzen verteilt sich das Gebiet von B. auf die Provinzen Nord-West, Freistaat, Gauteng und Mpumalanga. – B. erhielt 1972 als Homeland im Rahmen der Apartheid die Selbstverwaltung, im Dez. 1977 die formale Unabhängigkeit, die internat. jedoch nicht anerkannt wurde. Nach Abschaffung der Apartheidgesetzgebung lehnte die Führung des Homelands 1993/94 die Rückgliederung des Landes in die Rep. Südafrika ab. Unter dem Eindruck von Unruhen wurde die alte Regierung in B. im März 1994 abgesetzt und das Gebiet von B. wieder in die Rep. Südafrika eingegliedert und später auf die neuen Provinzen aufgeteilt.

Bopp, Franz, Sprachforscher, * Mainz 14. 9. 1791, † Berlin 23. 10. 1867; Prof. in Berlin, einer der Begründer der indogerman. Sprachwiss.; erkannte die Übereinstimmungen in der Grammatik des Sanskrit mit den alten europ. Sprachen. »Vergleichende Grammatik«, 6 Bde. (1833–52).

Boppard, Stadt und Heilbad im Rhein-Hunsrück-Kreis, Rheinl.-Pf., am linken Ufer des Mittelrheins, 16400 Ew.; Maschinenbau, Kosmetikind.; Weinbau; Kneippheilbad, im Ortsteil **Bad Salzig** Sulfatquellen. – Pfarrkirche Sankt Severus (12./13. Jh.), ehem. Karmeliterkirche (1319–1430). – Von den Befestigungen des Römerkastells **Baudobriga** sind Reste erhalten. – 1312 wurde die Reichsstadt B. an Kurtrier verpfändet.

Bor [aus mlat. borax] *das,* chem. Symbol **B,** nichtmetallisches Element aus der 3. Hauptgruppe des Periodensystems mit Halbleitereigenschaften, Ordnungszahl 5, relative Atommasse 10,811, Schmelzpunkt 2100–2300 °C, sublimiert bei 2550 °C. B. kommt als braune, amorphe Modifikation und in drei kristallinen (einer tetragonalen und zwei rhomb.) Formen vor, Dichte 1,73 bis 2,46 g/cm^3. Kristallines B. ist eine der härtesten Substanzen und bei Raumtemperatur sehr reaktionsträge; erst bei höheren Temperaturen reagiert es mit Halogenen und Sauerstoff. B. ist ein wichtiges pflanzl. →Spurenelement. – Natürl. Vorkommen in →Borax, Borsäure (→Sassolin), →Kernit, ferner in Boracit und →Colemanit. B. wird technisch durch Reduktion von B.-Trioxid mit Magnesium (amorphes B.), aus B.-Halogeniden oder B.-Hydriden durch therm. Zersetzung oder aus B.-Halogeniden durch Reduktion mit Wasserstoff im Hochspannungslichtbogen (kristallines B.) erzeugt. Es wird verwendet zur Dotierung von Halbleitern, von B.-Legierungen, als Neutronenabsorber in Kernreaktoren, von B.-Fasern und →Whiskers. **Borwasserstoffe (Borane)** eignen sich für energiereiche Raketentreibstoffe.

Bora [italien., aus grch.] *die,* heftiger, kalter, trockener Fallwind an der Küste Dalmatiens; auch übertragen auf ähnl. Winde in anderen Gebieten, die vom kalten Hochland zum wärmeren Tiefland wehen.

Bora, Katharina von, Ehefrau M. Luthers, * Lippendorf (heute zu Neukieritzsch, Landkr. Leipziger Land) 29. 1. 1499, † Torgau 20. 12. 1552; schloss am 13. 6. 1525 mit Luther die Ehe, vorher Nonne im Kloster Nimbschen (bei Grimma, Sachsen), das sie 1523 verließ.

Katharina von Bora: Bildnis von Lucas Cranach d. Ä. (um 1526–29; Münster, Westfälisches Landesmuseum)

Borane, Wasserstoffverbindungen des →Bors.

Borås [bu'ro:s], Stadt in S-Schweden, VerwBez. Älvsborg, 102800 Ew.; Textilzentrum Schwedens; volkskundl. Freilichtmuseum.

Borassus [grch.], Fächerpalmengattung mit der südasiat. **Palmyrapalme** (B. flabellifer) und der afrikan. **Delebpalme** (B. aethiopium), die u. a. Fasern und essbare Früchte liefern.

Borate, die Salze und Ester der →Borsäure.

Borax [mlat., von pers. bura^h] *der,* farbloses, weißes, graues oder gelbliches, monoklines Bormineral, $Na_2B_4O_7 \cdot 10\ H_2O$, kommt in B.-Seen (Kalifornien, Türkei) vor; dient zum Glasieren,

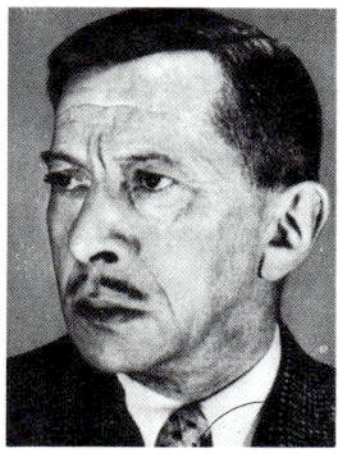

Rudolf Borchardt

Jochen Borchert

Wolfgang Borchert

Emaillieren und zum Löten und Schmelzen von Metallen.

Borazin *das,* zykl. Bor-Stickstoff-Wasserstoff-Verbindung; wegen formaler Ähnlichkeit mit Benzol auch als **anorgan. Benzol** bezeichnet.

Borcarbid *das,* Bor-Kohlenstoff-Verbindung; das kristalline B_4C ist äußerst hart, chem. beständig und hitzefest.

Borchardt, Rudolf, Schriftsteller, *Königsberg (Pr) 9. 6. 1877, †Trins (bei Steinach, Tirol) 10. 1. 1945; konnte nach 1933 in Dtl. nicht mehr veröffentlichen; von konservativer, betont nat. Gesinnung; schrieb Essays, Gedichte, Dramen, Erzählungen, einen Roman (»Vereinigung durch den Feind hindurch«, 1937). Er übertrug u.a. Werke von Pindar und Dante.

Ausgabe: Gesammelte Briefe, hg. v. G. SCHUSTER u. H. ZIMMERMANN, auf 20 Bde. berechnet. München 1994 ff.

📖 *R. B., 1877–1945, hg. v.* H. A. GLASER. *u. a. Frankfurt am Main 1987.*

Borchert, 1) Jochen, Politiker, *Nahrstedt (Landkr. Stendal) 25. 4. 1940; seit 1980 MdB (CDU); seit 21. 1. 1993 Bundesmin. für Ernährung, Landwirtschaft und Forsten.

2) Wolfgang, Schriftsteller, *Hamburg 20. 5. 1921, †Basel 20. 11. 1947; gestaltete in den dramat. Szenen »Draußen vor der Tür« (1947) die verzweifelte Situation des Heimkehrers aus dem 2. Weltkrieg; schrieb auch Gedichte und Kurzgeschichten, u.a. »Generation ohne Abschied« (1947).

Ausgabe: Das Gesamtwerk. Mit einem biograph. Nachwort v. B. MEYER-MARWITZ. Hamburg 542. Tsd. 1996.

📖 SCHRÖDER, C. B.: *W. B. Neuausg. München 1988.* – RÜHMKORF, P.: *W. B. Reinbek 160.–161. Tsd. 1996.*

Bord, urspr. der oberste Schiffsrand, heute das Schiff selbst; auch auf Luftfahrzeuge übertragen.

Wolfgang Borchert

»Draußen vor der Tür«

Dies ist der Titel eines Theaterstücks von Wolfgang Borchert, mit dem Untertitel ›Ein Stück, das kein Theater spielen und kein Publikum sehen will‹. Es wurde 1947 zunächst als Hörspiel gesendet und später als »Liebe 47« auch verfilmt. Das Stück zeigt an der Gestalt eines Kriegsheimkehrers exemplarisch Elend und Einsamkeit der Kriegsgeneration nach dem Ende des Kriegs. Es sind Menschen, die zurückkehren wollen, aber nicht können, weil es ihr Zuhause nicht mehr gibt, weil ihre früheren sozialen Bindungen zerstört sind und es ihnen nicht möglich ist, neue Bindungen einzugehen. Ihr Zuhause ist dann »draußen vor der Tür«, wie es in einer Vorbemerkung des Stückes heißt. Der Titel wird heute zitiert, um Situationen zu kennzeichnen, in denen jemand von etwas ausgeschlossen oder an etwas nicht beteiligt wird.

Bordcomputer [-kɔmˈpjuːtər, engl.], elektron. Datenverarbeitungsanlage an Bord von Flugzeugen, Raumschiffen; dient u.a. zur Flugführung und Navigation; auch im Kfz von zunehmender Bedeutung.

Börde [niederdt., urspr. »Gerichtsbezirk«], fruchtbare, überwiegend landwirtschaftlich genutzte Ebene, z.B. Magdeburger Börde.

Bordeaux [bɔrˈdo], Hptst. des frz. Dép. Gironde und der Region Aquitanien, 213 300 Ew.; Haupthandels- und Hafenstadt SW-Frankreichs, an der Garonne, in der Weinlandschaft **Bordelais.** In der Region B. (Umlandverband B.), die 26 weitere Gemeinden umfasst, leben knapp 700 000 Menschen. In B. Sitz eines Erzbischofs, Univ. (seit 1441), Akademie der Wiss., Literatur und Künste (1712), jurist. und militär. Fachhochschulen, Observatorium, Theater, Museen und Bibliotheken; internat. Musikfestival. Die modernen Hafenanlagen mit mehreren Erdölvorhäfen liegen an dem 7 km langen Bogen der Garonne. Erdölraffinerien, chem., Gummi-, Apparate-, Nahrungsmittelind., Maschinen-, Fahrzeug-, Flugzeug-, Schiffbau; internat. Messe. Bed. Fischereihafen; Flughafen im W der Stadt. – Got. Kathedrale Saint-André (Mitte 12.–15. Jh.; mit frei stehendem Glockenturm »Tour-Pey-Berland«, 1440–66), Kirchen Saint-Michel (14.–16. Jh.; ebenfalls mit frei stehendem Glockenturm), Sainte-Croix (12./13. Jh.) und Saint-Seurin (12.–15. Jh.); Reste eines röm. Amphitheaters; zahlr. Repräsentativbauten des 18. Jh., u.a. Theater und Rathaus.

B., das galloröm. **Burdigala,** war Hptst. der röm. Provinz Aquitanien. 418 kam es an die Westgoten, 507 an die Franken. Seit dem 7. Jh. zum Herzogtum Aquitanien gehörig, war es damit seit 1152 dem Haus Plantagenet verbunden. Erst 1451 wurde B. französisch. Im Winter 1870/71, im Herbst 1914 und im Sommer 1940 war B. Sitz der frz. Regierung.

Bordeauxbrühe [bɔrˈdo-] (Kupferkalkbrühe), *Weinbau:* Spritzbrühe aus Kalk und Kupfersulfat gegen Pilzerkrankungen wie Falscher →Mehltau.

Bordeauxweine [bɔrˈdo-], frz. Qualitätsweine aus dem **Bordelais** im Dép. Gironde mit einer Rebfläche von rd. 94 000 ha; jährl. Ertrag rd. 4–5 Mio. hl Wein, zu etwa gleichen Teilen Weiß- und Rotweine. Die von Qualitätsweinflächen (rd. 80 %) stammenden B. kommen entsprechend den gesetzl. Bestimmungen mit einer Herkunftsbezeichnung, der Appellation Controlée (AC), auf den Markt, sofern sie (für Rotweine) aus den Rebsorten Cabernet Sauvignon, Cabernet Franc, Merlot, Malbec, Petit Verdot und Carmenère sowie (für Weißweine) Sémillon, Sauvignon und Muscadelle stammen. Es gibt rd. 50 Appellationen, nämlich solche der Regionen (z.B. Médoc, Graves) und, mit z. T. strengeren Anforderungen, der Gemeinden (z. B. Fronsac, Margaux, Pauillac, Pomerol, Saint-Emilion). Für die edelsüßen weißen B. (Sauternes, Barsac) werden nur edelfaule Beeren verwendet. In einigen Gebieten sind die Weine klassifiziert (im Médoc seit 1855, in Saint-Emilion seit 1955). Bes. die Weine einzelner Güter zählen zu den berühmtesten und begehrtesten Weinen der Erde.

Bördekreis, Landkreis im RegBez. Magdeburg, Sa.-Anh., 880 km², (1996) 81300 Ew.; Krst. ist Oschersleben (Bode).

Bordelais [bɔrdəˈlɛ], südwestfrz. Weinbaulandschaft, → Bordeauxweine.

Bordell [frz., urspr. »Bretterhütte«] *das,* Unternehmen, dessen Inhaber Räume zur gewerbl. Ausübung der → Prostitution zur Verfügung stellt. Der Betrieb eines B. ist in Dtl. in bestimmten Fällen strafbar als Förderung der Prostitution (§ 180 a StGB), wenn z. B. Personen in wirtsch. oder persönl. Abhängigkeit gehalten werden, minderjährig sind oder die Prostitution über die reine Wohnungsgewährung hinaus gefördert wird.

Bördeln, *Fertigungstechnik:* das Umbiegen des Randes von Blechteilen oder Rohren, um den Rand zu verstärken, das Werkstück zu versteifen oder glatte Begrenzungsflächen daran zu erzeugen, z. B. zum Fugen durch Löten, Falzen oder Verschrauben.

Borden [bɔːdn], Sir Robert Laird, kanad. Politiker (Konservative Partei), * Grand Pré (Neuschottland) 26. 6. 1854, † Ottawa 10. 6. 1937; war 1911–20 Premiermin., erreichte auf den Empirekonferenzen von 1917/18 und auf der Pariser Friedenskonferenz 1919 die internat. Anerkennung Kanadas als eigenständiger Staat. B. gilt als einer der Wegbereiter des »British Commonwealth of Nations«.

Borders Region [ˈbɔːdəz ˈriːdʒən], ehem. Verw.gebiet (Region) in SO-Schottland; 1996 durch die Local Authority Scottish Borders ersetzt.

Bordesholm, Gemeinde im Landkr. Rendsburg-Eckernförde, Schlesw.-Holst., am Bordesholmer See, 7100 Ew. – Der **Bordesholmer Altar** (1514–21) von H. Brüggemann aus der got. ehem. Klosterkirche befindet sich seit 1666 in Schleswig (Petridom).

Bordet [bɔrˈdɛ], Jules, belg. Bakteriologe, * Soignies (Prov. Hennegau) 13. 6. 1870, † Brüssel 6. 4. 1961; beschrieb als Erster die Komplementbindungsreaktion im Rahmen einer Theorie der Immunitätsentwicklung und erhielt dafür 1919 den Nobelpreis für Physiologie oder Medizin. 1906 entdeckte er mit O. Gengou (* 1875, † 1957) den Keuchhustenerreger.

Bordighera [-ˈgeːra], Stadt in Ligurien, Prov. Imperia, an der Riviera di Ponente, Italien, 11100 Ew.; Kurort und Seebad; Blumenzucht.

Bordeaux: Blick auf das Ufer der Garonne; im Hintergrund die Kathedrale Saint-André (Mitte 12.–15. Jh.) mit dem 1440–66 erbauten frei stehenden Glockenturm »Tour-Pey-Berland«

Bordinstrumente, Geräte in Flugzeugen, die der Besatzung die Überwachung flugmechan. und navigator. Größen sowie des Zustands versch. Anlagen ermöglichen. Man unterscheidet Flugüberwachungsgeräte (z. B. Geschwindigkeits-, Höhenmesser), Triebwerküberwachungsgeräte (z. B. Drehzahl- und Drehmomentmesser, Kraftstoffverbrauchsmesser), Flugzeugüberwachungsgeräte (z. B. Stellungsanzeiger für Landeklappen, elektr. und hydraul. Bordsysteme).

Bordeaux
Stadtwappen

Bordun [italien.] *der* (frz. Bourdon), *Musik:* 1) unverändert fortklingender Basston; 2) Brummpfeife des Dudelsacks; 3) Basssaite neben dem Griffbrett der Basslaute; 4) Orgelregister.

Bordüre, [frz.] *die,* Einfassung, verzierte Kante oder Borte, z. B. Randmusterung bei Decken, Tüchern und Stoffen durch Stickerei, Weberei oder Druck.

Bordwaffen, an Bord militär. Fahrzeuge (Schiffe, Flugzeuge, Panzer) fest eingebaute Waffen (Maschinenkanonen, Raketen).

Bordwand, bei Schiffen, Booten, Flugzeugen der seitl. Teil der Außenhaut.

Bordzeit, die der geograph. Länge des Standorts von Fahrzeugen (Schiffen, Flugzeugen) entsprechende Tageszeit.

Jules Bordet

Bore [ind. »Flut«] *die* (Sprungwelle), hohe Gezeitenwelle, die bes. bei Springflut weit in trichterförmige Flussmündungen eindringt.

boreal [zu grch. boréas »Nordwind«], Bez. für die kaltgemäßigten Klimazonen mit kühlen, feuchten Sommern und langen, kalten Wintern, auch für die diesem Klima zugehörende Pflanzen- und Tierwelt. Der **boreale Nadelwald** ist der an die Arktis anschließende Nadelwaldgürtel auf der Nordhalbkugel.

Björn Borg

Jorge Luis Borges

Boreal *das,* Zeitabschnitt der Nacheiszeit (Holozän) in Mitteleuropa mit warmem, trockenem Klima.

Boreas *der,* in der Ägäis im Sommer zuweilen stürm. Nordwind.

Boreas, *grch. Mythos:* Gott des Nordwinds, Sohn der Eos; raubte Oreithyia, die Tochter des athen. Königs Erechtheus. Sie gebar ihm zwei Söhne, die **Boreaden,** Helden der Argonautenfahrt. Die Athener verehrten B., da sie ihm den Sieg über die pers. Flotte (480 v. Chr.) zuschrieben.

Borg [bɔrj], **1)** Björn, schwed. Tennisspieler, *Södertälje 6. 6. 1956; erster Spieler, der fünfmal (1976–80) hintereinander in →Wimbledon das Einzel gewann; daneben viele weitere bed. Turniersiege.

2) Kim, finn. Sänger (Bass), *Helsinki 7. 8. 1919; debütierte 1947 als Konzertsänger, 1951 als Opernsänger; auch Komponist von Kammermusik und Liedern.

Borges ['bɔrxɛs], Jorge Luis, argentinischer Schriftsteller, *Buenos Aires 24. 8. 1899, †Genf 14. 6. 1986; von großem Einfluss auf die moderne lateinamerikan. Literatur, seit 1942 auch Zusammenarbeit mit A. Bioy Casares (gemeinsames Pseudonym: H. Bustos Domecq); behandelt u. a. das Problem von Traum und Realität, Meister der fantast. Erzählung: »Der schwarze Spiegel« (1935), »Sechs Aufgaben für Don Isidro Parodi« (1942; mit A. Bioy Casares), »Das Aleph« (1949), »Das Sandbuch« (1975); schrieb auch Gedichte (»Lob des Schattens«, 1969; »Los conjurados«, 1985) und Essays (»Geschichte der Ewigkeit«, 1936).

Ausgabe: Werke, hg. v. G. HAEFS u. F. ARNOLD, 20 Bde. (Frankfurt am Main 1991–95).

📖 SCHLAFFER, H.: *B. Frankfurt am Main 1993.* – CHOUVIER, B.: *J. L. B., l'homme et le labyrinthe. Lyon 1994.* – *J. L. B., hg. v.* K. A. BLÜHER *u. a. Frankfurt am Main* ²*1995.*

Borgese [-'dʒeːse], Giuseppe Antonio, italien. Literarhistoriker und Schriftsteller, *Polizzi Generosa (Prov. Palermo) 12. 11. 1882, †Fiesole 4. 12. 1952; emigrierte 1931 (bis 1949) in die USA; Schwiegersohn T. Manns; bed. als Kritiker und Interpret (G. D'Annunzio, Goethe); Autor von Romanen (»Rubè«, 1921), Dramen, Lyrik.

Borghese [bɔr'geːse], röm. Adelsfamilie, aus der Papst Paul V. (1605–21) stammt; ihm verdankt sie Reichtum und Fürstentitel. Der Park der **Villa B.** ist der größte in Rom (seit 1903 städtisch), die **Galleria B.** (seit 1902 staatlich) enthält die von der Familie gesammelten Gemälde (Raffael, Tizian, Correggio u. a.) und Skulpturen (Bernini, Canova, antike Werke, mit Ausnahme der von Napoleon nach Paris gebrachten, wie z. B. des **Borghesischen Fechters).**

Borgholm ['bɔrj-], Hauptort der schwed. Insel →Öland.

Borgholzhausen, Stadt im Landkr. Gütersloh, NRW, im Teutoburger Wald, 8 500 Ew.; Fleischwaren-, Fördermittel-, Kunststoffind.; Solbad im Ortsteil Bad Ravensberg. – Erhielt 1719 Stadtrecht.

Borgia ['bɔrdʒa, italien.] (span. Borja), Adelsgeschlecht aus Spanien, kam Anfang des 15. Jh. nach Italien; ihm entstammen die Päpste Calixtus III. (1455–58) und Alexander VI. (1492–1503).

📖 CLOULAS, I.: *Die B.s. Biographie einer Familiendynastie. A. d. Frz. München 1993.* – BRAMBACH, J.: *Die B. Faszination einer Renaissance-Familie. München 1995.*

1) Cesare, italien. Renaissancefürst, *Rom im Sept. 1475, †(gefallen) Viana (bei Pamplona) 12. 3. 1507, Sohn Alexanders VI., Bruder von 3); Erzbischof von Valencia (1492) und Kardinal (1493), wurde zum frz. Herzog von Valence erhoben und unterwarf 1499–1502 die Romagna, Umbrien und Siena, musste aber 1503 seine Eroberungen an Papst Julius II. ausliefern und diente danach seinem Schwager, dem König von Navarra. Mit der Vernichtung vieler Feudal- und Stadtherrschaften bereitete er einen einheitl. Staat in Mittelitalien vor. Er verkörperte das Ideal des skrupellosen, genuss- und kunstliebenden Renaissancefürsten.

2) Francisco, spanisch-italien. Theologe, *Gandía (Prov. Valencia) 28. 10. 1510, †Rom 30. 10. 1572; Urenkel Alexanders VI., wurde 1565 Generaloberer des Jesuitenordens. Heiliger, Tag: 10. 10.

3) Lucrezia, *Rom 18. 4. 1480, †Ferrara 24. 6. 1519, Tochter Alexanders VI., Schwester von 1); ⚭ seit 1501 in 3. Ehe mit dem Herzog von Ferrara, Alfonso d'Este; sie zog Dichter und Gelehrte (Ariosto, Bembo) an ihren Hof. Ihr die Jahrhunderte überdauernder schlechter Ruf entstand durch Verleumdung.

Borgis [aus frz. bourgeois »bürgerlich«] *die,* veraltete Bez. für einen Schriftgrad von 9 Punkt, der seit der Frz. Revolution aus Ersparnisgründen für die Bücher der Bürger verwendet wurde. (→Schriften)

Borgu, vorkoloniales afrikan. Reich (16.–19. Jh.) im mittleren Sudan, westlich des Nigers, im Grenzgebiet der heutigen Rep. Nigeria und Benin. 1898 zw. Frankreich und Großbritannien aufgeteilt.

Boride, nichtstöchiometr. Verbindungen von Bor mit Metallen. Viele B. sind hochschmelzend und hart und werden für Schleifmittel, Hartstoffe, hochtemperaturbeständige Werkstoffe u. Ä. verwendet.

Borinage [-'naːʒ] *die,* ehem. belg. Steinkohlenrevier südlich der Haine zw. Mons und der frz. Grenze.

Boris, slaw. Herrscher:

Bulgarien: **1) B. I.,** erster christl. Fürst der Bulgaren (852–889), †2. 5. 907; trat 864 mit dem Adel zum Christentum über und verbrachte seine letzten Jahre als Mönch Michael im Kloster. Bulgar. Nationalheiliger, Tag: 15. 5.

2) B. III., Zar (1918–43), * Sofia 30. 1. 1894, † ebd. 28. 8. 1943; bestieg nach der Abdankung seines Vaters Ferdinand I. den Thron. Seit 1934 regierte er autoritär. 1941 führte er Bulgarien dem Dreimächtepakt zu, vermied aber den Eintritt seines Landes in den Krieg gegen die UdSSR.

Russland: **3) B. Godunow,** russ. Zar, → Godunow.

Borissow (weißruss. Baryssaŭ), Hafenstadt an der Beresina, Gebiet Minsk, Weißrussland, 150 200 Ew.; Bau von Maschinen, medizin. Geräten, Holz-, chem. Ind., Kristallglashütte, Klavierbau.

Boris und Gleb, die ersten Heiligen der russ.-orthodoxen Kirche. Bei den Erbstreitigkeiten nach dem Tod ihres Vaters, des Fürsten → Wladimir I. von Kiew, ließ ihr Halbbruder Swjatopolk sie 1015 töten. Das Jahr ihrer Heiligsprechung ist unsicher.

Borke, 1) *Botanik:* abgestorbene Teile der Rinde.

2) *Medizin:* der → Schorf.

Borken, 1) Landkreis im RegBez. Münster, NRW, 1 418 km², (1996) 342 700 Einwohner.

2) Krst. von 1) in NRW, im südwestl. Münsterland, an der niederländ. Grenze, 38 700 Ew.; Maschinenbau-, Textil- u. a. Ind.; 1945 stark zerstört.

3) Stadt im Schwalm-Eder-Kr., Hessen, an der Schwalm, 14 300 Ew.; Braunkohlentagebau, Großkraftwerk. – Erhielt 1317 Stadtrecht.

Borkenflechte, Name für versch. infektiöse Hauterkrankungen: beim Menschen → Impetigo, bei Tieren → Glatzflechte.

Borkenkäfer (Scolytidae, Ipidae), Käferfamilie mit etwa 4 600 Arten, 1–6 mm lange, walzenförmige Käfer, Forstschädlinge. Das Weibchen der **Rindenbrüter** nagt unter die Baumrinde einen Muttergang, in dessen Seiten die Eier abgelegt werden. Bei den **Holzbrütern** finden sich Leiter-, Gabel- oder Platzgänge. Nach dem Fraßbild unterscheidet man Bastkäfer mit dem **Waldgärtner** (Blastophagus), Splintkäfer mit dem **Großen Ulmensplintkäfer** (Scolytus scolytus) und eigentl. B. mit dem nach dem Fraßbild benannten **Buchdrucker** (Ips typographus).

Borkenkrepp (Borkensatin, Baumrindenkrepp), Gewebe mit rindenartigen Kreppfalten.

Bór-Komorowski [bur-], Tadeusz, urspr. Graf Komorowski, poln. General, * bei Trembowla (heute Terebowlja, Gebiet Ternopol) 1. 6. 1895, † Grove Farm (Buckinghamshire) 24. 8. 1966; führte 1943/44 im Untergrund unter dem Decknamen **Bór** (Wald) die »Armee im Lande«. 1944 leitete er den Warschauer Aufstand; 1947–49 Min.-Präs. der poln. Exilregierung.

Borku (frz. Borkou), wüstenhaftes Tafel- und Bergland (mit Oasen) in der Sahara, südöstl. des Tibesti, im N der Rep. Tschad.

Borkum, die westlichste und größte (30,6 km²) der Ostfries. Inseln. B. gehört zum RegBez. Weser-Ems, Ndsachs.; an der Westküste Stadt und Seebad B.; 5 700 Ew.; Fährverbindung mit Emden; Kleinbahn zw. Hafen und Ort.

Borlänge, Industriestadt in Dalarna, Mittelschweden, 47 300 Ew.; Großkraftwerk am stromschnellenreichen Dalälv; Elektrostahlwerk, Papierindustrie.

Borlaug ['bɔ:lɔ:g], Norman Ernest, amerikan. Agrarwissenschaftler, * Cresco (Iowa) 25. 3. 1914; erhielt 1970 den Friedensnobelpreis für seine Arbeiten zum Welternährungsproblem (Züchtung ertragreicher Getreidesorten).

Borman ['bɔ:mən], Frank, amerikan. Astronaut, * Gary (Ind.) 14. 3. 1928; Kommandant von »Gemini 7« und von »Apollo 8« beim ersten bemannten Flug um den Mond (1968).

Bormann, Martin, Politiker (NSDAP), * Halberstadt 17. 6. 1900, † (lt. Schlussbericht der Staatsanwaltschaft Frankfurt am Main vom 4. 4. 1973) Berlin 2. 5. 1945; urspr. Landwirt, galt als einer der radikalsten Ratgeber Hitlers. 1941–45 leitete er die Parteikanzlei. 1943–45 war er »Sekretär des Führers«; 1946 in Nürnberg vom internat. Militärtribunal in Abwesenheit zum Tod verurteilt.

Bormio (früher dt. Worms), Gemeinde in den italien. Alpen, in der Lombardei, Prov. Sondrio, 1 225 m ü. M., an der Adda und der Straße über das Stilfser Joch, 4 100 Ew.; Wintersportplatz und Heilbad.

Born, 1) Max, Physiker, * Breslau 11. 12. 1882, † Göttingen 5. 1. 1970; Prof. in Breslau, Berlin, Frankfurt am Main, Göttingen und Edinburgh; grundlegende Arbeiten in der Quantenmechanik, gab die heute allg. anerkannte statist. Deutung der Wellenmechanik, erhielt dafür 1954 den Nobelpreis für Physik (zus. mit W. Bothe).

2) Nicolas, Schriftsteller, * Duisburg 31. 12. 1937, † Hamburg 7. 12. 1979 ; schrieb Lyrik und Romane (»Die Fälschung«, hg. 1979), die v. a. zwischenmenschl. Probleme zum Thema haben.

📖 Kremp, J.-W.: *Inmitten gehen wir nebenher. N. B.: Biographie, Bibliographie, Interpretationen. Stuttgart 1994.*

Borna, Große Kreisstadt im Kreis Leipziger Land, Sachsen, im S der Leipziger Tieflandbucht, 21 800 Ew.; Braunkohlen-Großtagebau, Brikettfabrikation, Großkraftwerk. – Kunigundenkirche (vor 1200; roman. Backsteinbasilika). – Anfang des 11. Jh. entstanden, 1251 als Stadt genannt. B. war bis 1994 Kreisstadt.

Borkenkäfer: Fraßbild des Buchdruckers

Max Born

Tadeusz Bór-Komorowski

Borna-Krankheit, bei Pferden und Schafen eine durch ein Virus verursachte, ansteckende Gehirn-Rückenmark-Entzündung, die zuerst (1894) in Borna beobachtet wurde; meldepflichtig.

Bornholm: Die Ruine der Festung Hammershus (13. Jh.)

Börne, Ludwig, eigtl. Löb Baruch, Schriftsteller, *Frankfurt am Main 6. 5. 1786, †Paris 12. 2. 1837; Theaterkritiker; 1818 Übertritt zum Protestantismus; lebte seit 1830 in Paris; vermittelte den radikalen frz. Liberalismus und stellte die These auf, dass das ästhet. Zeitalter vom polit. abgelöst und die Literatur zur Dienerin der Politik werde (→Junges Deutschland). Seine polemisch-witzigen Schriften wirkten anregend auf die Entwicklung des Feuilletons. »Briefe aus Paris« (6 Tle., 1832–34).

Bornit

📖 WERNER, E.: *Literatur im Kalender. Lebensbilder. Frankfurt am Main 1991.*

Borneo (indones. Kalimantan), größte der Großen Sundainseln, Malaiischer Archipel. Von den 754 770 km² (mit Nebeninseln) gehören zu Indonesien 550 848 km² (vier Provinzen), zu Malaysia 198 157 km² (→Sabah, →Sarawak) und zu →Brunei 5765 km². – Gebirgiges, von trop. Regenwald (1982/83 verheerende Waldbrände) bedecktes Landesinneres (im Kinabalu 4101 m hoch). Die langen, wasserreichen Flüsse (Barito, Kapuas) sind meist schiffbar. Weite Teile im SO und W sind nach Brandrodung von Alang-Alang-Grasfluren bedeckt; an den Küsten Mangrovewälder. Die Bev. (rd. 10 Mio.) besteht v.a. aus Altmalaien im Innern (→Dayak), aus Jungmalaien an den Küsten und chines. Einwanderern im Westen. – Die Wirtschaft ist noch wenig entwickelt; an den Küsten Kautschuk-, Tabak- und Kokosnusspflanzungen. B. ist reich an Bodenschätzen: Erdölvorkommen im O und NW (Brunei), Gold, Steinkohle, Diamanten. – Die muslim. Malaien ließen sich an der Küste und an den Flussufern nieder, unterwarfen oder verdrängten die eingeborenen Dayak und gründeten Seeräuberstaaten. Seit 1598 setzten sich die Niederländer auf B. fest. Die Briten erwarben 1888 Nordborneo. 1942–45 war B. von den Japanern besetzt. Die niederländ. Teile kamen 1949 an Indonesien, die brit. Gebiete 1963 an Malaysia. Brunei blieb brit. Protektorat (bis Ende 1983); seit 1984 unabhängig.

Alexandr Borodin

📖 BÖTIG, K. *u.* SCHERM, I.: *Malaysia, B. Festland, Sarawak, Sabah, Brunei. Kultur u. Geschichte, Landschaften u. Städte, Orts- u. Streckenbeschreibungen. Pforzheim ²1992.*

Borneol *das,* bizykl. Terpenalkohol, findet sich in versch. äther. Ölen und wird v.a. in der Riechstoffind. verwendet; Geruch kampferartig, leicht holzig.

Börner, Holger, Politiker (SPD), *Kassel 7. 2. 1931; Baufacharbeiter, 1957–76 MdB, 1972–76 Bundesgeschäftsführer der SPD, 1976–87 hess. Ministerpräsident.

Bornheim, Stadt im Rhein-Sieg-Kreis, NRW, am O-Rand der Ville, 40 200 Ew.; Philosophisch-Theolog. Hochschule der Dominikaner; Tonwarenind., Brauerei; Obst-, Gemüsebau.

Bornholm, dän. Ostseeinsel, vor der SO-Spitze Schwedens gelegen, 588 km², (1994) 45 100 Ew.; im Rytterknægten 162 m hoch. Die zerklüftete Steilküste im NW und NO besteht aus Granit, die nach SW geneigte Tafel teils aus Sandsteinen, Schiefern und Juraschichten, teils aus fruchtbaren eiszeitl. Moränenböden; Wald und Heide herrschen im Innern vor. Ackerbau, Viehzucht, Fischerei, bodenständige Industrien (Keramik, Kunststein); Fremdenverkehr. Hauptort ist Rønne. – B., das mittelalterl. **Burgundarholm,** wurde im 11. Jh. christianisiert, kam im 12. Jh. an das Erzbistum Lund (Festung Hammershus, 13. Jh., heute Ruine), gehörte 1525–75 zu Lübeck, 1658–60 zu Schweden und ist seitdem dänisch.

Bornholm-Krankheit, akute, epidemisch auftretende Infektionskrankheit, hervorgerufen durch Coxsackie-Viren, mit Fieber und starken Muskelschmerzen einhergehend. Erstmals 1904 auf Bornholm beobachtet.

Bornit [nach dem österr. Hüttenfachmann I. von Born, *1742, †1791] *der* (Buntkupferkies), tetragonal-pseudokubisch kristallisierendes, oberhalb 288 °C kubisches Mineral, Cu_5FeS_4 (Cu-Gehalte 55–69 %); Mohshärte 3, Dichte 4,9–5,1 g/cm³; braunes, schnell bunt anlaufendes, wichtiges Kupfererz.

Bornitrid *das,* **BN,** in drei Modifikationen vorkommende Bor-Stickstoff-Verbindung; technisch bedeutend ist das kubische β-BN **(Borazon),** das etwa die Härte des Diamanten erreicht, aber sehr viel hitzebeständiger ist; verwendet z.B. für Schleifmaterialien, Gleitmittel, zur Auskleidung von Verbrennungskammern.

Bornu, afrikan. Reich (14.–19. Jh.) südwestlich des Tschadsees, stand in geschichtl. Zusammenhang mit dem Reich Kanem (8.–14. Jh.; →Kanem-Bornu); das Gebiet bildet heute den Bundesstaat **Borno** im NO Nigerias.

Borobudur: Eines der etwa 1 300 Flachreliefs, die die galerieähnlichen Umgänge schmücken, mit der Darstellung Buddhas

Borobudur, buddhist. Heiligtum in Mitteljava, die bedeutendste Tempelanlage des Mahajana-Buddhismus, um 800 erbaut. Das siebenstufige pyramidenähnl. Monument gipfelt in einem Zentralstupa; die um 1830 entdeckte Anlage wurde im späten 19. Jh. restauriert; erneut verfallend, wurde B. in den 1970er-Jahren abgetragen und neu zusammengefügt (UNESCO-Weltkulturerbe); seit 1983 wieder zugänglich.

🕮 *B. Das Pantheon Indonesiens. Text v.* J. Miksic, *Fotos v.* M. *u.* A. Tranchini. *München 1991.*

Borodin, Alexandr Porfirjewitsch, russ. Komponist, *Sankt Petersburg 12. 11. 1833, †ebd. 27. 2. 1887; Chemiker (seit 1864 Prof. für organ. Chemie) und Arzt; gehörte zur »Gruppe der Fünf«, dem Kreis um M. A. Balakirew, und bekannte sich im Ggs. zu anderen Mitgl. dieser Schule zur programmlosen Musik; komponierte zwei Sinfonien, zwei Streichquartette, Lieder, Oper »Fürst Igor«.

Borodino, Dorf in Russland, 124 km westl. von Moskau. Hier siegte am 7. 9. 1812 Napoleon I. über den russ. General M. I. Kutusow.

Borosilikatgläser, Gläser mit hoher Temperaturwechselbeständigkeit und chem. Widerstandsfähigkeit, die Bortrioxid und Siliciumdioxid als Glasbildner enthalten; Verwendung als Laborgläser, Kochgeräte, opt. Gläser, zur Einbettung hoch radioaktiver Abfälle.

Borough [ˈbʌrə], in Großbritannien: Marktflecken, Stadtgemeinde. Die B., seit 1888 in grafschaftsangehörige **(Municipal B.)** und grafschaftsfreie **(County B.)** B. unterschieden, wurden 1972 abgeschafft (Ausnahme: Groß-London). **Parliamentary B.** sind besondere städt. Wahlkreise.

Borretsch (Gurkenkraut, Borago officinalis), stark behaartes Raublattgewächs mit blauen Blüten. Die Blätter dienen zum Würzen von Salaten und als Gemüse.

Borretsch

Borries, Bodo von, Ingenieur und Physiker, *Herford 22. 5. 1905, †Köln 17. 7. 1956; entwickelte mit E. Ruska u. a. ab 1930 das Elektronenmikroskop mit magnet. Linsen.

Borris, Siegfried, Komponist, *Berlin 4. 11. 1906, †ebd. 23. 8. 1987; schrieb Jugend- und Funkopern (»Hans im Glück«, 1947), Sinfonien, Kammermusik, Chorwerke, Lieder.

Borromäerinnen, weibl. kath. Kongregationen, die sich bes. der Krankenpflege widmen (→Barmherzige Schwestern).

Borromäische Inseln (italien. Isole Borromee), Inselgruppe im Lago Maggiore; nach der Mailänder Adelsfamilie Borromeo benannt, die von 1630 an auf den beiden größeren Inseln, **Isola Bella** und **Isola Madre,** Villen und Parkanlagen schuf.

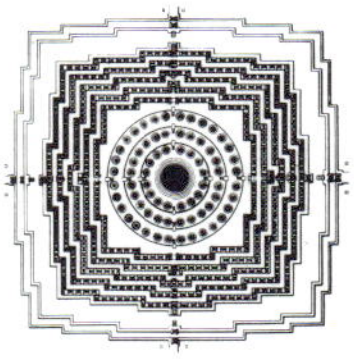

Borobudur: Grundriss, er stellt ein Mandala dar

Borromäus-Verein, größte kath. Volksbildungsorganisation zur »Verbreitung guter Bücher«, Bonn, gegr. 1844. Unter dem Protektorat der Erzdiözese Köln stehend, betreut und beliefert der B. zahlreiche Pfarrbibliotheken; unterhält eine staatlich anerkannte Fachhochschule für das öffentl. Bibliothekswesen, eine Fernleihe, eine Blinden- und Tonbandbücherei. In Bayern wirkt entsprechend der Sankt →Michaels-Bund.

Borobudur: Die über 40 m hohe, von einem zentralen Stupa gekrönte buddhistische Tempelanlage symbolisiert mit ihren neun aufsteigenden Terrassen den »achtgliedrigen Pfad« zur Vollendung

Borromeo, Carlo (latinisiert Borromäus), italien. Theologe, *Arona (am Lago Maggiore) 2. 10. 1538, †Mailand 3. 11. 1584; wurde 1560 Kardinal und Erzbischof von Mailand, wirkte für die Erneuerung des kirchl. Lebens und bekämpfte den Protestantismus. Heiliger (seit 1610), Tag: 4. 11.

📖 Pastor, L. Frhr. von: *Charakterbilder kath. Reformatoren des XVI. Jh. Ignatius von Loyola, Teresa de Jesús, Filippo Neri, Carlo Borromeo. Freiburg im Breisgau 1924, Mikroficheproduktion Egelsbach u. a. 1994.*

Francesco Borromini: Das über dem Grundriss eines gleichschenkligen Dreiecks errichtete sechsteilige Kuppelgewölbe der Kirche Saint' Ivo della Sapienza in Rom (1642–61)

Borromini, Francesco, eigtl. F. Castello, italien. Baumeister, *Bissone (Kt. Tessin) 25. 9. 1599, †(Selbstmord) Rom 2. 8. 1667; begann bei C. Maderno und G. L. Bernini, dessen Gegenspieler er wurde. B. begründete einen neuen Stil, dessen Formen über rhythmisch gekurvten Grundrissen vor- und zurückschwingen und sich zu reich bewegten Raumgebilden durchdringen. Seine Kunst wirkte v. a. im dt. Spätbarock fort. – *Werke* (alle in Rom): San Carlo alle Quattro Fontane (1634–41); Oratorium und Konvent San Filippo Neri (1637–50); Univ.-Kirche Saint' Ivo della Sapienzia (1642–61); Collegio di Propaganda Fide (1646–66).

📖 Raspe, M.: *Das Architektursystem B.s. München 1994.*

Borsäure, $B(OH)_3$, bei Zimmertemperatur feste, schwache Säure. Sie findet sich frei in den heißen Quelldämpfen z. B. bei Sasso in der Toskana und kommt kristallisiert als Mineral (Sassolin) vor. Die Salze und Ester sind die **Borate.**

Borsche, Dieter, Bühnen- und Filmschauspieler, *Hannover 25. 10. 1909, †Nürnberg 5. 8. 1982; spielte in den 50er-Jahren zahlreiche Film-, später bes. Fernsehrollen; Charakterdarsteller u. a. unter E. Piscator in Berlin.

Borschtsch [russ.] *der,* russ. Nationalgericht; Suppe aus Rindfleisch, Gemüsen, bes. Kohl und Roten Rüben, mit saurer Sahne.

Börse [niederländ., angeblich nach einer Brügger Kaufmannsfamilie van der Burse, vor deren Haus sich Kaufleute zu Geschäftszwecken getroffen haben sollen; der Familienname wird mit niederländ. beurs »Geldbeutel« (von spätlat. bursa) in Verbindung gebracht], regelmäßige Zusammenführung von Kaufs- und Verkaufsinteressen, sei es traditionell im Zuge des Zusammentreffens von (vermittelnden) Käufern und Verkäufern **(Präsenz-B.)** an einem bestimmten Ort (B.-Saal, B.-Parkett) und zu bestimmten Zeiten (B.-Zeit) oder durch Eingabe in ein elektron. Handelssystem **(Computer-B.).**

Objekte des B.-Handels sind vertretbare (begegl., fungible) und austauschbare Sachen, die im Verkehr nach Zahl, Maß oder Gewicht bestimmt zu werden pflegen. Die B. führt Angebot und Nachfrage marktmäßig zusammen und gleicht sie aus durch amtl. Festsetzung von Preisen (Kursen), zu denen möglichst viele Geschäfte ausgeführt werden können.

Arten: 1) **Effekten-B.** oder **Wertpapier-B.** für Aktien oder festverzinsl. Wertpapiere, z. B. Rentenwerte, 2) **Devisen-B.,** 3) **Waren-B.,** an denen entweder verschiedene vertretbare Waren, v. a. landwirtsch. Erzeugnisse gehandelt werden **(Produkten-B.)** oder nur jeweils eine Warengattung für standardisierte Welthandelsgüter **(Spezial-B.),** z. B. Kaffee, Edelmetalle, 4) **Termin-B.,** an denen insbes. Optionen und Futures (sog. Finanzderivate) gehandelt werden. Weiter existieren börsenähnlich organisierte Märkte, u. a. Dienstleistungs-B. für Geschäfte im Verkehrs- und Versicherungsbereich, z. B. Schifffahrtsbörsen.

B.-Geschäfte sind entweder Kassageschäfte, d. h. Geschäfte, bei denen Lieferung und Zahlung innerhalb kürzester Frist erfolgen müssen, oder →Termingeschäfte. Rechtsgrundlage bilden das B.-Gesetz und das im Zweiten Finanzmarktordnungs-Ges. vom 26. 7. 1994 verankerte Wertpapierhandelsgesetz. Oberste Instanz in allg. B.-Angelegenheiten ist in Dtl. der Bundesfinanzminister. Das Bundesaufsichtsamt für den Wertpapierhandel (BAWe), Frankfurt am Main übt die Rechts- und Handelsaufsicht aus. Der **B.-Vorstand** leitet die Börse. Ihm obliegt die Überwachung des B.-Verkehrs nach der B.-Ordnung, die für jede B. zu erlassen ist, sowie nach sonstigen Vorschriften. Die **B.-Versammlungen** finden

i. d. R. an allen Wochentagen zu bestimmten Stunden, meist mittags, statt, vorher und nachher die nichtamtl. **Vor-** und **Nachbörse.** Die Feststellung der Kurse im amtl. B.-Verkehr erfolgt an den Wertpapier-B. nur für solche Wertpapiere, die ausdrücklich zum B.-Handel zugelassen sind. Die Makler haben im B.-Saal feste Plätze und nehmen hier Aufträge entgegen. Die festgestellten Kurse werden im amtl. Kursblatt bekannt gegeben. Außer dem amtl. B.-Verkehr gibt es den nichtamtl. Freiverkehr, bei dem »freie Makler« als Vermittler mitwirken.

Neben ihrer Bedeutung als Barometer für die Einschätzung der wirtsch. Entwicklung oder »Seismographen« für Wirkungen polit. Ereignisse haben B. folgende wirtsch. Funktionen: Bewertung von Kapitalgesellschaften aufgrund ihrer Kursentwicklung; Anlegern von Geldkapital ermöglichen die Wertpapier-B. eine liquide, weil jederzeit verwertbare Anlage, emittierende Schuldner erhalten langfristige Kredite oder das Geldkapital, B. erhöhen die nat. und internat. Mobilität des Kapitals; im Außenhandel bieten Devisen- und Waren-B. die Möglichkeit, sich durch Preis- bzw. Kurssicherungsgeschäfte (→Hedging) gegen Preis- bzw. Kursschwankungen zu sichern, Zins- und Aktienkursrisiken lassen sich durch entsprechende Kontrakte an Termin-B. verringern. Die Vernetzung der Informationssysteme ermöglicht heute einen internat. Wertpapierhandel »rund um die Uhr«. Seit Einführung des Integrierten Börsenhandels- und Informationssystems, IBIS, 1991 gibt es ein duales System von Präsenz- und Computerbörse.

Geschichtliches: Im späten MA. wurde aus den urspr. formlosen Zusammenkünften von Kaufleuten eine rechtlich geregelte Einrichtung, teils durch staatl. Gesetzgebung, teils durch Gewohnheitsrecht und Selbstverwaltung. Der Name B. taucht erstmals im 16. Jh. auf. Die katalan. Seestädte Sevilla, Cádiz und Lissabon hatten schon im 15. Jh. Börsen (Lonja). Die erste internat. B. hatte Antwerpen (1531). In Frankreich waren die ersten gesetzlich organisierten B. die von Lyon, Toulouse (1546) und Rouen (1566); Paris erhielt erst 1724 eine gesetzl. Börse. In London wurde 1566–70 die Royal Exchange (anfänglich The Bourse genannt) gegründet. In Dtl. entstanden in der 1. Hälfte des 16. Jh. B. in Augsburg und Nürnberg, in der 2. Hälfte in Hamburg und Köln, Anfang des 17. Jh. in Königsberg, Lübeck, Frankfurt am Main und Leipzig, Anfang des 18. Jh. in Berlin. Bis etwa 1866 standen Berlin und Frankfurt am Main gleichbedeutend nebeneinander, dann erhielt die Berliner B. mehr und mehr eine überragende Stellung. Die Berliner und alle B. in der sowjet. Zone wurden 1945 geschlossen. In Dtl. gibt es acht Wertpapier-B.: Frankfurt am Main (führend), Berlin (1950 wieder eröffnet), München, Hamburg, Düsseldorf, Stuttgart, Hannover, Bremen. Weiterhin bestehen mehrere Produktenbörsen.

📖 GROSJEAN, R. K.: *Börsen-ABC. Frankfurt am Main* ^{6}*1991.* – ERLENBACH, E. *u.* GOTTA, F.: *So funktioniert die B. Frankfurt am Main* ^{9}*1991.* – *Geld-, Bank- u. Börsenwesen, begr. v.* G. OBST, *hg. v.* N. KLOTEN *u. a. Stuttgart* ^{39}*1993.* – BÜSCHGEN, H. E.: *Das kleine Börsen-Lexikon. Düsseldorf* ^{20}*1994.*

Börsenumsatzsteuer, →Kapitalverkehrsteuer.

Börsenverein des Deutschen Buchhandels e. V. (urspr. Börsenverein der Dt. Buchhändler), der Spitzenverband des Buchhandels in Dtl., 1825 in Leipzig gegr.; auch die Buchhändler in Österreich, der deutschsprachigen Schweiz und Firmen in anderen Ländern gehören dem Börsenverein an. Er schuf 1912 mit der Dt. Bücherei in Leipzig die erste dt. Zentralbibliothek. In der Zeit des Nationalsozialismus wurde die Organisation gleichgeschaltet. In den westl. Besatzungszonen kam 1948 der »Börsenverein Dt. Verleger- und Buchhändler-Verbände e. V.«, Frankfurt am Main, zustande; in Leipzig wurde der »Börsenverein der Dt. Buchhändler« neu gegründet. 1955 löste in der Bundesrep. Dtl. der B. d. D. B. e. V. die bisherige Organisation ab. Die Börsenvereine in Frankfurt am Main und Leipzig fusionierten 1991 zu einem gemeinsamen Verband, der den Frankfurter Namen fortführt und seinen Hauptsitz in Frankfurt hat; in Leipzig wurde ein ständiges Büro des B. d. D. B. e. V. eingerichtet. Das 1834 ff. vom Börsenverein herausgegebene »Börsenblatt für den Dt. Buchhandel« erschien 1945–90 in einer »Leipziger« und einer »Frankfurter« Ausgabe, seit 1991 erscheint die Weiterführung des Frankfurter Blattes, hg. in Frankfurt am Main und Leipzig. Der B. d. D. B. e. V. verleiht seit 1951 jährlich den →Friedenspreis des Börsenvereins des Deutschen Buchhandels.

📖 TITEL, V.: *Das Wort erwuchs zur Tat. Aus der Frühgeschichte des Börsenvereins der Deutschen Buchhändler. Beucha 1995.*

August Borsig

Bọrsig, August, Industrieller, *Breslau 23. 6. 1804, †Berlin 6. 7. 1854; gründete 1837 in Berlin eine Eisengießerei und Maschinenfabrik, in der ab 1841 auch Lokomotiven gebaut wurden. Unter seinem Sohn Julius Albert B. (*1829, †1878) und seinem Enkel Ernst von B. (*1869, †1933; geadelt 1909) entwickelte sich das Unternehmen zum größten europ. Lokomotivproduzenten. 1935 wurde die Familien-GmbH von der Rheinmetall AG übernommen, 1947 stillgelegt, 1950 als Borsig AG neu gegründet (seit 1968 GmbH), 1970 von der Dt. Babcock AG übernommen.

Bọrsippa (heute Birs Nimrud), alte babylon. Stadt, in S-Irak, 15 km südlich von Babylon (erste Erwähnung um 2050 v. Chr.), Kultort des Gottes

Nabu mit seinem Heiligtum Esida. Die Zikkurat von B. wurde lange für den →Babylonischen Turm gehalten.

Carl Bosch

Borsten, steife, relativ dicke Haare vom Haus- und Wildschwein; dienen als Werkstoff für Pinsel (B.-Pinsel) und Bürsten. Widerstandsfähigere **Kunst-B.** werden aus verspinnbaren Kunststoffen hergestellt oder aus Folien geschnitten.

Borstengras, 1) (Steifes Borstgras, Nardus stricta), binsenartiges Gras mit borstenförmigen Blättern, auf Heiden, trockenen Wiesen und Mooren.

2) Grasgattung mit über 300 Arten; Granne der Deckspelzen dreifach fingerförmig geteilt; typ. Vertreter der Graslandschaften Afrikas und Nordamerikas.

3) (Borstenhirse), →Hirse.

Borstenschwänze (Thysanura), lang gestreckte, beschuppte Insekten mit drei langen, borstenartigen Hinterleibsanhängen. B. wurden früher als Ordnung der **Urinsekten** (Apterygota) betrachtet, heute in zwei Ordnungen aufgeteilt: **Felsenspringer** (Archaeognatha) und **Silberfischchen** (Zygentoma). Silberfischchen sind Hausschädlinge in feuchten Wohnungen.

Borstenwürmer (Chaetopoda), veraltete Bez. für Ringelwürmer; dazu gehören →Wenigborster und →Vielborster.

Borstenzähner: Kaiserfisch (unten) mit Jungtier

Borstenzähner (Chaetodontidae), Familie tropischer Knochenfische, 15–20 cm lang, mit den **Schmetterlings-, Engels-, Kaiser-** und **Wimpelfischen;** bunt gefärbt mit zahlr. borstenartigen Zähnen in beiden Kiefern.

Borte, gemustertes Schmalgewebe, z.B. zum Besetzen von Kleidungsstücken.

Bortnjanski, Dmitri Stepanowitsch, russ. Komponist, *Gluchow (Gebiet Tschernigow, Ukraine) 1751, †Sankt Petersburg 10. 10. 1825; komponierte über 160 Kirchengesänge (darunter G. Tersteegens »Ich bete an die Macht der Liebe«) sowie Opern, Sinfonien und Kammermusik.

Bortnyik [-ni:k], Sándor, ungar. Maler und Grafiker, *Marosvásárhely (heute Târgu Mureș, Rumänien) 3. 7. 1893, †Budapest 31. 12. 1976; vertrat in seiner Privatschule für angewandte Grafik (»Műhely«, 1928–38) die Ideen des Bauhauses.

Bortoluzzi, Paolo, italien. Tänzer, Choreograph und Ballettdirektor, *Genua 17. 5. 1938, †Brüssel 16. 10. 1993; tanzte 1960–72 beim Ballett du XXe Siècle die Hauptrollen fast aller Choreographien von M. Béjart; 1984–90 Direktor des Balletts der Dt. Oper am Rhein in Düsseldorf/Duisburg, danach des Ballet-Théâtre in Bordeaux.

Borussia, nlat. Name für Preußen; auch Frauengestalt als Personifikation Preußens.

Bos [lat.], Gattung der →Rinder.

Bosanski Brod, Stadt in Bosnien und Herzegowina, am Südufer der Save, gegenüber von Slavonski Brod (Kroatien), 14000 Ew.; Erdölraffinerie.

Bosch, 1) Carl, Chemiker, Ingenieur und Industrieller, *Köln 27. 8. 1874, †Heidelberg 26. 4. 1940, Neffe von 3); wurde 1919 Vors. des Vorstandes der BASF, 1935 des Aufsichtsrates der I. G.-Farben-Industrie AG; führte die techn. Ausgestaltung der haberschen Ammoniaksynthese **(Haber-Bosch-Verfahren)** und die chem. Hochdruckverfahren (z.B. Kohlehydrierung, Methanolsynthese)

Hieronymus Bosch: »Hölle«, rechter Seitenflügel des Triptychons »Der Garten der Lüste« (1503–04; Madrid, Prado)

durch, wofür er 1931 mit F. Bergius den Nobelpreis für Chemie erhielt.

2) [bɔs], Hieronymus, eigtl. Jeronimus B. van Aken, niederländ. Maler, *Herzogenbusch um 1450, begraben ebd. 9. 8. 1516; schuf bed. religiöse Bilder. Sie stellen groteske Figuren und spukhafte, in ihrer Bedeutung oft rätselhafte Wesen dar, v.a. Allegorien für Versuchungen, Todsünden und Höllenstrafen. Man hat die rätselhafte Symbolik seiner Bilder mithilfe der zeitgenöss. Literatur zu deuten versucht.

Werke: Heuwagen-Triptychon (Madrid, Prado); Der Garten der Lüste (ebd.); Die Versuchung des hl. Antonius (Lissabon, Museu Nacional de Arte Antiga); Weltgerichts-Triptychon (Wien, Galerie der Akademie der Bildenden Künste).

3) Robert, Industrieller, *Albeck (heute zu Langenau, bei Ulm) 23. 9. 1861, †Stuttgart 12. 3. 1942, Onkel von 1). In der von ihm 1886 gegr. Werkstätte für Feinmechanik und Elektrotechnik (später Robert Bosch GmbH) wurde u.a. der erste Hochspannungsmagnetzünder für Ottomotoren entwickelt (1902). Sozialpolitisch trat B. durch die Einführung des Achtstundentages (1906) hervor.

Robert Bosch

Bosch GmbH (Robert Bosch GmbH), Stuttgart, Unternehmensgruppe der Elektrotechnik und Feinmechanik, gegr. 1886 von R. Bosch; seit 1917 AG, seit 1937 GmbH. Produktionsprogramm u.a.: Kfz-Ausrüstungen, Kommunikationstechnik, Haushaltgeräte. Die B. GmbH verfügt über zahlr. Beteiligungsges. im In- und Ausland (u.a. Blaupunkt-Werke GmbH, Hildesheim; Bosch-Siemens Hausgeräte GmbH, München).

Böschung [zu alemann. bosch »Strauch«], Neigung des Geländes zw. zwei verschieden hoch gelegenen Ebenen, z.B. die geneigten Begrenzungsflächen eines Dammes; wird zur Sicherung gegen Erosion bepflanzt oder mit Steinen befestigt. Hohe B. unterbricht man durch Stufen **(Bermen),** um die Gewalt herabströmenden Wassers zu mindern.

Bosco, 1) Giovanni, gen. Don B., italien. Priester und Pädagoge, *Becchi (heute zu Castelnuovo Don Bosco, bei Turin) 16. 8. 1815, †Turin 31. 1. 1888; gründete 1859 zur Erziehung verwahrloster Knaben die Kongregation der **Salesianer Don Boscos,** 1872 zur Mädchenerziehung die Klöster der **Töchter Mariens.** Heiliger (seit 1934), Tag: 31. 1.

📖 Bopp, K.: *Kirchenbild u. pastorale Praxis bei Don Bosco. Eine pastoralgeschichtl. Studie zum Problem des Theorie-Praxis-Bezugs innerhalb der prakt. Theologie. München 1992.*

2) [bɔsˈko], Henri, frz. Schriftsteller, *Avignon 16. 11. 1888, †Nizza 4. 5. 1976; Romancier mit ausgeprägter Neigung zum Märchen- und Zauberhaften und Bevorzugung provenzalisch-mediterraner Motive (»Der Esel mit der Samthose«, 1937; »Der Hof Théotime«, 1942; »Der verzauberte Garten«, 1952); auch Gedichte und Essays.

Boscoreale, Fundort zweier röm. Villen am Fuß des Vesuvs, 79 n.Chr. verschüttet. – Aus der 1895 entdeckten Villa kam ein Schatz von Goldmünzen, Schmuck, Silber- und Bronzegerät der frühen Kaiserzeit in den Louvre. Um 1900 fanden sich in der anderen Villa reiche Fresken (heute in verschiedenen Museen von New York, Neapel, Amsterdam, Brüssel, Mariemont, Paris), um 40 v.Chr. datierbare Kopien nach hellenist. Gemälden.

Boscoreale: Ausschnitt eines Wandgemäldes mit der Darstellung des makedonischen Königs Antigonos II. Gonatas und seiner Mutter Phila, römische Kopie eines griechischen Originals (um 40 v.Chr.; Neapel, Museo Archeologico Nazionale)

Bose, 1) Hans-Jürgen von, Komponist, *München 21. 12. 1953; vertritt die Komponistengeneration der »neuen Einfachheit«, die sich wieder um mehr sinnl. Fassbarkeit in der Musik bemüht.

Werke: Opern: Die Leiden des jungen Werthers (1986); Schlachthof 5 (1996). – Ballette: Die Nacht aus Blei (1981, kinet. Handlung in 5 Bildern nach H. H. Jahnn); Medea (1994). – Morphogenesis (1975, für Klavier und großes Orchester); Sappho-Gesänge (1983).

2) Satyendra Nath, ind. Physiker, *Kalkutta 1. 1. 1894, †ebd. 4. 2. 1974; wichtige theoret. Arbeiten zur statist. Thermodynamik.

3) Subhas Chandra, ind. Politiker, *Cuttack 23. 1. 1897, †(Flugzeugabsturz) Taipeh 18. 8. 1945; radikaler Führer der ind. Unabhängigkeitsbewegung, 1938–39 Vors. der Kongresspartei; während

Don Bosco
(Ausschnitt aus einer zeitgenöss. Lithographie)

des 2. Weltkriegs trat B. für den Kampf der ind. Unabhängigkeitsbewegung gegen Großbritannien an der Seite der Achsenmächte ein; ging 1941 nach Dtl., 1943 nach Japan und stellte dort aus ind. Kriegsgefangenen eine »Ind. Nationalarmee« auf.

Böse *das,* der ontologisch und metaphysisch dem Guten entgegengesetzte Seinsbereich; im eth. Sinn das sittlich verwerfl. Verhalten und das ihm zugrunde liegende Wollen, sofern dessen Verwerflichkeit bewusst wird.

In der Philosophie sahen J. Böhme, F. W. Schelling und F. X. von Baader den Ursprung des B. in Gott als dem einzigen Urgrund der Welt. Dagegen stehen Auffassungen, die das B. lediglich als Mangel an Gutem, also als nicht seiend, charakterisieren (Platonismus, Augustinus, Thomas von Aquin, G. W. Leibniz). Die Möglichkeit einer freien Willensentscheidung wird betont (Pelagius, Leibniz) oder aber aufgrund der Erbsünden- und Prädestinationslehre verneint (Augustinus, Luther). Nach Kant beruht das Böse auf einem Missbrauch der menschl. Freiheit: Der Mensch handle nicht um des Sittengesetzes willen, sondern aus Selbstliebe. Für Hegel ist das B. notwendiges Durchgangsstadium des Weltprozesses. Nietzsche erblickt im B. wie im Guten lediglich Mittel zur Beherrschung des Menschen.

Boskop

In der Religionsgeschichte finden sich von Anfang an dualist. Religionssysteme (Parsismus, Gnosis), in denen das gute und das böse Prinzip sich bekämpfen, das B. allerdings in jedem Fall dem Guten unterlegen ist oder sein wird. Im frühen A.T. ist Jahwe selbst Träger des B., wenn er z.B. David zur bösen Tat drängt (2. Sam. 24,1). Erst allmählich kristallisiert sich eine böse, widergöttl. Macht heraus, die Jahwe gegenübertritt. Das menschl. B. ist begründet in Adams Fall.

Für die neuere Verhaltensforschung geht das B. auf den Aggressionstrieb zurück, was die Psychologie z.T. bestreitet.

📖 PECK, M. S.: *Die Lügner. Eine Psychologie des Bösen u. die Hoffnung auf Heilung. A. d. Amerikan. München 1990. – Elf Reden über das B. Ringvorlesung der Philosophischen Fakultät der RWTH Aachen im Wintersemester 1990/91, hg. v.* H. SIEPMANN *u.* K. SPINNER. *Bonn 1992. – Die andere Kraft. Zur Renaissance des Bösen, hg. v.* A. SCHULLER *u.* W. VON RAHDEN. *Berlin 1993. – Das B. Eine histor. Phänomenologie des Unerklärlichen, hg. v.* C. COLPE *u.* W. SCHMIDT-BIGGEMANN. *Frankfurt am Main* [2]*1993. – Das B. Jenseits von Absichten u. Tätern oder: ist der Teufel ins System ausgewandert? Redaktion:* F. RÖTZER. *Göttingen 1995.*

Bose-Einstein-Statistik [nach S. N. Bose und A. Einstein], →Quantenstatistik für gleichartige, ununterscheidbare Teilchen mit ganzzahligem Spin (Bosonen) eines nur Wärme austauschenden thermodynam. Systems. Die paarweise Vertauschung solcher Teilchen ergibt hier im Ggs. zur Boltzmann-Statistik keinen neuen Mikrozustand (→Fermi-Dirac-Statistik). – Als Folge der B.-E.-S. befinden sich in der Nähe des Nullpunkts der Temperatur alle Teilchen im Grundzustand **(Bose-Einstein-Kondensation).**

böser Blick, *Volksglauben:* die vermeintl. Fähigkeit bestimmter Menschen, durch bloßes Ansehen anderen Schaden zuzufügen. Abwehrzauber, z.B. Amulette, sollen davor schützen.

Bosetzky, Horst, Soziologe und Schriftsteller, *Berlin 1.2.1938; seit 1973 Prof. in Berlin; schreibt unter dem Pseudonym -ky Kriminalromane, -geschichten und -hörspiele mit sozialkrit. Elementen, u.a. »Einer von uns beiden« (1972), »Ein Toter führt Regie« (1974), »Die Klette« (1983, mit P. Heinrich), »Friedrich der Große rettet Oberkommissar Mannhardt« (1985), »Ich glaub, mich tritt ein Schimmel« (1986), »Brennholz für Kartoffelschalen« (1995).

Boshan [-ʃ-], Stadt in China, →Zibo.

Boskett [frz. »Wäldchen«] *das,* beschnittene Hecken (Buchs), auch Bäume, v.a. in Barock- und Rokokogärten.

Boskop [nach dem niederländ. Ort Boskoop], eine Winterapfelsorte.

Bosna *die,* rechter Nebenfluss der Save in Bosnien und Herzegowina, 308 km lang, entspringt südwestlich von Sarajevo, mündet bei Bosanski Šamac.

Bosniaken, 1) (Bosnier) die südslaw. Muslime in Bosnien und Herzegowina.

2) preuß. Lanzenreiter im 18. Jh., meist bosn. Herkunft.

Bosnilen (serbokroat. Bosna), Gebiet im N von Bosnien und Herzegowina, erstreckt sich von der fruchtbaren Saveebene bis in die südwestlich der Linie Vrbas–Neretva liegende Hochkarstzone (1700–2000 m ü.M.).

Bosnilen und Herzegowina (amtlich serbokroat. Republika Bosna i Hercegovina), Staat in SO-Europa, gliedert sich in den nördl. Landesteil Bosnien und den südl. Teil Herzegowina, grenzt im S, W und N an Kroatien, im O an Jugoslawien (Serbien, im SO an Montenegro).

Staat und Recht: Seit dem 14.10.1991 ist B.-H. eine unabhängige Rep. mit Mehrparteiensystem. Staatsoberhaupt ist der Vors. des Präsidiums der Rep. (sieben Mitgl., direkt gewählt), Exekutivorgan die Reg. unter Vorsitz des Reg.präsidenten. Die Legislative liegt beim Zweikammerparlament, bestehend aus Rat der Bürger (130 Abg.) und Rat der Gemeinden (110 Mitgl.). Einflussreichste Parteien sind die muslim. Partei der Demokrat. Ak-

Bosnien und Herzegowina

Fläche: 51 129 km²
Einwohner: (1995) 3,5 Mio.
Hauptstadt: Sarajevo
Amtssprache: Bosnisch
Nationalfeiertag: 29. 2./1. 3.
Währung: 1 Bosnisch-herzegowinischer Dinar (BHD) = 100 Para
Zeitzone: MEZ

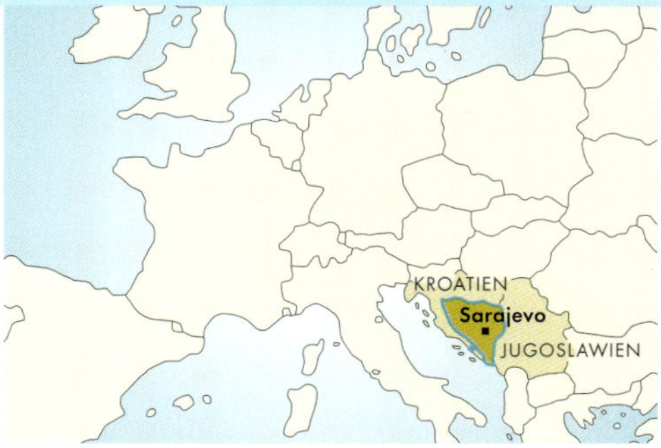

tion (SDA), die Serb. Demokrat. Partei (SDS) und die Kroat. Demokrat. Gemeinschaft (HDZ).

Landesnatur: Mit Ausnahme des Anteils an der Saveniederung im N, dem fruchtbaren Acker- und Obstbauland Posavina, wird B.-H. von Gebirgsland eingenommen. Die größtenteils aus Schiefer und Sandsteinen, im W aus Kalken aufgebaute zentrale Gebirgsmasse ist reich bewaldet. Der S und SW wird von der waldarmen Hochkarstzone des Dinar. Gebirges eingenommen, mit Gebirgsstöcken bis über 2000 m ü.M. und Hochflächen (um 1700 m ü.M.), in die große Becken (Poljen) eingesenkt sind. Zum Dinar. Gebirge gehört das Bosn. Erzgebirge mit großen Eisenerz- und Braunkohlelagerstätten sowie Vorkommen von Silber-, Chrom-, Mangan- und Bleierz sowie Bauxit. Im S der Rep. erstreckt sich die Herzegowina, ein dünn besiedeltes, verkarstetes Gebirgsland. Der Zugang zum Adriat. Meer besteht nur aus einem schmalen Küstenstreifen von 20 km Breite. In den gebirgigen Landesteilen herrscht gemäßigt kontinentales Klima, im S und zur Adriaküste hin nehmen mediterrane Einflüsse, auch in der Vegetation, zu.

Bevölkerung: Sie umfasst muslim. Bosniaken, orth. Serben und röm.-kath. Kroaten sowie Angehörige nat. Minderheiten wie Albaner, Slowenen, Montenegriner, Roma u.a. Die Bevölkerungsverteilung hat sich durch die vom Krieg ausgelösten Massenvertreibungen und Zwangsumsiedlungen stark geändert. 40% der Bev. leben in Städten. Wichtigste Stadt der Herzegowina ist Mostar. – Allg. Schulpflicht besteht vom 7. bis 15. Lebensjahr; vier Univ. (in Sarajevo, Banja Luka, Mostar und Tuzla).

Wirtschaft, Verkehr: Durch den Bürgerkrieg kamen die wirtsch. Aktivitäten des Landes fast völlig zum Erliegen. B.u.H. war ein Ind.land (reiche Bodenschätze) mit starkem Agrarsektor. Bed. waren Eisen- und Stahlind., Maschinenbau, elektrotechn., Textil- und chem. Ind.; Kraftwerk bei Mostar. Angebaut werden v.a. Weizen, Mais, Tabak, Kartoffeln, Zuckerrüben, Obst (Erdbeeren und Himbeeren) und Wein. Wichtig sind außerdem Viehzucht (Schafhaltung bes. in den Karstgebieten) und Holzgewinnung. – Verkehrsleitlinie ist das Neretvatal, das als einziges die Hochkarstzone in mehreren Schluchten quert; 21168 km Straßen und Autobahnen, 1021 km Schienennetz; internat. Flughäfen Sarajevo und Mostar.

Geschichte: 9 n.Chr. unterwarfen die Römer illyr. Gebiete, den histor. Kernbereich Bosniens, und gliederten sie der Prov. Dalmatia ein. 395 kam Bosnien zum Weström. Reich, Ende 5. Jh. zum Ostgotenreich, um 530 zum Byzantin. Reich. Anfang des 7. Jh. siedelten sich Südslawen an. Bosnien war in den folgenden Jahrhunderten zw. Serbien, Kroatien, Byzanz, Zeta (Montenegro) und Ungarn umstritten. Im 14. Jh. gewann es als Königreich eine bedeutende Macht: Es umfasste Serbien und das Land Hum (ab Ende des 15. Jh. Herzegowina). Ab 1463/82 stand das Gebiet B.u.H.s unter osman. Herrschaft; es blieb als Paschalik (ab 1580) vereint. Nach 1878 (Berliner Kongress) wurde es von Österreich-Ungarn besetzt, 1908 formlos annektiert. Die Ermordung des österr.-ungar. Thronfolgers Franz Ferdinand in Sarajevo am 28. 6. 1914 löste den 1. Weltkrieg aus.

1918 wurde B.u.H. Teil des neu gegr. Königreichs der Serben, Kroaten und Slowenen, des späteren Jugoslawien. Im 2. Weltkrieg fiel der größere Teil B.u.H.s 1941 an den von Dtl. abhängigen, von der Ustascha beherrschten »Unabhängigen Staat Kroatien«; Muslime, Serben, Juden und Roma wurden ein Opfer des Ustascha-Terrors. Im selben Zeitraum entwickelte sich B.u.H. zu einem Zentrum der jugoslaw. Widerstandsbewegung (→Četnici). Im Nov. 1942 gründeten die kommunist. Partisanenverbände unter Tito in Biha den »Antifaschist. Volksbefreiungsrat« (AVNOJ). 1946 wurde B.u.H. Teilrep. Jugoslawiens. Bei einer Volkszählung wurde 1971 die Bez. »Moslem« als Bekenntnis zu einer Volksgruppe zugelassen.

Im Zuge des Zerfalls →Jugoslawiens (seit 1989/90) und seines kommunist. Einparteiensystems fanden im Nov. 1990 auf der Grundlage eines Mehrparteiensystems Parlamentswahlen statt, bei

Staatswappen

BIH

Internationales Kfz-Kennzeichen

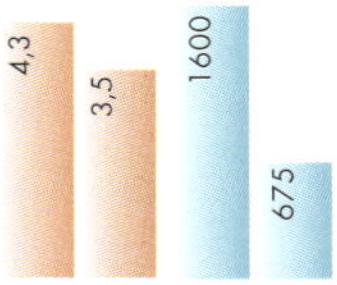

Bevölkerung (in Mio.) Bruttosozialprodukt je Ew. (in US-$)

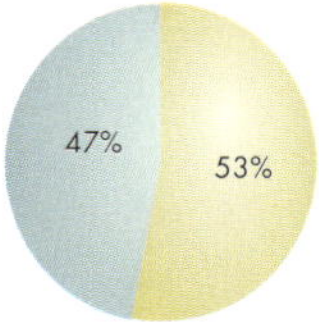

Bevölkerungsverteilung 1993

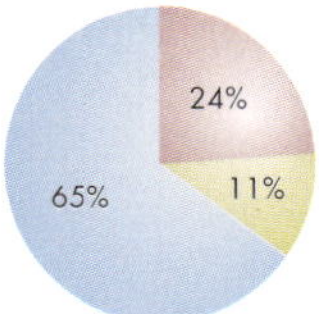

Bruttoinlandsprodukt 1989

Bosnien und Herzegowina: Nach den ersten allgemeinen Nachkriegswahlen am 14. 9. 1996 tragen Soldaten der Friedenstruppe versiegelte Urnen aus einem Wahllokal in Zovik

denen in Widerspiegelung der ethn. Bev.zusammensetzung die muslimisch-bosniak. Partei der Demokrat. Aktion (SDA) die meisten Sitze erhielt. Im Dez. 1990 trat der Vors. der SDA, A. Izetbegović, an die Spitze eines Staatsrates. Gegen den Widerstand der serb. Abg. erklärte das Parlament im Okt. 1991 B. u. H. zum souveränen Staat. In Reaktion darauf riefen die serb. Abg. des Parlaments von B. u. H. am 9. 1. 1992 einen eigenen Staat, die Serb. Rep. B. u. H. unter dem Präs. R. Karadžić, aus. Nachdem eine von den bosn. Serben boykottierte Volksabstimmung sich am 29. 2./1. 3. 1992 für die völlige Unabhängigkeit B. u. H.s ausgesprochen und das Parlament am 3. 3. 1992 die staatl. Unabhängigkeit förmlich erklärt hatte, kam es trotz der internat. Anerkennung B. u. H.s in der Folgezeit zum Bürgerkrieg zw. den zunächst verbündeten Muslimen (Bosniaken) und bosn. Kroaten einerseits und den bosn. Serben andererseits.

Im Verlauf des Krieges eroberten die bosn. Serben, anfänglich von der Armee »Rest-Jugoslawiens« unterstützt, aufgrund ihrer militärtechn. Überlegenheit bis Okt. 1992 etwa 70 % des Staatsgebietes von B. u. H. (bes. Kämpfe um strategisch wichtige Städte, z. B. um Bosanski Brod, Belagerung muslimisch-bosniak. Exklaven in serbisch besiedelten Regionen, Belagerung von Bihać); mit schweren Waffen (Raketen, Panzer, Artillerie) belagerten die bosn. Serben die Hauptstadt Sarajevo. Seit Anfang 1993 kam es auch zu schweren Kämpfen zw. den Muslimen (Bosniaken) und den bosn. Kroaten v. a. in Zentralbosnien und um Mostar (Herzegowina). Unter dem Schlagwort »ethn. Säuberungen« vertrieben v. a. die bosn. Serben, aber auch die bosn. Kroaten die jeweils anderen Nationalitäten aus den von ihnen eroberten Gebieten. Kampf und Vertreibung lösten eine große Flüchtlingswelle aus. Vorwiegend Angehörige bosnisch-serb. Milizen vergewaltigten in speziell dazu eingerichteten Lagern systematisch muslim. Frauen. Im Febr. 1993 beschloss der UN-Sicherheitsrat die Errichtung eines internat. Kriegsverbrechertribunals in Den Haag.

Auf amerikan. und russ. Vermittlung hin einigten sich 1994 Muslime (Bosniaken) und bosn. Kroaten auf die Bildung einer beide Ethnien umfassenden Föderation innerhalb von B. u. H. Durch die Einrichtung einer Luftbrücke v. a. nach Sarajevo zur Versorgung der Bev. mit Lebensmitteln und Medikamenten oder die Errichtung von Schutzzonen für die muslim. Exklaven (Goradžde, Srebrenica und Žepa) sollte die Not der Zivilbev. gelindert werden. Mit einem Handelsembargo gegen »Restjugoslawien« und einem Waffenembargo gegen die Krieg führenden Parteien (durch

Bosnischer Krieg

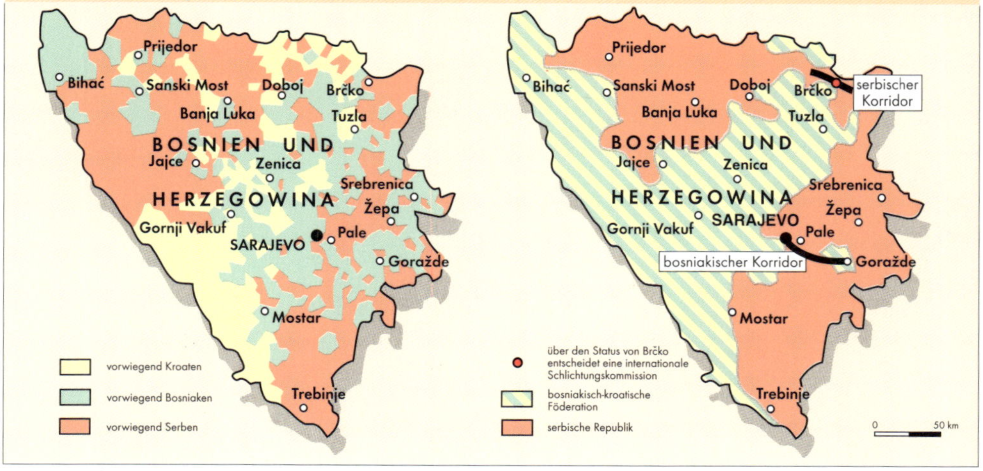

Bosnien und Herzegowina: Ethnische Gliederung vor Beginn des Bürgerkriegs 1992 (links); im Friedensabkommen von Dayton am 21. 11. 1995 vereinbarte Aufteilung des Landes (rechts)

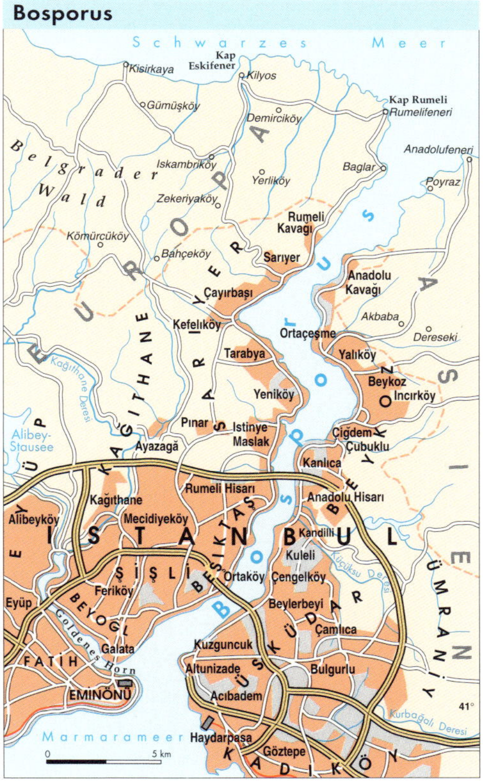

EU und UNO), durch die Ausarbeitung von Friedensplänen (Genfer Jugoslawienkonferenz, Genfer Konferenzen), Entsendung von UN-Blauhelmtruppen zum Schutze der Zivilbev. und dem Einsatz von NATO-Kampfflugzeugen suchten die internat. Organisationen ein Ende des Krieges zu erreichen. Nach der serb. Eroberung der UN-Schutzzonen Srebrenica und Žepa (Juli 1995) erzwangen UNO und NATO mit Luftangriffen auf serb. Stellungen im Raum Sarajevo, Goražde, Tuzla und Pale (30. 8. bis 1. 9. 1995) die Wende des Krieges. Nunmehr griffen von den USA getragenen Friedensinitiativen. Am 12. 10. 1995 trat ein Waffenstillstand in Kraft. Mit dem Friedensabkommen von Dayton (Ohio, USA), paraphiert am 21. 11. 1995 in Dayton, unterzeichnet am 14. 12. 1995 in Paris, wurde der Versuch einer Befriedung des Landes unter Wahrung seiner staatl. Einheit, jedoch bei faktischer Teilung in die bosniak.-kroat. Föderation und die serb. Republik eingeleitet. Zur militär. Absicherung des Friedensprozesses entsandte die NATO Truppen zur Sicherung des Friedens zw. den Volksgruppen. In den Wahlen vom 14. 9. 1996 wurde Izetbegović zum Präs. der Rep. gewählt.

📖 *Bosnien u. Europa, hg. v.* N. STEFANOV *u.* M. WERZ. *Frankfurt am Main 1994.* – CALIC, M.-J.: *Der Krieg in Bosnien-Hercegovina. Frankfurt am Main 1995.* – MALCOLM, N.: *Gesch. Bosniens. A. d. Engl. Frankfurt am Main 1996.*

Bosnier, → Bosniaken.

bosnische Literatur. Auf dem Territorium Bosniens und der Herzegowina hat es seit dem MA. slaw. Schrifttum gegeben, das sowohl im Verhältnis zur kroatisch-glagolit. als auch zur serbisch-kyrill. Tradition Besonderheiten aufwies. In der osman. Zeit (seit 1463) entwickelte sich dann jener kulturelle Pluralismus, der die b. L. geprägt hat und als ihr besonderes Kennzeichen gelten kann. Zu einer reichhaltigen Literatur in oriental. Sprachen (Türkisch, Arabisch, Persisch) traten die literat. Bestrebungen der bosn. Franziskaner und der Serben (v. a. in den orth. Klöstern) in kroat. und serb. Sprache. Nach der Ankunft der aus Spanien vertriebenen Sephardim entfaltete sich hebr. Schrifttum. Weit verbreitet war das Aljamiado-Schrifttum (serbokroat. Texte in arab. Schrift).

Im Umkreis der Moderne traten Lyriker wie der Kroate S. S. Kranjčević, die Serben J. Dučić und A. Šantić sowie die Muslime S.-B. Bašagić-Redžepašić und M. Ćazim Ćatić auf. Beiträge zur realist. Erzählliteratur lieferten serb. (P. Kočić, S. Ćorović) und muslim. (E. Mulabdić) Schriftsteller. Die Bewegung der »Mlada Bosna« (Jung-Bosnien), an der u. a. I. Andrić teilnahm, war »jugoslawisch« gestimmt. In der Zwischenkriegszeit brachte die b. L. in allen Einzelsträngen beachtl. Erzähler hervor (I. Samokovlija, A. Muradbegović, H. Humo, B. Ćopić u. a.). Nach 1945 gestalteten S. Selimović in seinem philosophisch ausgerichteten Erzählwerk, Ć. Sijarić in Gesellschaftsromanen und D. Sušić in satir. Werken die Besonderheiten der bosn. Welt. Die Lyrik vertraten M. Dizdar und I. Sarajlić sowie in der jüngeren Generation S. Tontić und I. Horozović. Seit Ausbruch des bosn. Krieges 1992 zeichnet sich eine stärkere Akzentuierung der muslim. Traditionen ab.

bosnische Sprache, die in Bosnien und Herzegowina von Muslimen, bosn. Serben und Kroaten gesprochene Sprache, die sowohl Eigenheiten der serb. als auch der kroat. Sprache aufweist; urspr. (bis zum Beginn des 20. Jh.) die Sprache der bosn. Muslime. In der Föderativen Rep. Jugoslawien, die eine serbokroat. Standardsprache förderte, wurde die Amtssprache der Rep. Bosnien und Herzegowina als »serbokroat. oder kroatoserb. Sprache ijekavischer Aussprache« bezeichnet.

Bosonen [nach S. N. Bose], Teilchen (z. B. Alphateilchen, Mesonen) und Feldquanten (z. B. Photonen, Phononen) mit ganzzahligem Spin, die sich gemäß der Bose-Einstein-Statistik verhalten.

Bosporus, 1) (türk. Boğaziçi) Meerenge zw. Europa und Asien; verbindet das Schwarze Meer mit dem Marmarameer, 31 km lang, 660–3000 m breit, 30–120 m tief. Die Ufer sind im N kahl oder mit Buschwerk bestanden; nach S, Richtung Istanbul, folgen Fischerdörfer, Villenorte, Paläste und Burgen. Am S-Ausgang liegt die Bucht Goldenes Horn mit Istanbul auf der europ. und dem Stadtteil Üsküdar auf der kleinasiat. Seite; von zwei Hängebrücken (1570 m, seit 1973; 1090 m, seit 1988) überspannt. Der B. untersteht der vollen Hoheit der Türkei (→Meerengenabkommen).

2) (Kimmerischer B.) antiker Name der Straße von →Kertsch. Das Land zu beiden Seiten des Kimmer. B. bildete 480–100 v. Chr. das **Bosporanische Reich.**

Boss [engl., von niederländ. baas »Meister«] *der,* umgangssprachlich für Vorgesetzter, Führer eines Unternehmens, einer Partei oder Gewerkschaft.

Boßdorf, Hermann, Schriftsteller, *Wiesenburg (Landkr. Potsdam-Mittelmark) 29. 10. 1877, †Hamburg 24. 9. 1921; schrieb niederdt. Volkskomödien (»De Fährkrog«, 1919; »Bahnmester Dod«, 1919; »De rode Ünnerrock«, 1921).

Bosse, 1) (Rustika) Quadermauerwerk **(Bossenwerk),** ein an der Vorderseite nur roh behauener Naturstein.

2) Rohform einer Skulptur.

Boßeln *das,* Weit- und Zielwurfspiel mit einer Hartholzkugel, auf Straßen oder auf Eis hauptsächlich in NW-Europa gespielt.

Bossert, Helmuth Theodor, Kunsthistoriker und Archäologe, *Landau in der Pfalz 11. 9. 1889, †Istanbul 5. 2. 1961; trug durch seine Forschungen über späthethit. Inschriften und die Bearbeitung der Bilingue von →Karatepe in Kilikien entscheidend zur sicheren Entzifferung der Hieroglyphen bei.

Bossi, 1) Marco Enrico, italien. Komponist, *Salò (am Gardasee) 25. 4. 1861, †(auf der Überfahrt von New York nach Le Havre) 20. 2. 1925; Organist und Konservatoriumsleiter, reformierte das italien. Orgelwesen; schrieb Chorwerke, Orgel-, Kammermusik in spätromant. Stil.

Umberto Bossi

2) Umberto, italien. Politiker, *Cassano Magnago (Prov. Varese) 19. 9. 1941; urspr. Radiotechniker, begründete 1981 mit der Lega Lombarda in N-Italien die autonomist. Ligenbewegung, die sich 1991 unter seiner Führung als Lega Nord eine gemeinsame Plattform gab. B., seit 1987 Senator, forderte zunächst den Umbau des italien. Staates auf konföderativer Grundlage, proklamierte jedoch später, im Sept. 1996, darüber hinaus die Unabhängigkeit »Padaniens« (→Italien, Geschichte).

Bossuet [bɔˈsɥɛ], Jacques Bénigne, frz. Theologe, Kanzelredner und Geschichtsphilosoph, *Dijon 27. 9. 1627, †Paris 12. 4. 1704; Bischof von Meaux; verfasste 1682 eine Verteidigung der gallikan. Freiheiten (→Gallikanismus) und wandte sich seit 1697 gegen die Lehre Fénelons (→Quietismus). B.s literar. Werk gehört zur frz. Klassik.

Boston [ˈbɔstən, engl.], **1)** *der,* nach 1870 aufgekommener langsamer amerikan. Walzer, in Vorwärtsbewegung (anstelle des Walzerrunds).

2) *das,* Kartenspiel zw. vier Personen mit 52 Whistkarten; während des amerikan. Unabhängigkeitskrieges erfunden.

Boston [ˈbɔstən], Hptst. des Bundesstaates Massachusetts, USA, 574300 Ew. (als Metropolitan Area 2,9 Mio. Ew.), an der Massachusetts Bay des Atlantik. Bed. Hafen-, Handels- und Ind.stadt, Sitz vieler Banken, Versicherungen und Firmen. Schiffbau, Lebensmittel-, Bekleidungsind., Metallverarbeitung, ferner Druckereien und Verlage; Erzbischofssitz. Bed. Museen (Museum of Fine Arts, Stewart Gardner Museum); Bostoner Univ., die Northeastern University und andere Hochschulen, Colleges; Planetarium. Die Stadtbibliothek ist eine der bedeutendsten Bibliotheken der USA. 1897 wurde in B. die erste U-Bahn in den USA gebaut. Der internat. Flughafen liegt auf einer vorgelagerten Insel (durch drei Tunnel verbunden). – B. besitzt hervorragende Gebäude aus der Kolonialzeit, v. a. Old North Church (1723), die Stadthalle (Faneuil Hall, 1740–42), das alte Staatenhaus (Old State House, 1713) und das heutige Staatenhaus (Massachusetts State House, 1795–98). – B. wurde 1630 von engl. Einwanderern (Puritanern) gegründet und war Ausgangspunkt des Unabhängigkeitskampfes der brit. Kolonien in Nordamerika (u. a. B. Tea Party).

Boston Tea Party [ˈbɔstən ˈtiːpɑːtɪ], die Vernichtung einer Ladung Tee der brit. Ostind. Kompanie durch als Indianer verkleidete Bürger im Hafen von Boston am 16. 12. 1773. Dieser Protest gegen die Teesteuer verschärfte den Konflikt der nordamerikan. Kolonien mit dem Mutterland Großbritannien (→Vereinigte Staaten von Amerika, Geschichte).

Boswell [ˈbɔswəl], James, schott. Schriftsteller, *Edinburgh 29. 10. 1740, †London 19. 5. 1795; begleitete Samuel Johnson 1773 auf seiner Reise zu den Hebriden; seine Biographie Johnsons wurde zu einem klass. Werk der engl. Literatur.

📖 *J. B., the great biographer. 1789–1795, hg. v.* M. DANZIGER *u. a. London 1989.*

Bosworth [ˈbɔzwəːθ], Stadt in der mittelengl. Cty. Leicestershire. – Niederlage und Tod Richards III. auf dem **Bosworth Field** am 22. 8. 1485 beendeten die engl. →Rosenkriege und führten zur Thronbesteigung des Hauses Tudor.

Botanik [zu grch. botanikós »Kräuter betreffend«] *die* (Pflanzenkunde, Phytologie), Wiss. von den Pflanzen, Teilgebiet der Biologie, das sich mit

Fernando Botero: Rubens und seine Frau (1965; München, Galerie Buchholz)

der Erforschung der Organisation und der Lebensfunktionen der Pflanzen beschäftigt. Die **Pflanzenmorphologie** beschreibt die Form und Struktur der Pflanzen. Die **Pflanzenphysiologie** erforscht die Funktion und die Lebenserscheinungen. Die **Pflanzenökologie** untersucht die Wechselbeziehungen zw. den Pflanzen und deren Umwelt. Die **spezielle B.** schildert Bau und Lebensvorgänge der einzelnen Pflanzen; zu ihr gehört die **Pflanzensystematik** oder **Taxonomie,** die die Einzelformen beschreibt und sie nach dem Grad ihrer natürl. Verwandtschaft zu ordnen versucht. Die **Pflanzengeographie** befasst sich mit den Gesetzmäßigkeiten und Ursachen der Verbreitung, die **Paläo-B.** mit den Resten ausgestorbener Pflanzen und dem zeitl. Auftreten der Pflanzen in der Erdgeschichte.

📖 *Lehrbuch der B. für Hochschulen, begr. v.* E. STRASBURGER *u.a., neu bearb. v.* P. SITTE *u.a. Stuttgart u.a.* ^{33}*1991.* – MÄGDEFRAU, K.: *Geschichte der B. Stuttgart u.a.* ^{2}*1992.* – NULTSCH, W.: *Allgemeine B. Stuttgart* ^{10}*1996.*

botạnischer Garten, öffentl. Gartenanlage mit Freiland und Gewächshäusern, die Sammlungen von Pflanzen aller Erdteile enthält und als Lehr- und Forschungsstätte Bedeutung hat.

Bote, 1) *Nachrichtenwesen:* Überbringer einer Nachricht oder Sendung. Das im MA. bes. von Klöstern, später von Städten, Kaufleuten usw. ausgebildete **Botenwesen** (Botenanstalten, Botenmeister) wurde seit dem 17. Jh. durch das staatl. Postmonopol (Posthoheit) abgelöst.

2) *Recht:* derjenige, der für einen anderen eine Erklärung abgibt oder entgegennimmt, ohne dessen Stellvertreter zu sein. B. brauchen nicht geschäftsfähig zu sein (z.B. Kinder).

Botẹro, Fernando, kolumbian. Maler, *Medellín 19. 4. 1932; lebt in Paris; malt in altmeisterl. Technik dickleibige Gestalten mit unproportionierten Köpfen; übt mit seinen Bildern z.T. Kritik an den polit. Verhältnissen und dem Klerikalismus in Lateinamerika; seit 1976 auch Skulpturen.

Bọtew (bis 1950 Jumruktschal), höchster Gipfel des Balkangebirges in Bulgarien, eine Gneiskuppe, 2376 m ü.M., mit meteorolog. Station.

Bọtew, Christo, bulgar. Lyriker und Publizist, *Kalofer (Bez. Plowdiw) 6. 1. 1849, † (gefallen) bei Wraza 1. oder 2. 6. 1876; Anführer im Freiheitskampf gegen die Türkenherrschaft; schrieb volksliedhafte, sozialrevolutionäre Gedichte.

Louis Botha

Bọtha, 1) Louis, südafrikan. General und Politiker, *Greytown (Natal) 27. 9. 1864, †Pretoria 28. 8. 1919; kämpfte im Burenkrieg 1899–1902 erfolgreich gegen die Briten, trat später für die Versöhnung mit Großbritannien ein. Er war 1910–19 der erste Premiermin. der Südafrikan. Union.

2) Pieter Willem, südafrikan. Politiker, *auf einer Farm im Distrikt Paul Roux (Oranjefreistaat) 12. 1. 1916; war 1948–84 Parlamentsabg. der Nationalpartei (NP), 1966–80 Verteidigungsmin., 1978–89 Vors. der NP, 1978–84 Premierminister. Als Staatspräs. (1984–89) hob er einige Bestimmungen der Apartheid auf, ohne jedoch die Grundlinien der Rassentrennung infrage zu stellen.

Walter Bothe

Bọthe, Walter, Physiker, *Oranienburg 8. 1. 1891, †Heidelberg 8. 2. 1957; Prof. in Gießen und Heidelberg, seit 1934 im Kaiser-Wilhelm-Inst., später Max-Planck-Inst. für medizin. Forschung; erhielt 1954 für seine Arbeiten über kosm. Strahlung (→Koinzidenzmessung) und über künstl. Kernumwandlungen den Nobelpreis für Physik (zus. mit M. Born).

Bothwell ['bɔθwəl], James Hepburn, 4. Earl of B., schott. Adliger, *um 1536, †Dragsholm (Seeland) 14. 4. 1578; war 1567–70 der 3. Gemahl Maria Stuarts.

Botokụden, Indianerstamm im südl. Bahia, O-Brasilien, etwa 2000 Menschen, früher Jäger und Sammler, heute Feldbauern und weitgehend der umwohnenden Bevölkerung angepasst.

Botoșani [boto'ʃanj], Hptst. des Bezirks B. in NO-Rumänien, 126 100 Ew.; Nahrungsmittel- und Textilindustrie. – Im 15. und 16. Jh. Sitz der Herrscher der Moldau.

Wolfgang Bötsch

Bötsch, Wolfgang, Politiker (CSU), *Bad Kreuznach 8. 9. 1938; 1974–76 MdL in Bayern; seit 1976 MdB (CSU), 1989–93 Vors. der CSU-Landesgruppe im Dt. Bundestag, wurde am 21. 1. 1993 Bundesmin. für Post und Telekommunikation.

Botschaft, 1) *Diplomatie:* meist von einem Botschafter geleitete diplomat. Vertretung eines Staates in einem anderen Staat; untersteht i.d.R. dem

Botswana

Fläche: 581 730 km²
Einwohner: (1995) 1,49 Mio.
Hauptstadt: Gaborone
Verwaltungsgliederung: 11 Distrikte
Amtssprachen: Tswana und Englisch
Nationalfeiertag: 30. 9.
Währung: 1 Pula (P) = 100 Thebe (t)
Zeitzone: MEZ +1 Std.

Staatswappen

RB

Internationales Kfz-Kennzeichen

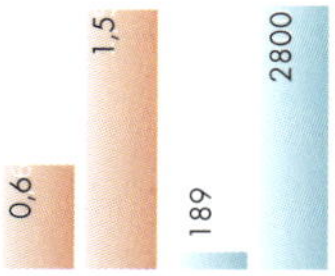

Bevölkerung (in Mio.)

Bruttosozialprodukt je Ew. (in US-$)

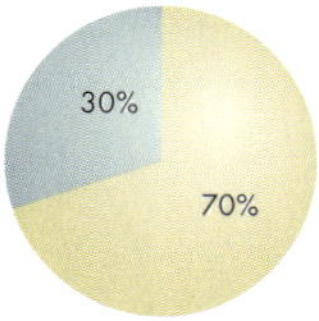

Stadt
Land

Bevölkerungsverteilung 1994

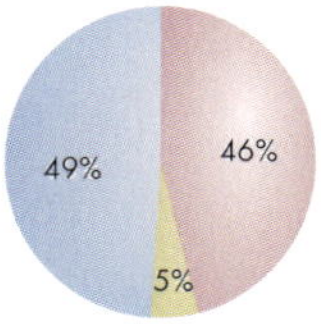

Industrie
Landwirtschaft
Dienstleistung

Bruttoinlandsprodukt 1994

Außenmin. des Entsendestaates; zu den völkerrechtl. Aufgaben gehören: Vermittlung des diplomat. Verkehrs zw. Entsende- und Empfangsstaat, Vertretung der eigenen Staatsangehörigen. Das Gebäude der B. genießt diplomat. Schutz (→Exterritorialität).

2) *Staatsrecht:* im Verfassungsstaat eine schriftl. unmittelbare Kundgebung des Staatsoberhauptes an die Volksvertretung aus wichtigem Anlass.

Botschafter, höchste Rangstufe eines diplomat. Vertreters im Ausland (ihm rangmäßig gleichgestellt ist der →Nuntius). Der beim Staatsoberhaupt des Empfangsstaates beglaubigte B. vertritt das Staatsoberhaupt des Entsendestaates.

Botswana (amtl. engl. Republic of B.), Binnenstaat im südl. Afrika, grenzt im W und N an Namibia, im NO an Simbabwe, punktuell auch an Sambia, im SO und S an die Rep. Südafrika.

Staat und Recht: Nach der Verfassung vom 30. 9. 1966 ist B. eine präsidiale Republik Staatsoberhaupt und Reg.chef ist der Präs. (für fünf Jahre direkt gewählt); er ernennt den Vizepräs. und die Mitgl. des Kabinetts. Die Legislative liegt bei der Nationalversammlung (34 direkt, vier gesondert gewählte Abg.), daneben existiert die Häuptlingskammer (15 Mitgl.) mit beratender Funktion. Wichtigste Parteien: Botswana Democratic Party (BDP), Botswana National Front (BNF).

Landesnatur: B. ist größtenteils eine weite, nach innen fallende Hochebene in 900 bis 1100 m ü.M. zwischen Sambesi im N und Limpopo/Molopo im Süden. Im SW bestimmen die Sanddünen der Kalahari die Landschaft, im N das Okawangobecken (Binnendelta) mit ausgedehnten Sümpfen, die Salzpfanne des Makarikaribeckens und der Ngamisee. Das trockene subtrop. Klima weist wegen der Binnenlage große tages- und jahreszeitl. Temperaturschwankungen auf. Die geringen Niederschläge fallen in der Regenzeit (Nov.–April), nur der SO-Rand erhält um die 500 mm/Jahr. Hier liegt auch der eigentl. Lebensraum der Bevölkerung.

Bevölkerung: Sie gehört mehrheitlich zum Bantuvolk der Tswana (vorwiegend nahe der Grenze zur Rep. Südafrika und Simbabwe), ferner zu anderen Bantustämmen sowie zu den Buschmännern und Hottentotten. Etwa 49% der Bev. sind Anhänger von Naturreligionen, ferner Protestanten, Anhänger afrikan. christl. Kirchen und Katholiken. Es besteht Schulpflicht (6-jährige Grundschule); die Analphabetenquote liegt unter 29%; Univ. in Gaborone (gegr. 1982).

Wirtschaft, Verkehr: B. zählt zu den wirtsch. stärkeren Staaten Afrikas. Wichtigster Sektor ist der Bergbau (u.a. Nickel, Kupfer, Kohle), v.a. die Förderung von Diamanten (an 3. Stelle in der Welt; Anteil am Exporterlös des Landes etwa 50%). Dennoch dient die Landwirtschaft für 66% der Bev. als Haupterwerbsquelle; traditionell bedeutendster Zweig ist die Rinderzucht (76% der landwirtsch. Nutzfläche sind Weideland), auch für den Fleischexport. Wichtigste Handelspartner sind die Rep. Südafrika und Großbritannien. – Das Eisenbahnnetz ist 971 km lang, die Strecke von Mafikeng (Rep. Südafrika) nach Bulawayo (Simbabwe) durchquert B.; das Straßennetz ist 18327 km lang. Mehrere Flughäfen dienen dem Inlandverkehr; internat. Flughafen in Gaborone. Nat. Fluggesellschaft ist die Air Botswana.

Geschichte: B. war als **Betschuanaland** (das im 19. Jh. v.a. von engl. Missionaren erforscht worden war) seit 1885 brit. Schutzgebiet; 1966 wurde es unabhängig. Trotz starker wirtsch. Abhängigkeit von Südafrika war B. einer der Frontstaaten. Nach dem Tod (1980) von Präs. Seretse Khama (1966–80) folgte ihm Quett K. J. Masire im Amt.

📖 *B. Entwicklung am Rande der Apartheid, hg. v.* R. HASSE *u.* E. ZEIL-FAHLBUSCH. *Hamburg 1989. – B. Vom Land der Betschuanen zum Frontstaat. Wirtschaft, Gesellschaft, Kultur, hg. v.* G. ALTHEIMER *u.a. Münster 1991.* – HANGULA, L.: *Die Grenzziehungen in den afrikan. Kolonien Englands, Deutschlands u. Portugals im Zeitalter des Imperialismus 1880–1914. Frankfurt am Main u.a. 1991.* – ELSE, D.: *Zimbabwe, B. Kiel ²1992.*

Botta, Mario, schweizer. Architekt, *Mendrisio (Kt. Tessin) 1. 4. 1943; arbeitete bei Le Corbusier und L. I. Kahn, bevor er 1970 in Lugano ein eigenes Architekturbüro eröffnete. Die klare Geometrie seiner Bauwerke soll in Kontrast zur Landschaft stehen und so den Charakter des Ortes betonen; baute u. a. die Casa Rotonda in Stabio (1982), die Banca del Gottardo in Lugano (1988), das Watarium-Museum in Tokio (1990), die Kathedrale in Évry (1994), das Museum of Modern Art in San Francisco (1995) und das Tinguely-Museum in Basel (1996).

📖 *M. B. – Bank am Aeschenplatz, Basel. Geschichte einer Zusammenarbeit, Beiträge v.* V. Isler *u.* M. Mäder. *Basel 1995.*

Böttcher (Binder, Büttner, Fassbinder, Kübler, Küfer, Schäffler), Handwerker, dessen Aufgabe urspr. nur die Herstellung von Holzgefäßen war, heute aber auch die Produktion von Behältern und Tanks aus Kunststoffen und Edelstahl umfasst.

Mario Botta: Einfamilienhaus in Lugano (1981)

Böttcher, Jürgen, Pseud. Strawalde, Maler, Zeichner und Filmregisseur, *Strahwalde (Landkr. Löbau-Zittau) 8. 7. 1931; arbeitete seit 1960 im DEFA-Studio für Dokumentarfilme (»Ofenbauer«, 1962; »Martha«, 1978; »Die Mauer«, 1990); der Spielfilm »Jahrgang 45« wurde erst 1990 öffentlich aufgeführt; seine Bilder erzielen ihre Spannung aus der kontemplativen Wirkung skriptualer und maler. Sinnzeichen und der Dynamik ihrer Niederschrift; auch Assemblagen.

Böttger (Böttiger), Johann Friedrich, Alchimist, *Schleiz 4. 2. 1682, †Dresden 13. 3. 1719; musste wegen »Goldmacherei« aus Preußen fliehen und kam in den Gewahrsam Augusts des Starken, wurde 1704 dem Physiker E. von Tschirnhaus unterstellt. 1706 gelang ihm die Erzeugung des roten – fälschlich B.-Porzellan genannten – **B.-Steinzeugs** und 1708 des weißen Porzellans. Nach

Botswana: Vorortbereich der Hauptstadt Gaborone

Tschirnhaus' Tod führte B. die Versuche weiter. Die 1710 gegr. Meißner Porzellanmanufaktur leitete B. bis zu seinem Tode.

Botticelli [boti'tʃɛlli], Sandro, eigtl. Alessandro di Mariano Filipepi, italien. Maler, *Florenz 1445, †ebd. 17. 5. 1510; stand dem Humanistenkreis um Lorenzo de' Medici nahe und gehörte später zu den Anhängern Savonarolas. B. entwickelte, ausgehend von Filippo Lippi, eine streng stilisierende, durch die belebte Linie bestimmte Formensprache, in der sich Wirklichkeitsnähe und zarte, vergeistigte Schönheit durchdringen. Neben religiösen Bildern malte er poetisch empfundene Darstellungen allegorisch-mytholog. Art nach antiken Quellen und zeitgenöss. Dichtungen. Bild S. 238

Werke: Anbetung der Könige (um 1475; Florenz, Uffizien); Der Frühling (um 1478; ebd.); Geburt der Venus (zw. 1482 und 1486; ebd.); Madonnenbilder (ebd. und Berlin); Fresken in der Sixtin. Kapelle des Vatikans (1481–83); Federzeichnungen zu Dantes Göttlicher Komödie (zw. 1482 und 1503; z. T. im Kupferstichkabinett auf der Berliner Museumsinsel und in den Sammlungen des Vatikans).

📖 Santi, B.: *B. A. d. Italien. Neuausg. Königstein im Taunus u. a. 1991.* – Deimling, B.: *S. B., 1444/45–1510. Köln 1993.*

Bottnischer Meerbusen, nördl. Teil der Ostsee, zw. Schweden und Finnland; durch die Ålandinseln vom Hauptteil getrennt.

Bottomquark ['bɔtəmkwɔ:k, engl.], *Physik:* svw. Beautyquark (→Beauty).

Bottrop, kreisfreie Stadt im RegBez. Münster, NRW, am Rhein-Herne-Kanal, 120 600 Ew.; bed. Ind.- und Bergbaustadt (Steinkohle, Kokerei), chem., Elektro-, Stahlbau-, Metallverarbeitungs- u. a. Ind.; Joseph-Albers-Museum; Freizeitpark (Thema Film) »Movie World« in B.-Kirchhellen. – B. wurde 1092 erstmals erwähnt, erhielt 1423 Marktrecht und ist seit 1919 Stadt.

Johann Friedrich Böttger

Sandro Botticelli: Bildnis eines Unbekannten mit der Medaille des Cosimo de' Medici, genannt der Alte (nach 1470; Frankfurt am Main, Städelsches Kunstinstitut)

Botulismus [zu lat. botulus »Wurst«] *der,* meldepflichtige Lebensmittelvergiftung durch den Genuss von Wurst-, Fleisch-, Fisch-, Gemüse-, Obstkonserven oder Räucherwaren, die die unter Luftabschluss gebildeten hitzeempfindl. Toxine (Giftstoffe) von Botulinusbazillen enthalten. Da durch Abkochen zwar die Giftstoffe, nicht aber die Sporen abgetötet werden, können die B.-Erreger auch in abgekochten Lebensmitteln schnell neu auskeimen und wiederum Giftstoffe bilden. Kennzeichen des B. sind zunächst Kopf-, Gliederschmerzen und Erbrechen, später zunehmende Seh-, Schluck- und Atemstörungen. – *Behandlung:* sofortige Injektion von B.-Serum sowie Magenspülung und Abführmittelgaben.

Botwinnik, Michail Moissejewitsch, russ. Schachspieler, *Kuokkala (heute Repino, bei Sankt Petersburg) 17. 8. 1911, †Moskau 5. 5. 1995; Weltmeister 1948–63 (außer 1957 und 1960).

Bouaké [bwaˈke, frz.] (Bwake), zweitgrößte Stadt der Rep. Elfenbeinküste, 329 900 Ew.; an der Eisenbahnlinie Abidjan–Ouagadougou; Baumwollentkernung, Sisalverarbeitung; internat. Flughafen.

Bouchardon [buʃarˈdɔ̃], Edme, frz. Bildhauer, *Chaumont 29. 5. 1698, †Paris 27. 7. 1762. Sein Werk zeigt den Übergang vom Rokoko zu einem akadem. Klassizismus.

Boucher [buˈʃe], François, frz. Maler, *Paris 29. 9. 1703, †ebd. 30. 5. 1770; gefeierter Modemaler des frz. Rokoko; schuf anmutig-galante Schäferszenen, Radierungen, Illustrationen sowie Entwürfe für Bildteppiche.

Bouches-du-Rhône [buʃdyˈroːn], Dép. im SW der Provence, Frankreich, 5 087 km², (1990) 1,76 Mio. Ew.; Hptst.: Marseille.

Bouclé [buˈkle, frz.] *das,* Gewebe aus frotteeartigem Effektzwirn für Oberbekleidungsstoffe mit gekräuselter, rauer Oberfläche.

Boucléteppich [buˈkle-], →Teppich.

Bou Craa [bu-] (Bu Craa), Bergbauort im nördl. Teil von Westsahara, reiche Phosphatlager; Transport zum Hafen bei El-Aaiún über ein 100 km langes Förderband.

Boudiaf [buˈdjaf], Mohammed, alger. Politiker, *M'Sila (N-Algerien) 1919, †(ermordet) Annaba 29. 6. 1992; kämpfte innerhalb der FLN gegen die frz. Kolonialmacht. 1958–62 war er Staatsmin. und Vizepräs. der Provisor. Alger. Regierung in Tunis; Gegner Ben Bellas; ging 1963 nach Marokko ins Exil. 1992 kehrte B. nach Algerien zurück und übernahm den Vorsitz des Hohen Staatskomitees.

Boudoir [budˈwaːr; frz., eigtl. »Schmollwinkel«] *das,* intimes Gemach der Frau, in Frankreich seit dem 18., in Dtl. erst im 19. Jh. üblich.

Bougainville [bugɛ̃ˈvil], größte der Salomoninseln, 8 800 km², bildet mit Buka u. a. Inseln die Prov. North Solomons von Papua-Neuguinea, etwa 130 000 Ew.; noch tätiger Vulkanismus, dicht bewaldet; die Förderung in der Kupfer- und Goldmine Panguna, eine der größten der Erde, wurde 1990 eingestellt. Hauptort ist Arawa, Haupthafen Kieta. – B. wurde 1768 von L.-A. de Bougainville entdeckt. 1899–1918 gehörte es zu Deutsch-Neuguinea; seit 1975 bei Papua-Neuguinea.

François Boucher: Die Toilette der Venus (1751; New York, Metropolitan Museum of Art)

Bougainville [bugɛ̃'vil], Louis-Antoine de, frz. Seefahrer, *Paris 11. 11. 1729, †ebd. 31. 8. 1811; unternahm 1766–69 von Saint Malo aus die erste frz. Erdumseglung, auf der er bes. in Melanesien Entdeckungen machte.

Bougainvillea [bugɛ̃'vilea; nach L.-A. de Bougainville], Pflanzengattung der Wunderblumengewächse mit 14 Arten; Sträucher oder kleine Bäume im trop. und subtrop. Südamerika mit drei röhrigen Blüten an den Zweigspitzen; die drei Hochblätter sind violett, orange bis rot, auch weiß.

Bougie [bu'ʒi:; frz. »Kerze«] *die,* starrer oder biegsamer Stab in versch. Dicke zum Dehnen von krankhaften Verengungen (Strikturen), z.B. von Harnröhre, Speiseröhre und Muttermund.

Bougie [bu'ʒi:, frz.], bis 1963 Name von →Bejaia.

Bouillabaisse [buja'bɛ:s, frz.] *die,* in S-Frankreich beliebte Suppe mit Fischstücken, Krustentieren, Gemüsen, Gewürzen.

Bouillon [bʊl'jɔ̃, frz. bu'jɔ̃] *die,* **1)** *Kochkunst:* die →Fleischbrühe.

2) *Mikrobiologie:* Nährlösung zur Züchtung von Bakterien.

Bouillon [bu'jɔ̃], ehem. Herrschaft, seit 1023 Herzogtum in Niederlothringen (Ardennen), das →Gottfried von Bouillon 1095 an den Bischof von Lüttich verpfändete. Seit 1678 selbstständiges Herzogtum, gehörte B. seit 1815 zu den Niederlanden; 1830 fiel es an Belgien.

Boulanger [bulɑ̃'ʒe], **1)** Georges, frz. General und Politiker, *Rennes 29. 4. 1837, †(Freitod) Ixelles (Region Brüssel) 30. 9. 1891; wurde 1886/87 Kriegsmin., war Wortführer der Revanche gegen Dtl. und des Chauvinismus. 1888 wurde er aus disziplinar. Gründen aus der Armee entfernt. Er sammelte in der Kammer eine nationalist. Oppositionspartei, die **Boulangisten,** und arbeitete auf einen Staatsstreich hin. Vor der Anklage des Hochverrats floh er nach Brüssel.

2) Lili, frz. Komponistin, *Paris 21. 8. 1893, †Mézy-sur-Seine (Dép. Yvelines) 15. 3. 1918, Schwester von 3); gewann als erste Frau 1913 den »Prix de Rome« mit der Kantate »Faust et Hélène«; schrieb u.a. die Oper »La princesse Maleine« (1918), Psalmvertonungen und den Liederzyklus »Clairières dans le ciel« (1914).

3) Nadia Juliette, frz. Musikpädagogin, Dirigentin und Komponistin, *Paris 16. 9. 1887, †ebd. 22. 10. 1979, Schwester von 2); Lehrerin bed. amerikan. Komponisten (u.a. A. Copland).

Boulder ['bəʊldə], Stadt im Bundesstaat Colorado, USA, am O-Fuß der Rocky Mountains, 83300 Ew.; früheres Bergbauzentrum; Erholungsort; Univ. mit Forschungszentrum; elektron. Industrie.

Boule [bu:l; frz. »Kugel«] *das,* Sammelbegriff für bocciaähnl. Kugelspiele.

Boulevard [bulə'va:r; frz., zu Bollwerk] *der,* Ring-, Prachtstraße, bes. in Paris.

Boulevardpresse [bulə'va:r-], sensationell aufgemachte, auflagenstarke Zeitungen, meist im Straßenverkauf abgesetzt.

Boulevardstück [bulə'va:r-], bühnenwirksames Unterhaltungsstück, das seinen Ursprung im kommerziellen Pariser Theater des späten 19. Jh. hat; erfolgreiche Autoren: E. Scribe, G. Feydeau, S. Guitry, C. Goetz, N. Coward, S. Maugham.

Pierre Boulez

Boulez [bu'lɛ:z], Pierre, frz. Komponist und Dirigent, *Montbrison (Dép. Loire) 26. 3. 1925; war 1970–77 Chefdirigent des New York Philharmonic Orchestra, 1975–91 Leiter des »Institut de Recherche et de Coordination Acoustique/Musique« (IRCAM) in Paris, gründete 1976 das Ensemble InterContemporain. Hauptvertreter der elektron. und experimentellen Musik (→Zwölftontechnik). Kompositionen: »Le marteau sans maître« (1955–57), »Pli selon pli – Portrait de Mallarmé« (1957–62), »Explosante-Fixe« (1972–74), »Anthèmes« (1993; für Violine solo) u.a.; schreibt auch theoret. Werke zur Neuen Musik.

Boulle [bul] (Boule), André Charles, frz. Kunstschreiner, *Paris 11. 11. 1642, †ebd. 28. 2. 1732; schuf Möbel von einfacher Grundform mit reichen Einlagen von gefärbten Hölzern, Metall, Elfenbein, Perlmutter, Schildpatt **(B.-Technik).**

André Charles Boulle: Schrank aus Ebenholz mit Einlagen von Kupfer, Zinn und Schildpatt (Paris, Louvre)

Boulogne-Billancourt [bu'lɔɲ-bilɑ̃'ku:r], Stadt im Dép. Hauts-de-Seine, im südwestl. Vorortbereich von Paris, Frankreich, im Seinebogen, 102000 Ew.; Hafen; vielseitige Ind. (Parfümerie, Automobil-, Flugzeug-, Maschinenbau). Nördlich von B.-B. liegt der Park **Bois de Boulogne** mit Pferderennbahn.

Boulogne-sur-Mer [bu'lɔɲ syr'mɛ:r], Stadt im Dép. Pas-de-Calais, Frankreich, an der Mündung der Liane in den Ärmelkanal, 48300 Ew.; Seebad, Fischerei-, Handels- und Passagierhafen (Fährverkehr mit den Brit. Inseln); Holz-, Metall-, Papier-, Fischkonservenind.; Stahlwerk. – In der befestigten Oberstadt zahlreiche klassizist. Bauten. – B.-s.-M. wurde in spätröm. Zeit **Bononia** genannt. Die urspr. selbstständige Grafschaft Boulogne **(Boulonnais)** war 1419–77 burgundisch und fiel endgültig 1477 an die frz. Krone.

Boumedienne [bumə'djɛn], Houari, alger. Offizier und Politiker, *Guelma (NO-Algerien) 23. 8. 1927, †Algier 27. 12. 1978; Mitgl. der FLN, als Generalstabschef zunächst Anhänger, dann Gegner Ben Bellas. Nach dessen Sturz (1965) übernahm B., der Führer des Staatsstreichs, als Vors. des Revolutionsrates und Staatschef (seit 1977 Staatspräs.) die Regierung. B. verfolgte einen am Islam orientierten Sozialismus und forcierte die Industrialisierung des Landes.

Bouquinist [buki-; von frz. bouquin »altes Buch«] *der,* Straßenbuchhändler, Büchertrödler.

Bourbaki [burba'ki], Nicolas, gemeinsames Pseudonym einer Gruppe von führenden, meist frz. Mathematikern des 20. Jh. – Die B. gaben ab 1939 das Standardwerk »Éléments de mathématique« heraus, das logisch-axiomatisch die gesamte Mathematik darstellt.

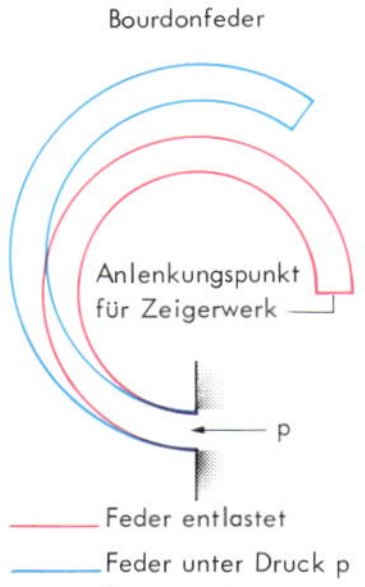

Bourdon-Feder

Bourbon Wappen

Bourbon [bur'bɔ̃] (Bourbonen), frz. Herrscherhaus, Zweig der Kapetinger, stammt von einem jüngeren Sohn des Königs Ludwig IX., des Heiligen, ab, der 1272 das Schloss B.-l'Archambault (Dép. Allier) durch Heirat erwarb. Sein Sohn wurde 1327 als Ludwig I. Herzog von B. und Pair; zum →Bourbonnais gewannen die B. 1416 das Herzogtum Auvergne, verloren aber beides an die frz. Krone, als der Connétable Karl von B. 1523 zu Kaiser Karl V. überging. Anton von B., von dessen Bruder Ludwig die Nebenlinie →Condé abstammt, gelangte durch Heirat 1555 in den Besitz des Königreichs Navarra; sein Sohn bestieg 1589 als Heinrich IV. den frz. Thron. Die Hauptlinie regierte in Frankreich bis 1792 und 1814–30; sie erlosch 1883 mit dem Tode des Grafen von Chambord. Philipp, der Bruder Ludwigs XIV., gründete das jüngere Haus →Orléans, aus dem König Ludwig Philipp (1830–48) stammte. Ein Enkel Ludwigs XIV. gelangte 1701 als Philipp V. auf den span. Thron; die span. B. regierten 1701–1808, 1814–68, 1874–1931 und mit →Juan Carlos I. erneut seit 1975. Von ihnen zweigten sich zwei italien. Linien ab, die im Königreich Neapel-Sizilien (1735–1861) und im Herzogtum Parma-Piacenza (1748–1802 und 1847–59) regierten.

Bourbonnais [burbɔ'nɛ] *das,* histor. Landschaft in Mittelfrankreich; Tafel- und Hügelland beiderseits des Allier zw. Cher und Loire; reich an Heilquellen, z.B. Vichy; bed. Rinderzucht (Charolais-Rasse); stark industrialisiert. Das B. war Stammland des Hauses →Bourbon.

Bourdelle [bur'dɛl], Émile-Antoine, frz. Bildhauer, *Montauban 30. 10. 1861, †Le Vésinet (bei Paris) 1. 10. 1929; schuf Denkmäler, Reliefs und Einzelfiguren, deren Monumentalität und Pathos symbolist. Züge tragen.

Bourdieu [bur'djø], Pierre Félix, frz. Soziologe, *Denguin (Dép. Pyrénées-Atlantiques) 1. 8. 1930; seit 1982 Prof. am Collège de France; Beiträge zur Analyse von individuellem Handeln, von kulturell vermittelten Handlungsmustern und der sozioökonom. Macht- und Chancenverteilung.

📖 *Praxis u. Ästhetik. Neue Perspektiven im Denken P. B.s, hg. v.* G. GEBAUER *u.* CHR. WULF. *Frankfurt am Main 1993.* – JURT, J.: *Das literar. Feld. Das Konzept P. B.s in Theorie u. Praxis. Darmstadt 1995.*

Bourges: Die gotische Kathedrale Saint-Étienne (1195–1280)

Bourdon [bur'dɔ̃; frz. »Hummel«] *der,* →Bordun.

Bourdon-Feder [bur'dɔ̃; nach dem frz. Ingenieur E. Bourdon, *1808, †1884] (bourdonsche Röhre), Biegefeder in Form eines kreisförmig gebogenen Metallröhrchens, das sich bei Druckanstieg im Inneren streckt. Bestandteil von Druckmessgeräten.

Bourg-en-Bresse [bu:rã'brɛs], Hptst. des Dép. Ain, Frankreich, am W-Rand des frz. Jura, 43000 Ew.; Zentrum der Bresse; Möbel- und Textilind., Fahrzeugbau. – Im Vorort **Brou** die unter Margarete von Österreich 1513–32 im Flamboyantstil erbaute Kirche mit reicher Innenausstattung; ehem. Kloster (1506–12; heute Museum).

Bourgeois [bur'ʒwa], **1)** Léon, frz. Politiker, *Paris 29. 5. 1851, †Schloss Oger (bei Epernay) 29. 9. 1925; 1895/96 MinPräs., 1899 und 1907 Vertreter

Frankreichs auf den Haager Friedenskonferenzen; erhielt 1920 den Friedensnobelpreis.

2) Louise, amerikan. Plastikerin frz. Herkunft, * Paris 25. 12. 1911; studierte u. a. bei F. Léger; lebt seit 1948 in New York (1951 amerikan. Staatsbürgerin); zielt mit ihren Plastiken (oft aus Holz) auf die Veränderung von Raumdimensionen.

Bourgeoisie [burʒwa'zi:; frz., zu bourgeois »Bürger«] *die,* in Frankreich entstandene Bez. für die soziale Schicht zw. Adel und Bauernschaft; bezeichnet bes. im Marxismus eine Schicht des Bürgertums, die über die entscheidenden Produktionsmittel und das Finanzkapital verfügt.

Bourges [burʒ], Hptst. des Dép. Cher, Frankreich, im Berry, 78 800 Ew.; Erzbischofssitz; technolog. Univ.institut; Rüstungsbetriebe, Maschinen-, Fahrzeugbau, Reifenwerk. – Die fünfschiffige, querschifflose got. Kathedrale Saint-Étienne (1195–1280) gehört zu den bedeutendsten sakralen Bauwerken Frankreichs. – B., das **Avaricum** der Antike, erlebte Blütezeiten im MA. als Hptst. des Herzogtums Berry.

Bourget [bur'ʒɛ], Paul, frz. Schriftsteller, * Amiens 2. 9. 1852, † Paris 25. 12. 1935; von kath.-konservativer Gesinnung, schilderte in seinen psycholog. Romanen seel. Entwicklungen und Krisen (»Der Schüler«, 1889); auch Dramen, Essays, Lyrik.

Bourget, Lac du ['lakdu bur'ʒɛ], See in den frz. Alpen, nördl. von Chambéry, 45 km² groß und bis 145 m tief. Am O-Ufer liegt Aix-les-Bains.

Bourgogne [bur'gɔɲ], frz. Name von → Burgund.

Dieric Bouts: Maria mit dem Kind (London, National Gallery)

Louise Bourgeois: »Augen«, Naturstudie (1984; Buffalo, N. Y., Albright-Knox Art Gallery)

Bourguiba [burgi'ba], Habib, tunes. Politiker, * Monastir 3. 8. 1903; gründete als Vorkämpfer der nationalen Bewegung 1934 die Neo-Destur-Partei (→ Destur), wurde 1956 MinPräs., 1957 Staatspräs.; modernisierte durch soziale Reformen das Land und suchte eine enge Anlehnung an den Westen; 1987 aus Altersgründen abgesetzt.

Léon Bourgeois

Bournemouth ['bɔ:nməθ], Seebad in der engl. Cty. Dorset, 144 800 Ew., am Ärmelkanal; beliebter Altersruhesitz; Elektroind., Arzneimittelwerke; Flughafen.

Bournonit [bur-; nach dem frz. Mineralogen J. L. Graf von Bournon; * 1751, † 1825] *der,* rhombisches, graues bis schwarzes Mineral, $PbCuSbS_3$, Mohshärte 3, Dichte 5,8 g/cm³, wichtiges Blei- und Kupfererz.

Bourrée [bu're, frz.] *die,* ein noch heute lebendiger Volkstanz der Auvergne, Paartanz im Wechsel mit Frontreigen; $^3/_4$-, später $^4/_4$-Takt; fand im 17./18. Jh. Eingang in Ballett, Oper und Suite.

Bourrette [bu'rɛt, frz.] *die,* Seidenabfall; wird zu grober, ungleichmäßiger **B.-Seide** versponnen.

Bourtanger Moor ['bu:r-], Hochmoor auf dem linken Emsufer beiderseits der niederländisch-dt. Grenze; wird im dt. Bereich seit 1951 in eine Kulturlandschaft umgewandelt.

Boutique [bu'tik, frz.] *die,* kleines Spezialgeschäft, bes. für mod. Kleider und Zubehör.

Bouton [bu'tɔ̃, frz.] *der,* Knopf, knopfförmiger Ohrring.

Boutros Ghali ['bu-], Boutros, ägyptischer Diplomat, → Ghali.

Bouts [bɔu̯ts], Dieric, niederländ. Maler, * Haarlem zw. 1410 und 1420, † Löwen 6. 5. 1475; Arbeiten

Daniel Bovet

von leuchtender Farbigkeit und feiner Durchzeichnung. – *Werke:* Abendmahlsaltar der Peterskirche zu Löwen (1464–67); Gerechtigkeitsbilder für das Löwener Rathaus (um 1470; Brüssel, Musées Royaux des Beaux Arts).

Bouvetinsel [bu'vɛ-], unbewohnte Insel im Südatlantik, 1739 von Bouvet de Lozier entdeckt, etwa 58 km², bis 939 m hoch, fast ganz vergletschert; See-Elefanten, Pelzrobben, Pinguine; seit 1930 norweg. Besitz.

Bovet [bɔ'vɛ], Daniel, italien. Pharmakologe schweizer. Herkunft, *Neuenburg 23. 3. 1907, †Rom 8. 4. 1992; Mitentdecker der Sulfonamide; erforschte Antihistaminika, Curare, Mutterkornalkaloide u.a.; Nobelpreis für Physiologie oder Medizin 1957.

Bowling

Deutsche Auswanderer brachten das Kegelspiel mit in die Vereinigten Staaten. Dort spielte man es schon bald in vielen Wirtshäusern auf eigens gebauten Lattenbahnen. Aber das Spiel auf »alle neune« wurde behördlich verboten, weil es dabei zu hohen Wetteinsätzen und Wettbetrug kam. Um das Verbot zu umgehen, erfand ein Engländer das Kegeln mit zehn Pins (Kegeln). 1847 wurde in New York die erste Bowlingbahn mit dem schönen Namen »Gothic Hall Bowling Saloon« (Gotischer Hallenbowlingsalon) eröffnet.

Bọvist [aus spätmhd. vohenvist] *der* (Bofist), Bez. für versch. Bauchpilze, deren Inneres zu staubfeinen Sporen zerfällt **(Stäubling);** in Wäldern der giftige **Kartoffel-B.** (Scleroderma citrinum), auf Weiden der jung essbare **Riesen-B.** (Calvatia gigantea).

Bowdenzug ['baʊdən-; engl., nach Sir H. Bowden, *1880, †1960], Drahtzug, der Bewegungen und Kräfte durch einen in einem Metallschlauch verschiebbaren Draht überträgt, z.B. Handbremse am Fahrrad.

Bowen ['bəʊɪn], Elizabeth, engl. Schriftstellerin, *Dublin 7. 6. 1899, †London 22. 2. 1973; schrieb psycholog., von H. James und V. Woolf beeinflusste Romane (»Das Haus in Paris«, 1935; »Eine Welt der Liebe«, 1955; »Seine einzige Tochter«, 1968), Kurzgeschichten und Essays.

Bovist: Geschlossener (oben) und angeschnittener Fruchtkörper eines Kartoffelbovists

Bowie ['bəʊɪ], David, eigtl. D. Jones, brit. Rocksänger, -gitarrist und -saxophonist, *London 8. 4. 1947; wichtigster Vertreter der Transvestiten- und Horrorwelle in der Rockmusik der 70er-Jahre mit bühnenwirksamer Darstellung der Erscheinungsformen (Rockterror, Drogenkonsum, Sexismus) der Subkultur; eine der vielseitigsten Pop-Artisten; auch Filmschauspieler.

Bọwiemesser [nach dem amerikan. Abenteurer J. Bowie, *1796, †1836], dolchähnl. Jagdmesser in Lederscheide.

Bowle ['bo:lə, engl.] *die,* kaltes Getränk aus Wein und Sekt mit Früchten oder Würzkräutern; auch das runde Gefäß zu deren Bereitung.

Bowler ['bəʊlə, engl.] *der,* 1850 von Thomas Bowler & Sons entworfener Herrenhut aus Filz mit steifem, rundem Kopf; in Dtl. »Melone« genannt.

Bowles [bəʊlz], Paul, amerikan. Komponist und Schriftsteller, *New York 30. 12. 1910; lebt meist seit 1947 in Tanger; führender Vertreter der Beatgeneration. In seinen Werken kehren Themen wie Drogenerfahrung, Reisen und das entfremdete Leben im Exil wieder: »Himmel über der Wüste« (R., 1949), »So mag er fallen« (R., 1952), ferner Erzählungen und Gedichte (»Next to nothing. Collected poems 1926–77«, 1981); komponierte u.a. Opern, Ballette, Film- und Bühnenmusiken.

🕮 BRIATTE, R.: *P. B., 2117 Tanger Socco. Ein Leben. A. d. Amerikan. Reinbek 1991.*

Bowling ['bəʊlɪŋ, engl.] *das,* eine der vier Disziplinen des Kegelsports; die im Durchmesser 21,8 cm große, bis 7,255 kg schwere, mit Löchern für Haltefinger versehene Kugel wird auf die Kegelstandfläche (Länge der Bahn: 25,488 m) geworfen, wobei möglichst alle zehn Kegel getroffen werden sollen. Gespielt wird in zehn Durchgängen (Spielen) zu je zwei Würfen. Gewertet werden die in allen Durchgängen gefallenen Kegel.

Bọx [engl.] *die,* **1)** *allg.:* Büchse, Schachtel.

2) *Elektroakustik:* Lautsprechergehäuse.

3) *Fotografie:* kurz für Boxkamera, einen einfachen Fotoapparat.

4) *Reitsport:* (Boxe) Abteilung im (Pferde)stall.

Bọxen, Faustzweikampf in Gewichtsklassen, gebunden an strenge Regeln. Geboxt wird mit ledergepolsterten Handschuhen von acht (Dtl.) bzw. sechs Unzen Gewicht (internat. Profiboxsport). Gestattet sind Schläge auf alle Teile des vorderen Körpers oberhalb der Gürtellinie, einschl. des Kopfes. Der Gegner soll mit korrekten Schlägen getroffen werden. Die Schläge sind **Gerade:** auf kürzestem Weg mit der Faust schnell ausgeführte Stöße; **Haken:** aus dem abgewinkelten Arm geführte Schläge; **Uppercuts:** Aufwärtshaken; **Schwinger:** Stoß mit abgewinkeltem Arm von unten nach oben; **Jab:** hakenartiger Schlag aus kurzer Distanz; **Cross:** Schlag über den abwehrenden Arm des Gegners auf dessen entgegengesetzte Körperhälfte. Ein Boxkampf wird im **Ring** ausgetragen, einem Quadrat von 4,9–6,1 m Seitenlänge mit dreifacher Seilumspannung in 40, 80, 130 cm Höhe. Der Kampf, vom **Ringrichter** geleitet, von **Punktrichtern** bewertet, geht über **Runden:** 4–15 für Berufsboxer (drei für Amateure) von je drei (zwei für Jugendliche und Junioren) Minuten Dauer, dazwischen je eine Minute Pause. Die Entscheidungen können sein: **Knock-out (K.o.),** wenn der Gegner niedergeschlagen wird und in zehn Sekunden den Kampf nicht fortsetzen kann; **techn. Knock-out,** wenn der Ringrichter den Kampf abbricht, um ernste Gefahren zu vermeiden; **Punktwertung:** Sieger ist der Boxer, dem die Mehrheit der Punktrichter eine höhere Punktwertung gibt.

Geschichte: B. wurde als kult. Handlung zu Ehren der Götter in der Antike v.a. im Vorderen Orient, in Asien und Afrika ausgeübt. Es entwickelte sich im Mittelmeerraum als nach Regeln geordneter Sport, wobei man bis zur Kampfunfähigkeit des Gegners mit bloßen oder mit bandagierten Fäusten kämpfte. In späterer Zeit wesentlich brutalisiert, wurde B. Ende des 4. Jh. n.Chr. verboten. Der moderne Boxsport entstand im 18. Jh. in England; seit 1904 ist er olymp. Disziplin. Seit 1975 finden Weltmeisterschaften für Amateure statt.

📖 BARRAT, M.: *Die Boxer. A. d. Amerikan. Reinbek 1991.* – SCHERBAUER, S.: *Die großen Boxsport-Stars. München 1994.*

Bọxer [engl.; nach chines. Yi-he quan »Faust(kämpfer) für Recht und Einigkeit«], fremdenfeindl. religiöser Geheimbund in China, der mit der Ermordung des dt. Gesandten K. von Ketteler und der Besetzung des Pekinger Gesandtschaftsviertels (mit Billigung der chin. Regierung) im Juni 1900 den **B.-Aufstand** auslöste. Dieser wurde durch ein Militärkorps der europ. Mächte niedergeschlagen, die im **B.-Protokoll** (1901) die Sühnebedingungen diktierten. BILD S. 244

Gewichtsklassen im Boxen

Gewichtsklassen (Berufsboxen, WBA)	Männer
Minifliegengewicht	bis 47,627 kg
Halbfliegengewicht	bis 49,988 kg
Fliegengewicht	bis 50,802 kg
Superfliegengewicht	bis 52,163 kg
Bantamgewicht	bis 53,525 kg
Halbfedergewicht	bis 55,338 kg
Federgewicht	bis 57,153 kg
Superfedergewicht	bis 58,967 kg
Leichtgewicht	bis 61,235 kg
Halbweltergewicht	bis 63,503 kg
Weltergewicht	bis 66,678 kg
Halbmittelgewicht	bis 69,853 kg
Mittelgewicht	bis 72,575 kg
Supermittelgewicht	bis 76,203 kg
Halbschwergewicht	bis 79,379 kg
Cruisergewicht	bis 88,450 kg
Schwergewicht	über 88,450 kg

Umgerechnet von engl. Pounds (lb); 1 lb = 0,453 592 kg

Gewichtsklassen (Amateure)	Männer	Frauen
Papiergewicht	–	bis 42,0 kg
Papiergewicht	–	bis 45,0 kg
Halbfliegengewicht	bis 48,0 kg	bis 48,0 kg
Fliegengewicht	bis 51,0 kg	bis 51,0 kg
Bantamgewicht	bis 54,0 kg	bis 54,0 kg
Federgewicht	bis 57,0 kg	bis 57,0 kg
Leichtgewicht	bis 60,0 kg	bis 60,0 kg
Halbweltergewicht	bis 63,5 kg	bis 63,0 kg
Weltergewicht	bis 67,0 kg	bis 66,0 kg
Halbmittelgewicht	bis 71,0 kg	bis 69,0 kg
Mittelgewicht	bis 75,0 kg	bis 72,0 kg
Halbschwergewicht	bis 81,0 kg	bis 75,0 kg
Schwergewicht	bis 91,0 kg	bis 81,0 kg
Superschwergewicht	über 91,0 kg	über 81,0 kg

Boxen

Boxhandschuhe wurden erst um 1890 eingeführt, aber nicht, wie man vielleicht denken könnte, um den Geschlagenen vor dem Gegner zu schützen, sondern um zu verhindern, dass der Boxer sich beim Boxschlag die Hand bricht. Die Verletzungen des Gegners sind infolge der 200–400 Gramm schweren Handschuhe schlimmer als ohne Handschuhe.

Bọxer, mittelgroße, kurzschnauzige, glatthaarige Haushunderasse (Wach-, Schutz- und Gebrauchshund).

Bọxermotor, → Verbrennungsmotor.

Bọxkalf (Boxcalf) [engl.] *das,* chromgegerbtes, feinnarbiges Kalbleder, bes. für Schuhoberleder; derart aus Rinderhäuten hergestelltes Leder ohne Narben heißt **Rindbox.**

Boy [bɔɪ; engl. »Junge«] *der,* Laufbote, junger Hoteldiener.

Boyd-Orr [ˈbɔɪdˈɔː], John, Baron of Brechin Mearns (seit 1949), brit. Physiologe und Ernährungswissenschaftler, * Kilmaurs (North Ayrshire) 23. 9. 1880, † Newton (bei Brechin) 25. 6. 1971; trat für die Gründung einer weltweiten Ernährungsorganisation ein; Friedensnobelpreis 1949.

John Boyd-Orr

Boyen, Hermann von, preuß. General, * Kreuzburg (Ostpreußen; heute Jenino, Geb. Kaliningrad) 23. 6. 1771, † Berlin 15. 2. 1848; Mitarbeiter Scharnhorsts, war 1814–19 und 1841–47 Kriegsminister. Von B. entwarf das Wehrgesetz vom 3. 9. 1814 (allg. Wehrpflicht) und die Landwehrordnung vom 21. 11. 1815. Wegen des Widerstands gegen seine Reformpläne trat er 1819 zurück.

Boykọtt [nach dem von den Iren geächteten engl. Güterverwalter C. Boycott, * 1832, † 1897] *der,* Verrufserklärung als polit., soziale oder wirtsch. Zwangsmaßnahme oder Kampfmittel, durch die eine Person, ein Unternehmen oder ein Staat (→ Sanktion) vom regelmäßigen Geschäftsverkehr ausgeschlossen wird. B. als Mittel des Arbeitskampfes ist die Weigerung der Arbeitgeber, bestimmte Arbeitnehmer einzustellen, oder der Arbeitnehmer, bei bestimmten Arbeitgebern zu arbeiten. Er ist unzulässig, wenn Zweck oder Mittel gegen die guten Sitten verstoßen.

Boykọtthetze, *Recht:* nach Art. 6 der bis 1968 gültigen Verfassung der DDR unbestimmter Tatbestand zur Erfassung aller politisch missliebigen Handlungen, war bes. zwischen 1950 und 1957

Boxer: Auf einem chinesischen Bilderbogen wird die Gefangennahme von Europäern im Boxeraufstand dargestellt

Grundlage der polit. Terrorjustiz; gelegentlich auch nach 1960 angewendet; abgelöst durch den Tatbestand der »staatsfeindl. Hetze«.

Boyle [bɔɪl], Robert, britischer Naturforscher, *Lismore (Cty. Waterford, Irland) 25. 1. 1627, †London 30. 12. 1691; Mitbegründer der Royal Society; entdeckte vor Mariotte das →Boyle-Mariotte-Gesetz, verbesserte mit R. Hooke die Luftpumpe O. von Guerickes und war Anhänger des Atomismus in der Chemie. Seine Entdeckungen wirkten bahnbrechend für das neuzeitl. naturwiss. Denken.

Bozen 2)
Stadtwappen

Boyle-Mariotte-Gesetz [ˈbɔɪl marˈjɔt-], Beziehung zw. Druck p und Volumen V eines idealen Gases bei konstanter Temperatur (R. Boyle 1662, E. Mariotte 1676): $p \cdot V =$ konst. Viele reale Gase, z.B. Luft, Wasserstoff, Helium, gehorchen dem Gesetz unter normalen Bedingungen recht gut.

Boyscouts [ˈbɔɪskaʊts], engl. Bez. für →Pfadfinder.

Bọzen (italien. Bolzano), **1)** Provinz in der Region Trentino-Südtirol, Italien, 7400 km², (1994) 446600 Einwohner.

2) Hptst. von 1), 97900 Ew., am Eintritt des Eisacks in das breite Etschtal; Kultur-, Verwaltungs-, Wirtschafts- und Fremdenverkehrszentrum Südtirols; Bischofssitz; seit dem MA. bed. Handel mit Wein, Obst, Gemüse; Stahl- und Aluminiumind., Magnesiumwerk, Nahrungsmittel- und Holzind., Fahrzeugbau. – Mittelalterl. Altstadt mit Dom (Propsteikirche Mariä Himmelfahrt, 14./15. Jh.), Häuser mit Laubengängen; in der Umgebung zahlr. Burgen. – Als **Castellum Bauzanum** wurde B. 680 Sitz eines fränk. Grenzgrafen, kam 1027 an den Bischof von Trient, dann an den Grafen von Tirol (abgetreten 1462, endgültig 1531), 1919 an Italien.

Bozzetto: Michelangelo, »Herkules und Antäus (?)« (um 1525–28; Florenz, Casa Buonarroti)

Bozzẹtto [italien.] *der,* erster skizzenhafter plast. Entwurf für eine Skulptur oder für Porzellan, v.a. in Ton, Wachs oder Holz.

BP, Abk. für **1)** →**B**ayern**p**artei.

2) Abk. für **B**ritish **P**etroleum Co. p.l.c., Erdölkonzern, gegr. 1909 als Anglo Persian Oil Company Ltd., seit 1954 jetziger Name; Sitz: London.

bpi [Abk. für engl. **b**its **p**er **i**nch], *Informatik:* Einheit für die Aufzeichnungsdichte bei Magnetplatten-, Magnettrommel- und Magnetbandspeichern. Übliche Aufzeichnungsdichten bei Magnetbandspeichern sind 800, 1600 und 6250 bpi.

bps [Abk. für engl. **b**its **p**er **s**econd], *Informatik:* Maßeinheit für die Geschwindigkeit, mit der Daten übertragen werden.

Bq, Einheitenzeichen für →Becquerel.

Br, chemisches Symbol für →Brom.

Brabạnt, Gebiet zw. Maas und Schelde, im NO Belgiens und im S der Niederlande (Prov. Nordbrabant, 4943 km², 2,26 Mio. Ew., Hptst. Herzogenbusch). Der belg. Teil zerfällt in die Prov. Flämisch-Brabant, 2106 km², (1995) 995300 Ew., Hptst. Löwen, und Wallonisch-Brabant, 1091 km², (1995) 336500 Ew., Hptst. Nivelles, sowie die zentrale zweisprachige Region Brüssel. – Der fränk. Gau **Bracbantum** fiel mit Lotharingien 870 an Dtl. und gehörte zum Herzogtum Niederlothringen. Die Grafen von Löwen, seit 1106 Herzöge, nannten sich seit 1191 Herzöge von Brabant. Durch Heirat kam das Land 1430 an Burgund, 1477 an die Habsburger. Der N wurde bis 1648 von den niederländischen Generalstaaten erobert (Generalitätslande), während Süd-B. mit der Hptst. Brüssel bei den span., seit 1714 österr. Niederlanden blieb. Seit 1830 ist B. das Kernland des Königreichs Belgien.

Bozen 2): Dom Mariä Himmelfahrt (14./15. Jh.)

Brabạnt, dt. Fürstenhaus, stammt ab von Heinrich I., Sohn Herzog Heinrichs II. von B. und der Landgräfin Sophie von Thüringen, Tochter der hl. Elisabeth; erbte 1247 →Hessen.

Brač [bra:tʃ] (italien. Brazza), Insel in der Adria, zu Kroatien gehörig, 395 km², 15 000 Ew.; Hauptort ist Supetar; Marmorsteinbrüche, Fremdenverkehr.

Bracciolini [brattʃo'li:ni], →Poggio Bracciolini.

Brache, Flurstück, das i.d.R. für eine Vegetationsperiode unbestellt bleibt: Bodenstruktur und Wasserhaushalt sollen verbessert, Humusbildung, Unkrautbekämpfung und Bodengare gefördert werden (→Dreifelderwirtschaft), →Sozialbrache.

Bracher, Karl Dietrich, Historiker und Politologe, *Stuttgart 13. 3. 1922; seit 1959 Prof. in Bonn, schrieb v.a. Werke zur dt. Zeitgeschichte.

Werke: Die Auflösung der Weimarer Republik (1955); Die nat.-soz. Machtergreifung (1960; mit W. Sauer u. G. Schulz); Die dt. Diktatur (1969); Das dt. Dilemma (1971); Die totalitäre Erfahrung (1987); Verfall u. Fortschritt im Denken der frühen röm. Kaiserzeit (1987); Dtl. zwischen Krieg u. Frieden (1990); Wendezeiten der Geschichte. Historisch-polit. Essays 1987–1992 (1992).

brachial [lat.], *Medizin:* auf den (Ober-)Arm bezogen.

Brachiopoda [grch.], die →Armfüßer.

Brachistochrone [grch.] *die,* Verbindungskurve zweier Punkte, die von einem reibungslos gleitenden Massenpunkt unter dem Einfluss der Schwerkraft in der kürzesten Zeit durchlaufen wird.

Brachkäfer, →Junikäfer.

Brachmonat (Brachet), alter dt. Name für den Juni, in dem die Brache bei der Dreifelderwirtschaft umgepflügt wurde.

Brachschwalben (Glareolidae), Familie der Watvögel, zu denen auch die **Rennvögel** und die **Krokodilwächter** gehören; Flugbild schwalbenartig. Die starengroße **Brachschwalbe** (Glareola pratincola) bewohnt S-Europa, SW-Asien und Afrika und schnappt die Nahrung (Insekten) im Flug auf.

Brachsen *der,* Art seitlich abgeplatteter, hochrückiger →Karpfenfisch.

Brachsenkraut (Isoetes), staudige Gattung der B.-Gewächse, teils unter Wasser, teils auf feuchtem Boden lebend; die zwei mitteleurop. Arten stehen unter Naturschutz.

Brachvögel (Numenius), Gattung der →Schnepfenvögel mit sehr langem, gebogenem Schnabel. Der krähengroße, braun und weiß gefiederte **Große Brachvogel** (Numnius arquata) brütet in Mitteleuropa, verbringt den Winter am Mittelmeer und in Afrika, in geringer Zahl an dt. Küsten.

brachy... [grch. brachýs], kurz...

Brachyzephalie [grch.] *die* (Kurzköpfigkeit, Brachykranie, Kurzschädeligkeit), Kopfform, deren größte Breite mindestens 80% der Länge beträgt, im Ggs. zur **Dolichozephalie** (Langköpfigkeit), **Dolichokranie** (Langschädeligkeit), bei der die größte Breite 75% der Länge nicht übersteigt.

Bracken, europ. Spür- und Laufhunderassen, die mit der Nase am Boden unter dauernder Lautgebung jagen.

Brackenheim, Stadt im Landkr. Heilbronn, Bad.-Württ., im Zabergäu, 13 300 Ew.; Weinbau; Herstellung von Türen, Maschinenbau. – Spätroman. Johanniskirche, Renaissanceschloss, Barockrathaus. – Erhielt 1280 Stadtrecht; Geburtsort von T. Heuss (Gedächtnisstätte).

Brackett-Serie ['brækɪt-; nach dem amerikan. Astronomen F. S. Brackett, *1865, †1953], *Physik:* eine Spektralserie des Wasserstoffs im Infrarot.

Brabant Historisches Wappen

Bracknell ['bræknəl], Stadt (New Town) in England, westlich von London, 48 800 Ew.; meteorolog. Forschungszentrum, Akademie der Royal Air Force, drei Industrieparks. – 1949 gegründet.

Brackwasser, mit Meerwasser vermischtes Süßwasser, bes. im Mündungsgebiet von Flüssen; auch in Endseen abflussloser Gebiete.

Bradbury ['brædbərɪ], Ray Douglas, amerikan. Schriftsteller, *Waukegan (Ill.) 2. 8. 1920; bekannt durch Sciencefictionromane und fantast. Erzählungen, in denen es ihm um Schlüsselfragen der menschl. Existenz und der amerikan. Geschichte und Gegenwart geht (»Fahrenheit 451«, 1953; 1966 von F. Truffaut verfilmt); auch Gedichte, Dramen, Filmskripte.

Bradford ['brædfəd], Stadt in der nordengl. Metropolitan Cty. West Yorkshire, 281 000 Ew.; seit dem 18. Jh. Zentrum der heute stagnierenden brit. Wollind. und des Wollhandels, Maschinenbau, chem., pharmazeut. und Elektroind.; Univ.; anglikan. Bischofssitz. – Erhielt 1311 Marktrecht.

Bradley ['brædlɪ], **1)** Francis Herbert, engl. Philosoph, *Clapham (Cty. Surrey) 30. 1. 1846, †Oxford 18. 9. 1924; vertrat in »Erscheinung und Wirklichkeit« (1893) eine am hegelschen Idealismus orientierte, den Utilitarismus ablehnende Metaphysik; nahm hinter der Aufspaltung in Subjekt und Objekt ein ursprüngl. Ganzes an, das im reinen Gefühl erfahren werden könne.

Brachvögel: Großer Brachvogel

📖 Moser, C.: *Die Erkenntnis- u. Realitätsproblematik bei F. H. B. u. Bernard Bosanquet. Würzburg 1989.*

2) James, engl. Astronom, *Sherborne (bei Dorchester) März 1692, †Chalford (bei Gloucester) 13. 7. 1762; Prof. in Oxford (1721–42), danach als Nachfolger von E. Halley Königl. Astronom und Prof. an der Sternwarte in Greenwich. B. entdeckte die →Aberration, berechnete daraus die Lichtgeschwindigkeit; bestimmte die Position von über 3 200 Fixsternen.

3) Omar, amerikan. General, *Clark (Mo.) 12. 2. 1893, †New York 8. 4. 1981; hatte im 2. Weltkrieg (seit Aug. 1944 Oberbefehlshaber der 12. Armeegruppe) Anteil an erfolgreichen alliierten Operationen. Als Generalstabschef (1947–49) beteiligte er sich maßgeblich an der Bildung der NATO; 1949–53 war er Chef der vereinigten Generalstäbe.

Bradsot [skandinav.] *die* (Braasot, Braxy), durch Bakterien hervorgerufene »Schnelle Seuche« bei Schafen. Man unterscheidet zwei versch. Erregerarten (Clostridium septicum und novyi Typ B) und Krankheitsbilder. Die **Deutsche B.** ist eine bösartige Leberentzündung. Die **Nord. B.** ist eine Entzündung der Labmagenschleimhaut. Vorbeugung gegen beide Formen durch Impfung.

Tycho Brahe

Bradstreet ['brædstri:t], Anne, geb. Dudley, amerikan. Dichterin, *Northampton (England) 1612 (?), †North Andover (Mass.) 16. 9. 1672; kam 1630 mit einer Gruppe von Puritanern nach Massachusetts; gilt als erste amerikan. Dichterin.

brady... [grch. bradýs], langsam...

Bradykardie [grch. »langsame Herztätigkeit«] *die, Medizin:* verlangsamte Herzschlagfolge mit einer Pulsfrequenz von unter 60 Schlägen je Minute bei Erwachsenen. B. kann völlig harmlos (z.B. bei Sportlern) oder krankhaft bei Schilddrüsenunterfunktion, Hirndrucksteigerung, Gelbsucht u.a. sein. (→Herzrhythmusstörungen)

Bradykinin *das* (Kallidin-9), Gewebshormon aus der Gruppe der Plasmakinine; wirkt gefäßerweiternd und blutdrucksenkend sowie kontrahierend auf die glatte Muskulatur.

Braga, Hptst. des Distrikts B. in N-Portugal, 90500 Ew.; Erzbischofssitz, kath. Univ.; Baumwoll-, Gummi- und Lederverarbeitung, Maschinenbau. – Kathedrale (12. Jh.). Im O der Stadt liegt die spätbarocke Wallfahrtskirche Bom Jesús do Monte mit prachtvollem Treppenaufgang. – B., das röm. **Bracara,** war im 5. Jh. die Hptst. der Sueben; seit dem 8. Jh. unter maur. Herrschaft; um 1100 Residenz der portugies. Könige.

Braga, Joaquim Teófilo Fernandes, portugies. Gelehrter und Politiker, *Ponta Delgada (Azoren) 24. 2. 1843, †Lissabon 28. 1. 1924; Begründer der portugies. Volkskunde und Literaturwissenschaft; war 1910/11 und 1915 Staatspräsident.

William Henry Bragg

Bragança [bra'ɣãsa], Hptst. des Distr. B. in NO-Portugal, 16600 Ew. – Rathaus (12./13. Jh.), Kathedrale im Renaissancestil; Reste der ab 1187 errichteten Burg mit ehemals 18 Türmen im Mauerring.

Bragança [bra'ɣãsa], Königshaus in Portugal (1640–1853, mit Unterbrechung 1807–21, 1853–1910 in der Linie Sachsen-Coburg-B.) und in Brasilien (1822–89).

Bragg [bræg], Sir (seit 1920) William Henry, brit. Physiker, *Westward (bei Wigton, Cty. Cumbria) 2. 7. 1862, †London 12. 3. 1942; entwickelte z.T. gemeinsam mit seinem Sohn Sir (seit 1941) William Lawrence B. (*1890, †1971) die →Drehkristallmethode und begründete damit die Röntgenstrukturanalyse und die Röntgenspektroskopie, wofür sie zus. 1915 den Nobelpreis für Physik erhielten.

Bragi, altnord. Gott der Dichtung, Sohn Odins, Gemahl der →Idunn.

Bragi, der älteste mit Namen bezeugte Skalde, lebte im 9. Jh. in Norwegen.

Brahe *die* (poln. Brda), linker Nebenfluss der Weichsel, Polen, 238 km, entspringt in der Pommerschen Seenplatte und mündet bei Bromberg.

Brahe, Tycho, dän. Astronom, *Knudstrup (Schonen) 14. 12. 1546, †Benátky (bei Prag) 24. 10. 1601; bedeutendster Astronom vor Erfindung des Fernrohrs; entdeckte und deutete 1572 eine →Supernova in der Cassiopeia, den **Tychonischen Stern**; erbaute auf der ihm 1576 überlassenen Insel Hven (Ven) im Sund die Sternwarte »Uranienborg«; ging 1599 als Hofastronom Kaiser Rudolfs II. nach Prag, wo J. Kepler sein Gehilfe wurde. B.s präzise Messungen von Planetenörtern, insbesondere seine Marsbeobachtungen, ermöglichten Keplers Arbeiten über die Planetenbahnen.

Brahm, Otto, eigtl. O. Abrahamsohn, Literarhistoriker und -kritiker, Theaterleiter, *Hamburg 5. 2. 1856, †Berlin 28. 11. 1912; Schüler W. Scherers; leitete in Berlin 1889–93 die →Freie Bühne, 1894–1904 das Dt. Theater, seit 1904 das Lessingtheater; Hauptbegründer des dt. Bühnenrealismus, Wegbereiter des Naturalismus im dt. Theater.

📖 SEIDLIN, O.: *Der Theaterkritiker O. B. Bonn* [2]*1978.*

Bragança: Blick auf die Reste der mittelalterlichen Burg, im Vordergrund der Mauerring

Brahma [Sanskrit], Verkörperung der Schöpfungskraft in der hinduist. Götterdreiheit aus Brahma, Vishnu und Shiva. B. wird häufig mit vier Gesichtern und vier Armen, in denen er u.a. die Veden und einen Gebetskranz hält, dargestellt.

Brahman *das, ind. Religion:* göttl. Kraft, seit den →Upanishaden die Allseele, das absolute Prinzip (→indische Philosophie und Religion).

Brahmanas, Werke der ältesten ind. Literatur, die sich an die Veden anschließen und zw. 1000 und 500 v.Chr. in Sanskrit geschrieben sind. Sie befassen sich mit theolog. Erörterung des Rituals, deuten die unverständlich gewordenen Kultvorgänge symbolisch und erläutern sie durch Mythen.

Brahmanen, die Mitgl. der obersten Kaste der Hindus; seit den ältesten Zeiten Priester, Dichter, Gelehrte und Politiker (heute auch in anderen Berufen tätig), schon in den alten Gesetzbüchern für unverletzlich erklärt.

Brahmanismus (Brahmaismus) *der, ind. Religion:* 1) im Westen häufig Bez. für den →Hinduismus; 2) die Verehrung Brahmas als Schöpfergott. Allerdings spielt in Indien die Vorstellung eines Schöpfergottes eine geringere Rolle als in den westl. Religionen. So wird Brahma in den Veden kaum erwähnt. Im Rigveda, dem ältesten der Veden, heißt es sogar, die Götter seien erst nach der Schöpfung entstanden. Anfangs teilt Brahma seine Macht noch mit Vishnu und Shiva, schließlich tritt er hinter den beiden zurück.

Brahmaputra [ind. »Sohn des Brahma«] *der,* einer der Hauptströme S-Asiens, rd. 3000 km, entsteht in 5600 m Höhe ü.M. an den nördl. Abhängen des Himalaja in Südtibet aus 3 Quellflüssen, fließt als **Yarlung Zangbo Jiang (Tsangpo)** 1250 km nach O, biegt als **Dihang** nach S um und durchbricht die Himalajaketten. Fließt als B. in der Ebene von Assam nach W, dann nach S und mündet in den Unterlauf des Ganges, mit dem zusammen er ein 44000 km^2 großes Delta bildet.

Brahmischrift, →indische Schriften.

Brahms, Johannes, Komponist, *Hamburg 7.5. 1833, †Wien 3.4. 1897; befreundet mit dem Geiger J. Joachim sowie mit R. und C. Schumann. 1862 übersiedelte B. nach Wien, wo er, von vorübergehender Dirigententätigkeit abgesehen, als freischaffender Komponist lebte. B.' kompositor. Denken ist v.a. durch die Musik der Wiener Klassik bestimmt, bes. durch Beethoven. Neben diesem »klassizist.« steht als ein »historist.« Moment das intensive Studium der alten Meister (Schütz, Bach und Händel, Vivaldi, Scarlatti und Couperin). Als drittes Moment kam das Volkslied hinzu, mit dem er sich als Sammler und Bearbeiter zeitlebens beschäftigt hat. Alle diese Momente verbanden und verwandelten sich zu jenem unverkennbaren »B.-Stil«, der durch liedhafte Grundstrukturen, stufenreiche Harmonik, polyphones Gewebe, kunstvolle themat. Arbeit, rhythm. Vielfalt und sonore Klanglichkeit gekennzeichnet ist. Kompositorisch im Mittelpunkt stehen die Kammermusik und das vokalmusikal. Schaffen (Lieder, geistl. und weltl. Chormusik).

Werke: 4 Sinfonien (c-Moll, 1876; D-Dur, 1877; F-Dur, 1883; e-Moll, 1885); 2 Serenaden, Haydn-Variationen, Akadem. Festouvertüre; 2 Klavierkonzerte (d-Moll, B-Dur), Violinkonzert, Doppelkonzert für Violine und Violoncello; Klaviertrios, -quartette, -quintett, 3 Streichquartette, 2 Streichquintette, Klarinettenquintett, 2 Streichsextette; 3 Klaviersonaten, Variationen, Rhapsodien, Balladen, Intermezzi u.a. Klavierstücke. – Chorwerke: Ein dt. Requiem (1868); Schicksalslied, Nänie, Gesang der Parzen, Alt-Rhapsodie, Chöre; etwa 200 Sololieder mit Klavierbegleitung.

📖 BECKER, H.: *B. Stuttgart u.a. 1993.* – MEYER, HANS: *Ein Denkmal für J. B. Versuche über Musik u. Literatur. Frankfurt am Main ²1993.* – NEUNZIG, H. A.: *J. B. Reinbek 70.–72. Tsd. 1994.* – SCHMIDT, CHRISTIAN M.: *Reclams Musikführer J. B. Stuttgart 1994.* – *Über B., hg. v.* RENATE u. KURT HOFMANN. *Stuttgart 1997.*

Johannes Brahms

Johannes Brahms aus der Sicht eines zeitgenöss. Zeichners

Brahui, Gruppe von Stämmen in Belutschistan, Pakistan; nordwestlichste Vertreter der Dravida-Sprachgruppe. Die meisten der etwa 365000 B. sind nomadisierende Kamel- und Ziegenhirten.

Braid [breɪd], James, brit. Chirurg, *Rylaw House (Fife) 1795, †Manchester 25.3. 1860; prägte den Begriff Hypnose.

Brăila [brəˈila], Hptst. des Bez. B. in SO-Rumänien, wichtiger Hafen an der unteren Donau, 234100 Ew.; Werften, Maschinenbau, Metall-, Zellulose-, Papier-, Lebensmittel-, chem. Industrie.

Braille [bra:j], Louis, frz. Blindenlehrer, *Coupvray (Dép. Seine-et-Marne) 4.1. 1809, †Paris 6.1. 1852; erblindete im Alter von drei Jahren, schuf die heute gebräuchliche →Blindenschrift **(B.-Schrift).**

Brailowsky, Alexander, amerikan. Pianist russ. Herkunft, *Kiew 16. 2. 1896, †New York 25. 4. 1976; bed. Interpret der Klaviermusik von F. Chopin und F. Liszt.

Braindrain ['breɪndreɪn; engl. »Abzug von Gehirnen«] *der,* die Abwanderung hoch qualifizierter Arbeitskräfte ins Ausland, wodurch dem Abwanderungsland Humankapital entzogen wird.

Braine [breɪn], John Gerard, engl. Schriftsteller, *Bradford 13. 4. 1922, †London 28. 10. 1986; zählt mit seinen Romanen »... und nähme doch Schaden an seiner Seele« (1957), »Ein Mann der Gesellschaft« (1962), »One and last love« (1981) zur Gruppe der Angry young men.

Brainstorming ['breɪnstɔ:mɪŋ; von engl. brainstorm »Geistesblitz«] *das,* Gruppendiskussion, bei der spontane Einfälle zu einem bestimmten Problem gesammelt werden.

Braintrust ['breɪntrʌst; engl. »Gehirntrust«] *der,* urspr. die Berater Präs. F. D. Roosevelts beim →New Deal, später allg. Bez. für ein beratendes Gremium von Fachleuten.

Brainwashing ['breɪnwɔʃɪŋ, engl.] *das* →Gehirnwäsche.

Brakel, Stadt im Landkr. Höxter, NRW, 17500 Ew.; Luftkurort im Weserbergland; Metall-, Holzind.; Justizausbildungsstätte von NRW. – Romanisch-got. Pfarrkirche, ehem. Kapuzinerkirche (1715–18, von J. C. Schlaun). – 836 als Dorf genannt, 1229 als Stadt gegründet.

Bräker, Ulrich, schweizer. Schriftsteller, *Näbis (bei Wattwil) 22. 12. 1735, †Wattwil 11. 9. 1798; anfangs Hirtenjunge, dann Weber. Seine »Lebensgeschichte und natürl. Ebentheuer des Armen Mannes im Tockenburg« (1789) zählt zu den bedeutendsten deutschsprachigen Autobiographien.

Brake (Unterweser), Krst. des Landkreises Wesermarsch, Ndsachs., am linken Ufer der Weser, 16700 Ew.; Wasser- und Schifffahrtsamt; Kunststoffverarbeitung, Schiffbau, Elektrotechnik. Übersee- und Binnenhafen; Schifffahrtsmuseum, Niederdt. Bühne. – Stadt seit 1856.

Brakteat 2): Gelnhauser Pfennig; dargestellt sind Kaiser Friedrich I. Barbarossa und seine Gemahlin Beatrix von Burgund

Brakteat [von lat. bractea »dünnes Blech«] *der,* **1)** *Geschichte:* Hängeschmuckstück (Schmuck-B.) zur Völkerwanderungszeit aus Gold-, Silber- und Kupferblech mit einseitig getriebenen oder geprägten figürl. Darstellungen, z.T. mit Runeninschriften.

2) *Numismatik:* mittelalterl. dt. Münze aus dünnem Silberblech, einseitig so geprägt, dass das Bild auf der Rückseite vertieft erscheint **(Hohlpfennig).** Vorläufer der seit dem 12. Jh. geprägten B. waren die **Halb-B. (Dünnpfennige),** deren beiderseitige Prägungen durchgeschlagen sind und so das Bild verwischen.

Bram [niederländ.] (Bramstenge), zweitoberste Verlängerung des Mastes sowie deren Takelung (Bramsegel) beim Segelschiff.

Bramante: Rundtempel im Hof von S. Pietro in Montorio in Rom (1502)

Bramante, eigtl. Donato d'Angelo, italien. Baumeister und Maler, *Monte Asdrualdo (heute Fermignano, bei Urbino) 1444, †Rom 11. 3. 1514; tätig in Mailand, seit 1499 in Rom; begründete die italien. Baukunst der Hochrenaissance, die in der von ihm entwickelten Idee des Zentralbaus die klass. Erfüllung allseitig harmon. Gestaltung fand.

Werke: in Mailand: Chorbau von S. Maria delle Grazie (1492 bis 1498); in Rom: Klosterhof von S. Maria della Pace (seit 1500); Rundtempel im Hof von S. Pietro in Montorio (1502); Beginn des Neubaus der Peterskirche als Zentralbau mit Rundkuppel über grch. Kreuz (1506).

📖 WERDEHAUSEN, A. E.: *B. u. das Kloster S. Ambrogio in Mailand. Worms 1990.*

Bramarbas *der,* großsprecher. Prahler; nach der Titelfigur der dt. Fassung von L. Holbergs »Jacob von Tyboe«.

Brambach, Bad, →Bad Brambach.

Bramme, aus dem Rohstahlguss vorgewalzter rechteckiger Stahlblock als Ausgangsstufe für das Walzen von Blechen und Bändern.

Bramsche, Stadt im Landkreis Osnabrück, Ndsachs., an der Hase und am Mittellandkanal, 30700 Ew.; Tapeten-, Textil-, Drahtind., Maschinenbau, Kunststoffverarbeitung. – Seit 1929 Stadt.

Bramstedt, Bad, →Bad Bramstedt.

Bramwald, von N nach S verlaufender Buntsandsteinhöhenzug im Weserbergland, Ndsachs., im Totenberg 408 m hoch.

Branagh ['brænɑ:], Kenneth Charles, brit. Schauspieler und Regisseur, *Belfast 10. 12. 1969; schon 1983 Mitgl. der Royal Shakespeare Company; differenzierter Darsteller in Filmen, in denen er (z.T.) auch Regie führt. – *Filme:* Henry V. (1989), Schatten der Vergangenheit (1990), Peter's Friends (1992), Viel Lärm um nichts (1993), Mary Shelley's Frankenstein (1994), Winternachtstraum (1995), Othello (1995).

Branche ['brãʃə, frz.] *die,* Geschäftszweig, Wirtschaftszweig.

Branchilen [grch.], die →Kiemen.

Brâncuși [brɨŋ'kuʃj], Constantin, rumän. Bildhauer, *Hobța (heute zu Peștișani, Bez. Gorj) 21. 2. 1876, †Paris 16. 3. 1957; lebte seit 1904 in Paris. Seine abstrahierenden Arbeiten waren von starkem Einfluss auf die moderne Plastik.

Brand, 1) *allg.:* selbstständig sich ausbreitendes Feuer, das dabei Schaden an Personen oder Sachen verursacht **(Schadenfeuer).** Voraussetzung zum B.-Ausbruch sind: brennbares Material, Zündtemperatur, Luftsauerstoff. Verteilungsgrad und Sauerstoffanteil bestimmen die Form des B.: **Glimm-B., Schwel-B.** oder **offene Flamme.** Gase und Dämpfe verbrennen nur mit Flammen, flüssige Stoffe nach Übergang in Dampfform mit Flammen, feste Stoffe mit Glut oder Flammen oder Glut und Flammen. **B.-Ursachen:** fahrlässige, grob fahrlässige oder vorsätzl. →Brandstiftung, baul. und betriebl. Mängel, Selbstentzündung oder menschl. Fehlverhalten (→Brandschutz).

2) *Botanik:* Pflanzenkrankheiten, →Brandkrankheiten.

3) *Keramik:* →Brennen.

4) *Medizin:* (Gangrän) Gewebeveränderungen als Folge eines örtl. Absterbens (→Nekrose) von Körperteilen oder Organen bei Durchblutungsstörungen. Beim **trockenen B.** (auch **Mumifikation**) kommt es durch Austrocknung zur Schrumpfung und lederartigen Verhärtung von Gewebebezirken. Beim **feuchten B.** (auch **Faul-B.**) tritt eine Zersetzung des Gewebes infolge bakterieller Infektion ein. Der B. tritt meist an Gliedmaßen, v.a. an Zehen, Fingern und Ohren auf.

5) *Viehzucht:* eingebrannte Marke, →Brandzeichen.

Brandauer, Klaus Maria, eigtl. K. M. Steng, österr. Schauspieler und Regisseur, *Bad Aussee 22. 6. 1943; ⚭ mit der Filmregisseurin Karin Brandauer (*1943, †1992); seit 1972 am Wiener Burgtheater; auch als Filmschauspieler erfolgreich u.a. in »Mephisto« (1980), »Sag niemals nie« (1983), »Oberst Redl« (1984), »Der Weg ins Freie« (1984, Regie Karin B.), »Jenseits von Afrika« (1985), »Georg Elsner – Einer aus Deutschland« (1989, auch Regie), »Mario und der Zauberer« (1995, auch Regie).

Constantin Brâncuși: Mademoiselle Pogany, Marmor (1919; Privatbesitz)

Brandberg, Granitmassiv in der Namib mit der höchsten Erhebung Namibias (Königstein, 2579 m); in den Schluchten zahlr. mehrfarbige Felsbilder mit szen. Darstellungen, die einen Höhepunkt der afrikan. Felsbildkunst bilden.

Brandblase, Zeichen einer →Verbrennung 2. Grades.

Brandbombe, →Brandmunition.

Brandbrief (Brandbettel), im MA. übl. Erlaubnis für Brandgeschädigte zum Sammeln von Geld und Naturalien; im Strafrecht die schriftl. Drohung mit Brandstiftung (§ 126 StGB).

Brandenburg 1) Landeswappen

Brandenburg, Land im O Deutschlands, mit 29 481 km² flächengrößtes der neuen Bundesländer, (1996) 2,546 Mio. Ew., Hptst. ist Potsdam. B. grenzt im W und SW an Sa.-Anh., im äußersten NW an Ndsachs., im N an Meckl.-Vorp., im S an Sachsen und im O mit Lausitzer Neiße und Oder an Polen. Inmitten von B. liegt das Land Berlin. Seit 1994 ist B. in vier kreisfreie Städte und 14 Landkreise gegliedert.

Klaus Maria Brandauer

Landesnatur: B. liegt im Bereich des Norddt. Tieflandes. Die von eiszeitl. Ablagerungen bedeckte Oberfläche ist hügelig bis eben. Im N erstreckt sich von NW nach SO ein schmaler Streifen des zum Jungmoränengebiet gehörenden Balt. Landrückens mit bis zu 153 m ü. M. liegenden Endmoränen und dem südöstl. Ausläufer der Mecklen-

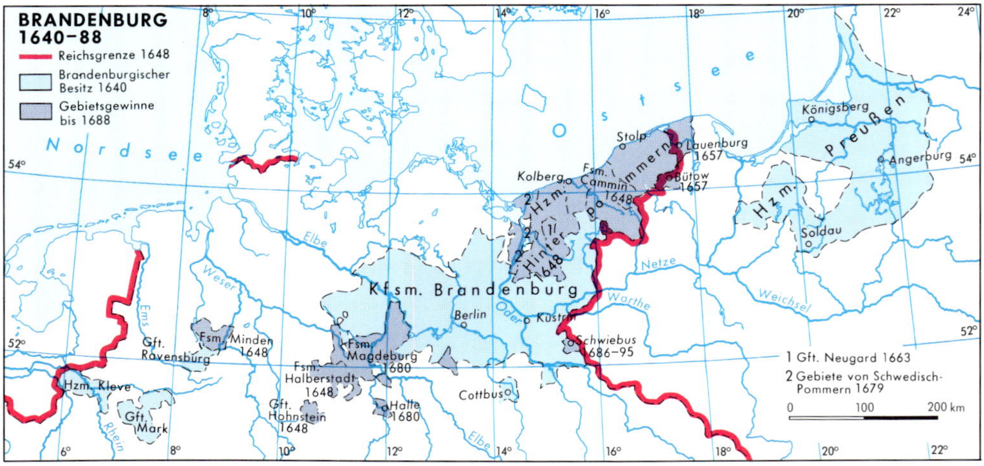

burger Seenplatte (um Templin); der größte Teil seiner südl. Abdachung, zu der im NW die zur Elbe abfallende Prignitz gehört, besteht v.a. aus trockenen Sanderflächen mit ausgedehnten Forsten. Zw. Havel und der Oderniederung liegt der südl. Teil der Uckermark mit der wald- und seenreichen Schorfheide. Im SW und S breitet sich das Altmoränengebiet mit dem Fläming (201 m ü.M.) und dem Lausitzer Grenzwall aus. Den größten Teil B.s nehmen die in W-O-Richtung ziehenden Urstromtäler ein (von N nach S Thorn-Eberswalder, Warschau-Berliner, Glogau-Baruther Urstromtal), die voneinander durch höher gelegene größere (z.B. Barnim, Teltow) und kleinere Platten (sog. Ländchen) getrennt sind. In den Urstromtälern, die von den z.T. seenartig erweiterten Flüssen Havel, Spree, Rhin, Dahme und Elbe

Verwaltungsgliederung Brandenburg (Größe und Bevölkerung 30.6.1996)

Kreisfreie Stadt/ Landkreis	Fläche in km²	Ew. in 1 000	Ew. je km²	Verw.-Sitz
Kreisfreie Städte				
Brandenburg an der Havel	208	85,1	409	–
Cottbus	150	122,4	816	–
Frankfurt (Oder)	148	80,5	544	–
Potsdam	109	135,9	1 246	–
Landkreise				
Barnim	1 495	152,6	102	Eberswalde
Dahme-Spreewald	2 261	146,4	65	Lübben (Spreewald)
Elbe-Elster	1 889	136,7	72	Herzberg (Elster)
Havelland	1 707	132,2	77	Rathenow
Märkisch-Oderland	2 128	173,2	81	Seelow
Oberhavel	1 797	171,8	96	Oranienburg
Oberspreewald-Lausitz	1 217	156,0	128	Senftenberg
Oder-Spree	2 243	191,7	85	Beeskow
Ostprignitz-Ruppin	2 511	115,7	46	Neuruppin
Potsdam-Mittelmark	2 683	182,0	68	Belzig
Prignitz	2 123	101,0	48	Perleberg
Spree-Neiße	1 662	153,6	92	Forst (Lausitz)
Teltow-Fläming	2 092	148,8	71	Luckenwalde
Uckermark	3 058	159,8	52	Prenzlau
Brandenburg	29 481	2 545,5	86	Potsdam

(nur mit kurzem Teilstück) durchflossen werden, bildeten sich bei entsprechend hohem Grundwasserstand Feuchtgebiete (Rhinluch, Havelländ. Luch, Spreewald, Oderbruch) aus. – In der Niederlausitz sind große Braunkohlenlager (von Senftenberg–Finsterwalde über Lübben–Cottbus–Bad Muskau bis Forst–Guben reichend) vorhanden. Bei Rüdersdorf (östl. von Berlin) Kalkvorkommen. Durch den Braunkohlentagebau wurden seit 1950 etwa 540 km² Kulturland zerstört. Als Biosphärenreservate ausgewiesen sind Schorfheide-Chorin und der Spreewald; das Untere Odertal ist Teil eines deutsch-poln. Nationalparks.

Das gemäßigte Klima wird durch zunehmende Kontinentalität von W nach O geprägt; Hochdruckgebiete sind nur kurze Zeit wetterbestimmend. Die durchschnittl. Jahresniederschlagsmenge beträgt 586 mm.

Bevölkerung: Die Bev. verringert sich seit Ende 1989 ständig. Die Bev.dichte ist mit 86,4 Ew./km² die zweitniedrigste Dtl.s; die größte Bev.dichte ist noch im Nahbereich von Berlin sowie im Ind.gebiet der Niederlausitz anzutreffen. Stark von Abwanderung bedroht sind die Prignitz, die Uckermark und das erheblich umweltgeschädigte Braunkohlengebiet in der Niederlausitz. Neben der deutschstämmigen Bev. lebt im S in der Niederlausitz die nat. Minderheit der →Sorben (Niedersorben) mit schätzungsweise 20 000 Angehörigen. Knapp ein Drittel der Bewohner bekennt sich zum christl. Glauben, davon ist die weit überwiegende Mehrheit evang.-luth. und zur Evang. Kirche Berlin-B. gehörig; knapp 2% sind katholisch. – B. hat Univ. in Potsdam und Cottbus (TU), die Europa-Univ. Viadrina in Frankfurt (Oder), eine Hochschule für Film und Fernsehen sowie mehrere Fachhochschulen.

Wirtschaft: Bis zur dt. Wiedervereinigung war die Wirtschaftsstruktur auf dem Gebiet des heutigen B. von der Land-und Forstwirtschaft auf der einen und den großen monostrukturierten Industriestandorten auf der anderen Seite gekennzeichnet. Durch den Umbau der Wirtschaft vollzog sich ein Strukturwandel, in dessen Verlauf die Zahl der Erwerbstätigen um ein Drittel zurückging. Der Ackerbau (Anbau von Weizen, Roggen, Kartoffeln, Zuckerrüben) konzentriert sich auf die relativ fruchtbaren Lehmböden der Grundmoränen im NW der Prignitz (um Perleberg–Pritzwalk), im Gebiet von Neuruppin, in der Uckermark um Prenzlau–Angermünde–Schwedt/Oder sowie auf den von Lehmböden bedeckten Platten. In den Havelniederungen um Werder und Buckow entstanden wichtige Obstbaugebiete. Die Feuchtgebiete sind die Schwerpunktbereiche des Gemüsebaus (Spreewald, Oderbruch) und der Grünlandwirtschaft mit Rinderzucht. Etwa 37% der Landesfläche sind bewaldet. – Wichtigstes Ind.gebiet ist die Stadtrandzone von Berlin (»Speckgürtel«) mit Eisenmetallurgie, Maschinen-, E-Lok-Bau sowie Elektrotechnik/Elektronik in Potsdam, Teltow, Hennigsdorf und Oranienburg. Ein weiteres entwickelte sich im Braunkohlengebiet der Niederlausitz, wo seit 1952 im Raum Senftenberg (Schwarze Pumpe), Lauchhammer, um Spremberg, Lübbenau und Cottbus die Braunkohlenind. mit großen Tagebauen, Großkraftwerken (Boxberg, Jänschwalde, Lübbenau/Spreewald, Vetschau) und chem. Ind. (Guben, Schwarzheide/N. L., Spremberg) entstand, die zu schwersten Umweltbelastungen führte. Herkömmliche Ind.-zweige sind in der Niederlausitz die Textil- (Cottbus, Forst [Lausitz], Guben) und Glasind. (Muskau und Finsterwalde). – Seen- und waldreiche Landschaften werden als Erholungsgebiete genutzt (Ruppiner Schweiz um Neuruppin und Rheinsberg, Seenlandschaften um Templin, Schorfheide mit Werbellinsee, Scharmützelsee, Märk. Schweiz um Buckow, Spreewald). – Eisenbahnlinien und Fernverkehrsstraßen (einschließlich Autobahnen als Teil des Europastraßennetzes) ziehen sternförmig durch B. nach Berlin, sie sind durch den Berliner Autobahn- und Eisenbahnring, der auf brandenburg. Gebiet liegt, miteinander verbunden, die schiffbaren Flüsse Oder, Spree, Havel und Elbe durch Oder-Havel-, Oder-Spree-, Elbe-Havel-Kanal. Bedeutendster Binnenhafen ist Königs Wusterhausen, gefolgt von Wittenberge, Brandenburg an der Havel und Potsdam.

Verfassung: Nach der am 21. 8. 1992 in Kraft getretenen Verf. (am 14. 6. 1992 durch Volksentscheid gebilligt) übt der Landtag (88 Abg., für fünf Jahre gewählt) die Legislative aus. Träger der Exekutive ist die Landesregierung, bestehend aus dem vom Landtag gewählten MinPräs. und den von ihm ernannten Ministern. Die Verf. schreibt weit gefächerte Möglichkeiten direkter Bürgerbeteiligung fest.

Landtagswahlen in Brandenburg 1990 und 1994[1]

Parteien	14. 10. 1990	11. 9. 1994
SPD	36; 38,2%	52; 54,3%
CDU	27; 29,4%	19; 18,7%
PDS	13; 13,4%	17; 18,2%
Bündnis '90/Grüne[2]	6; 9,3%	–; 3,0%
FDP	6; 6,6%	–; 2,2%
Andere	–; 3,1%	–; 3,6%

[1] Sitzverteilung und Stimmenanteile der Parteien. – [2] seit 1993 Bündnis '90/Die Grünen.

Geschichte: Urspr. von german. Semnonen, Langobarden (Altmark) und Burgundern (östlich der Oder), seit dem 7. Jh. im O von Slawen (v. a. Liutizen) besiedelt. Um 940 durch Markgraf Gero dt. Herrschaft unterworfen; unter Kaiser Otto I. christianisiert, entstand 948 das Bistum Brandenburg. 1134 erhielten die Askanier B. (als **Nordmark** bzw. **Mark B.**), die das Land endgültig der dt. Ostsiedlung erschlossen und zu bed. Reichsfürsten wurden (seit 1157 Markgrafen, seit 1177 Reichserzkämmerer, später Kurfürsten). Nach dem Aussterben der Askanier 1320 kam B. an die Wittelsbacher, 1373 an die Luxemburger, 1417 an das Haus Hohenzollern, das auch die Kurwürde erhielt. Kurfürst Friedrich I. bezwang die Landstände (Adel), sein Sohn, Kurfürst Friedrich II., auch die Städte, bes. Berlin, und machte Cölln bzw. Berlin zur Residenz. Kurfürst Albrecht III. Achilles legte mit der Dispositio Achillea 1473 den Grund zur dauernden territorialen Einheit der Mark. Kurfürst Joachim II. führte 1539 die Reformation ein. Im Verlauf des 17. Jh. erfolgten beträchtl. territoriale Erweiterungen (u. a. 1614 um das Herzogtum Kleve, die Grafschaften Mark und Ravensberg, 1618 um das Herzogtum Preußen [bis 1657/60 als poln. Lehen], 1648 um Hinterpommern). Friedrich Wilhelm, der Große Kurfürst, schuf den absolutist. brandenburgisch-preuß. Staat. Ab 1685 (Edikt von Potsdam) wurden Hugenotten, später auch andere Glaubensflüchtlinge und Auswanderer in der Mark angesiedelt. Nachdem die Kurfürsten sich zu »Königen in Preußen« gekrönt hatten (1701), ging die brandenburg. Geschichte in der Geschichte → Preußens auf.

Nach 1815 war B. (mit der vorher sächs. Niederlausitz) die größte preuß. Provinz; die Altmark kam zur neuen Prov. Sachsen. 1920 wurde Berlin ausgegliedert. 1945 kamen die Gebiete östlich der Oder-Neiße-Linie zu Polen (zunächst unter poln. Verw.; endgültig geregelt im Dt.-Poln. Grenzvertrag von 1990). 1945–47 Prov., am 24. 7. 1947 Land auf dem Territorium der SBZ, am 7. 10. 1949 Land der DDR; 1952 in die DDR-Bezirke Neubranden-

Brandenburg an der Havel: Die spätgot. Backsteinfassade des Altstädter Rathauses (1470–80), davor der »Roland« (Höhe 5,34 m; 1474)

burg, Potsdam, Frankfurt und Cottbus aufgeteilt. Am 3. 10. 1990 wurde das Land B. als Bundesland der Bundesrep. Dtl. wieder errichtet. Die Landtagswahlen vom 14. 10. 1990 konnte die SPD gewinnen. Erster MinPräs. wurde M. Stolpe (Koalition aus SPD, FDP und Bündnis 90/Grüne). Bei den Landtagswahlen am 11. 9. 1994 errang die SPD die absolute Mehrheit; M. Stolpe wurde im Amt bestätigt. Die Vereinigung der Länder B. und Berlin (Staatsvertrag vom 27. 4. 1995) wurde nach Ablehnung im Volksentscheid am 5. 5. 1996 (62,7 % Nein-Stimmen) aufgeschoben.

📖 *Brandenburg. Geschichte, hg. v.* I. MATERNA *u.* W. RIBBE. *Berlin 1995. – Hb. der histor. Stätten Dtl.s, Bd. 10: Berlin u. B., hg. v.* G. HEINRICH. *Stuttgart ³1995.* – MARCINEK, J.: *Von Berlin in die Mark B. Geograph. Exkursionen. Gotha 1995.*

Brandenburg an der Havel, kreisfreie Stadt in Brandenburg, beiderseits der Havel, 85 200 Ew.; Fachhochschule, OLG, Theater, Museen; Eisengießerei, Getriebe-, Weichenbau, Stahlbau, Textil-, Spielwaren-, Nahrungsmittelind.; Verkehrsknotenpunkt mit Hafen am Elbe-Havel-Kanal; bei B. a. d. H. SOS-Kinderdorf. – Dom Sankt Peter und Paul (1165 ff.); Katharinenkirche (1401 ff.), Steintorturm (nach 1400); Altstädter Rathaus (1470–80; Backsteingotik). – Die hevell. Hauptfeste **Brendanburg** wurde 928/929 von König Heinrich I. erobert; 948–983 Bistum (1161 wieder begründet). Nach mehrfachem Besitzwechsel 1157 von Albrecht I. endgültig in Besitz genommen. Burgbezirk auf der Dominsel; am nördl. Havelufer Marktsiedlung; südlich der Dominsel Gründung der Neustadt vor 1200. 1715 Zusammenschluss von Alt- und Neustadt, die Dominsel wurde 1930 eingemeindet.

Brandenburger Tor, Torgebäude in Berlin, auf das die Straße Unter den Linden mündet, zu Ehren von Herzog Karl Wilhelm Ferdinand; erbaut von C. G. Langhans (1788–91), auf dem Tor das Viergespann (Quadriga) mit der Siegesgöttin Viktoria von J. G. Schadow (1789–94, im 2. Weltkrieg stark beschädigt; 1958 Kopie in Kupfer nach dem Original, 1991 restauriert). – Das B. T. war 1945–89/90 unmittelbar an der Grenzlinie zw. dem Ostsektor und den Westsektoren Berlins (auf dem Gebiet von Berlin-Ost) bzw. (seit 1961) im Sperrbezirk an der →Berliner Mauer das bekannteste Symbol der Teilung Dtl.s; seit 22. 12. 1989 ist es wieder geöffnet.

Brandenburgische Konzerte, späterer, nicht vom Komponisten J. S. Bach stammender Beiname seiner 1721 dem Markgrafen Christian Ludwig von Brandenburg gewidmeten sechs Orchesterkonzerte.

Brand-Erbisdorf, Stadt im Landkr. Freiberg, Sachsen, am N-Rand des Erzgebirges, 9 900 Ew.; Press-, Schmiedewerk, Fahrzeugbau, Medizin- und Labortechnik, Holzindustrie. – Die Bergmannssiedlung Brand (bis 1913 wurde Silbererz abgebaut) erhielt 1834 Stadtrecht und wurde 1912 mit Erbisdorf zusammengelegt; B.-E. war bis 1994 Kreisstadt.

Brandenburger Tor: Von Carl Gotthard Langhans 1788–91 erbaut, auf dem Tor die 1794 fertiggestellte Quadriga von Gottfried Schadow, nach starker Beschädigung im 2. Weltkrieg 1958 Kopie, 1991 restauriert

Brandes, Georg, eigtl. Morris Cohen, dän. Schriftsteller, * Kopenhagen 4. 2. 1842, † ebd. 19. 2. 1927; Schüler H. Taines, Wegbereiter des Naturalismus in der dän. Literatur; schrieb u. a. Monographien über Caesar, Goethe, Heine, Homer, Ibsen, Michelangelo, Voltaire.

Brandgans (Brandente, Tadorna tadorna), im Salzwasser lebende, gänseartige Ente (Halbgans), schwarzweiß, mit rostroter Binde um Brust und Vorderrücken und leuchtend rotem Schnabel.

Brandgasse (Feuergasse), schmaler Gang zw. Gebäuden, auch auf Märkten, Messen u.Ä., soll das Übergreifen des Feuers erschweren, Fluchtweg und Zugang für die Brandbekämpfung sein.

Brandgrab, vorgeschichtl. Grab zur Beisetzung verbrannter Überreste von Toten in Urnen. Bei der **Brandgrube** wurde der Leichenbrand mit Beigaben in eine ausgehobene Vertiefung geschüttet.

Brandi, Karl, Historiker, *Meppen 20. 5. 1868, †Göttingen 9. 3. 1946; 1897 Prof. in Marburg, seit 1902 in Göttingen; schrieb u.a. »Dt. Geschichte im Zeitalter der Reformation und Gegenreformation« (2 Bde., 1927–30), »Kaiser Karl V.« (2 Bde., 1937–41).

Brandkrankheiten (Brand), Pflanzenkrankheiten, bei denen die erkrankten Teile wie versengt aussehen; meist durch **Brandpilze (Ustilaginales,** eine Gruppe der Basidiomyzeten), bes. an Rispen der Getreidegräser verursacht. Die Gattung **Ustilago** verursacht den **Flugbrand** bei Hafer, Gerste, Weizen und den **Maisbeulenbrand,** Gattung **Tilletia** den **Stein-, Stink-** oder **Schmierbrand** des Weizens; Bekämpfung mit Fungiziden.

Brandl (Brandel, Prantl), Peter Johann, böhm. Maler, getauft Prag 24. 10. 1668, †Kuttenberg (heute Kutná Hora) 24. 9. 1739; bedeutendste Persönlichkeit der böhm. Barockmalerei; verarbeitete italien. und fläm. Einflüsse zu einem empfindungsvollen Stil mit pathet. Ausdruck.

Brandleitetunnel, Eisenbahntunnel der Linie Erfurt–Zella–Mehlis, der den Bergrücken der Brandleite bei Oberhof im Thüringer Wald durchstößt, 3038 m lang, 639 m ü.M., erbaut 1881–84.

Brandmal, **1)** *Geschichte:* eingebranntes Schandmal (Stempel), bes. für Münzfälscher und Diebe. Diese **Brandmarkung** gab es v.a. im Altertum und MA., z.T. auch noch in der Neuzeit (z.B. österr. StGB von 1787).

2) *Viehzucht:* das →Brandzeichen.

Brandmalerei, →Holzbrandtechnik.

Brandmauer (Brandwand), durch die Landesbauordnungen vorgeschriebene feuerbeständige, öffnungslose und standfeste Mauer, die die Ausbreitung von Feuer und Rauch verhindern soll; sie unterteilt Gebäude in Brandabschnitte (Mindestdicke der B. ein Mauerziegel, d.h. 24,5 cm, oder 15 cm Stahlbeton).

Brandmunition, Munition (Bomben, Geschosse, Raketen usw.) mit Brandstoffen (weißer Phosphor, Thermit, Napalm) zur Bekämpfung oder Zerstörung von Zielen durch Feuer.

Brandner Tal, Tal in Vorarlberg, Österreich, südwestlich von Bludenz, zur Schesaplana führend, mit dem Ferienort **Brand** (650 Einwohner).

Brando ['brændəʊ], Marlon , amerikan. Filmschauspieler, *Omaha (Nebr.) 3. 4. 1924; verkörperte in seinen Filmen oft Antihelden; spielte u.a. in »Endstation Sehnsucht« (1951), »Die Faust im Nacken« (1954), »Der Pate« (1972), »Der letzte Tango in Paris« (1972), »Apocalypse now« (1979), »Weiße Zeit der Dürre« (1989), »The Freshman« (1990).

Marlon Brando

Brandopfer, für nahezu alle Kultur- und Religionsbereiche der Alten Welt bezeugte Gabe- und Huldigungsopfer, bei denen alle opferbaren Teile der Tiere auf dem Altar verbrannt wurden; bekannt z.B. bei den Israeliten (3. Mose 1,3–17).

Brandpilze, zu den Basidiomyzeten gehörende Schmarotzerpilze, →Brandkrankheiten.

Brandrodung, Rodung durch Fällen und anschließendes Abbrennen von Bäumen und Sträuchern zur Gewinnung von landwirtschaftlich nutzbarem Land (→Brandrodungsfeldbau) und/oder von Siedlungsfläche. Die Folge von B. ist eine Zerstörung des Bodens, da beim Abbrennen fast der gesamte Stickstoffvorrat des Vegetation-Boden-Systems verloren geht, die Schwammwirkung des Waldbodens nicht mehr vorhanden ist und nach Regen bei Austrocknung eine harte Kruste zurückbleibt, die die für die Wurzeltätigkeit der Pflanzen nötige Sauerstoffzuführung abriegelt.

Brandrodungsfeldbau: Gerodete Baumsavanne im Süden Sudans

Brandrodungsfeldbau, in den trop. Waldgebieten verbreitete Form des Wanderfeldbaus. Anbauflächen werden durch Fällen und anschließendes Abbrennen der natürl. Vegetation gewonnen (→Brandrodung). Die dabei anfallende Asche dient als Dünger. Da bei diesem Verfahren die Pflanzung schon bald wieder vom Wald zurückerobert wird, sind die Bauern gezwungen, ihre Felder häufig zu verlegen.

Elsa Brändström

Willy Brandt

Brandschatzung, Gelderpressung durch Androhung der Plünderung und Einäscherung von Ortschaften; im Dreißigjährigen Krieg noch angewandt.

Brandschutz (Feuerschutz), alle Maßnahmen zur Verhütung (vorbeugender B.) und Bekämpfung (abwehrender B.) von Bränden, bes. bau- und gewerberechtl. Vorkehrungen. Dem B. dienen Regelungen über Bauabstände, Brand- und Trennwände, Herstellung von bestimmten Decken und Dachteilen aus feuerfesten Baustoffen, über Feuerungsanlagen, ausreichende Wasserversorgung u.a. Besondere Anforderungen werden dabei an Hochhäuser und Versammlungsräume (z.B. Theater) gestellt. Die Errichtung und der Betrieb von Anlagen zur Lagerung, Abfüllung und Beförderung brennbarer Flüssigkeiten ist gesetzlich geregelt. Weitere Bestimmungen betreffen u.a. den Umgang mit Feuer und Licht, bes. in Feld und Forst (Rauchverbot).

📖 Bergbauer, J. *u.* Alt, F.: *Handbuch der Feuerbeschau. Stuttgart ²1993.*

Brandsohle, die Innensohle des →Schuhs.

Brandstaetter, Roman, poln. Schriftsteller, *Tarnów 3. 1. 1906, †Posen 28. 9. 1987; schrieb u.a. histor. und zeitgeschichtl. Dramen, religiöse Lyrik (»Das Lied von meinem Christus«, 1960).

Brandstetter, Alois, österr. Schriftsteller, *Aichmühl (heute zu Pichl bei Wels) 5. 12. 1938; schreibt satir. Prosa und Romane (»Zu Lasten der Briefträger«, 1974; »Die Abtei«, 1977; »Die Mühle«, 1981; »Altenehrung«, 1983; »Die Burg«, 1986; »Vom Manne aus Eicha«, 1991).

Willy Brandt

Mehr Demokratie wagen

In Willy Brandts Regierungserklärung vom 28. Oktober 1969 findet sich der programmatische Satz »Wir wollen mehr Demokratie wagen«. Der darin enthaltene Gedanke, dass Demokratie keine gegebene Einrichtung ist, sondern ein Ideal, dessen Verwirklichung auch immer ein Wagnis darstellt und Mut und Entschlossenheit von den Regierten ebenso wie von den Regierenden verlangt, hat viele Menschen so fasziniert, dass die Formulierung »Mehr Demokratie wagen« zum häufig verwendeten gesellschaftspolitischen Schlagwort wurde.

Brandstiftung, gemeingefährl., mit hohen Strafen bedrohtes Gefährdungsdelikt. Unterschieden wird in a) **schwere B.** (§306 StGB), B. in Gebäuden, die zum Aufenthalt von Menschen dienen; b) **bes. schwere B.** (§307), wenn durch die B. z.B. der Tod eines Menschen verursacht wurde; c) **einfache B.** (§308), B. in Gebäuden oder an Sachen, die in fremdem Eigentum stehen; d) **fahrlässige B.** (§309); e) strafbar ist auch das **Herbeiführen einer Brandgefahr** (§310a). Ähnl. Regelungen gelten in *Österreich* und der *Schweiz*.

Brändström, Elsa, schwed. Philanthropin, *Sankt Petersburg 26. 3. 1888, †Cambridge (Mass.) 4. 3. 1948; als Delegierte des Schwed. Roten Kreuzes 1914–20 maßgeblich an der Versorgung der Kriegsgefangenen in Russland und ihrer Rückführung beteiligt (»Engel von Sibirien«); beschaffte nach dem 1. Weltkrieg Mittel zur Gründung von Sanatorien und Waisenhäusern in Dtl.; schrieb »Unter Kriegsgefangenen in Rußland und Sibirien 1914–20« (1921).

Brandt, Willy, eigtl. Herbert Ernst Karl Frahm, Politiker, *Lübeck 18. 12. 1913, †Unkel (Landkr. Neuwied) 8. 10. 1992; Journalist, trat 1930 der SPD, 1931 der SAP bei. 1933 emigrierte er nach Norwegen (nach Ausbürgerung in Dtl. 1938–47 norweg. Bürger), 1940 nach Schweden. 1945–47 arbeitete B. als Korrespondent skandinav. Zeitungen in Dtl.; 1947 liess er sich unter seinem Pseudonym B. wieder in Dtl. einbürgern und trat erneut der SPD bei. B. war 1949–57 und 1969–83 MdB und als Nachfolger von O. Suhr 1957–66 Regierender Bürgermeister von Berlin. Als Kanzlerkandidat bei den Bundestagswahlen 1961 und 1965 erfolglos, war B. 1966–69 Vizekanzler und Außenmin. in der Regierung der »Großen Koalition« (aus CDU, CSU und SPD). Er setzte sich bes. für den Beitritt der Bundesrep. Dtl. zum Kernwaffensperrvertrag ein. Bei den Bundestagswahlen 1969 erreichte er den Machtwechsel. Als Bundeskanzler (1969–74) an der Spitze einer SPD/FDP-Koalitionsreg. (»sozialliberale Koalition«) stellte er unter dem Leitgedanken »Mehr Demokratie wagen« ein Reformprogramm in den Mittelpunkt seiner Innenpolitik. Deutschland- und außenpolitisch leitete B. unter dem Leitgedanken »Wandel durch Annäherung« eine neue →Ostpolitik ein. 1970 unterzeichnete er den Moskauer Vertrag und den Warschauer Vertrag und traf sich mit dem MinPräs. der DDR W. Stoph. Für seine Bemühungen um die Entspannung im Ost-West-Konflikt erhielt er 1971 den Friedensnobelpreis. 1972 wurde die sozialliberale Koalition nach dem gescheiterten Misstrauensvotum der CDU/CSU-Opposition bei den Bundestagswahlen bestätigt; im Dez. 1972 wurde der Grundvertrag mit der DDR abgeschlossen. Die Entdeckung eines DDR-Spions im Bundeskanzleramt veranlasste B. im Mai 1974 zum Rücktritt. – Als Bundesvors. der SPD (1964–87; seitdem Ehrenvors.) suchte B. auf innerparteil. Konflikte ausgleichend einzuwirken. 1976–92 war er Präs. der Sozialist. Internationale. B. genoss hohes internat. Ansehen und war u.a. Leiter der Nord-Süd-Kommission.

Werke: Reden u. Interviews, 2 Bde. (1971–73); Links u. frei (1982); Der organisierte Wahnsinn

(1985); Erinnerungen (1989); »... was zusammengehört«. Reden zu Deutschland (1990).

📖 MARSHALL, B.: *W. B. Eine polit. Biographie. Bonn 1993.* – SCHRÖCK, R.: *W. B. Eine Bildbiographie. München ³1993. – Die deutschen Kanzler. Von Bismarck bis Kohl, hg. v.* W. VON STERNBURG. *Neuausg. Frankfurt am Main 1994.*

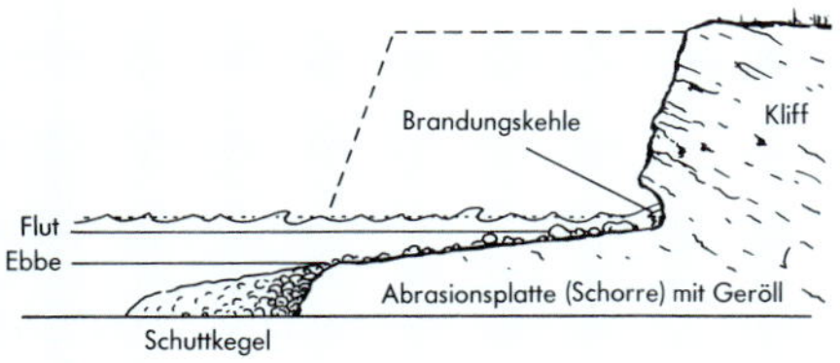

Brandung: Kliffküste mit Brandungskehle und Abrasionsplatte (Brandungsplatte)

Brandung, das Überstürzen (»Brechen« oder »Branden«) der Meereswellen beim Auflaufen auf Untiefen oder auf die Küste, wo die Wassertiefe geringer ist als die Höhe der Wellen; die **Strand-B.** überspült die Flachküste mit Wasser, das mit Sogwirkung am Boden seewärts abfließt (Gefahr für Badende); an felsigen Küsten und an Steilküsten (Kliff) dringt die B. tiefer ein: die **Klippen-B.** schleift **B.-Kehlen** und **B.-Höhlen** aus dem Gestein (Abrasion); mit dem entstehenden Geröll wird das Gestein vor der Steilküste zu einer **B.-Platte** (Schorre) abgeschliffen.

Folio
De inutilibus libris
Inter p̄cipuos pars est mihi reddita stultos
Prima: rego docili fastq3 vela manu.
En ego possideo multos: quos raro libellos
Perlego: tum lectos negligo: nec sapio.

De inutili bus libris

Primus in excelsa teneo q̄ naue rudentes
Stultivagosq3 seq̄r comites p flumina vasta:
Non ratione vacat certa: sensuq3 latenti:
Congestis etenim stultus confido libellis
Spem q3 nec parua collecta volumina p̄bēt:
Calleo nec verbū: nec libri sentio mentem.
Attamē in magno p me seruantur honore:
Pulueris & cariem plumatis tergo flabellis

Sebastian Brant: »Das Narrenschiff«; Seite aus einer lateinischen Übersetzung des Brant-Schülers Jakob Locher (Augsburg 1497)

Brandwand, → Brandmauer.

Brandwunde, → Verbrennung.

Brandy ['brændɪ, engl.] *der,* Branntwein, meist Weinbrand; auch Fruchtsaftlikör (→ Cherrybrandy).

Brandys, Kazimierz, poln. Schriftsteller, * Lodz 27. 10. 1916; behandelt in seinen Werken Probleme der Kriegs- und Nachkriegszeit, später auch der Intelligenz: »Die Verteidigung Granadas« (1956); »Die Mutter der Könige« (1957); ferner: »Briefe an Frau Z.« (1958–62), »Variationen in Briefen« (1972), »Ruhige Jahre unter der Besatzung« (1979), »Rondo« (1982).

Brandzeichen, bei Pferden und Rindern an Hals oder Keule eingebranntes Herkunfts- oder Besitzzeichen.

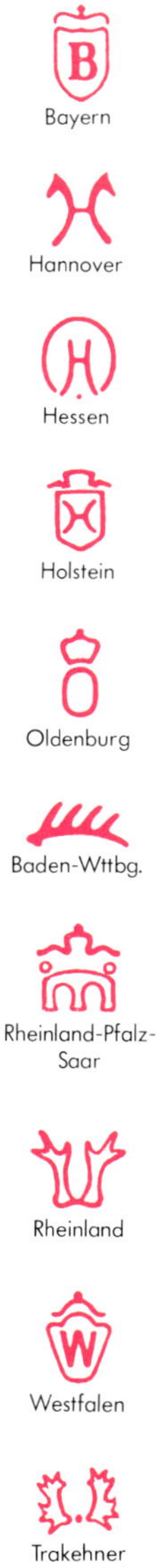

Brandzeichen der deutschen Pferdezuchtgebiete

Braniewo [bran'jɛvɔ] (dt. Braunsberg), Stadt in Ostpreußen, in der Wwschaft Elbląg, Polen, 17 000 Ew.; Lebensmittel-, Lederindustrie. – Barocke Heiligkreuzkirche und Rathaus, Reste der Stadtmauern. – Ab 1240 wurde die Deutschordensburg B. erbaut, 1254 ist die erste städt. Siedlung bezeugt (1284 lüb. Stadtrecht); Mitgl. der Hanse. 1466 fiel B. an Polen, 1722 an Preußen, 1945 wieder an Polen.

Branković [-vitç], serb. Dynastie im 14./15. Jh. Georg B. (* um 1375, † 24. 12. 1456) erhielt 1429 von Byzanz den Despotentitel. 1439 durch die Türken vertrieben, konnte er 1443 mithilfe von Polen und Ungarn sein Land zurückgewinnen.

Branle [brɑ̃:l, frz.] *der* (Bransle), altfrz. Rund- und Kettenreigen in mäßig lebhaftem Zweier- und Dreiertakt, beliebter Gesellschaftstanz des 16. und 17. Jahrhunderts.

Branner, Hans Christian, dän. Schriftsteller, * Ordrup (heute zu Kopenhagen) 23. 6. 1903, † Kopenhagen 24. 4. 1966; geprägt von der Psychoanalyse entstanden Romane »Ein Dutzend Menschen« (1936), »Die Geschichte von Börge« (1942), Novellen und Schauspiele.

Branntwein, i. w. S. jede Flüssigkeit mit hohem Alkoholgehalt, meist durch → Destillation (»Brennen«) einer vergorenen Maische gewonnen; i. e. S. alkoholreiches Getränk oder trinkbares Gemisch von Alkohol und Wasser mit Aromastoffen **(Trink-B.).** Ausgangsstoffe für die Maische sind hauptsächlich Weine, Obstweine, Kartoffeln, Mais, Getreidearten, Zucker, Melasse, Obst und Beerenfrüchte, Rüben. Das mit den übl. Brenngeräten gewonnene Destillat (Rohspiritus) wird für techn. Zwecke verwendet; zum Genuss wird es gereinigt und nochmals destilliert. Die Aromastoffe sind teils beiläufiges Gärungsergebnis, teils mitdestillierte oder beigemischte äther. Öle und Auszüge aus Früchten oder Kräutern.

Brasília: Blick vom Fernsehturm längs der etwa 5 km langen kreuzungsfreien Monumentalachse

Branntweinmonopol, staatl. Finanzmonopol auf Übernahme, z. T. Herstellung, Einfuhr, Reinigung und Verwendung von Branntwein sowie Handel mit unverarbeitetem Branntwein. Das B., das neben fiskal-, v. a. aber agrarpolit. Ziele verfolgt, wird in Dtl. von der **Bundesmonopolverwaltung für Branntwein** (Sitz: Offenbach am Main) wahrgenommen; sie setzt das Brennrecht der Brennereien pro Jahr und die Übernahmepreise fest. Der von der Monopolverwaltung abgesetzte Alkohol unterliegt der →Branntweinsteuer. – Das B. wurde 1919 eingeführt, auch in *Österreich* und der *Schweiz* besteht ein B. (Alkoholmonopol).

Branntweinsteuer, in Dtl. von der Bundesmonopolverwaltung für Branntwein festgelegte und als Bestandteil des vom Käufer des Branntweins zu entrichtenden Kaufpreises (Monopolverkaufspreis) erhobene Verbrauchsteuer (Aufkommen in Dtl. 1995: 4,8 Mrd. DM), die an den Bund abgeführt wird. Die Steuersätze sind je nach Verwendungszweck differenziert (zw. 0 und 2550 DM je hl Weingeist).

Brant (Brandt), Sebastian, Dichter und Humanist, *Straßburg 1457 oder 1458, †ebd. 10. 5. 1521; war Dekan an der jurist. Fakultät in Basel, später auch Schreiber in Straßburg. Als volkstüml. Aufklärer nimmt er, unbeirrt von der Reformation, eine Mittlerstelle zw. der mittelalterl. Weltanschauung und dem Humanismus ein. »Das Narrenschiff« (1494) stellt in Holzschnitten und gereimten Texten menschl. Torheiten und Unzulänglichkeiten dar, es gilt als Ausgangpunkt der Narrenliteratur. BILD S. 255

📖 *Das Narren Schyff. Zum 500-jährigen Jubiläum des Buches von S. B., hg. v. den Univ.-Bibliotheken Basel u. Freiburg i. Br., Ausst.-Kat. Basel 1994.*

Branten (Branken, Pranken), die Tatzen des Bären; auch die Zehen beim Haarraubwild.

Branting, Hjalmar, schwed. Politiker, *Stockholm 23. 11. 1860, †ebd. 24. 2. 1925; 1889 Mitbegründer, 1907–25 Vors. der Sozialdemokrat. Arbeiterpartei; 1920, 1921–23, 1924/25 war er MinPräs.; 1921 erhielt er mit C. Lange für die Beilegung des Konflikts um die Å landinseln den Friedensnobelpreis.

Brantôme [brãˈtoːm], Pierre de Bourdeille, Seigneur de, frz. Schriftsteller, *Bourdeilles (Périgueux) um 1540, †Brantôme (bei Périgueux) 15. 7. 1614; vermittelte in seinen Memoiren (u. a. »Das Leben der galanten Damen«, hg. 1665) ein lebendiges Bild der frz. adligen Gesellschaft seiner Zeit.

Braque [brak], Georges, frz. Maler, *Argenteuil 13. 5. 1882, †Paris 31. 8. 1963; begann um 1908 Landschaften in geometrisierten Formen zu malen und entwickelte gleichzeitig mit Picasso den →Kubismus. Seit 1918 wurden seine Bilder wieder gegenständlicher. B. malte bes. Stillleben und Interieurs von warmer, auf wenige Töne beschränkter Farbigkeit. – »Vom Geheimnis in der Kunst« (Gesammelte Schriften, 1958).

📖 ZURCHER, B.: *G. B. Leben u. Werk. A. d. Frz. München 1988.*

Brasch, Thomas, Schriftsteller, *Westow (Cty. North Yorkshire) 19. 2. 1945; Sohn österr. Emigranten, lebte seit 1947 in der DDR, nach Inhaftierung seit 1976 in Berlin (West); schreibt Lyrik, Erzählungen (»Vor den Vätern sterben die Söhne«, 1977), Theaterstücke (»Rotter«, 1977; »Mercedes«, 1988) und dreht Spielfilme (»Engel aus Eisen«, 1981; »Der Passagier«, 1988). 1987 erhielt B. den Kleist-Preis. – *Weitere Werke:* LIEBE MACHT TOD oder Das Spiel von Romeo und Julia. Nach

Sebastian Brant

Sein Hauptwerk, das 1494 in Basel gedruckte »Narrenschiff«, verfolgt, ganz in der spätmittelalterlichen Tradition stehend, eine lehrhafte Tendenz: in 111 einzelnen Gestalten, die an Bord des Narrenschiffs segeln, werden menschliche Torheiten und Unzulänglichkeiten scharf gegeißelt. Das volkstümliche Werk, das sich nicht zuletzt wegen der eingefügten Holzschnitte großer Beliebtheit erfreute, gilt als Ausgangspunkt der überaus reichen Narrenliteratur.

In einer der Geschichten erzählt Brant vom »schluraffenlandt«, in dem sich die Menschen wie die Affen füttern lassen. Aller Moral zum Trotz aber blieb das Schlaraffenland ein geheimer Wunschtraum vom Überfluss, von der Befreiung von allen Sorgen um Essen und Trinken. In einem Volkslied von 1611 heißt es:

»Da sein alle Häuser gedeckt
Mit eitel Eierfladen.«

Brasilien

Fläche: 8 511 965 km²
Einwohner: (1995) 161,79 Mio.
Hauptstadt: Brasília
Verwaltungsgliederung: 26 Bundesstaaten, 1 Bundesdistrikt
Amtssprache: Portugiesisch
Nationalfeiertag: 7. 9.
Währung: 1 Real (R$) = 100 Centavos
Zeitzone: MEZ –4 bis –6 Std. (von O nach W)

Shakespeare (1990); Brunke wohnt. Brunke weint. Brunke will was (1993).

📖 *Arbeitsbuch T. B., hg. v.* M. HÄSSEL *u.* R. WEBER. *Frankfurt am Main 1987.*

Brasil *die,* Zigarre aus dunklem Brasiltabak.

Brasilholz, → Pernambukholz.

Brasília, Hptst. Brasiliens (seit 1960) und Bundesdistrikt (5 794 km²), 1 060 m ü. M. im Hochland von Goiás, 1,6 Mio. Ew.; rd. 950 km von der Küste entfernt; wurde nach modernsten städtebaulichen Gesichtspunkten errichtet (der Grundriss besteht aus einer 13 km langen parabelförmigen Hauptverkehrsachse und einer senkrecht dazu verlaufenden kreuzungsfreien Monumentalachse, an der Regierungsgebäude, Theater und Kathedrale liegen; Generalplan von L. Costa), die repräsentativen Gebäude von namhaften Architekten entworfen (u. a. O. Niemeyer); zählt zum UNESCO-Weltkulturerbe; Univ. (1962 gegr.); Erzbischofssitz; Fernsehstation; Stausee (40 km²) zur Sicherung der Wasser- und Energieversorgung; Eisenbahnverbindung nach Rio de Janeiro. – Der Bau von B. im Landesinnern diente als Startimpuls für die Erschließung des brasilian. Binnenlandes (Amazonien).

brasilianische Kunst, → lateinamerikanische Kunst.

brasilianische Literatur, → lateinamerikanische Literaturen.

Brasili|en (amtl. portugies. República Federativa do Brasil, dt. Föderative Republik B.), Bundesstaat in Südamerika, umfasst als fünftgrößtes Land der Erde die östl. Hälfte (47 %) des Kontinents, grenzt im N an Venezuela, Guyana, Surinam und Französisch-Guayana, im O an den Atlant. Ozean (rd. 7 400 km Küstenlänge), im S an Uruguay, im W an Argentinien, Paraguay, Bolivien und Peru sowie im NW an Kolumbien. Zu B. gehören noch mehrere Inseln im Atlantik.

Staat und Recht: Nach der Verf. vom 5. 10. 1988 ist B. eine präsidiale Bundesrep.; Staatsoberhaupt und Reg.chef ist der Präs. (für vier Jahre direkt gewählt). Die Legislative liegt beim Kongress, bestehend aus Senat (81 Mitgl.) und Abg.kammer (513 Abg.). Wichtigste Parteien: Partei der Brasilian. Demokrat. Bewegung (PMDB), Partei der Liberalen Front (PFL), Partei der Brasilian. Sozialdemokratie (PSDB), Partei der Progressiven Umgestaltung (PPR), Demokrat. Arbeiterpartei (PDT), Partei des Fortschritts (PP), Brasilian. Arbeiterpartei (PTB), Partei des Nat. Wiederaufbaus (PRN). Jeder Bundesstaat verfügt über eigene Gesetzgebungs-, Verwaltungs- und Gerichtsorgane. Verwaltungsmäßig ist B. in 26 Bundesstaaten und einen Bundesdistrikt gegliedert.

Landesnatur: Den größten Teil B.s nimmt das Brasilian. Bergland ein (500–1 100 m ü. M., im Pico da Bandeira 2 890 m), das mit einem Steilabfall zur atlant. Küste abbricht (Serra do Mar). Im S und SW vorwiegend ein Stufenland mit z. T. bed. Landstufen (z. B. Serra Geral), geht es als Hügelland in das Küstentiefland (mit großen Haffs) und das Tiefland des La-Plata-Systems über; im SW erstreckt sich östlich des Paraguay das periodisch überschwemmte Tiefland des Pantanal. Nach N senkt es sich landeinwärts mit wenig ausgeprägten Höhenzügen und ausgedehnten Hochflächen (Planaltos, Chapadas) allmählich zum Tiefland des Amazonas. Im äußersten N hat B. Anteil am Bergland von Guayana (Pico da Neblina, 3 014 m, höchste Erhebung B.s). Der ganze N gehört dem Stromgebiet des Amazonas an, der S mit den Oberläufen von Paraguay, Paraná und Uruguay dem La-Plata-System, der O den kleineren Stromsystemen des Rio São Francisco und Parnaíba. Die meisten Flüsse sind wasserreich; Stromschnellen und Wasserfälle (Guaíra-, Iguaçú-, Paulo-Affonso-Fälle) bilden ein großes Wasserkraftpotenzial, behindern jedoch die Schifffahrt. – B. ist ein überwiegend trop. Land mit Differenzierungen vom innertrop. Äquatorialklima (im N) über das Klima der wechselfeuchten Tropen bis zum subtrop. Klima (im S). Die brasilian. Ostküste erhält durch den SO-Passat ganzjährig Niederschläge. Die im Regenschatten liegenden Binnengebiete sind z. T. sehr trocken und von

Staatswappen

BR

Internationales Kfz-Kennzeichen

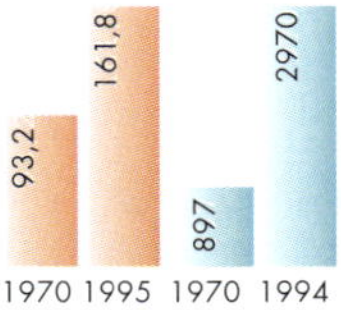

Bevölkerung (in Mio.)

Bruttosozialprodukt je Ew. (in US-$)

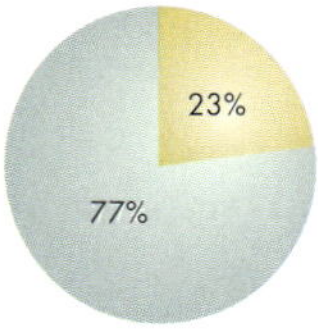

Stadt
Land

Bevölkerungsverteilung 1994

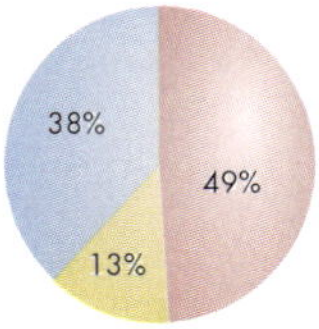

Industrie
Landwirtschaft
Dienstleistung

Bruttoinlandsprodukt 1994

Dürren bedroht. Im Amazonasbecken und am östl. Gebirgsrand herrschen trop. Regenwälder vor, im inneren Bergland Savannen (Campos) mit Galeriewäldern längs der Flüsse und lichte Buschwälder, in Süd-B. Höhengrasländer und immergrüne Nadelwälder mit Araukarien. An der Küste kommen Mangrovewälder vor.

Brasilien, Verwaltungsgliederung (1993)

Bundesstaaten und Bundesdistrikt	Fläche in km^2	Ew. in 1 000	Ew. je km^2	Hauptstadt
Bundesdistrikt	5 822	1 672,9	287,3	Brasília
Bundesstaaten				
Acre	153 150	437,4	2,9	Rio Branco
Alagoas	27 933	2 604,0	93,2	Maceió
Amapá	143 454	308,7	2,2	Macapá
Amazonas	1 577 820	2 217,2	1,4	Manaus
Bahia	567 295	12 276,5	21,6	Salvador
Ceará	146 348	6 549,1	44,8	Fortaleza
Espírito Santo	46 184	2 698,3	58,4	Vitória
Goiás	341 290	4 170,9	12,2	Goiânia
Maranhão	333 366	5 088,3	15,3	São Luís
Mato Grosso	906 807	2 177,6	2,4	Cuiabá
Mato Grosso du Sul	358 159	1 149,9	3,2	Campo Grande
Minas Gerais	588 384	16 143,3	27,4	Belo Horizonte
Pará	1 253 165	5 181,6	4,1	Belém
Paraíba	56 585	3 274,0	57,9	João Pessoa
Paraná	199 709	8 587,4	42,9	Curitiba
Pernambuco[1)]	98 938	7 294,5	73,7	Recife
Piauí	252 379	2 657,2	10,5	Teresina
Rio de Janeiro	43 910	13 064,3	297,5	Rio de Janeiro
Rio Grande do Norte	53 307	2 503,1	46,9	Natal
Rio Grande do Sul	282 062	9 369,6	33,2	Pôrto Alegre
Rondônia	238 513	1 241,3	5,2	Pôrto Velho
Roraima	225 116	241,0	1,1	Boa Vista
Santa Catarina	95 443	4 696,7	49,2	Florianópolis
São Paulo	248 809	32 697,1	131,4	São Paulo
Sergipe	22 050	1 551,4	70,4	Aracajú
Tocantins	278 421	970,1	3,5	Palmas
Brasilien[2)]	8 547 404	150 823,5	17,6	Brasília

[1)] einschließlich Fernando de Noronha. – [2)] einschließlich der umstrittenen Fläche zw. den Bundesstaaten Piauí und Ceará (2 977 km^2) sowie den Inseln Trindade und Martin Vaz.

Bevölkerung: In der Bevölkerung überwiegen nach statist. Angaben mit etwa 54 % Weiße (im S bis 85 %), 40 % sind Mischlinge (Mulatten, Mestizen, Cafusos), 5 % Schwarze, 0,5 % Asiaten (Japaner), 0,2 % Indianer. In Wirklichkeit überwiegen die Mischlinge. Rassenprobleme gibt es kaum, die ethn. Grenzen sind fließend. Noch etwa 185 000 Indianer leben in kleinen Gruppen v. a. im Amazonasgebiet und sind in ihrer Existenz bedroht. Eingewandert sind seit Beginn der Kolonialzeit v. a. Portugiesen. Seit Ende des 16. Jh. wurden 3–4 Mio. schwarzafrikan. Sklaven ins Land gebracht, die um 1800 rd. die Hälfte der Bev. ausmachten. Im 19. Jh. kam es erneut zu lebhafter Einwanderung, zunächst von Deutschen und Italienern, dann v. a. von Polen, aber auch von Arabern und Japanern. Die Einwanderung (1820–1963 rd. 5,5 Mio.) ist jedoch stark zurückgegangen.

Die durchschnittl. Bev.dichte ist mit 19 Ew. je km^2 gering, doch ist die Verteilung sehr ungleichmäßig. In den Küstenregionen des NO, SO und S leben auf rd. 35 % der Fläche rd. 90 % der Gesamtbev.; der jährl. Bev.zuwachs liegt bei 1,9 %. Der Anteil der Stadtbev. nahm zw. 1960 und 1994 von 45 % auf 71 % zu. Der massive Zustrom v. a. der Einwohner des NO in die wirtsch. entwickelten Gebiete des SO führte zu einem starken Anwachsen der Elendsviertel (Favelas) in den Großstädten und stellt eines der dringendsten sozialen Probleme des Landes dar. Es besteht ein krasses Missverhältnis zw. einer kleinen wirtsch. starken Oberschicht und der besitzlosen Masse; die Mittelschicht ist relativ klein. – Die allg. Schulpflicht von acht Jahren (7.–15. Lebensjahr) wird von rd. zwei Dritteln der Kinder wahrgenommen; die Analphabetenquote liegt bei 18 %, in ländl. Gebieten 38 %. Es bestehen 873 Hochschulen u. ä. Einrichtungen, davon sind 114 Univ. (davon 53 private). – Rd. 80 % der Bev. gehören der kath. Kirche an (6 Kirchenprov.), 18 % verschiedenen prot. Kirchen. Großen Einfluss haben auch afrobrasilian. synkretistische Religionsgemeinschaften wie Macumba, Candomblé und Umbanda.

Wirtschaft, Verkehr: B., ein Land mit großen natürl. Reichtümern, gehört zu den am stärksten industrialisierten Ländern Südamerikas und gilt als typ. Schwellenland. Die Wirtschaftslage ist durch zunehmende Arbeitslosigkeit, rasch ansteigende Inflationsraten, stark schwankende Wachstumsraten des Bruttoinlandsprodukts (BIP) und wachsende Defizite im Staatshaushalt gekennzeichnet. Die Auslandsverschuldung hat sich in den 80er-Jahren stark erhöht, Zahlungsverpflichtungen aus Umschuldungsabkommen konnten z. T. nicht erfüllt werden. Seit 1990 wurden umfassende Maßnahmen zur Stabilisierung der wirtschaftl. Entwicklung ergriffen (Währungsreformen, Steuererhöhungen, Subventionsabbau, Abbau der Auslandsschulden).

Die Bedeutung der Landwirtschaft nimmt seit dem 2. Weltkrieg ständig ab. Sie beschäftigt nur noch etwa 14 % der Erwerbstätigen und trägt 13 % zum BIP bei. Nach dem Flächenanteil herrschen Großbetriebe vor: Nur 10 % aller Betriebe sind größer als 100 ha, bewirtschaften aber insgesamt fast 80 % der Betriebsfläche. Am wichtigsten für den Export ist mittlerweile Soja, gefolgt von Kaffee, Baumwolle, Zucker, Kakao, Orangen u. a. Früchten. B. ist mit einem Viertel bis einem Drittel der Welterzeugung der weltweit wichtigste Kaffeeproduzent (Hauptanbaugebiet N-Paraná); bei Sojabohnen und Sojaprodukten zählt B. zu den führenden Anbietern auf dem Weltmarkt. Die Nahrungsmittelerzeugung (Maniok, Bohnen, Mais u. a.) kann den Inlandsbedarf nicht mehr decken. Zur Gewinnung von Alkohol aus Biomasse (36% aller in B. hergestellten Pkw sind alkoholangetrieben) wurde der Zuckerrohranbau ausgeweitet. Nur 4% der landwirtsch. Nutzfläche sind Acker- und Dauerkulturland, der größte Teil dient als Weideland. Die Viehhaltung (v.a. Rinder, Schweine, Schafe) erbringt rd. ein Viertel des landwirtsch. Produktionswerts. Die Errichtung großer Viehfarmen in den Regenwäldern Amazoniens, v.a. längs der Transamazônica, führte zu großflächigen Waldrodungen, die für Umwelt und Klima bedrohl. Ausmaße angenommen haben. Die riesigen Waldbestände (45% der Gesamtfläche) werden außer der Nutzung einer Reihe von Edelhölzern erst zu einem Bruchteil forstwirtsch. genutzt. Die Wälder der südl. Bundesstaaten sind aber bereits weitgehend zerstört. Der Fischfang spielt nur eine untergeordnete Rolle; dennoch hat B. 1970 die 200-Meilen-Zone eingeführt.

Das produzierende Gewerbe erbringt einen Anteil von 39% am BIP und beschäftigt weniger als 13% der Erwerbstätigen. – Die Lagerstätten des →Eisernen Vierecks (im S des Staates Minas Gerais, südlich und östlich von Belo Horizonte, rd. 7000 km²), deren Eisenerze einen Metallgehalt von mehr als 60% aufweisen, und die Eisenerzvorräte der Serra dos Carajás im südöstl. Amazonien gehören zu den reichsten der Erde; beachtlich sind ferner auch die Mangan-, Zinn- und Bauxitlagerstätten. Abgebaut werden auch Nickel-, Blei-, Wolfram-, Titan- und zunehmend Uranerze, Niob, Beryllium, Thorium u.a. sowie Quarz, Ind.diamanten und Edelsteine (Smaragd [weltgrößter Exporteur], Aquamarin, Topas u.a.), Gold, Silber, Platin. Die Steinkohlenvorkommen sind unzureichend. Die Erdölförderung deckt zu rd. einem Viertel den eigenen Bedarf. Zentren der Förderung sind die Bucht von Bahia sowie bei Carmópolis/Sergipe; weitere Vorkommen im Küstenschelf des Bundesstaates Rio de Janeiro (Camposfeld) sowie von Erdgas im Amazonasbecken. Fahrzeug- und Maschinenbau, Elektrotechnik, Metallverarbeitung sowie die chem. Industrie tragen heute den industriellen Wachstumsprozess. B. ist inzwischen der führende Eisen- und Stahlproduzent und auch größter Kraftfahrzeughersteller der Dritten Welt. Nachdem B. Mitte der 80er-Jahre zum weltweit drittgrößten Hersteller von Handelsschiffen und zum fünftgrößten Rüstungsexporteur aufgestiegen war, schrumpften diese Zweige infolge des verstärkten internat. Wettbewerbs erheblich zusammen. Die Konsumgüterind. deckt weitgehend den inländ. Bedarf. Das verarbeitende Gewerbe konzentriert sich auf die Region Südost, auf die Bundesstaaten São Paulo, Minas Gerais und Rio de Janeiro. – Die Stromerzeugung stammt zu rd. 90% aus Wasserkraft; am Paraná entstand eines der größten Kraftwerke der Welt (Itaipú mit 14000 MW) in Zusammenarbeit mit Paraguay, am Tocantins ein weiteres (8000 MW); das erste Kernkraftwerk B. bei Angra dos Reis nahm 1982 den Betrieb auf. – Außenwirtschaft: Erstmals seit 1983 wurde wieder ein Handelsbilanzdefizit ausgewiesen. Das Außenhandelsvolumen hat sich 1995 auf fast 100 Mrd. US-$ erhöht. Haupthandelspartner sind die EU-Staaten, die USA, Japan, Saudi-Arabien, Argentinien und Kanada.

Der Ausbau des Straßennetzes (1,82 Mio. km) hat in den vergangenen Jahren gute Fortschritte gemacht; die größte Bedeutung kommt den asphaltierten Fernstraßen zu, die, von Rio de Janeiro und São Paulo ausgehend, Amazonien erschließen (Transamazônica) und Brasília mit den übrigen Landesteilen verbinden. Die Eisenbahn mit einer Streckenlänge von rd. 30000 km ist infolge wechselnder Spurbreiten, veralteter Anlagen, niedriger Geschwindigkeit und mangelhafter Betriebssicherheit nur wenig leistungsfähig. B. ist die führende Schifffahrtsnation Südamerikas. Wichtigste Häfen: Rio de Janeiro und Santos; ferner Küsten- und Binnenschifffahrt (rd. 43000 km Wasserstraßen). Für große Teile des Landes bietet die Luftfahrt die einzige Transportmöglichkeit; größte internationale Flughäfen: São Paulo (Congonhas), Rio de Janeiro (Galeão und Santos Dumont) und Brasília; wichtigste Luftverkehrsgesellschaft: VARIG S. A.

Geschichte: Der Portugiese P. A. Cabral landete 1500 an der brasilian. Küste und nahm sie für Portugal in Besitz. 1532 begann unter dem von König Johann III. entsandten Martim Afonso de Sousa (* 1500, † 1564) die systemat. Besiedlung der Küstenstriche; 1549 wurde in dem neu gegründeten Bahia ein Vizekönig eingesetzt (seit 1763 in Rio de Janeiro). Während im Küstengebiet der mit afrikan. Sklaven betriebene Zuckerrohranbau aufblühte, drangen von São Paulo aus die Waldläufer (Bandeirantes) bis an die Vorberge der Anden; die Indianer wurden dabei weithin ausgerottet oder versklavt. Die Suche der Bandeirantes nach Gold und Diamanten führte im 18. Jh. zu den großen Funden in Minas Gerais, Mato Grosso und Goiás. Vor Napoleon I. flüchtete 1807 der portugies. König Johann (João) VI. nach B.; damit wurde Rio de Janeiro Hptst. des portugies. Reiches. Als nach der Rückkehr des Königs 1821 das Land wieder den Status einer Kolonie erhalten sollte, erklärte sich B. am 7. 9. 1822 für unabhängig; der portugies. Regent, ältester Sohn Johanns, wurde als Peter (Pedro) I. zum Kaiser von B. ausgerufen (1825 von Portugal anerkannt). Innere Unruhen veranlassten ihn 1831 zur Abdankung; erst in den 1840er-Jahren stabilisierte sich unter seinem Sohn Peter II. die polit. Lage. Die Sklaverei wurde bis 1888 aufgeho-

Brasilien

1

2

3

4

| **1** Teilansicht des Volkswagenwerks in São Paulo | **2** Elendsviertel (Favela) in Rio de Janeiro | **3** Blick auf das Stadtzentrum der Wirtschaftsmetropole São Paulo | **4** Kaffeepflücker bei der Ernte

ben; gleichzeitig nahm die Wirtschaft, bes. der Kaffeeanbau in São Paulo, eine bed. Aufschwung, die Zahl der Einwanderer wuchs ständig.

Durch einen Putsch wurde 1889 die Monarchie beseitigt; die republikan. Verf. vom 24. 2. 1891 schuf nach dem Vorbild der USA einen Bundesstaat, in dem São Paulo und Minais Gerais den vorherrschenden Einfluss erlangten. Der Kaffeeexport stieg stark an. Während des 1. Weltkrieges begann die Industrialisierung, doch wurde nach 1918 die wirtsch. Entwicklung durch häufige Militärrevolten beeinträchtigt; Weltwirtschaftskrise und Zusammenbruch des Kaffeemarktes verstärkten die finanziellen und sozialen Schwierigkeiten, die polit. Lager radikalisierten sich. Präs. G. D. Vargas (1930–45, 1951–54), durch eine Aufstandsbewegung 1930 an die Macht gelangt, entwickelte über die Verf. von 1934 und 1937 (Errichtung des »Estado Novo«) eine diktator. Regierung. Aufstände der Kommunisten (1935) und der faschist. Integralisten (1939) schlug er nieder. Im 2. Weltkrieg kämpfte ein brasilian. Truppenkontingent auf westalliierter Seite in Italien. Nach dem Sturz von Vargas (1945) führte Präs. General Eurico Gaspar Dutra (1946–51) wieder ein demokrat. System ein (Verf. von 1946). Der als sein Nachfolger 1951 nunmehr gewählte Vargas verfolgte eine stark wirtschaftsnationalistisch geprägte Politik (Drosselung ausländ. Investitionen). 1954 von der Opposition zum Rücktritt gezwungen, beging er Selbstmord. Präs. J. Kubitschek de Oliveira (1956–61) bemühte sich um die Erschließung Inner-B. (Bau von Brasília). 1964 übernahm das Militär die Staatsgewalt, nachdem Präs. J. Goulart (1961–64) versucht hatte, eine Landreform und die Verstaatlichung von Erdölraffinerien durchzusetzen. Bis 1985 stellte die Armee die Präs., die bis 1978 durch Dekrete regierten und die Opposition hart unterdrückten. Die Aufhebung der Ausnahmegesetze zum 1. 1. 1979 leitete einen Demokratisierungsprozess ein.

Die Präsidentschaft von J. B. de Oliveira Figueiredo (1979–85) stand im Zeichen wirtsch. Rezession, wachsender Auslandsschulden und hoher Inflationsraten. Innenpolitisch setzte Figueiredo den Demokratisierungsprozess fort. So ließ er u. a. eine freiere Bildung polit. Parteien zu. Im Jan. 1985 bestimmte ein Wahlmännergremium T. de Almeida Neves zum Präs.; da Krankheit ihn am Amtsantritt hinderte, führte Vizepräs. José Sarney die Geschäfte und übernahm nach Neves' Tod (22. 4. 1985) das Amt. Sarney suchte unter dem Druck des Internat. Währungsfonds die hohen Auslandsschulden abzubauen und die Wirtschaftskrise zu bewältigen (1988: Inflationsrate 934 %; Währungsreform mit Umwertung 1:1000). Am 5. 10. 1988 trat eine neue Verf. in Kraft (u. a. Direktwahl des Präs.). Der Ende 1989 gewählte Präs. F. Collor de Mello (PRN) trat im März 1990 sein Amt an. Seine Bemühungen um Sanierung der Wirtschaft hatten nur vorübergehend Erfolg. In eine Korruptionsaffäre verwickelt, wurde er vom Parlament am 29. 9. 1992 seines Amtes enthoben. Am 2. 12. 1992 übernahm der bisherige Vizepräs. I. Franco das Amt des Staatsoberhauptes. Am 21. 4.1993 bestätigte die Bev. die bestehende Staats- und Reg.form. Im Rahmen eines Stabilisierungsprogramms trat am 1. 7. 1994 mit der Einführung des »Real« als Währungseinheit eine Währungsreform in Kraft. Bei den Präsidentschaftswahlen vom 3. 10. 1994 siegte F. H. Cardoso (PSDB) mit 54,28 % der Stimmen (Amtsantritt: 1. 1. 1995). Im Sinne des bereits 1991 begonnenen Privatisierungsprozesses setzt die Reg. Cardoso in ihrer Wirtschaftspolitik die Lockerung des Staatsmonopols in den Bereichen Energieerzeugung, Erdölförderung und Telekommunikation fort. Im Sinne einer gerechteren Verteilung von Grund und Boden soll brachliegendes Land aufgekauft und an landlose Bauern verteilt werden. Da diese Reform ins Stocken geriet, kam es zu erhebl. Protesten der landlosen Bauern.

Weitere innenpolit. Probleme sind Menschenrechtsverletzungen, bes. die Ermordung obdachloser Kinder in den Städten und von Indianern im Amazonasgebiet, sowie die Entschädigung der Angehörigen polit. Gefangener.

Im Nov. 1994 trat B. dem Vertrag von Tlatelolco über die Nichtweiterverbreitung von Kernwaffen in Amerika bei. Am 1. 1. 1995 trat der Vertrag über die Zoll- und Freihandelszone →Mercosur in Kraft.

🕮 *Brazil. Empire and republic, 1822–1930, hg. v.* L. BETHELL. *Cambridge 1989. – B. Die Unordnung des Fortschritts, hg. v.* D. SCHELSKY *u.* R. ZOLLER. *Frankfurt am Main 1994. – B. heute. Politik, Wirtschaft, Kultur, hg. v.* D. BRIESEMEISTER *u. a. Frankfurt am Main 1994.* – HENKEL, K.: *Agrarstrukturwandel u. Migration im östl. Amazonien (Pará, B.). Tübingen 1994.* – AUGUST, S.: *Die Indianer im Spiegel der brasilian. Gesellschaft. Frankfurt am Main 1995.* – KUHNKE, R. W. *u.* JANICKE, V. E.: *B. München 1995.* – THIBAUT, B.: *Präsidentialismus u. Demokratie in Lateinamerika. Argentinien, B., Chile u. Uruguay im histor. Vergleich. Opladen 1996.*

Brașov [braˈʃov], rumän. Name von →Kronstadt.

Brassaï [braˈsɛ], eigtl. Gyula Halász, frz. Fotograf ungar. Herkunft, *Kronstadt (Rumänien) 19. 7. 1899, †Nizza 11. 7. 1984. Seine Nachtaufnahmen der Pariser Unter- und Halbwelt (1933 veröffentlicht, dt. u. d. T. »Das geheime Paris«) sind bed. Zeugnisse realist. Fotografie.

Brassband [ˈbrɑːsbænd; engl. »Blechkapelle«], Bez. für eine Marschkapelle, die nur aus Blechblasinstrumenten und Schlagzeug besteht. Die im 19. Jh. in New Orleans gespielte Musik der B. gehört zu den wichtigsten Vorläufern des Jazz.

Brasse [zu frz. bras »Arm«], *Schifffahrt:* Tau zum Schwenken **(Brassen)** einer Rahe.

Brasse (Brassen), →Karpfenfische.

Brassens [braˈsɛ̃ːs], Georges, frz. Chansonnier, *Sète 22. 10. 1921, †ebd. 30. 10. 1981; dichtete und komponierte Chansons in der Art moderner iron. Balladen, die er auch selbst vortrug.

Brasserie [frz.] *die,* Bierwirtschaft; Brauerei.

Brasseur [braˈsœːr], Pierre, eigtl. P. Albert Espinasse, frz. Bühnen- und Filmschauspieler, *Paris 22. 12. 1905, †Bruneck (Prov. Bozen) 14. 8. 1972; Charakterdarsteller u. a. in den Filmen »Die Kinder des Olymp« (1945), »Die Mausefalle« (1956), »Affäre Nina B.« (1961), »Die Unmoralischen« (1964).

Brassica [lat.], die Pflanzengattung →Kohl.

braten, Fleisch, Wild, Fisch, Geflügel u. a. durch Erhitzen mit Fett, Öl oder (seltener) Wasser in Pfannen u. ä. Gefäßen, in Folien im eigenen Saft oder bei offenem Feuer am Bratspieß garen.

Brătianu [brəˈtjanu], **1)** Ion Constantin, rumän. Politiker, *Pitești 14. 6. 1821, †Florica (bei Bukarest) 16. 5. 1891; 1876–88 Min.Präs. und Vors. der Liberalen Partei; betrieb die Absetzung von Fürst Cuza und die Berufung des Hohenzollern Karl auf den rumän. Thron. 1878 erreichte er die Unabhängigkeit Rumäniens und 1881 dessen Erhebung zum Königreich.

2) Ion (Jonel) Jon Constantin, rumän. Politiker, *Florica (bei Bukarest) 1. 9. 1864, †Bukarest 24. 11. 1927, Sohn von 1); seit 1909 fünfmal Min.Präs., setzte 1914 die Neutralität, 1916 den Anschluss an die Entente und 1923 die Verf. Großrumäniens durch.

Bratislava, slowak. Name von →Preßburg.

Brätling (Birnenmilchling, Lactarius volemus), Art der Milchlinge; orangebrauner, weißen Milchsaft führender Speisepilz.

Brätling

Bratsche [italien. viola da braccio »Armgeige«] (Viola), Streichinstrument in der Form der Geige, mit etwas größerem Korpus, die vier Saiten sind eine Quinte tiefer gestimmt; die B. ist das Altinstrument der Streichinstrumentenfamilie.

Bratschenschlüssel, *Musik:* →Schlüssel.

Bratsk, Stadt an der Angara, im Gebiet Irkutsk, Russland, 259 400 Ew.; Hafen am Bratsker Stausee (5 470 km^2); Wasserkraftwerk (4 500 MW); Aluminiumhütte, Holzverarbeitung. – B. entstand 1955 nördlich des gleichnamigen Dorfes, das überflutet wurde.

Walter H. Brattain

Brattain ['brætn], Walter Houser, amerikan. Physiker, *Amoy (heute Xiamen, China) 10. 2. 1902, †Seattle (Wash.) 13. 10. 1987; untersuchte mit J. Bardeen die physikal. Bedingungen des 1948 von ihnen entdeckten Transistoreffekts; hierfür erhielten beide zus. mit W. Shockley 1956 den Nobelpreis für Physik.

Braubach, Stadt im Rhein-Lahn-Kreis, Rheinl.-Pf., am rechten Rheinufer, 3 500 Ew.; Blei- und Silberhütte, Weinbau und -handel. Über B. liegt die **Marksburg** (13.–18. Jh.), einzige unzerstörte Burg am Mittelrhein. – B. erhielt 1276 Stadtrecht.

Brauch (Volksbrauch), überlieferte oder neu entstandene und für unterschiedl. Zeitdauer verbindl. Äußerungsform gesellschaftl. Verhaltens, die zumeist sozial bestimmt und von der Sitte gefordert ist; nach M. Weber »die Regelmäßigkeit im sozialen Handeln«. Die konkreten Ausformungen von Bräuchen umfassen nicht nur die festl. Seiten des Lebens- (z. B. Geburt, Taufe, Hochzeit, Begräbnis) und Jahreslaufs (z. B. Fastnacht, Ostern, Pfingsten, Weihnachten, Silvester/Neujahr), sondern ebenso den Alltag des Einzelnen und der sozialen Gruppen (z. B. Ess- und Bekleidungsgewohnheiten, B. zur Aufnahme [Grundsteinlegung] oder zum Abschluss bestimmter Arbeiten [Richtfest]) sowie traditionelle Hilfs- und Heilverfahren (Beschwören, Besprechen).

Karl Ferdinand Braun

Die früher für die Gesamtheit der Sitten und Bräuche übl. Bez. **Brauchtum** wird von der Wiss. nur noch einschränkend benutzt; im Sprachgebrauch ist damit auch die bewusste Traditions- und Brauchtumspflege gemeint. Zunächst Gegenstand volkskundl. Forschung, sucht heute die B.-Forschung mit konsequent histor. Methodik die Entwicklung von B.-Phänomenen in den Bindungen an Ort, Trägerschicht und kulturelle Umwelt sowie ihrem ständigen wirtsch.-, sozial- und geistesgeschichtl. Zusammenhang und Wandel zu erfassen. Verwandte, jedoch eigene Begriffe, sind →Gewohnheit, →Sitte, →Tradition.

📖 *Brauchforschung, hg. v.* M. SCHARFE. *Darmstadt 1991.* – HARTINGER, W.: *Religion u. B. Darmstadt 1992.*

Brauchitsch, Walther von, Generalfeldmarschall (seit 1940), *Berlin 4. 10. 1881, †Hamburg (in brit. Haft) 18. 10. 1948; wurde am 4. 2. 1938 als Nachfolger von W. v. Fritsch Oberbefehlshaber des Heeres. Im 2. Weltkrieg leitete er die Feldzüge gegen Polen, Frankreich, auf dem Balkan und in der UdSSR. Nach Differenzen mit Hitler nahm er im Dez. 1941 seinen Abschied.

Brauchwasser, →Betriebswasser.

Braudel [bro'dɛl], Fernand, frz. Historiker, *Luméville-en-Ornois (Dép. Meuse) 24. 8. 1902, †Saint-Gervais-les-Bains (Dép. Haute-Savoie) 27. 11. 1985; wurde 1949 Prof. am Collège de France (Paris); einer der führenden Vertreter der strukturgeschichtlich ausgerichteten Historikergruppe um die 1929 gegründete Zeitschrift »Annales«, die Geschichte als umfassende Sozialgeschichte verstand.

Brauer, Arik, eigtl. Erich B., österr. Maler, Grafiker und Liedermacher, *Wien 4. 1. 1929; wird der Wiener Schule des fantast. Realismus zugerechnet. Seine Bilder und Farbradierungen zeigen sinnl. Visionen mit z. T. chassid. Motiven.

Brauerei, Gewerbebetrieb zur Herstellung von Bier. Mit einem Bierausstoß von (1994) 116,3 Mio. hl steht Dtl. nach den USA an zweiter Stelle in der Weltproduktion. Die Struktur des B.-gewerbes in Dtl. ist trotz Konzentrationsprozessen überwiegend mittelständisch (1995: 1243 B.). – Das Braurecht gehörte im MA. zu den Vorrechten der Grund- oder Landesherrschaft (früheste verbriefte Verleihung von Kaiser Otto II. 974 an die Kirche zu Lüttich). Seit dem 13. Jh. ging das Braurecht großenteils an die Städte über. Die älteste dt. Brauerordnung stammt aus Augsburg (1155). Die letzten Reste obrigkeitl. Braumonopole wurden durch das Biersteuer-Ges. von 1918 beseitigt.

Braun, 1) Felix, österr. Schriftsteller, *Wien 4. 11. 1885, †Klosterneuburg 29. 11. 1973; schrieb Lyrik, Romane (»Agnes Altkirchner«, 1927; 1957 u. d. T. »Herbst des Reiches«), Erzählungen, Dramen, Essays.

2) Harald, Filmregisseur, *Berlin 26. 4. 1901, †Xanten 24. 9. 1960; beteiligt am Aufbau der dt. Filmwirtschaft nach 1945; drehte u. a. die Filme »Träumerei« (1943), »Königliche Hoheit« (1953).

3) Karl, kath. Theologe, *Kempten 13. 12. 1930; Studium in Rom (Gregoriana), 1958 zum Priester, 1984 zum Bischof geweiht; 1984–95 Bischof von Eichstätt; seit 1995 Erzbischof von Bamberg.

4) Karl Ferdinand, Physiker, *Fulda 6. 6. 1850, †New York 20. 4. 1918; erfand 1897 die →braunsche Röhre und führte 1898 den gekoppelten Sender mit geschlossenem Schwingkreis in die Funktechnik ein. Dafür erhielt er 1909 mit G. Marconi den Nobelpreis für Physik.

5) Lily, Schriftstellerin, *Halberstadt 2. 7. 1865, †Berlin 9. 8. 1916; führend in der sozialist. Frauenbewegung; Memoirenschreiberin.

📖 BORKOWSKI, D.: *Rebellin gegen Preußen. Das Leben der L. B. Frankfurt am Main 1984.*

6) (Praun), Matthias Bernhard, böhm. Bildhauer, *Oetz (Tirol) 25. 2. 1684, †Prag 15. 2. 1738; neben F. M. Brokoff der bedeutendste Vertreter der Barockplastik in Böhmen; schuf u. a. Skulpturengruppen für die Karlsbrücke in Prag (hl. Luitgard, 1719; hl. Ivo, 1711).

7) Otto, Politiker (SPD), *Königsberg (Pr) 28. 1. 1872, †Locarno 15. 12. 1955; 1920–33 MdR; seit März 1920 wiederholt preuß. Min.Präs.; im Juli 1932 durch Reichskanzler F. von Papen abgesetzt (→Preußen), ging 1933 ins Exil (Schweiz).

8) Volker, Schriftsteller, *Dresden 7. 5. 1939; Mitarbeiter beim Berliner Ensemble und beim Dt. Theater Berlin; an B. Brecht und W. W. Majakowski orientierter Lyriker (»Provokationen für mich«, 1965 ; »Wir und nicht sie«, 1970) und Dramatiker (»Die Kipper«, UA 1972; »Tinka«, UA 1977; »Transit Europa«, 1987; »Die Übergangsgesellschaft«, 1987; »Böhmen am Meer«, 1992). – *Sonstige Prosa:* »Das ungezwungene Leben Kasts«, 1972; »Hinze-Kunze-Roman«, 1985; »Bodenloser Satz«, 1990; Verheerende Folgen mangelnden Anscheins innerbetriebl. Demokratie (1988, Schriften); Der Wendehals. Eine Unterhaltung (1995); Die vier Werkzeugmacher (1996).

📖 JACQUEMOTH, J.: *Politik u. Poesie. Untersuchungen zur Lyrik V. B.s. Berlin* ^{3}*1991.* – GRAUERT, W.: *Ästhet. Modernisierung bei V. B. Studien zu Texten aus den achtziger Jahren. Würzburg 1995.*

9) Wernher Freiherr von, amerikan. (seit 1955) Physiker und Raketenkonstrukteur dt. Herkunft, *Wirsitz (heute Wyrzysk, Wwschaft Bydgoszcz) 23. 3. 1912, †Alexandria (Va.) 16. 6. 1977; wurde 1937 techn. Direktor an der Heeresversuchsanstalt Peenemünde, wo er die Entwicklung der Fernrakete A-4 (später V2) leitete; ging 1945 in die USA; 1959–72 leitender Mitarbeiter der NASA (seit 1970 Leiter der Planungsabteilung). B. hatte wesentl. Anteil am Start der künstl. Erdsatelliten, am Apolloprogramm und am Ausbau der Raumfahrt. Er entwickelte u. a. die Jupiter-C- und die Saturn-Raketen; schrieb u. a. »Bemannte Raumfahrt« (dt. 1969).

📖 STUHLINGER, E. u. ORDWAY, F. I.: *W. von B. Aufbruch in den Weltraum. Die Biographie. A. d. Amerikan. Esslingen u. a. 1992.*

Braunalgen (Phaeophyceae), braune bis olivgrüne, meist festsitzende, z. T. mehrere Meter hohe Meeresalgen (nur wenige Süßwasserformen); Rohstofflieferanten für Alginsäure, Jod, Mannit und Soda.

Braunau am Inn, Hptst. des gleichnamigen Bezirks in Oberösterreich, rechts des Inn, an der bayer. Grenze, 16 300 Ew.; größte Aluminiumhütte Österreichs. – Spätgot. Stadtpfarrkirche; zahlr. Bürgerhäuser mit Laubengängen. – B., seit dem 13. Jh. bayer. Stadt, kam 1779 an Österreich, fiel 1810 an Bayern zurück, ist seit 1816 österreichisch.

Braune, Wilhelm Theodor, Germanist, *Großthiemig (bei Bad Liebenwerder) 20. 2. 1850, †Heidelberg 10. 11. 1926; Prof. in Leipzig, Gießen und Heidelberg; schrieb germanist. Standardwerke, »Althochdt. Lesebuch« (1875), »Got. Grammatik« (1880), »Althochdt. Grammatik« (1886), mit vielen überarbeiteten Auflagen bis zur Gegenwart.

Volker Braun

Brauneisen (Brauneisenerz, Limonit), wichtiges ockergelbes bis braunschwarzes Eisenerz, ein Eisenhydroxid, das von →Goethit und →Rubinglimmer aufgebaut wird. Varietäten: der nierige **Glaskopf** und das tonhaltige **Raseneisenerz, Sumpferz** sowie **Eisenocker** und **Bohnerz** in Erbsen- oder Bohnenform; alle dienen zur Eisengewinnung, Eisenocker auch zur Herstellung gelber und roter Farbstoffe.

Braunelle (Brunelle, Prunella), Lippenblütlergattung, die **Gemeine B.** (Prunella vulgaris) auf Wiesen, mit violetten, selten weißen Blüten und braunen Hochblättern.

Braunellen (Prunellidae), Singvogelgattung mit 12 Arten in Europa und Asien (außer in den Tropen). Einheimisch sind die in Größe und Färbung sperlingsähnl. **Hecken-B.** (Prunella modularis), die bes. jungen Fichtenbestand bewohnt, und die größere **Alpen-B.** (Prunella collaris) mit einer weißen, schwarzfleckigen Kehle.

Wernher von Braun

Braunerde, weit verbreiteter Bodentyp feuchtgemäßigten Klimas auf unterschiedl. Muttergesteinen; Färbung durch fein verteilte braune Eisenoxidhydrate. B. ist gut durchlüftet und weist einen günstigen Wasser- und Nährstoffhaushalt auf; entspricht dem Cambisol (Erdklassifizierung der FAO).

Braune Zwerge, *Astronomie:* →Schwarze Zwerge.

Braunfäule, *Pflanzenkrankheiten:* 1) Schwarzadrigkeit des Kohls durch das Bakterium **Xanthomonas campestris,** bei der sich die Blattnerven schwarz verfärben und die Blätter absterben; 2) von Pilzen und Bakterien verursachte Pflanzenkrankheiten wie Kartoffelknollenfäule und Fruchtfäule des Obstes.

Braunellen: Heckenbraunelle

Braunfels, Stadt im Lahn-Dill-Kreis, Hessen, oberhalb der Lahn gelegener Erholungs- und Kurort, 10 200 Ew. – Gut erhaltenes einheitl. Stadtbild mit vielen, v. a. barocken Fachwerkhäusern, Schloss der Fürsten von Solms-Braunfels mit Sammlungen. – Erhielt im 17. Jh. Stadtrecht.

Braunfisch, →Schweinswale.

Braunit *der,* schwarzes, metallisch glänzendes, tetragonales Mineral, 3 Mn_2O_3 . $MnSiO_3$, Mohshärte 6–6,5, Dichte 4,7–5,0 g/cm³; wichtiges Manganerz.

Braunkehlchen, Singvogel, →Schmätzer.

Braunkohl, Speisekohl, →Blätterkohl.

Braunkohle: Tagebau Profen im Braunkohlerevier Mitteldeutschland (1994)

Braunkohle, überwiegend im Tertiär entstandene gelb- bis schwarzbraune Kohle mit niedrigem Inkohlungsgrad. **Weich-B.,** die aus einer Grundmasse von Humussäuren mit Resten von Holz (Xylit) besteht, hat einen Wassergehalt von 45–60%, in wasser- und aschefreiem Zustand einen Kohlenstoffgehalt von 65–70%. **Hart-B.** ist ohne sichtbare holzige Einschlüsse und hat einen Wassergehalt von 10–30%. In wasser- und aschefreiem Zustand weist sie einen Kohlenstoffgehalt von 70–75% auf. B. lagert oberflächennah und wird im →Tagebau gefördert; dient im Wesentlichen als Brennstoff (ÜBERSICHT Heizwerte) zur Energieerzeugung in therm. Kraftwerken und als Hausbrand. Große B.-Vorkommen finden sich um Bitterfeld, Halle/Saale, Leipzig, Borna, Zeitz und Cottbus sowie in der Kölner Bucht, bei Helmstedt, in Hessen und in Bayern. – Dtl. war 1995 mit 207 Mio.t (1989: 300 Mio.t) der weltweit größte B.-Produzent, davon in den neuen Bundesländern 88 Mio.t. Wegen des hohen Landschaftsverbrauchs, den Umweltveränderungen (v.a. im Wasserhaushalt), der sozialen Folgen beim B.-Tagebau (durch die Umsiedlungsmaßnahmen) sowie dem hohen Schadstoffgehalt der Abgase ist der weitere Abbau von B. umstritten.

Braunlage, Stadt im Landkreis Goslar, Ndsachs., heilklimat. Kurort und Wintersportort im Oberharz, 550–800 m ü.M., 6000 Ew.; Holzindustrie. – Ehem. Bergbauort, seit 1934 Stadt.

Braunsberg, Stadt in Polen, →Braniewo.

braunsche Röhre [nach K. F. Braun], Kathodenstrahlröhre zum Sichtbarmachen des zeitl. Verlaufs elektr. Schwingungen; außer zu oszilloskop. Zwecken u.a. als Bildröhre in Fernsehgeräten, in Oszilloskopen und Sichtgeräten benutzt.

Braunschliff, ein →Holzschliff.

Braunschweig, 1) kreisfreie Stadt und Hptst. des RegBez. B., Ndsachs., an der Oker, 252500 Ew.; TU, Staatl. Hochschule für Bildende Künste, Fachhochschule B.-Wolfenbüttel, Physikal.-Techn. Bundesanstalt, Luftfahrt-Bundesamt, Biolog. Bundesanstalt für Land- und Forstwirtschaft, Dt. Forschungsanstalt für Luft- und Raumfahrt, Fraunhofer-Inst. für Holzforschung, Georg-Eckert-Inst. für internat. Schulbuchforschung, zahlreiche Fachschulen und wirtschaftsorientierte Forschungsinstitute, OLG, Sozialgericht, Landeszentralbank, mehrere Museen und Theater, botan. Garten; Anlagen-, Fahrzeug- und Maschinenbau, chem., elektrotechn., elektron., feinmechan., opt., Nahrungsmittelind.; ferner Herstellung von Fotogeräten, Klavieren, Verpackungen; Verlage; Brauereien. B. ist Kreuzungspunkt versch. Verkehrslinien (Autobahnen, Eisenbahnstrecke Hannover–Berlin, Mittellandkanal) mit Hafen und Regionalflughafen. – Sankt Blasius (heute evang. Dom) von Heinrich dem Löwen 1173–95 neu errichtet (u.a. mit roman. Holzkruzifix und Welfengruft), Sankt Ägidien (1278–um 1300), Sankt Martini (um 1275 ff. zur frühgot. Hallenkirche umgestaltet). Burg Dankwarderode (1173–95, 1887 restauriert und rekonstruiert), der Löwe auf dem Burghof wurde 1166 von Heinrich dem Löwen zum Zeichen seiner Hoheit und Gerichtsbarkeit errichtet. – Altstadtmarkt mit Altstadtrathaus (13.–15. Jh.). Das Gewandhaus erhielt 1589 eine Renaissancefassade. Der alte Hauptbahnhof (1843/44) ist der älteste dt. Bahnhofsbau. 1944 vernichteten Luftangriffe 90% der Altstadt. – B. wurde 1031 zuerst erwähnt, ist aus zwei Kaufmannssiedlungen und einer Burg hervorgegangen; war Residenz Heinrichs des Löwen. Stadtrecht 1227 bestätigt; im 13./14. Jh. gemeinsame Ratsverfassung der inzwischen fünf Orte (»fünf Weichbilder«); Ende des 13. Jh. Beitritt zur Hanse; Einführung der Reformation 1528; 1753–1918 Hptst. von B.-Wolfenbüttel.

2) RegBez. in Ndsachs., 8097 km², 1,68 Mio. Ew.; umfasst die kreisfreien Städte B., Salzgitter, Wolfsburg und die Landkreise Gifhorn, Goslar,

Göttingen, Helmstedt, Northeim, Osterode am Harz, Peine und Wolfenbüttel.

3) ehem. Land des Dt. Reichs, in mehrere Teile zersplittert im Harz und Harzvorland, Hptst.: Braunschweig.

Geschichte: Als Heinrich der Löwe 1180 Sachsen und Bayern verlor, blieb den Welfen nur ihr Eigenbesitz zw. Weser und Elbe, den 1235 Otto (Otto das Kind) als **Herzogtum B.-Lüneburg** erhielt. Durch die Teilungen von 1267, 1286, 1428 und 1495 entstanden die Fürstentümer Lüneburg, Calenberg, Göttingen, Grubenhagen und Wolfenbüttel; aus letzterem ist das **Herzogtum B.,** aus den übrigen das Land →Hannover hervorgegangen. In Wolfenbüttel führte Herzog Julius (1568–89) die Reformation ein, 1576 gründete er die Univ. Helmstedt. 1634 gelangte die Linie B.-Lüneburg-Dannenberg zur Regierung; 1735 folgte die Nebenlinie B.-Bevern. Der Reg.sitz wurde 1753 von Wolfenbüttel nach der Stadt B. verlegt. 1807–13 war B. mit dem Königreich Westfalen vereinigt. B. trat 1842 dem Dt. Zollverein und 1866 dem Norddt. Bund bei. Nachdem 1884 die braunschweig. Linie ausgestorben war, übernahm Preußen (1885–1906), dann Mecklenburg (1907–13) die Regentschaft. 1913–18 regierte Herzog Ernst Albrecht, nach seiner Abdankung und einer kurzlebigen Räterepublik (April 1919 niedergeworfen) wurde B. als **Freistaat** auf der Basis der Verf. vom 6. 1. 1922 abwechselnd von sozialdemokrat. und bürgerl. Regierungen regiert; 1933–45 stand es mit Anhalt unter einem NS-Reichsstatthalter. 1941 wurden Gebietsteile mit der preuß. Provinz Hannover ausgetauscht (Holzminden-Goslar). Am 1. 11. 1946 kam der größte Teil von B. zum Bundesland Niedersachsen.

Braunstein, Bez. für eine Gruppe von Manganoxiden und -hydroxiden vorwiegend sedimentärer Entstehung, z. B. →Manganit, →Manganomelan und →Pyrolusit.

Braunwurz (Scrophularia), Rachenblütlergattung; Hauptverbreitung im Mittelmeerraum; die **Knotige B.** (Scrophularia nodosa) wächst in feuchten Wäldern, an Graben- und Bachrändern.

Braut, Verlobte, Frau zw. Verlobung und Trauung bzw. am Tag ihrer Hochzeit. Das **B.-Kleid** entsprach früher häufig der Fest- und Kirchgangskleidung; seit dem 16. Jh. häufig schwarz, seit dem 19. Jh. weiß, gehörte es zur erbrechtl. Ausstattung.

Brautgeschenke, Geschenke unter Verlobten; sie können, wenn die Ehe nicht zustande kommt, grundsätzlich zurückgefordert werden (§ 1301 BGB).

Bräutigam, Verlobter, Mann zw. Verlobung und Trauung bzw. am Tag der Hochzeit.

Brautigan ['brɔːtɪgən], Richard Gary, amerikan. Schriftsteller, *Tacoma (Wash.) 30. 1. 1935, †Bolinas (bei San Rafael, Calif.) Sept. 1984 (am 25. 10. aufgefunden); wird als Bindeglied zw. der Beatbewegung der 50er-Jahre und der Jugendrevolte der 60er-Jahre angesehen; schrieb Lyrik und Romane (u. a. »Forellenfischen in Amerika«, 1967; »In Wassermelonen Zucker«, 1970, »Die Abtreibung«, 1971; »Träume von Babylon«, 1977).

Braunschweig 1): Burg Dankwarderode (1173–95, 1887 neuromantisch wieder errichtet), davor das bronzene Löwenstandbild Heinrichs des Löwen (1166)

Braunschweig 1) Stadtwappen

Braut in Haaren, Zierpflanze, →Schwarzkümmel.

Brautkauf, bei manchen Völkern übl. Sitte, an die Verwandtschaft der Braut Werte zu übergeben, nicht im Sinne eines Kaufpreises, sondern als Ersatz für die Arbeitskraft, als Erwerb eines Anspruchs auf die zukünftigen Kinder, als Pfand für die gute Behandlung der Frau oder (in polygynen Gesellschaften) zur Regulierung der Nachfrage nach Frauen. Der Preis kann durch Dienstleistungen abgegolten oder herabgesetzt werden.

Brautkind, von Verlobten gezeugtes Kind. Es ist nichtehelich, wird aber durch nachfolgende Eheschließung ehelich (§ 1719 BGB).

Brautraub, →Frauenraub.

Brauweiler, seit 1975 Stadtteil von →Pulheim.

Bravais [bra'vɛ], Auguste, frz. Naturforscher, *Annonay (Dép. Ardèche) 23. 8. 1811, †Versailles 30. 3. 1863; zuerst Seeoffizier, 1841–45 Prof. in Lyon, danach an der École polytechnique in Paris; grundlegende Beiträge zur Kristallographie, bes. zur Zuordnung der geometrisch mögl. Raumgitter zu den in der Natur vorkommenden Kristallstrukturen; fand 1848 die **Bravais-Gitter** (→Kristallgitter).

Bravo, auflagenstärkste dt. Jugendzeitschrift (1995: 1,8 Mio. Exemplare), gegr. 1956; erscheint im Heinrich Bauer Verlag, der seit 1986 auch »Bravo

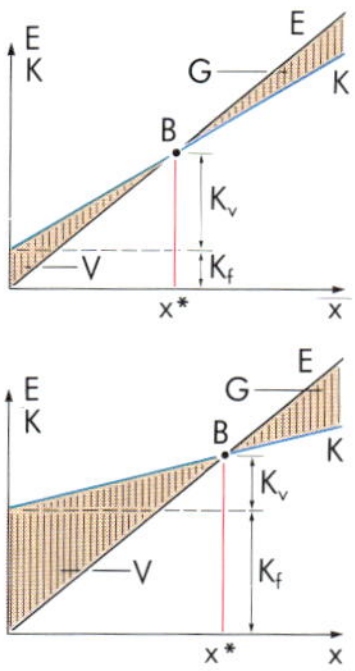

Break-even-Analyse: Break-even-Points bei unterschiedlicher Kostenstruktur; E Gesamterlöskurve, K Gesamtkostenkurve, K_f fixe Gesamtkosten, K_v variable Gesamtkosten, B Break-even-Point, V Verlustbereich, G Gewinnbereich, x Ausbringungsmenge, x* kritische Ausbringungsmenge

Brazzaville Stadtwappen

Beat Brechbühl

Girl!« (1,15 Mio) und seit 1994 »Bravo Sport« (0,56 Mio.) herausgibt.

Bravour [bra'vu:r, frz.] *die,* Tapferkeit; Meisterschaft, Geschicklichkeit.

Braxton ['brækstən], Anthony, amerikan. Jazzmusiker (Saxophonist, Klarinettist und Komponist), *Chicago (Ill.) 6. 4. 1945; verbindet in seinen Kompositionen Formen und Ausdruck des modernen Jazz mit den komplexen Strukturen neuer Musik; profilierter Vertreter des Freejazz.

Bray [brɛ], Landschaft zw. Picardie und Normandie; eines der bedeutendsten Viehzuchtgebiete Frankreichs.

Brazauskas [-z-], Algirdas Mykolas, litauischer Politiker, *Rokiškis (NO-Litauen) 22. 9. 1932; Bauingenieur und Volkswirtschaftler; seit 1988 Erster Sekr. der litauischen KP, die er im Dez. 1989 als eigenständige Partei aus der KPdSU herauslöste und danach zur sozialdemokratisch orientierten »Litauischen Demokrat. Arbeiterpartei« (LDAP; Umbenennung 1990) reformierte. Nach dem Wahlsieg (1992) der LDAP Parlaments-Präs., seit 1993 Staatspräsident.

Brazzaville [braza'vil], Hptst. der Rep. Kongo, am rechten Ufer des seenartig zum Stanley Pool erweiterten Kongo, 937 600 Ew.; kath. Erzbischofssitz, Univ. (gegr. 1972); Zentrum für moderne afrikan. Kunst. Textil-, Metall- und Nahrungsmittelindustrie. B. ist Ausgangspunkt der Binnenschifffahrt auf dem Kongo; bed. Hafen, bes. für trop. Hölzer; Eisenbahnanschluss nach Pointe-Noire; internat. Flughafen. – 1880 von dem frz. Afrikaforscher Pierre Graf Savorgnan de Brazza (*1852, †1905) gegr., war B. bis 1958 Hptst. von Frz.-Äquatorialafrika.

Brčko ['brtʃkɔ], Stadt in Bosnien und Herzegowina, im nordöstl. Bosnien am Südufer der Save, 41 300 Ew.; Nahrungs- und Genussmittel-, Elektro-, Textil- und Baustoffindustrie. – Im Mai 1992 von serb. Milizen erobert, kam es – nach Ermordung und Vertreibung der nichtserb. Bev. – zur Ansiedlung serb. Flüchtlinge. Bis 1995 war B. wegen des **B.-Korridors,** der Verbindung von Serbien zu den serbisch besetzten Gebieten in O- und W-Bosnien sowie Kroatien, heftig umkämpft.

BRD, nichtamtl. Abk. für **B**undes**r**epublik **D**eutschland.

Brda, poln. Name für den Fluss →Brahe.

Brdywald ['brdi-], von SW nach NO verlaufender Gebirgszug in Böhmen, Tschech. Rep., südlich der Beraun, bis 862 m hoch; Uranerzbergbau.

Break [breɪk; engl. »Unterbrechung«] *der* oder *das,* **1)** *Musik:* kurze solist. Einlage im Jazz, die den Rhythmus des Stücks unterbricht.

2) *Sport:* Trennkommando beim Boxen; im Eishockey und Basketball schneller Gegenangriff; im Tennis Gewinn eines Spieles gegen den Aufschläger.

Breakdance ['breɪkdɑ:ns, engl.] *der,* Anfang der 1970er-Jahre in den New Yorker Armenvierteln unter den farbigen Jugendlichen entstandener Straßentanz; vermischt roboterhafte rhythm. Bewegungen mit akrobat. Sprüngen, Pirouetten auf Schultern, Kopf oder Rücken; getanzt zu Funkmusic (→Funk).

Break-even-Analyse ['breɪk 'i:vən-, engl.], *Betriebswirtschaftslehre:* Verfahren zur Bestimmung der Gewinnschwelle (**Break-even-Point**, Nutzschwelle, toter Punkt) von Produkten. Der Break-even-Point ist der Schnittpunkt von Gesamterlöskurve und der Gesamtkostenkurve, d.h., fixe und variable Kosten werden bei einem Gewinn von null gerade durch die Erlöse (Umsatz) gedeckt.

Breasted ['brestəd], James Henry, amerikan. Historiker und Orientalist, *Rockford (Ill.) 27. 8. 1865, †New York 2. 12. 1935; leitete seit 1919 die Ausgrabungen in Luxor und Megiddo.

Breccie ['brɛtʃə], *Geologie:* →Brekzie.

Brechbohnen, die rundhülsigen, fleischigen Hülsenfrüchte einer Buschbohne (Phaseolus vulgaris nanus), die im reifen Zustand leicht durchzubrechen sind (da fadenfrei).

Brechbühl, Beat, schweizer. Schriftsteller, *Oppligen (Kt. Bern) 28. 7. 1939; schreibt Gedichte (»Traumhämmer«, Auswahl 1977) und Romane (»Kneuss«, 1970; »Nora und der Kümmerer«, 1974; »Die Glasfrau«, Erz., 1985; »Liebes Ungeheuer Sara«, 1991) mit individualist. und skurrilen Elementen; außerdem Kinderbücher.

Brechdurchfall, gleichzeitiges Auftreten von Erbrechen und Durchfall infolge akuter, häufig infektiöser Entzündung der Magen-Darm-Schleimhaut (→Darmentzündung, →Magenschleimhautentzündung); verursacht v.a. durch Infektionen mit Enteroviren, Salmonellen, Shigellen und Kolibakterien (z.B. bei Genuss zersetzter, bakteriell besiedelter Lebensmittel). – *Behandlung:* Bettruhe, zunächst Fasten (bei schwerer Form zusätzlich Gabe einer Salz-Traubenzucker-Lösung gegen den Elektrolytverlust), dann Tee mit Zwieback, Haferschleim, Rohapfeldiät; Chemotherapie je nach Ursache. Über Säuglingsdyspepsie →Durchfall.

Brecher, 1) *Meereskunde:* hohe, sich überstürzende (sich brechende) Welle, die bes. an flachen Küsten bei landeinwärts gerichtetem Wind entsteht.

2) *Technik:* vorwiegend im Bergbau eingesetzte Maschine zum Zerkleinern von Gesteinen, Erzen, Kohlen durch Druck oder Schlag. Bauarten: Backen-, Kegel-, Walzen-, Hammerbrecher.

Brechkraft, der →Brechwert.

Brechmittel (Emetika), Mittel, die durch Erregung des »Brechzentrums« im verlängerten Mark

Erbrechen hervorrufen, z.B. Apomorphin. Bei akuten Vergiftungen stattdessen Magenspülung.

Bert Brecht: Das Brecht-Denkmal von Fritz Cremer vor dem Berliner Ensemble am Schiffbauerdamm in Berlin (1988 enthüllt)

Brechnussbaum (Strychnos nux-vomica), Art der Logangewächse v.a. aus Südasien; die beerenartigen orangeroten Früchte enthalten die stark giftigen **Brechnüsse,** die u.a. zur Herstellung homöopath. Arzneimittel verwendet werden.

Brechreiz, vom Brechzentrum gesteuerter Reflexvorgang, der in der Vorstufe als mit Übelkeit, Ekel, Speichelfluss und Würgen im Hals verbundene Missempfindung auftritt und zu Erbrechen führen kann. Das **Brechzentrum** besteht aus Nervenstrukturen im verlängerten Rückenmark (Medulla oblongata), in denen Nervenerregungen aus Schlund, Magen und Gleichgewichtsorgan zusammentreffen und das Erbrechen auslösen.

Brechstange (Brecheisen), Stahlstange mit zugeschärftem Ende; Verwendung als Hebel bei Abbrucharbeiten und Umkanten schwerer Gegenstände.

Brẹcht, 1) Arnold, amerikan. Staatswissenschaftler dt. Herkunft, *Lübeck 26. 1. 1884, †Eutin 11. 9. 1977; Beamter im Dienst des Dt. Reichs und Preußens, als Gegner des Nationalsozialismus aus dem Staatsdienst entlassen; emigrierte 1933 in die USA, war dort bis 1954 als Prof. tätig. Nach dem 2. Weltkrieg Berater bei der Schaffung des GG der Bundesrep. Deutschland.

B. formulierte 1932 das später nach ihm benannte »**brechtsche Gesetz** der progressiven Parallelität zw. Ausgaben und Bevölkerungsmassierung«, demzufolge die öffentl. Ausgaben je Ew. mit zunehmender Bevölkerungsdichte und Verstädterung wachsen; es bildet heute die gedankl. Grundlage für die Bemessung der Schlüsselzuweisungen im kommunalen Finanzausgleich.

2) Bert(olt), eigtl. Eugen Berthold Friedrich B., Schriftsteller und Regisseur, *Augsburg 10. 2. 1898, †Berlin (Ost) 14. 8. 1956. Der erbitterte Kriegsgegner studierte 1917–21 Philosophie und Medizin in München (ohne Abschluss), arbeitete 1924–26 an M. Reinhardts Dt. Theater in Berlin, danach als freier Schriftsteller; ⚭ seit 1928 mit H. Weigel. B. unterstützte die Kommunisten, trat aber nicht der KPD bei; emigrierte 1933 (Dänemark, seit 1941 USA), kehrte 1947 nach Europa, 1949 nach Berlin (Ost) zurück. B. begann mit expressionistisch-anarchist. Dramen (»Baal«, 1918/19; »Trommeln in der Nacht«, 1919; »Im Dickicht der Städte«, 1923; »Mann ist Mann«, 1926), hatte dann großen Erfolg mit der desillusionist., die bürgerl. Konventionen verspottenden »Dreigroschenoper« (1928, nach John Gays »The Beggar's Opera«, Musik von Kurt Weill) und seiner an François Villon und den Bänkelgesang anknüpfenden Lyrik (»Hauspostille«, 1927). Unter dem Einfluss des Marxismus kam er zur strengen Disziplin der »Lehrstücke« (»Die Maßnahme«, 1930; »Die hl. Johanna der Schlachthöfe«, 1930; »Die Mutter«, nach Gorki, 1932). Die Hauptwerke entstanden im Exil: »Mutter Courage und ihre Kinder« (Antikriegsstück, 1939), »Herr Puntila und sein Knecht Matti« (1940), »Der gute Mensch von Sezuan« (1942), »Leben des Galilei« (1938/39), »Der kaukasische Kreidekreis« (1945). Stil und Sprache B.s übten großen Einfluss auf die moderne Dichtung aus. Seine gleichzeitig mit der Oper »Aufstieg und Fall der Stadt Mahagonny« (Musik von K. Weill) entwickelte Theorie des →epischen Theaters« sollte krit. Bewusstsein wecken und zu gesellschaftl. »Änderung« führen; gegenüber den Lehrstücken gewann in B.s späteren Werken (auch in seiner Theorie) das ästhet. Element wieder neue Bedeutung.

Sowohl in den Dramen wie in der Lyrik spielen neben der sozialen Kritik auch andere Motive, bes. Mitleid mit dem Menschen, eine Rolle. B.s Lyrik behauptet einen künstlerisch gleichwertigen Rang und reicht von der derben, fast improvisierten Ballade bis zum Kampflied für die proletar. Einheitsfront, vom zarten Liebesgedicht bis zum philosoph. Monolog, vom Reimspruch bis zur bösen Satire. B. schrieb ferner zahlr. Essays und Aufsätze zum Theater, u.a.: »Kleines Organon für das Theater« (1948), Prosa, u.a. »Dreigroschenroman« (1934), »Die Geschäfte des Herrn Julius Caesar« (1949, Fragment), »Kalendergeschichten« (1949), »Flüchtlingsgespräche« (1961, Dialoge). In B.s Spätzeit überwiegt prakt. Theaterarbeit, u.a. Modellinszenierungen und Bearbeitungen von Dramen. In dem 1949 in Berlin (Ost) gegründeten →Berliner Ensemble schuf sich B. zus. mit seiner Frau H. Weigel eine Experimentierbühne; seine Inszenierungen erlangten Weltruhm.

Bert Brecht

Bert Brecht
»Was sind das für Zeiten, wo ein Gespräch über Bäume fast ein Verbrechen ist, weil es ein Schweigen über so viele Untaten einschließt«.

Bert Brecht

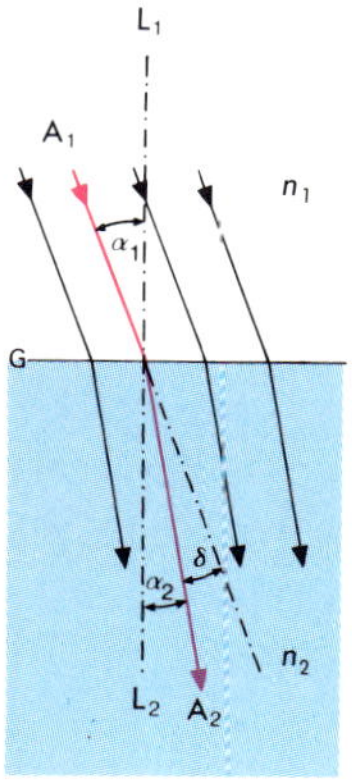

Brechung 1) an einer Grenzfläche G zwischen zwei Medien, für deren Brechzahlen $n_2 > n_1$ gilt; L_1, L_2 Einfal slot; A_1 einfallender, A_2 gebrochener Strahl; α_1 Einfallswinkel, α_2 Brechungsw nkel, δ Abweichung von der geradlinigen Ausbreitung

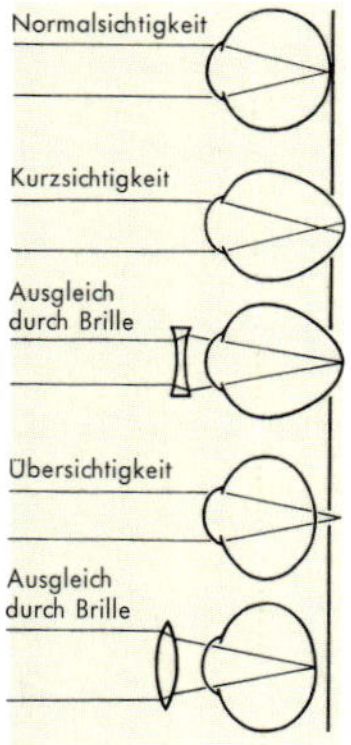

Brechungsfehler des Auges

🕮 MITTENZWEI, W.: *Das Leben des B. B. oder der Umgang mit den Welträtseln, 2 Bde. Berlin u. a.* [4]*1989.* – *B.s Theorie des Theaters, hg. v.* W. HECHT. *Frankfurt am Main* [2]*1992.* – HEINZE, H.: *B.s Ästhetik des Gestischen. Versuch einer Rekonstruktion. Heidelberg 1992.* – KESTING, M.: *B. B. Reinbek 360.–363. Tsd. 1995.* – HERRMANN, H.-CHR. VON: *Sang der Maschinen. B.s Medienästhetik. München 1996.* – KLOTZ, V.: *B. B. Versuch über das Werk. Würzburg* [6]*1996.* – KNOPF, J.: *B.-Handbuch, 2 Bde. Neuausg. München 1996.* – MAYER, HANS: *B. Frankfurt am Main 1996.* – REICH-RANICKI, M.: *Ungeheuer oben. Über B. B. Berlin 1996.* – SCALLA, M.: *B. u. die intellektuelle Kritik in Dtl. Berlin u. a. 1996.*

brechtsches Gesetz, →Brecht, Arnold.

Brechung, 1) *Physik:* (Refraktion) allg. jede Änderung der Ausbreitungsrichtung von Wellen beim Übergang aus einem Medium 1 in ein Medium 2, in denen sie versch. Ausbreitungsgeschwindigkeiten c_1 und c_2 haben. Die B. ist eines der zentralen Phänomene der Optik. Der Winkel zw. einfallendem Strahl (Wellennormale) und Einfallslot heißt **Einfallswinkel** α_1, der Winkel zw. gebrochenem Strahl und Einfallslot **B.-Winkel** α_2. Einfallender Strahl, Einfallslot und gebrochener Strahl liegen in einer Ebene (Einfallsebene). An der Grenzfläche zw. isotropen Stoffen gilt das **snelliussche B.-Gesetz:** $\sin \alpha_1 / \sin \alpha_2 = c_1/c_2 = n_2/n_1$. Beim Übergang von einem optisch dünneren Medium (Medium mit niedrigerer **Brechzahl** n) in ein optisch dichteres ($n_1 < n_2$) tritt eine B. zum Einfallslot hin auf. In anisotropen Stoffen findet man →Doppelbrechung. – Wellen versch. Wellenlänge werden versch. stark gebrochen (Dispersion); hierauf beruht z. B. die Zerlegung weißen Lichts in seine Bestandteile bei der B. durch ein Glasprisma. Die B. ist nicht nur ein grundlegendes Phänomen der Optik, sondern auch an allen anderen elektromagnet. Wellen sowie an Schall- und Materiewellen zu beobachten.

2) *Sprachwissenschaft:* von J. Grimm geprägte Bez. für unterschiedl. Formen des Lautwandels von Vokalen vor bestimmten Konsonanten, z. B. werden im Gotischen i und u vor r, h oder hv zu aí [ɛ] und aú [ɔ], z. B. gotisch »waírpan« (»werfen«).

Brechungsfehler des Auges (Refraktionsanomalie), meist mit opt. Hilfsmitteln (→Brille) korrigierbarer Augenfehler, der zu **Fehlsichtigkeit (Ametropie)** führt, hervorgerufen durch fehlerhaften Bau, Veränderungen oder Schädigungen der brechenden Medien des Auges (Hornhaut, vordere Augenkammer, Linse) bei normaler Augenachse (-länge). Hauptformen sind die brechungsbedingte →Kurzsichtigkeit und →Übersichtigkeit sowie der →Astigmatismus und die →Alterssichtigkeit.

Brechweinstein, Antimonpräparat, heute als Beizmittel in Textil- und Lederind. verwendet.

Brechwert (Brechkraft), Maß zur Angabe der strahlenbrechenden Wirkung opt. Systeme. Der B., Formelzeichen D, wird durch den Kehrwert der Brennweite f (bei einer Brechzahl $n = 1$ des umgebenden Mediums) angegeben: $D = 1/f$. Bei Sammellinsen ist er positiv, bei Zerstreuungslinsen negativ. Gesetzliche Einheit ist die →Dioptrie.

Brechwurzel (Ipekakuanha-Wurzel), die Wurzel des brasilian. Rötegewächses Cephaelis ipecacuanha, enthält die Alkaloide Emetin und Cephaelin und wird medizinisch zur Schleimlösung verwendet, in hoher Dosierung Brechreiz fördernd.

Brechzahl (Brechungsindex, Brechungskoeffizient), Materialkonstante für die Ausbreitung des Lichts u. a. elektromagnet. Wellen in einem Medium (→Brechung). Die **absolute B.** ist das Verhältnis der Lichtgeschwindigkeit im Vakuum zu der im Medium: $n = c_0/c$.

Břeclav ['brʒɛtslaf] (dt. Lundenburg), Stadt im Südmähr. Gebiet, Tschech. Rep., an der Thaya, 25 800 Ew.; keram. Ind., Maschinenbau; Bahnknotenpunkt, Grenzübergang nach Österreich; Renaissanceschloss. – Seit 1873 Stadt.

Breda, Stadt in der Prov. Nordbrabant, Niederlande, an der Mark und der Aa, 126 700 Ew.; Flusshafen; kath. Bischofssitz; Militärakademie, Völkerkundemuseum, Nahrungsmittel-, elektrotechn., Textilind., Maschinenbau. – Liebfrauenkirche (13. Jh.; brabant. Gotik); Rathaus (1766–68), Schloss (15.–17. Jh.). – B. entstand im 12. Jh. (1252 Stadtrecht), kam 1404 an das Haus Nassau. 1590 wurde B. durch Moritz von Oranien, 1625 von den Spaniern (Gemälde von Velázquez), 1637 wieder von den Oraniern erobert. Im **Frieden von B.** 1667 überließen die Holländer die nordamerikan. Kolonie Neu-Belgien mit Neu-Amsterdam (New York) den Engländern.

Bredel, Willi, Schriftsteller, *Hamburg 2. 5. 1901, †Berlin (Ost) 27. 10. 1964; schilderte in seinen Werken das Arbeiterleben und die revolutionären Bewegungen; Romantrilogie »Verwandte und Bekannte«: »Die Väter« (1943), »Die Söhne« (1949), »Die Enkel« (1953).

Bredow [-do], Hans, Ingenieur, *Schlawe in Pommern (heute Sławno, Wwschaft Słupsk) 26. 11. 1879, †Wiesbaden 9. 1. 1959; baute 1908 den dt. Schiffs- und Überseefunkdienst auf, errichtete ab 1919 ein Reichsfunknetz; seit 1921 der Organisator und »Vater des dt. Rundfunks«; erhielt 1933 Tätigkeitsverbot.

Breeches ['britʃɪz, engl.] *Pl.,* im Oberteil sehr weit, unten eng gearbeitete Reit- und Sporthose.

Breg *die,* rechter Quellfluss der Donau.

Bregaglia, Val [-'gaʎa], italien. Name des →Bergell.

Bregenz, Hptst. des österr. Bundeslandes Vorarlberg, am O-Ufer des Bodensees, 398 m ü. M., am Fuß des bewaldeten Pfänders (1064 m; Seilbahn; 6,7 km langer Tunnel der Rheintalautobahn). 27 100 Ew.; Bundesdenkmalamt, Handelsakademie, Theater im ehem. Kornmarkthaus, Festspielhaus mit Kongresszentrum, Seebühne im Bodensee **(Bregenzer Festspiele);** Fremdenverkehr; Textil-, elektrotechn., Nahrungsmittel-, chem., Maschinen- und Metallwarenind. – Über der Neustadt (Hafen, Industriegelände, Grünanlagen) erhebt sich die Oberstadt mit Pfarrkirche (1480, 1738), Martinskapelle (um 1362), Martinsturm (Kapelle mit Fresken aus dem 14./15. Jh.; Militärhistor. Museum), Rest der ehem. Stadtburg. – B., in keltisch-röm. Zeit **Brigantium** (zerstört um 260), war Besitz der Grafen von B., dann der von Montfort; 1451 und 1523 wurde B. durch Kauf habsburgisch; seit 1726 Hauptsitz der österr. Verw. in Vorarlberg, seit 1919 Landeshauptstadt.

Bregenz Stadtwappen

Bregenzerwald (Bregenzer Wald), Bergland im nördl. Vorarlberg, Österreich, reicht bis ins Allgäu, von der Bregenzer Ache zum Bodensee entwässert. Höchste Gipfel sind Braunarlspitze (2 649 m) und Hoher Ifen (2 232 m); hat v. a. Milchviehzucht und Fremdenverkehr.

Brehm, 1) Alfred Edmund, Zoologe, *Renthendorf (Saale-Holzland-Kreis) 2. 2. 1829, †ebd. 11. 11. 1884; bereiste Afrika, Spanien, Skandinavien und Sibirien; 1863–66 Direktor des zoolog. Gartens in Hamburg, gründete 1869 das Berliner Aquarium, das er bis 1874 leitete. B. schrieb Reisebücher und »Tierleben« (6 Bde., 1864–69).

2) Bruno, Schriftsteller, *Laibach (heute Ljubljana) 23. 7. 1892, †Altaussee 5. 6. 1974; Anhänger des Nationalsozialismus; stellte in seiner Romantrilogie »Apis und Este«, »Das war das Ende«, »Weder Kaiser noch König« (1931–33, 1951 u. d. T. »Die Throne stürzen«) den Untergang des alten Österreich dar; ferner: »Das zwölfjährige Reich« (Trilogie 1960–61).

📖 SCHATTNER, G.: *Der Traum vom Reich in der Mitte. B. B. Frankfurt am Main 1996.*

Brehmer, KP (Klaus Peter), Künstler, *Berlin 12. 9. 1938; lehrt seit 1971 an der Hochschule für bildende Künste in Hamburg; entwickelte Visualisierungskonzepte für polit. Zustände unter Einbeziehung von Schautafeln, statist. Tabellen und Diagrammen.

Breisach am Rhein, Stadt im Landkreis Breisgau-Hochschwarzwald, Bad.-Württ., auf Ausläufern des Kaiserstuhls an einem (früher wichtigen) Rheinübergang, 11 900 Ew.; Weinbau, Zentralkellerei der Bad. Winzergenossenschaften; elektrotechn. Ind., Tapetenfabrik. – Im Stephansmünster (13.–15. Jh.) Reste der Wandmalerei des Jüngsten Gerichts von M. Schongauer (1488–91), spätgot. Schnitzaltar des Meisters H. L. und Lettner (1496). – B. war eine keltisch-röm. Festung **(Mons Brisiacus).** Es wurde 1275 Reichsstadt. Als wichtige Festung wurde B. mehrmals belagert, 1648–97 und 1703–14 war es in frz. Hand. 1805 kam B. a. R. an Baden; schwere Zerstörungen im 2. Weltkrieg. BILD S. 270

Breisgau, Landschaft am Oberrhein, Bad.-Württ., zw. dem Schwarzwaldrand im O, dem Markgräfler Land im S und der Ortenau im N, im Umkreis von Freiburg im Breisgau. – Das Grafenamt im B., seit dem 10. Jh. in der Hand der Zähringer, fiel in der 2. Hälfte des 11. Jh. an deren markgräflich-bad. Linie, 1190 an die Linie Hachberg. Durch Erwerb der Landgrafschaft im B. und von Freiburg (1368) kam der B. größtenteils an Habsburg; 1805 teilweise, 1810 ganz an Baden.

📖 *Der B. Zeugnisse aus seiner Gesch., hg. v.* W. HUG *u. a. Frankfurt am Main 1991.* – SPIEGELHALTER, E. *u.* PHILIPP, D.: *B. Freiburg im Breisgau 1995.*

Hans Bredow

Breisgau-Hochschwarzwald, Landkreis im RegBez. Freiburg, Bad.-Württ., 1 378 km², 230 800 Ew.; Verw.sitz ist Freiburg im Breisgau.

Breisig, Bad, Stadt in Rheinl.-Pf., →Bad Breisig.

Breit, Ernst, Gewerkschafter, *Rickelshof (heute Lohe-Rickelshof, Landkr. Dithmarschen) 20. 8. 1924; seit 1957 Mitgl. der SPD; 1971–82 Vorsitzender der Dt. Postgewerkschaft, 1982–90 des DGB.

Alfred Brehm

Breitbach, Joseph, Schriftsteller, *Koblenz 20. 9. 1903, †München 9. 5. 1980; lebte seit 1929 in Frankreich; schrieb Romane (»Bericht über Bruno«, 1962), Komödien und Essays.

Breitbandantibiotika (Breitspektrumantibiotika), die →Antibiotika.

Bregenz: Festspielhaus und Seebühne

Breitbandkabel, spezielles Kabel zur Übertragung von Nachrichten großer Übertragungsbandbreite.

Breisach am Rhein: Das über der Stadt gelegene Münster Sankt Stephan (13.–15. Jh.) wurde nach 1945 wieder errichtet.

Breitbandkommunikation, Abk. **BBK,** Sammelbegriff für Formen der →Telekommunikation, die zur Übertragung von Informationen und Daten breite Frequenzbänder (mehrere MHz) benötigen. Beispiele sind Bewegtbildübertragung und Breitbanddialog (z.B. Fernsehrundfunk, Kabelfernsehen, Bildtelefon und Videokonferenz), schnelle Datenübertragung und Fernbeobachtung (zur Verkehrslenkung oder Verbrechensbekämpfung). Voraussetzung für die Verwirklichung von B. sind v.a. neue Übertragungsmedien (z.B. →Lichtleiter) und Frequenzen über 2 GHz.

Rudolf Breitscheid

Breitbandstraße (Breitbandwalzwerk), →Walzwerk zur Herstellung von Blech (Stahlband) mit 600 bis 2300 mm Breite.

Breite, 1) *Astronomie:* als **ekliptikale B.** Winkelabstand eines Gestirns von der Ekliptik, als **galakt. B.** vom galakt. Äquator (→astronomische Koordinaten).

2) *Geographie, Geophysik:* Die **geograph. B.** eines Ortes der Erde ist der Winkel, den die Flächennormale des Ortes mit der Äquatorebene einschließt; sie ist gleich der Polhöhe. Die B. wächst vom Äquator zu den Polen von 0 bis 90° **nördl. B.** (n. Br.) auf der Nordhalbkugel und **südl. B.** (s. Br.) auf der Südhalbkugel. Orte gleicher B. liegen auf dem dem Äquator parallelen **Breitenkreis.** Durch die Angabe seiner geograph. Länge und B. ist die Lage eines Ortes auf der Erdoberfläche bestimmt. **Breitengrad,** Zone der Erdoberfläche zw. zwei um 1° auseinander liegenden Breitenkreisen.

Breiteneffekt, das Anwachsen der Intensität der →kosmischen Strahlung mit wachsender geomagnet. Breite.

Breitenfeld, seit 1913 Ortsteil von Lindenthal bei Leipzig. Hier siegte im Dreißigjährigen Krieg König Gustav II. Adolf von Schweden am 17. 9. 1631 entscheidend über Tilly, am 2. 11. 1642 der schwed. Feldherr T. Torstenson über Piccolomini.

Breitenschwankung, *Geophysik:* →Polhöhenschwankung.

Breitensport (Freizeitsport), nicht auf Höchstleistungen abzielende, freiwillige körperl. Ertüchtigung und Freizeitgestaltung, bes. Volkssportveranstaltungen.

Breithorn, schweizer. Alpengipfel:

1) **Zermatter B.,** in den Walliser Alpen, 4164 m ü. M.

2) **Lauterbrunner B.,** südlich des Lauterbrunnentals (Berner Oberland), 3780 m ü. M.

3) **Lötschentaler B.,** südwestlich vom Aletschhorn, 3785 m ü. M.

4) **B.** am Simplonpass, 3366 m ü. M.

Breitinger, Johann Jakob, schweizer. Gelehrter und Schriftsteller, *Zürich 1. 3. 1701, †ebd. 14. 12. 1776; Prof. der hebr. und grch. Sprache am Gymnasium in Zürich. Zusammen mit J. J. Bodmer hat B. die Entwicklung der dt. Dichtung beeinflusst und durch seine »Critische Dichtkunst« (2 Bde., 1740) zur Ablösung der auf der klass. Dichtung Frankreichs fußenden Richtung J. C. Gottscheds beigetragen.

Breitkopf & Härtel, Musikverlag, gegr. 1719 in Leipzig von Bernhard Christoph Breitkopf (*1695, †1777). Sein Sohn Johann Gottlob Immanuel Breitkopf (*1719, †1794) war einer der bedeutendsten Drucker und Verleger seiner Zeit. Teilhaber wurde 1795 Gottfried Christoph Härtel (*1763, †1827). 1943 in Leipzig ausgebombt, seit 1947 in Wiesbaden; daneben bestand in Leipzig seit 1952 der VEB B. & H. Musik Verlag, 1991 reprivatisiert; 1992 wurde B. & H. Eigentümer des Dt. Verlags für Musik, Leipzig.

Breitnasenaffen, die Neuweltaffen (→Affen).

Breitscheid, Rudolf, Politiker (SPD; zeitweilig USPD), *Köln 2. 11. 1874, †KZ Buchenwald 24. 8. 1944; Volkswirtschaftler, urspr. Linksliberaler, 1920–33 Abg. im Reichstag, trat dort als außenpolit. Sprecher der SPD hervor. 1933 emigrierte er nach Frankreich; 1940 von dort nach Dtl. ausgeliefert.

Breitschwanz, Pelzart, →Persianer.

Breitseite, die Seite des Schiffes in seiner ganzen Länge; beim Kriegsschiff auch das gleichzeitige Abfeuern aller Geschütze nach einer Seite.

Breitwandverfahren (Breitbildverfahren), Wiedergabe von Filmbildern mit einem Seitenverhältnis von mehr als 1:1,375. Die Verbreiterung der horizontalen Bildfläche entspricht dem beidäugigen Sehen besser, der Betrachter fühlt sich in das Geschehen hineingezogen.

Breker, Arno, Bildhauer, *Elberfeld (heute zu Wuppertal) 19. 7. 1900, †Düsseldorf 13. 2. 1991; 1938–45 Prof. der Staatl. Hochschule für bildende

Künste Berlin; entwarf für die Repräsentationsbauten des Nationalsozialismus heroisierende Monumentalskulpturen; zahlreiche Porträtbüsten (Bronze).

Brekzi|e (Breccie) [italien.] *die, Geologie:* durch Bindemittel verfestigter Schutt aus eckigen Gesteins- und Mineraltrümmern. Man unterscheidet sedimentär gebildete, durch tekton. Bewegungen entstandene **(Reibungs-B.),** Knochen- (→Bonebed), vulkan. und Einsturzbrekzie.

Brel, Jacques, frz. Chansonsänger belg. Herkunft, * Brüssel 8. 4. 1929, † Bobigny 8. 10. 1978; textete und komponierte die meisten seiner aggressiv gesellschaftskrit. und z. T. satir. Lieder selbst; auch Filmschauspieler.

Bremen, 1) (Freie Hansestadt B.) das kleinste Bundesland Deutschlands, 404 km^2, (1995) 682 100 Ew. (davon rd. 82 % evang., rd. 10 % kath.). Regierungssitz: Bremen. Das Land besteht aus den Städten B. und Bremerhaven, die durch niedersächs. Gebiet voneinander getrennt sind.

Verfassung: Nach der Verf. vom 21. 10. 1947 liegt die Legislative bei der Bürgerschaft (100 auf vier Jahre gewählte Abg.); sie wählt die Reg. und den Senat. Der Präs. des Senats ist zugleich Erster Bürgermeister der Stadtgemeinde Bremen. – *Geschichte* →Bremen 2).

📖 SCHWARZWÄLDER, H.: *Bremer Geschichte. Bremen 1993.*

2) Stadt zu beiden Seiten der unteren Weser, Sitz der Regierung von 1), 551 000 Ew.; nach Hamburg die wichtigste dt. Seehafenstadt, obwohl die offene See 113 km entfernt ist. B. ist Sitz der höchsten Gerichte des Landes sowie zahlreicher Bundes- und Landesbehörden wie Bundesverwaltungsamt (Amt für Auswanderung), Bundesamt für Schiffsvermessung. Die Bremischen Häfen umfassen den Hafen von B. und die Überseehäfen von Bremerhaven. B. ist Sitz einiger Reedereien und einer Wertpapierbörse. Handel bes. mit Baumwolle, Tabak, Kaffee und Tee. Nahrungs- und Genussmittelind.; elektrotechn., chem. und Erdöl verarbeitende Ind.; Maschinen-, Straßen-, Luft- und Raumfahrzeugbau, Eisen schaffende Industrie. – Im 2. Weltkrieg wurden zahlreiche bed. Bauten zerstört. Erhalten oder wiederhergestellt sind u. a. die got. Liebfrauen-, Martini- und Stephanikirche, die Böttcherstraße, das Schnoorviertel sowie die alten Bauten am Marktplatz, der Dom (11. Jh.), der Schütting, ein altes Gildehaus (1537–94), das Rathaus (1405–10) mit Renaissancefassade (1608–12) und die Rolandsäule (1404). – Mehrere Theater, Bibliotheken, Staatsarchiv, Kunsthalle, Überseemuseum, Focke-Museum (Landesmuseum für Kunst- und Kulturgeschichte), Roseliushaus, botan. Garten, Aquarium; Univ., Hochschule Bremen mit acht Fachbereichen, Hochschule für gestaltende Kunst und Musik, Verw.hochschule, Seefahrtsschule, Max-Planck-Inst. für mikrobielle Ökologie; Radio Bremen (Rundfunk- und Fernsehanstalt); Spielbank.

Bremen

Viel Bürgerstolz spricht aus zwei öffentlichen Inschriften vom Markt in Bremen, dem zentralen Platz der alten Handelsstadt. Die aus dem Jahr 1512 stammende Inschrift auf dem damals ergänzten Wappenschild des steinernen Roland beginnt mit den Worten: ›Vryheit do ik ju openbar‹. Die Bremer Bürger stellten 1404 die steinerne Rolandssäule als Symbol der Freiheit und Unabhängigkeit auf. Die Rolandsfigur blickt zum Dom: 1366 hatte der Erzbischof seinen hölzernen Vorgänger verbrannt, jetzt musste er eine steinerne Figur akzeptieren. Jahrhunderte später, um 1895, schrieb die in Übersee wie zu Hause aktive Bremer Kaufmannschaft über das neue Prunkportal des alten Schütting, wo sie seit 1849 ihre Handelskammer eingerichtet hatte, den Wahlspruch: ›Buten un Binnen, Wagen und Winnen‹.

B. wurde 787 Bischofssitz, 845 anstelle Hamburgs Sitz eines Erzbischofs; es war Ausgangspunkt der christl. Mission für Nordeuropa. Die Stadt blühte bes. unter Erzbischof Adalbert (1043–72) auf, erlangte 1186 städt. Privilegien und im 13. Jh. die Unabhängigkeit von der geistl. Herrschaft und trat 1358 der Hanse bei. Seit 1522 war sie evangelisch (lutherisch, seit Anfang des 17. Jh. reformiert). 1646 wurde B. Reichsstadt. Nach seiner Mediatisierung nannte sich B. 1806 »Freie Hansestadt B.«. 1810–13 Hptst. des zum frz. Kaiserreich gehörenden Dép. Wesermündungen. 1815–66 war B. Mitgl. des Dt. Bundes. Die Gründung Bremerhavens (1827) sicherte die Seehafenstellung der Stadt. 1871 wurde B. Bundesstaat des Dt. Reichs, 1888 auch Mitgl. des Dt. Zollvereins. 1920 gab sich B. eine demokrat. Verf.; 1933–45 unterstand es mit dem Land Oldenburg einem NS-Reichsstatthalter. 1945–49 gehörte die Stadt zus. mit Bremerhaven als »Enklave Bremen« zur amerikan. Besatzungszone. 1947 errichtete die US-Militärverwaltung das Land Bremen, das 1949 Bundesland der Bun-

Bremen 1)
Landeswappen, Mittleres Wappen

Bürgerschaftswahlen in Bremen (1987–1995)[1]

Parteien	13.9.1987	29.9.1991	12.5.1995
SPD	54; 50,5 %	41; 38,8 %	37; 33,4 %
CDU	25; 23,4 %	32; 30,7 %	37; 32,6 %
Die Grünen[2]	10; 10,2 %	11; 11,4 %	14; 13,1 %
AfB[3]	–; –	–; –	12; 10,7 %
FDP	10; 10,0 %	10; 9,5 %	–; 3,4 %
Liste D/NPD	–; 3,4 %	–; –	–; –
Deutsche Volksunion	–; –	6; 6,2 %	–; 2,5 %
Republikaner	–; 1,2 %	–; 1,5 %	–; 0,3 %
PDS	–; –	–; –	–; 2,4 %
Andere	–; 1,1 %	–; 1,9 %	–; 1,0 %

[1] Sitzverteilung und Stimmenanteil der Parteien (in %). – [2] 1995: Bündnis '90/Die Grünen. – [3] Arbeit für Bremen, gegr. 1995.

Bremen 2): Blick auf den mittelalterlichen Dom Sankt Petri aus dem 11. Jh., links dahinter erkennt man das ursprünglich Anfang des 15. Jh. erbaute Rathaus, das 1608–10 im Stil der Weserrenaissance umgebaut wurde, rechts davon die Pfarrkirche Unserer Lieben Frauen aus dem frühen 13. Jahrhundert

desrep. Dtl. wurde. Führende Partei in der Bremer Bürgerschaft (Landesparlament) war stets die SPD; 1971–91 regierte sie ohne Koalitionspartner; sie stellte auch alle Senats-Präs. und Bürgermeister (1945–65 W. Kaisen, 1965–67 W. Dehnkamp, 1967–85 H. Koschnick, 1985–95 K. Wedemeier, seit 1995 H. Scherf).

Bremerhaven Stadtwappen

📖 SCHWARZWÄLDER, H.: *Gesch. der Freien Hansestadt B., 5 Bde. Neuausg. Bremen 1995.*

Bremer Beiträge, Wochenschrift »Neue Beiträge zum Vergnügen des Verstandes und Witzes« (Bremen 1744–48); hg. von K. C. Gärtner, ab 1747 N. D. Giseke; Mitarbeiter waren u. a. J. E. Schlegel, W. Rabener und J. A. Cramer **(Bremer Beiträger),** nachdem diese sich von den im Sinne J. C. Gottscheds geleiteten »Belustigungen des Verstandes und Witzes« (Leipzig 1741 ff.) losgesagt hatten.

Bremerhaven: Deutsches Schifffahrtsmuseum, im Hintergrund der Handelshafen

Bremerhaven, Stadt am rechten Ufer der unteren Weser (Außenweser), bildet zusammen mit Bremen das Bundesland Freie Hansestadt Bremen, 65 km nördlich von Bremen, 131 200 Ew. B. ist eine vielseitige Hafen- und Ind.stadt mit Fischereihafen, Containerhafen und dem »Columbusbahnhof« mit modernen Fahrgastanlagen; Reedereien; bed. Fischind., Fischgroßhandel; Schiffbau und weitere, v. a. hafenorientierte Ind.; Wasser- und Schifffahrtsamt, See- und Strandamt, Seemannsamt, Hauptzollamt; Hochschule Bremerhaven mit fünf Fachbereichen, Inst. für Meeresforschung, Alfred-Wegener-Institut für Polar- und Meeresforschung, Nordseeaquarium, Dt. Schifffahrtsmuseum, Morgensternmuseum, Kunsthalle. – 1827 veranlasste der Bremer Bürgermeister J. Smidt (*1773, †1857) den Erwerb hannoverschen Landes an der Außenweser zur Gründung eines Hafens für tief gehende Schiffe (eröffnet 1830); seit 1851 Stadt, wurde 1857 Haupthafen des Norddt. Lloyd; 1939 der 1924 gebildeten Stadt Wesermünde angegliedert (außer dem Gebiet der stadtbrem. Häfen); kam 1947 an das Land Bremen.

Bremervörde, Stadt im Landkreis Rotenburg (Wümme), Ndsachs., an der Oste, 19 000 Ew.; Kunststoff verarbeitende und Möbelindustrie. – Wurde 1219 Residenz der Bremer Erzbischöfe.

Bremond [brəˈmɔ̃], Henri, frz. Schriftsteller und Literarhistoriker, *Aix-en-Provence 31. 7. 1865, †Arthez d'Asson (Dép. Pyrénées-Atlantiques) 17. 8. 1933; Jesuit, dann Weltgeistlicher; Verfasser einer »Histoire littéraire du sentiment religieux en France ...« (11 Bde., 1916–33, unvollendet; Registerbd. 1962) und religionsgeschichtl. und literar. Essays.

Bremse [von mnd. pramen »drücken«], Vorrichtung zur Verzögerung von bewegten Körpern bis zur Ruhe, zur Sicherung dieses Zustandes sowie zur Kontrolle der Geschwindigkeit bewegter Körper. B. wirken entweder mithilfe der inneren Reibung einer Flüssigkeit **(Flüssigkeits-B., Stoßdämpfer),** mithilfe des elektr. Stromes **(Wirbelstrom-B., Kurzschluss-B.** oder **Elektromotor-B.,** z. T. mit →Nutzbremsung, **Gegenstrom-B.)** oder mechanisch durch Reibung **(Backen-B., Trommel-B., Lamellen-B.** oder **Scheiben-B., Fliehkraft-B.).** Die v. a. bei Eisenbahn, als Zusatz-B. bei Straßenbahn, Lkw, Omnibussen angewendeten **Druckluft-B.** sind konstruktiv durch Druckluft betätigte Backenbremse. **Hydraul. B.** verwenden Drucköl anstelle von Druckluft. Kraftfahrzeuge müssen mit einer **Zweikreis-B.** zur Erhöhung der Sicherheit ausgerüstet sein. Zusätzlich sind sie oft mit →ABS und/oder Bremskraftverstärker ausgerüstet. Bei der **Motor-B.** wird der Schleppwiderstand des Verbrennungsmotors meist durch Drosselung des Auspuffs, seltener durch

Veränderung der Steuerzeiten mit verschiebbarer Nockenwelle erhöht. B. am Flugzeugfahrwerk sind **Mehrscheibenbremsen** von bes. großer Wärmekapazität.

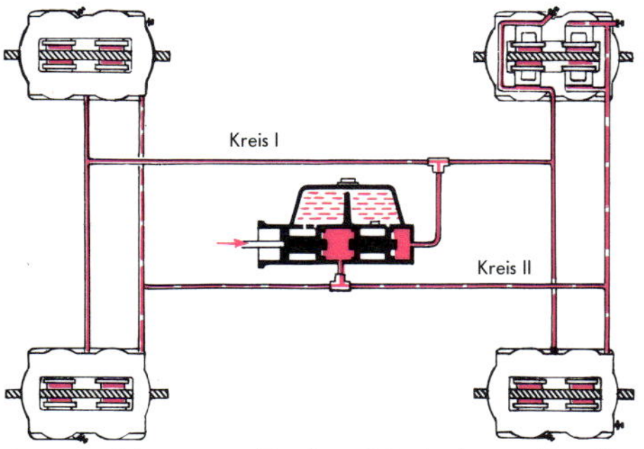

Bremse: Schema einer Zweikreis-Scheibenbremse beim Pkw

Bremsen (Viehfliegen, Tabanidae), Familie der Fliegen mit rd. 100 Arten in Mitteleuropa; Männchen leben von Pollen; Weibchen saugen Blut durch schmerzhaften Saugstich. Überträger von Krankheiten sind v.a. die Gemeine **Rinder-B.** (Tabanus bovinus) und die 25 mm lange **Pferde-B.** (Tabanus sudeticus), die größte mitteleurop. Fliegenart.

Bremsenlarvenkrankheit (Bremsenlarvenschwindel), Nasen- und Stirnhöhlenentzündung bei Schaf und Ziege, verursacht durch die Weibchen der Schafbremse (Nasendasselfliege, Oestrus ovis), die im Sommer ihre bereits geschlüpften Larven in die Nase dieser Tiere spritzen.

Bremsklappen (Luftbremsen), an Tragflügeln oder Rumpf eines Flugzeuges quer zur Anströmrichtung ausstellbare Klappen zur Verringerung der Geschwindigkeit (→Störklappen).

Bremskraftverstärker, *Kraftfahrzeugtechnik:* pneumatisch oder hydraulisch arbeitende Zusatzeinrichtung bei Scheibenbremsen (Fremdkraftbremsanlage) zur Verstärkung der Bremskraft. (→Servobremse)

Bremsleistung, von einer Kraftmaschine abgegebene nutzbare Leistung, die auf einem Prüfstand durch **Abbremsen** ermittelt wird. Auf der hydraul. oder elektr. Bremse wird das Drehmoment direkt gemessen, die Drehgeschwindigkeit mit zusätzl. Messgerät. Die B. ergibt sich aus dem Produkt von Drehmoment und Drehgeschwindigkeit oder Bremskraft mal Fahrgeschwindigkeit.

Bremsleuchten (Stopplicht), *Kraftfahrzeugtechnik:* paarweise am Heck angeordnete Leuchten, zeigen durch rotes, auch bei Tag deutlich aufleuchtendes Licht nach rückwärts die Betätigung der Betriebsbremse an.

Bremsschirm, Landehilfe für Flugzeuge zur Verkürzung der Landerollstrecke; meist im Heck untergebrachter auswerfbarer Bänderschirm zur Erzeugung eines großen Luftwiderstandes.

Bremsstrahlung, *Physik:* elektromagnetische Strahlung im Wellenlängengebiet der Gamma- und →Röntgenstrahlen, die beim Abbremsen schnell bewegter, geladener Teilchen, z.B. Elektronen, im Feld von Atomkernen entsteht; i.w.S. die bei jeder Geschwindigkeitsänderung, also auch bei der Richtungsänderung von geladenen Teilchen im Magnetfeld ausgesandte Strahlung **(magnet. B.),** z.B. die →Synchrotronstrahlung.

Bremstrommel, zylinderförmige Reibfläche einer Innenbackenbremse oder einer Bandbremse.

Bremsvermögen, *Physik:* Maß für die Eigenschaft eines Stoffes, Teilchenstrahlung zu verlangsamen.

Bremsweg, die von der Betätigung der Bremse bis zum Stillstand des Fahrzeugs zurückgelegte Entfernung. Der B. setzt sich zusammen aus dem während der Bremsenansprechzeit und der Bremsverzögerungszeit zurückgelegten Weg und hängt von Geschwindigkeit und Bremskraft ab. Der Anhalteweg ist um den Reaktionsweg länger, der in der Reaktionszeit vom Erkennen eines Hindernisses bis zum Betätigen des Bremspedals zurückgelegt wird. Der B. eines Kraftfahrzeugs beträgt, normale Straßenverhältnisse und Bereifung vorausgesetzt, bei 50 km/h etwa 30 m und nimmt bei höheren Geschwindigkeiten rasch zu (bei 100 km/h etwa 110 m). Bei der Eisenbahn gilt als größter zulässiger B. 1000 m bei Hauptbahnen, 700 m bei Nebenbahnen.

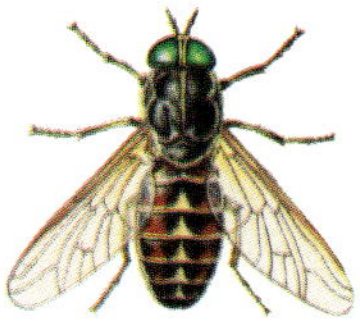
Bremsen: Gemeine Rinderbremse

Brẹndan (Brandan), irischer Abt und legendärer Seefahrer, *Tralee 484(?), †Annaghdown (Cty. Galway) 578 oder 583; Held des ir. Epos »Navigatio Brendani« (9. Jh., lat. 10. Jh.) über seine abenteuerl. Reise zum »gelobten Land der Heiligen«. Die wohl auf Seefahrergeschichten, kelt. Mythologie und christl. Heiligenlegenden basierende Sage **(Brandan[us]legende)** war bis ins 17. Jh. fast in ganz Europa in volkssprachl. Varianten verbreitet. Heiliger, Tag: 16. 5.

Brẹndel, 1) Alfred, österr. Pianist, *Wiesenberg (heute Loučná nad Desnou, Nordmähr. Gebiet) 5. 1. 1931; v.a. bekannt als Interpret der Klavierwerke von W. A. Mozart, L. van Beethoven, F. Schubert und F. Liszt.

2) Wolfgang, Sänger (Bariton), *München 20. 10. 1947; v.a. Mozart- und Verdi-Interpret.

brennbare Flüssigkeiten, Stoffe mit einem Flammpunkt (→Entzündung), die bei 35 °C weder fest noch salbenförmig sind und deren Dampfdruck bei 50 °C unter 0,3 MPa liegt.

Brennebene, durch den Brennpunkt senkrecht zur opt. Achse gelegte Ebene.

Brennelement (Brennstoffelement), das Bauteil eines Kernreaktors, das den Kernbrennstoff enthält. Ein B. ist meist aus vielen **Brennstäben** zusammengesetzt, die in eine dichte, formfeste

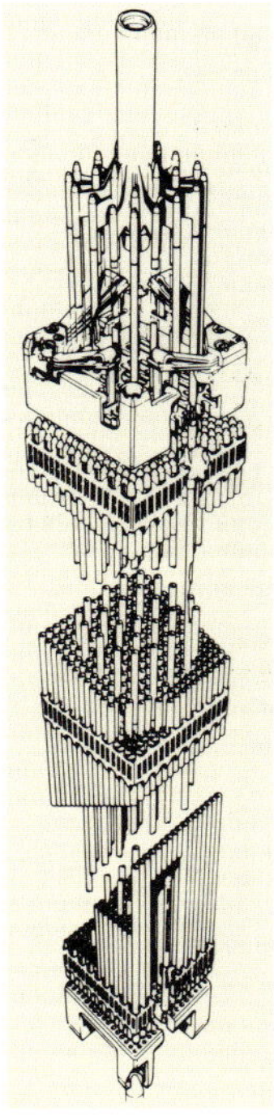
Brennelement: Brennstäbe eines Druckwasserreaktors

Brennstoffhülse oder in eine fest aufgebrachte **Brennstoffhülle** eingeschlossen sind.

Brennen, das Erhitzen von Formstücken aus keram. Masse im Brennofen. Dabei sintert der → Scherben und die Glasur schmilzt. Manche Gegenstände werden zunächst ohne Glasur vorgebrannt (Glüh- oder Verglühbrand) und danach mit Glasur glatt gebrannt (Glatt-, Glasur- oder Scharfbrand). Im abschließenden Dekor- oder Muffelbrand wird die Aufglasurdekoration aufgeschmolzen.

Brennende Liebe, → Lichtnelke.

Brenner, 1) *Botanik:* (Anthrakose) Bez. für mehrere durch Schmarotzerpilze verursachte Pflanzenkrankheiten mit versengt erscheinenden Flecken, bes. an den Blättern (Weinstock) **Roter** und **Schwarzer Brenner.**

2) *Feuerungstechnik:* Misch- und Zufuhreinrichtung für Brennstoff und Luft zum geregelten Verbrennen von Gas, Öl, Kohlenstaub. (→ Feuerung)

Brẹnner (italien. Brennero), Alpenpass (1371 m) in Tirol, südl. von Innsbruck im Wipptal, die Verkehrswege über den B. verbinden das Inntal im N (Österreich) mit dem Etschtal im S (Italien). Der B. ist der niedrigste Übergang über die Zentralalpen und mit der **B.-Straße,** der 1867 eröffneten **B.-Bahn** und der **B.-Autobahn** (Innsbruck–Modena 313 km; 1959–74 erbaut, mit der Europa-Brücke) die kürzeste Verbindung von München und Innsbruck nach Italien. Auf der Passhöhe liegt auf der N-Seite der kleine **B.-See** mit Grenzbahnhof, an der S-Seite **B.-Bad** (Thermalquellen). Seit 1919 verläuft über den B. die österr.-italien. Grenze, die S- und N-Tirol voneinander trennt. (ÜBERSICHT Alpenstraßen)

Otto Brenner

Brẹnner, Otto, Gewerkschafter, *Hannover 8. 11. 1907, †Frankfurt am Main 15. 4. 1972; nach 1945 Mitbegründer der Gewerkschaften und der SPD in Niedersachsen; 1952–72 Vors. der IG Metall, 1961–72 Präs. des Internat. Metallarbeiterbundes und 1971/72 des europ. Metallgewerkschaftsbundes; war ein engagierter Gegner der 1968 verabschiedeten Notstandsgesetze.

Brennerei, gewerbl. Betrieb zur Herstellung von Branntwein.

Brennfläche, *Optik:* die → Kaustik.

Brennfleckenkrankheit (Anthraknose), Pilzkrankheit, z. B. der Erbsen, Bohnen, Gurken, Kürbisgewächse.

Brennglas, volkstümliche Bez. für eine Sammellinse (bes. eine → Lupe), in deren Brennpunkt Sonnenlicht so hohe Temperaturen erzeugt, dass entzündbare Stoffe (z. B. Papier) in Brand geraten.

Brennhaare, 1) *Botanik:* die → Haare bei → Nesselgewächsen.

2) *Zoologie:* leicht ausfallende, z. T. mit Widerhaken versehene Drüsenhaare bei versch. Schmetterlingsraupen.

Brennkammer, Teil eines chem. Triebwerks, in dem Treibstoffe zu Arbeitsgas verbrannt werden (→ Raketentriebwerk).

Brennkraftmaschine, Kurzform für → Verbrennungskraftmaschine.

Brennnessel, Pflanze, → Nesselgewächse.

Brennofen, Industrieofen zum Brennen (Sintern) von Ziegeln und keramischen Waren; als Rund-, Ring-, Kanal- oder Tunnelofen gebaut.

Brennpunkt, 1) *Chemie:* svw. Flammpunkt (→ Entzündung).

2) *Mathematik:* ausgezeichneter Punkt eines → Kegelschnitts.

3) *Optik:* (Fokus) Punkt, in dem sich achsenparallele Lichtstrahlen nach der Brechung durch eine → Linse oder Reflexion an einem Hohlspiegel annähernd vereinigen. Seine Entfernung von der Hauptebene heißt **Brennweite;** ihre Größe ist vom Krümmungsradius und bei der Linse außerdem von deren Brechzahl abhängig. (→ Abbildung)

Brennraum, beim Verbrennungsmotor der Raum zw. Zylinderkopf und Kolbenoberfläche im oberen → Totpunkt. Unterteilte B. gibt es bei Dieselmotoren, neuerdings auch bei Ottomotoren (Schichtladung).

Brennrecht, → Branntweinmonopol.

Brennschlusspunkt, der Punkt der Raketenbahn, in dem die Rakete sich bei Beendigung der Treibstoffverbrennung befindet. Die **Brennschlussgeschwindigkeit** entspricht der maximalen Fluggeschwindigkeit oder Endgeschwindigkeit.

Brennschneiden, *Fertigungstechnik:* → Schneiden.

Brennspiegel, Sammel- oder Hohlspiegel, z. B. zur Konzentrierung der Sonnenstrahlung im → Brennpunkt.

Brennspiritus, → Spiritus.

Brennstoffaufbereitung, *Kerntechnik:* Verfahrensschritte von der Gewinnung der Erze (Uran, Thorium) über Extraktion, Anreicherung bis zur Gewinnung des Oxids. Die Rückgewinnung spaltbaren Materials aus abgebrannten Kernbrennstoffen wird als → Wiederaufarbeitung bezeichnet.

Brennstoff aus Müll, Abk. **BRAM,** fester Brennstoff mit hohem Heizwert, der aus brennbaren Bestandteilen von Abfallstoffen hergestellt wird und z. B. in Heizkraftwerken verbrannt werden kann.

Brennstoffe, natürliche (Kohle, Erdöl, Erdgas) oder veredelte (Brikett, Koks, Gas, Benzin, Heizöl) feste, flüssige oder gasförmige Stoffe, die überwiegend aus Kohlenstoff (C) und Wasserstoff (H) bestehen und der Erzeugung von Wärme durch Verbrennung dienen, i. w. S. auch durch Kernspaltung oder -fusion (→ Kernbrennstoffe).

Brennstoffkreislauf, kurz für →Kernbrennstoffkreislauf.

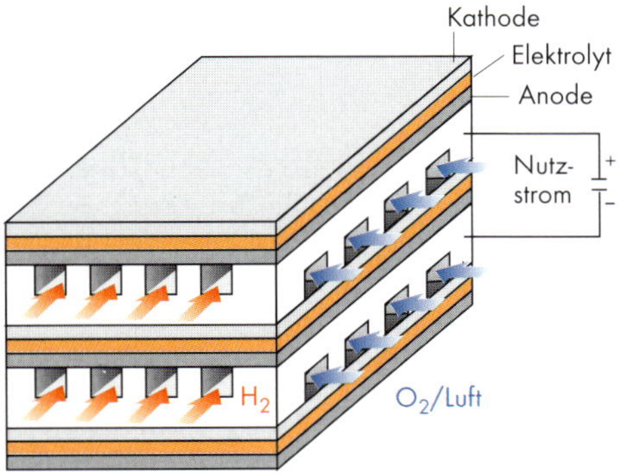

Brennstoffzelle: Der Zellenstapel einer Festelektrolyt-Brennstoffzelle, in dem der Wasserstoff durch längs verlaufende Kanäle an die Anode und der Luftsauerstoff durch quer verlaufende Kanäle an die Kathode geführt werden. Gleichzeitig leiten die kanaldurchzogenen Platten den elektrischen Strom ab

Brennstoffzelle (Brennstoffelement), Stromquelle, in der durch elektrochem. Oxidation (»kalte Verbrennung«) einer leicht oxidierbaren Substanz (z.B. Wasserstoff, Hydrazin, Methanol) mit einem Oxidationsmittel (z.B. Sauerstoff, Luft) chem. Energie direkt in elektr. Energie umgewandelt wird. Die Reaktionskomponenten werden kontinuierlich und getrennt den entsprechenden Elektroden, zw. denen sich ein Elektrolyt befindet, zugeführt. Bei den **Nieder-** und **Mitteltemperatur-B.** (0–150 °C und 150–250 °C) werden als Reaktionsstoffe Sauerstoff und Wasserstoff oder Methanol verwendet. In den **Hochtemperatur-B.** verwendet man bei 500 bis 1100 °C reaktionsfähige Kohlenwasserstoffe oder Stickstoff-Wasserstoff-Verbindungen (Ammoniak, Hydrazin) als Brennstoffe. – Vorteile der B. sind hoher Wirkungsgrad und Umweltfreundlichkeit. Neuere Entwicklungen sollen v.a. die Wirtschaftlichkeit verbessern. Im Labormaßstab werden Hochtemperatur-B. wie Schmelzkarbonat-B. (MCFC-B.; $CaCO_3$ als Elektrolyt, Betriebstemperatur ca. 650 °C) und Festelektrolyt-B. (SOFC-B; ZrO_2, ca. 950 °C) erprobt. Bisher konnten für MCFC-B. Leistungen in Höhe von einigen Hundert Kilowatt realisiert werden, für SOFC-B. im Kilowattbereich.

Brennweite, *Optik:* Abstand zw. Hauptebene und →Brennpunkt.

Brennwert, 1) *Energietechnik* und *physikal. Chemie:* (früher oberer Heizwert oder Verbrennungswärme), nach DIN der Quotient der aus der vollständigen Verbrennung einer bestimmten Masse eines flüssigen oder festen Brennstoffes frei werdenden Wärmemenge und der Masse dieser Brennstoffmenge.

2) *Physiologie:* (physiolog. B., biolog. B.) im Stoffwechsel eines Organismus beim Abbau von Proteinen, Kohlenhydraten und Fetten frei werdende Energie. Der B. beträgt für Proteine und Kohlenhydrate rd. 17 kJ/g (4,1 kcal/g), für Fette 40 kJ/g (9,3 kcal/g).

Brennwerttechnik, modernes Verfahrensprinzip der Heizungstechnik, bei dem der Wärmeinhalt des Wasserdampfes im Abgas zur Erhöhung des Wirkungsgrads eingesetzt wird. Das Abgas wird dabei durch das Heizungsrücklaufwasser bis unter den Taupunkt von etwa 57 °C gekühlt, sodass der Wasserdampf des Abgases kondensiert. Die bei der Kondensation frei werdende Energie wird über Wärmetauscher an den Heizkreislauf abgegeben.

Brẹnta *die,* Fluss in N-Italien, 174 km, entspringt südöstlich von Trient aus den Abflüssen von Caldonazzo- und Levicosee, erreicht in künstl. Bett südlich von Chioggia das Adriat. Meer. – Im 17. und 18. Jh. war der **Brentakanal** beliebter Reiseweg zw. Padua und Venedig.

Brẹntaalpen, Gruppe der südl. Kalkalpen in Italien, östlich der Adamellogruppe, in der Cima Tosa 3176 m ü. M.

Brentạno, 1) Bernard von, Schriftsteller, *Offenbach am Main 15. 10. 1901, †Wiesbaden 29. 12. 1964, Bruder von 5); schrieb v.a. sozialkrit. Romane, u.a. »Theodor Chindler« (1936) und Essays.

2) Bettina, →Arnim, Bettina von.

Clemens Brentano: Zeitgenössisches Gemälde der schweizerischen Malerin Emilie Linder

3) Clemens, Dichter, *Ehrenbreitstein (heute zu Koblenz) 9. 9. 1778, †Aschaffenburg 28. 7. 1842; Sohn eines italien. Kaufmanns und der Maximiliane La Roche, Bruder von Bettina von Arnim; ⚭ 1803 mit Sophie Mereau (*1770, †1806). B. ist neben Achim von Arnim ein Hauptvertreter der jüngeren Romantik. Er trat in Jena mit dem Kreis der Frühromantiker in Verbindung (»Godwi«, R., 1801). Mit Achim von Arnim gab er 1805–08 in Heidelberg die Volksliedersammlung »Des Knaben Wunderhorn« heraus, wurde 1809 in Berlin mit Arnim, F. Fouqué und H. von Kleist Mitgl. der »Christlich-Teutschen Tischgesellschaft«, lebte später auf dem Familiengut in Böhmen sowie in Wien, Berlin, Frankfurt am Main und München. Durch Luise Hensel wurde er 1817 zum kath. Glauben zurückgeführt. Nach dem Tod der stigmatisierten Nonne Anna Katharina Emmerick zeichnete er deren Visionen auf (u.a. in »Das bittere Leiden unseres Herrn Jesu Christi«, 1833). Als Lyriker steht B. mit seinen rhythm. und musikal. Versen ebenbürtig neben E. Mörike und J. von Eichendorff. Von gleicher Kunst sind seine Märchen und Erzählungen (»Geschichte vom braven Kasperl und dem schönen Annerl«, 1817; »Die mehreren Wehmüller und ungar. Nationalgesichter«, 1817; »Gockel, Hinkel und Gackeleia«, 1838); die größeren Werke blieben Fragment (»Romanzen vom Rosenkranz«, 1852). B. schrieb auch Dramen (»Ponce de Leon«, 1804; »Die Gründung Prags«, 1815); Fantasiereichtum zeigen auch seine Briefe.

📖 *C. B. 1778–1842. Zum 150. Todestag 1992, hg. v.* HARTWIG SCHULTZ. *Frankfurt am Main u. a. 1993.*

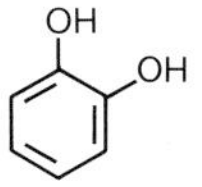

Brenzcatechin

4) Franz, Philosoph, *Marienberg (heute zu Osterspai, bei Boppard) 16. 1. 1838, †Zürich 17. 3. 1917, Bruder von 6), Neffe von 3); 1864 zum Priester geweiht; war nach seinem Kirchenaustritt 1874–95 Prof. für Philosophie in Wien. Grundwissenschaft in seiner Philosophie ist die Psychologie, die das Wesen des Bewusstseins in seiner Bezogenheit auf Objekte (Intentionalität) versteht. Er beeinflusste bes. die Phänomenologie (Lehrer E. Husserls) und die Gegenstandstheorie, mit seinen Untersuchungen zur Logik der Sprache auch die Entwicklung der analyt. Philosophie und ihre Sprachtheorie.

Brenztraubensäure

Werke: Psychologie vom empir. Standpunkt (1874); Vom Ursprung sittl. Erkenntnis (1889); Die Lehre vom richtigen Urteil (hg. 1956).

📖 MÜNCH, D.: *Intention u. Zeichen. Untersuchungen zu F. B. u. zu Edmund Husserls Frühwerk. Frankfurt am Main 1993.*

5) Heinrich von, Politiker, *Offenbach am Main 20. 6. 1904, †Darmstadt 14. 11. 1964, Bruder von 1); Rechtsanwalt, 1945 Mitgründer der CDU in Hessen, war 1949–55 und 1961–64 Vors. der CDU-CSU-Fraktion im Bundestag sowie 1955–61 Außenminister.

Lujo Brentano

6) Lujo, eigtl. Ludwig Josef B., Volkswirtschaftler, *Aschaffenburg 18. 12. 1844, †München 9. 9. 1931, Bruder von 4), Neffe von 3); Prof. u.a. in Wien, Leipzig und München, neben G. Schmoller und A. Wagner bedeutendster Vertreter der sozialpolit. Richtung der Nationalökonomie (→Kathedersozialismus), Mitbegründer des Vereins für Socialpolitik (1872); trat für Gewerkschaften und Freihandel ein.

Werke: Die Arbeitergilden der Gegenwart, 2 Bde. (1871–72), Eine Gesch. der wirtsch. Entwicklung Englands, 3 Bde. (1927–29).

Brenz *die,* linker Nebenfluss der Donau, 56 km lang, entspringt einer stark schüttenden Karstquelle im Albuch, Bad.-Württ., und mündet südwestlich von Lauingen (Donau).

Brenz, Johannes, schwäb. Reformator, *Weil der Stadt 24. 6. 1499, †Stuttgart 11. 9. 1570; wirkte seit 1522 als Prediger der Reformation in Württemberg; baute dort die Landeskirche auf.

Brenzcatechin *das* (1,2-Dihydroxybenzol), organ. Verbindung, Bestandteil natürl. Harze und Gerbstoffe, Basis für Farbstoffe, fotograf. Entwickler, Gerb- und Riechstoffe.

Brenztraubensäure (2-Oxopropionsäure), farblose Flüssigkeit, die beim Abbau von Kohlenhydraten im Körper und bei der Gärung auftritt. Ihre Salze und Ester sind die **Pyruvate**.

Brenztraubensäureschwachsinn, die →Phenylketonurie.

Brera *die* (Palazzo di B.), 1651 ff. nach den Plänen von F. M. Richini erbauter Palast in Mailand; ehem. Jesuitenkolleg; seit 1776 Sitz der Kunstakademie, Biblioteca Braidense (1763 gegr.) und der Pinacoteca di B. mit Meisterwerken der italien. Malerei.

Breschnew, Leonid Iljitsch, sowjet. Politiker, *Kamenskoje (heute Dnjeprodserschinsk) 19. 12. 1906, †Moskau 10. 11. 1982; ab 1952 Mitgl. des ZK der KPdSU und ab 1957 des Parteipräsidiums, war 1960–64 und erneut ab 1977 Vors. des Präsidiums des Obersten Sowjets (nominelles Staatsoberhaupt). 1964 beteiligte er sich führend am Sturz N. S. Chruschtschows und übernahm dessen Nachfolger als Erster (seit 1966 General-)Sekretär der KPdSU. 1976 erhielt er den Titel eines Marschalls der Sowjetunion. Unter seiner Führung wurde die →Entstalinisierung abgebrochen; es setzte nunmehr wieder eine verstärkte innenpolit. Reglementierung (u.a. Unterdrückung der entstehenden Bürgerrechtsbewegung) ein, eine Politik, die v.a. in den 80er-Jahren in eine Stagnation des gesellschaftl. Lebens mündete. Mit der militärischen Intervention von Staaten des Warschauer Pakts in der Tschechoslowakei (1968) unterband B. reformkommunist. Entwicklungen im Ostblock und sicherte die sowjet. Vormachtstellung (→Breschnew-Doktrin). Nach einer Phase der Entspannungspolitik (Moskauer Vertrag 1970, Berlinabkommen 1971, SALT 1972 und 1979, KSZE-Akte 1975) verschärfte der von ihm veranlasste Einmarsch sowjet. Truppen in Afghanistan (1979) wieder den Ost-West-Konflikt.

📖 DORNBERG J.: *B. Profil des Herrschers im Kreml. A. d. Amerikan. München 1973. – Die Sowjetunion im Übergang von B. zu Andropow. Beiträge v.* H. BRAHM *u. a. Berlin 1983.*

Breschnew-Doktrin, zur (nachträgl.) Rechtfertigung der militär. Intervention von Staaten des Warschauer Pakts in der Tschechoslowakei 1968 von L. I. Breschnew vertretene Doktrin einer »beschränkten Souveränität« und eines »beschränkten Selbstbestimmungsrechts« aller sozialist. Staaten. Nach dem Machtantritt M. S. Gorbatschows wurde die B.-D. 1985 aufgehoben.

Brescia ['brɛʃʃa], **1)** Provinz in der Lombardei, Italien, 4784 km², (1995) 1,06 Mio. Einwohner.

2) Hptst. von 1), am S-Fuß der **Brescianer Alpen,** 190700 Ew.; Museen, Gemäldegalerie, Biblioteca Queriniana; Metallerzeugung und -verarbeitung, Maschinen-, chem., Textilind., Fahrzeugbau. – Roman. Alter Dom (Rotonda) mit Krypta (8. Jh.), Neuer Dom (1604 ff.), Stadtpalast »Loggia« (1492–1574). – B., das keltisch-röm. **Brixia,** 452 von den Hunnen zerstört, wurde nach der Einnahme durch die Langobarden (596) Mittelpunkt eines langobard. Herzogtums; 1428–1797 gehörte es zu Venedig, 1815–59 mit der Lombardei zu Österreich, seit 1859 zum Königreich Sardinien-Piemont.

Bresgen, Cesar, österr. Komponist, *Florenz 16. 10. 1913, †Salzburg 7. 4. 1988; schrieb bes. Jugendmusik (Opern »Der Mann im Mond«, 1958; »Der Krabat«, 1981; u. a.).

Breslau (poln. Wrocław), **1)** Hptst. der poln. Wwschaft Wrocław in Schlesien, beiderseits der Oder, 642300 Ew.; B. ist kulturelles und wiss. Zentrum mit mehreren Hochschulen (u. a. Univ., TH, Wirtschaftsakademie), wiss. Instituten, Bibliotheken, Museen, Theatern, Zoo, Filmstudio, Verlagen. Hauptindustriezweige sind Maschinen- und Waggonbau, Werft, Metall-, elektrotechn., chem., Lebensmittelind.; wichtiger Verkehrsknotenpunkt mit Binnenhafen und Flughafen. – Die an Bauwerken der Gotik und des Barock einst reiche Stadt wurde im 2. Weltkrieg zu 60% zerstört. Die meisten bed. Bauten sind wiederhergestellt oder restauriert; auf der »Dominsel« im N liegen die Kathedrale St. Johannes der Täufer (13.–15. Jh.; roman. Krypta des Vorgängerbaus, got. Fresken, Renaissance- und Barockgrabmäler und -kapelle), der Bischofspalast (18. Jh.), die Heiligenkreuzkirche (um 1300), die spätroman. Ägidienkirche, westlich davon die Kirche Maria auf dem Sand (14. Jh.), südlich der Oder die Univ. (früher Jesuitenkolleg, 1728–42), daneben das von Lemberg nach B. verlegte Ossolineum, die drittgrößte Bibliothek Polens, in der Nähe die Vinzenzkirche (13. Jh.). Die Renaissance- und Barockfassaden der Häuser um den Ring sind in originaler Form wiederhergestellt. Im Rathaus (Ende 13. Jh./Anfang 16. Jh.) befindet sich ein stadtgeschichtl. Museum und ein Museum für Medaillenkunst. Südlich der Oder liegen auch die Kirchen St. Maria Magdalena (14. Jh.), St. Adalbert (13. Jh.), St. Christoph (13.–15. Jh.).

Breslau 1): Das im Wesentlichen Ende des 13. Jh. erbaute gotische Rathaus wurde im 19. Jh. umgebaut und in den 1950er-Jahren wieder aufgebaut

Um 900 wurde von Böhmen aus die Burg gegründet (1017 als Wortizlawa bezeugt). Anfang des 13. Jh. entstand am linken Oderufer eine dt. Stadt, die durch die Mongolen 1241 niedergebrannt, aber schnell wieder aufgebaut wurde, 1261 Magdeburger Stadtrecht erhielt und seit dem 14. Jh. der Hanse angehörte. 1335 kam B. mit Schlesien an Böhmen. 1523 führte die Stadt die Reformation ein; 1526 kam sie mit Böhmen an die Habsburger. Durch den **Breslauer Präliminarfrieden** vom 11. 6. 1742 fiel B. mit Schlesien an Preußen. B. war an der Erhebung gegen Napoleon I. beteiligt; hier erließ König Friedrich Wilhelm III. von Preußen den »Aufruf an mein Volk« (17. 3. 1813). Im 19. Jh. stieg die Einwohnerzahl durch das Wachstum der Ind. sprunghaft an (1811: 62000, 1890: rd. 400000 Ew.). 1945 kam B. unter poln. Verwaltung. Die Zugehörigkeit zu Polen wurde 1950 durch den Görlitzer Vertrag und 1990 durch den Deutsch-Poln. Grenzvertrag anerkannt.

📖 SCHEUERMANN, G.: *Das B.-Lexikon. 2 Bde. Dülmen 1994.*

Breslau 1)
Stadtwappen

Leonid Iljitsch Breschnew

Bretagne: Atlantikküste

2) Erzbistum, um 1000 als Suffraganbistum von Gnesen gegr., wurde erst 1821 von diesem gelöst und dem Papst unmittelbar unterstellt; der Bischof führte den Titel Fürstbischof. 1930 wurde er Erzbischof und Metropolit der neuen Kirchenprovinz B. (Bistümer Berlin und Ermland, Freie Prälatur Schneidemühl). 1945–72 wurde der in der DDR gelegene Teil des Erzbistums von dessen Kapitelsvikar (seit 1959 Titularbischof) mit dem Sitz in Görlitz verwaltet; in dem Polen unterstellten Teil amtierten poln. Titularbischöfe. 1972 wurde das Erzbistum B. auf den poln. Anteil beschränkt und ein poln. Erzbischof ernannt; zur jetzigen Kirchenprovinz B. gehören die neuen Bistümer Oppeln und Landsberg/Warthe. Das Erzbischöfl. Amt Görlitz wurde als Apostol. Administratur selbstständig und gehört jetzt als Bistum Görlitz zur Kirchenprovinz Berlin.

Bretagne Historisches Wappen

Bressanone, italien. Name von →Brixen.

Bresse [brɛs], Hügellandschaft am Rand des Jura, Frankreich, zentraler Ort: Bourg-en-Bresse; Maisanbau, Geflügelzuchtgebiet (bekannte Hühnerrasse). – Im 13. Jh. kam die B. an Savoyen, 1601 an Frankreich.

Bresson [brɛˈsɔ̃], Robert, frz. Filmregisseur, *Bromont-Lamothe (Dép. Puy-de-Dôme) 25. 9. 1907; drehte formstrenge Filme mit z. T. religiöser Thematik: »Tagebuch eines Landpfarrers« (1950), »Der Prozess der Jeanne d'Arc« (1962), »Zum Beispiel Balthasar« (1968), »Der Teufel möglicherweise« (1977), »Das Geld« (1983).

André Breton

Brest, 1) Stadt im Dép. Finistère, Frankreich, an der W-Küste der breton. Halbinsel, 153 100 Ew.; wichtiger Kriegs- und Handelshafen. B. hat Univ., ozeanograph. Forschungsinstitut, Marinemuseum; Werften, chem., Elektro-, Schuh-, elektron., Nahrungsmittel-, Textilind.; Schloss (13.–17. Jh.). – Der Hafen wurde im 17. Jh. ausgebaut und von Vauban befestigt.

Brest 1) Stadtwappen

2) (bis 1921 Brest-Litowsk), Hptst. des Gebiets B., Weißrussland, am schiffbaren westl. Bug, 278 400 Ew.; Grenzbahnhof zu Polen (Wechsel der Spurweite), Hafen am Dnjepr-Bug-Kanal; Nahrungsmittel-, Textil- u. a. Industrie. – B., 1017 erstmals genannt und 1319 von Litauen erobert, fiel 1569 an Polen; wurde 1795 russisch, 1921 polnisch, kam 1939 an die Sowjetunion. – Im **Frieden von Brest-Litowsk** (3. 3. 1918) zw. den Mittelmächten und der neuen sowjet. Reg. musste Sowjetrussland auf Finnland, die balt. Länder, Polen, die Ukraine, Georgien und die 1878 von der Türkei abgetretenen armen. Gebiete verzichten.

Bretagne [brəˈtaɲ] *die,* nordwestl. Halbinsel Frankreichs, am Atlantik, ein Rumpfgebirge bis zu 384 m Höhe mit stark gegliederter, felsiger Küste; fast rein ozean. Klima mit milden, regenreichen Wintern und relativ kühlen, trockenen Sommern. Das Innere ist z. T. von Heiden, Mooren und Wäldern bedeckt und nur schwach besiedelt. In geschützten, fruchtbaren Beckenlandschaften, gekennzeichnet durch wallartige Hecken (Bocage) und Streusiedlungen, wird Getreide- und Viehwirtschaft betrieben; wichtiger frz. Butter- und Käselieferant. An den warmen Südflanken der tief eingreifenden Meeresbucht Anbau von Spezialkulturen (Saat- und Frühkartoffeln, Artischocken, Erdbeeren); Fischerei (Sardinen, Thunfisch, Kabeljau, Austern, Muscheln); Abbau von Kaolin; Maschinen- und Fahrzeugbau, Möbel- und Bekleidungsind., elektrotechn. und elektron. Ind.; bed. Fremdenverkehr. Die heutige Region B. umfasst die Dép. Côtes d'Armor, Finistère, Ille-et-Vilaine und Morbihan; 27 209 km², (1990) 2,79 Mio. Ew.; Hauptstadt ist Rennes.

Geschichte: 56 v. Chr. unterwarf Cäsar das keltisch besiedelte Gebiet, das als **Armorica** Teil des röm. Galliens wurde. Im 5./6. Jh. n. Chr. ließen sich Briten (Brittones, Bretonen) in der B. nieder. Seit dem 9. Jh. unter einem Grafengeschlecht, das 1297 den frz. Herzogtitel verliehen bekam, konnte die B. als letztes großes Lehnsfürstentum durch Heirat Frankreich einverleibt werden (1532), behielt aber Sonderrechte bis zur Frz. Revolution. Während der Revolution war die B. Schauplatz eines blutigen Bürgerkrieges (→Chouans). – Im 20. Jh. kam es zu militanten Autonomiebestrebungen.

🕮 ROTHER, A.: *B. Köln 1995.*

Breton [brəˈtɔ̃], André, frz. Schriftsteller, *Tinchebray (Dép. Orne) 18. 2. 1896, †Paris 28. 9. 1966; zunächst Dadaist; Lyriker (»Die magnet. Felder«, 1920; mit P. Soupault); Theoretiker des literar. →Surrealismus (»Manifeste« des Surrealismus, 1924, 1930); »Nadja« (Erz., 1924), Essays.

🕮 ZOTZ, V.: *A. B. Reinbek 1990.*

Bretonen, i. e. S. Name der kelt. Briten, die im 5. bis 6. Jh., von Angeln, Sachsen und Jüten bedrängt, aus ihrer Heimat flohen und sich in der Bretagne niederließen, wo sie mit den älteren (romanisierten) kelt. Bewohnern verschmolzen. Ihre Nachkommen haben bis heute viele Eigenarten und Überlieferungen bewahrt. I. w. S. werden alle Einwohner der Bretagne B. genannt.

bretonische Sprache und Literatur, die b. S. gehört zur britann. Gruppe der kelt. Sprachen; sie wird im westl. Teil des ehem. Herzogtums der Bretagne von etwa 1 Mio. Menschen gesprochen. Man unterscheidet Altbretonisch (800–1100), Mittelbretonisch (1100–1650) und Neubretonisch (seit dem 17. Jh.). – Die ältere breton. Literatur ist von geringer Bedeutung, da schon im MA. die politisch und kulturell führenden Bevölkerungsschichten zur frz. Sprache übergingen. Von der Mitte des 15. Jh. an existiert eine mittelbreton. Literatur meist religiösen Inhalts: lat. oder frz. Vorbildern nachgestaltete Mysterien, Passionen und Heiligenleben. Im 19. Jh. entstand erstmals eine eigenständige breton. Literatur (v. a. Volkslieder). Die eigentl. Blüte fällt ins 20. Jh.; wichtige Vertreter sind u. a. der Dramatiker T. Malmanche, der Lyriker R. le Masson sowie J. Riou, R. Hemon, Y. Drezen und F. Elies mit Kurzgeschichten.

Brettchenweberei, in allen Erdteilen verbreitete einfache Handwebmethode, bei der mehrere nebeneinander liegende Brettchen (aus Holz, Knochen u. Ä.) zw. zwei oder vier Fäden der Kette eingespannt sind. Zur Fachbildung werden die Brettchen gedreht und der Schuss hindurchgeführt.

Bretten, Große Kreisstadt im Landkreis Karlsruhe, Bad.-Württ., im südöstl. Kraichgau, 26 000 Ew.; Melanchthon-Gedächtnishaus (an der Stelle das 1689 zerstörten Geburtshauses); Herstellung von Elektro- und Haushaltsgeräten, Kunststoffverarbeitung. – Fachwerkhäuser aus dem 17./18. Jh. – B. wurde im 13. Jh. Stadt.

Bretton Woods ['bretn wʊdz], Ort in New Hampshire, USA. Vom 1. bis 23. 7. 1944 Tagungsort der Währungs- und Finanzkonferenz der UNO (44 Staaten). **Abkommen von B. W.:** Verträge über die Errichtung des →Internationalen Währungsfonds (IWF) und der Internationalen Bank für Wiederaufbau und Entwicklung (→Weltbank); 1946 in Kraft getreten.

Brettspiele, Unterhaltungsspiele, die mit Figuren oder Steinen auf einem Spielbrett gespielt werden. Die B. sind Verstandes- oder Glücksspiele, z. B. Dame, Go, Halma, Mühle, Puff (Backgammon, Tricktrack), Salta, Schach.

Breu (Preu), Jörg d. Ä., Maler und Zeichner für den Holzschnitt, *Augsburg um 1475, †ebd. 1537; malte 1496–1502 für österr. Klöster (Zwettl, Herzogenburg, Melk) bed. Altarblätter, deren Stil sich bereits der →Donauschule näherte. 1502 wurde B. Meister in Augsburg. Sein Werk verband nun Elemente der Renaissance und des Manierismus.

Birgit Breuel

Breuel, Birgit, Wirtschaftspolitikerin (CDU), *Hamburg 7. 9. 1937; 1978–86 Wirtschaftsmin., 1986–90 Finanzmin. und Min. für Frauenpolitik in Ndsachs., 1990/91 Vorstandsmitgl., 1991–94 Präs. der Treuhandanstalt in Berlin, seit 1995 als Expo-Generalkommissarin Beauftragte der Bundes-Reg. für die Weltausstellung 2000 in Hannover.

Breuer, 1) Josef, österr. Internist, *Wien 15. 1. 1842, †ebd. 20. 6. 1925; in den Anfängen der Psychoanalyse Mitarbeiter von S. Freud (»Studien über Hysterie«, 1895, mit Freud).

2) Marcel Lajos, amerikan. Architekt und Designer ungar. Herkunft, *Pécs 21. 5. 1902, †New York 1. 7. 1981; seit 1924 Meister am Bauhaus, konstruierte dort (1925) die ersten serienmäßigen Stahlrohrstühle; emigrierte 1933, wirkte später in den USA. B. baute 1953–58 zus. mit P. L. Nervi und B. Zehrfuss das UNESCO-Gebäude in Paris, 1965/66 das Whitney Museum of American Art in New York.

3) Peter, Tänzer, *Tegernsee 29. 10. 1946; einer der führenden dt. Tänzer; seit 1961 Mitgl. der Münchner Staatsoper, seit 1964 der Dt. Oper am Rhein in Düsseldorf, 1974–77 beim London Festival Ballet.

Jörg Breu d. Ä.: »Geburt Christi«, Vorderseite des Aggsbacher Altars im Augustinerchorherrenstift Herzogenburg in Niederösterreich (1501)

Breughel ['brø:xəl], niederländ. Malerfamilie, →Bruegel.

Breuil [brœj], Henri, frz. Prähistoriker, *Mortain (Dép. Manche) 28. 2. 1877, †L'Isle-Adam (Dép. Val-d'Oise) 14. 8. 1961; lieferte die Grundlagen für die Chronologie der Altsteinzeit, begründete die systemat. Erforschung der vorgeschichtl. Kunst, bes. der Felsbilder.

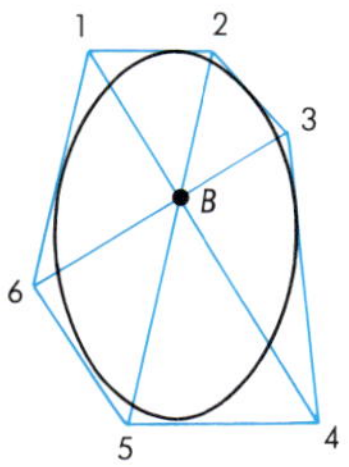

brianchonscher Satz
(B brianchonscher Punkt)

Breuker ['brøkər], Willem, niederländ. Jazzmusiker (Klarinettist, Saxophonist und Komponist), *Amsterdam 4. 11. 1944; gründete 1967 seine Band »Kollektief«, in deren Spiel sich moderner Jazz mit Volks- und Popmusik verbindet; schrieb auch Bühnenmusik.

Brevet [bre'vɛ; frz., zu lat. brevis »kurz«] *das,* in Frankreich urspr. offener Gnadenbrief des Königs, heute staatl. Verleihungsurkunde z. B. für Diplome oder Patente.

Brevier [zu lat. brevis »kurz«] *das* (Breviarium), urspr. ein kurzes Verzeichnis aller Teile des kirchl. →Stundengebets, in das später auch die entsprechenden Gesänge, Psalmen und Gebete selbst aufgenommen wurden.

Brẹvis [lat. »kurze (Note)«] *die, Musik:* Notenwert der Mensuralnotation.

brewstersches Gesetz ['bru:stə-], von dem brit. Physiker D. Brewster (*1781, †1868) 1815 formuliertes Gesetz für die Reflexion von Licht: Der reflektierte Strahl erfährt vollständige lineare →Polarisation, wenn er senkrecht auf dem gebrochenen Strahl steht. Der Tangens des **Polarisations-** oder **Brewster-Winkels** ist dann gleich dem Brechungsindex *n*.

Breysig, Kurt, Kulturhistoriker, *Posen 5. 7. 1866, †Bergholz-Rehbrücke (bei Potsdam) 16. 6. 1940; Prof. in Berlin 1896–1934, suchte universalhistor. Entwicklungsgesetze nachzuweisen, nach denen die Menschheit zu immer höheren Kulturstufen aufsteigt; beeinflusste O. Spenglers Kulturmorphologie.

Werke: Kulturgeschichte der Neuzeit, 2 Bde. (1900–01); Der Stufen-Bau u. die Gesetze der Welt-Geschichte (1905); Vom geschichtl. Werden, 3 Bde. (1925–28); Vom Sein u. Erkennen geschichtl. Dinge, 4 Bde. (1935–44).

Breyten Breytenbach

Breytenbach, Breyten, südafrikan. Schriftsteller, Maler, Grafiker, *Bonnievale (bei Swellendam, Prov. West-Kap) 18. 9. 1939; schreibt, vorwiegend in Afrikaans, durch Sprachexperimente gekennzeichnete Prosa sowie feinfühlige Liebeslyrik; lebt seit 1950 in Europa (seit 1961 in Paris, frz. Staatsbürger); 1975–82 wegen »illegaler Aktivitäten« in südafrikan. Gefängnishaft (»Wahre Bekenntnisse eines Albino-Terroristen«, Hafttagebuch, 1983).

Weitere Werke: Lotus (Ged., 1970); Augenblicke im Paradies (R., 1976); Schlussakte Südafrika (Ged. u. Prosa, 1986); Erinnerung an Schnee u. Staub (R., 1989); Rückkehr ins Paradies (Prosa, 1993).

Aristide Briand

Brězan ['brizan], Jurij, (ober-)sorb. Schriftsteller, *Räckelwitz (Landkr. Kamenz) 9. 6. 1916; Vertreter obersorb. Gegenwartsliteratur; schreibt auch in dt. Sprache; zeitgeschichtlich interessant die »Felix-Hanusch-Trilogie«: »Der Gymnasiast« (1958), »Semester der verlorenen Zeit« (1960), »Mannesjahre« (1964); außerdem »Krabat oder die Verwandlung der Welt« (R., 1976), »Bild des Vaters« (R., 1982), »Mein Stück Zeit« (Autobiographie, 1989).

Brezel, Backwerk etwa in Form einer 8; Symbol des Bäckerhandwerks.

Březina ['brʒɛzina], Otokar, eigtl. Václav Jebavý, tschech. Dichter, *Počátky (Südböhm. Gebiet) 13. 9. 1868, †Jaroměřice nad Roktytnou (Südböhm. Gebiet) 25. 3. 1929; zählt zu den führenden tschech. Symbolisten; schrieb Hymnen und Gedichte voll Musikalität.

brianchonscher Satz [briã'ʃɔ̃-; nach dem frz. Mathematiker C. J. Brianchon, *1783, †1864], geometr. Lehrsatz: Wird einem Kegelschnitt ein Sechseck umbeschrieben, so schneiden sich die Verbindungsgeraden der Gegenecken in einem Punkt (brianchonscher Punkt). Der b. S. ist der duale Satz zum →pascalschen Satz.

Briançon [briã'sɔ̃], Stadt im frz. Dép. Hautes-Alpes, in den frz. S-Alpen, 12 100 Ew.; mit 1320 m ü. M., eine der höchstgelegenen Städte Europas; Textil- und Holzind.; Wintersport.

Briand [bri'ã], Aristide, frz. Politiker, *Nantes 28. 3. 1862, †Paris 7. 3. 1932; urspr. Sozialist (1901–05 Gen.-Sekr. der Frz. Sozialist. Partei), später Mitgl. der Sozialrepublikan. Partei, 1902–32 Abg., war ab 1906 mehrfach Min. und MinPräs. (zuletzt 1925–26 und 1929). Als Min. für Unterricht und Kultur (1906–08) führte er in Frankreich die Trennung von Staat und Kirche durch. Als Außenmin. verband er die Wahrung der frz. Interessen mit der Friedensidee und dem Gedanken der europ. Verständigung (Abschluss des Locarnopaktes, 1925). Zus. mit G. Stresemann erhielt er 1926 den Friedensnobelpreis. B. förderte maßgeblich den »Kriegsächtungspakt« von 1928 (→Briand-Kellogg-Pakt). Das von B. verfasste Memorandum (1. 10. 1930) über eine engere Verbindung der europ. Staaten gewann nach dem 2. Weltkrieg bei den Bemühungen um eine europ. Einigung eine größere Bedeutung.

📖 BAUMONT, M.: *A. B. Diplomat u. Idealist. Göttingen u. a. 1966.* – SIEBERT, F.: *A. B. 1862–1932. Ein Staatsmann zwischen Frankreich u. Europa. Erlenbach-Zürich 1973.* – MÜLLER HOFSTEDE, D.: *A. B. u. der französische Sozialismus. Die Frühzeit des Politikers 1883–1906. Münster 1996.*

Briand-Kẹllogg-Pakt [bri'ã-; nach A. Briand und F. B. Kellogg], am 27. 8. 1928 in Paris durch Belgien, Dtl., Frankreich, Großbritannien, Italien, Japan, Polen, die ČSR und die USA unterzeichneter völkerrechtlich wirksamer Vertrag, mit dem der Krieg als Mittel zur Lösung internat. Streitfälle verurteilt wurde. Das Recht eines jeden Staates auf Selbstverteidigung blieb als unveräusserl. Recht jedoch anerkannt. Bis 1939 traten dem Pakt 63 Staaten bei. Sein materieller Inhalt ging in die Satzung der UN ein. Bei den Kriegsverbrecherprozessen der Alliierten nach dem 2. Weltkrieg gegen dt. und japan. Politiker spielten die Regeln des B.-K.-P. eine wesentl. Rolle.

Bridge [brɪdʒ, engl.] *das,* aus dem Whist entstandenes Kartenspiel mit 52 frz. Karten für vier Teilnehmer. Zwei einander gegenübersitzende Spieler bilden ein Paar, das gegen das andere spielt.

Bridgeport ['brɪdʒpɔːt], Ind.-Stadt in SW-Connecticut, USA, am Long Island Sound, 136 700 Ew.; kath. Bischofssitz; Univ.; Herstellung von Werkzeug-, Näh-, Büromaschinen, Raketenteilen, Munition, elektr. Apparaten.

Bridgetown ['brɪdʒtaʊn], Hauptstadt und -hafen von Barbados, Westindien, 6 700 Ew.; Zweigstelle der University of the West Indies; Zucker- und Rumfabriken.

Bridgman ['brɪdʒmən], Percy Williams, amerikan. Physiker und Wissenschaftstheoretiker, * Cambridge (Mass.) 21. 4. 1882, † (Freitod) Randolph (N. H.) 20. 8. 1961; erforschte das Verhalten der Materie bei sehr hohen Drücken (bis 425 kbar) und erhielt dafür 1946 den Nobelpreis für Physik. B. begründete den → Operationismus.

Brie [briː], fruchtbare Landschaft im Zentrum des Pariser Beckens, zw. Seine und Marne. Der **Briekäse** ist ein Weichkäse (→ Käse).

Brief [ahd., von lat. brevis (libellus) »kurzes (Schreiben)«], schriftl., meist verschlossene Mitteilung an einen bestimmten Adressaten, bes. als Postsendung. Neben dem eigentl. privaten B. gibt es noch den offiziellen B. für Mitteilungen oder Anweisungen sowie den meist auf polit. Wirkung berechneten »offenen Brief«.

Geschichte: Bei den Naturvölkern gibt es eine Nachrichtenübermittlung durch Übersendung sinnbildlich aufzufassender Gegenstände; briefl. Mitteilungen beruhen auf der Gegenstands- und der Bilderschrift. Bei den Kulturvölkern ist das B.-Schreiben fast so alt wie die Schrift. Aus dem alten Ägypten sind die B. meist auf Papyrus, aus Babylonien und bes. aus Assyrien in Keilschrift erhalten. Die Griechen und Römer schrieben B. meist auf doppelte, wachsüberzogene Holztäfelchen, die zusammengeklappt wurden. Im europ. MA. waren die B. bis ins 13. Jh. durchweg lat. abgefasst und dienten eher der amtl. und wiss. als der privaten Mitteilung, so z. B. christl. Schriftstellern zur Erörterung von Glaubenslehren. Die als Quellen für die ältere dt. Geschichte wertvollen B. sind in den »Monumenta Germaniae historica«, Abt. »Epistolae«, gesammelt. In der Blütezeit der klösterl. Gelehrsamkeit wurde auch das B.-Schreiben viel gepflegt und zur Kunst erhoben. Erst im 15. und 16. Jh. wurde der Gebrauch der dt. Sprache allgemeiner. Die Kunst des B.-Schreibens entwickelte sich bes. in Frankreich (Marquise de Sévigné); als literar. Form diente er B. Pascal (»Provinzialbriefe über die Sittenlehre der Jesuiten«, 1656/57) und Montesquieu (»Persische Briefe«, 1721). – In der Bibel wird die Darstellung durch B. belebt. Die B. des A. T. sind darauf abgestimmt, vom Überbringer dem Empfänger vorgelesen zu werden, die des N. T. sind ein wichtiger Bestandteil der urchristl. Literatur.

📖 *Brieftheorie des 18. Jahrhunderts. Texte, Kommentare, Essays, hg. v.* A. EBRECHT *u. a. Stuttgart 1990.*

Briefadel, → Adel.

Briefaufstellmaschine, Maschine, in der die von der Formattrennmaschine kommenden Sendungen nach Abtasten der Lage der Briefmarke zum Stempeln aufgestellt werden; die Sendungen gelangen dann über die Stempelmaschine zum → Codierplatz.

Briefing ['briːfɪŋ, engl.] *das,* **1)** *allg.:* kurze Unterrichtung, Einweisungs-, Informationsgespräch.

2) *Militärwesen:* Lagebesprechung.

3) *Werbung:* aus der Marketingkonzeption eines Unternehmens im Einzelfall abgeleitete Konkretisierung der Aufgaben einer Werbemaßnahme mit den nötigen Angaben z. B. über Werbeobjekte (Produkte), Zielgruppe, Distributionsweg, Einsatzgebiet und Einsatzzeitraum der Werbung.

Briefkurs, börsenmäßiger Angebotskurs eines Wertpapiers.

Percy W. Bridgman

Als erste **Briefmarke** *kann ein vom Pächter der Pariser Stadtpost 1653 herausgegebener Papierstreifen, der am Brief befestigt wurde, angesehen werden. Die ersten aufklebbaren Briefmarken wurden in Großbritannien nach Vorschlägen des späteren Generalpostmeisters Sir Rowland Hill am 6. 5. 1840 ausgegeben. Die auf Papierbögen gedruckten Briefmarken wurden ursprünglich auseinander geschnitten, die englischen Briefmarken waren 1854 die ersten, die gezähnt (perforiert) hergestellt wurden.*
Nachdem bereits Bayern am 1. 11. 1849 die ersten Briefmarken eingeführt hatte, erschienen am 1. 1. 1872 die ersten Marken der ›Deutschen Reichspost‹; ihre Inschrift lautete ab 1875 ›Reichspost‹, ab 1902 mit Einführung der Reichspostmarken in Württemberg ›Deutsches Reich‹. Bayern behielt seine eigenen Marken bis zum Aufgehen der bayerischen Postverwaltung in der Deutschen Reichspost (1. 4. 1920). Nach 1945 erschienen zahlreiche Einzelausgaben von Städten, Gemeinden und Ländern. Erste Neuausgabe der Bundesrepublik Deutschland war die »Ziffernserie 1951« der Deutschen Bundespost.

Briefmarke (Postwertzeichen), aufklebbares Wertzeichen zum Freimachen von Postsendungen; von der Dt. Post AG als Quittung für vorausgezahltes Beförderungsentgelt in versch. Stückelungen (als Dauerserien oder Sonder-B.) verkauft.

Briefmarke (von oben): Großbritannien 1840, 1 Penny (erste Briefmarke der Welt); Bayern, 1849, 1 Kreuzer (erste Briefmarke Deutschlands); Mauritius 1847, 2 Pence, die »blaue Mauritius«

Darüber hinaus existieren Markengattungen für besondere Sendungsarten bzw. Zusatzleistungen (Eil-, Paket-, Luftpostmarken u.a.). B. werden meist in Tiefdruck in größeren Formaten gedruckt; durch Perforation entsteht beim Abreißen die Zähnung. Zur Erschwerung von Fälschungen dienen besonderes Papier, Wasserzeichen, geheime Stecherzeichen u.a. Die ersten B. erschienen 1840 in Großbritannien, 1849 in Dtl. (Bayern).

📖 *Die B. Geschichte, Geschichten u. Wissenswertes, hg. v. der Deutschen Bundespost. Bonn 1991.* – KRÜGER, K. H.: *Deutschlands Gesch. im Spiegelbild seiner Briefmarken. Marburg u. a. 1993.* – URBAN, A.: *Die Welt im Spiegel der Briefmarke, CD-ROM. München 1994.*

Briefmarkenkunde, → Philatelie.

Brief-, Post- und Fernmeldegeheimnis. Nach Art. 10 GG sind das B.-, P.- und F. unverletzlich; strafrechtlich durch §§ 202, 354 StGB geschützt. Das Briefgeheimnis umfasst schriftl. Äußerungen aller Art, das Postgeheimnis alle der Post zur Beförderung übergebenen Sendungen (auch Pakete), das Fernmeldegeheimnis alle nichtschriftl. Mitteilungen im Fernmeldeweg einschließlich des Telegrafen- und Fernschreibverkehrs. Beschränkungen des B.-, P.- und F. sind nur aufgrund eines Gesetzes erlaubt und dienen bes. der Strafrechtspflege, der Durchführung von Konkurs- und Vergleichsverfahren und der Erhebung von Steuern. Zur Abwehr drohender Gefahren für die freiheitliche demokrat. Grundordnung ist aufgrund des sog. Abhör-Ges. vom 13. 8. 1968 bestimmten Organen die Öffnung von Postsendungen sowie die Überwachung des Fernmeldeverkehrs Einzelner gestattet. In *Österreich* ist das Briefgeheimnis in Art. 10, das Fernmeldegeheimnis in Art. 10 a Staatsgrund-Ges. geschützt, in der *Schweiz* durch Art. 36 BV und Ges. vom 2. 10. 1924.

Briefroman, → Roman.

Brieftaube

Schon im Altertum und im Mittelalter wurden vor allem im Orient Tauben zur Beförderung von Nachrichten eingesetzt. Die Araber richteten im 12. Jh. eine planmäßige Brieftaubenpost für Staatszwecke ein. In Europa verwendete man Brieftauben erst im 16. Jh.; die Brieftaubenzucht entwickelte sich vor allem in Belgien. In der Mitte des 19. Jh. bestanden z. B. zwischen Brüssel, Antwerpen und Paris Verbindungen, die vor allem für das Übermitteln von Börsennachrichten und Zeitungsmeldungen genutzt wurden. In Aachen unterhielt die Nachrichtenagentur Reuter eine Taubenpost.

Brieftauben kommen fast nie von der Route zum Heimatschlag ab. Wenn das doch geschieht, so hat es z. B. mit großen Sonneneruptionen zu tun. Denn die dabei frei werdenden positiv geladenen Elementarteilchen (Protonen) können das Erdmagnetfeld stören, das den Brieftauben als Orientierung dient.

Briefs, Goetz, Volkswirtschaftler und Soziologe, *Eschweiler 1. 1. 1889, †Rom 16. 5. 1974; seit 1937 Prof. u.a. in Berlin und nach seiner Flucht auch in den USA, Mitbegründer der Betriebssoziologie; bedeutender Gewerkschaftstheoretiker.

Briefsendungen, in den »Allgemeinen Geschäftsbedingungen der Dt. Post AG für den Briefdienst« zusammenfassende Bez. für Briefe, Postkarten, Infopost, Postwurf-, Blinden-, Waren-, Büchersendungen und Telebriefe. Im Frachtdienst gibt es darüber hinaus die B. Päckchen, Infopost-Schwer und Blindensendung-Schwer.

Briefsteller, urspr. eine Person, die für andere Briefe schreibt; das Gewerbe des öffentl. B. hielt sich in Europa bis etwa 1900; heute Buch mit Anweisungen zum Briefeschreiben, zuerst im 11. Jh. in Italien; seit dem 18. Jh. traten anstelle allg. gehaltener B. spezielle (z. B. für Berufsstände: Landwirte, Kaufleute). B. gibt es noch heute innerhalb der Ratgeberliteratur.

Brieftaube, aus versch. Haustaubenrassen gezüchtete Sporttaube mit bes. gutem Heimfindevermögen, Rückflüge bis zu 1000 km, bei einer durchschnittlichen Fluggeschwindigkeit von etwa 1 km/min. Beförderung von Nachrichten durch B. war schon im Altertum, bes. im Orient, verbreitet. Über den wettkampfmäßigen Langstreckenflug → Taubensport.

Briefverteilmaschine, Anlage, die die von den Codierplätzen kommenden Sendungen verteilt. Der am → Codierplatz aufgebrachte Code (z. B. für die Postleitzahl) wird optisch oder magnetisch abgetastet, die dabei gewonnenen Signale werden in Steuerkommandos umgewandelt und die Sendungen z. B. über Weichen den Verteilfächern zugeführt.

Briefwahl, in Dtl. die durch Bundeswahl-Ges. und zahlreiche Landeswahl-Ges. dem Wahlberechtigten gegebene Möglichkeit, bes. bei Abwesenheit vom Wahlort den Stimmzettel in einem amtl. Umschlag durch die Post einzusenden. Ähnlich ist die B. in der *Schweiz* geregelt. Das *österr.* Recht kennt die B. nicht.

Brieg, Stadt in Polen, → Brzeg.

Brienz (BE), Kurort im Kt. Bern, Schweiz, 2700 Ew., 568 m ü. M.; Elektromotorenbau; Geigenbauschule, Holzschnitzerschule. B. liegt am **Brienzer See** (29,8 km² groß, bis 261 m tief), der von der Aare durchflossen wird; Dampfzahnradbahn auf das **Brienzer Rothorn** (2350 m ü. M.). Östlich von B. liegt das schweizer. Freilichtmuseum für ländl. Siedlungswesen **Ballenberg.**

Bries (Brieschen, Briesel), beim Kalb auch **Kalbsmilch,** volkstümlich für → Thymus.

Briey [briˈɛ], Stadt im frz. Dép. Meurthe-et-Moselle, in Lothringen, 4800 Ew.; im Eisenerzbecken von B.-Longwy; seit dem späten MA. Hüttenwerke (Minette).

Brig, schweizer. Ort, → Brig-Glis.

Brigach *die,* linker Quellfluss der Donau.

Brigade [frz.] *die,* in vielen Armeen kleinster Großverband des Heeres, der aus verschiedenen Truppengattungen besteht und selbstständig in Gefechten operieren kann.

Brigadier [-'dje] *der,* **1)** Führer einer Brigade. **2)** im brit. Heer höchster Stabsoffiziersdienstgrad; in Österreich und der Schweiz dem dt. Brigadegeneral entsprechender Dienstgrad (Einsterngeneral).

Briganten (lat. Brigantes), im Altertum kelt. Volksstamm im mittleren Britannien, Hauptort: Eburacum (heute York).

Briganten (italien. Briganti, frz. Brigands), Aufständische und Räuber, bes. die Söldnerbanden des Hundertjährigen Krieges in Frankreich sowie im 19. Jh. in Süditalien.

Brigantia, kelt. Siegesgöttin, Patronin der Dichter, Ärzte und Schmiede.

Brigantine [nach den Briganten] *die,* **1)** im 15. Jh. enger Panzerrock, mit dicht übereinander liegenden Eisenplättchen besetzt.

2) (Schonerbrigg) zweimastiges Segelschiff, leichte Form der Brigg.

Brigg [Kurzform von Brigantine] *die,* Segelschiff mit Fock- und Großmast, die mit Rahen getakelt sind.

Brigg: Die Brigg »Balticum«, Gemälde von D. A. Teupcken (1838)

Brig-Glis, Bezirkshauptort im Kt. Wallis, Schweiz, 10 400 Ew.; an der Rhone, Bahnknotenpunkt (Südende der Lötschbergstrecke und der Furka-Oberalp-Bahn, Nordende der Simplonstrecke); Maschinenwerkstätten, Teigwaren- und Strickereifabrik. Die Gemeinde besteht seit 1972 nach dem Zusammenschluss von Brig mit Glis und Brigerbad. – Stockalper-Palast (1658–78).

Briggs [brɪgz], Henry, engl. Mathematiker, *Warleywood (Yorkshire) Febr. 1561, † Oxford 26. 1. 1630; führte die **briggsschen** oder **dekad. Logarithmen** ein (→ Logarithmus).

Brighella [bri'gela; italien., zu briga »Mühe«, »Streit«] *der,* Maskentyp der italien. Commedia dell'Arte: intriganter Diener.

Brighton: Der im 18. Jh. erbaute »Royal Pavilion« wurde 1815–23 von John Nash im indischen Mogulstil umgestaltet

Brighton [braɪtn], Stadt in der engl. Cty. East Sussex, an der Kanalküste, 146 100 Ew.; seit Ende des 18. Jh. See- und Heilbad; Univ., TH; Leichtind.; bedeutender Fremdenverkehr. – Royal Pavilion (18. Jh.), 1815–23 im historisierenden Mogulstil umgebaut.

Brighton Stadtwappen

Brigitta (Brigida), Schutzheilige Irlands, *Fochard (heute Faugher) in Leinster um 453, † Kildare 1. 2. 523; Gründerin des Brigidenordens und mehrerer Klöster, darunter das Kloster Kildare; Tag: 1. 2.

Brigitte, eine der größten dt. Frauenzeitschriften (1995: 1,3 Mio. Exemplare), gegr. 1957, erscheint im Verlag Gruner + Jahr, Hamburg.

Brikett [frz., zu brique »Ziegelstein«] *das,* in Form von Quadern, Würfeln oder Eiern gepresste Steinkohle, Braunkohle, Erze oder Futtermittel.

Brillant [bril'jant; frz. »glänzend«, »leuchtend«] *der,* im B.-Schliff geschliffener Diamant. **B.-Schliff:** Durch Abschleifen (später Absägen) einer Spitze des Oktaeders entstand der im 16./17. Jh. vorherrschende Tafelstein, der im 18. Jh. durch Anlegen von Facetten zum stumpfrechteckigen B. wurde (Altschliff). Im 19. Jh. setzte sich die runde Form durch, die heute weitgehend unabhängig von der Kristallform hergestellt wird. Durch Schleifen erhält der B. 56 mit geometr. Genauigkeit angelegte Facetten zuzüglich Tafel und Kalette. Im Oberteil sind um die Tafel acht Sternfacetten, acht obere Hauptfacetten und 16 obere Rondistfacetten angeordnet, im Unterteil um die Kalette (Spitzfläche, soll mit bloßem Auge nicht erkennbar sein) acht untere Hauptfacetten und 16 untere Rondistfacetten. Die Ober- und Unterteil verbindende Kreisfläche wird Rondistebene, deren umlaufende Kante Rondiste genannt. Der B. hat festgelegte Proportionen, um die aus den opt.

Brillant: Schema des Brillantschliffs

Materialkonstanten des Diamanten (→Brechung, →Dispersion) resultierende Wirkung (Glanz, Brillanz, Farbenspiel, »Feuer«) im Höchstmaß zu entfalten.

Brillantine [briljan'ti:nə, frz.] *die,* kosmet. Präparat zur Fixierung und Fettung der Haare.

Brillat-Savarin [bri'ja sava'rɛ], Anthelme, frz. Schriftsteller, * Belley (Dép. Ain) 1. 4. 1755, † Paris 2. 2. 1826; war zeitweilig im Exil in den USA, später u. a. Rat des Kassationsgerichtshof; literarisch bekannt durch seine humor- und geistvolle Theorie der Tafelfreuden (»Physiologie des Geschmacks«, 2 Bde., 1825).

Brille [urspr. Bez. für das einzelne Augenglas (nach dem Beryll, der in geschliffener Form als Linse verwendet wurde)], Vorrichtung aus einem Traggestell mit Ohrenbügeln (meist aus Metall und/oder Kunststoff) und zwei miteinander durch eine »Fassung« oder durch Beschläge verbundenen B.-Gläsern zur Verbesserung des Sehvermögens, bes. zum Ausgleich von Brechungsfehlern des Auges **(Korrektions-B.).** Dem Schutz des Auges dienen →Schutzbrillen, die häufig Gläser ohne opt. Wirkung enthalten.

Arten von B.-Gläsern mit opt. Wirkung (wobei der Brechwert der Linsen in Dioptrien gemessen wird): **Achsensymmetr. B.-Gläser** sind 1. **sphär. Gläser** mit beiderseits kugelförmig gekrümmten Oberflächen. Dabei sammeln **Plusgläser** (konvexe Linsen) parallel auffallende Strahlen zu einem Vereinigungspunkt und werden daher bei Über- bzw. Weitsichtigkeit und Alterssichtigkeit verwendet. **Minusgläser** (konkave Linsen) zerstreuen ein parallel auffallendes Strahlenbündel und werden nur bei →Kurzsichtigkeit verwendet. 2. **Asphär. Gläser** mit einer nicht kugelförmigen Oberfläche werden v. a. als Stargläser verwendet. Die zweite Fläche kann sphärisch oder torisch (tonnenförmig) sein.

Brille

Schon im 11. Jh. wies der arabische Physiker Ibn al-Haitham darauf hin, Linsen wegen ihrer vergrößernden Wirkung als Sehhilfe zu benutzen. In Europa verwendete man im 13. Jh. geschliffene Berylle und Quarze als Vergrößerungsgläser (»Lesesteine«). Mit ihnen konnte jedoch nur die Weitsichtigkeit korrigiert werden, denn die Steine waren konvex geschliffen. Die Kurzsichtigen mussten noch 200 Jahre warten: Konkave Linsen wurden erst im 15. Jh. konstruiert.

Im 14. Jh. entstand durch Zusammenfassung zweier Eingläser mit einem Niet das Zweiglas, das beim Lesen mit der Hand vor die Augen gehalten wurde. Erst im 17. Jh. konnte man sich die Brille auf die Nase setzen. Als Brillenlieferant war zunächst Venedig mit seiner hoch entwickelten Glasverarbeitungstechnik führend. Es bekam aber schon im 14. Jh. Konkurrenz durch flandrische Brillenhersteller. 1478 wurde in Nürnberg der erste »Parillenmacher« als Bürger aufgenommen.

Achsenunsymmetr. B.-Gläser sind 1. **astigmat. Gläser (Zylindergläser),** meist Kombinationen einer sphär. und einer tor. (Torus) Fläche mit einer jeweils anderen opt. Wirkung zur Korrektur des Astigmatismus (Abbildungsfehler), und

Brille: Lesender Apostel mit einem Zweiglas, Ausschnitt aus dem Pfingstbild des Wildunger Altars von Konrad von Soest (1404)

2. **prismat. Gläser.** Bei diesen ist ein Prisma (Glaskeil) bestimmter Stärke und Basislage aufgeschliffen. Sie dienen zur Unterstützung oder der Wiederherstellung des binokularen Sehens vorwiegend bei Stellungsanomalien des Auges (Schielen). 3. Sind in einem B.-Glas zwei oder drei opt. Wirkungen für versch. Sehentfernungen vereinigt, so spricht man von **Zwei-** bzw. **Dreistärkengläsern (Bi-** bzw. **Trifokalgläser**). Der Übergang vom Fern- zum Nahteil erfolgt hierbei stufenweise, bei **Gleitsicht-** oder **Progressivgläsern** dagegen kontinuierlich. Diese sog. **Mehrstärken-** oder **Panfokalgläser** gleichen bei Alterssichtigen das verringerte Akkommodationsvermögen aus. 4. **Lentikulargläser (Tragrandgläser)** weisen – bei eingeschränktem zentralem Sehteil und dünn geschliffenem Randteil – starke opt. Plus- oder Minuswirkung auf.

Moderne B.-Gläser sind meist konvex-konkav gekrümmt (Menisken); die konkave Hohlseite des B.-Glases ist dem Auge zugewandt. Bei **entspiegelten B.-Gläsern** werden störende Reflexe durch eine aufgedampfte, hauchdünne, unsichtbare Schicht beseitigt. **Phototrope Gläser** dunkeln infolge ihres Gehalts an Silberhalogeniden bei Lichteinfall nach und hellen im Dunkeln wieder auf. Anstelle einer B. können in vielen Fällen Kontaktlinsen zur Korrektur von Sehfehlern getragen werden.

📖 REINER, J.: *Auge u. B. Beiträge zur Optik des Auges u. der B.* Stuttgart [4]1987.

Brillenbär, → Bären.

Brillenschlange, Art der → Hutschlangen.

Brillenspirale, von der Jungsteinzeit bis in die Eisenzeit gebräuchl. Haar- und Hängeschmuck aus Kupfer-, Bronze- oder Golddraht, dessen Enden zu Spiralscheiben zusammengerollt sind.

Brillouin-Streuung [brij'wɛ̃-; nach dem frz. Physiker L. Brillouin, *1889, †1969], Streuung von Licht an hochfrequenten Schallwellen (akust. → Phononen) in Flüssigkeiten und Festkörpern.

Brilon, Stadt im Hochsauerlandkreis, NRW, Luftkurort und Wintersportgemeinde in waldreicher Umgebung, 450–600 m ü.M., 27300 Ew.; Elektro-, chem., Holz- u.a. Ind.; seit 1217 Stadt.

Brindisi, 1) Provinz in Apulien, Italien, 1839 km², (1995) 413300 Einwohner.

2) Hptst. von 1), Hafenstadt an der Adria, 95200 Ew.; chem., petrolchem. Ind.; Erzbischofssitz. – B., das röm. **Brundisium,** war seit dem 6. Jh. bis zur normann. Eroberung (1071) byzantinisch, Blüte im 12./13. Jh. (stauf. Kastell, »Castello Svevo«); Dom (13. und 18. Jh.).

Brinell-Härte [nach dem schwed. Ingenieur J. A. Brinell, *1849, †1925], die Härte eines Werkstoffs, die mit der Brinellhärteprüfung (→ Härteprüfung) ermittelt wird, angegeben in HB.

Bringschuld, eine Schuld, die der Schuldner auf seine Gefahr und Kosten dem Gläubiger zu übermitteln hat; Ggs.: Holschuld.

Brink [brənk], André Philippus, südafrikan. Schriftsteller, *Vrede (Freistaat) 29. 5. 1935; verhalf dem afrikaansen Roman zu internat. Ansehen: »Lobola vir die lewe« (1962), »Blick ins Dunkel« (1973, bis 1981 verboten), »Die Nilpferdpeitsche« (1982), »Zeit des Terrors « (1994), »Sandburgen« (1995).

Brinkman, Johannes Andreas, niederländ. Architekt, *Rotterdam 22. 3. 1902, †ebd. 6. 5. 1949; baute mit L. C. van der Vlugt (* 1894, † 1936) die Van-Nelle-Fabrik in Rotterdam (1926–30), ein hervorragendes, frühes Beispiel einer funktionalen Stahlbetonkonstruktion, sowie das erste scheibenförmige Wohnhochhaus, das Bergpolderhaus in Rotterdam (1934/35).

Brinkmann, Rolf Dieter, Schriftsteller, *Vechta 16. 4. 1940, †(Verkehrsunfall) London 23. 4. 1975; schrieb von der Pop-Art beeinflusste Lyrik, ferner Erzählungen und den Roman »Keiner weiß mehr« (1968).

Brinkmann (Martin B. AG), Bremen, Unternehmen der Tabakwarenind., gegr. 1813.

brio [italien.] (con brio, brioso), musikal. Vortragsbezeichnung: sprühend, feurig.

Brioche [br'iɔʃ, frz.] *die,* feines, butterreiches Hefegebäck.

Brioletts [frz.] (Doppelrosen), ringsum facettierte, birnenförmige Diamanten, v.a. für Ohrgehänge geeignet.

Brion, Friederike, *Niederroedern (bei Seltz, Elsass) 19. 4. 1752, †Meißenheim (Ortenaukreis) 3. 4. 1813; Tochter des Pfarrers in Sesenheim, wo Goethe sie als Straßburger Student 1770 kennen lernte (u.a. »Friederikenlieder«).

Brionische Inseln (kroat. Brijunski otoci), kleine Inselgruppe an der SW-Küste Istriens, Kroatien, zus. 46 km². Die größte Insel ist **Brioni** (Touristenzentrum, Seebad) mit der ehem. Sommerresidenz Titos.

Brisanz, die zertrümmernde oder verformende Wirkung von Sprengladungen auf die unmittelbare Umgebung. Der **B.-Wert** ist das Produkt aus Dichte, spezif. Detonationsdruck und Detonationsgeschwindigkeit.

Brisbane ['brızbən], Haupt- und Hafenstadt von Queensland, Australien, am Fluss B., 28 km oberhalb seiner Mündung, 1,42 Mio. Ew.; Sitz eines anglikan. und eines kath. Bischofs; Univ.;

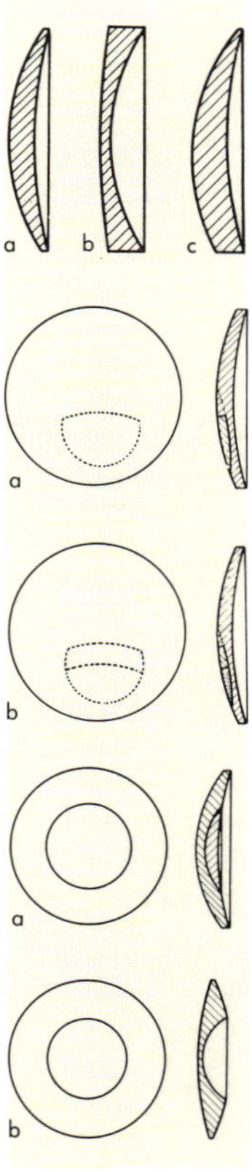

Brille: Darstellungen sphärischer Gläser im Schnitt (oben), a Plusglas, b Minusglas, c prismatisches Glas; Darstellungen von Mehrstärkengläsern (Mitte), a Zweistärkenglas, b Dreistärkenglas; Darstellungen von Lentikulargläsern (unten), a Lentikularglas mit sammelnder Wirkung, b mit zerstreuender Wirkung

Brindisi 2): Das unter Kaiser Friedrich II. erbaute Stauferkastell »Castello Svevo« wurde im 15. Jh. von Ferdinand von Aragonien und im 16. Jh. von Kaiser Karl V. weiter ausgebaut

Brisbane
Stadtwappen

Bristol
Stadtwappen

Museen; Export landwirtsch. Erzeugnisse (Wolle, Fleisch); Erdölraffinerie, Maschinen-, Kraftfahrzeugbau, Eisen-, Textilind.; Fremdenverkehrszentrum mit bekannten Sandstränden; internat. Flughafen. – B. war 1824–39 Deportationsplatz; 1842 zur Ansiedlung freigegeben.

Brise [frz.], leichter bis mittlerer Wind (zw. Windstärke 2 und 5); günstiger Segelwind.

Briseis, bei Homer Lieblingssklavin des Achilleus von Troja. Agamemnon nahm sie ihm fort und löste so den Groll Achills aus, der daraufhin dem Kampf fern blieb.

Bristol [brɪstl], Handels- und Hafenstadt, Verw.-Sitz der engl. Cty. Avon, durch den Avon mit dem Bristolkanal verbunden, 377 000 Ew.; Univ., TH; Rundfunk- und Fernsehstudios, Museen, Theater; Maschinen- und Fahrzeugbau, Glas-, Möbel-, Textil-, Luft- und Raumfahrtind., Tabakwaren-, chem. und petrolchem. Ind., Druckereien; Flughafen. – Got. Kathedrale, Theatre Royal (1766). – B. ist ein alter Handelsplatz, Blütezeit im 14. Jh. (Tuchexport) und vom 16. bis 18. Jh. (Zucker- und Sklavenhandel).

Bristolkanal ['brɪstl-], Meeresbucht der engl. SW-Küste zw. Wales und den Küsten von Somerset und Devon, Fortsetzung der breiten Trichtermündung des Severn.

Bristow ['brɪstəʊ], Gwen, amerikan. Schriftstellerin, *Marion (S. C.) 16. 9. 1903, †New Orleans (La.) 17. 8. 1980; beschreibt in ihrer »Louisiana-Trilogie« (1937–40) das Leben in den Südstaaten im 19. Jahrhundert.

Britannicus, Tiberius Claudius Caesar, Sohn des Kaisers Claudius und der Messalina, *12. 2. 41, †vor dem 12. 2. 55; von seiner Stiefmutter Agrippina d. J. zugunsten Neros aus der Nachfolge verdrängt; auf dessen Befehl vergiftet.

Britannien (lat. Britannia), alter Name für England und Schottland. (→Großbritannien und Nordirland, Geschichte)

Briten, **1)** die kelt. Bewohner Britanniens.

2) die Bewohner von Großbritannien und Nordirland.

Britische Inseln, Inselgruppe in Nordwesteuropa, umfasst die Hauptinseln Großbritannien und Irland, die Shetland- und Orkneyinseln, die Hebriden, die Inseln Man, Anglesey, Wight und viele kleinere Inseln, zus. über 315 000 km², rd. 60 Mio. Einwohner.

Britisches Museum, Bibliothek und Museum in London, 1753 gegr., in einem klassizist. Gebäude (1823–57) von R. Smirke. Die Sammlungen des B. M. umfassen Hauptwerke der ägypt., vorderasiat. und grch.-röm. Kunst, darunter die Skulpturen vom Parthenon in Athen (→Elgin Marbles), ferner Altertümer Großbritanniens, Kunstschätze aus aller Welt, Münzen, Medaillen, Grafiken und Zeichnungen; die ethnograph. Abteilung ist seit 1970 in Burlington Gardens. – Die Bibliothek entstand aus mehreren berühmten Sammlungen und zählt zu den größten und kostbarsten der Erde; 1973 gingen die Bibliotheksabteilungen des B. M. in der neu gegr. British Library auf.

Britisches Reich und Commonwealth [-'kɔmənwelθ] (engl. British Empire, seit dem Ende des 19. Jh. mehr und mehr: British Commonwealth of Nations, seit dem 2. Weltkrieg: Commonwealth of Nations), Gemeinschaft des Vereinigten Königreichs von Großbritannien und Nordirland mit den Kolonien und sonstigen abhängigen Ländern sowie folgenden unabhängigen Staaten: Antigua und Barbuda, Austral. Bund, Bahamas, Bangladesh, Barbados, Belize, Botswana, Brunei, Dominica, Gambia, Ghana, Grenada, Guyana, Indien, Jamaika, Kanada, Kenia, Kiribati, Lesotho, Malawi, Malaysia, Malediven, Malta, Mauritius, Namibia, Nauru (indirekt), Neuseeland, Nigeria, Pakistan, Papua-Neuguinea, Saint Kitts und Nevis, Saint Lucia, Saint Vincent and the Grenadines, Salomonen, Sambia, Seychellen, Sierra Leone, Simbabwe, Singapur, Sri Lanka, Rep. Südafrika, Swasiland, Tansania, Tonga, Trinidad und Tobago, Tuvalu (indirekt), Uganda, Vanuatu, Westsamoa und Zypern.

Geschichte: Die Errichtung der Seeherrschaft Englands seit Ende des 16. Jh. (1588 Sieg über die span. Armada, erfolgreiche Seekriege gegen die Niederlande im 17. Jh.) war eine wichtige Voraussetzung für die Schaffung seines Kolonialreiches. Mit monopolist. Privilegien ausgestattete engl. Handelskompanien (bes. die Ostind. Kompanie ab 1600) legten überseeische Stützpunkte in Indien (Madras 1639, Bombay 1662) und im atlantisch-karib. Raum an (Barbados 1627, Jamaika 1655). Die Afrikakompanie setzte sich an der Goldküste fest, um sich einen Anteil am Sklavenhandel zu sichern. Überbevölkerung und religiös-polit. Konflikte in England führten zur Auswanderung von religiösen Minderheitsgruppen und zur Gründung von Siedlungskolonien in Nordamerika (Virginia 1607, weitere 12 Kolonien bis 1732). Im Span. Erbfolgekrieg (1701–1713/14) sicherte sich Großbritannien mit der Eroberung Gibraltars (1704) den Zugang zum Mittelmeer. Nach dem Siebenjährigen Krieg (1756–63) musste sich das rivalisierende Frankreich 1763 aus Nordamerika und Ostindien zurückziehen. Allerdings verlor Großbritannien wenig später den Hauptteil seiner nordamerikan. Kolonien, die die Unabhängigkeit erkämpften (→Vereinigte Staaten von Amerika); es behielt jedoch das vorher frz. Kanada. Seit 1788 (Anlage einer Strafkolonie) erschlossen die Briten Australien für sich. Von strateg. Bedeutung war die Inbesitznahme Maltas (1800) und des Kaplands (1806) während der

Napoleon. Kriege, bei deren Ende Großbritannien im Wiener Frieden 1815 auch die Seychellen und Mauritius erhielt. 1819 erwarb es Singapur, 1839 Aden und 1842 Hongkong. In Indien breitete sich die brit. Herrschaft immer weiter aus (1876 Proklamation der Königin Victoria zur Kaiserin von Indien). Bei der Aufteilung Afrikas fiel Großbritannien der Hauptanteil zu; es besetzte 1882 Ägypten und 1889 Rhodesien, unterwarf 1898 den östl. Sudan und 1899–1902 die südafrikan. Burenstaaten; gleichzeitig schuf es die Kolonien Nigeria und Kenia (Britisch-Ostafrika). 1919/20 wurden die meisten dt. Kolonien in Afrika als Völkerbundsmandate britisch, ferner im Nahen Osten Irak, Palästina und Transjordanien. Damit erreichte das B. R. seine größte Ausdehnung.

Die alten Siedlungskolonien hatten schon seit 1847 parlamentar. Selbstverwaltung erhalten. Durch Zusammenschlüsse entstanden aus ihnen die Dominions Kanada (1867), Australien (1901), Neuseeland (1907) und die Südafrikan. Union (1910); in ihnen nahm ein Generalgouverneur die Rechte der Krone wahr. Sie stiegen seit 1918 zu selbstständigen und dem Mutterland gleichgestellten Gliedern des B. R. auf; sie wurden auch Mitglieder des Völkerbundes. Endgültig wurde die staatsrechtl. Stellung der Dominions 1931 im Westminster-Statut verankert. Danach waren sie »autonome Gemeinschaften innerhalb des brit. Empire, gleich im Status, in keiner Weise einander in inneren und äußeren Angelegenheiten untergeordnet«, aber »doch durch eine gemeinsame Bindung an die Krone vereinigt und als Mitgl. des British Commonwealth of Nations frei assoziiert«.

Irland, das in einem blutigen Aufstand die Selbstständigkeit zu erringen versucht hatte, erhielt 1921 unter Abtrennung Nordirlands den Dominion-Status. 1922 erkannte Großbritannien Ägypten als unabhängigen Staat an, konnte sich jedoch im angloägypt. Vertrag von 1936 Souveränitätsrechte in einer Zone entlang des →Sueskanals sichern. Während des 2. Weltkrieges erstarkten unter dem Eindruck des japan. Vormarsches in O- und SO-Asien dort die nat. Bewegungen. Trotz zeitweiligen Verlustes von Herrschaftsgebieten (z.B. Singapur, Birma) überstand das B. R. den 2. Weltkrieg territorial unversehrt. Der allmähl. Schwund der brit. Weltmachtstellung beschleunigte aber nach 1945 den Prozess der →Entkolonialisierung. Britisch-Indien, der Kern des ehemaligen brit. Imperiums, erlangte nach jahrzehntelanger Unabhängigkeitsbewegung unter Führung M. Gandhis 1947 die staatl. Unabhängigkeit, allerdings unter Teilung des Subkontinents in die Ind. Union und Pakistan. Die Mehrzahl der unabhängig gewordenen Staaten in Asien, Afrika, Ozea-

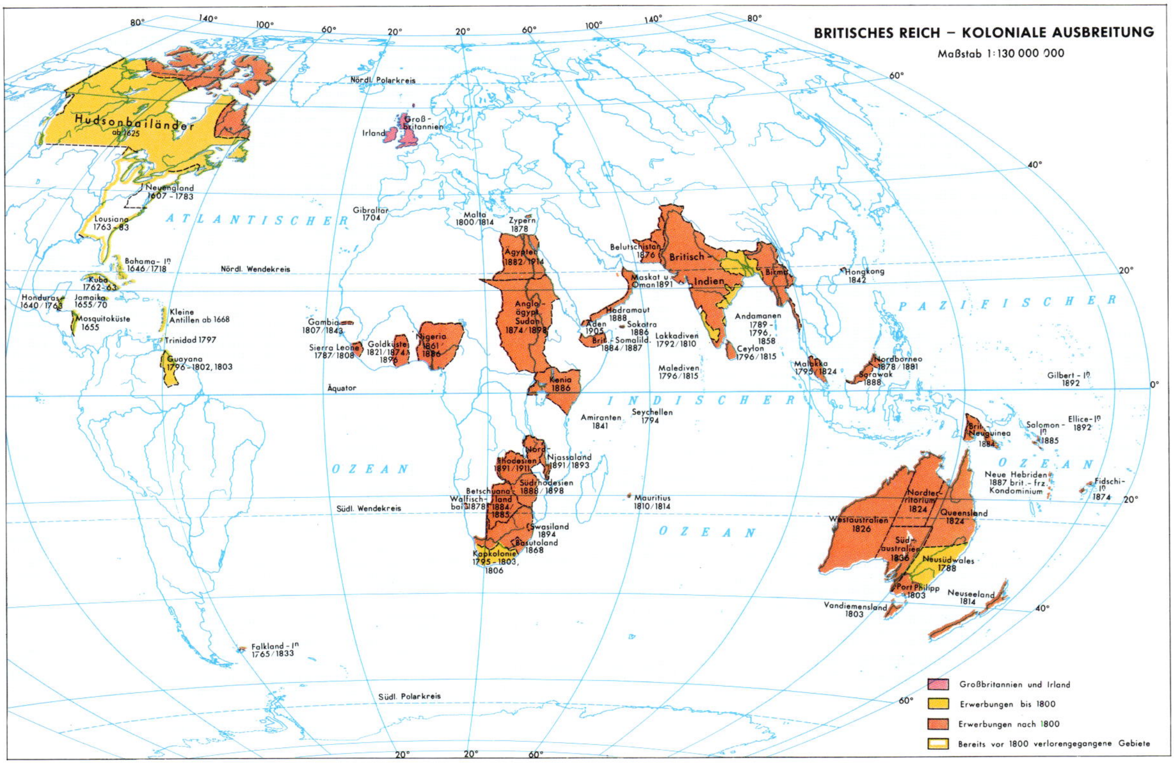

nien und Zentralamerika blieb Mitgl. der Gemeinschaft. 1949 formulierte die Konferenz der Premierminister des B. R. die Stellung der brit. Krone neu, sodass auch Länder mit republikan. Staatsform im Commonwealth verbleiben konnten. Fortan galt die Krone als »Symbol der freien Vereinigung seiner unabhängigen Mitgl.staaten und insofern als Oberhaupt des Commonwealth«. Nur wenige Staaten schieden aus dem B. R. aus: Birma (1948), Irland (1949), die Südafrikan. Union (1961, Wiederaufnahme 1994), Pakistan (1972, Wiedereintritt 1989), Fidschi (1987).

In einigen Gebieten führte der Prozess der Entkolonialisierung zu regional begrenzten krieger. Auseinandersetzungen mit der brit. Kolonialmacht: Mau-Mau-Aufstand (1949–56) in Kenia; Kämpfe mit kommunist. Partisanen auf der Malaiischen Halbinsel (1948–57). Weltpolit. Folgen hatte der Rückzug Großbritanniens aus Palästina (1948) und Zypern (1960). Nach Verstaatlichung der Sueskanalgesellschaft (1956) durch Ägypten intervenierten Großbritannien und Frankreich militärisch (»Sueskrise«), mussten sich jedoch unter dem Druck der USA und der UdSSR wieder zurückziehen. Nach dem Scheitern des Zentralafrikan. Bundes (1963) führte die »einseitige Unabhängigkeitserklärung« (Süd-)Rhodesiens (1965) zu einem britisch-rhodes. Konflikt, seit Mitte der 1970er-Jahre zu einem Bürgerkrieg zw. der auf den europastämmigen Bevölkerungsminderheiten fußenden Regierung und den die schwarzafrikan. Bevölkerungsmehrheit des Landes vertretenden Befreiungsbewegungen. 1971 gab die brit. Regierung die grundlegende Erklärung ab, »östlich von Sues« keine wesentl. Interessen mehr zu besitzen. 1979 konnte Großbritannien auf der Genfer Rhodesienkonferenz eine Lösung für den Rhodesienkonflikt durchsetzen, 1980 entließ es das Land als Simbabwe in die Unabhängigkeit. – Mit Argentinien kam es 1982 zu einem Krieg um die Falklandinseln. Ein 1984 geschlossenes Abkommen mit China legt die Rückgabe der brit. Kronkolonie Hongkong für 1997 fest.

📖 *The growth of the British Commonwealth 1880–1932, hg. v.* I. M. Cumpston. *London 1973.* – Gallagher, J.: *The decline, revival and fall of the British Empire. Cambridge u. a. 1982.* – *The Cambridge illustrated history of the British Empire, hg. v.* P. J. Marshall. *Cambridge u. a. 1996.*

Britisch-Guayana, ehem. britische Kolonie an der NO-Küste Südamerikas, → Guyana.

Britisch-Honduras, ehem. britische Kolonie, → Belize.

Britisch-Indi|en, i. e. S. die früher unter unmittelbarer brit. Herrschaft stehenden Teile Indiens; i. w. S. das ehemalige britische Kaiserreich Indien (→ Britisches Reich und Commonwealth), auf dessen Gebiet nach 1947 die Staaten Indien (Ind. Union), Pakistan, Birma und Bangladesh entstanden.

Britisch-Kolumbi|en, kanad. Provinz, → British Columbia.

Britisch-Nordborneo, ehem. britische Kolonie, → Sabah.

Britisch-Ostafrika, ehem. Zusammenschluss von Kenia, Tanganjika und Uganda. (→ Ostafrikanische Gemeinschaft)

Britisch-Somaliland, ehem. britisches Protektorat, → Somalia.

Britisch-Zentralafrika, → Zentralafrikanische Föderation.

British Aerospace PLC ['brɪtɪʃ 'eərəʊspeɪs], London, Unternehmen der Luft- und Raumfahrtind.; gegr. 1977 durch Verstaatlichung des brit. Flugzeugbaus und Fusion der British Aircraft Corporation mit anderen Unternehmen; 1985 reprivatisiert. Produkte sind u. a.: Harrier, Hawk, Rapier, Concorde.

British Airways

British Airways ['brɪtɪʃ 'eəweɪz], London, führende brit. Luftverkehrsgesellschaft, 1974 aufgrund eines Beschlusses des brit. Unterhauses gegründet als Zusammenschluss von British European Airways Corporation (BEA, gegr. 1946), British Overseas Airways Corporation (BOAC, gegr. 1940), British Air Services, British Airways Helicopters, BOAC Associated Companies und der BOAC Engine Overhaul Ltd. Das urspr. zu 100 % staatl. Unternehmen wurde 1987 privatisiert. (Übersicht Luftverkehrsgesellschaften)

British Columbia ['brɪtɪʃ kə'lʌmbɪə] (Britisch-Kolumbien), westlichste Provinz Kanadas, 947 800 km², (1990) 3,28 Mio. Ew.; Hptst.: Victoria. B. C. liegt im Bereich der nordamerikan. Kordilleren: im O steigen die kanad. Rocky Mountains bis 3 954 m hoch an, im W ragen die pazif. Coast Mountains bis 4 041 m auf, dazwischen liegen niedrigere Gebirgsketten mit Längssenken und z. T. stark zerschnittene Plateaus; der fjordreichen Küste sind viele Inseln vorgelagert. Über 70 % der Fläche sind bewaldet (Holzverarbeitung). Fischerei (bes. Lachs); Bergbau (u. a. Kupfer, Zink, Blei, Eisen, Molybdän, Kohle, Erdöl); landwirtsch. Anbau (Obst, Gemüse, z. T. mit Bewässerung) im Fraserdelta und den Flusstälern; im Binnenland extensive Weidewirtschaft. In und um Vancouver sind fast die Hälfte der Bev. und ein großer Teil der Ind. konzentriert (Holz-, Fisch- und Metallverarbeitung, chem. Ind., Aluminiumproduktion).

British Council ['brɪtɪʃ 'kaʊnsl], brit. Einrichtung, 1934 gegr., soll zum Nutzen des Commonwealth dem Ausland das Vereinigte Königreich kulturell erschließen und näher bringen, z. B. durch Förderung des Stipendienwesens und der Touristik, durch Errichtung von »British Information Centres« im Ausland mit Bibliotheken, Sprachkursen, Filmen, Vorträgen u.Ä. Der B. C. hat weltweit Niederlassungen; die Hauptverwaltung des B. C. für Dtl. ist in Köln.

British Indian Ocean Territory ['brɪtɪʃ 'ɪndɪən əʊʃn 'terɪtərɪ], unter brit. Verwaltung stehendes Gebiet im westl. Ind. Ozean, 46 km², 1965 gebildet, umfasst seit 1976 nur noch die →Chagosinseln.

Britomartis, altkret. Göttin, von den Griechen der Artemis gleich gestellt.

Britten, Benjamin, engl. Komponist, *Lowestoft (Cty. Suffolk) 22. 11. 1913, †Aldeburgh (Cty. Suffolk) 4. 12. 1976. Seine Musik, in einem gemäßigt modernen Stil, ist an die Tonalität gebunden mit besonderem Sinn sowohl für dramat. Aussage als auch für lyr. Stimmung; auch Dirigent und Pianist. Opern: »Peter Grimes« (1945); »Der Raub der Lukrezia« (1946); »Albert Herring« (1947); »Billy Budd« (1951); »Ein Sommernachtstraum« (1960); »Owen Wingrave« (Fernsehoper, 1971); »Der Tod in Venedig« (1973); Orchester- und Chorwerke (z.B. »War Requiem«, 1962).

📖 CARPENTER, H.: *B. B. A biography. Taschenbuchausg. London 1993.*

Britting, Georg, Schriftsteller, *Regensburg 17. 2. 1891, †München 27. 4. 1964; schrieb fantasievolle Lyrik und den humorist. Roman »Lebenslauf eines dicken Mannes, der Hamlet hieß« (1932).

Brive-la-Gaillarde ['briv laga'jard], Stadt im südwestfrz. Dép. Corrèze, am W-Rand des Zentralmassivs im Becken von Brive, 52700 Ew.; Wasserschloss, Kirche St. Martin (11./12. Jh.); Handel mit landwirtsch. Erzeugnissen.

Brixen (italien. Bressanone), **1)** Stadt in der Prov. Bozen, Südtirol, Italien, an der Mündung der Rienz in den Eisack, 17000 Ew.; Weinbau; Fremdenverkehr. – Dom mit Fresken des 14. und 15. Jh. im roman. Kreuzgang (um 1200), ehemaliger bischöfl. Palast (begonnen 1270, Neubau 1591–1600), mittelalterl. Arkadenbauten.

2) ehem. Bistum, bildete im 11. Jh. ein reichsunmittelbares geistl. Fürstentum, das 1803 an Tirol fiel. – 1964 wurde aus seinem Gebiet und den bis dahin zum Erzbistum Trient gehörenden Teil der Prov. Bozen das Bistum Bozen-B. errichtet.

Brixental, rechtes Nebental des Inns in den Kitzbüheler Alpen, Tirol, Österreich, durchflossen von der **Brixentaler Ache;** Fremdenverkehr.

Brixlegg, Marktgemeinde im Bezirk Kufstein, Tirol, Österreich, im Inntal, 2600 Ew.; Kupferhütte. Im Ortsteil **Mehrn** Schwefelbad; in der Umgebung die Burgen Matzen (12. Jh.) und Lichwerth (13. Jh.).

Brjansk, Hptst. des Gebiets B., Russland, 452000 Ew.; Hochschulen; Schwermaschinen-, Turbinen-, Waggon-, Lkw-, Traktorenbau, Textilindustrie. – Im 2. Weltkrieg fand im Raum von B. und Wjasma vom 2. bis 12. 10. 1941 eine Kesselschlacht statt.

Brjussow, Waleri Jakowlewitsch, russ. Dichter, *Moskau 13. 12. 1873, †ebd. 9. 10. 1924; Mitbegründer des russ. Symbolismus; schrieb Lyrik, histor. Romane, Erzählungen und Essays.

Brno ['brnɔ], tschech. Name von →Brünn.

Broadway ['brɔːdweɪ, engl.], eine der Hauptstraßen von New York, die den Stadtteil Manhattan längs durchzieht und das gitterartig angelegte Straßennetz diagonal schneidet; gilt als Zentrum des amerikan. Theaterlebens. (→Off-Broadway)

Broccoli [italien.] *Pl.,* auch *der* (Brokkoli, Spargelkohl), mit dem Blumenkohl verwandte Varietät des Gemüsekohls mit zahlr. Formen; der meist grüne Blütenstand wird im frühen Knospenstadium herausgeschnitten und wie Spargel zubereitet.

Georg Britting

Broch, Hermann, österr. Schriftsteller, *Wien 1. 11. 1886, †New Haven (Conn.) 30. 5. 1951; emigrierte 1938 in die USA, analysierte als Erzähler und Essayist den Zerfall der Werte, so in der zeitkrit. Romantrilogie »Die Schlafwandler« (1931/32); im Roman »Der Tod des Vergil« (1945) findet sich die Erzähltechnik des inneren Monolog (in anderer Konzeption als bei J. Joyce); ferner Romane: »Die Schuldlosen« (1950), »Bergroman« (4 Bde., krit. Ausgabe von 3 Fassungen, 1969, 1953 u.d.T. »Der Versucher«).

📖 ROETHKE, G.: *Zur Symbolik in H. B.s Werken. Tübingen 1992.*

Hermann Broch

Brixen 1): Der um 1200 erbaute Kreuzgang des Domes, die Fresken aus dem 14. und 15. Jh. wurden 1965/66 restauriert

Brockdorff-Rantzau, Ulrich Graf von, Diplomat, *Schleswig 29. 5. 1869, †Berlin 8. 9. 1928; wurde 1912 Gesandter in Kopenhagen, führte als Reichsaußenmin. (ab Febr. 1919) die dt. Delegation bei den Friedensverhandlungen in Versailles, trat

Ulrich Graf von Brockdorff-Rantzau

jedoch im Juni 1919 als Gegner der Unterzeichnung des Versailler Vertrages zurück. 1922–28 war er Botschafter in Moskau.

Brọcken, höchste Erhebung des Harzes, 1141 m ü. M., eine windexponierte Granitkuppe mit hohen Niederschlägen; zahlr. Hochmoore, z. B. **Brockenfeld.** Auf dem Gipfel Wetterstation, Sendestelle der Telekom und das botan. Schutzgebiet Brockengarten. Seit Juni 1992 verkehrt zw. Wernigerode und dem Gipfel wieder die schmalspurige B.-Bahn. (→ Blocksberg)

Brockengespenst, atmosphärisch-optische Erscheinung, → Glorie.

Brockenmoos, das → Isländische Moos.

Brọckhaus, Verlegerfamilie. Friedrich Arnold B., *Dortmund 4. 5. 1772, †Leipzig 20. 8. 1823; gründete 1805 in Amsterdam eine Verlagsbuchhandlung und kaufte 1808 das von R. G. Löbel und C. W. Franke begonnene Konversationslexikon (1796–1811, 8 Bde.). 1811 siedelte er mit seiner Firma nach Altenburg, 1817/18 nach Leipzig über (ab 1814 **F. A. Brockhaus**); dort erschienen die weiteren Auflagen des Lexikons (^{5}1819–20, 10 Bde.), Reihen- und Sammelwerke, später auch populärwiss. und Reisebücher. Nachschlagewerke blieben Hauptarbeitsgebiet des Verlags: »Großer Brockhaus« (^{15}1928–35 , 20 Bde., Atlas und Ergänzungsband). 1945 setzte in Wiesbaden der Verlag **Eberhard B.** die Überlieferung fort und firmierte seit 1953 nach Enteignung des Leipziger Stammhauses (dort 1953–90 als VEB F. A. Brockhaus Verlag Leipzig, 1990–92 F. A. Brockhaus Verlag Leipzig GmbH, 1992 reprivatisiert) wieder als F. A. Brockhaus. 1952–62 erschien die 16. Aufl. des »Großen Brockhaus« (12 Bde., Atlas und 2 Ergänzungsbde.), 1966–81 die 17. Aufl. als »Brockhaus Enzyklopädie« (20 Bde., Atlas, 3 Ergänzungsbde., Bildwb.), 1977–82 der »Große Brockhaus« (18. Aufl., 12 Bde., 1 Ergänzungsbd.), 1986–96 die 19. Aufl. als »Brockhaus Enzyklopädie« (24 Bde., 6 Ergänzungsbde.); seit 1996 erscheint die 20. Aufl. als »Brockhaus, Die Enzyklopädie«. 1984 Fusion mit Bibliographisches Institut AG zur Firma → Bibliographisches Institut & F. A. Brockhaus AG.

Friedrich Arnold Brockhaus

Brockhouse ['brɔkhaʊz], Bertram Neville, kanad. Physiker, *Lethbridge (Prov. Alberta) 15. 7. 1918; entwickelte ein Dreiachsenspektrometer zur Untersuchung von kondensierter Materie mithilfe der unelastischen Neutronenstreuung. Dafür erhielt er 1994 zus. mit C. G. Shull den Nobelpreis für Physik.

Max Brod

Brọd, Max, österr.-israel. Schriftsteller, *Prag 27. 5. 1884, †Tel Aviv-Jaffa 20. 12. 1968; Freund F. Werfels und F. Kafkas, für den er als Nachlassverwalter und Biograph wirkte; emigrierte 1939 nach Tel Aviv, dort Dramaturg des Habimah-Theaters; schrieb die Trilogie »Tycho Brahes Weg zu Gott« (1916), »Rëubeni, Fürst der Juden« (1925), »Galilei in Gefangenschaft« (1948) u. a. Romane, Erzählungen und Biographien. Autobiographie: »Streitbares Leben« (1960).

🕮 BÄRSCH, C.-E.: *M. B. im Kampf um das Judentum. Zum Leben u. Werk eines deutsch-jüd. Dichters aus Prag. Wien 1992.*

Brọdski, Joseph, russ. Iossif Alexandrowitsch B., russ. Lyriker, *Leningrad (heute Sankt Petersburg) 24. 5. 1940, †New York 28. 1. 1996; wurde 1972 aus der Sowjetunion ausgewiesen, lebte seitdem in den USA (1977 amerikan. Staatsbürgerschaft), Literaturwissenschaftler; schrieb v. a. persönl. Bekenntnislyrik sowie religiös bestimmte Gedichte (in dt. Ausw.: »Ausgewählte Gedichte«, 1966; »Einem alten Architekten in Rom«, 1978; »Römische Elegien und andere Gedichte«, 1985); auch Essayist, Dramatiker (»Marmor«, 1984) und Übersetzer; 1987 »Erinnerungen an Leningrad«; erhielt 1987 den Nobelpreis für Literatur.

🕮 POLUKHINA, V.: *Joseph Brodsky. A poet for our time. Cambridge 1989.*

Brọdwolf, Jürgen, schweizer.-dt. Maler, Grafiker, Zeichner, *Dübendorf (Kt. Zürich) 14. 3. 1932; begann mit figürl. Darstellungen, Tusch- und Radierzyklen. Seit 1959 entstehen v. a. Objekte und Figurinen.

Melchior Broederlam: Detail aus der Verkündigung vom Altar für die Kartause von Champmol (1394–99; Dijon, Musée des Beaux-Arts)

Broederlam ['bru:dərlam], Melchior, fläm. Maler aus Ypern, 1381–1409 nachweisbar als Hofmaler der Grafen von Flandern und der Herzöge von Burgund. In der feinen Lichtbehandlung wohl einer der bedeutendsten niederländ. Maler vor den Brüdern van Eyck.

Broek [bru:k], **1)** Hans van den, niederländ. Politiker, * Paris 11. 12. 1936; Jurist, Mitgl. des Christlich Demokrat. Appells (CDA), 1976–81 Abg. in der Zweiten Kammer, 1992–93 Außen-Min., wurde im Jan. 1995 EU-Kommissar, zuständig für Außen- und Sicherheitspolitik.

2) Johannes Hendrik van den, niederländ. Architekt, * Rotterdam 4. 10. 1898, † Den Haag 6. 9. 1978; 1937 assoziierte er sich mit J. A. Brinkman, 1948 mit J. B. Bakema (* 1914, † 1981), mit dem er entscheidend am Wiederaufbau Rotterdams beteiligt war.

Broglie [brɔj], Louis-Victor 7. Herzog von B. (seit 1960), gen. L. de B., frz. Physiker, * Dieppe 15. 8. 1892, † Louveciennes (Dép. Yvelines) 19. 3. 1987; begründete die Theorie der → Materiewellen **(De-B.-Wellen)** und erhielt dafür 1929 den Nobelpreis für Physik.

Brokat [zu italien. broccare »durchwirken«] *der,* schwerer, reich gemusterter Seidenstoff mit eingewebten Gold-, Silber- oder Lurexfäden, für Abendkleider und Möbelstoffe.

Brokdorf, Gemeinde im Landkreis Steinburg, Schlesw.-Holst., an der Unterelbe, 970 Ew.; Kernkraftwerk (1395 MW Bruttoleistung), seit 1976 gegen starken Widerstand von Kernkraftgegnern gebaut; 1986 in Betrieb genommen.

Broken Hill [ˈbrəʊkən ˈhɪl], **1)** früherer Name der Stadt → Kabwe in Sambia.

2) Bergbaustadt in New South Wales, Australien, 24 200 Ew.; Blei-, Zink-, Silbererzbergbau; Flughafen.

Broker [ˈbrəʊkə, engl.] *der,* in angelsächs. Ländern Personen bzw. Unternehmen (B.-Häuser), die allein berechtigt sind, Kauf- und Verkaufsaufträge an den Wertpapierbörsen auszuführen.

Brokkoli, ein Gemüsekohl, → Broccoli.

Brokmerland [von fries. brok »Bruch«], Niederungsgebiet (Sietland) zw. der Seemarsch Krummhörn und der nordwestlichen ostfries. Geest- und Hochmoorregion, südlich von Norden, in Niedersachsen.

Brokoff (Prokop, Prokof), Ferdinand Maximilian, böhm. Bildhauer, * Rothenhaus (heute Červený Hrádek, bei Komotau) 12. 9. 1688, † Prag 8. 3. 1731; schuf barocke Skulpturen für die Karlsbrücke in Prag, den Breslauer Dom, die Karlskirche in Wien und die Klosterkirche in Grüssau (heute als Krzeszów zu Kamienna Góra).

Brom [von grch. brōmos »Gestank«] *das,* Symbol **Br,** nichtmetall. Element aus der 7. Hauptgruppe des Periodensystems (Halogene). Ordnungszahl 35, rel. Atommasse 79,904, Dichte 3,12 g/cm³, Schmelzpunkt −7,2 °C, Siedepunkt 58,8 °C. – B. bildet eine dunkelrotbraune, schon bei Raumtemperatur stark verdampfende Flüssigkeit, die Dämpfe reizen die Schleimhäute. Freies B. ist sehr reaktionsfähig und in Wasser etwas löslich **(B.-Wasser).** In der Natur kommt es in Form von Bromiden, Salzen der B.-Wasserstoffsäure, vor, z. B. als Magnesiumbromid im Meerwasser. In Mineralen findet es sich in Dtl. v. a. als B.-Carnallit, woraus es durch Einwirkung von Chlor gewonnen wird.

Verbindungen: Vom **B.-Wasserstoff,** HBr, der sich in Wasser zu einer starken Säure, der **B.-Wasserstoffsäure,** auflöst, leiten sich eine Reihe Metallsalze, die Bromide, ab. **Silberbromid,** AgBr, ist ein Bestandteil fotograf. Schichten. **B.-Säure,** $HBrO_3$, eine B.-Sauerstoffsäure, entsteht beim Einleiten von Chlor in B.-Wasser; von ihren Salzen, den **Bromaten,** ist das in der chem. Analyse verwendete **Kaliumbromat,** $KBrO_3$, wichtig; **organ. B.-Verbindungen** werden v. a. als Antiklopfmittel und als Flammschutzmittel in Kunststoffen verwendet.

Bromaceton *das,* stark augenreizender Gaskampfstoff; ein Tränengas.

Bromargyrit *der* (Bromit, Bromsilber), **AgBr,** kub. Mineral, gelb bis olivgrün, kommt zus. mit anderen Silbererzen (Mexiko, Chile) vor.

Brombeere, Sammelbez. für mehrere Arten der Rosengewächsgatt. Rubus; Halbsträucher in Gebüschen, an lichten Waldstellen und Waldrändern mit aufrechten, klimmenden, hängenden oder kriechenden Zweigen, weißen bis roten, traubig oder rispig geordneten Blüten und schwarzen bis schwarzroten Sammelfrüchten. Eiszeitrelikte sind die **Torf-B.** oder **Moltebeere** (Rubus chamaemorus) und die **Arkt. B.** oder **Aakerbeere** (Rubus arcticus). In Mitteleuropa werden großfrüchtige Formen mit saftigen, wohlschmeckenden Früchten **(Schwarz-, Hunds-, Kratzbeere)** angebaut. Die **Armen. B.** (Rubus armeniacus) und die z. T. stachellose **Schlitzblättrige B.** (Rubus laciniatus) sind gärtner. Kulturpflanzen.

Bromberg (poln. Bydgoszcz), Hptst. der Wwschaft Bydgoszcz, Polen, nahe der Mündung der Brahe in die Weichsel, 384 800 Ew.; Hochschulen, wiss. Institute; Museen, Bibliotheken, Theater, Philharmonie; elektrotechn. Ind., Fahrradbau, Lebensmittel-, Schuhind.; 24,7 km langer **Bromberger Kanal;** Fluss- und Flughafen. – B. erhielt 1346 dt. Stadtrecht und war im 15./16. Jh. wichtiger Handelsplatz, bis es im 17. Jh. verfiel; unter preuß. Herrschaft seit 1772 nahm es einen großen Aufschwung, bes. als Regierungsbezirks-Hptst. (1814–1919). 1919 kam es an Polen. Im 2. Weltkrieg stark zerstört. BILD S. 292

Bromelie *die* (Bromelia) [nach dem schwed. Botaniker O. Bromel, * 1639, † 1705], Gattung der Ananasgewächse mit etwa 35 Arten im trop. Ame-

Joseph Brodski

Louis-Victor Herzog von Broglie

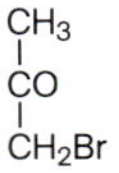

Bromaceton

Bromberg
Stadtwappen

Bromberg: Getreidespeicher am Bromberger Kanal

rika; meist große Rosettenpflanzen mit langen starren, am Rand dornigen Blättern; Blüten in rispigen Blütenständen.

Louis Bromfield

Bromfield ['brɔmfi:ld], Louis, amerikan. Schriftsteller, *Mansfield (Ohio) 27. 12. 1896, †Columbus (Ohio) 18. 3. 1956; Verfasser erfolgreicher Gesellschaftsromane u.a. des Indienromans »Der große Regen« (1937).

Bromismus *der,* die →Bromvergiftung.

Bromit *der,* →Bromargyrit.

Bromley ['brɔmlɪ], ehem. selbstständige Stadt in England, seit 1965 Stadtbezirk im SO Londons.

Bromo, aktiver Vulkan auf Java, Indonesien, im Tenggergebirge, 2392 m hoch. Wird von der hinduist. Bev. in der Umgebung als heiliger Berg angesehen.

Brompräparate, Arzneimittel, deren wirksamer Bestandteil das Bromidion ist. B. setzen die Erregbarkeit des Zentralnervensystems herab und galten lange als ungefährl. Beruhigungsmittel; fortgesetzte Anwendung kann jedoch zur →Bromvergiftung führen. B. sind inzwischen weitgehend durch andere Beruhigungsmittel ersetzt.

Bromsilberdruck (Rotationsfotografie), die maschinelle Herstellung von fotograf. Kopien (z.B. Ansichtskarten) in sehr großen Auflagen.

Bromvergiftung (Bromismus), bei Überempfindlichkeit gegen Brom oder langer Verwendung von Brompräparaten in hohen Dosen auftretende Schädigungen; gekennzeichnet durch Konzentrationsschwäche, Schlaflosigkeit, Halluzinationen sowie charakterist. Hautausschlag **(Bromakne).**

bronchial [grch.], die Bronchien betreffend.

Bronchialasthma, →Asthma.

Bronchialkatarrh, die →Bronchitis.

Bronchialkrebs (Bronchialkarzinom), →Lungenkrebs.

Bronchiektasen [grch.], angeborene oder erworbene Erweiterungen der Bronchien; gekennzeichnet durch schleimigen oder eitrigen Auswurf, häufiges Husten und Fieberschübe, mitunter verläuft die Erkrankung auch symptomarm.

Bronchien [grch. brónchos »Luftröhre«], die Äste der Luftröhre bis zu 1 mm Ø; die feinsten Verzweigungen der B. in den Lungenläppchen heißen **Bronchiolen.**

Bronchitis [grch.] *die* (Bronchialkatarrh), Entzündung der Bronchialschleimhaut mit schleimigem oder eitrigem Auswurf. Die **akute B.,** oft als Tracheo-B. (Mitbeteiligung der Luftröhre), kommt als selbstständiges Krankheitsbild bei Virusinfekten vor, oft ausgelöst durch gleichzeitige Erkältung, bes. im Frühjahr und Herbst, ferner als Begleit-B. bei Masern, Keuchhusten u.a. Kennzeichen sind Husten, Brustschmerzen, Auswurf, oft Fieber. *Behandlung:* Bettruhe, Brustwickel, Inhalieren, hustendämpfende und schleimlösende Mittel. Die **chron. B.** kann bei wiederholtem Rückfall aus der akuten B. entstehen. Unter den schädlichen chem. Faktoren spielt der Tabakrauch eine besondere Rolle **(Raucher-B.).** Haupterscheinung der chron. B. ist der hartnäckige Husten mit schleimigem Auswurf, der oft zur Lungenblähung (→Emphysem) führt.

Bronchographie [grch.] *die,* Röntgendarstellung der Bronchien und Bronchiolen nach Füllung mit einem Kontrastmittel (mittels Katheters).

Bronchopneumonie [grch.], Form der →Lungenentzündung.

Bronchoskopie [grch.] *die,* direktes Betrachten der Luftröhre (Luftröhrenspiegelung) und ihrer größeren Äste mit einem starren oder flexiblen Spezialendoskop **(Bronchoskop);** dieses ist ein mit Lichtquelle, Betrachtungslupe u.a. Optiken ausgerüstetes Rohr, das unter örtl. Betäubung oder Inhalationsnarkose durch den Mund in die Luftröhre eingeführt wird. Es dient zur Entnahme von

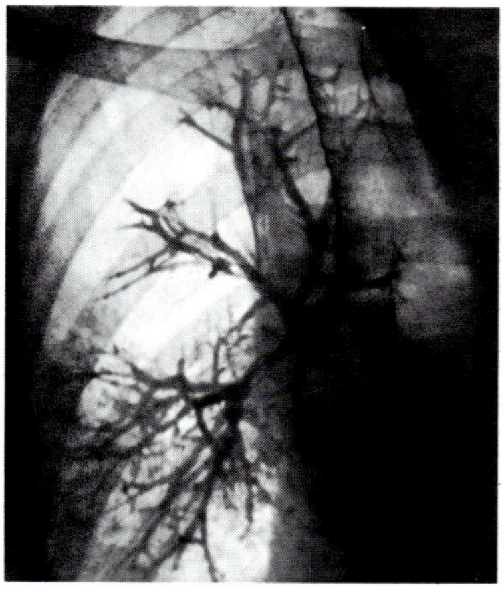

Bronchien: Darstellung des Bronchialbaums des rechten Lungenflügels (Röntgenbild nach Füllung mit Kontrastmittel)

Gewebeproben (z.B. bei Verdacht auf Bronchialkrebs) und zur Entfernung von Fremdkörpern.

Bronnen, 1) Arnolt, eigtl. Arnold Bronner, österr. Schriftsteller, *Wien 19. 8. 1895, †Berlin (Ost) 12. 10. 1959, Vater von 2); einer der expressionist. Bühnenavantgardisten nach dem 1. Weltkrieg in Berlin, v.a. durch sein Drama »Vatermord« (1920); ab 1955 Theaterkritiker in Berlin (Ost); schrieb außerdem: »Septembernovelle« (1922); »O. S.« (1929, Oberschlesienroman); »Aisopos« (Roman, 1956).

📖 ASPETSBERGER, F.: *A. B. Biographie. Wien u.a. 1995.*

2) Barbara, dt.-österr. Schriftstellerin, *Berlin 19. 8. 1938, Tochter von 1); Journalistin, Jugend- und Sachbuchautorin; schrieb den autobiograph. Roman »Die Tochter« (1980) sowie die Romane »Die Überzählige« (1984), »Die Briefstellerin« (1986), »Liebe um Liebe« (1989), »Donna Giovanna» (1992).

Bronson [brɔnsn], Charles, eigtl. C. Buchinsky, amerikan. Filmschauspieler, *Ehrenfeld (Pa.) 3. 11. 1921; spielt v.a. in Western- und Actionfilmen, u.a. »Die glorreichen Sieben« (1960), »Spiel mir das Lied vom Tod« (1968); »Ein Mann sieht rot« (1974), »Der Liquidator« (1984).

Brontë ['brɔntɪ], englische Schriftstellerinnen, Schwestern: **1)** Anne, *Thornton (Yorkshire) 17. 1. 1820, †Scarborough 28. 5. 1849; schrieb einige Gedichte für die Lyrikanthologie ihrer Schwestern sowie die Romane »Agnes Grey« (1847) und »Wildfell Hall« (3 Bde., 1848).

2) Charlotte, *Thornton 21. 4. 1816, †Haworth (Yorkshire) 31. 3. 1855; gab eine Lyrikanthologie (auch mit Gedichten ihrer Schwestern) heraus; schrieb u.a. den viel gelesenen Roman »Jane Eyre« (3 Bde., 1847).

3) Emily Jane, *Thornton 30. 7. 1818, †Haworth 19. 12. 1848; die literarisch bedeutendste der Schwestern; verfasste den überwiegenden Teil der in der Lyrikanthologie gesammelten Gedichte der Geschwister; Hauptwerk ist der Roman »Sturmhöhe« (3 Bde., 1847), in dem sich Schaueratmosphäre und psycholog. Charakteranalyse in der Darstellung der dämon. Hassliebe zweier Menschen vor dem Hintergrund der öden Moor- und Heidelandschaft Yorkshires verbinden.

📖 TRAZ, R. DE: *Die Familie Brontë. A. d. Frz. Neuausg. Leipzig 1993.* – MALETZKE, E.: *Das Leben der Brontës. Eine Biographie. Neuausg. Frankfurt am Main 18.–19. Tsd. 1995.*

Brontosaurus [grch.] *der* (Apatosaurus), Gattung ausgestorbener bis 30 m langer Dinosaurier mit bes. kurzen Vorderextremitäten, außergewöhnlich kräftigem Hals sowie kleinem Kopf.

Bronx, Stadtbezirk von New York, USA, nördl. von Manhattan, 1,20 Mio. Ew. (bes. Schwarze und Puertoricaner); vorwiegend Wohnbezirk, verbreitet sind Slums; entlang der Küsten Lagerhäuser, Häfen und Ind.betriebe.

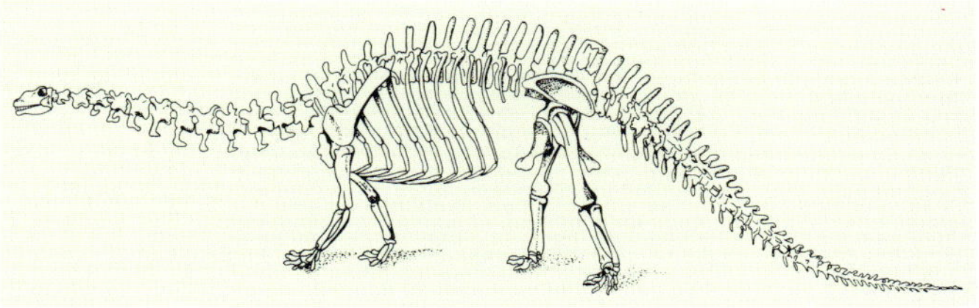

Brontosaurus

Bronze ['brɔ̃sə; aus italien. bronzo], Sammelbez. für die nicht als Messing geltenden, mehr als 60% Kupfer enthaltenden Kupferlegierungen. Sie sind hoch dehnbar, verschleißfest, korrosionsbeständig, elektr. leitfähig und gut bearbeitbar. B. wird für Armaturen, im chem. Apparatebau, Schiffbau, in der Elektrotechnik und als →Lagermetall verwendet. Wichtige B.-Sorten: **Zinn-B.** mit 1–9% Zinn als Knetlegierung, mit 4–21% Zinn als Gusslegierung, ferner Phosphor-B., Glocken-B., Geschütz-B., Münz-B., Aluminium-B., Blei-B., Beryllium-B., Mehrstoffzinn-B.; **Sinter-B.** ist eine als Lagermetall verwendete, gesinterte Zinn-B. ohne oder mit Graphitzusatz.

Bronzediabetes ['brɔ̃sə-], als Spätkomplikation einer →Hämochromatose entstandener Diabetes mellitus, verbunden mit bräunlicher (bronzeähnl.) Verfärbung der Haut.

Bronzedruck ['brɔ̃sə-], Verfahren, bei dem auf einen mit Unterdruckfarbe versehenen Druck Druckbronzen aufgebracht werden, die nach dem Trocknen haften; auch Druck mit Bronzedruckfarbe (Anreibungen von Druckbronzen mit Spezialfirnissen).

Bronzehautkrankheit ['brɔ̃sə-], die →Addison-Krankheit.

Bronzekunst ['brɔ̃sə-], die Herstellung figürl. Bildwerke und kunsthandwerkl. Gegenstände in Bronzeguss. Die Legierung aus Zinn, Zink und Blei bei Hauptanteil Kupfer ergibt **Rotguss;** Kupfer nur mit Zink ergibt **Gelbguss.** Bei dem gebräuchlichsten Gussverfahren wird nach dem Modell aus Gips eine Hohlform gearbeitet und diese mit Bronze ausgegossen. Bei dem Wachsausschmelzverfahren oder »Guss mit verlorener Form« wird das Werk über einem feuerfesten Kern in Wachs modelliert und darüber ein Gussmantel aus Formsand aufgetragen; das Wachs wird ausgeschmolzen und in den leeren Raum zw. Kern und Hohlform die flüssige Bronze gegossen. Der massive Vollguss wird bei Kleinbronzen angewendet.

Im Alten Orient und im Mittelmeerraum reicht die B. bis ins 3. Jt. v. Chr. zurück, in China bis in die

Charlotte Brontë
(Stahlstich)

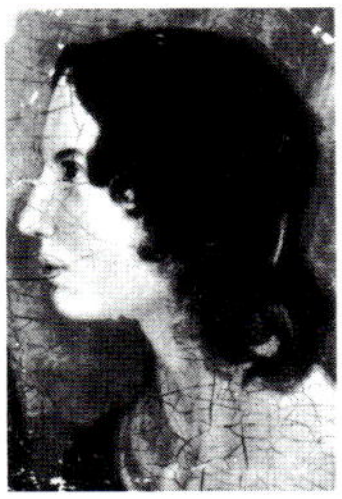

Emily Brontë
(Ausschnitt aus einem Gemälde ihres Bruders Patrick Branwell Brontë)

Bronzekunst

1

2

3

4

5

1 Sumerisch-akkadische Kunst, Hohlguss eines Bronzekopfes aus Ninive, wahrscheinlich Naramsin, Höhe 36,6 cm, (zwischen 2155 und 2119 v. Chr.; Bagdad, Irak-Museum) | **2** Chinesische Kunst der späten Hanzeit, »Himmlisches fliegendes Pferd«, entdeckt 1969 in der Provinz Gansu | **3** Minoische Kunst, Statuette eines Mannes in Gebetshaltung (um 1550 v. Chr.; Heraklion, Archäologisches Museum) | **4** Magdalena Abakanowicz, »Katharsis« (1985; Privatbesitz) | **5** Peter Vischer d. Ä., »Simson«, Ausschnitt vom Sebaldusgrab (1507–19; Nürnberg, Sebalduskirche)

Mitte des 2. Jahrtausends. Die grch. B. ist v. a. durch röm. Marmorkopien bekannt. Erhalten geblieben sind v. a. kleinplast. Werke, so auch von der etrusk. und der röm. B., deren bedeutendstes, der Zerstörung entgangenes Großbildwerk das Reiterdenkmal Mark Aurels in Rom ist. Wieder aufgenommen wurde die B. unter Karl d. Gr. (Gießhütte in Aachen). Mit den in der Werkstatt Bischof → Bernwards von Hildesheim um 1000 entstandenen Arbeiten begann ihre Blüte in roman. Zeit. Aus den v. a. in Dtl. (Magdeburg) und im Maastal arbeitenden Werkstätten gingen Meisterwerke der B. hervor: Türflügel mit Reliefdarstellungen (Gnesen, Nowgorod), Kruzifixe, Taufbecken, kirchl. Gerät, Grabplatten und das Denkmal Heinrichs des Löwen in Braunschweig. Nachdem die B. in der Gotik an Bedeutung verloren hatte, wandte sich ihr die Renaissance wieder zu, in Italien L. Ghiberti (Bronzetüren am Baptisterium in Florenz), Donatello (Reiterstandbild des Gattamelata in Padua), A. del Verrocchio (Reiterstandbild des Colleoni in Venedig), in Dtl. bes. die Vischer-Werkstatt (Sebaldusgrab in Nürnberg). Zur Zeit des Manierismus waren die führenden Meister B. Cellini und Giambologna, dessen in Dtl. tätige Schüler A. de Vries, H. Gerhard und H. Reichle waren. Im Barock blühte die B. v. a. in Frankreich. Der dt. Hauptmeister war A. Schlüter (Reiterstandbild des Großen Kurfürsten in Berlin). Im 19. und 20. Jh. ragen in Dtl. hervor: G. Schadow, C. Rauch (Reiterdenkmal Friedrichs d. Gr. in Berlin), G. Kolbe, E. Barlach und G. Marcks, in Frankreich A. Rodin und A. Maillol. Bed. Bronzeplastiker der Gegenwart sind A. Giacometti, H. Moore, M. Marini und G. Manzù.

📖 *Archäolog. Bronzen. Antike Kunst – Moderne Technik, hg. v.* H. Born. *Berlin 1985.* – Bol, P. C.: *Antike Bronzetechnik. Kunst u. Handwerk antiker Erzbildner. München 1985. – Akten der 10. Internationalen Tagung über Antike Bronzen, Freiburg, 18.–22.*

Juli 1988, hg. vom Landesdenkmalamt Baden-Württemberg. Stuttgart 1994.

Bronzemedaille ['brɔ̃səmedaljə], sportliche Auszeichnung (Münze) bei Olymp. Spielen, bei Welt- und Europameisterschaften u.a. für den dritten Platz.

Bronzezeit ['brɔ̃sə-], vorgeschichtl. Kulturstufe zw. Jungsteinzeit und Eisenzeit, in der die Bronze der wichtigste Werkstoff für Waffen, Geräte und Schmuck war. Die ältesten Bronzegeräte traten in Mesopotamien, Kreta und in Ägypten auf (um 2500 v. Chr.). Die eigtl. B. begann in Vorderasien mit dem 2. Jt., auf der Pyrenäenhalbinsel, in Mittel- und N-Europa in der Zeit von 1800 bis 1550 v. Chr. Sie endete in den meisten Gebieten um 800–700 v. Chr. Die B. wird in mehrere Abschnitte eingeteilt, deren Benennung regionale Unterschiede aufweist.

Wichtige Kulturgruppen der B. außerhalb der Hochkulturen sind 1) die Aunjetitzkultur und die Rhonekultur **(frühe B.)**; 2) der Nord. Kreis in Skandinavien und N-Dtl., die Hügelgräberkultur des südl. Mitteleuropa **(mittlere** und **jüngere B.)**; 3) die Lausitzer Kultur und die Urnenfelderkultur. Die jüngere B. stand in ganz Europa unter dem Einfluss der seit etwa 1200 v. Chr. einsetzenden Urnenfelderbewegung.

Die B. brachte gegenüber der Jungsteinzeit Veränderungen in vielen Lebensbereichen. In der Landwirtschaft führte die zunehmende Verwendung des Pfluges zur Intensivierung des Ackerbaus. Die verschiedenen techn. Verfahren der Metallgewinnung und -verarbeitung führten zur

Bronzezeit: Sonnenwagen von Trundholm (Seeland, Dänemark), Durchmesser der Sonnenscheibe etwa 25 cm, Bronze und Goldblech (14./13. Jh. v. Chr.; Kopenhagen, Nationalmuseet)

Entstehung neuer Berufe (Bergleute, Gießer, Schmiede, Händler). Der Handel (Rohmetall, Bronze, Salz, Pelzwerk) wurde ausgedehnt; er verband Europa mit Ländern des östl. Mittelmeergebiets und solchen jenseits des Urals.

Im Hausbau und Siedlungswesen gab es in Mitteleuropa weiterhin mehr oder weniger befestigte dörfl. Siedlungen; bes. zu erwähnen sind die als →Pfahlbauten bekannten Seeufersiedlungen des nördl. und südl. Alpenvorlandes. Die vielfältigen Möglichkeiten bei der Bronzeverarbeitung brachten eine sich ständig wandelnde Formenfülle bei Schmuck, Waffen und Gerät in stetem Wechselspiel zur Entwicklung der Kleidung, des Kriegs-

Bronzezeit: Armschmuck aus Mettenheim bei Worms (etwa 15. Jh. v. Chr.; Worms, Museum)

Bronzezeit: Kulturgruppen der mittleren Bronzezeit

wesens und der Arbeitsprozesse hervor. Die Bronzewaffen (Dolch, Dolchstab, Streitaxt, seit der mittleren B. auch das Schwert) waren weitgehend auch Herrschafts- und Rangabzeichen. Dazu kam der vom Pferd gezogene zweirädrige Streitwagen. Die Verwendung des Pferdes als Reittier im takt. Sinn ist erst für die ausgehende B. belegt.

Felsbilder, Kultsteine, Kleinplastiken, Kultwagen, Luren und symbol. Darstellungen auf Bronzemessern des Nord. Kreises geben neben den Bestattungsfunden wichtige Aufschlüsse über Kult und Religion. Die Bestattungssitten sind in den einzelnen Kulturkreisen unterschiedlich.

📖 MÜLLER-KARPE, H.: *Handbuch der Vorgeschichte, Bd. 4: B., 3 Teilbde. München 1980. – Orientalisch-ägäische Einflüsse in der europ. Bronzezeit. Beiträge v.* T. BADER *u. a., hg. vom Römisch-Germanischen Zentralmuseum. Bonn 1990. – B. in Deutschland, hg. v.* A. JOCKENHÖVEL *u.* W. KUBACH. *Stuttgart 1994. – Handel, Tausch u. Verkehr im bronze- u. früheisenzeitl. Südosteuropa, hg. v.* B. HÄNSEL. *München u. a. 1995.* – SEIDEL, U.: *B., hg. vom Württembergischen Landesmuseum. Stuttgart 1995.*

Bronzino: Bildnis einer Prinzessin aus dem Haus Medici (undatiert; Florenz, Uffizien)

Bronzieren [brɔ̃-], das Auftragen von Bronzefarben mit Pinsel oder Spritzapparaten; auch die elektrolytische (galvan.) Abscheidung von Überzügen aus Bronze oder bronzefarbenem Messing auf Metallgegenständen (bes. Stahl).

Bronzino, gen. Agnolo di Cosimo, eigtl. Agnolo Tori, italien. Maler, *Monticelli (bei Florenz) 17. 11. 1503, †Florenz 28. 11. 1572; schuf religiöse und mytholog. Gemälde sowie zahlr. Porträts von strenger, repräsentativer Haltung und kühler manierist. Form- und Farbgebung. B. schrieb auch Sonette und burleske Gedichte.

Bronzit *der,* ein Mineral, →Pyroxene.

Brook [brʊk], Peter, engl. Regisseur, *London 21. 3. 1925; wegweisende internat. Theaterarbeit, v. a. Shakespeare-Inszenierungen sowie (experimentelles) zeitgenöss. Theater; 1962–70 Leiter der →Royal Stratford Company (mit P. Hall); seitdem in Paris eigenes Ensemble am Theater »Bouffes du Nord«; dramatisierte das ind. Epos »Mahabharata« (UA 1985); Verfilmungen: »Die Verfolgung und Ermordung Jean Paul Marats ... « (1966, nach P. Weiss); »Carmen« (1981, nach G. Bizet).

Brooke [brʊk], Rupert, engl. Dichter, *Rugby (Cty. Warwickshire) 3. 8. 1887, †auf Skyros (Griechenland) 23. 4. 1915. Sein Sonett »The soldier« wurde zum klassischen engl. Kriegsgedicht des 1. Weltkriegs.

Brooklyn [ˈbrʊklɪn], Stadtbezirk von New York, USA, auf der Insel Long Island, 2,29 Mio. Ew. Die nordwestl. Wasserfront ist Hafen- und Ind.viertel; botan. Garten.

Brookskette [brʊks-] (Brooks Range), die parallel zur Nordpolarmeerküste W–O verlaufenden nördl. Gebirgsketten Alaskas, 1000 km lang, 200–500 km breit; im Mount Isto, 2761 m ü. M.

Broonzy [ˈbru:nzɪ], William (Big Bill) Lee Conley, amerikan. Bluessänger, -gitarrist und -komponist, *Scott (Miss.) 26. 6. 1893, †Chicago 14. 8. 1958; Vertreter des Countryblues.

Brosche [von frz. broche »Spieß«, »Nadel«], an der Kleidung getragene, als Schmuckstück gestaltete Nadel.

Broschieren [frz.], das Vereinigen von Druckbogen zu einem Heft oder Buch mit Papier- oder Kartonumschlag **(Broschur)** durch Heften oder Rückenleimung.

Broschüre, jede broschierte Veröffentlichung, bes. die Druckschrift im Umfang weniger Bogen.

Brot [ahd. prōt »Gegorenes«], Grundnahrungsmittel, aus Getreidemehl oder -schrot sowie Wasser und Salz unter Verwendung von Teiglockerungsmitteln (meist Hefe oder Sauerteig, z. T. auch Backpulver) durch Backen hergestellt. Bei der B.-Herstellung können außerdem Backhilfsmittel sowie bei bestimmten B.-Sorten auch Fett, Zucker, Eier, Milch oder Milchprodukte, Gewürze, Aromastoffe u. a. zugesetzt werden.

Zur Teigbereitung werden die Ausgangsstoffe gemischt und geknetet. Die von der Hefe bzw. vom Sauerteig abgeschiedenen Blasen von Kohlendioxid und Alkoholdampf lockern den Teig und lassen ihn aufgehen. Im Teig gerinnt der →Kleber,

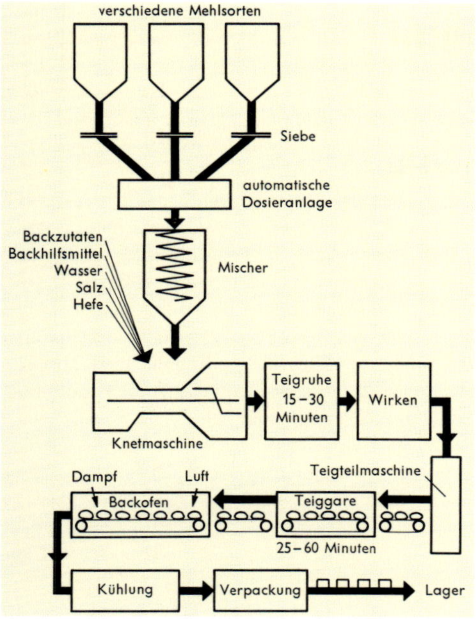

Brot: Verfahrensschritte der Brotherstellung

und das frei werdende Wasser bindet sich chemisch an die Stärke. Die Oberfläche, an der die Stärke Wasser abgibt und röstet, bräunt sich zur Kruste. Nach der Art der verarbeiteten Mehle, der Teigführung, der Backtemperatur, der Backdauer und den Zutaten lassen sich zahlr. B.-Sorten unterscheiden.

Roggen-B. wird v.a. aus Roggenmehl versch. Mehltypen ($\geqq$ 90%) gebacken; **Roggenmisch-B.** enthält daneben auch andere Mehle (Weizen-, Gerstenmehl). Im **Weizenmisch-B.** überwiegt das Weizenmehl. **Weiß-B.** ist jedes aus Weizenmehl ohne Milch, Fett, Zucker usw. mit Hefe gebackene Brot. **Vollkorn-B.** werden unter Verwendung von Weizen- oder Roggenschrot hergestellt. Eine spezielle Form des Roggenschrot-B. ist der **Pumpernickel;** beim Backen entstehen reichlich Röststoffe und Abbauprodukte der Stärke (Dextrine, Maltose), die die dunkle Farbe und den süßl. Geschmack ergeben. Zur Herstellung von **Knäcke-B.** wird recht flüssiger Teig in dünner Schicht gebacken und das B. dann nachgetrocknet. Der Wassergehalt darf nicht mehr als 10% betragen. **Spezial-B.** werden nach besonderen Verfahren hergestellt, z.B. **Steinmetz-B.,** ein Vollkorn-B., bei dem das Getreide im Nassschälverfahren geschält und der Teig in Formen gebacken wird. **Diabetiker-B.** wird Kleber zugesetzt, das höchstens 45% Stärke und (oder) Zuckerbestandteile enthalten darf.

Der Verbrauch an B.-Getreideerzeugnissen betrug in der Bundesrep. Dtl. je Ew. in kg: 1949/50: 98,4; 1959/60: 79,4; 1970/71: 61,0; 1981/82: 64,6; 1989/90: 65,9; 1995/96: 65,0.

Spezielle Rechtsvorschriften über das Herstellen von B. gibt es in Dtl. nicht. Es gelten die allg. Bestimmungen des Lebensmittelrechts (insbesondere das →Lebensmittel- und Bedarfsgegenstände-Gesetz) und in Bezug auf Füllmengen die Fertigpackungs-VO vom 18. 12. 1981.

Geschichte: Die Vorstufe des B. bildete der Fladen aus Mehlbrei, der seit dem 8. Jh. in Mitteleuropa durch das B. ersetzt wurde. Seit dem 9. Jh. ist das Backen ein selbstständiges Gewerbe. Es wurde Hafer-, Gersten- und Roggen-B. gegessen, seit dem 18. Jh. vielfach Weizenbrot. Seit Ende des 18. Jh. wurde durch die Einführung von Bäckereimaschinen die Entwicklung zur modernen B.-Fabrikation eingeleitet.

📖 *B. u. feine Backwaren. Eine Systematik der Backwaren in der Bundesrepublik Deutschland, hg. v.* W. Seibel. *Frankfurt am Main* ^{3}*1994.*

Broteinheit, Abk. **BE,** *Diätetik:* Hilfsrechengröße für die Kohlenhydratmenge. Eine B. ist diejenige Lebensmittelmenge, die auf den Stoffwechsel (des Diabetikers) die gleiche Wirkung ausübt wie 12 g Traubenzucker unter Berücksichtigung der versch. Zuckeraustauschstoffe.

Brotfruchtbaum (Artocarpus communis), auf Neuguinea und den Molukken heim. Maulbeergewächs; bis 20 m hoher Baum mit essbaren stärkereichen, kopfgroßen, bis 2 kg schweren Steinfrüchten **(Brotfrüchte).**

Brotfruchtbaum: Zweig mit halb reifer Frucht (links) und zwei männlichen Blütenständen (rechts)

Brot für die Welt, seit 1959 jährl. Sammelaktion der EKD und der evang. Freikirchen gegen Not und Elend in der Welt; soll neben Katastrophenhilfe konstruktive Hilfe (»Hilfe zur Selbsthilfe«) geben.

Brotkäfer (Stegobium paniceum), rostbrauner, 2–4 mm langer Klopfkäfer, Haushaltsschädling; seine Larven leben in stärkehaltigen Nahrungs- und Futtermitteln.

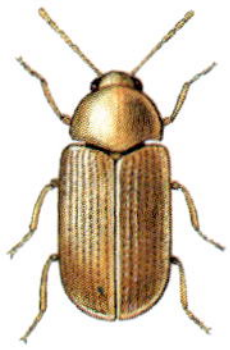

Brotkäfer

Brotnussbaum (Brosimum), tropisch-amerikan. Gattung der Maulbeergewächse mit nussartigen, verbackbaren Samen. Der **Milch-** oder **Kuhbaum** (Brosimum galactodendron) liefert trinkbaren Milchsaft, der **Letternholzbaum** (Brosumum aubletti) feines Nutzholz.

Brotschriften, frühere Bez. für Schriften (meist kleinere Schriftgrade) für Werk- und Zeitungsdruck, »das tägl. Brot« für den Setzer; im Ggs. zu Akzidenzschriften (→Akzidenz).

Brotterode, Stadt im Landkr. Schmalkalden-Meiningen, Thür., am S-Hang des Großen Inselsbergs, 580 m ü.M., 3300 Ew.; Fahrzeugscheinwerferfertigung; Luftkurort, Wintersportplatz.

Brotwurzel, afrikan. Arten der →Jamswurzel.

Brouwer ['brɔʊwər], Adriaen, niederländ. Maler, *Oudenaarde um 1606, begraben Antwerpen

Adriaen Brouwer: Dorfbaderstube (um 1620/30; München, Alte Pinakothek)

1. 2. 1638; bed. Genremaler (Bauern- und Volksleben), bekannt wurden v.a. die Wirtshausszenen, daneben skizzenhafte Landschaften.

Brown [braʊn], **1)** Earle, amerikan. Komponist, *Lunenburg (Mass.) 26. 12. 1926; benutzte z.B. in »Folio« (1952) die →musikalische Grafik, eine neuartige Notation. – *Weitere Werke:* »Modules I–III« für Orchester (1966/69); »Sounder Rounds« für Orchester (1983).

Herbert C. Brown

2) Herbert Charles, amerikan. Chemiker, *London 22. 5. 1912; Arbeiten über Borverbindungen; Nobelpreis für Chemie 1979 für die Entwicklung der Hydroborierung (zus. mit G. Wittig).

Michael S. Brown

3) Michael Stuart, amerikan. Mediziner, *New York 13. 4. 1941, seit 1977 Prof. an der Univ. Dallas (Tex.); erhielt 1985 mit J. L. Goldstein für die Erforschung des Cholesterinstoffwechsels und der Arteriosklerose den Nobelpreis für Physiologie oder Medizin.

Brownies ['braʊniːz, engl.], im schott. Volksglauben gütige Hausgeister, nach Art der Heinzelmännchen.

Browning ['braʊnɪŋ, engl.] *der,* nach ihrem amerikan. Erfinder J. M. Browning (*1855, †1926) benannte Selbstladepistole.

Browning ['braʊnɪŋ], **1)** Elizabeth, geb. Barrett, engl. Dichterin, *Coxhoe Hall (bei Durham) 6. 3. 1806, †Florenz 29. 6. 1861, ⚭ mit 2); schrieb »Portugies. Sonette« 1847; dt. u.a. von Rilke, 1908); in Italien nahm sie an polit. und sozialen Problemen Anteil: »The cry of the children« (1854).

📖 STEPHENSON, G.: *E. B. B. and the poetry of love. Ann Arbor, Mich., 1989.*

2) Robert, engl. Dichter, *London 7. 5. 1812, †Venedig 12. 12. 1889, ⚭ mit 1); lebte meist in Italien. Seine Werke sind v.a. durch Streben nach Objektivität und bewusste Psychologisierung gekennzeichnet: (»Pippa geht vorüber«, 1841; »Dramatis personae«, 1864; »Der Ring und das Buch«, Epos, 4 Bde. 1868/69).

📖 DREW, P.: *An annoted critical bibliography of R. B. London u.a. 1990.*

brownsche Bewegung ['braʊn-] (brownsche Molekularbewegung), 1827 von dem brit. Botaniker R. Brown (*1773, †1858) entdeckte unregelmäßige Bewegung kleiner, in einer Flüssigkeit oder einem Gas suspendierter Teilchen. Sie beruht auf der Wärmebewegung der Gas- oder Flüssigkeitsmoleküle, durch die die Teilchen ständig unregelmäßige Stöße erhalten und statist. Schwankungserscheinungen unterliegen.

Brown-Séquard ['braʊn se'kaːr], Charles Édouard, frz. Neurologe und Physiologe, *Port Louis (auf Mauritius) 8. 4. 1817, †Sceaux (Dép. Hauts-de-Seine) 2. 4. 1894; beschrieb 1851 die halbseitige Rückenmarkslähmung **(B.-S.-Lähmung)**.

Browser ['braʊsə, engl.] *der, Informatik:* Programm, welches verwendet wird, um Daten und Dokumente im →WWW zu suchen, abzurufen und auf einem Computerbildschirm darzustellen. Die abgerufenen Dokumente sind im Standardformat →HTML abgefasst. Die meisten B. können multimediale Dokumente darstellen, welche nicht nur Text, sondern auch Ton- und Bilddokumente sowie Computeranimationen enthalten.

BRT, Abk. für **B**rutto**r**egister**t**onne, →Registertonne, →Bruttoraumzahl.

Brubeck, Dave, amerikan. Jazzpianist und -komponist, *Concord (Calif.) 6. 12. 1920; gründete 1951 das **Dave B. Quartett,** eines der erfolgreichsten Ensembles des modernen Jazz.

Bruce [bruːs], schott. Familie normann. Abkunft. Ihr entstammt Robert I. (*1274, †1329, schott. König seit 1306), der 1314 durch seinen Sieg bei Bannockburn über Eduard II. von England die Unabhängigkeit Schottlands sicherte.

Brucellen [nach dem engl. Bakteriologen D. Bruce, *1855, †1931], kleine, gramnegative, unbewegl., sporenlose Stäbchenbakterien, Erreger der →Brucellosen, v.a. **Brucella abortus Bang,** die bes. Rinder, **Brucella melitensis,** die Ziegen, und **Brucella suis,** die Schweine befällt.

Brucellosen, durch Bakterien der Gatt. Brucella (→Brucellen) verursachte, weltweit seuchenhaft auftretende Infektionskrankheiten bei Haus- und Wildtieren; auf den Menschen übertragbar durch Schmierinfektion (Hautwunden), Tröpfcheninfektion (Schleimhäute) und infizierte Nahrungsmittel (Milch, Fleisch). Die **Rinder-B.** (seuchenhaftes Verkalben) verläuft wie die **Schweine-B.** mit Fehl- und Frühgeburten. Schaf- und

Ziegen-B. kommen bes. in den Mittelmeerländern vor.

Die B. des Menschen stammen meist vom Rind **(Bang-Krankheit)** und vom Schwein durch direkten Kontakt (meldepflichtige Berufskrankheit bei Tierärzten, Fleischern, Hirten u.a.) sowie von Ziege und Schaf **(Maltafieber).** Symptome reichen vom Bild einer länger dauernden Grippe bis zu dem einer schweren chron. Krankheit mit langwierigen rheumat. Erscheinungen mit Herzinnenhautentzündung und Leberschädigung; kennzeichnend ist das wochen- bis monatelange »Wellenfieber«. – *Behandlung:* wiederholte Kuren mit Antibiotika und Sulfonamiden.

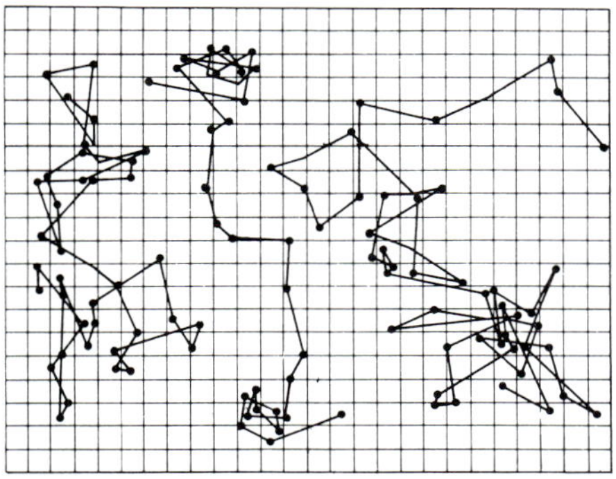

brownsche Bewegung: Der Bewegungsverlauf von drei Kolloidteilchen in Wasser (nach Jean Baptiste Perrin); die Lage der Teilchen nach jeweils gleichen Zeiten ist durch Punkte markiert

Bruch, 1) *Geologie:* die →Verwerfung.

2) *Heraldik:* →Beizeichen an Wappen.

3) *Jägersprache:* ein auf erlegtes Wild, den Anschuss und die Fährte gelegter grüner Zweig als Kennzeichen der Inbesitznahme.

4) *Mathematik:* Verhältnis zw. zwei Zahlen, z.B. $3:4=\frac{3}{4}$ oder $^3/_4$. Die Zahl über dem B.-Strich heißt der **Zähler,** die untere der **Nenner,** der immer von null verschieden sein muss. Ein **echter B.** ist kleiner als 1, bei ihm ist der Zähler kleiner als der Nenner (z.B. $^3/_4$); umgekehrt beim **unechten B.** (z.B. $^4/_3$); bei den **Schein-B.** sind Zähler und Nenner gleich (z.B. $^4/_4$), bei den **Stamm-B.** ist der Zähler stets gleich 1 (z.B. $^1/_5$). B., deren Zähler und Nenner vertauscht sind, heißen **reziprok** (z.B. $^4/_3$ und $^3/_4$). B. mit gleichem Nenner heißen **gleichnamig** (z.B. $^1/_3$, $^2/_3$, $^5/_3$), solche mit ungleichen Nennern **ungleichnamig.**

5) *Medizin:* a) (Fraktur) der →Knochenbruch; b) (Hernie) der →Eingeweidebruch.

6) *Mineralogie:* das Zerbrechen von Mineralen bei mechan. Einwirkung in B.-Stücke mit unterschiedl. geformten B.-Flächen (mit Ausnahme der ebenen Spaltflächen). Man unterscheidet muscheligen, splittrigen, glatten und erdigen Bruch.

7) *Ökologie:* mit Bäumen und Gesträuch bestandenes Sumpfland.

8) *Werkstoffkunde:* Werkstofftrennung infolge Überwindung der Kohäsions- oder Adhäsionskräfte durch Überlastung. Nach der Beanspruchungsart unterscheidet man **Gewalt-B.** bei einmaliger stat. Beanspruchung und **Dauer-B.** nach Dauerschwingbeanspruchung. Zu Ersterem gehören der **Trenn-B.,** der senkrecht zur größten Zugspannung entsteht, und der **Gleit-B.,** der in Richtung der größten Schubspannung verläuft. Bei zähen Werkstoffen sind meist beide B.-Anteile vorhanden **(Misch-B., Verformungs-B.),** wobei dem B. eine plastische Verformung vorangeht. (→Bruchmechanik)

Elizabeth Browning (Zeichnung von Field Talfourd)

Charles Édouard Brown-Séquard

Bruch, 1) Max, Komponist und Dirigent, *Köln 6.1.1838, †Berlin 2.10.1920; komponierte u.a. von der Schule F. Mendelssohn Bartholdys ausgehende, formal abgerundete Chor- und Orchesterwerke; bes. sein Violinkonzert g-Moll (1868) wird noch heute viel gespielt.

2) Walter, Fernsehpionier, *Neustadt an der Weinstraße 2.3.1908, †Hannover 5.5.1990; langjähriger Leiter der Grundlagenentwicklung von AEG-Telefunken, entwickelte u.a. das Farbfernsehsystem →PAL.

Walter Bruch

Bruchband, federndes, gürtelartiges Band mit Druckkissen zum Zurückhalten eines Eingeweidebruchs. Es gilt heute nur noch als Notlösung bei nicht gegebener Operationsfähigkeit.

Brüche (Brüchte), im dt. Recht des MA. die bei geringen Vergehen an die öffentl. Gewalt verwirkte Geldstrafe im Unterschied zu der an den Verletzten zu zahlenden Buße.

Brüche, Ernst, Physiker, *Hamburg 28.3.1900, †Gundelsheim (Kr. Heilbronn) 8.2.1985; arbeitete maßgebend an der Entwicklung der Elektronenmikroskopie; Gründer und 1944–72 Hg. der »Physikal. Blätter«.

Bruchkraut (Harnkraut, Herniaria), Gattung der Nelkengewächse mit rd. 20 Arten, von Europa bis W-Asien verbreitet; niedrige Kräuter mit kleinen, unscheinbaren Blüten; das Kahle B. (Herniaria glabra) wirkt harntreibend.

Bruchmechanik, Zweig der Festigkeitslehre, befasst sich mit den Ursachen des Entstehens und Ausbreitens von Rissen in Bauteilen in Abhängigkeit von ihrer Form, Belastung und dem verwendeten Werkstoff einschließlich dessen Vorgeschichte.

Bruchsal, Große Kreisstadt im Landkr. Karlsruhe, Bad.-Württ., am W-Rand des Kraichgaus, 40400 Ew.; Landesfeuerwehrschule; elektrotechnische, Papier verarbeitende und chem. Industrie. – Das seit 1722 u.a. von B. Neumann erbaute fürstbischöflich-speyerische Barockschloss, 1945 zerstört, wurde wieder aufgebaut (Museen), mit Schlossgar-

Bruchsal Stadtwappen

Bruchsal: Das ab 1722 erbaute barocke Schloss der Fürstbischöfe von Speyer; die 1945 zerstörte Anlage wurde 1960–75 wiederhergestellt.

ten. – B. erhielt Anfang des 13. Jh. Markt- und Stadtrechte.

Bruchstein, von Felsen abgesprengter, unbearbeiteter Naturstein.

Bruchteilseigentum, → Eigentum.

Bruck, Karl Ludwig Freiherr von (seit 1849), österr. Politiker, getauft Elberfeld (heute zu Wuppertal) 18. 10. 1798, † (Freitod) Wien 23. 4. 1860; Gründer und Leiter des Österr. Lloyd in Triest; 1848 Mitgl. der Frankfurter Nationalversammlung, war 1848–51 Handels- und 1855–60 Finanzminister. Seine Pläne, einen einheitl. mitteleurop. Wirtschaftsraum zu schaffen, scheiterten. Er forderte einen polit. Systemwechsel und eine Reichsverfassung.

Bruck an der Leitha, Bezirksstadt im östl. NÖ, 7 300 Ew.; in der Brucker Pforte zw. Leithagebirge und Hainburger Bergen; Ölmühle; Barockkirche, Schloss Harrach (13. Jh., im 18.–19. Jh. erneuert).

Bruck an der Mur, Bezirksstadt in der Obersteiermark, Österreich, am Zusammenfluss von Mürz und Mur, 14 000 Ew., Fachschulen, Bundesforstlehranstalt; Eisen- und Stahldrahterzeugung, Papierindustrie. – Urspr. röm. Siedlung, 1263 neu angelegt, war Umschlagplatz an der Salz- und Eisenstraße; mehrere romanisch-got. Kirchen mit Wandmalereien (14./15. Jh.), Kornmesserhaus (1499–1505). Über der Stadt die Ruine Landskron.

Brücke, 1) *Bauwesen:* → Brücken.

2) *Physik:* ringförmige elektr. Schaltung aus mehreren Elementen, z.B. Impedanzen; → Messbrücke.

3) *Schiffbau:* Kurzform für Kommandobrücke.

4) *Sport:* in der Gymnastik Rückwärtsbeugen des Oberkörpers, bis die Hände den Boden berühren. Beim Ringen Verteidigungsstellung, bei der der Rücken der Matte zugewandt ist, nur Kopf und Fußsohlen berühren die Matte.

5) *Zahntechnik:* festsitzender, eine Zahnlücke überbrückender Zahnersatz. Die B. wird an den die Lücken begrenzenden Zähnen oder geeigneten Wurzeln durch Überkronen befestigt.

Brücke, Die, Künstlergemeinschaft in Dresden (seit 1911 in Berlin), zu der sich 1905 die expressionistischen Maler E. L. Kirchner, E. Heckel und K. Schmidt-Rottluff zusammenschlossen, der später auch M. Pechstein, O. Mueller und für kurze Zeit E. Nolde angehörten. Die Künstler der B. schufen einen eigenen Stil, der, ohne sich vom Gegenständlichen zu lösen, durch stark vereinfachte Formen und lebhafte, oft grelle Farben den Ausdruck aufs Stärkste zu steigern suchte. Sie widmeten sich vor allem auch der Grafik (Holzschnitt). 1913 löste sich die Gruppe auf.

📖 JÄHNER, H.: *Künstlergruppe B. Berlin* [4]*1991. – Die »B.« Gemälde, Zeichnungen, Aquarelle u. Druckgrafik von Ernst-Ludwig Kirchner, Karl Schmitt-Rottluff, Erich Heckel, Max Pechstein, Emil Nolde u. Otto Mueller aus den Sammlungen des B.-Museums Berlin, hg. v.* M. M. MOELLER. *München 1995.*

Brücken, Bauwerke zur Überführung eines Verkehrsweges, einer Wasserleitung u.a. über ein Hindernis. Der **Unterbau** (Fundamente, Pfeiler, Widerlager) überträgt alle Lasten einschl. Eigengewicht auf den Baugrund. B.-Pfeiler werden i.d.R. aus Mauerwerk, Stahlbeton, Spannbeton

Bedeutende Brücken (Auswahl)

Name und Lage, Bauart, Jahr der Vollendung, Gesamtlänge	*größte Spannweite in m*
Brücke über den Großen Belt, Hängebrücke, 1997, 6790 m	1624
Humber-Brücke bei Kingston upon Hull, Hängebrücke, 1979, 2 200 m	1 410
Tsing-Ma-Brücke in Hongkong, Hängebrücke, 1997, 2 200 m	1 377
Verrazano-Narrows-Brücke, New York, Hängebrücke, 1964, 4 170 m	1 298
Golden-Gate-Brücke, San Francisco, Hängebrücke, 1937, 2 150 m	1 280
Brücke über den Bosporus, Hängebrücke, 1988, 1 480 m	1 090
Brücke über den Kleinen Belt, Hängebrücke, 1970, 1 760 m	1 080
Brücke über den Bosporus, Hängebrücke, 1973, 1 560 m	1 074
Pont de Normandie bei Honfleur, Schrägseilbrücke, 1995, 2 141 m	856
Seinebrücke bei Tancarville, Hängebrücke, 1959, 1 400 m	608
Brücke über den Sankt-Lorenz-Strom bei Quebec, Fachwerkbalkenbrücke, 1917, 988 m	549
Brücke über den Firth of Forth, Fachwerkbalkenbrücke, 1890, 2 466 m	521
Kill-van-Kull-Brücke, New York, Fachwerkbogenbrücke, 1930, 1 762 m	504
Köhlbrandbrücke, Hamburg, Schrägseilbrücke, 1974, 520 m	325
Rheinkniebrücke, Düsseldorf, Schrägseilbrücke, 1966, 564 m	320
Niagara-Brücke, Queenstone-Lewiston, (Kanada–USA), Vollwand-Bogenbrücke, 1962, 478 m	305
Severin-Brücke, Köln, Schrägseilbrücke, 1959, 691 m	302
Rheinbrücke Düsseldorf–Neuss, Bogenbrücke, 1987, 812 m	250
Brücke über den Fehmarnsund, Vollwand-Stabbogenbrücke, 1963, 964 m	248
Europa-Brücke, bei Innsbruck, Vollwand-Balkenbrücke, 1963, 785 m	198

Brücken

1

2

3

4

5

6

1 Augustusbrücke von Narni in der Provinz Terni (Italien), Steinbrücke (um 27 v. Chr.) | **2** Europabrücke bei Innsbruck, Balkenbrücke (1959–63) | **3** Harbour Bridge in Sydney, Bogenbrücke (1932 eingeweiht); im Vordergrund ist das berühmte Opernhaus zu sehen | **4** Kapellbrücke in Luzern (vor dem Brand), gedeckte Holzbrücke (urspr. Anfang 14. Jh.; durch Brand 1993 zerstört, 1994 originalgetreu wieder aufgebaut) | **5** Köhlbrandbrücke in Hamburg, Schrägseilbrücke (vollendet 1974) | **6** Verrazano Narrows Bridge in New York, Stahlhängebrücke (vollendet 1964)

oder Stahl hergestellt. Der **Überbau** oder das **Tragwerk** überträgt alle Lasten (Eigengewicht, Verkehrslasten, Wind, Schnee) über die Auflager auf Pfeiler und Widerlager. Bei Stahlbeton- und Spannbeton-B. bilden Überbau und Unterbau oft ein untrennbares Ganzes. B. lassen sich einteilen in feste und bewegl. B., nach der stat. Wirkungsweise des Tragwerks, der Ausführungsform der Hauptträger (Vollwand, Fachwerk-, Rohr-, Kastenträger), der Anordung der Fahrbahn, nach dem Verwendungszweck oder nach dem Baustoff.

Konstruktionsarten: Bei **Balken-B.** sind die Hauptträger in stat. Sinn als einfache oder durchlaufende Balken ausgebildet. Sie üben bei lotrechten Lasten nur lotrechte Auflagerdrücke aus. Das Haupttragwerk der **Bogen-B.** sind Bögen, in denen vorwiegend Druckspannungen entstehen. Bei lotrechter Belastung werden vertikale und horizontale Kräfte an die Auflage abgegeben. **Stabbogen-B.** sind Balken-B. mit darüber gespannten Bögen. Bei den **Schrägseil-B.** wird der Balken durch schräg geführte Seile gegen Pylone abgespannt. Bei den **Zügelgurt-B.** ist ein dritter Hängegurt auf einem großen Bereich der B. vorhanden. Bei den **Hänge-B.** besteht der tragende Teil aus einem Hängegurt (Kabel, früher auch Kette) zw. hohen Pylonen, der die gesamte Last aufnimmt und nur auf Zug beansprucht wird.

Feste B.: **Holz-B.** dienen fast nur noch als Behelfs-, Not- und Kriegsbrücken. Spannweiten bis 20 m erreicht man durch **Balken-B.** mit zusammengesetzten Tragbalken. **Stein-B.** aus Naturstein- oder Ziegelmauerwerk werden fast immer als Gewölbe ausgeführt. **Stahl-B.** sind in der Regel Balken- oder Bogen-B. (Stützweiten bis zu 500 m) sowie Zügelgurt-, Schrägseil- oder Hänge-B. (Stützweiten bis 1000 m und mehr). Die Hauptglieder der Stahl-B. sind die Hauptträger, Fahrbahngerippe, Quer- und Längsverbände und Auflager. Vollwandbalkenträger bestehen aus genieteten oder verschweißten Stegblechen von 10–20 mm Dicke und bis 10 m Höhe. Haben die Hauptträger Gelenke, spricht man von **Krag-** oder **Auslegerbrücken.** Bei Fachwerkhauptträgern werden die Querträger in Knotenpunkten gelagert. Die Längsverbände (Windverbände) und die Querverbände verbinden die Hauptträger in Längs- und Querrichtung zu einem steifen räuml. Tragsystem. Bremsverbände dienen zur Überleitung von Brems- und Anfahrkräften in die Hauptträger und Lager. Bei **Verbund-B.** besteht die Fahrbahntafel aus Stahlbeton, die Hauptträger der B. aus Stahl. Beide sind durch Dübel so verbunden, dass sie als einheitl. Tragwerk wirken. **Stahlbeton-** und **Spannbeton-B.** mit Stützweiten bis zu 300 m haben in den letzten Jahrzehnten immer mehr an Bedeutung gewonnen. Balken- und Rahmen-B. aus Stahlbeton haben meist nur mittlere Spannweiten, Bogen-B. größere. Die verschiedensten B.-Systeme können mit Spannbeton bis zu größten Spannweiten ausgeführt werden, als Vollwand- wie auch als Fachwerkbrücken.

Bewegliche B.: Sie haben einen Überbau, der die Durchfahrt unter der B. durch Bewegung des Tragwerks vergrößert oder ganz freigeben kann. Die Tragkonstruktion besteht aus Stahl, der Fahrbahnbelag aus Stahl oder Holz. Älteste Form ist die **Zugbrücke.** Bewegl. B. werden bes. im Flachland und bei Hafeneinfahrten gebaut. **Dreh-B.** besitzen einen senkrechten Zapfen, den Königsstuhl, um den sich der Überbau dreht. Bei **Klapp-B.** wird der ein- oder zweiteilige Überbau um eine waagerechte Achse nahe dem Schwerpunkt des bewegl. Teils hochgeklappt. Bei **Hub-B.** wird der Überbau an Seilen oder Ketten durch Gegengewichte hochgezogen oder durch hydraul. Antrieb und Schwimmer unmittelbar emporgehoben. Die Durchfahrt von **Roll-** oder **Schiebe-B.** wird durch waagerechte Verschiebung des Überbaues in Richtung der B.-Achse geöffnet.

Brückenau, Bad, → Bad Brückenau.

Brückenechse

Brückenechse (Sphenodon punctatus), die letzte lebende Art der seit der Triaszeit bekannten Kriechtierordnung Schnabelköpfe (Rhynchocephalia), nur noch auf den Inseln östlich Neuseelands in Erdhöhlen verbreitet; 50–80 cm lang; mit zwei Schädeldurchbrechungen im Schläfenbereich, zw. denen ein Knochenstück eine »Brücke« zum Schuppenbein bildet.

Brückenkopf, *Militärwesen:* die Stellung, die nach dem Übersetzen am feindl. Ufer errungen oder beim Rückzug gehalten wird.

Brückenwaage, eine Waage mit einer Plattform (Brücke), auf die die Last gebracht wird; die bekannteste Form ist die Dezimalwaage.

Anton Bruckner

Bruckner, 1) Anton, österr. Komponist, * Ansfelden (Bez. Linz-Land) 4. 9. 1824, † Wien 11. 10. 1896; nach dem Tod des Vaters 1837–40 Singknabe, 1850–55 Organist am Stift St. Florian, ab 1855 Domorganist in Linz, ab 1868 Prof. am Konservatorium in Wien. B. fand erst mit seiner d-Moll-Messe (1864) die ihm eigentüml. Ausdrucksweise. Von R. Wagner übernahm er v. a. Melodik und Harmonik, ging aber in der Formdisposition der Sonatensätze und des Sinfoniezyklus eigene Wege. Seine monumentalen Sinfonien zeichnen sich durch Melodik, rhythm. Kraft und innere Geschlossenheit aus. Die Messen, sein Te Deum und viele der großen Motetten bilden späte Höhepunkte in der Geschichte dieser musikal. Gattungen.

Weitere Werke: 9 Sinfonien: 1. c-Moll (1865/66), 2. c-Moll (1871/72), 3. d-Moll (1873), 4. Es-Dur, die

Romantische (1874), 5. B-Dur (1875/76), 6. A-Dur (1879–81), 7. E-Dur (1881–83), 8. c-Moll (1884–87), 9. d-Moll (1887–96, unvollendet); Streichquintett; 3 Messen: d-Moll (1864), e-Moll (1866), f-Moll (1867); Te Deum (1881); 150. Psalm (1892).

📖 GREBE, K.: *A. B. Reinbek 50.-51. Tsd. 1995.*

2) Ferdinand, eigtl. Theodor Tagger, österr.-dt. Schriftsteller, *Wien 26. 8. 1891, †Berlin 5. 12. 1958; gründete 1923 das Renaissance-Theater in Berlin, emigrierte 1933; schrieb neorealist., von der Tiefenpsychologie beeinflusste Dramen: »Krankheit der Jugend« (1929), »Die Verbrecher« (1929), »Elisabeth von England« (1930), »Heroische Komödie« (1945), »Das irdene Wägelchen« (1957).

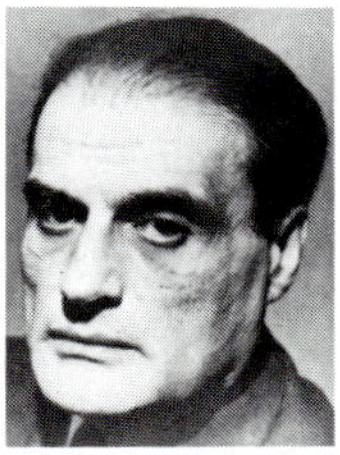

Ferdinand Bruckner

Brückner, Christine, Schriftstellerin, *Schmillinghausen (heute zu Arolsen) 10. 12. 1921, †Kassel 21. 12. 1996; schrieb Erzählungen und Romane, v. a. über Frauenschicksale; bes. erfolgreich war der Roman »Jauche und Levkojen« (1975) mit den Fortsetzungen »Nirgendwo ist Poenichen« (1977) und »Die Quints« (1985).

Weitere Werke: Ehe die Spuren verwehen (R., 1954); Letztes Jahr auf Ischia (R., 1969); Das eine sein, das andere lieben (R., 1981); Die letzte Strophe (R., 1989); Früher oder später (R., 1994); Woher und wohin. Autobiograph. Texte (1995).

📖 *C. B., Leben u. Werk. Frankfurt am Main u. a. 1994.*

Christine Brückner

Bruder, 1) *allg.:* Person männl. Geschlechts in einer Geschwisterreihe (mit gemeinsamen Eltern).

2) *Religionsgeschichte:* Mönch, Mitglied eines Ordens (Ordensbruder).

Brüdergemeine (Brüderunität, Evangelische Brüderkirche), aus dem Pietismus hervorgegangene Gemeinschaft; begr. 1722 unter dem Schutz des Grafen Zinzendorf in der Oberlausitz als Kolonie Herrnhut. Sie wurde nach der Verfassung von 1727 eine Gemeinschaft aufgrund brüderl. Liebe und gegenseitiger Unterordnung. Kirchl. Beamte sind Bischöfe, Presbyter (Prediger), Diakone. Die Gesamtleitung der B. hat die Unitätsdirektion in Bad Boll (Württemberg), früher in Herrnhut. Die B. umfasst u. a. die festländisch-europ. (früher dt.) Unität, die brit. Provinz, in Nordamerika die nördl. und südl. Provinz. Sie unterhält eine ausgedehnte Missionstätigkeit. Sitte und Lebensweise sind einfach und streng. Seit 1948 ist die B. durch Vertrag der EKD angeschlossen. Die B. zählt weltweit etwa 500 000 Mitglieder.

📖 *Wege in die Welt. Reiseberichte aus 250 Jahren Brüdermission, hg. v.* H. BECK. *Erlangen 1992.*

Bruderhaus, Einrichtung der Inneren Mission, in der Diakone für den Dienst in Jugend-, Wohlfahrts- und Krankenpflege ausgebildet werden. Das älteste B. ist das 1833 von J. H. Wichern gegründete Rauhe Haus in Hamburg.

Bruderrat, →Bekennende Kirche.

Bruderschaften, 1) *allg.:* bürgerl. Genossenschaften des MA., die v. a. religiös-sittl. Zielen dienten.

2) *evang. Kirchen:* Kommunitäten, die Pfarrer und Laien zu geistlich-diakon. Leben in klosterähnl. Wohngemeinschaft vereinen, entstanden nach den Weltkriegen, z. B. in Zürich, Stuttgart, St. Etienne du Gras, Nordisk Sambo (Dänemark).

3) *kath. Kirche:* kirchliche Vereine zur Förderung der Frömmigkeit, Nächstenliebe und des öffentl. Gottesdienstes. Die älteste B. wurde 336 in Konstantinopel als Vereinigung zur Leichenbestattung begründet. Bekannte B. sind die Herz-Jesu- und Rosenkranz-Bruderschaften

Brüder und Schwestern des freien Geistes, Anhänger einer im 13.–15. Jh. in S.-Dtl., den Niederlanden, Italien, N-Frankreich und der Schweiz auftretenden libertinist. Laienbewegung, die eine enthusiast. Mystik pflegte; verwarfen die christl. Grundlehren Schöpfung, Erlösung und Strafen im Jenseits; lehrten, dass der Mensch Vollkommenheit und Frieden im myst. Einswerden mit Gott erlange, das die Seele jenseits von Gut und Böse stelle; von der Inquisition verfolgt.

Brüderunität, die →Brüdergemeine.

Brüder vom gemeinsamen Leben (Fraterherren), vor 1400 gestiftete christl. Bruderschaft, die aus der religiösen Erneuerungsbewegung Devotio moderna hervorging; bes. in den Niederlanden und in Dtl.; führten ein Klosterleben, widmeten sich einer betont brüderl. Frömmigkeit, standen dem Humanismus nahe; ihre Arbeit: Seelsorge, Jugenderziehung, handwerkl. Arbeit, später bes. Buchdruck. Ihnen gehörten Thomas von

Pieter Bruegel d. Ä.: »Turmbau zu Babel« (1563; Wien, Kunsthistorisches Museum)

Jan Bruegel d. Ä.: Blumenstrauß (um 1600; München, Alte Pinakothek)

Kempen, Nikolaus von Kues, Erasmus von Rotterdam und Gabriel Biel an.

Bruegel [br'øxəl] (Brueghel, Breughel), niederländ. Malerfamilie:

1) Jan d. Ä. (gen. Samtbruegel oder Blumenbruegel), *Brüssel 1568, †Antwerpen 12. 1. 1625, Sohn von 2); malte kleinformatige Landschaften auf Kupfertafeln, v. a. aber Blumenstillleben in einem warmen, zarten, »samtigen« Kolorit.

Pieter Bruegel d. Ä.: Künstler und Kenner, Federzeichnung (Wien, Albertina)

2) Pieter d. Ä. (gen. Bauernbruegel), Stammvater der Familie, *Breda (?) zw. 1525 und 1530, †Brüssel 9. 9. 1569; begann, ausgehend von den grotesken Darstellungen des H. Bosch und der Landschaftskunst J. Patinirs, mit bilderbogenhaft flach und bunt gemalten Sittenbildern sprichworthafter oder lehrhaft-moral. Bedeutung und gelangte zu einer immer großzügiger und toniger werdenden Malerei, die v. a. das bäuerl. Leben schildert. Von einer Reise nach Italien wirkte bes. das Erlebnis der Alpenwelt in seinen Landschaften fort. Von seinen Zeichnungen wurden viele im Kupferstich vervielfältigt. BILD S. 303

Werke: in Wien, Kunsthistor. Museum: Kinderspiele (1560), Turmbau zu Babel (1563), Die Jäger im Schnee (1565), Bauernhochzeit (um 1568); in München, Alte Pinakothek: Das Schlaraffenland (1567); in Prag, Nationalgalerie: Die Heuernte (1565); in Neapel, Museo Nazionale di Capodimonte: Das Gleichnis von den Blinden (1568).

Brügge Stadtwappen

📖 DELEVOY, R. L.: *B. A. d. Frz. Tübingen u. a. 1990.*

3) Pieter d. J. (gen. Höllenbruegel), *Brüssel um 1564, †ebd. um 1638, Sohn von 2); malte in der Art seines Vaters spukhafte Szenen, Höllendarstellungen sowie Winterlandschaften.

Brugg, Bezirksstadt im Kt. Aargau, Schweiz, 8900 Ew., an der Aare; Bahnknoten; Maschinen-, Kabel- u. a. Ind.; spätgot. Kirche, altes Rathaus.

Brügge (niederländ. Brugge, frz. Bruges), Hptst. der Prov. Westflandern, Belgien, etwa 15 km von der Küste entfernt, 116 300 überwiegend fläm. Einwohner. Der Hafen ist mit Gent, Ostende und Sluis durch Kanäle verbunden, über den 12 km langen **Brügger Seekanal** mit dem Vorhafen Zeebrugge an der Nordsee; Containerumschlag; Fischereihafen, Erdgasterminal; Schiffbau und -reparaturen, Motorenbau, Stahlind., Großmühlen, Brauereien, Konserven- und elektrotechn. Ind.; Betriebe für Blumen-, bes. Orchideenzucht. – Die von Kanälen durchzogene und von einem Kanalring umgebene Stadt hat ihren mittelalterl. Charakter bewahrt. Bauten: Tuchhallen (13./14. Jh.) und der 83 m hohe Belfried (13. Jh.), beides am Grote Markt, Beginenhof (im 13. Jh. begründet), gotisches Rathaus (1376–1420), »Gruuthuse« (15. Jh., jetzt Museum), klassizist. Justizpalast (1722–27), Dompropstei (Spätrenaissance), frühgot. Liebfrauenkirche (12./13. Jh.), Salvatorkathedrale (13. Jh.), ein Backsteinbau. – B., im 7. Jh. erwähnt, wurde 1093 Sitz der Grafen von Flandern. Im MA. war es durch seine Lage an einem später versandeten Meerbusen, dem Swin, ein Seehafen und im 14./15. Jh. eine der bedeutendsten Handelsstädte des nördl. Europa (Kontor der dt. Hanse). Mit Flandern kam es 1382 an Burgund und 1482 an die Habsburger (1556 an Spanien, 1714 an Österreich), 1794 an Frankreich, 1815 an die Nieder-

Brügge: Charakteristische Backsteinhäuser an einem Kanal, im Hintergrund der 83 m hohe Belfried (13. Jh.) mit achteckigem Aufsatz (1482)

lande, 1830/31 an Belgien; neuer Aufschwung im 20. Jahrhundert.

Brüggemann, Hans, Bildschnitzer, *Walsrode um 1480, †nach 1523; schuf 1514–21 den Hochaltar der Klosterkirche in Bordesholm (seit 1666 im Dom zu Schleswig).

Brugmann, Karl Friedrich Christian, Sprachforscher, *Wiesbaden 16. 3. 1849, †Leipzig 29. 6. 1919; vertrat den Grundsatz der ausnahmslosen Geltung der Lautgesetze und begründete damit das Programm der Junggrammatiker.

Brühl, 1) Gemeinde im Rhein-Neckar-Kreis, Bad.-Württ., in der Oberrheinebene, 14 100 Ew.; elektrotechn. Industrie.

2) Stadt im Erftkreis, NRW, am O-Rand der Ville, 43 600 Ew.; Eisen und Papier verarbeitende Ind., Brauerei. – Vom 13. bis ins 16. Jh. bevorzugte Residenz der Erzbischöfe von Köln. – Das ehem. kurfürstl. Schloss Augustusburg wurde ab 1288 als Wasserburg erbaut, 1725–70 im Stil des Spätbarock umgestaltet; das Treppenhaus, von J. B. Neumann 1743–48 im Rokokostil entworfen, ist eines der großartigsten in Europa. Im Park entstand 1729 bis 1740 das Jagdschlösschen Falkenlust nach Plänen von Cuvilliés. Beide Schlösser gehören zum UNESCO-Weltkulturerbe.

Brühl 2): Schloss Augustusburg; die ehemalige Wasserburg aus dem späten 13. Jh. wurde 1689 zerstört, der barocke Wiederaufbau erfolgte 1725–50 nach Plänen von Conrad Schlaun und François de Cuvilliés d. Ä.; die Gartenanlage im französischen Stil wurde 1946 nach Plänen aus dem 18. Jh. erneuert

Brühl, Heinrich Graf (seit 1737) von, kursächs. Politiker, *Gangloffsömmern (bei Sömmerda) 13. 8. 1700, †Dresden 28. 10. 1763; seit 1746 leitender Min. Augusts III., bestimmte völlig dessen Politik. B. erwarb ein riesiges Privatvermögen, während die Staatsverwaltung verfiel. B. ließ in Dresden die **Brühlsche Terrasse** als Garten seines Palais anlegen. Die Dresdener Kunstsammlung erlangte durch ihn Weltruhm.

📖 FELLMANN, W.: *H. Graf B. Ein Lebens- u. Zeitbild. Leipzig* ^{2}*1990.*

Brüllaffen: Roter Brüllaffe (Kopf-Rumpf-Länge etwa 57 cm, Schwanzlänge etwa 60 cm)

Bruhns, Nicolaus, Komponist, Organist und Violinist, *Schwabstedt (bei Husum) Dez. 1665, †Husum 29. 3. 1697; Schüler von D. Buxtehude, schrieb Orgelwerke und Kirchenkantaten.

Bruitismus [zu frz. bruit »Lärm«] *der,* um 1910 innerhalb des Futurismus entstandene Richtung der Musik, die zur künstler. Abbildung der technisierten Welt Geräusche in die Komposition einbezog.

Brukterer (lat. Bructeri), german. Volk im Münsterland, 4 n. Chr. von den Römern unterworfen, kämpfte 69/70 mit den Batavern gegen Rom; 97 von Chamaven und Angrivariern aus der Heimat verdrängt; gingen im 4./5. Jh. im Stammesverband der Franken auf.

Brüllaffen (Alouattinae), Unterfamilie der Kapuzineraffen mit der einzigen Gatt. Alouatta in Mittel- und Südamerika mit stark ausgebildeten Stimmorganen, großem Kinnbart und langem Greifschwanz. Bekannte Arten sind der **Rote B.** (Alouatta seniculus), der von Kolumbien bis Guyana lebt, und der **Schwarze B.** (Alouatta caraya) in Bolivien, Paraguay und Brasilien.

Brumaire [bry'mɛːr; frz. »Nebelmonat«] *der,* zweiter Monat des Kalenders der Frz. Revolution (22., 23. bzw. 24. Okt. bis 20., 21. bzw. 22. Nov. im gregorian. Kalender). Durch den Staatsstreich vom 18. B. des Jahres VIII (9. 11. 1799) stürzte Napoleon Bonaparte das →Direktorium und wurde Erster Konsul.

Heinrich Graf von Brühl

Brummeisen, Musikinstrument, →Maultrommel.

Brummell ['brʌməl], George Bryan, *London 7. 6. 1778, †Caen 30. 3. 1840; war als »Beau B.« gefeierter Modeheld der Londoner Gesellschaft und

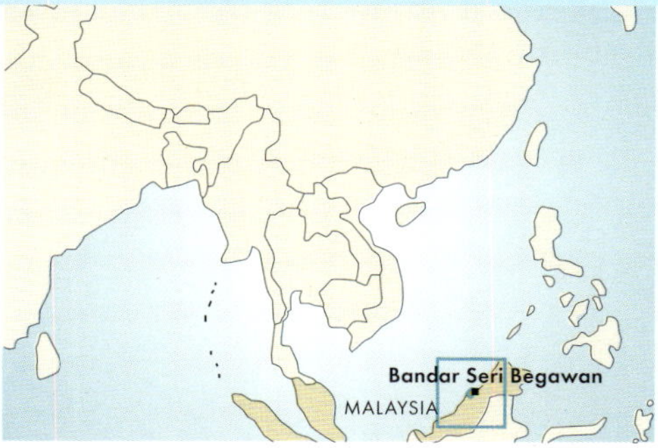

Brunei

Fläche: 5765 km²
Einwohner: (1995) 285000
Hauptstadt: Bandar Seri Begawan
Verwaltungsgliederung: 4 Distrikte
Amtssprache: Malaiisch
Nationalfeiertage: 23. 2. und 15. 7.
Währung: 1 Brunei-Dollar (BR$) = 100 Cents (¢)
Zeitzone: MEZ +7 Std.

Staatswappen

BRU

Internationales Kfz-Kennzeichen

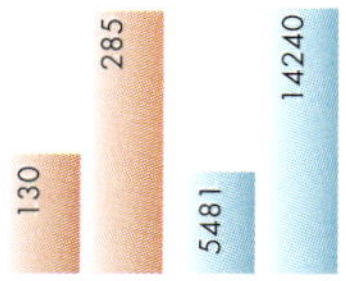

Bevölkerung (in 1000)

Bruttosozialprodukt je Ew. (in US-$)

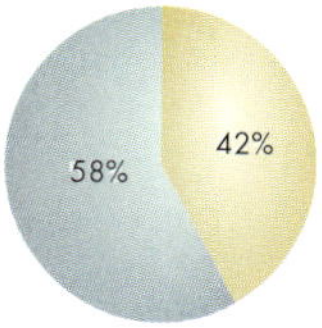

Stadt
Land

Bevölkerungsverteilung 1993

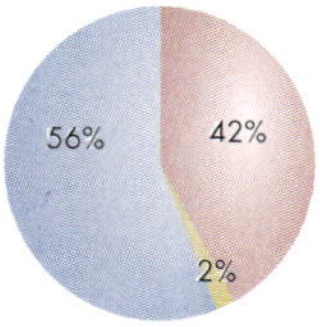

Industrie
Landwirtschaft
Dienstleistung

Bruttoinlandsprodukt 1992

Freund des Prinzen von Wales, Urbild des Dandys; starb verarmt in einem Asyl.

Brun, Rudolf, Ritter, Bürgermeister von Zürich, *um 1300, †Zürich 17. 9. 1360; stürzte 1336 den patriz. Rat und führte die Zunftverfassung ein. 1351 schloss er den »Ewigen Bund« mit den Waldstätten, der zum Anschluss Zürichs an die Eidgenossenschaft führte.

Brunch [brʌntʃ] *der,* Kw. aus engl. **br**eakfast »Frühstück« und **l**unch »Mittagessen«, spätes, reichl. Frühstück und zugleich Mittagessen.

Brundage [ˈbrʌndɪdʒ], Avery, amerikan. Sportfunktionär, *Detroit (Mich.) 28. 9. 1887, †Garmisch-Partenkirchen 8. 5. 1975; war 1952–72 Präs. des Internationalen Olympischen Komitees.

Brundtland, Gro Harlem, →Harlem Brundtland, Gro.

Bruneck (italien. Brunico), Stadt in der Provinz Bozen, in Südtirol, Italien, an der Rienz, 835 m ü. M., 12600 Ew., Hauptort des Pustertals; Textilind.; Fremdenverkehr. – Zum Teil erhaltene Stadtmauer, spätbarocke Spitalkirche.

Brunei [engl. bru:ˈnaɪ] (amtl. malaiisch Negara B. Darussalam), Sultanat in Südostasien, an der NW-Küste Borneos, durch den malays. Gliedstaat Sarawak in zwei Landesteile getrennt.

Staat und Recht: B. ist seit 1984 ein unabhängiges Sultanat; Verf. von 1959 (1984 modifiziert). Staatsoberhaupt und Reg.chef ist der Sultan, dem vier Räte (Councils) beratend zur Seite stehen: Min.rat, Kronrat, Thronfolgerat und Rat für religiöse Angelegenheiten. Gesetze werden i.d.R. vom Sultan per Dekret erlassen. Einzige Partei ist die Vereinigte Nat. Partei von Brunei.

Landesnatur: Beide Landesteile liegen größtenteils in der Küstenebene; 70 km landeinwärts werden Höhen von bis zu 1850 m in der Crocker Range erreicht. B. hat äquatoriales Regenklima; rd. 90% sind mit trop. Regenwald bedeckt.

Bevölkerung: Es besteht für die Bev. (rd. 69% Malaien, 18% Chinesen, 5% Iban u.a. Ureinwohner; der Rest sind Gastarbeiter) weitgehende Steuerfreiheit und ein gut ausgebautes Bildungs- und Gesundheitswesen. Der Islam ist Staatsreligion.

Wirtschaft, Verkehr: Grundlage der Wirtschaft und Haupteinnahmequelle des Landes sind die Erdöl- und Erdgasvorkommen, deren Nutzung (über 90% der Exporterlöse; Ausfuhr vorwiegend nach Japan) B. zu einem der reichsten Staaten der Erde machen. Von den landwirtsch. Produkten werden Kautschuk und Pfeffer, ferner Holz exportiert. Seit 1973 Tiefseehafen Muara, seit 1974 internat. Flughafen bei Bandar Seri Begawan.

Geschichte: Das im 15. Jh. (nach Islamisierung des Gebietes) entstandene Sultanat B. erreichte im 16. Jh. seine größte Ausdehnung (neben Borneo auch die philippin. Suluinseln und Palawan). Sarawak übertrug der Sultan 1841 dem Briten J. Brooke (seitdem Raja). 1888 wurde B. brit. Protektorat und war 1941–45 durch die Japaner besetzt. 1959 (Abkommen mit Großbritannien) erhielt B. weit reichende innere Selbstverwaltung, am 1. 1. 1984 die Unabhängigkeit.

📖 MARR, B. *u.* R.: *Malaysia, Singapore, B. Kunst- u. Reiseführer mit Landeskunde. Stuttgart u. a. 1991.* – SAUNDERS, G.: *A history of B. Kuala Lumpur u. a. 1994.*

Brunelle [frz.] *die,* eine Lippenblütergattung, →Braunelle.

Brunelleschi [-ˈleski], Filippo, italien. Baumeister und Bildhauer, *Florenz 1377, †ebd. 15. 4. 1446; zunächst Goldschmied und Bildhauer, studierte er als Erster die antike Baukunst in Rom, verband mit deren harmon., stereometr. Grundformen byzantin. und toskan. Elemente und wurde zum Hauptvertreter der Florentiner Frührenaissance. B. gilt als Entdecker des zentralperspektiv. Projektionsverfahrens. – *Hauptwerke:* (alle in Florenz): Findelhaus (1419 entworfen, erbaut 1421 f.); die zweischalige Domkuppel (1418–36); San Lorenzo (seit 1420); Grabkapelle der Pazzi (Kapitelsaal von Santa Croce, 1430); Santo Spirito (seit 1436).

📖 KLOTZ, H.: *F. B. Seine Frühwerke u. die mittelalterl. Tradition. Stuttgart 1990.*

Brunft, weidmänn. Bez. für →Brunst.

Brünhild (Brunhild), dt. und nord. Sagengestalt; im →Nibelungenlied Gemahlin Gunthers und Rivalin Kriemhilds, nach (jüngerer) nord. Überlieferung eine Walküre, die von Odin zur Strafe für Ungehorsam in Zauberschlaf versenkt und von Sigurd (Siegfried) erweckt wurde.

Brunhilde (Brunichilde), fränkische Königin, †613; Tochter des westgot. Königs Athanagild, Gemahlin des Königs Sigibert I. von Austrasien. Als B.s Schwester Galswintha von ihrem Gemahl Chilperich I. von Neustrien wegen →Fredegunde getötet wurde, entstand ein Blutrachekrieg, in dessen Verlauf Sigibert I. 575 und Chilperich I. 584 ermordet wurden. B. behauptete sich seit 596 in Austrasien, bis sie 613 gestürzt und hingerichtet wurde.

Bruni, Leonardo, gen. L. Aretino (nach seinem Geburtsort), italien. Humanist, *Arezzo um 1369, †Florenz 9. 3. 1444; seit 1405 apostolischer Sekretär; hervorragender Humanist im Kreis um Cosimo de' Medici, bekannt als Übersetzer grch. Autoren (Platon, Demosthenes, Plutarch und Aristoteles); Verfechter der Volkssprache (Biographien Dantes, Petrarcas und Boccaccios in italien. Sprache).

Brunico, italien. Name von →Bruneck.

Brünieren [frz., zu brun »braun«], Oberflächenbehandlung von Stahl mit heißen alkalischen Salzlösungen, wodurch Oberflächenfilme meist aus Eisen(III)-oxid entstehen (Korrosionsschutz).

Brünig *der,* Pass in den schweizer. Zentralalpen, 1007 m ü. M., verbindet das Berner Oberland (Interlaken) mit Luzern (Vierwaldstätter See). Die Passstraße wurde 1857–62 erbaut, die B.-Bahn 1888/89.

Brüning, Heinrich, Politiker, *Münster 26. 11. 1885, †Norwich (Vt., USA) 30. 3. 1970; 1920–30 Geschäftsführer des (christl.) Dt. Gewerkschaftsbundes und 1924–33 MdR (Zentrumspartei), 1929–30 und 1932–33 Vors. der Zentrumsfraktion, wurde am 28. 3. 1930 Reichskanzler. Er bildete eine vom Vertrauen des Reichspräs. von Hindenburg getragene bürgerl. Minderheitsregierung. Nachdem der Reichstag das Programm B.s zur Deckung des Reichshaushaltes 1930 ebenso abgelehnt hatte wie die statt dessen vom Reichspräs. erlassenen Notverordnungen, löste B. den Reichstag auf. Nach den Wahlen vom 14. 9. 1930 regierte B., gestützt auf die bürgerlichen Mittelparteien, parlamentarisch toleriert von der SPD, bei äußerster Verschärfung der Wirtschaftskrise nunmehr mit dem Notverordnungsrecht des Reichspräsidenten. Mit seiner auf einen ausgeglichenen Staatshaushalt zielenden Deflationspolitik (fortgesetzte Anpassung der Staatsausgaben an den Schrumpfungsprozess der Wirtschaft, Lohn- und Gehaltssenkungen) suchte er die Wirtschaftskrise zu bekämpfen und sie zugleich als Hebel für die Aufhebung der dt.

Filippo Brunelleschi: Grabkapelle der Pazzi im Hof von Santa Croce in Florenz (Baubeginn 1430)

Reparationsverpflichtungen zu nutzen, indem er deren Unerfüllbarkeit nachwies. Dem zunehmend erfolgreichen aussenpolit. Kurs stand aber innenpolitisch das von seiner Deflationspolitik mitzuverantwortende Anwachsen der Arbeitslosigkeit und der Massenzulauf zu NSDAP und KPD gegenüber. Von General K. von Schleicher und großagrar. Kräften Ost-Dtl.s bestärkt, entließ Hindenburg am 30. 5. 1932 B. als Reichskanzler; sein Sturz leitete das Ende der Weimarer Republik ein. 1934 emigrierte B. nach den USA und wurde dort Prof. an der Harvard University. 1951–54 war B. Prof. in Köln.

Heinrich Brüning

📖 *Die deutsche Staatskrise 1930–1933, hg. v.* H. A. Winkler. *München 1992.* – Müller, Frank: *Die »B.-Papers«. Der letzte Zentrumskanzler im Spiegel seiner Zeit. Frankfurt am Main 1993.*

Brünn (tschech. Brno), Hptst. des Südmähr. Gebiets, mit 390000 Ew. zweitgrößte Stadt der Tschech. Rep., am Zusammenfluss von Schwarzawa und Zwittawa; kath. Bischofssitz; Univ., TH, Militär-, tierärztl., landwirtsch. Hochschule, Museen (u. a. Mähr. Museum), mehrere Theater, Sternwarte, Planetarium. Bed. Textilind. (Leinen-Baumwollwebereien, Jutespinnerei) und Maschinenbau, ferner Leder-, chem., elektrotechn. Ind.; internat. Maschinenbaumesse; Verkehrsknotenpunkt mit Flughafen. – Über der Stadt erhebt sich der Spielberg mit Zitadelle. In der Altstadt Dom (15. Jh., barock umgestaltet), got. und barocke Kirchen, Altes und Neues Rathaus, barocke Palais, Reste der Stadtbefestigung. – B. erhielt 1243 Stadtrecht; es verteidigte sich erfolgreich 1428 gegen die

Brünn
Stadtwappen

Brünn: Der Dom Sankt Peter und Paul (15. Jh., 1738–49 barock umgestaltet, im 19. Jh. im ursprünglichen Stil wieder hergestellt)

Hussiten, 1645 gegen die Schweden. Im 19. Jh. Entwicklung zur Industriestadt. Bis 1918 hatte B. eine zu 60% dt. Bevölkerung.

Brünne [ahd. brunni »Rüstung«], mittelalterl. Panzerhemd.

Brunnen, Anlage zur Gewinnung von Grundwasser, das zu Trink- oder Betriebswasser aufbereitet wird.

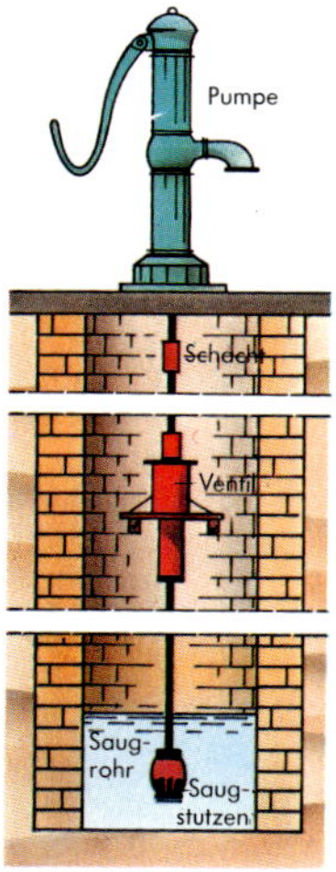

Schachtbrunnen

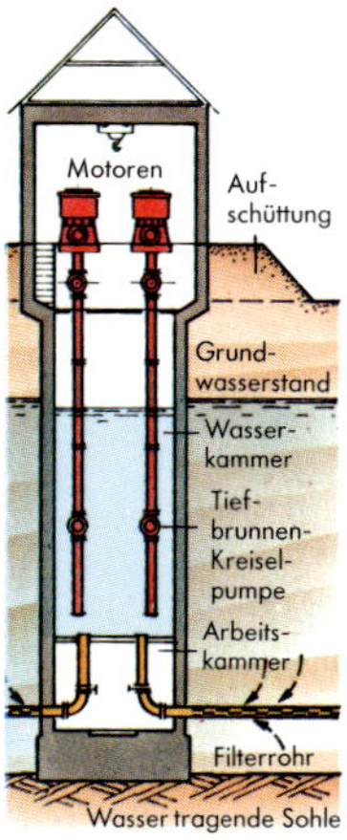

Horizontalfilterbrunnen

Brunnen

Die übl. Form einer B.-Anlage ist der **Schacht-** oder **Kessel-B.:** Ein runder, gemauerter oder betonierter Schacht wird bis zu den Wasser führenden Schichten hinabgeführt. In ihm tritt das Wasser durch die offene Sohle oder durch seitl. Schlitze ein. Gehoben wird es mit einem Schöpfeimer (**Schöpf-** oder **Zieh-B.**) oder einer Pumpe. Bei den Bohr-B. unterscheidet man vertikale Bohr-B. und Horizontalbrunnen. Der **vertikale Bohr-B.** besteht aus einem zusammengesetzten Rohrstrang, der nach der Bohrung in das Bohrloch eingesetzt wird. Die Rohrwandungen besitzen in Höhe der Wasser führenden Schichten Eintrittsöffnungen (Filterrohre). Für geringmächtige, Grundwasser führende Schichten eignet sich der **Horizontalfilterbrunnen.** Er besteht aus einem wasserdichten Schacht mit Sohle, von dem aus horizontale Filterrohre radial in die Grundwasser führenden Schichten vorgetrieben werden. **Ramm-,** auch **Abessinier-B.:** Mithilfe einer Ramme wird ein kräftiges eisernes Rohr mit Stahlspitze und Schlitzen in den Boden getrieben; verwendbar bei sandigem Boden. Bei **Artesischen B.:** steigt das Wasser unter eigenem Überdruck zutage. Sie können dort angelegt werden, wo das Grundwasser zwischen zwei undurchlässigen (Ton-)Schichten fließt und an einer Stelle angebohrt wird, die tiefer liegt als die Zuflussstelle. Der Name geht auf die frz. Landschaft Artois zurück, in der diese B. aufkamen. **Beobachtungs-B.** dienen der laufenden Untersuchung der Spiegelhöhe und der Qualität des Grundwassers, **Versickerungs-** oder **Schluck-B.** zur Einleitung von Wasser in den Untergrund.

Kunstgeschichtliches: Künstlerisch gestaltete B. waren seit dem Altertum üblich: Markt-B. und große Wandbrunnenanlagen (Septiconium in Rom), Zier-B. im Peristyl röm. Wohnhäuser (Pompeji) und in Binnenhöfen des Orients (Löwen-B. der Alhambra), Reinigungs-B. im Atrium christl. Basiliken und im Vorhof der Moscheen, B.-Häuser in Klosterkreuzgängen (Maulbronn). Im späten MA. wurden viele B. mit Bildwerken auf Stadtplätzen errichtet (Perugia, Siena), auch architektonisch reich ausgestaltet (»Schöner B.« in Nürnberg), in Dtl. meist mit einer figurenbekrönten Säule inmitten des B.-Beckens (Stock-B.). In der italien. Renaissance entstanden B. mit monumentalen, den Platz beherrschenden Figuren (von → Giambologna in Bologna, von B. → Ammanati in Florenz). Dt. Städte schlossen sich dem italien. Vorbild an (Danzig und bes. Augsburg, A. de → Vries; Frankfurt am Main). Zu höchster Prachtentfaltung entwickelten sich die B. im italien. Barock (B. von → Bernini, Fontana di Trevi u.a. in Rom). In den fürstl. Parkanlagen waren B. und Wasserspiele wichtige Gestaltungsmittel der Gartenarchitektur. Städt. B. wurden dagegen nördlich der Alpen nur noch selten geschaffen (B. von G. R. Donner in Wien). Im 19. Jh. verlor der B. seine eigentl. Funktion, er wird dennoch z.B. als Teil architekturbezogener Kunst bis heute verwendet.

Brunnen, Luftkurort im Kt. Schwyz, Schweiz, am O-Ufer des Vierwaldstätter Sees (Urner See), am Beginn der Axenstraße, 430 m ü. M.; B. gehört zur Gem. Ingenbohl, 6200 Ew. – In B. erneuerten die drei Urkantone am 9. 12. 1315 nach der Schlacht von Morgarten ihren »Ewigen Bund« von 1291.

Brunnenkresse (Nasturtium officinale), staudiger Kreuzblütler in Bächen Europas, N-Asiens und Nordamerikas mit fiederblättrigem, dickstängligem, liegendem Kraut und weißen Blütchen; Salatpflanze. Als Heilpflanze ist B. seit der Antike bekannt; sie enthält Vitamin C und antibiot. Wirkstoffe.

Brunnenvergiftung, 1) *allg.:* Verleumdung.

2) *Recht:* die vorsätzl. Vergiftung von Brunnen- oder Wasserbehältern, die als Trinkwasserbehälter dienen; als gemeingefährl. Verbrechen nach § 319 StGB mit Freiheitsstrafe bis zu zehn Jahren belegt und, wenn durch die Handlung der Tod eines Menschen verursacht worden ist, mit lebenslanger Freiheitsstrafe oder mit Freiheitsstrafe nicht unter zehn Jahren. (→ Gewässerschutz)

Brunner, 1) Emil, schweizer. ref. Theologe, * Winterthur 23. 12. 1889, † Zürich 6. 4. 1966;

1924–53 Prof. ebd.; Mitbegründer der →dialektischen Theologie, später in Gegensatz zu K. Barth. Er bestimmte das Gottesverhältnis als personale Begegnung, als Antwort des Menschen auf den Anruf Gottes.

Emil Brunner

2) Karl, schweizer. Volkswirtschaftler, *Zürich 16. 2. 1916, †Rochester (N. Y.) 9. 5. 1989; seit 1950 in den USA; als bed. Geldtheoretiker einer der Hauptvertreter des →Monetarismus.

Bruno, Heilige: **1) B. I.** (Brun I.), *925, †Reims 11. 10. 965; Bruder Ottos d. Gr., wurde 951 Kanzler, 953 Erzbischof von Köln und Verwalter des Herzogtums Lothringen; einer der bedeutendsten Vertreter des otton. Reichskirchensystems; Tag: 11. 10.

2) B. von Köln, *Köln um 1032, †La Torre (Kalabrien) 6. 10. 1101; Gründer des Ordens der Kartäuser; Tag: 6. 10.

3) B. von Querfurt, *um 947, †in Sudauen (Ostpreußen) 9. 3. (14. 2.?) 1009; missionierte in Ungarn, Russland, Polen; Tag: 9. 3.

Giordano Bruno (anonymer Kupferstich, 17. Jh.)

Bruno, Giordano, eigtl. Filippo B., italien. Naturphilosoph, *Nola (bei Neapel) 1548, †Rom 17. 2. 1600; seit 1563 Dominikaner in Neapel; fiel 1592 in die Hände der Inquisition, die ihm v. a. wegen seiner Lehren von der Unendlichkeit der Welt und der Vielheit und Gleichwertigkeit der Weltsysteme den Prozess machte. Nach siebenjähriger Haft wurde er auf dem Scheiterhaufen verbrannt. B. stand unter dem Einfluss des scholast. Aristotelismus, von Lukrez, Plotin und Nikolaus von Kues. Er vertrat das kopernikan. Weltsystem und eine pantheist. Lehre von der Weltseele. Seine metaphys. Kosmologie hatte entscheidende Konsequenzen für die Anthropologie (Mensch als Mikrokosmos, subjektiv-individuell erfahrene Gegenwart Gottes); B. hatte weit reichende Wirkung u. a. auf Goethe, Herder und Schelling.

📖 FIRPO, L.: *Il processo di G. B. Neuausg. Rom 1993.* – *G. B. Tragik eines Unzeitgemäßen, hg. v.* W. HIRDT. *Tübingen 1993.* – KIRCHHOFF, J.: *G. B. Reinbek 18.–20. Tsd. 1993.* – ULBRICH, H.-J. *u.* WOLFRAM, M.: *G. B. Dominikaner, Ketzer, Gelehrter. Würzburg 1994.*

Brunsbüttel (bis 1970 Brunsbüttelkoog), Stadt im Landkr. Dithmarschen, Schlesw.-Holst., 14 000 Ew.; Hafen mit großen Schleusen an der Mündung des Nord-Ostsee-Kanals in die Unterelbe (Fährverkehr und Hochbrücke über den Kanal); Elbetiefwasserhafen; Radarstation, Lotsendienst; Kernkraftwerk, chem. und petrochem. Ind., Maschinenbau.

Brunschvicg [brœs'vik], Léon, frz. Philosoph, *Paris 10. 11. 1869, †Aix-les-Bains 18. 1. 1944; seit 1909 Prof. an der Sorbonne. Nach B. spiegeln metaphys. Systeme und Weltanschauungen jeweils das zeitgenöss. Wissenschaftssystem wider.

Werke: Les étapes de la philosophie mathématique (1913); La raison et la religion (1939). Hg.: Œuvres complètes de Pascal, 14 Bde. (1904–14).

Brunst [ahd. »Brand«, »Glut«] (Brunft, Östrus), der durch spezif. Hormone bewirkte vorübergehende Zustand geschlechtl. Erregung bei Säugetieren, der in Zusammenhang mit dem Rhythmus der Reifung der Geschlechtszellen steht und i. d. R. zur Paarung führt; beim wiederkäuenden Schalenwild **Brunft,** beim Schwarzwild **Rauschzeit,** beim Raubwild **Ranzzeit,** bei Hase und Kaninchen **Rammelzeit** genannt. Die meisten wild lebenden Säugetiere werden nur einmal im Jahr brünstig. Bei Haussäugetieren und trop. Säugern tritt die B. das ganze Jahr über in regelmäßigen Abständen auf. Die B. zeigt sich bei männl. Tieren oft in Kampfeslust, Kraftäußerungen, Liebesspielen, Paarungsrufen, Duftmarkierungen, Paarungsbereitschaft u. a. Zur B.-Zeit treten bei manchen Tieren bestimmte Organe zur Reizung und Anlockung des anderen Geschlechts **(B.-Organe)** in Erscheinung, z. B. die **Brunftfeige,** eine Hautdrüse auf dem Kopf der Gämsen, der **Brunftfleck,** ein dunkler Fleck um die Rute des Hirsches. Die B.-Zeiten des mitteleurop. Großwildes liegen meist im Herbst, beim Reh von Juli bis August.

Bruntál (dt. Freudenthal), Stadt im Nordmähr. Gebiet, Tschech. Rep., im Altvatergebirge; 18 700 Ew.; Kunststoff-, Textil-, Holzindustrie. – Anfang des 13. Jh. gegr., war durch Jahrhunderte im Besitz des Dt. Ordens (Schloss, heute Museum) und Zentrum der sudentenländ. Leinenindustrie.

Brüsewitz, Oskar, evang. Theologe, *Willkischken (Litauen) 30. 5. 1929, †Halle (Saale) 22. 8. 1976; starb an den Folgen einer öffentl. Selbstverbrennung am 18. 8. 1976 in Zeitz aus Protest gegen die Unterdrückung der christl. Erziehung in der DDR. – **B.-Zentrum,** gegr. 1977 in Bad Oeynhausen von einem nichtkirchl. Kuratorium zur Information über die Verletzung der Menschenrechte in der DDR.

Brunnenkresse

Brussa, Stadt in der Türkei, →Bursa.

Brüssel (fläm. Brussel, frz. Bruxelles), Haupt- und Residenzstadt Belgiens, 135 000 Ew.; bildet mit 18 umgebenden Gemeinden die zweisprachige **Region B.** (162 km², 951 600 Ew.). Die Stadt liegt an der Senne und ist durch den Brüsseler Seekanal mit Antwerpen und durch kleinere Kanäle mit Charleroi verbunden. B. ist Sitz von Reg. und Verwaltungsbehörden Belgiens, des ständigen Generalsekretariats der Benelux-Länder, der EU-Kommission, des Hauptquartiers der NATO, der Europ. Atomgemeinschaft (EURATOM); zwei Voll-Univ. (gegr. 1834 und 1970), drei Teil-Univ. (»Fakultäten«), Handels- und Wirtschaftshochschulen, Architekturhochschule, Hochschule für Übersetzer und Dolmetscher, die Europ. Univ. der Arbeit,

Brüssel Stadtwappen

Brüssel: Das spätgotische Rathaus (Baubeginn 1402) und Zunfthäuser am Marktplatz

wiss. Akademien, Bibliotheken. Die Ind. umfasst Textil-, Metall-, Elektro-, chem. Ind., Maschinen- und Fahrzeugfabriken sowie Lebensmittel- und Waschmittelherstellung; Hüttenwerke u.a. Schwerind.; U-Bahn seit 1976; lebhafter Handelsverkehr; internat. Flughafen.

Die Altstadt (Unterstadt) zw. Nord- und Südbahnhof ist Sitz des Geschäftslebens; hier und nahebei bed. Bauwerke: Oper, Börse und am Marktplatz (Grand' Place) das Rathaus (1402 begonnen, mit got. Schauseite und 96 m hohem Turm), das Brothaus und die maler. Zunfthäuser (nach 1695 neu erbaut); die Galeries St. Hubert (1847), eine der ältesten überdachten Ladenstraßen Europas;

Brüssel

*Unweit vom Markt in Brüssel steht der Brunnen mit der berühmten Bronzefigur »Manneken-Pis«. Sie wurde nach einer 1619 von Jérôme Duquesnoy (*1570, †1641) geschaffenen, aber verlorenen Statuette gegossen. Meist steht die Figur unbekleidet da, so wie ein reicher Brüsseler Bürger sein Söhnchen in der Rue de L'Étuve nahe der Grande Place gefunden haben soll, nachdem es von zu Hause ausgerissen war. Zu festlichen Anlässen aber lassen Monarchen, Zünfte und Politiker den Knaben ankleiden. Manneken-Pis besitzt über 300 Trachten und Uniformen.*

der Brunnen Manneken-Pis. Am Hang die im Wesentlichen got. Kathedrale St. Michael (früher St. Gudula, 13.–17. Jh.) mit bed. Glasfenstergemälden aus habsburg. Zeit. Auf dem Höhenrand der Oberstadt die seit 1774 bebaute Rue Royale mit dem Nationalpalast (Ministerien, Parlament), dem Park und dem Königl. Schloss; von der Place Royale mit der Kirche St.-Jacques sur Coudenberg erstreckt sich die Rue de la Régence, an der das Palais der Schönen Künste (Gemäldesamml.) liegt, zum gewaltigen, auf einer Terrasse gelegenen Justizpalast von Poelaert (1866–83). Im O das Quartier Léopold, mit Leopoldpark und Naturhistor. Museum. Park und Palais du Cinquantenaire (Ende 19. Jh.) mit Altertümer-, Völker-, Heeresmuseum u.a.; Weltausstellungen 1897, 1910 und 1958 (Atomium).

B. entstand um eine Ende des 10. Jh. errichtete Burg der Grafen von Löwen (spätere Herzöge von Brabant) und war seit dem 12. Jh. ein Zentrum der Tuchmacherei; kam 1430 an Burgund und 1482 an die Habsburger, unter denen es die Hptst. der Niederlande wurde. 1576 schloss sich B. dem niederländ. Aufstand an, wurde aber 1585 von den Spaniern zurückerobert. 1695 brannten die Franzosen die Stadt fast ganz nieder. Unter der österr. Herrschaft (1713–94) nahm sie einen neuen Aufschwung. Die Stadt gehörte 1797–1814 zu Frankreich. 1815–30 war B. abwechselnd mit Den Haag der Sitz des Hofes und der Generalstaaten. 1830 war B. der Ausgangspunkt der Revolution, die zur Bildung des Königreichs Belgien führte, dessen Hptst. B. wurde.

📖 GAIGL, H.: *B. von den Anfängen zur Gegenwart. Skizze einer Stadtentwicklung. Leonberg 1993.* – NEUMANN-ADRIAN, M.: *Brüssel. Neuausg. München 1994.*

Brüsseler Spitzen, Sammelbez. für einige Spitzen aus feinstem Leinenfaden in vorwiegend naturalist. Mustern, als Klöppel- oder Nadelspitze.

Brüsseler Vertrag (Brüsseler Pakt, Brüsseler Fünfmächtevertrag), Vertrag vom 17. 3. 1948 zw. Großbritannien, Frankreich und den Benelux-Ländern über eine umfassende Zusammenarbeit; richtete sich gegen ein wieder erstarkendes Dtl. Im Zug der Eingliederung der Bundesrep. Dtl. in das westl. Verteidigungssystem erfuhr der B. V. eine Umwandlung. Durch die Londoner Akte (3. 10. 1954) wurden die Bundesrep. Dtl. und Italien in den B. V. aufgenommen, nachdem die gegen Dtl. gerichteten Bestimmungen geändert worden waren. 1955 wurde der B. V. in die → Westeuropäische Union umgewandelt.

Brust (Pectus), bei Mensch und Wirbeltieren der obere oder der vordere Teil des Rumpfes, bei Gliederfüßern der mittlere, gegen Kopf und Hinterleib abgegrenzte Teil des Körpers. B. i.w.S. heißt derjenige Teil des menschl. Rumpfes, dessen Skelett vom → Brustkorb gebildet wird; i.e.S.: die vordere Wand des B.-Korbes, auch die weibl. → Brustdrüsen.

Brustbein (Sternum), aus mehreren Teilen entstandener Knochen zur Befestigung des Schlüsselbeins und der oberen Rippen; bildet den vorderen Abschluss des Brustkorbs.

Brustdrüsen (Mammae), beim Menschen und einigen Säugetieren (z.B. Primaten, Fledermäuse, Elefanten) vorkommende, bruständige Drüsen mit äußerer Sekretion (→Milchdrüsen). Die B. des Menschen bestehen aus je 15–20 einzelnen Drüsenläppchen, die von Fett- und Bindegewebe umgeben sind und so die eigentl. **Brüste** bilden. Zw. den Brüsten befindet sich eine Vertiefung, der **Busen.** Die **Brustwarzen (Mamillae),** in denen die Ausführgänge der Milchdrüsen münden, können sich durch glatte Muskulatur aufrichten (→erogene Zonen). Die Brustwarze wird vom **Warzenhof** umgeben, der durch das Sekret zahlr. Talgdrüsen geschmeidig gehalten wird.

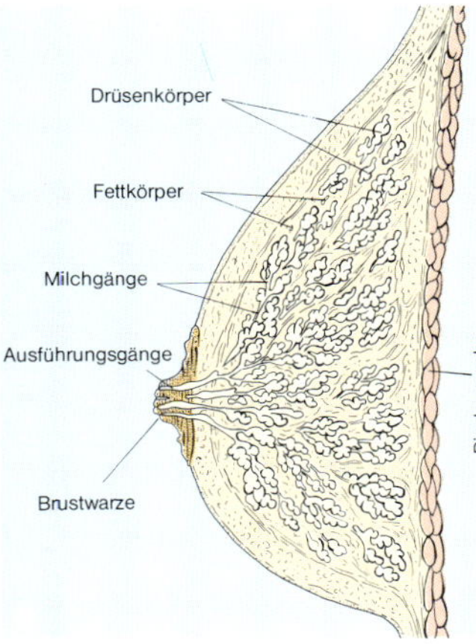

Brustdrüsen: Längsschnitt durch die weibliche Brustdrüse

Brustdrüsenentzündung (Mastitis), Entzündung der Milchdrüse bes. während der Stillzeit; geht meist von Schrunden der Brustwarzen aus, in die Infektionserreger eingedrungen sind, und kann bis zur Abszessbildung führen. *Verhütung:* peinlichste Sauberhaltung der Brust.

Brüster Ort, Landspitze im NW von →Samland.

Brustfell (Pleura), spiegelglatte und glänzende Auskleidung der Brusthöhle **(Rippenfell)** und Überkleidung der Lungen **(Lungenfell).** Beide Teile umschließen einen mit Flüssigkeit gefüllten Spaltraum **(Pleurahöhle).**

Brustfellentzündung, die →Rippenfellentzündung.

Brustkorb (Thorax), der Herz und Lungen einschließende, von Brustwirbeln, Rippen, Brustbein, Knorpel und Bändern gebildete vordere (obere) Abschnitt des Rumpfes bei höheren Wirbeltieren. Der vom B. umschlossene Raum ist die **Brusthöhle.** Beim Menschen setzt sich der B. aus 12 mit den Brustwirbeln zweimal gelenkig verbundenen, paarigen Rippen zusammen. Die durch Bänder geschützten Gelenke zw. den Rippen und Wirbelkörpern und die knorpeligen Rippenansätze am Brustbein ermöglichen die Atembewegungen.

Brustkrebs (Mammakarzinom, Brustdrüsenkrebs), bösartige Geschwulst der Brustdrüse, vorwiegend vom Deckgewebe ausgehend, selten (etwa 1%) vom Bindegewebe. B. ist die häufigste bösartige Erkrankung der Frau, v.a. zw. dem 45. und 70. Lebensjahr; nur in etwa 1% der Fälle sind Männer (v.a. im 7. Lebensjahrzehnt) betroffen. B. tritt oft doppelseitig auf und beginnt mit einem zunächst schmerzlosen, meist derben, schlecht verschiebbaren, langsam wachsenden Knoten; gutartige Brustgeschwülste wachsen dagegen gar nicht oder kaum. Auch kleine Krebsknoten können schon Tochtergeschwülste in den Lymphbahnen der Achselhöhle und in den inneren Organen hervorrufen. Bei weiterem Wachstum wird schließlich die Haut durchbrochen und es entsteht durch Gewebszerfall und Infektionen ein Krebsgeschwür. Wegen der anfangs fehlenden Beschwerden wird die Geschwulst oft erst spät und teils durch Zufall entdeckt. Regelmäßige Selbstbeobachtung (Abtastung, auch bei erhobenem Arm) und jährl. Vorsorgeuntersuchung durch den Arzt sind deshalb zur Früherkennung wichtig. Neben dem Tastbefund dient v.a. die Röntgenuntersuchung (Mammographie) zur Erkennung des Brustkrebses. Daneben geben Ultraschalluntersuchungen und Thermographie wertvolle diagnost. Hinweise. Gesichert wird die Diagnose durch mikroskop. Untersuchung von durch Punktion oder Probeexzision gewonnenem Gewebe. – *Behandlung:* Operative Entfernung der Geschwülste, je nach Stadium auch der Lymphknoten in der Achselhöhle und Strahlenbehandlung sind primäre Maßnahmen. Daneben hat sich eine langfristige Behandlung mit Gegenhormon oder weibl. Geschlechtshormon (Gestagen) sowie mit Zytostatika bewährt.

Brustkreuz (Pektorale), von geistl. Würdenträgern als Teil der Amtstracht getragenes (goldenes) Kreuz, meist Reliquien enthaltend; ohne Reliquien auch Amtszeichen des evang. Bischofs.

Brustschwimmen, Sportschwimmart in Brustlage. Die Arme werden waagerecht nach vorn und dann seitlich auseinander geführt, in Höhe der Schultern an den Körper herangezogen und wieder nach vorn gestoßen. Die Beine werden gleichzeitig angezogen, darauf Beinschlag als Unterschenkelschwung; →Schwimmen.

Bruststimme, *Musik:* die tiefe Lage der menschlichen Stimme, bei der hauptsächlich die Brustwand in Schwingungen gerät, im Unterschied zur Kopfstimme.

Brusttee, Aufgussgetränk aus einer Mischung von Eibischwurzel, Süßholz, Veilchenwurzel, Huflattichblättern, Wollblumen und Anis; wird bei Bronchitis und Husten angewendet.

Brustwarze, →Brustdrüsen.

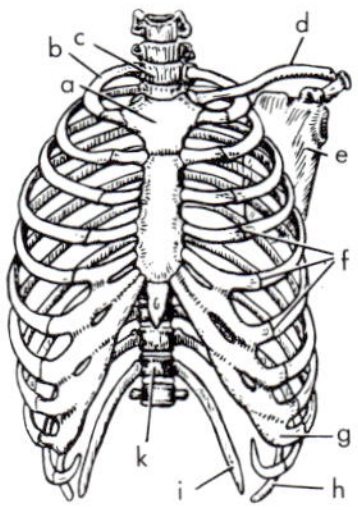

Brustkorb:
a Brustbein,
b erste Rippe,
c erster Brustwirbel,
d Schlüsselbein,
e Schulterblatt,
f Knochen-Knorpel-Grenze der Rippen,
g Rippenbogen,
h elfte Rippe,
i zwölfte Rippe,
k zwölfter Brustwirbel

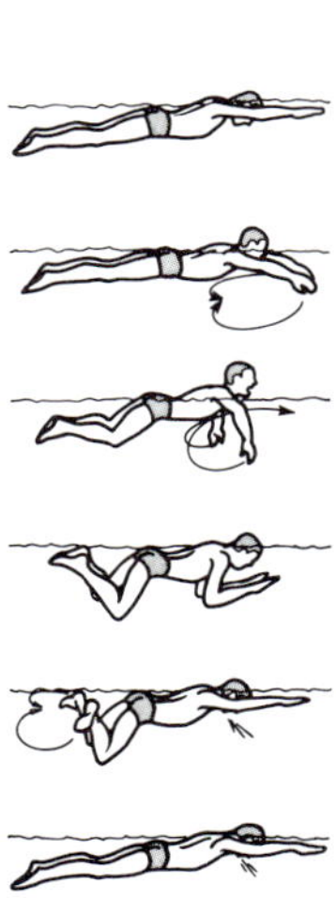

Brustschwimmen

Brutknospen 1) am Blattrand des Brutblatts

Marcus Iunius Brutus

Brustwerk, das vorn in der Mitte stehende Pfeifenwerk der Orgel, von schwächerem Klang.

Brustwickel (Brustumschlag), *Medizin:* eine →Packung.

brut [bryt; frz. »roh«], trocken, herb (Wein, bes. Champagner).

Brut, Gesamtheit gleichzeitig ausgebrüteter oder geborener Nachkommen (Vögel, Säuger); die Larven einer Nestgemeinschaft Staaten bildender Insekten (z.B. Bienen, Ameisen); sich entwickelnde Fischeier.

Brutalismus *der,* Anfang der 1950er-Jahre in England aufgekommene Bez. für eine Richtung der modernen Architektur (erstes gebautes Beispiel Schule Hunstanton, 1952–54 von A. und P. Smithson). Der Begriff bezeichnet eine Architekturauffassung, die den Baustoff in seiner Ursprünglichkeit und Rohheit betont, eine hohe Plastizität der Gebäudeform wie des Baudetails anstrebt und Installationen sichtbar lässt. Leitbilder waren einerseits die strengen, klaren Bauten Mies van der Rohes in Chicago, andererseits die Verwendung unverputzten Betons als Gestaltungsmittel (»béton brut«) im Spätwerk Le Corbusiers. Elemente des B. sind in der modernen Architektur weit verbreitet.

Brutapparat, Gerät zum künstl. Ausbrüten der Eier in der Geflügelzucht (Brutschrank); in der Fischzucht trogförmige Wasserbehälter.

Brutblatt (Bryophyllum), Gattung in Madagaskar beheimateter Dickblattgewächse, an deren Blatträndern sich Brutknospen bilden, die der vegetativen Vermehrung dienen und bereits auf der Mutterpflanze kleine Pflänzchen hervorbringen.

Brüten, 1) *Biologie:* das Erwärmen der Eier meist durch die Körperwärme der Elterntiere bis zum Ausschlüpfen der Jungen. Am Bauch entsteht zur Brutzeit der stark durchblutete, den Eiern aufliegende **Brutfleck.** Meist brütet das Weibchen, bei Steißhühnern, Kampfwachteln, bei Emu, Kasuar und einigen Watvögeln das Männchen. Kleine Singvögel brüten 10–14 Tage, das Haushuhn 20–21, der Emu 58, große Albatrosarten 80 Tage.

2) *Kerntechnik:* die durch Kernreaktionen im →Kernreaktor ablaufende Umwandlung **(Konversion)** eines zunächst nicht spaltbaren Materials **(Brutstoff)** in spaltbares, sofern mehr Spaltstoff erzeugt als verbraucht wird. Ist das Verhältnis von gewonnener spaltbarer Substanz zu verbrauchter **(Konversionsfaktor)** > 1, spricht man von **Brutrate,** der Überschuss an erzeugtem Spaltstoff wird als **Brutgewinn** bezeichnet. Reaktoren, die mehr Spaltstoff erzeugen als sie verbrauchen, heißen **Brüter** oder **Brutreaktoren.** Falls solche Reaktoren eine andere Substanz und i.d.R. weniger Spaltstoff erzeugen als sie verbrauchen, spricht man vom Konverter.

Brutkasten, der →Inkubator.

Brutknospen, 1) *Botanik:* (Bulbillen) in Blattachseln oder im Blütenstand entstehende Knospen, die abfallen und neue Pflanzen bilden; zwiebelartige B. werden als **Brutzwiebeln** bezeichnet.

2) *Zoologie:* der ungeschlechtl. Fortpflanzung dienende mehrzellige Gebilde, die ungünstige Lebensbedingungen durch Ausbildung fester Hüllen überstehen, z.B. Gemmulae der Schwämme.

Brutpflege, Bez. für alle angeborenen Verhaltensweisen der weibl. und männl. Elterntiere, die der Aufzucht, Pflege und dem Schutz der Nachkommen dienen. Die B. umfasst die Bewachung und Versorgung der Eier bzw. der Brut, das Herbeischaffen von Nahrung, das Füttern der Larven durch Arbeiterinnen bei Staaten bildenden Insekten, das Sauberhalten und den Unterricht in typ. Verhaltensweisen des Nahrungserwerbs.

Brutreaktor, *Kerntechnik:* →Kernreaktor, →Brüten.

Brutstoff, *Kerntechnik:* →Brüten.

Bruttasche, Raum zur Aufnahme von Eiern oder Jungtieren an der Körperoberfläche mancher Tiere.

Bruttium, antiker Name Kalabriens; nach den **Bruttiern** benannt, die sich 356 v.Chr. zu einem Bund zusammenschlossen (Zentrum Consentia, heute Cosenza), danach grch. Kolonien eroberten und gegen Rom kämpften. Nach 275 v.Chr. geriet B. unter die Oberherrschaft Roms.

brutto [italien.], Abk. **btto.,** roh, ohne Abzug; Ggs.: netto.

Bruttoeinkommen, gesamtes Erwerbseinkommen (B. aus nichtselbstständiger Arbeit) und Vermögenseinkommen (B. aus selbstständiger Arbeit und Vermögen) einer Person oder eines privaten Haushalts vor Abzug der Steuern, Abgaben und Sozialversicherungsbeiträge. Das **Bruttoarbeitsentgelt** (Bruttolohn und Bruttogehalt) ist die Vergütung, die ein Arbeitnehmer vom Arbeitgeber laufend erhält (Arbeitsentgelt, außertarifl. Leistungs-, Sozial- u.a. Zulagen sowie einmalige Zahlungen), vor Abzug von Steuern und Sozialversicherungsbeiträgen.

brutto für netto, Abk. **bfn,** Preisklausel, die besagt, dass die Verpackung mitgewogen und berechnet ist.

Bruttogewinn (Rohgewinn), Betrag, um den der Erlös der verkauften Waren höher ist als ihre Herstellungskosten oder ihr Anschaffungspreis.

Bruttoinlandsprodukt, Abk. **BIP** (B. zu Marktpreisen), →Sozialprodukt.

Bruttoprämie, vom Versicherungsnehmer zu zahlender Beitrag einschließlich eines Verwaltungskostenzuschlags. Der um die Kosten verringerte Beitrag wird **Nettoprämie** genannt.

Bruttoprinzip, im Haushaltsplan die getrennte Veranschlagung von Einnahmen und Ausgaben in voller Höhe.

Bruttoproduktionswert, zu Verkaufspreisen bewertete Produktion eines Unternehmens oder Ind.zweiges in einem bestimmten Zeitraum.

Bruttoraumzahl, Abk. **BRZ** (engl. gross tonnage, Abk. GT), das in der Schiffsvermessung die bisherige Bruttoregistertonne ersetzende Maß für die Gesamtgröße von Schiffen (außer Kriegsschiffen und Schiffen unter 24 m Länge). Entsprechend ersetzt die **Nettoraumzahl** (Abk. **NRZ;** engl. net tonnage, Abk. NT) die bisherige Nettoregistertonne. BRZ und NRZ sind dimensionslose Vergleichszahlen. Die BRZ ergibt sich aus dem gesamten umbauten Raum multipliziert je nach Schiffstyp mit einem zw. 0,22 und 0,32 liegenden Faktor; die B. soll eine gerechtere Schiffsvermessung ermöglichen.

Bruttoregistertonne, Abk. **BRT,** →Registertonne.

Bruttosozialprodukt, Abk. **BSP** (B. zu Marktpreisen), →Sozialprodukt.

Brutus [lat. »der Dumme«], **1)** Decimus Iunius, röm. Offizier, *um 81, †43 v. Chr.; Vertrauter Cäsars, nahm an der Verschwörung gegen ihn teil; 48–46 Statthalter in Gallien, kämpfte ab 44 gegen M. Antonius, der ihn ermorden ließ.

2) Lucius Iunius, nach der Sage der Befreier Roms von der Herrschaft der Tarquinier (509 v. Chr.); erster röm. Konsul.

3) Marcus Iunius, römischer Politiker, *85, †42 v. Chr.; Haupt der Verschwörung gegen Cäsar, unterlag in der Schlacht bei Philippi 42 v. Chr. gegen Oktavian und Antonius und tötete sich.

Brutzwiebel, Form der →Brutknospe.

Brüx, Stadt in der Tschech. Rep., →Most.

Bartholomäus Bruyn d. Ä.: Bürgermeister Arnold von Brauweiler (1535; Köln, Wallraf-Richartz-Museum)

Bruxelles [bryˈsɛl], frz. Name von →Brüssel.

Bruxismus [grch.] *der,* Zähneknirschen bes. während des Schlafs; kann zu Zahnlockerung führen.

Brutus

Auch du, mein Sohn Brutus?

In dieser Form wird der heute oft als nicht ganz ernst gemeinte Floskel dienende Ausruf gebraucht. Man bringt damit sein gespieltes oder tatsächliches Erstaunen darüber zum Ausdruck, dass jemand zur Gegenpartei übergelaufen ist und einen im Stich lässt. Überliefert wurden sowohl von dem römischen Schriftsteller Sueton in seinem Buch über das Leben der Kaiser als auch von dem griechischen Geschichtsschreiber Cassius Dio Cocceianus in seiner Geschichte Roms die Worte »Auch du, mein Sohn?« Cäsar soll sie bei seiner Ermordung (44 v. Chr.) dem von ihm väterlich geförderten Brutus zugerufen haben. Beide Autoren bestreiten allerdings auch die Authentizität dieser Worte. Shakespeare, dem das Zitat in irgendeiner Form wohl bekannt war, lässt in seinem Drama »Julius Cäsar« (III, 1) den sterbenden Cäsar die lateinischen Worte ›Et tu, Brute?‹ (»Auch du, Brutus?«) ausrufen. Ähnlich auch Schiller im Drama »Die Räuber« (IV, 5): »Auch du – Brutus – du?«

Bruyèreholz [bryˈjɛːr-; frz. bruyère »Heidekraut«], 20–30 cm dicke Maserknollen der Baumheide; wird zu Pfeifenköpfen verarbeitet.

Bruyn [brœjn], **1)** Bartholomäus d. Ä., Maler, *Wesel (?) 1493, †Köln April 1555; Schüler der Niederländer, bes. des Joos van Cleve, in dessen Werkstatt er seit 1512 arbeitete; er brachte den Antwerpener Manierismus nach Köln und malte hier seit 1515 v. a. treffende Porträts.

2) Günter de, Schriftsteller, *Berlin 1. 11. 1926; schrieb v. a. über Menschen und zwischenmenschl. Verhältnisse in der DDR kritisch-satir. Erzählungen (»Ein schwarzer, abgrundtiefer See«, 1963; »Babylon», 1980) und Romane (»Der Hohlweg«, 1963; »Buridans Esel«, 1968; »Neue Herrlichkeit«, 1984) sowie »Zwischenbilanz«, Autobiographie, 1992, »Vierzig Jahre - Ein Lebensbericht« (1996).

Günter de Bruyn

📖 *G. de B. Materialien zu Leben u. Werk, hg. v.* U. WITTSTOCK. *Frankfurt am Main 1991. – G. de B. Redaktion:* H. DITTBERNER. *München 1995.*

Bryant [ˈbraɪənt], William Cullen, amerikan. Lyriker und Journalist, *Cummington (Mass.) 3. 11. 1794, †New York 12. 6. 1878; schrieb die Totenelegie »Thanatopsis« (1817) und von den engl. Romantikern beeinflusste Naturgedichte; Blankversübersetzungen der »Ilias« (1870) und der »Odyssee« (1871).

William C. Bryant

Bryaxis, grch. Bildhauer des 4. Jh. v. Chr.; schuf vermutlich die Friese der Nordseite des Mausoleums von Halikarnassos.

Brynner, Yul, eigtl. Julius Bryner, amerikan. Bühnen- und Filmschauspieler, *Insel Sachalin

11. 7. 1915, †New York 10. 10. 1985; am Broadway erfolgreich im Musical »Der König und ich« (1956 verfilmt), zahlr. weitere Filme, u.a. »Die glorreichen Sieben« (1960).

Bryophyten [grch.], die →Moose.

Bryozoen [grch.], die →Moostierchen.

BRZ, Abk. für →**B**rutto**r**aum**z**ahl.

Brzeg [bʒɛk] (dt. Brieg), Stadt in der Wwschaft Opole, Polen, an der Oder, 38000 Ew.; Maschinen-, Elektromotorenbau, Lebensmittelindustrie. – Seit 1248 Stadt (1327 Magdeburger Stadtrecht) und seit 1311 Hauptort des gleichnamigen Fürstentums; wurde nach der Zerstörung in den Hussitenkriegen im Renaissancestil wieder aufgebaut (Piastenschloss 1536–74; Rathaus 1569–72). Nach dem Aussterben der schles. Piastenherzöge von Liegnitz-B. und Wohlau (1675) fiel ihr Land an Österreich, 1742 an Preußen.

BSB, Abk. für →**b**iochemischer **S**auerstoff**b**edarf.

BSE-Seuche (bovine spongiforme Enzephalopathie), stets tödlich verlaufende Infektionskrankheit der Rinder. Erreger sind infektiöse Proteine (Prionen) oder ungewöhnl. Viren, die mit denen der →Traberkrankheit (Scrapie) der Schafe und des Creutzfeldt-Jakob-Syndroms des Menschen identisch sind. Nach einer Inkubationszeit von zwei bis acht Jahren kommt es zu charakterist. Veränderungen im Gehirn (schwammige Strukturen), die zur Krankheitsbez. geführt haben (umgangssprachl. »Rinderwahnsinn«); ferner zu Verhaltens- und Bewegungsstörungen. Als Übertragungsweg ist die Verfütterung von nicht ausreichend hitzebehandeltem Tierkörpermehl (von Schafen) nachgewiesen. Die BSE-S. ist bisher in Großbritannien, Irland, in der Schweiz und in Dtl. aufgetreten; Hinweise für eine Übertragung auf den Menschen sind bislang ungeklärt.

📖 HACKER, A.: *Stichwort BSE. München 1996.*

Martin Buber

BSG, Abk. für →**B**lutkörperchen**s**enkungs**g**eschwindigkeit (→Blutkörperchensenkung).

BSP, Abk. für **B**rutto**s**ozial**p**rodukt (→Sozialprodukt).

B-Sterne, Sterne der →Spektralklasse B.

Btx (BTX), Abk. für →**B**ildschirm**t**e**x**t.

BTX-Aromaten, →Aromaten.

Bubastis, altägypt. Stadt im Nildelta, heute **Tell Basta,** Königsresidenz während der 22. Dynastie (Bubastiden), hl. Stadt der katzenköpfigen Göttin Bastet; Ruinen mehrerer Tempel vom 3. bis 1. Jt. sowie eines Palastes der 12. Dynastie.

Ignatz Bubis

Bube (frz. Valet, engl. Jack), Karte der Spielkarten in frz. Farben, entspricht dem Unter (Wenzel) der dt. Spielkarten, heißt beim Skat auch »Junge«.

Buber, Martin, jüd. Religionsphilosoph, *Wien 8. 2. 1878, †Jerusalem 13. 6. 1965; 1924–33 Prof. in Frankfurt am Main, 1938–51 in Jerusalem; 1953 Friedenspreis des Dt. Buchhandels. Seine dt. Bibelübersetzung (mit F. Rosenzweig) verbindet dt. Sprachformung mit jüd. Bibelexegese. B.s Hauptziel war die menschl. und polit. Erneuerung des abendländ. Judentums (→Zionismus) aus dem Geist der Bibel und der chassid. Bücher; Kernpunkt seiner Anschauungen ist das unmittelbare Verhältnis zum Gegenüber (→dialogische Philosophie). Diese Einstellung beeinflusste die neuere kath. und evang. Theologie, Pädagogik und Philosophie.

Weitere Werke: Ich und Du (1923); Die Schrift, 15 Bde. (1926–38); Der Weg des Menschen nach der chassid. Lehre (hebr. 1947); Der Jude und sein Judentum (1963).

📖 WEHR, G.: *M. B. Leben, Werk, Wirkung. Neuausg. Zürich 1996.*

Bucchero: Etruskischer Bucchero aus Orvieto (7. Jh. v. Chr.; Florenz, Museo Archeologico)

Buber-Neumann, Margarete, Schriftstellerin und Publizistin, *Potsdam 21. 10. 1901, †Frankfurt am Main 6. 11. 1989 ; ⚭ in 1. Ehe mit R. Buber, einem Sohn M. Bubers, in 2. Ehe mit H. Neumann (*1902, †1937), 1935 mit ihm in Moskau, war ab 1938 in sowjet. Lagern, nach Übergabe an die SS 1940–45 im KZ Ravensbrück; schilderte ihren Lebensweg in »Als Gefangene bei Stalin und Hitler« (1949) und »Von Potsdam nach Moskau. Stationen eines Irrweges« (1957).

Bubis, Ignatz, Unternehmer, *Breslau 12. 1. 1927; während der dt. Besetzung zunächst im Getto von Dęblin, dann Zwangsarbeit in einem Lager bei Tschenstochau; seit 1969 Mitgl. der FDP; seit 1983 Vors. des Vorstandes der jüd. Gemeinde in Frankfurt am Main, seit 1992 Vors. des Zentralrates der Juden in Dtl.; tritt bes. gegen alle Formen des Fremdenhasses und des Antisemitismus auf.

Bubo [grch. boubṓn »Leiste«] *der,* entzündliche Schwellung der Lymphknoten bes. in der Leistenbeuge (v.a. bei Geschlechtskrankheiten und Pest).

Bucaramanga, Hptst. des Dep. Santander, Kolumbien, 1018 m ü. M., auf der W-Abdachung der Ostkordillere, 350 300 Ew.; Mittelpunkt eines Kaffee- und Tabakanbaugebiets; Ind.-, Handels- und Verkehrszentrum; Univ.; Erzbischofssitz.

Bucchero ['bukkero; italien. »wohlriechende Tonerde«] *der,* Gattung gedrehter schwarzer Gefäße aus gebranntem, außen glänzendem Ton, im 7./6. Jh. v. Chr. in Etrurien hergestellt, oft mit Stempelrelief oder erhabenem Dekor.

Bucentaur [aus italien. bucintoro »goldene Barke«] *der,* venezianische Galeasse, Prunkschiff der Dogen von Venedig.

Bucer, Martin, eigtl. M. Butzer, Reformator, *Schlettstadt (Elsass) 11. 11. 1491, †Cambridge 1. 3. 1551; wirkte seit 1523 in Straßburg, später auch in Ulm, Hessen und Köln für die Reformation, verfasste für den Augsburger Reichstag 1530 die »Confessio Tetrapolitana« und vermittelte im Abendmahlsstreit (Wittenberger Konkordie, 1536). Wegen seines Widerstandes gegen das → Interim (1548) auf Befehl des Kaisers aus Straßburg ausgewiesen, folgte B. einer Einladung T. Cranmers nach England und wirkte als Prof. in Cambridge. Für Eduard VI. schrieb er hier »De regno Christi« (1550), eine Synthese seines Denkens. B. ist der »Vater der evang. Konfirmation«.

📖 GRESCHAT, M.: *M. B. Ein Reformator u. seine Zeit. München 1990.* – KROON, M. DE: *M. B. u. Johannes Calvin. Reformatorische Perspektiven. A. d. Niederländ. Göttingen 1991.*

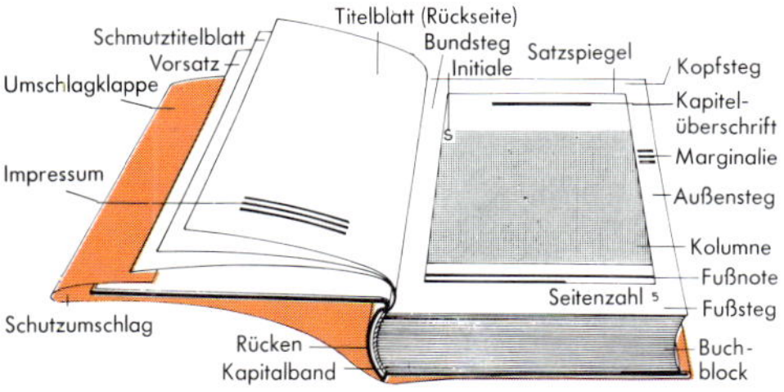

Buch: Bestandteile eines Buches und Elemente der Buchgestaltung

Buch, materiell ein größeres Schrift- oder Druckwerk aus miteinander verbundenen Blättern oder Bogen, in eine Einbanddecke oder in einen Umschlag eingefügt; meist aus Papier, im MA. auch aus Pergament; seiner Funktion nach eine graf. Materialisierung geistig-immaterieller Inhalte zum Zweck ihrer Erhaltung, Überlieferung und Verbreitung in der Gesellschaft. Nach der Bogenfaltung unterscheidet man die nur näherungsweise eine Größe angebenden bibliograph. Formate: Folio, Quart, Oktav, Duodez und Sedez. B.-Arten sind das in Leder (Halbleder), Leinen (Halbleinen) oder als Festeinband mit anderem Material gebundene und das broschierte B. (→ Paperback, → Taschenbuch).

Geschichte: Die B. der Babylonier und Assyrer bestanden aus gebrannten Tontafeln, die der Inder aus zusammengeschnürten Palmblättern, Ägypter, Griechen und Römer hatten Papyrusrollen. Seit dem 3. Jh. v. Chr. kam, wohl in Kleinasien (Pergamon), neben dem Papyrus das Pergament auf, das später im Abendland für lange Zeit der einzige Beschreibstoff war. Mit dem Pergament setzte sich die flache, viereckige Buchform aus Lagen von gefalteten Pergamentblättern (Codex) allgemein durch. Des hohen Preises wegen wurde das Pergament nach Entfernung der ersten Schrift noch einmal beschrieben (→ Palimpsest). Im MA. wurden die B. von Mönchen, später von Lohnschreibern geschrieben (→ Handschrift), ausgeschmückt (→ Buchmalerei) und mit kostbaren Einbanddecken versehen. Das im 8. Jh. durch die Araber aufgekommene, aber erst seit dem 13./14. Jh. im Abendland gebräuchl. Papier verbilligte die B.-Herstellung. Mit der Erfindung des → Buchdrucks und der Einführung graf. Verfahren der Illustration (Holzschnitt, später Kupferstich, Lithographie, photomechan. Reproduktion) wurde das B. allmählich Massenartikel.

Martin Bucer (zeitgenössischer Stich)

Die ersten gedruckten B. (Inkunabeln, → Wiegendrucke) suchten noch die Handschriften nachzuahmen. Aber seit dem 16. Jh. löste sich die B.-Form vom Vorbild der Handschriften, das Titelblatt wurde um 1520 üblich. Im Wesentlichen blieb die Herstellung des B. bis zu Beginn des 19. Jh. unverändert, bis maschinelle Methoden eingeführt wurden; der Ende des 18. Jh. beginnende Anstieg der B.-Produktion setzt sich bis heute fort (u. a. Einführung des Photo- und Lichtsatzes, Desktoppublishing). Im Kulturleben der Menschheit ist das B. eine der bedeutungsvollsten Erscheinungen überhaupt.

📖 FUNKE, F.: *Buchkunde. Ein Überblick über die Geschichte des B.es. München u. a. [5]1992.* – JANZIN, M. *u.* GÜNTNER, J.: *Das B. vom B. 5000 Jahre Buchgeschichte. Hannover 1995.*

»Gewisse Bücher scheinen geschrieben zu sein, nicht damit man daraus lerne, sondern damit man wisse, dass der Verfasser etwas gewusst hat.«
Goethe

»Das ***Buch****, das in der Welt am ersten verboten zu werden verdiente, wäre ein Katalog von verbotenen Büchern.«*
Georg Christoph Lichtenberg

Buch, Leopold von, Freiherr von Gellmersdorf, Geologe und Paläontologe, *Schloss Stolpe bei Angermünde 26. 4. 1774, †Berlin 4. 3. 1853; erkannte die Horizontbeständigkeit und chronolog. Bedeutung der Versteinerungen und prägte den Begriff »Leitfossil«; Anhänger des → Vulkanismus.

Buchanan [bju:'kænən], **1)** George, schott. Humanist, *Killearn (bei Glasgow) Febr. 1506, †Edinburgh 29. 9. 1582; Gegner Maria Stuarts; verfasste ein bed. Werk über die schott.Geschichte (»Rerum Scoticarum historia«, 1582), daneben lat. Tragödien.

2) James, 15. Präs. der USA (1857–61), *bei Mercersburg (Pa.) 23. 4. 1791, †bei Lancaster (Pa.) 1. 6.

James M. Buchanan

1868; Rechtsanwalt, Demokrat; 1834–45 Senator für Pennsylvania, 1845–49 Außenmin.; wurde als Anhänger südstaatl. Ideologie, jedoch persönlich unionstreu, 1856 als Kompromisskandidat aufgestellt; begünstigte durch seine Inaktivität den Ausbruch des Sezessionskrieges.

3) James McGill, amerikan. Volkswirtschaftler und Finanzwissenschaftler, * Murfreesboro (Tenn.) 2. 10. 1919; Mitbegründer der Public-Choice-Theorie, die darauf basiert, ökonom. Kriterien in die Analyse und Entscheidung polit. Phänomene durch Staat, Parteien, Verbände usw. einfließen zu lassen; darüber hinaus legte er Arbeiten zur Finanztheorie vor. B. erhielt 1986 den Nobelpreis für Wirtschaftswissenschaften.

Buchara: Ismail-Samani-Mausoleum (9./10. Jh.)

Buchara (usbek. Buhoro), Hptst. des Gebiets B., Usbekistan, im Tal des Serawschan, in einer Oase der Wüste Kysylkum, 249600 Ew.; Baumwoll- und Seidenverarbeitung, Teppichherstellung, Kunsthandwerk; bei B. Erdgasgewinnung. – B. war im MA. eine bed. islam. Kulturstätte und ein Handelszentrum (turmbewehrte Stadtmauern aus Lehmziegeln, Kaljan-Moschee, Ulug-Beg-Medrese, Ismail-Samani-Mausoleum und weitere Bauwerke). Die Stadt wurde 709 von den Arabern, 875 von den Samaniden erobert, 1220 von Dschingis Khan zerstört. 1369 fiel B. in die Hand Timurs, 1500 an die Usbeken. Seit dem 16. Jh. Hptst. eines Khanats, das 1868 die russ. Oberhoheit anerkennen musste. Nach dem Sturz des Emirs (1920) war B. Hptst. der sowjet. VR Buchara (1920–24).

Nikolai Bucharin

Bucharin, Nikolai Iwanowitsch, sowjet. Politiker und Wirtschaftstheoretiker, * Moskau 9. 10. 1888, † (hingerichtet) ebd. 15. 3. 1938; enger Kampfgefährte Lenins, 1917–29 Chefredakteur der »Prawda«, unterstützte nach Lenins Tod (1924) als Mitgl. des Politbüros (1924–29) und Vors. der Komintern (1926–29) zunächst Stalin, wandte sich aber dann gegen dessen Industrialisierungs- und Kollektivierungspolitik. 1929 wurde er aller Funktionen enthoben und 1938 in einem Schauprozess zum Tode verurteilt; 1988 postum rehabilitiert. – B. entwickelte eine marxist. Theorie des Imperialismus. Im Hinblick auf die nachrevolutionäre (sozialist.) Gesellschaft vertrat er die These des organ. Übergangs vom Sozialismus zum Kommunismus.

📖 HEDELER, W.: *N. B. Bibliographie. Mainz 1993.* – HEDELER, W. u. STOLJAROWA, R.: *N. B. Leben u. Werk. Mainz 1993.*

Buchau, Bad, →Bad Buchau.

Buchbesprechung, →Rezension.

Buchbinder, Ausbildungsberuf des Handwerks und der Ind. mit 3-jähr. Lehrzeit, Facharbeiter- und Meisterprüfung.

Buchbinderei, die Herstellung von Bucheinbänden und verwandte Arbeiten, auch der Fertigungsbetrieb dafür. Arbeitsgänge: Schneiden und Falzen der Bogen, Ankleben der Vorsatzblätter an Titel- und Endbogen, Zusammentragen der einzelnen Bogen zum Rohblock, Kollationieren (Nachprüfen der richtigen Reihenfolge der Bogen), Heften mit Faden, Draht oder synthet. Klebstoffen (→Bund) zum **Buchblock,** Falz niederpressen, dreiseitigen Beschnitt des Buchblocks, Buchblockrücken runden und evtl. abpressen, Anbringen der Farb- oder Goldschnitte am Kopf oder den drei Schnittseiten des Buchblocks, Kapitalen (Anbringen des Kapitalbandes am Kopf und Fuß des Buchblockrückens), Hinterkleben oder Aufkleben einer Hülse aus derbem Papier auf den Buchblockrücken, Begazen zur Heft- und Falzverstärkung. Nach Fertigstellung der Einbanddecke werden der Buchblock eingehängt und die äußeren Seiten der Vorsatzblätter mittels Klebstoff mit den Innenseiten der Einbanddecke fest verbunden. Unter starkem Druck verbleibt das fertige Buch bis zum völligen Austrocknen in der Presse.

📖 *Lehrbuch der industriellen B., hg. v.* E. BENDIG *u. a. Leipzig 1987.* – BIESALSKI, E.-P.: *Die Mechanisierung der dt. B. 1850–1900. Frankfurt am Main 1991.* – ZEIER, F.: *Buch u. Bucheinband. St. Gallen 1995.*

Buchdruck, ein →Druckverfahren **(Hochdruck).** Gedruckt wird von zusammengesetzten **Druckformen,** die aus Satz (Hand- oder Maschinensatz, →Setzerei), aus Originaldruckplatten (Ätzungen, elektron. Gravuren, Auswaschrelief-Druckplatten, manuell hergestellten Druckplatten) und aus Nachformungen (Stereos, Galvanos) bestehen können. Je nach Prinzip ist die Druckform eben (für Tiegeldruckmaschinen und Flachform-Zylinderdruckmaschinen) oder rund (für

Buchdruck

In dem seit Jahrhunderten verlassenen buddhistischen Kloster von Tung-huang im Nordwesten Chinas wurde 1900 eine im Jahr 1035 eingemauerte Bibliothek gefunden, in der man ein Exemplar des »Diamantsutras« aus dem Jahr 868 entdeckte – das bisher älteste noch erhaltene gedruckte Buch. Es war im Blockdruck hergestellt worden, bei dem die gesamte Seite spiegelverkehrt in die Druckplatte aus Holz geschnitzt wurde. Dieses Verfahren war angesichts von 40 000 chinesischen Schriftzeichen besser geeignet als ein Druckverfahren mit beweglichen Lettern. In Europa dagegen wurde der Blockdruck des späten Mittelalters schnell vom Druck mit beweglichen Metalltypen verdrängt.

Rotationsdruckmaschinen). Die fertige Druckform wird in die Druckmaschine eingehoben.

Beim mechan. Druckvorgang wird die **Druckfarbe** von den eingefärbten erhabenen Stellen der Druckform durch den Anpressdruck des Tiegels oder Zylinders auf das Fundament bzw. den Druckträger (Papier, Metall oder Kunststofffolie u. a.) übertragen. Das Bedrucken der Vorderseite der Papierfläche heißt **Schöndruck,** das der Rückseite **Widerdruck.** Die Wahl der **Druckmaschine** hängt von der Art und der Auflagenhöhe des Druckauftrages ab. Akzidenzdruck in kleiner Auflage kann in Tiegeldruckmaschinen erfolgen. Flachform-Zylinderdruckmaschinen erfüllen die Ansprüche des Werk- und Bilderdrucks. Für Großauflagen, bes. auch für Zeitungen und Zeitschriften, wird der Rotations-B. (→Rotationsdruckmaschine) angewandt. Der bis um 1970 dominierende B. ist gegenüber →Offsetdruck und Tiefdruck (→Druckverfahren) stark zurückgegangen, weil hierfür der →Fotosatz größere Leistungsfähigkeit bietet.

Geschichte: Bereits vor J. Gutenberg wurde in Asien und Europa von eingefärbten Stempeln und Platten auf Stoffe und Papier gedruckt. Ebenso waren die Herstellung von Metallmatrizen und der Guss (sogar von Lettern) aus festen Formen schon im 15. Jh. bekannt. Neu aber war Gutenbergs Gedanke (um 1450), die einzufärbende Druckform aus bewegl. Metalltypen zusammenzusetzen, die in beliebiger Zahl, aber völlig gleicher Gestalt mithilfe von Stempel, Matrize und Gießinstrument angefertigt wurden. Die Verbindung dieses metalltechn. Verfahrens mit der Praxis des Farbdrucks war Gutenbergs eigentl. Erfindung. Während die →Blockbücher das handgeschriebene Buch nicht verdrängen konnten, rief Gutenbergs B. in kurzer Zeit eine Umwälzung in der Buchherstellung hervor; an die Stelle des Einzelexemplars der Handschrift trat die gedruckte Vielzahl der »Auflage«. Der Rationalisierungsprozess in der Herstellung des Buchs veränderte die Struktur des Berufsstandes: An die Stelle des »Druckerverlegers«, der sein eigener Schriftschneider und Schriftgießer war, traten die Berufe des Schriftgießers, Druckers und Verlegers. Die Anfänge dieser Berufsgliederung reichen bis ins 15. Jh. zurück.

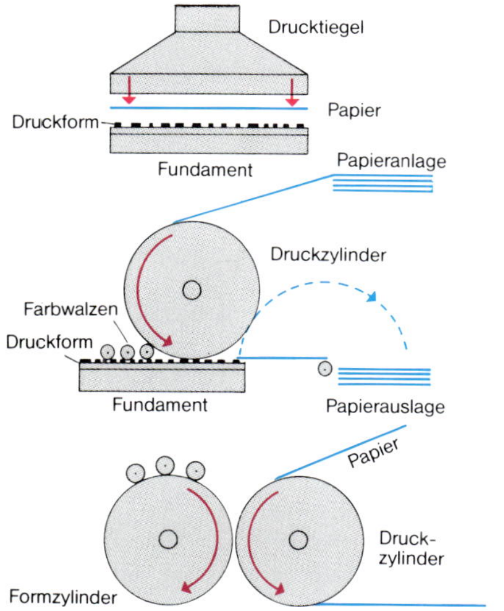

Buchdruck: Funktionsprinzipien von Hochdruckmaschinen (von oben): flach/flach, rund/flach, rund/rund

Noch im 15. Jh. war Italien (mit Aldus Manutius) neben Dtl. (u. a. J. Gutenberg) ein führendes Land des B. geworden. Auch in Frankreich und den Niederlanden kam es im 16. und 17. Jh. zu ausgezeichneten Leistungen (Schriftschneider C. Garamond in Frankreich, Offizin von C. Plantin und J. Moretus in Antwerpen, Buchdruckerfam. der Elzevier in Leiden). Das 18. Jh. ist reich an klass. Werken des Schriftgusses und B. (P. S. Fournier, Familie Didot in Frankreich, W. Caslon, J. Baskerville in England, G. Bodoni in Italien, J. G. I. Breitkopf und J. F. Unger in Dtl.). Im 19. Jh. eröffneten techn. Neuerungen der Drucktechnik ganz neue Möglichkeiten: Erfindung der Zylinderdruckmaschine durch F. Koenig (1802), der Setzmaschinen Linotype durch O. Mergenthaler (1884) und Monotype durch T. Lanston (1897).

🕮 Stiebner, E. D. *u. a.: Drucktechnik heute. Ein Leitfaden. München ²1994.*

Buchdrucker, ein →Borkenkäfer.

Buche (Fagus), Gattung der →Buchengewächse in der gemäßigten Zone der nördl. Halbkugel; sommergrüne Bäume; die dreikantigen Früchte **(Bucheckern, Bucheln)** enthalten Öl (bis 43 %), Stärke und Aleuron. Wichtige Holz liefernde Arten sind: **Rot-B.** (Fagus sylvatica) in Mitteleuropa, **Amerikan. B.** (Fagus grandiflora) in Nordamerika, **Orient-B.** (**Kaukasus-B.,** Fagus orientalis) im südöstlichen Europa und in Vorderasien. Die **Blut-B.** ist eine Kulturform der Rot-B. mit schwarzroten Blättern.

Buche: Einzelne Buchecker (links) und Fruchtbecher mit zwei Nüssen

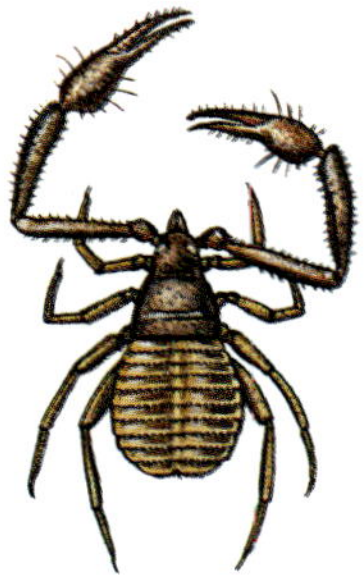
Bücherskorpion

Buchengewächse (Fagaceae), Familie zweikeimblättriger Holzgewächse mit sieben Gattungen und etwa 600 Arten in den gemäßigten Breiten und in den Tropen; wichtige Nutzpflanzen sind Buche, Eiche, Edelkastanie.

Buchenland, die Landschaft →Bukowina.

Buchen (Odenwald), Stadt im Neckar-Odenwald-Kreis, Bad.-Württ., 18100 Ew.; Holz-, Metall-, Kunststoffind., Maschinenbau. Spätgotische Stadtpfarrkirche; Tropfsteinhöhle im Stadtteil Eberstadt. – B., 774 erwähnt, wurde 1255 Stadt, kam 1309 an Kurmainz, 1806 an Baden; seit 1970 wurden 13 Orte eingemeindet.

Buchenrotschwanz (Buchenrotschwanzspinner, Dasychira pudibunda), Schmetterling der Familie →Trägspinner, dessen Raupen bes. an Rotbuchen Schäden verursachen.

Buchenrotschwanz (Flügelspannweite etwa 5 cm)

Buchenspinner (Stauropus fagi), Schmetterling, dessen bizarre braune Raupe verlängerte Brustbeine am aufgerichteten Vorderende trägt; Hinterende ebenfalls aufgerichtet mit zwei Fortsätzen.

Buchenwald, 1937–45 nat.-soz. KZ auf dem Ettersberg bei Weimar mit zahlreichen Außenstellen in Mittel-Dtl. und im Ruhrgebeit. Unter unmenschl. Bedingungen wurden in diesem Lager etwa 239000 rassisch, religiös und politisch Verfolgte festgehalten; etwa 56000 Menschen fanden den Tod. Am 11. 4. 1945 gelang einer geheimen Häftlingsgruppe die Selbstbefreiung des Lagers. 1945–50 war B. ein sowjet. Internierungslager. Heute ist B. eine Gedenkstätte.

📖 KOGON, E.: *Der SS-Staat. Das System der dt. Konzentrationslager. München* [31]*1995.* – *Der B.-Report, hg. v.* D. A. HACKETT. *München 1996.*

Bücher, Karl, Volkswirtschaftler und Soziologe, *Kirberg (heute zu Hünfelden, bei Limburg a.d. Lahn) 16. 2. 1847, †Leipzig 13. 11. 1930; Vertreter der histor. Schule der dt. Nationalökonomie, Begründer der Publizistik an dt. Universitäten.

Werke: Die Entstehung der Volkswirtschaft (1893); Gesammelte Aufsätze zur Zeitungskunde (1925).

Büchergilde Gutenberg, Buchgemeinschaft (gegr. 1924 vom Verband der gewerkschaftlich organisierten Buchdrucker in Leipzig) mit dem Ziel, herstellerisch gut gestaltete Bücher zu niedrigem Preis zu verbreiten.

Bücherlaus (Liposcelis divinatorius), flügellose, kleine Art der Staubläuse (0,5 bis 2 mm lang); oft massenhaft zw. alten Büchern und Papier.

Büchersendung, entgeltbegünstigte Sendungsart für Bücher, Broschüren, Notenblätter, Landkarten und Bücherzettel im Bereich der Dt. Post AG.

Buch|ersitzung (Tabularersitzung), der endgültige Erwerb eines Grundstücksrechts (insbesondere Eigentum) durch dreißigjährige fälschl. Eintragung als Berechtigter im Grundbuch und nach dreißigjährigem Eigenbesitz (§ 900 BGB).

Bücherskorpion (Chelifer cancroides), etwa 4 mm langer Pseudoskorpion, der zw. alten Büchern u.a. Milben und Staubläuse vertilgt.

Bücherverbot, *kath. Kirchenrecht:* das allg. Verbot, gegen Glaubens- und Sittenlehre gerichtete Schriften zu veröffentlichen oder zu vertreiben; früher bestand die Möglichkeit zusätzlicher Einzelverbote durch den Hl. Stuhl (→Index). Das bis 1966 geltende Recht enthielt die Gewissensverpflichtung, diese Schriften weder herauszugeben, zu lesen, aufzubewahren, zu übersetzen noch zu verkaufen (→Zensur).

Bücherverbrennung, Verbrennung missliebiger Bücher aus religiösen oder polit. Gründen, teils von der Obrigkeit angeordnet, teils aus Protest gegen sie, um auf Unterdrückungsmaßnahmen aufmerksam zu machen. B. gab es im alten China (213 v. Chr.) wie auch in der Antike. Im MA. und im Zeitalter der Glaubensspaltung veranlassten die Inquisitionsbehörden B., bei denen z.T. auch Autoren mit ihren Büchern verbrannt wurden. Am 10. 12. 1530 verbrannte M. Luther in Wittenberg die päpstl. Bannandrohungsbulle und ein Exemplar des Corpus Iuris Canonici. Alle ihnen missliebigen Bücher ließen, soweit sie erreichbar waren, die Täufer in Münster verbrennen; Ähnliches geschah mit J. Miltons Büchern 1660 nach Wiederherstellung der Monarchie in England. Auf dem Wartburgfest am 18. 10. 1817 verfuhren die Burschenschafter mit 28 nach ihrer Ansicht reaktionären Schriften in ähnl. Weise. Die folgenschwerste B. inszenierten die Nationalsozialisten mithilfe der »Dt. Studentenschaft« am 10. 5. 1933 auf dem Berliner Opernplatz und in anderen dt. Universitätsstädten. Die Verbrennung von Werken jüd. Schriftsteller sowie von als marxistisch oder pazifistisch angesehenen Autoren bildete den Auftakt zur Vertreibung und Verfolgung unzähliger Repräsentanten der deutschen bzw. deutschsprachigen Kultur.

Buchfink, ein Singvogel, →Finken.

Buchführung, chronologisch und systematisch gegliederte Rechnung, die anhand lückenloser Aufzeichnungen (Belege) die Bestände sowie die Veränderungen der Vermögenswerte, der Fremdkapitalien und des Eigenkapitals sowie die Aufwendungen und Erträge bzw. Kosten und Leistungen einer Wirtschaftseinheit erfasst; ältester Teil des betrieblichen Rechnungswesens. An Büchern werden i.d.R. geführt: Grundbuch (Memorial, Journal, Tagebuch), Sammelbücher, Hauptbuch, Inventur- und Bilanzbuch sowie Nebenbücher (Wechsellagerbücher, Anlagenbuch u.a.).

Die **doppelte B. (Doppik)** wird in der Wirtschaft beinahe ausnahmslos angewendet. Grundlegende Darstellungsform ist das Konto, ein zweiseitiges Rechnungsschema mit einer **Soll-** (linke Seite) und einer **Habenseite** (rechte Seite). Es nimmt Bestand und Veränderungen eines ökonom. Tatbestandes, z.B. Kasse, Forderungen, getrennt nach positivem und negativem Vorzeichen, auf. Die Differenz zw. der Soll- und der Habenseite, d.h. zw. der Summe der positiven und negativen Veränderungen, ergibt den **Bestand (Saldo).** Erfasst ein Konto nur Bestand und Veränderungen des gleichen ökonom. Tatbestandes, handelt es sich um ein **reines Konto** (z.B. das Kassenkonto, das ausschl. Geldein- und Geldausgänge abbildet). Auf dem **gemischten Konto** werden Bestände und Veränderungen ungleicher ökonom. Tatbestände verbucht (z.B. das gemischte Warenkonto). Man unterscheidet **Bestandskonten** (Konten der Bilanz), z.B. Grundstücke, Forderungen, Waren, Kasse, Eigenkapital, Verbindlichkeiten, und **Erfolgskonten** (Konten der →Gewinn- und Verlustrechnung), z.B. Umsatzerträge, Zinserträge, Materialaufwand, Löhne, Gehälter, Steuern. – Die doppelte B. wird unterschieden in **Finanz-** oder **Geschäfts-B.,** die die Vermögenswerte und deren Veränderungen sowie den Erfolg des Unternehmens darstellt; die **Betriebs-B.** oder **kalkulator. B.** erfasst die innerbetriebl. Vorgänge und dient der Kalkulation.

Die **einfache B.** hat keine Erfolgskonten, sondern ausschl. Bestandskonten. Der Erfolg wird somit nicht zweifach, sondern nur einfach durch Vermögensvergleich nach folgender Gleichung ermittelt: Erfolg = Endkapital minus Anfangskapital plus Entnahmen minus Einlagen. Die chronolog. und systemat. Aufzeichnung der Geschäftsvorfälle erfolgt im Grundbuch. Barkäufe werden gesondert im Kassenbuch gebucht, Kreditgeschäfte in Kunden- und Lieferantenbüchern.

Bei der **kameralist. B.** werden die erwarteten Einnahmen und Ausgaben (Solletat) den tatsächl. Einnahmen und Ausgaben (Istetat) gegenübergestellt; bes. für den Haushalt eines Staates, einer Behörde, gelegentlich von öffentlich-rechtl. Betrieben angewandt.

B.-Verfahren: 1) **Übertragungs-B.:** die durch Belege angezeigten Geschäftsvorfälle werden zu-

Bücherverbrennung vor der Friedrich-Wilhelm-Universität in Berlin am 10. Mai 1933

nächst in Grundbüchern festgehalten und von dort auf Hauptbuchkonten übertragen (zeitraubend und fehleranfällig). Die **italien. B.** führt ein Hauptbuch und zwei Grundbücher. Die **dt. B.** verwendet außer dem Hauptbuch eine Anzahl von Grundbüchern wie Kassen-, Einkaufs-, Verkaufsbuch. Die **frz.B.** gliedert das Grundbuch noch weiter auf, z.B. in Wechsel-, Wareneinkaufs-, Warenverkaufs-, Kasseneingangs-, Kassenausgangsbuch. Bei der **amerikan. B.** werden die Sachkonten des Hauptbuches, z.B. Kassenkonto, Debitorenkonto, in Tabellenform im Amerikan. Journal geführt. 2) **Durchschreibe-B. (Loseblatt-B.):** Die Buchung von Geschäftsvorfällen wird in einem Arbeitsgang im Grundbuch und auf den Konten des Hauptbuches erledigt. Entweder erfolgt die Urschrift in das Grundbuch mit gleichzeitiger Durchschrift auf die Hauptbuchkonten oder umgekehrt; durch dieses Verfahren entfallen Übertragungsarbeit und -fehler. 3) **EDV-B.:** Bei diesem modernsten Verfahren werden die einzelnen Buchungen in Datenträger eingegeben und von EDV-Anlagen weiterverarbeitet.

Rechtliches: Nach §238 HGB in Verbindung mit §4 HGB ist jeder (Voll-)Kaufmann zur Führung von Büchern verpflichtet **(B.-Pflicht).** Gemäß §140 Abgabenordnung (AO) vom 16. 3. 1976 hat, wer nach anderen als den Steuer-Ges. buchführungspflichtig ist, z.B. nach §238 HGB, diese Verpflichtung auch im Interesse der Besteuerung zu erfüllen. §141 AO erweitert diesen Kreis auf alle Unternehmen, deren Gewinn, Umsatz oder Betriebsvermögen bestimmte Grenzen überschreitet. Wer aufzeichnungspflichtige Geschäftsvorfälle nicht oder sachlich falsch verbucht, macht sich

Bücherverbrennung
»Dort, wo man Bücher verbrennt, verbrennt man am Ende auch Menschen.«
Heinrich Heine

unter Umständen wegen Steuergefährdung strafbar (§ 379 Abs. 1 Nr. 2 AO).

📖 KOCH, J.: *B. u. Bilanzierung mit EDV. Hamburg* [4]*1995.* – WÖHE, G. *u.* KUSSMAUL, H.: *Grundzüge der B. u. Bilanztechnik. München* [2]*1996.*

Buchgeld (Giralgeld, Bankengeld), Guthaben (Sichteinlagen) bei Kreditinstituten über die jederzeit mit Scheck oder Überweisung verfügt werden kann. B. dient dem bargeldlosen Zahlungsverkehr. Es entsteht durch Bargeldeinzahlung, Überweisung oder Kreditgewährung.

Buchgemeinschaft (Buchgemeinde, Buchklub, Lesering), verlagsähnl. Unternehmen, das Buchkäufer sucht, die sich mit einem Abonnement für eine bestimmte Mindestzeit (meist ein Jahr) zur Abnahme einer festgelegten Anzahl von Büchern (in letzter Zeit auch Tonträger) verpflichten; in Dtl. z. B. »Bertelsmann Club«, »Deutsche Buch-Gemeinschaft«, »Büchergilde Gutenberg«, in *Österreich* die »Buchgemeinschaft Donauland Kremayr & Scheriau«, in der *Schweiz* »Ex libris«, in den *USA* der »Book-of-the-Month-Club«.

Buchhalter, Beruf für Frauen und Männer mit kaufmänn. Ausbildung (z. B. Industriekaufmann bzw. -frau), z. T. auch (v. a. in Großunternehmen) mit Hochschulabschluss als Betriebswirt(in) oder Diplomkaufmann. B. sind Fachkräfte für alle in der Buchführung anfallenden Tätigkeiten, wobei Lohn-, Kontokorrent-, Betriebs-B. und Bilanz-B. unterschiedl. Spezialisierungen darstellen.

Buchhaltung, veraltet für → Buchführung.

Buchhandel, Wirtschaftszweig, der sich mit Herstellung, Vervielfältigung (Produktion) und Verbreitung von Büchern, Zeitschriften, Musikalien, reproduzierten Kunstwerken, Atlanten, Landkarten, Globen, Lehrmitteln, auch Kassetten, Schallplatten, CDs und CD-ROMs befasst. Die Produktion ist Aufgabe des → Verlagsbuchhandels und ggf. anderer Medienfirmen, während sich der verbreitende B., als → Sortimentsbuchhandel, Reise- und Versand-B., werbender Buch- und Zeitschriftenhandel (Betriebsform mit Schwerpunkt im Abonnementsgeschäft), Bahnhofs-, Warenhaus- und Antiquariats-B. sowie Reste-B. dem Einzelvertrieb mit festem Ladenpreis widmet. Zw. Verlag und Sortiment vermitteln als Zwischen-B.: der Kommissions-B., das Barsortiment, der Grossobuchhandel. Ferner sind zum B. noch die → Buchgemeinschaften zu zählen. – Spitzenorganisation des B. ist in Dtl. der → Börsenverein des Dt. B. e. V., in *Österreich* der »Hauptverband des Österr. B.«, Wien, in der *Schweiz* der »Schweizer. Buchhändler- und Verleger-Verband«, Zürich, dem die »Société des Libraires et Editeurs de la Suisse Romande«, Lausanne, und die »Vereinigung der Buchantiquare und Kupferstichhändler der Schweiz«, Genf, angeschlossen sind. – Fachblatt des dt. B. ist das »Börsenblatt für den Dt. Buchhandel«.

Geschichte: Handel mit geschriebenen Büchern gab es bereits bei den alten Ägyptern, Griechen und Römern. Vervielfältigt wurden die Werke, indem man sie gleichzeitig mehreren Schreibern diktierte, sodass bereits Auflagen bis zu 1 000 Stück zustande kamen. Im MA. wurden die Handschriften v. a. in den Klöstern hergestellt. Nach Erfindung des Buchdrucks verkauften die Drucker zunächst ihre Erzeugnisse unmittelbar an die Benutzer. Allmählich entwickelte sich aber dann in den Buchführern, die als erste Bücherreisende Märkte, Messen, Klöster aufsuchten, ein Vermittlungsglied, aus dem der neuzeitl. Sortiments-B. hervorging. Hauptumschlagsplätze der Buchproduktion wurden die Buchmessen in Frankfurt am Main und Leipzig (→ Buchmesse). – Nach dem 2. Weltkrieg entwickelte sich der dt. B. in Ost und West in unterschiedl. Weise.

📖 WITTMANN, R.: *Geschichte des deutschen B. Ein Überblick. München 1991.*

Buchhändler, Inhaber eines buchhändler. Unternehmens oder kaufmänn. Angestellter mit spezieller Berufsausbildung; Voraussetzung ist zumindest der Hauptschulabschluss (bevorzugt wird oft Abitur), dem sich eine 3-jährige Ausbildung anschließt. Fortbildung ist durch Fachkurse und durch Besuch von B.-Lehranstalten (in Dtl. Fachschulen in Frankfurt am Main und Leipzig), auch durch Hören von Univ.vorlesungen (Literatur-, Bibliothekswissenschaft usw.) möglich.

Buchholz, Horst, Schauspieler, *Berlin 4. 12. 1933; begann als Theaterschauspieler; zahlr. Filmrollen, u. a. in »Die Halbstarken« (1956), »Bekenntnisse des Hochstaplers Felix Krull« (1957), »Die glorreichen Sieben« (1960).

Buchmacher, *Pferdesport:* staatlich konzessionierter, selbstständiger Unternehmer, der Wetten auf die am Rennen teilnehmenden Pferde annimmt.

Buchmalerei, Malerei oder Zeichnung in Handschriften und Büchern, auch **Miniaturmalerei,** ben. nach der im frühen MA. für Überschriften, Randleisten, Initialen verwendeten roten Mennigfarbe (lat. minium). Die B. umfasst die figürl. und ornamentale Ausstattung der Buchseiten durch Federzeichnung, aquarellierende Tönung, Grisaille und Deckfarbenmalerei (auch zus. mit Blattgold verwendet), ausgeführt von den Buchmalern (Miniatoren).

Die frühesten, einen Text begleitenden Bilder enthalten die auf Papyrusrollen geschriebenen ägypt. Totenbücher aus der Zeit des Neuen Reiches (1552–1070 v. Chr.). Voraussetzung für die Entwicklung der B. war im 4. Jh. n. Chr. der Übergang von der Rolle zum Kodex, dem eigentl. Buch.

Die karoling. B. (Handschriften der Aachener Hofschule Karls d. Gr., u.a. →Adahandschrift, sowie der Reimser Schule, u.a. Utrechtpsalter, Codex aureus [München]) knüpfte v.a. an die illusionist. Raum- und Körperdarstellung spätantiker Tradition an. Insulare und merowing. Schulen schufen im 7. und 8. Jh. einen eigenen Stil (kelt. und syrisch-kopt. Vorbilder), der durch komplizierte Ornamentik gekennzeichnet ist (Evangeliare von Durrow, von Kells, beide in Dublin, und von Lindisfarne, in London). Seit Anfang des 11. Jh. (Romanik) stellten die von der karoling. Tradition wie auch von der byzantin. Kunst beeinflussten ottonischen Schulen (bes. die auf der Reichenau) auf

Buchmalerei

1

2

3

4

| **1** Osiris, Totenbuch, ägyptische Buchmalerei auf Papyrus (Kairo, Ägyptisches Museum) | **2** Evangelist, Xantener Evangeliar der Hofschule Karls des Großen in Aachen (frühes 9. Jh.; Brüssel, Bibliothèque Royale) | **3** Verkündigung Mariä, Albani-Psalter, St. Albans (begonnen um 1119; Hildesheim, St. Godehard) | **4** Livre d'heures, Nordostfrankreich (Mitte 15. Jh.; Karlsruhe, Badisches Landesmuseum)

Eduard Buchner

Goldgrund in monumentalisierender Gebärdensprache nicht reale, sondern geistige Zusammenhänge dar (Bamberger Apokalypse, Evangeliar Ottos III., Perikopenbuch Heinrichs II., Evangeliar Heinrichs III.), während die Miniaturen des Mönchs Liuthar (Codex Egberti, Trierer Registrum Gregorii) und die Echternacher Prunkhandschriften auf konkrete räuml. Bezüge nicht völlig verzichteten. Die stilist. Entwicklung wurde in der Zeit zw. 1200 und 1400 (Gotik) vom Pariser Hof getragen. Jean Pucelle übernahm Elemente italien. Tafelmalerei. Die niederländisch-burgund. Schule begründeten die um 1410–16 im Auftrag des Herzogs J. von Berry arbeitenden Buchmaler (J. de Hesdin, die Brüder →Limburg). In Zürich entstand die →Manessische Handschrift. Seit Mitte des 15. Jh. trat in Frankreich J. →Fouquet hervor (Einflüsse der italien. Renaissance). Am Ende der fläm. B. steht das Breviarium Grimani (um 1520). In Dtl. endete die große Zeit der B. mit dem Gebetbuch Kaiser Maximilians mit Randzeichnungen von Dürer, Cranach d.Ä., Burgkmair, Baldung u.a. (München und Besançon).

📖 ROTHE, E.: *B. aus zwölf Jh. Bildaufnahmen v.* K. G. BEYER. *Berlin 1966.* – GRIMME, E. G.: *Die Gesch. der abendländ. B. Köln ^{3}1988.* – PÄCHT, O.: *B. des MA. Eine Einführung. München ^{3}1989.* – JAKOBI, CHR.: *B. Ihre Terminologie in der Kunstgeschichte. Berlin 1991.* – MAYR-HARTING, H.: *Ottonische B. Liturg. Kunst im Reich der Kaiser, Bischöfe u. Äbte. A. d. Engl. Stuttgart u. a. 1991.*

Büchmann, August Methusalem Georg, Philologe, *Berlin 4. 1. 1822, †ebd. 24. 2. 1884; gab die Zitatensamml. »Geflügelte Worte« (1864) heraus.

Buchmesse, urspr. ein Teil der allg. Handelsmessen, dann selbstständige Fachmesse des Buchhandels. Die bedeutendste dt. B. war zunächst die in Frankfurt am Main, für die seit 1564 auch die ersten Messekataloge erschienen (bis 1749). Im 17. Jh. gewann die B. in Leipzig immer mehr an Bedeutung (Messekataloge 1594–1860). Bis ins 18. Jh. herrschte der Tauschhandel vor. Nach dem 2. Weltkrieg wurde Frankfurt wieder zum bedeutendsten Messeplatz des internat. Buchhandels. Zunehmend wird neben den traditionellen Printmedien auch der Bereich der elektron. Medien Bestandteil der Buchmessen.

Buchner, Eduard, Chemiker, *München 20. 5. 1860, †Feldlazarett Focşani (Rumänien) 13. 8. 1917; entdeckte, dass die alkohol. Gärung des Zuckers durch das Enzym Zymase bewirkt wird (zellfreie Gärung); erhielt 1907 den Nobelpreis für Chemie.

Georg Büchner
Porträt und Autogramm

Büchner, 1) Georg, Dramatiker, *Goddelau (heute zu Riedstadt, bei Darmstadt) 17. 10. 1813, †Zürich 19. 2. 1837, Bruder von 2); studierte Naturwiss., Medizin und Philosophie, nahm als entschiedener Gegner der Reaktion 1834 an den polit. Kämpfen in Hessen teil, schrieb die sozialist. Flugschrift »Der hessische Landbote« und floh 1835 nach Straßburg, dann Zürich; dort wurde er Dozent für Anatomie. Mit seinen Hauptwerken nimmt er als Vorläufer von Naturalismus und Expressionismus eine singuläre Stellung in der dt. Literatur des 19. Jh. ein: »Dantons Tod« (1835) ist eine mit scharfem Realismus und visionärer Ausdruckskraft gestaltete Revolutionstragödie, »Woyzeck« (handschriftlich hinterlassen, UA 1913; als Oper »Wozzeck« von A. Berg) die Tragödie des kleinen Mannes mit konzentrierter Sprachgebung für dumpfe kreatürl. Existenz und existenzielle Angst. Handschriftlich hinterließ B. ferner das der dt. und frz. Romantik verpflichtete Lustspiel »Leonce und Lena« (UA 1885). Das Novellenfragment »Lenz« (Erstausg. 1842) zeichnet die Schizophrenie des Sturm-und-Drang-Dichters J. M. R. Lenz nach. – Der **Georg-Büchner-Preis,** ein Literaturpreis

Georg Büchner

»Friede den Hütten! Krieg den Palästen!«

Diese in erster Linie als Kampfansage gegen die Reichen zu verstehende Parole stellte der sozial engagierte Dichter Georg Büchner als Motto seiner radikaldemokratischen Kampfschrift »Hessischer Landbote« voran, die er 1834 herausgab. Er übernahm damit eine Losung aus der Französischen Revolution von 1789, änderte aber die Reihenfolge der beiden Aussagen dieser Losung. Sie lautet im französischen Original: »Guerre aux châteaux! Paix aux chaumières!« und wird dem französischen Schriftsteller Nicolas de Chamfort zugeschrieben. Er soll sie als Schlachtruf für die französischen Revolutionstruppen vorgeschlagen haben.

Fernsprech-Buchstabiertafel Inland

A = Anton, Anna[1]	O = Otto
Ä = Ärger	Ö = Ökonom, Österreich[2]
B = Berta	P = Paula, Peter[1]
C = Cäsar	Q = Quelle
Ch = Charlotte, Christine[2]	R = Richard, Rosa[1]
D = Dora, Daniel[1]	S = Samuel, Sophie[1], Siegfried[2]
E = Emil	Sch = Schule
F = Friedrich	T = Theodor
G = Gustav	U = Ulrich
H = Heinrich	Ü = Übermut, Übel[2]
I = Ida	V = Viktor
J = Julius, Jakob[1]	W = Wilhelm
K = Kaufmann, Kaiser[1], Konrad[2]	X = Xanthippe, Xaver[1][2]
L = Ludwig, Leopold[1]	Y = Ypsilon, Yverdon[1]
M = Martha, Marie[1]	Z = Zacharias, Zürich[1]
N = Nordpol, Niklaus[1] Norbert[2]	

Fernsprech-Buchstabiertafel Ausland

A = Amsterdam	J = Jerusalem	S = Santiago
B = Baltimore	K = Kilogramm	T = Tripoli
C = Casablanca	L = Liverpool	U = Uppsala
D = Dänemark	M = Madagaskar	V = Valencia
E = Edison	N = New York	W = Washington
F = Florida	O = Oslo	X = Xanthippe
G = Gallipoli	P = Paris	Y = Yokohama
H = Havanna	Q = Quebec	Z = Zürich
I = Italia	R = Roma	

Internationale Sprechfunk-Buchstabiertafel

A = Alfa	J = Juliett	S = Sierra
B = Bravo	K = Kilo	T = Tango
C = Charlie	L = Lima	U = Uniform
D = Delta	M = Mike	V = Viktor
E = Echo	N = November	W = Whiskey
F = Foxtrott	O = Oscar	X = X-ray
G = Golf	P = Papa	Y = Yankee
H = Hotel	Q = Quebec	Z = Zulu
I = India	R = Romeo	

[1] in der Schweiz. – [2] in Österreich.

(seit 1923), wird von der Dt. Akademie für Sprache und Dichtung, Darmstadt, verliehen.

📖 HAUSCHILD, J.-CHR.: *G. B. Biographie. Stuttgart u. a. 1993.*

2) Ludwig, Arzt und Philosoph, *Darmstadt 29. 3. 1824, †ebd. 1. 5. 1899, Bruder von 1); einer der populärsten Vertreter eines radikalen naturwiss. Materialismus: eigenständig sei allein die Materie, die Seele wird auf physiolog. beschreibbare Gehirnfunktionen reduziert; Hauptwerk: »Kraft und Stoff« (1855).

Buchprüfer (vereidigter B.), öffentlich bestellter Sachverständiger für alle Fragen des betriebl. Rechnungswesens. (→Wirtschaftsprüfer)

Buchs (SG) [bʊks-], Hauptort des Bezirks Werdenberg, Kt. St. Gallen, Schweiz, im Rheintal, 10 100 Ew.; Höhere Techn. Lehranstalt; Metall-, chem., Textilind. (Stickerei); Skifabrik; Güter-Zollstation.

Buchsbaum (Buchs, Bux, Buxus), Gattung der B.-Gewächse, immergrüne, zuweilen baumartige Sträucher. Der **Gemeine B.** (Buxus sempervirens), im Mittelmeergebiet und in Westeuropa, ist bes. Einfassungspflanze. Das europ. oder asiat. **B.-Holz** ist gelb, sehr hart und dicht; es eignet sich für Drechslerei, Intarsien, Holzschneidekunst.

Buchschulden, Verbindlichkeiten, die durch Belege in den Geschäftsbüchern ausgewiesen sind.

Buchse, 1) *Elektrotechnik:* (Steckbuchse) Teil eines leicht lösbaren elektr. Kontakts; Gegenstück zum federnden oder auch massiven Steckerstift.

2) *Maschinenbau:* Hohlzylinder aus Stahl, Rotguss, Messing, Leichtmetall oder Kunststoff, der in die Bohrungen eines Lagers oder Zylinders zur Verminderung des Verschleißes und zur Verbesserung des Laufs eingesetzt wird.

Büchse, *Jagdsport:* Gewehr mit gezogenem Lauf für Kugelpatronen. Für Jagd- und Sportwaffen wird die Bez. B. bes. im Unterschied zur Flinte gebraucht (→Jagdgewehr).

Büchsenlicht, *Jägersprache:* der zum sicheren Schuss schon oder noch genügende Helligkeitsgrad in der Morgen- und Abenddämmerung.

Buchstabe, graf. Zeichen zur Wiedergabe von Sprachlauten (→Alphabet, →Laut, →Schrift). Ein B. kann einen einzelnen Laut bezeichnen (z. B. b den Laut [b]), jedoch auch mehrere Laute (z. B. z die Lautfolge [ts]); mehrere B. können als Zeichen für einen einzigen Laut stehen (z. B. sch für den Laut [ʃ]).

Buchstabenbild, →visuelles Gedicht.

Buchstabiertafel, Hilfsmittel zum Buchstabieren von Eigennamen und schwierigen Wörtern, bes. beim Fernsprechen und Sprechfunk. Es werden verschiedene B. benutzt (ÜBERSICHT).

Buchtarma *die,* rechter Nebenfluss des Irtysch in Kasachstan, 336 km lang; nahe der Mündung Stausee (5 500 km²) mit Kraftwerk (675 MW).

Buchung, Eintragung eines Geschäftsvorfalls aufgrund eines Belegs in der →Buchführung. Die B. erfolgt gemäß **B.-Satz** (Anweisung, welche Konten und Beträge bei der B. des Geschäftsvorfalls zu beachten sind). – Als B. wird auch die Registrierung von Bestellungen und Aufträgen bezeichnet.

Buchungsmaschine, mechanisch oder elektronisch arbeitende Büromaschine, die zum Verbuchen von Belegen über Geschäftsvorfälle dient. Die Eingabe der Daten und Buchungstexte geschieht über eine Tastatur. Die Ergebnisse des Buchungsvorgangs werden ausgedruckt, bei elektron. B. erfolgt das Ausdrucken auf Kontenblättern erst bei Bedarf nach Abspeicherung auf Magnetplatten. Die in der Praxis eingesetzten B. sind **Buchungsschreibmaschinen** ohne Rechenwerke, solche mit Rechen-, Saldier- und Speicherwerken **Buchungsregistrierkassen.** B. wurden weitgehend durch

Buchsbaum: Gemeiner Buchsbaum, Zweige mit Blüten (oben) und mit Frucht

Bückeburg: Das Mitte des 16. Jh. erbaute Schloss zählt zu den frühesten barocken Gesamtanlagen in Deutschland, nach Brand wurde es 1732 teilweise neu errichtet

Bürocomputer (mit Datensichtgerät und Drucker) oder zentrale EDV-Anlagen ersetzt.

Buchweizen: Echter Buchweizen

Buchweizen (Heidekorn, Fagopyrum), Gattung der Knöterichgewächse mit zwei einjährigen Arten, am bekanntesten ist der **Echte B.** (Fagopyrum esculentum), kultiviert in Asien und Mitteleuropa; bis 60 cm hoch; die enthülsten Samen werden v.a. als Rohkost, Suppeneinlage und als B.-Grütze verwendet.

Buchweizenausschlag (Buchweizenkrankheit, Fagopyrismus), nach Verfütterung von Buchweizen unter Einwirkung von Sonnenlicht (Lichtkrankheit) besonders bei Schafen und Schweinen auftretender, auf die unpigmentierten (weißen) Hautbezirke begrenzter Ausschlag.

Buchwert, Wertansatz, mit dem Vermögensgegenstände oder Schulden eines Unternehmens bilanziert werden; ergibt sich als Differenz zw. Anschaffungs- oder Herstellungskosten und verrechneten Zu- oder Abschreibungen.

Pearl S. Buck

Buck [bʌk], Pearl S. (Sydenstricker), amerikan. Schriftstellerin, *Hillsboro (W. Va.) 26. 6. 1892, †Danby (Vt.) 6. 3. 1973; wuchs in China als Tochter eines Missionars auf; war 1922–32 Prof. für engl. Literatur an der Univ. Nanking. Ihre in schlichtem Erzählstil geschriebenen Werke (Romantrilogie: »Die gute Erde«, 1931, »Söhne«, 1932, »Das geteilte Haus«, 1935; Romane »Die Mutter«, 1934, »Die Frauen des Hauses Wu«, 1946, »Mandala«, 1970) geben ein Bild des chines. Alltagslebens. B. schrieb auch autobiograph. und essayist. Werke; sie erhielt 1938 den Nobelpreis für Literatur.

Bückeberge, zum Wesergebirge gehörender Höhenzug zw. Bad Eilsen und dem Deister, ein bis 367 m hohes Kreidegebirge mit eingelagerten Kohlenflözen (heute kein Abbau mehr).

Bückeburg, Stadt im Landkreis Schaumburg, Ndsachs., 21 100 Ew., am N-Rand des Weserberglands; Fremdenverkehr; Karosseriebau, Elektronik-, Kunststoff-, Bekleidungsindustrie. – Als Hptst. von Schaumburg-Lippe (bis 1946) ist B. eine typ. Kleinresidenz mit Schloss (um 1550, Ostflügel nach Brand 1732 neu errichtet, Goldener Saal aus dem frühen 17. Jh., Schlosskapelle aus dem 14. Jh.) und Stadtkirche (1611–15). – B. erhielt 1609 Stadtrecht.

Buckel, die →Kyphose.

Buckelfliegen (Rennfliegen, Phoridae), Familie der Fliegen mit rd. 1500 Arten, die ruckartig rennen oder im Zickzack fliegen. B. ernähren sich bes. von faulendem pflanzl. und tier. Gewebe, aber auch von Pilzen.

Buckelrind, →Zebu.

Buckelwal, →Furchenwale.

Buckelzirpen (Membracidae), Familie der Zikaden mit rd. 3 000 meist trop. und subtrop. Arten, mit buckelartig gewölbtem, bizarr geformtem Rückenschild.

Buckingham Palace ['bʌkɪŋəm 'pælɪs], seit 1837 königl. Residenz in London, 1705 als Landhaus für den Herzog von Buckingham erbaut, 1761 von König Georg III. erworben, 1821–36 im klassizist. Stil von J. Nash umgebaut, später erweitert.

Buckinghamshire ['bʌkɪŋəmʃɪə], County in S-England, 1 883 km², (1993) 651 700 Ew.; Verw.sitz ist Aylesbury.

Bucklige Welt, Hügellandschaft im südöstl. NÖ, zw. 600 und 900 m ü. M.; Ackerbau, Kaolinbergbau im Pittental; Fremdenverkehr.

Bückling (Bücking), nach leichtem Einsalzen geräucherter Hering.

Buckow [-o], Stadt im Kreis Märkisch-Oderland, Brandenburg, Erholungsort in der seen- und waldreichen Märk. Schweiz, 1 800 Einwohner.

Buckingham Palace: Das ursprünglich für den Herzog von Buckingham 1705 erbaute Londoner Landhaus wurde 1827–36 von John Nash zur klassizistischen königlichen Residenz umgebaut, links davor befindet sich das 1911 entstandene Victoria Memorial

Buckwitz, Harry, Intendant, *München 31. 3. 1904, †Zürich 27. 12. 1987; setzte sich als Generalintendant der Städt. Bühnen Frankfurt am Main (1951–68) bes. für die Aufführung der Werke B. Brechts ein. 1970–77 war B. Intendant des Züricher Schauspielhauses.

București [-'rɛʃtj], rumän. Name von Bukarest.

Budaeus (eigtl. Budé), Guillaume, frz. Humanist, *Paris 26. 1. 1467, †ebd. 23. 8. 1540; organisierte ab 1522 die königl. Bibliothek (heute: Bibliothèque Nationale) und veranlasste Franz I. zur Gründung des Collège de France; gilt durch sein Wirken als der »Erasmus Frankreichs«.

Budapest [ungar. 'budɔpɛʃt], Hptst. von Ungarn, 2 Mio. Ew.; beiderseits der Donau, die hier das Ungar. Mittelgebirge verlässt und in die Tiefebene fließt; Verwaltungs-, Wirtschafts-, Verkehrs- und kultureller Mittelpunkt Ungarns, Sitz der Ungar. Akademie der Wiss.; B. hat zahlr. Hochschulen (darunter sechs Univ. und die Franz-Liszt-Akademie für Musik), Bibliotheken, Museen, Opernhäuser und Theater, botan. und zoolog. Garten sowie Messen und Festspiele. Etwa 40% der ungar. Ind.produktion (Maschinen-, Fahrzeug- und Schiffbau, feinwerktechn., chemisch-pharmazeut. und Textilind.) kommen aus B. Die Stadt hat einen modernen Donauhafen (Csepel), sechs Straßen- und zwei Eisenbahnbrücken über die Donau, internat. Flughafen (Ferihegy) und die zweitälteste U-Bahn Europas (nach London). B. besitzt 123 erschlossene Thermalquellen. – B. besteht aus zwei Teilen. Rechts der Donau liegt an den Hängen der Kalkberge **Buda** (dt. Ofen), mit der Burg, der got. Matthias-(Krönungs-)Kirche, dem alten Rathaus und vielen Regierungsgebäuden auf dem Burgberg (150 m) und der Fischerbastei (neuroman. Anlage von 1901–05) am Steilhang zur Donau. Links der 260–635 m breiten Donau breitet sich **Pest** aus, mit enger Altstadt (Burgviertel und Uferzone der Donau wurden von der UNESCO zum Weltkulturerbe erklärt), jetzt Geschäftsstadt. Aus dem Klassizismus stammt das einheitl. Stadtbild mit großzügig angelegten Ring- und Radialstraßen und größeren Grünflächen. Hier liegen viele, meist jüngere Prachtbauten: Parlament (an der Donau), Sankt-Stephans-Kirche, Nationalgalerie. Im N und S liegen junge Industriestadtteile, nach W erstrecken sich Villensiedlungen ins Budaer Bergland.

Budapest
Stadtwappen

Geschichte: B. liegt an der Stelle des spätröm. Aquincum. Nach Mongoleneinfällen (1241) entstand 1247 die erste Königsburg, neben ihr zwei Stadtgemeinden, Buda und Pest. Buda entwickelte sich dann zur bedeutendsten Stadt Ungarns; es wurde 1541 (Pest bereits 1526) von den Türken erobert, denen es die Habsburger erst 1686 entrissen. Nach 1800 überflügelte Pest die Schwesterstadt. Während der ungar. Revolution von 1848/49 wurden die Städte zweimal von den Österreichern besetzt. Erst 1872 wurden die Städte vereinigt, 1880 zählte die Stadt rd. 400 000 Ew., ihre Zahl stieg bis 1920 auf 1,2 Mio. Im 2. Weltkrieg und während des Aufstandes vom Okt. 1956 erlebte die Stadt schwere Zerstörungen.

📖 *Stadtverfall u. Stadterneuerung in B., Beiträge v.* E. Lichtenberger *u. a. Wien 1994.*

Buddha [Sanskrit »der Erwachte«, »der Erleuchtete«], Ehrenname des ind. Religionsstifters

Budapest: Das Parlamentsgebäude am Pester Donauufer wurde 1884–1904 von Imre Steindl im neugotischen Stil errichtet

Siddharta Gautama (Pali: Siddhatta Gotama), *Kapilavastu (heute Paderia, Nepal; bei Nautanwa, Uttar Pradesh) um 560 v. Chr., † bei Kushinagara (heute Kasia, bei Gorakhpur) um 480 (vielleicht auch etwa ein Jh. später); aus dem Adelsgeschlecht der Sakja (altind. Schakja), daher auch **Schakjamuni** (»Einsiedler der Schakja«) genannt. Der Legende nach war B. der Sohn eines Fürsten im Vorland des nepales. Himalaja, wuchs in Luxus auf und verließ mit 29 Jahren seine Heimat, um Erlösung zu suchen. Nachdem er sieben Jahre vergeblich Erleuchtung durch Askese gesucht hatte, fand er sie unter dem Bodhi-Baum (Baum der Erkenntnis) durch Meditation, nachdem er den Versuchungen des Gottes Koma-Mara (»Verlangen und Tod«) widerstanden hatte. Zunächst entschlossen, seine Erleuchtungserfahrung für sich zu behalten, da sie alle Worte übertraf, ließ er sich vom Gott Brahma zur Verkündigung überreden. Er ging nach Benares (heute Varanasi), wo er fünf Asketen seine Lehre verkündete. Mit ihnen gründete er seinen Mönchsorden. Er durchzog lehrend und werbend N-Indien und starb nahe der Grenze zu Nepal.

Buddha: Statue in Sarnath, Indien (5. Jh.)

Buddha

Der Legende zufolge hatte der zukünftige Buddha sich vom Tushita-Himmel aus die Fürstin Maya, Gemahlin des Fürsten Shuddhodana aus dem Geschlecht der Sakja, als Mutter ausersehen, um auf Bitten der Götter den Menschen den Weg zur Erlösung zu weisen. Er drang in Gestalt eines weißen Elefanten in die Seite der schlafenden, die Empfängnis träumenden Maya ein. Als nach zehn Monaten die Zeit der Geburt herankam, begab sich Maya mit großem Gefolge in den nahe bei Kapilawatthu gelegenen Hain von Lumbini. Unter einem Salbaum stehend gebar sie ihren Sohn. Dabei griff sie mit der rechten Hand in die Zweige des Baumes, die sich ihr entgegenneigten. Der zukünftige Buddha trat unbefleckt und ohne seiner Mutter Schmerz zuzufügen aus ihrer rechten Seite heraus. Götter nahmen den Neugeborenen mit kostbaren seidenen Tüchern in Empfang. Zwei Wasserströme mit kaltem und warmem Wasser regneten vom Himmel herab. Der Neugeborene stand sofort nach der Geburt auf und machte sieben Schritte in jede Himmelsrichtung, wobei er laut rief: »Ich bin der Höchste in der Welt. Dies ist meine letzte Geburt. Ich werde Geburt, Alter, Krankheit und Tod ein Ende bereiten.«

Seine Predigten wurden von seinen Jüngern erst mündlich, seit dem 1. Jh. v. Chr. auch schriftlich (in der hl. Sprache →Pali) überliefert. Entsprechend der ind. Auffassung, dass es kein einmaliges histor. Geschehen gibt, sondern dass sich ewig alles zyklisch wiederholt, glauben die Buddhisten, dass auch vor Gautama B. Welterleuchter erschienen sind und in Zukunft neue erscheinen werden.

📖 MITCHELL, R. A.: *B. Prinz, Asket, Erleuchter. A. d. Amerikan. München 1993.*

Buddhismus, die von Buddha im 6. oder 5. Jh. v. Chr. im nördl. Indien gestiftete religiös-philosoph. Lehre; urspr. als geistig-seel. Heilverfahren, ohne die Absicht, eine philosoph. Erklärung von Mensch und Welt geben zu wollen, gedacht,

Buddhismus: Verehrung des Bodhi-Baumes, des Baumes der Erkenntnis, Steinmedaillon aus Bharut, Indien (unsichere Datierung, zw. 2. Jh. v. Chr. und 1. Jh. n. Chr.)

wurde der B. erst später zu metaphys. und religiösen Systemen ausgebaut. In seiner Lehre geht Buddha von den »Vier Edlen Wahrheiten« aus: 1) alles Leben ist leidvoll; der Mensch ist geistig krank; 2) die Ursache der Leiden ist Begehren aus Unwissenheit; die Menschen bewegen sich in einem Netz von Konventionen und Illusionen, durch das sie die Welt und sich wahrnehmen; 3) die Leiden können überwunden werden; 4) der Weg dazu besteht im »Edlen Achtfachen Pfad«: rechte Anschauung und Gesinnung, rechtes Reden, Handeln und Leben, rechtes Streben, Denken und Sichversenken.

Ziel der Heilung ist die Ruhe durch Freiwerden, das Nirwana, das Erlöschen der Lebensillusionen.

Nicht klar ausformulierte metaphys. und psycholog. Äußerungen Buddhas führten nach seinem Tode zu Konflikten im Orden. Es formierten sich unterschiedl. Schulen und Strömungen, die sich z. T. heftig bekämpften. Ausgangspunkt der Konflikte war u. a. Buddhas metaphys. These, alle Dinge seien ohne ein Selbst, ohne dauerhafte Substanz.

Der **Hinajana-B.** (»Kleines Fahrzeug«) behauptet, alles, was wir als dauernde Seinsform ansehen, existiere gar nicht. Substanzen, Einzelwesen, Individuen existieren real nicht, sondern seien lediglich Kausalreihen flüchtiger Daseinsformen, Wirbel von Wandlungsreihen. Es gebe keinen Denker, nur das Denken, keinen Fühlenden, nur das Fühlen. Real seien allein die kleinen, kurz dauernden Seinsabschnitte. Nirwana besteht demnach im Aufgeben dieser falschen Idee angeblich dauerhafter Substanzen.

Um die abendländ. Zeitwende entstand der **Mahajana-B.** (»Großes Fahrzeug«). Hier dominieren die Yogacarins und die Madhyamika-Schule (Begründer ist der Philosoph Nagarjuna, 2. Jh. v. Chr.).

Die Lehre der Yogacarins bestimmt das eigentl. Reale jenseits der Welt des Wandels und Scheins als reines Bewusstsein, reines Denken, vertritt also einen metaphys. Idealismus und nähert sich damit dem monist. System des Vedanta und Brahmanismus. Nagarjuna dagegen bestimmte das wahrhaft Reale als die all-eine »Leerheit« (shunyata). Nirwana ist demgemäß das Erkennen des Nichtdualismus, die Erkenntnis der »Leere«, aus der und in der alles Vergängliche lebt. Der Mahajana-B. wurde die eigentl. buddhist. Weltreligion. Er kam den religiösen Bedürfnissen des Volkes eher entgegen (größere Anschaulichkeit der religiösen Bilder, Verehrung einer Vielzahl von Gottheiten und Bodhisattvas, Kulte und Riten), zudem versprach er allen Menschen die Erlösung. Der Hinajana-B. hingegen blieb Asketen- und Mönchsreligion; ihm zufolge wird nur wenigen die Erleuchtung zuteil.

Ausbreitung des B: Im 3. Jh. v. Chr. wurde der B. unter König Aschoka in Indien Staatsreligion. Seitdem verbreitete er sich auch außerhalb Indiens. Sein ursprüngl. Wesen erfuhr dabei vielfache Änderungen, da er sich den Volksreligionen anglich. In der Gegenwart besteht der B. als Hinajana-B. in Sri Lanka, Birma, Thailand, Laos, Kambodscha, als Mahajana-B. in Nepal, Vietnam, China, Korea, Japan sowie in den Sonderformen des →Lamaismus in Tibet, Sikkim (Indien), Bhutan und in der Mongolei. Auf dem ind. Subkontinent wurde er vom Hinduismus verdrängt, in Afghanistan, Ostturkestan und Indonesien, wo er im MA. verbreitet war, ist er heute verschwunden, hingegen haben ihn ostasiat. Auswanderer nach Hawaii sowie nach Nord- und Südamerika gebracht. Die Zahl der Buddhisten wird auf rd. 300 Mio. geschätzt. Kleine buddhist. Gemeinden sind in neuerer Zeit auch in Europa entstanden (→Neubuddhismus).

📖 SNELLING, J.: *B. Ein Handbuch für den westlichen Leser. A. d. Engl. München 1991.* – CONZE, E.: *Der B. Wesen u. Entwicklung. A. d. Engl. Stuttgart u. a. [10]1995.* – SCHUMANN, H. W.: *B. Stifter, Schulen u. Systeme. Neuausg. München [3]1995.*

buddhistische Kunst, die vom Buddhismus geprägte Kunst in Indien, Indonesien, Hinterindien, Z- und O-Asien (Entfaltungs- und Blütezeit von etwa 200 v. Chr. bis 1500 n. Chr.). Unter b. K. ist jedoch kein eigener Stil zu verstehen, sondern die Kunst des jeweiligen Landes im Dienste des Buddhismus. Fast jedem Kunstwerk liegt letztlich ein ind. Prototyp zugrunde, Indien war seit der Guptaperiode (4.–7. Jh.) Ausgangspunkt der b. K. Typ. buddhist. Bauformen sind der Stupa, der Caitya (urspr. eine Grabhügelanlage mit einer Versammlungshalle) und die Viharas (um einen Innenhof gruppierte Mönchszellen); die Malerei wurzelt in festen ikonograph. Traditionen.

buddhistische Kunst: Buddhistische Gottheiten, Detail einer Wandmalerei im Stil von Ayutthaya aus dem Vat Yai Suvannaram in Phetchaburi, Thailand (1. Hälfte des 17. Jh.)

Ikonographie: Neben der Gestalt des Buddha wird in der b. K. eine ganze Hierarchie hl. Gestalten dargestellt. Eine Dreiergruppe bildet oft Buddha mit zwei Bodhisattvas. Sie werden meist in ind. Fürstentracht dargestellt. Die Dreiergruppe wird häufig vergrößert durch zwei Jünger des Buddha in Mönchstracht. Vier Himmelskönige, als Krieger gepanzert, schützen Buddha und die Lehre nach den vier Himmelsrichtungen; zwei ebenfalls dräuende Athletengestalten haben als Torwächter dieselbe Aufgabe. Über dem Buddha oder einer anderen hl. Gestalt bringen himml. Wesen ihre Verehrung mit Blumen und Musik dar. Aus dem ind. Pantheon gingen eine Reihe von Götterfiguren als Glücksbringer und Nothelfer in die b. K. ein, u. a. Brahma und Indra. Auch der Mensch wird von der b. K. dargestellt: Auf höchster Stufe stehen die bereits erleuchteten Arhats (Schüler des Buddha). Die buddhist. Gestalten oder auch ihre Symbole können nach bestimmten Schemata (in einem Mandala) geometrisch ange-

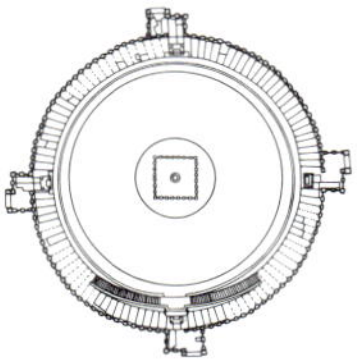

buddhistische Kunst: Grundriss des Großen Stupa in Sanchi, Indien

buddhistische Kunst: Großer Stupa in Sanchi, Indien (Kernbau um die Mitte des 3. Jh. v. Chr., Erweiterung im 1. Jh. vor Christus)

Buenos Aires: Avenida 9 de Julio

ordnet werden und stellen dann ein Abbild des Weltganzen dar.

📖 SECKEL, D.: *Buddhist. Kunst Ostasiens. Stuttgart 1957.* – LOMMEL, A.: *Kunst des Buddhismus. Zürich 1974.* – MUNSTERBERG, H.: *Zen-Kunst. Köln 1978.* – FRANZ, H. G.: *Von Gandhara bis Pagan. Kultbauten des Buddhismus u. Hinduismus in Süd- u. Zentralasien. Graz 1979.* – OSTERTAG, E.: *Der Grottenzyklus von Dazu. Ein buddhist. Initiationsweg. Wien 1988.* – *Die schwarze Stadt an der Seidenstraße. B. K. aus Khara Khoto (10.–13. Jh.),* hg. v. M. PJOTROWSKIJ. *Ausst.-Kat. Staatl. Eremitage, Fondazione Thyssen-Bornemisza. Mailand 1993.*

Buenos Aires
Stadtwappen

Buddleia [nach dem Engländer A. Buddle, *1660, †1715] *die* (Buddleja, Sommerflieder), Pflanzengattung mit über 100 Arten; meist Sträucher, deren vierteilige Blüten von Schmetterlingen bestäubt werden. Die Kulturarten stammen meist aus O-Asien und dem südl. Afrika. Arten mit großen, walzenförmigen Blütenständen sind in Gärten und Parkanlagen Ziersträucher.

Büdelsdorf, Gemeinde im Landkreis Rendsburg-Eckernförde, Schlesw.-Holst., 10500 Ew., an der Eider und am Nord-Ostsee-Kanal; Eisen-, Stahl-, Metall-, Betonwerke. – Die Werksiedlung Marienstift (1840-42) ist ein frühes Beispiel sozialen Siedlungsbaus.

Buffalo Bill

Budget [by'dʒe; frz., von gallisch-lat. bulga »lederner Geldsack«] *das,* der staatl. →Haushaltsplan.

Büdingen, Stadt im Wetteraukreis, Hessen, 20400 Ew.; Luftkurort am Rande der Wetterau; Herstellung von Akkumulatoren und Fertighäusern; Holzindustrie. – Seit 1330 Stadt; geschlossenes mittelalterl. Stadtbild (Fürstlich Ysenburg. Schloss, 12.–16. Jh.; Stadtkirche; Rathaus, 15. Jh.; Adels-, Bürgerhäuser), Remigiuskirche (um 1047).

Budjonny, Semjon Michailowitsch, Marschall der Sowjetunion (seit 1935), *Kosjurin (Gebiet Rostow) 25. 4. 1883, †Moskau 26. 10. 1973; im Bürgerkrieg (1918–21) erfolgreicher Führer der »Roten Reiterarmee«, 1941 Oberbefehlshaber der sowjet. Südwestfront und 1942 der Nordkaukasusfront.

Budker, Gersch Izkowitsch, sowjet. Physiker, *Murafa (Gebiet Winniza, Ukraine) 1. 5. 1918, †Nowosibirsk 4. 7. 1977; war 1957–64 Direktor des Inst. für Kernphysik der sowjet. Akademie der Wiss. in Nowosibirsk; seine Hauptarbeitsgebiete waren Teilchenbeschleunigung (Smokatron), Elektronenkühlung, Reaktortheorie, Plasmaphysik.

Budo [japan. bu »ritterlich«, dō »Weg«] *das,* Sammelbegriff für die japan. Kampfkünste Aikido, Judo, Jujutsu, Karate, Kendo, Kyudo und Sumo. Daneben wird auch das eigentliche korean. Taekwondo zum B. gezählt. Alle zu den B.-Künsten gehörenden Kampfformen haben ihren gemeinsamen ethisch-philosoph. Grund im Do-Begriff der Zen-Philosophie als dem Weg zur körperl. und geistigen Beherrschung.

Budweis (tschech. České Budějovice), Hptst. des Südböhm. Gebiets, Tschech. Rep., an der Moldau, 99800 Ew.; Sitz eines kath. Bischofs, Südböhm. Museum; Schwermaschinen-, Fahrzeugbau, Holz-, Papierind., Bleistiftherstellung, Lebensmittelind. (Brauereien). – Die Stadt besitzt zahlr. Profanbauten von der Gotik bis zum Barock. Ältestes Bauwerk ist die frühgot. Domonikanerkirche. – B., um 1265 gegr., war bis ins 19. Jh. eine vorwiegend von Deutschen bewohnte Stadt.

Buenaventura, Hafenstadt an der Pazifikküste Kolumbiens, 193200 Ew.; Fischerei; Holzind., Tanninfabrik.

Buenos Aires [span. »gute Lüfte«], Hptst. von Argentinien, 2,96 (städt. Agglomeration 11,26) Mio. Ew.; am SW-Ufer des 45 km breiten Río de la Plata. B. A. ist Sitz der obersten Staatsorgane, eines Erzbischofs. Es hat mehrere Univ. und Akademien, Museen, Bibliotheken, Theater, Goethe-Institut. B. A. ist nicht nur polit. und geistiger, sondern auch wirtsch. Mittelpunkt Argentiniens, Sitz der großen Aus- und Einfuhrfirmen und einer v. a. während des 2. Weltkrieges sprunghaft entwickelten Ind. (rd. zwei Drittel aller Ind.betriebe des Landes fast alle Sparten). Die Stadt besitzt einen modernen Hafen und in Ezeiza (33 km entfernt) einen großen internat. Flughafen.

B. A. wurde von den Spaniern 1536 gegründet, nach Kämpfen mit den Indianern aufgegeben, 1580 neu aufgebaut. 1776–1810 war es Hptst. eines span. Vizekönigreichs, 1880 wurde B. A. die Hptst. Argentiniens. Die ursprüngl. Stadtanlage folgt dem kolonialen Schachbrettstil.

Buenos Aires, Lago, größter eiszeitl. Zungenbeckensee in Patagonien, in der chilenisch-argentin. Südkordillere, 2 240 km² groß.

Buen Retiro [span. »gute Zuflucht«], Lustschloss (17. Jh.) der span. Könige im Park »El Retiro« in Madrid, 1734 abgebrannt. 1759 wurde die Porzellanmanufaktur von Capodimonte nach B. R. verlegt; bis 1808 v.a. Herstellung großer Vasen.

Bufalino, Gesualdo, italien. Schriftsteller, *Comino (Prov. Ragusa) 15. 11. 1920; hatte mit dem autobiographisch inspirierten Roman »Das Pesthaus« (1981) einen durchschlagenden literar. Erfolg; verfasste neben weiteren Romanen Erzählungen, Lyrik sowie Texte über Sizilien.

Buff, Charlotte, das Vorbild der Lotte in Goethes »Werther«, *Wetzlar 11. 1. 1753, †Hannover 16. 1. 1828; lernte 1772 Goethe kennen; heiratete 1773 J. G. C. Kestner (*1741, †1800). Auch T. Manns Roman »Lotte in Weimar« (1939) fußt auf ihr.

Buffalo [ˈbʌfələʊ], Stadt im NW des Staates New York, USA, am Ostende des Eriesees, 328 100 Ew.; Univ.; kath. Bischofssitz; einer der Haupthäfen am Sankt-Lorenz-Seeweg, Umschlagplatz für Massengüter; Ind.zentrum (elektrochem., elektrometallurg. Ind., Hütten-, Farb- und Tapetenwerke, Bau von Orgeln und Musikautomaten, Flugzeugbau). – B., gegr. 1805 als Neu-Amsterdam, erhielt 1810 den heutigen Namen.

Büffel: Kaffernbüffel (Schulterhöhe etwa 1,8 m, Kopf-Rumpf-Länge etwa 2,6 m)

Buffalo Bill [ˈbʌfələʊ-], eigtl. William Frederick Cody, amerikan. Kavallerieoffizier, *Scott County (Ia.) 26. 2. 1846, †Denver (Col.) 10. 1. 1917; Kundschafter in den Indianerkriegen, brachte 1887 die erste Wildwestschau nach Europa.

Büffel [lat.-grch.], zwei Gattungen der Wildrinder in Asien und Afrika mit kräftigen, an der Basis breiten Hörnern, die bei beiden Geschlechtern vorkommen; Schulterhöhe 60–180 cm, Gewicht 150–1200 kg. Weitere Kennzeichen sind erhöhter Widerrist, Muskelkamm auf dem Vorderrücken, Schwanz mit Endquaste, spärl. Behaarung. Man unterscheidet heute die **asiat. B.** (Bubalus) mit dem **Anoa** (**Gäms-B.,** Bubalus depressicornis) und dem **Wasser-B.** (**Arni,** Bubalus arnee) und die **afrikan. B.** (Syncerus) mit dem **Kaffern-B.** (Syncerus caffer). Das Anoa, das kleinste lebende Wildrind, lebt in den Sumpfwäldern von Celebes. Der Wasser-B. ist ein massiges Wildrind, das in Indien und Indonesien zum Haus-B. domestiziert wurde, einem der wichtigsten Haustiere in den Tropen. Der Kaffern-B. wird in drei Unterarten gegliedert: **Schwarz-B.** (in O- und S-Afrika), **Gras-** oder **Sudan-B.** (in W-Afrika bis Äthiopien) und **Rot-** oder **Wald-B.** (in W- und Zentralafrika).

Büffelbeere (Shepherdia), nordamerikan. holzige Pflanzengattung der Familie Ölweidengewächse; Sträucher oder niedrige Bäume mit gelben oder orangeroten essbaren Früchten.

Bufferstock [ˈbʌfəstɔk; engl. »Pufferlager«], Ausgleichslager für Rohstoffe und Agrarprodukte, das dazu dienen soll, Preise am (Welt-)Markt zu stabilisieren. Dabei schließen sich Anbieter eines bestimmten Rohstoffs zusammen und bilden einen **Pufferpool,** um über Angebots- und Nachfragevariationen den Preis zu beeinflussen. B. werden v.a. von Entwicklungsländern im Zusammenhang mit einer →Neuen Weltwirtschaftsordnung angestrebt. B.-Systeme unterscheiden sich vom STABEX-System (→Lomé-Abkommen), das auf Stabilisierung der Exporterlöse und nicht der -preise abzielt.

Buffet [byˈfɛ], Bernard, frz. Maler und Grafiker, *Paris 10. 7. 1928; schuf hart konturierte, von Verlassenheit geprägte Bildnisse, Stillleben und Straßenszenen. BILD S. 330

Buffo [italien.] *der,* Sänger (Tenor-B., Bass-B.) der italien. komischen Oper (Opera buffa).

Buffon [byˈfɔ̃], Georges Louis Leclerc, Graf von, frz. Naturforscher, *Montbard (bei Dijon) 7. 9. 1707, †Paris 16. 4. 1788; verfasste die 44-bändige »Allgemeine und spezielle Naturgeschichte« (1749–1804); vertrat einen organ. Entwicklungsgedanken.

Georges Louis Leclerc, Graf von Buffon (anonymer Stahlstich)

Bug, Vorderteil eines Schiffes, Bootes oder Flugzeuges.

Bug *der,* Flüsse in O-Europa. **1) Südl. Bug** (Ukrain. Bug, ukrain. Boh; im Altertum Hypanis), Fluss in Wolhynien, Ukraine, mündet nach 806 km langem Lauf in den Dnjepr-Bug-Liman des Schwarzen Meeres.

2) Westl. Bug, entspringt bei Lemberg, bildet z. T. die Grenze Polens zur Ukraine und zu Weißrussland, mündet nach 772 km langem Lauf nördl. von Warschau in den Narew.

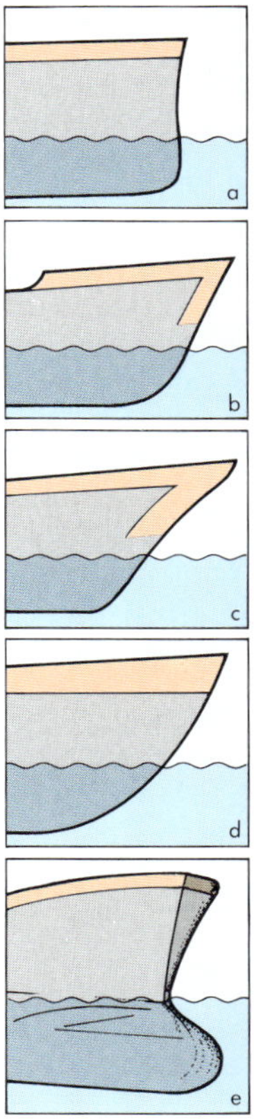

Bug: Darstellung verschiedener Schiffsbugformen; a Bug mit senkrechtem Steven (gerader Bug); b Bug mit ausfallendem Steven (schräger Bug); c Klipperbug; d Löffelbug; e Wulstbug

Buganda, altes Königreich in Zentraluganda, das bis 1894 von einem König (»Kabaka«) absolutistisch regiert wurde. 1967 wurde der König entmachtet, 1993 jedoch wieder inthronisiert. Seit 1962 ist B. wichtiger Bundesstaat Ugandas, für dessen Föderalisierung es eintritt.

Bernard Buffet: Selbstbildnis (1954; London, Tate Gallery)

Bügelhörner, eine im 19. Jh. entwickelte Familie von Blechblasinstrumenten mit konischem, weit mensurierten Rohr, Ventilen und Kesselmundstück; u.a. Flügel-, Alt-, Tenorhorn, Baryton, Tuba, Helikon, Susaphon. B. werden mit Ausnahme der Tuba nur in der Blasmusik verwendet.

Bügelmessschraube, eine Form der →Messschraube.

Bügeln (Plätten), das Glätten von Textilien unter Anwendung von Wärme, Druck und Feuchtigkeit. Im Haushalt werden meist elektr. Bügeleisen (Temperatur über Thermostat regelbar), z.T. mit Dampfeinheit **(Dampfbügeleisen)** verwendet. Die Bekleidungsindustrie, gewerbl. Wäschereien und chem. Reinigungsbetriebe verwenden **Bügelmaschinen** (Flach- und Formdampfbügelpressen) und **Dämpfpuppen (Kleiderformer).** Bei **Haushaltbügelmaschinen** bewegt eine rotierende Bügelwalze das (flächenhafte) Bügelgut unter Druck durch eine beheizte, glatte Mulde.

Bugenhagen, Johannes, Reformator, *Wollin (heute Wolin, auf Wollin, Hinterpommern; daher Dr. Pomeranus genannt) 24. 6. 1485, †Wittenberg 20. 4. 1558; wurde 1535 Prof. in Wittenberg; gilt als der Organisator der Reformation. Er ordnete das Kirchen- und Schulwesen in Braunschweig, Hamburg, Lübeck, Pommern, Dänemark, Holstein, Braunschweig-Wolfenbüttel und Hildesheim; Beichtvater und Mitarbeiter Luthers.

📖 KÖTTER, R.: *J. B.s Rechtfertigungslehre u. der röm. Katholizismus. Göttingen 1994.*

Bugfigur, die Galionsfigur (→Galion).

Bugge, Sophus, norweg. Sprachforscher, *Laurvig (bei Larvik) 5. 1. 1833, †Christiania (heute Oslo) 8. 7. 1907; gab die erste krit. Ausgabe der Eddalieder heraus; entzifferte zahlr. Runeninschriften.

Buggy ['bʌgɪ, engl.] *der,* leicht gebauter Einspänner; auch leichter, zusammenklappbarer Kinderwagen.

Bugholzmöbel, Möbel aus gebogenen Holzteilen (meist von Rotbuchen). Das Holz wird nach einem von M. Thonet 1830 entwickelten Verfahren mithilfe von Dampf und Stahlfedern gebogen (→Biegen).

Bugi (Buginesen), jungmalaiisches Kulturvolk auf den Halbinseln von Celebes und auf Borneo; etwa 3 Mio. B.; Muslime; treiben Ackerbau und Handel; früher war die Piraterie weit verbreitet.

Bugspriet *das* oder *der,* bei einem Segelschiff der schräg nach vorn über den Bug hinausragende Mast, an dem der Klüverbaum befestigt ist.

Buhl, Hermann, österr. Bergsteiger, *Innsbruck 21. 9. 1924, †(abgestürzt am Tschogolisa, Karakorum) 27. 6. 1957; bezwang 1953 im Alleingang als Erster den Nanga Parbat.

Bühl, Große Kreisstadt im Landkreis Rastatt, Bad.-Württ., am W-Rand des Schwarzwalds, 27100 Ew.; chem. Ind., Maschinenbau; Obst- (Bühler Frühzwetschgen) und Weinbau. – B. wurde 1835 Stadt.

Bühler, 1) Charlotte, Psychologin, *Berlin 20. 12. 1893, †Stuttgart 3. 2. 1974, ⚭ mit 2); wurde 1929 Prof. in Wien, 1945 Prof. in Los Angeles. B. war wegbereitend für die humanist. Psychologie.

Werke: Das Seelenleben des Jugendlichen (1922); Kindheit und Jugend (1928); Das Kind und die Familie (1951); Psychologie im Leben unserer Zeit (1962).

2) Karl, Psychologe, *Meckesheim (Rhein-Neckar-Kreis) 27. 5. 1879, †Los Angeles 24. 10. 1963, ⚭ mit 1); seit 1922 Prof. in Wien, emigrierte 1938 in die USA. B. ist aus der Külpe-Schule hervorgegangen.

Werke: Die Gestaltwahrnehmungen (1913); Die geistige Entwicklung des Kindes (1918); Ausdruckstheorie (1933); Sprachtheorie (1934); Das Gestaltprinzip im Leben der Menschen und der Tiere (1960).

Bühlertal, Luftkurort im Landkreis Rastatt, Bad.-Württ., 200 bis 1000 m ü.M., im nördl. Schwarzwald, 8400 Ew.; Obst- und Weinbau, elektrotechn. Industrie.

Buhne, vom Ufer aus quer in das Wasser hineingebauter Dammkörper aus Steinschüttung,

Spundwänden, Pfahlreihen, Faschinen; dient im Flussbau zur Einengung des Abflussquerschnitts im Niedrigwasserbereich und zur Vertiefung der Schifffahrtsrinne, im Seebau zum Küstenschutz.

Bühne [mhd. büne »Zimmerdecke«, »Bretterbühne«], im Theater der Hauptraum des B.-Hauses, der Schauplatz der Aufführungen. – Zur Gesch. der B. und der B.-Formen →Theater. – I. e. S. versteht man unter B. den von den Umfassungswänden des B.-Turms eingegrenzten Raum. An die B. im Bereich des B.-Turms, auch **Haupt-B.** genannt, schließen die **Neben-B.** (Hinter-B., rechte Seiten-B., linke Seiten-B.) an. Zwischen Vorbühne und Zuschauerraum liegt der **Orchestergraben.** Der **B.-Turm** nimmt fast die gesamte B.-Technik auf, v. a. die **B.-Maschinerie,** die dem raschen Szenenwechsel und der Erzielung besonderer szen. Effekte dient. Zur Obermaschinerie gehören der Hauptvorhang, das techn. B.-Portal, der Schnür- und Rollenboden. Bei der Untermaschinerie unterscheidet man zw. Drehbühnensystem und Verschiebebühnensystem. Bei **Dreh-B.** ist das wesentl. Element zum Szenenwechsel eine zylindr. drehbare B., bei der das einzelne B.-Bild jeweils nur einen Sektor der gesamten Dreh-B. ausfüllt. **Verschiebebühnen** haben als Element des Szenenwechsels B.-Wagen, die komplette B.-Bilder aufnehmen können. Die **B.-Beleuchtung** dient außer zur Beleuchtung des B.-Raumes und der Darsteller zu Lichtwirkungen für künstler. und szen. Effekte. Wichtige sicherheitstechn. Einrichtungen sind Feuerschutzvorhang (meist »Eiserner Vorhang«), Rauchabzugsanlage und Sprinkleranlage.

📖 GALLÉE, H. B.: *Vom Raumbild zum Bildraum. Gedanken u. Skizzen aus der Praxis der Bühnenbildgestaltung. Wien u. a. 1992.* – *Bühnentechnik, hg. vom Fraunhofer-Informationszentrum Raum u. Bau. Redaktion:* D. HEZEL. *Stuttgart* [4]*1995.* – GRÖSEL, B.: *Bühnentechnik. Mechan. Einrichtungen. München u. a. 1995.*

Bühnenaussprache (Bühnensprache), für die Bühne festgelegte normierte Aussprache des Hochdeutschen. Der Versuch einer einheitl. Regelung der dt. B. wurde 1803 von Goethe (»Regeln für Schauspieler«) gemacht. Systemat. Regeln sind in dem von T. Siebs 1898 herausgegebenen Werk »Dt. B.« enthalten. (→Standardsprache)

Bühnenbild, einer bestimmten Inszenierung entsprechende künstler. Gestaltung des Bühnenraumes mittels Malerei, architekton. und techn. Mitteln sowie Requisiten.

Bühnenmusik, i. w. S. alle Musik, die im Schauspiel, in der Operette und in der Oper auf (oder hinter) der Bühne gespielt wird. I. e. S. die Schauspielmusik, die seit Entwicklung der Oper zu einer selbstständigen Gattung (etwa seit 1600) wurde.

Bühnenbild: Bühnenbilder zur Oper »Tristan und Isolde« von Richard Wagner; Modell von Angelo Quagli zur Uraufführung des Werks 1865 im Münchner Residenztheater, darunter die Gestaltung von Wieland Wagner bei den Bayreuther Festspielen 1962

Shakespeare schrieb für seine Stücke Lieder, Tänze und Stimmungsmusik aller Art vor. G. E. Lessing wünschte eine auf das Drama hinführende Ouvertüre und Zwischenaktmusiken. Bekannt wurde u. a. die Musik zu Goethes »Egmont« von L. van Beethoven und die zu Shakespeares »Sommernachtstraum« von F. Mendelssohn Bartholdy. Nach 1900 entstand B. in enger Zusammenarbeit zw. Komponist und Regisseur (z. B. K. Weill und P. Dessau mit B. Brecht).

Bühnenverein (Deutscher B.), 1846 gegründeter Bundesverband dt. Bühnenleiter und Bühnenrechtsträger, 1935 aufgelöst, 1945 neu gegründet, Sitz: Köln; 1990 trat ihm der Deutsche Bühnenbund, Berlin (Ost), bei.

Bühnenvertrieb, verlagsähnl. Unternehmen (Theaterverlag), das über die Aufführungsrechte an Bühnenwerken verfügt und diese an die Theater (auch Funk, Fernsehen) vermittelt.

Buhurt [mhd., zu altfrz. hurter »stoßen«] *der,* mittelalterl. Reiterkampfspiel (→Turnier).

Buick ['bjuːɪk], David, amerikan. Kraftwagenbauer, * in Schottland 17. 9. 1854, † Detroit 5. 3. 1929; entwickelte 1902 einen oben gesteuerten Motor; gründete 1903 die **B. Motor Car Company,** die später von der General Motors Company übernommen wurde.

Builder ['bɪldə; engl., zu to build »bauen«], anorgan. Anteile in →Waschmitteln, die das Gerüst für die waschaktiven Substanzen abgeben; früher meist Phosphate, heute Zeolithe.

Ferdinand Buisson

Built-in-Flexibility ['bɪltɪn fleksə'bɪlɪtɪ, engl.] *die,* automat. konjunkturelle Stabilisierungswirkung bestimmter finanzpolit. Maßnahmen. Das gilt z.B. für die progressive Einkommensteuer, da sie in der Hochkonjunktur, gemessen an den Einkommen, stärker steigende Steuereinnahmen und dadurch eine dämpfende Wirkung der privaten Nachfrage bewirkt. (→Finanzpolitik)

Buisson [bɥi'sɔ̃], Ferdinand, frz. Pädagoge und Politiker, *Paris 20. 12. 1841, †Thieuloy-Saint-Antoine (Dép. Oise) 16. 2. 1932; 1896–1906 Prof. an der Sorbonne, schloss sich dem Parti Républicain Radical et Radical-Socialiste an, trat als Abg. 1902–24 für die Trennung von Staat und Kirche in Frankreich ein und beteiligte sich an der Gründung der frz. Liga der Menschenrechte, war auch deren langjähriger Vorsitzender. 1927 erhielt er zusammen mit L. Quidde den Friedensnobelpreis.

Buitenzorg ['bœjtənzɔrx, niederländ.], früherer Name der Stadt →Bogor auf Java.

Bujones [engl. bʊd'ʒəʊnz, span. bu'xones], Fernando, amerikan. Tänzer kuban. Herkunft, *Miami (Fla.) 9. 5. 1955; 1972–86 Mitgl. des American Ballet Theatre, gilt als einer der besten klass. Tänzer.

Bujumbura (früher Usumbura), Hptst. von Burundi, O-Afrika, 300 000 Ew.; wichtiger Hafen am Nordende des Tanganjikasees; Univ., Verw.hochschule; Ind.zentrum des Landes; internat. Flughafen.

Bukanier *der,* westind. Seeräuber, →Flibustier.

Bukarest
Stadtwappen

Bukarest (rumän. București), Hptst. von Rumänien, an der Dîmbovița; 2,06 Mio. Ew.; wirtsch. und kultureller Mittelpunkt Rumäniens und dessen wichtigste Ind.stadt; Sitz der Reg., des Patriarchen der rumänisch-orth. Kirche, eines kath. Erzbischofs; Univ., TH u.a. Hochschulen, Rumän. Akademie der Wiss., Theater, Opernhäuser, Konzertgebäude Athenäum (1888), Zoo; Maschinen-, Fahrzeugbau, Metallverarbeitung, elektrotechn. und elektron. Ind., chem., pharmazeut., Lebensmittel-, Textilind., Druckereien; zwei Flughäfen (Otopeni und Băneasa), U-Bahn. – Inmitten der Stadt liegt der große Volkspark Cișmigiu mit einem See, im W das Schloss Cotroceni mit großem Park und botan. Garten. Unter Ceaușescu wurden große Teile der Altstadt von B. für die Errichtung des »sozialistischen Zentrums« abgerissen, die Bewohner zwangsumgesiedelt. – B. war seit dem 14. Jh. zeitweilig, seit 1659 dauernd Sitz der Fürsten der Walachei und wurde 1861 Hptst. des vereinigten Rumänien. Schwere Zerstörungen im 2. Weltkrieg und durch ein Erdbeben 1977.

Bukarester Friedensschlüsse, zusammenfassende Bez. für verschiedene Abkommen: 28. 5. 1812 zw. Russland und der Türkei (Abtretung Bessarabiens und der östl. Moldau an Russland); 3. 3. 1886 zw. Serbien und Bulgarien; 10. 8. 1913 zw. Rumänien, Serbien, Griechenland, Montenegro einerseits und Bulgarien andererseits (Ende des 2. Balkankriegs); 7. 5. 1918 zw. den Mittelmächten und Rumänien (erloschen mit dem Waffenstillstand von Compiègne am 11. 11. 1918).

Bukavu (früher Costermansville), Provinz-Hptst. im O der Demokrat. Rep. Kongo am Südende des Kiwusees, 1 480 m ü. M., 209 600 Ew.; Erzbischofssitz; geolog. Museum; Nahrungsmittel- und Textilind.; Hafen; internat. Flughafen.

Buke [japan.], die Familie des japan. Schwertadels.

Bukett [frz.] *das* (Blume), Gehalt eines Weines an Duftstoffen.

bukolische Dichtung [grch. boukólos »Rinderhirt«], →Schäferdichtung.

Bukarest: Das Wahrzeichen der Stadt, der Rundbau des Athenäums, wurde 1886–88 zum Konzertgebäude umgebaut

Bukowina *die* (dt. Buchenland), histor. Landschaft am Osthang der Waldkarpaten und deren Vorland mit dem Hauptort Czernowitz (heute Tscherniwzi, Ukraine). – Im Altertum Teil der röm. Provinz Dakien, im 10./11. Jh. des Fürstentums Kiew, Mitte des 14. Jh. mit dem Fürstentum Moldau vereint; 1514 bis 1769 Teil des Osman. Reiches, 1775 an Österreich abgetreten; dt. Siedler trugen zur wirtsch. und kulturellen Entwicklung des seit 1849 selbstständigen österr. Kronlandes bei. 1919 fiel die B. an Rumänien, 1940 der N-Teil an die UdSSR (Ukraine).

📖 TURCZYNSKI, E.: *Gesch. der B. in der Neuzeit. Wiesbaden 1993.*

Bukowski, 1) [engl. bju:kɔvski], Charles, amerikan. Schriftsteller, *Andernach 16. 8. 1920, †San Pedro (Calif.) 9. 3. 1994; lebte seit 1922 in den USA; schilderte in z. T. krasser Sprache das Elend der sozialen Unterschicht (»Gedichte, die einer schrieb, bevor er im 8. Stockwerk aus dem Fenster sprang«, 1968; »Aufzeichnungen eines Außenseiters«, 1969; »Der Mann mit der Ledertasche«, Roman, 1971; »Kaputt in Hollywood«, Ezählungen, 1972; »Das Schlimmste kommt noch oder fast eine Jugend«, Roman, 1982; »Roter Mercedes«, Gedichte 1984 bis 1986, dt. 1989).

📖 CHERKOVSKI, N.: *Das Leben des C. B. A. d. Engl. München 1993.*

2) Wladimir, russ. Bürgerrechtler und Schriftsteller, *Belebei (Baschkortostan) 30. 12. 1942; sammelte Material über die Verbringung von intellektuellen Systemkritikern in psychiatr. Heilanstalten (dt. erschienen als »Opposition. Eine neue Geisteskrankheit in der Sowjetunion?«, 1972); wurde 1972 zu 12 Jahren Haft verurteilt, 1976 im Austausch gegen den KP-Chef Chiles, L. Corvalán, freigelassen; lebt seitdem in Cambridge.

Weitere Werke: Wind vor dem Eisgang (dt. 1978), Dieser stechende Schmerz der Freiheit (1983).

Bülach, Bezirksstadt im Kt. Zürich, Schweiz, 13 100 Ew.; Bahnknotenpunkt; Weinbau, Glashütte sowie Metall verarbeitende Industrie. – 1384 zur Stadt erhoben.

Bulatović [-vitsj], Miodrag, serb. Schriftsteller, *Okladi (bei Podgorica, Montenegro) 20. 2. 1930, †Igalo (bei Herceg-Novi, Montenegro) 15. 3. 1991; schrieb realistisch-satir. Romane (»Der Held auf dem Rücken des Esels«, 1964; »Die Daumenlosen«, 1975) und das Drama »Godot ist gekommen« (1965).

Bulawayo, zweitgrößte Stadt in Simbabwe, Zentrum des Matabelelandes, auf der südwestl. Hochlandsavanne, 1 355 m ü. M., 620 900 Ew.; Fachschulen; Verkehrs-, Handelszentrum; bed. Ind., in der Region Gold- und Asbestabbau; Flughafen.

Bulbärparalyse [lat.-grch.], Lähmung der Zungen-, Gaumen- und Kehlkopfmuskeln infolge Schädigung der motor. Hirnnervenkerne im verlängerten Mark.

Bulbillen [lat.], die pflanzl. →Brutknospen.

Bülbüls (Haarvögel, Pycnotidae), Familie 15–30 cm großer Singvögel mit rd. 120 Arten in den Tropen und Subtropen Afrikas und Asiens mit haarähnl. Federn im Nacken.

Bulbus [lat. »Zwiebel«] *der,* **1)** *Anatomie:* bei Menschen und Tieren zwiebelförmiges Organ (**B. oculi,** der Augapfel) oder erweiterter Abschnitt eines Organs.

2) *Botanik:* →Zwiebel.

Bule [grch.] *die,* Ratsversammlung altgrch. Stadtstaaten; Funktionen: u. a. Beaufsichtigung der Staatsverw., Vertretung des Staates nach außen, bes. Staatsgerichtshof. In Athen hatte die B. seit Solon 400, seit Kleisthenes 500 Mitglieder.

Bulette [frz. boulette »Kügelchen«] *die,* gebratenes Fleischklößchen.

Bulfinch [ˈbʊlfɪntʃ], Charles, amerikan. Architekt, *Boston (Mass.) 8. 8. 1763, †ebd. 4. 4. 1844; Vertreter des »Federal Style«, der seine Wurzeln im Palladianismus hat; Bauleiter des Kapitols in Washington 1817–30. B. war im frühen 19. Jh. richtungsweisend für die Baukunst in Neuengland.

Charles Bukowski

Bulgakow, Michail Afanasjewitsch, russ. Schriftsteller, *Kiew 15. 5. 1891, †Moskau 10. 3. 1940; schrieb grotesk-satir. Romane, Erzählungen und Dramen; seine bislang bekannten Hauptwerke sind der Bürgerkriegsroman »Die weiße Garde« (1925) und der philosoph. Roman »Der Meister und Margarita« (1966/67, vollständig 1974). B. durfte zu Lebzeiten den größten Teil seiner Werke nicht veröffentlichen. Der überwiegende Teil seines Werkes ist erst seit Ende der 1980er-Jahre vollständig zugänglich.

📖 *M. B. Texte, Daten, Bilder, hg. v.* TH. RESCHKE. *Frankfurt am Main 1991.*

Bulganin, Nikolai Alexandrowitsch, sowjet. Politiker, *Nischni Nowgorod 11. 6. 1895, †Moskau 24. 2. 1975; war MinPräs. der RSFSR 1937-38, Mitgl. des Politbüros seit 1948 sowie Verteidigungsmin. 1947–49 und 1952–55. Seit 1947 war er Marschall der Sowjetunion. 1955 wurde er auch MinPräs. der UdSSR. Im Zuge innerparteil. Auseinandersetzungen in der KPdSU 1958 zum »Parteifeind« erklärt, ging B. all seiner Ämter verlustig.

Nikolai Alexandrowitsch Bulganin

Bulgaren, südslaw. Volk (etwa 8,7 Mio. B.) in Bulgarien, als Minderheit auch in O-Serbien; ein im 7. Jh. entstandenes Mischvolk aus romanisierten Thrakern, Slawen und dem Turkvolk der Protobulgaren; in der Mehrzahl Bulgarisch-Orthodoxe, eine Minderheit sind Muslime.

Die bulgar. Volkskultur ist vorwiegend balkanslawisch geprägt; erst im 18., bes. aber im 19. Jh. nach Ende der Osmanenherrschaft (1393/96–1878) machten sich westeurop. Einflüsse geltend, und nach 1945 führte das sozialist. System zu Übergangs- und Mischformen vieler Traditionen. In der Architektur waren die nordbulgar. Erdhütten charakteristisch, sonst auch Fachwerkbauweise mit seitl. Laubengängen. Die Volkstrachten mit geschnürten Opanken (Schuhe) und den dicken Wollstrümpfen, die Pelzmützen der Männer und die weißen, an Kragen und Ärmeln bestickten Blusen der Frauen, oft ergänzt durch Schürze(n), Überrock und ein vorn zugeknöpftes Überkleid, werden heute nur noch bei festl. oder folklorist. Anlässen getragen. Im religiösen und Lebenslaufbrauchtum überlebten, bes. bei Geburts-, Hochzeits- und Begräbnisritualen, z. T. noch archaische Überlieferungen aus versch. Schichten.

Bulgarien

Fläche: 110 912 km²
Einwohner: (1995) 8,77 Mio.
Hauptstadt: Sofia
Verwaltungsgliederung: 9 Regionen
Amtssprache: Bulgarisch
Nationalfeiertag: 3. 3.
Währung: 1 Lew (Lw) = 100 Stótinki (St)
Zeitzone: MEZ +1 Std.

BG
Internationales Kfz-Kennzeichen

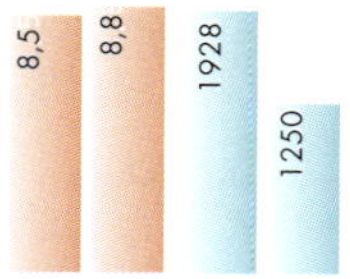

1970 1995 — Bevölkerung (in Mio.)
1970 1994 — Bruttosozialprodukt je Ew. (in US-$)

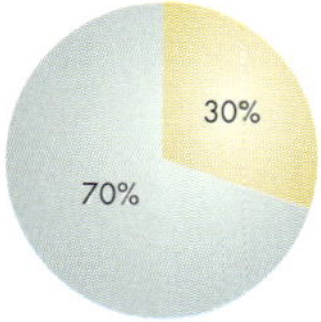

Stadt
Land
Bevölkerungsverteilung 1994

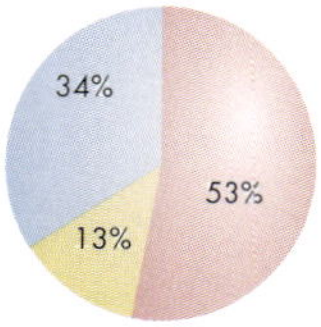

Industrie
Landwirtschaft
Dienstleistung
Bruttoinlandsprodukt 1994

Bulgarilen (amtlich bulgar. Republika Bălgarija), Staat in Südosteuropa, umfasst einen Teil der östl. Balkanhalbinsel südlich der Donau, grenzt im N an Rumänien, im O an das Schwarze Meer, im SO an die Türkei, im S an Griechenland, im W an Makedonien und Serbien.

Staat und Recht: Nach der Verf. vom 12. 7. 1991 ist B. eine parlamentar. Republik mit Mehrparteiensystem. Staatsoberhaupt und Oberbefehlshaber der Streitkräfte ist der Präs., der für fünf Jahre direkt gewählt wird (einmalige Wiederwahl möglich). Er verfügt über ein aufschiebendes Vetorecht gegenüber vom Parlament angenommenen Gesetzen. Die Exekutive liegt bei der Reg. unter Vorsitz des MinPräs., die dem Parlament verantwortlich ist. Oberstes Legislativorgan ist die Volksversammlung (240 Abg., für vier Jahre gewählt). Einflussreichste Parteien und Bewegungen sind die aus 16 Parteien bestehende Union der Demokrat. Kräfte (UDK; seit 1991 in drei Fraktionen gespalten), die Bulgar. Sozialist. Partei (BSP; 1990 durch Umbenennung der Bulgar. Kommunist. Partei entstanden) und die Bewegung für Rechte und Freiheiten (der türk. und muslim. Bev.; DPS). Ein ernst zu nehmender Faktor im Prozess der demokrat. Umgestaltung ist die 1990 gegr. unabhängige Gewerkschaft Podkrepa.

Landesnatur: B. wird von W nach O vom Balkan (höchste Erhebung: Botew, 2376 m ü. M.) durchzogen, der nach N allmählich als Tafelland mit Vorbalkan und Donauhügelland zur Donau und Dobrudscha abfällt, nach S steil zur Maritzaebene. Im SW und S erhebt sich die Thrak. Masse, die sich in mehrere Gebirge gliedert: Rila- (höchste Erhebung: Mussala, 2925 m ü. M.), Pirin- und Rhodopegebirge. Die Küste im O ist steil und nur durch wenige Flussmündungsbuchten gegliedert. Hauptflüsse sind Donau, Maritza, Struma und Isker. – B. liegt im Übergangsbereich vom mittelmeer. (im S) zum osteurop. Kontinentalklima (im N); die Sommer sind heiß und trocken, die Winter kalt oder kühlregnerisch. Ein milderes Klima herrscht an der Schwarzmeerküste.

Bevölkerung: Sie besteht aus Bulgaren (85,8 %), daneben Türken (9,7 %), Roma (3,4 %) und 1,1 % Angehörige sonstiger Minderheiten (Makedonier, Rumänen, Armenier u. a.). – Größte Städte sind Sofia, Plowdiw, Warna, Burgas, Russe, Stara Sagora und Plewen; die Mehrheit der Bev. (70 %) lebt in Städten. – Allg. Schulpflicht besteht vom 6.–16. Lebensjahr; Univ. gibt es in Sofia (gegr. 1888), Plowdiw (gegr. 1961) und Tarnowo (gegr. 1971). – Die Mehrzahl der Bev. sind orth. Christen (73 % gehören zur bulgarisch-orth. Kirche), die Übrigen sind v. a. Muslime (etwa 24 %).

Wirtschaft, Verkehr: Nach dem Scheitern der sozialist. Planwirtschaft durchlebt B. eine schwere wirtsch. Krise mit starker Rezession; ein Umstrukturierungsprozess ist im Gange. Hauptzweige sind Ind. und Landwirtschaft; eine Rolle spielte auch der Tourismus (bes. Thermalbäder und Seebäder an der Schwarzmeerküste). Eine geringere Bedeutung hat der Bergbau (Braunkohle, Eisen-, Blei-, Zink-, Kupfer-, Silbererze); Erdöl und Erdgas werden im N und an der Schwarzmeerküste gefördert. Die Energieversorgung erfolgt durch Wärme- und Wasserkraftwerke. Wichtigste Ind.zweige sind Maschinenbau und Metallverarbeitung, ferner elektron./ elektrotechn., chem. und Textilind.; stärker ausgebaut werden Nahrungs- und Genussmittelind. Eine Rolle spielen auch Glas- und Keramikind. sowie die Holzverarbeitung (Waldbestand auf etwa 30 % der Landesfläche). Die Landwirtschaft hat immer noch eine große Bedeutung; 6,16 Mio. ha werden landwirtschaftlich genutzt, v. a. durch Ackerbau. Groß ist der Anteil an Sonderkulturen, u. a. Sonnenblumen, Baumwolle, Tomaten, Paprika, Reis, Wein, Tabak, Lavendel sowie Rosen (Gewinnung von Rosenöl) im Tal bei Kasanlak. Viehzucht wird v. a. im Gebirge betrieben. – Exportiert werden v. a. Agrarerzeugnisse, Nichteisenmetalle, Leder- und Textilwaren. – B. hat ein gut ausgebautes Verkehrsnetz: Die Streckenlänge der Eisenbahnen beträgt 4294 km, das Straßennetz ist 36 943 km lang, davon sind 309 km Autobahnen; die Binnenschifffahrt beschränkt sich auf die Donau; wichtigste Seehäfen sind Warna und Burgas; internat. Flughäfen bestehen in Sofia, Plowdiw, Warna und Burgas.

Geschichte: Die Thraker als erstes historisch fassbares Volk auf dem Gebiet von B. wurden z.T. von den Illyrern verdrängt, im 5. Jh. v. Chr. in das Makedon. Reich einbezogen; im 2. Jh. unter röm. Herrschaft. 681 n. Chr. musste das Byzantin. Reich die Gründung des 1. Bulgar. Reiches unter Khan Asparuch (Isperich) anerkennen (Annahme des orth. Christentums 864 unter Boris I. und Einführung der kyrill. Schrift). Nach 927 zerfiel das Reich; B. wurde Byzanz einverleibt (1014). Das 2. Bulgar. Reich entstand nach 1185; es wurde zeitweise führende Balkanmacht (Hauptstadt: Tarnowo). 1330 geriet B. unter serb. Einfluss; es löste sich in Teilreiche auf und wurde 1393 Teil des Osman. Reiches.

Blutig niedergeschlagene Aufstände bewaffneter bulgar. Freischärler führten zum Russisch-Türk. Krieg von 1877/78, der mit dem Frieden von San Stefano und dem Berliner Kongress (1878) die türk. Fremdherrschaft beendete; es entstand ein dem Sultan tributpflichtiges Fürstentum B.; Süd-B. verblieb als autonome Provinz Ostrumelien beim Osman. Reich. Dem 1887 zum Fürsten gewählten Ferdinand von Sachsen-Coburg und Gotha gelang es 1908, die formelle Unabhängigkeit B.s (als Königreich) durchzusetzen und sich zum Zaren krönen zu lassen. Unter russ. Einfluss schloss sich B. im Frühjahr 1912 mit Serbien, Griechenland und Montenegro zum Balkanbund zusammen. Im 2. Balkankrieg (1913) verlor B. große Teile der im 1. Balkankrieg (1912/13) gewonnenen Territorien, zusätzlich die südl. Dobrudscha an Rumänien. Im 1. Weltkrieg schloss sich B. 1915 den Mittelmächten an und besetzte die von ihm beanspruchten Gebiete (v. a. die südl. Dobrudscha), die ihm 1919 (Frieden von Neuilly-sur-Seine) jedoch wieder genommen wurden.

Die agrarreformer. Reg. Stamboliski (Aufhebung des Großgrundbesitzes) wurde 1923 durch einen Offiziersputsch gestürzt. Nach einem Militärputsch 1934 kam es zur Auflösung der polit. Parteien. Seit 1935 regierte Boris III. autoritär durch persönlich Beauftragte. 1940 (2. Wiener Schiedsspruch) erwirkte B. die Rückgabe der südl. Dobrudscha von Rumänien; 1941 schloss sich B. dem Dreimächtepakt an und wurde von dt. Truppen besetzt. Im Sept. 1944 marschierte die Rote Armee in B. ein, das nach einem Putsch der Vaterländ. Front am 28. 10. in den Krieg gegen Deutschland eintrat. In den Wahlen von 1945 erhielt die Vaterländ. Front, in der die Kommunisten die Oberhand gewonnen hatten, 88,2% der Stimmen. 1946 wurde die »Volksrep. B.« ausgerufen.

1948 erfolgte die Vereinigung der Bulgar. KP mit der Bulgar. Sozialdemokrat. Partei. Nach der Regierung K. Georgiew (1944–46), unter der eine Bodenreform durchgeführt wurde, leiteten G. Dimitrow (1946–49), W. Kolarow (1949–50) und W. Tscherwenkow (1950–56) die Regierung. Letzterer wurde als Vertreter des Personenkults (u. a. Schauprozess und Hinrichtung T. Kostows) im Zuge der Entstalinisierung von A. Jugow (1956–62) abgelöst, der aus ähnl. Gründen seine Ämter an T. Schiwkow (1962) verlor. B. arbeitete eng mit der Sowjetunion zusammen. In den 1970er-Jahren verbesserte B. zwar seine Beziehungen zu Jugoslawien, in der makedon. Frage gab es jedoch weiterhin tief greifende Meinungsverschiedenheiten. Wegen der Behandlung der türk. Minderheit (Bulgarotürken; etwa 1 Mio.) kam es zum Zerwürfnis mit der Türkei. 1981 wurden in sog. »Bulgarisierungskampagnen« den bulgar. Türken bulgar. Namen aufgezwungen; diese Zwangsbulgarisierung löste ab Mai 1989 schwere Unruhen aus, Hunderttausende Bulgarotürken flohen in die Türkei.

Im Zuge der revolutionären Veränderungen in Osteuropa trat im Nov. 1989 der Vors. des Staatsrats und der Bulgar. Kommunist. Partei (BKP), T. Schiwkow, zurück. Sein Nachfolger, P. Mladenow, leitete eine Demokratisierung ein. Im Jan. 1990 verzichtete die BKP auf ihr Führungsmonopol und ermöglichte damit nach der Verfassungsänderung die Bildung von Parteien. Im April 1990 verabschiedete das Parlament ein Wahl- und Parteiengesetz. Die Wahlen im Juni 1990 gewann die aus der BKP hervorgegangene BSP unter Vorsitz des bisherigen Reg.chefs A. Lukanow. Nach dem Rücktritt von P. Mladenow wurde am 1. 8. 1990 der Vertreter der oppositionellen UDK, S. Schelew, Staatspräs. (Jan. 1992 in Direktwahl bestätigt). Im

Bulgarien - Wirtschaft

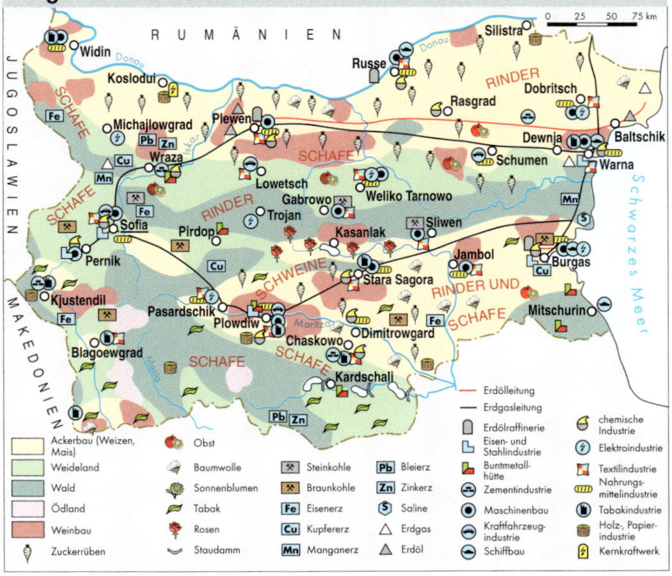

Nov. 1990 (nach Generalstreik und landesweiten Straßendemonstrationen) trat MinPräs. Lukanow zurück; im Dez. 1990 kam es zur Bildung einer Koalitionsreg. von UDK und BSP unter dem parteilosen D. Popow. Nach dem Sieg in den Parlamentswahlen vom Okt. 1991 übernahm die UDK unter ihrem Vors. P. Dimitrow die Bildung der Regierung, die die Reformpolitik v.a. in der Wirtschaft trotz sozialer Härten entschieden fortsetzte, jedoch Ende Okt. 1992 aufgrund eines parlamentar. Misstrauensvotums zurücktreten musste. Im Frühjahr/Sommer 1992 kam es zu einer neuen Massenauswanderung von Bulgarotürken. Die folgenden Regierungen unter den MinPräs. L. Berow (Dez. 1992 bis Sept. 1994) und Renata Indschona (Sept. 1994 bis Jan. 1995) konnten die mit den gesellschaftl. Veränderungen einhergehenden gesellschaftl. Ziele (bes. die Privatisierung von Produktionsmitteln) sowie die wirtsch. und sozialen Probleme (Inflation, Arbeitslosigkeit) nicht lösen. Bei vorgezogenen Wahlen im Dez. 1994 gewannen die Sozialisten die absolute Mehrheit und stellten mit ihrem Vors. Schan Widenow seit Jan. 1995 den MinPräs. Bei den Präsidentschaftswahlen im Okt. 1996 wählte die Bev. P. Stojanow (UDK) zum Nachfolger des bisherigen Amtsinhabers Schelew. Die wirtsch. und soziale Lage des Landes spitzte sich im Winter 1996/97 dramatisch zu, nachdem Hungersnöte ausgebrochen waren und es in deren Folge zu inneren Unruhen gekommen war (Erstürmung des Parlaments in Sofia im Februar 1997). Aus vorgezogenen Parlamentswahlen (April 1997) gingen die bürgerl.-liberalen »Vereinigten Demokrat. Kräfte« (ODS) als Sieger hervor.

Mit der Auflösung des Rates für gegenseitige Wirtschaftshilfe (RGW) und des Warschauer Paktes 1991 erlosch auch formal die Mitgliedschaft B.s in diesen Organisationen. Im Hinblick auf eine neue außenpolit. Orientierung suchte B. die alten Bindungen v.a. an Russland zu wahren (Abschluss von Handels- und Freundschaftsverträgen, 1992), neue regionale Beziehungen anzuknüpfen (diplomat. Anerkennung der Rep. Makedonien, Abkommen mit der Türkei, 1992) und die wirtsch. und polit. Beziehungen zu den Demokratien des Westens auf eine neue Grundlage zu stellen (Assoziationsvertrag mit der EG, 1993; Unterzeichnung des NATO-Programms »Partnerschaft für den Frieden«, 1994).

📖 *Seiten aus der bulgar. Gesch. Ein Beitrag über die islamisierten Bulgaren u. den Prozeß des wiederauflebenden Nationalbewußtseins. Redaktion:* CHR. CHRISTOW. *Sofia 1989.* – GJUZELEV, V.: *B. zwischen Orient u. Okzident. Die Grundlagen seiner geistigen Kultur vom 13. bis zum 15. Jh. A. d. Bulgar. Wien u. a. 1993.* – *Wege zur Privatisierung in B., hg. v.* H. ROGGEMANN *u.* E. KONSTATINOV. *Berlin u. a. 1994.* – *B. vom Ende des Parteikommunismus zu den Anfängen der Regierung Widenow (1989–1995), zsgest. u. bearb. v.* M. COENEN. *St. Augustin 1995.* – ENGELBRECHT, E. *u.* R.: *B.-Handbuch. Bielefeld 1995.* – KOSTADINOVA, N.: *B. München 1995.*

bulgarische Kunst. Aus thrak. Zeit sind Hügelgräber (Kurgane) und zahlr. Goldschmiedearbeiten erhalten. Das wichtigste Denkmal aus frühester Zeit ist der »Reiter von Madara« (8. Jh.), ein lebensgroßes, in Fels gehauenes Relief, das der sassanid. Kunst nahe steht. Seit der Christianisierung stand die b. K. unter byzantin. Einfluss. Im 1. Bulgar. Reich entstanden Zentralkirchen, z.T. mit vielfarbigen keram. Wandverkleidungen (Palastkirche in Preslaw; Klosterkirche Patleina), unter der byzantin. Zwischenherrschaft auch Basiliken (Sophienkirche in Ohrid [heute Makedonien], 11. Jh.; mit Fresken), im 2. Bulgar. Reich Kreuzkuppelkirchen und einschiffige tonnengewölbte Kirchen (Demetrius-Kathedrale in Weliko Tarnowo, 1185–87), auch zweistöckige Kirchenbauten (Fes-

bulgarische Kunst: Das lebensgroße Felsrelief des »Reiters von Madara« (8. Jh.; Nordabhang des Balkangebirges, 17 km östlich von Schumen)

tungskirche von Stanimaka; Kirche der Hl. Nikolaus und Panteleimon in Bojana). Größere Selbstständigkeit erreichte die Malerei in den Fresken von Bojana (1259) im Komnenenstil. Fresken im Paläologenstil finden sich in der Höhlenkirche von Iwanowo bei Russe (14. Jh.). Vom 15. bis 18. Jh. war die Kunst des Athos bestimmend. Als spezifisch bulgarisch-makedon. Kunst entwickelte sich die Holzschnitzerei. Mit der Neubelebung der b. K. im 19. Jh., an der das Rilakloster (Neubau ab 1834) besonderen Anteil hatte, erfolgte der allmähl. Anschluss an europ. Stilrichtungen. Die Baukunst orientierte sich, wie später auch die Malerei, meist an westl. Vorbildern. Volkstüml. Eigenart drückt sich am stärksten im Kunsthandwerk aus (Holzschnitzereien, Schmuck, Stickerei u.a.). Vertreter der zeitgenöss. Kunst sind die Architekten M. Sokolowski (*1927) und G. Stoilow (*1929), die Maler

G. Baew (*1924), S. Russew (*1933), D. Kirow (*1935), E. Stoitschew (*1935) und T. Sokerow (*1943), die Grafiker C. Nejkow (*1929), A. Panajotowa (*1931) und S. Stoilow (*1944) sowie der Bildhauer G. Tschapkanow (*1945).

📖 ECKERT, G.: *Bulgarien. Kunstdenkmäler aus vier Jahrtausenden von den Thrakern bis zur Gegenwart. Mit einem Exkurs über die Vorgeschichte v.* S. VON REDEN. *Fotos v.* J. F. POBLETE. *Köln* [2]*1989. – Kunstdenkmäler in Bulgarien, hg. v.* R. HOOTZ. *A. d. Bulgar. Neuausg. München u. a. 1990.*

bulgarische Literatur. Das altbulgar. Schrifttum begann mit der Tätigkeit der Slawenapostel →Kyrillos und Methodios und hatte seine Blütezeit unter Zar Simeon (893–927); es wurde zur Grundlage der älteren Literatur der Russen und Serben. Eine neubulgar. Literatur entwickelte sich bes. vor der polit. Befreiung etwa 1860–78 (Petko Slaweikow, C. Botew, L. Karawelow). Nach der Befreiung überwog eine vom patriot. Pathos getragene Literatur unter Führung von I. Wasow. Gegenströmungen pflegten die Satire (A. Konstantinow) und das Formale (v. a. die Symbolisten Pentscho Slawejkow, P. Jaworow, N. Liliew). Nach dem 1. Weltkrieg machte sich in der Lyrik und der erzählenden Dichtung eine Wendung zum Realismus (Elin Pelin u. a.) bemerkbar; die soziale und kulturelle Entwicklung des Landes wurde bes. berücksichtigt. Seit dem 2. Weltkrieg wurde der »sozialist. Realismus« mehr und mehr übernommen. Bed. Autoren sind u. a. D. Dimow und D. Talew. Zu einer Auflockerung kam es nach dem 20. Kongress der KPdSU (1956), spürbar zuerst in der Lyrik (P. Penew, Elissaweta Bagrjana, L. Lewtschew) und im Epigramm (R. Ralin). Die erzähler. Kleinform pflegen bes. J. Raditschkow und N. Chaitow, das Drama bes. O. Wassilew, T. Genow, G. Dschagorow, W. Petrow und I. Radoew, den Roman P. Weschinow, E. Stanew. Auf dem VI. Kongress des Bulgar. Schriftstellerverbandes im März 1989 setzte eine scharfe Kritik am sozialist. Realismus ein. Nach der Wende profilieren sich v. a. jüngere Schriftsteller, so als Erzähler u. a. W. Paskow, als Lyriker I. Kulekow, B. Lambowski und Mirella Iwanowna Sarewa.

📖 MOSER, CH. A.: *A history of Bulgarian literature 865–1944. Den Haag 1972. – A biobibliographical handbook of Bulgarian authors, hg. v.* K. L. BLACK. *A. d. Bulgar. Columbus, Oh., 1981. – Literatur Bulgariens 1944 bis 1980. Einzeldarstellungen, hg. v.* T. SHETSCHEW *u. a. A. d. Bulgar. Berlin-Ost 1981. – Südosteurop. Popularliteratur im 19. u. 20. Jh., hg. v.* K. ROTH. *München 1993.*

bulgarische Musik. Bis Ende des 19. Jh. ist die b. M. weitestgehend beschränkt auf Volksmusik und einstimmigen Kirchengesang. Erst nach der Unabhängigkeit Bulgariens (1878) entwickelte sich

bulgarische Kunst: Kirche der Heiligen Nikolaus und Panteleimon in Bojana, einem Vorort von Sofia (Mitte des 10. Jh. gegründet, Mitte des 13. Jh. vergrößert und zur Grabkirche ausgebaut)

eine neuere Kunstmusik, in der sich Einflüsse der Volksmusik mit Tendenzen der modernen westlichen Musik verbinden; Komponisten sind u. a.: D. Christow, P. Wladigerow, L. Pipkow, L. Nikolow, A. Raitschew, K. Iliew, D. Christow, W. Kasandschiew. In Bulgarien lebt die Tradition des ältesten kirchenslaw. Gesangs fort.

bulgarische Sprache, indoeurop. Sprache, die zur südslaw. Sprachgruppe (→slawische Sprachen) gehört und in Bulgarien, Gebieten Griechenlands, der Türkei, Rumäniens und der Ukraine gesprochen wird. Die Dialekte werden in zwei große Gruppen unterteilt, in das **Ostbulgarische** und das **Westbulgarische.** In der Geschichte der b. S. werden drei wichtige Perioden unterschieden: das **Altbulgarische** (9.–11. Jh.; →Kirchenslawisch), das **Mittelbulgarische** (12.–14. Jh.) und das **Neubulgarische** (ab 15. Jh.); die Schrift ist kyrillisch.

📖 SCHALLER, H. W.: *Bibliographie zur b. S. München 1990.*

Bulimie [griech.] *die* (Bulimia nervosa, Ess-Brech-Sucht), bes. bei Frauen zw. dem 15. und 30. Lebensjahr auftretende suchtartige Störung des Essverhaltens mit Heißhunger und anschließend selbsttätig herbeigeführtem Erbrechen (da hochgradige Angst vor Gewichtszunahme besteht). Der Entwicklung der B. gehen meist starkes Übergewicht oder Anorexia nervosa (→Magersucht) voraus.

📖 *Bulimia u. Anorexia nervosa. Ursachen u. Therapie, hg. v.* C. JACOBI *u.* TH. PAUL. *Berlin u. a. 1991.*

Bulkgut, →Ladung.

Bull, John, engl. Musiker, *Old Radnor (Wales) um 1562, †Antwerpen 12. oder 13. 3. 1628; Organist in London, Brüssel und Antwerpen; als Klavierkomponist einer der Hauptmeister der engl. →Virginalisten.

Bull (Compagnie des Machines Bull S. A.), Paris, Holdingges. der frz. Computerind.; gegr. 1931 zur Auswertung der Patente des Norwegers F. R. Bull (*1882, †1925).

Bullterrier (Schulterhöhe 40–55 cm)

Bulldoggen (Bullenbeißer), →Französische Bulldogge.

Bulldozer [-do:zər, engl.], Planierraupe, →Bagger.

Bulle [mnd. bulle »Zuchtstier«], männl. geschlechtsreifes Tier, v.a. bei Antilopen, Elefanten, Giraffen und Rindern.

Bulle [mhd., zu lat. bulla »Kapsel«] *die,* **1)** Schutzkapsel für Metallsiegel; auch das Metallsiegel selbst, das mit einer Schnur an einer Urkunde befestigt ist.

2) jede mit einer Bulle 1) versehene Urkunde mit Metallsiegel, z.B. die →Goldene Bulle; speziell (seit dem 13. Jh.) ein päpstl. Erlass über wichtige kirchl. Angelegenheiten, in lat. Sprache auf Pergament geschrieben; wird mit den Anfangsworten seines Textes bezeichnet, z.B. »Unam Sanctam« (1302).

Bernhard Fürst von Bülow

Bulletin [byl'tɛ̃, frz.] *das,* Bericht, Bekanntmachung, amtl. Verlautbarung.

Bullinger, Heinrich, schweizer. Reformator, *Bremgarten (Kt. Aargau) 18. 7. 1504, †Zürich 17. 9. 1575; wurde 1531 der Nachfolger Zwinglis in Zürich, verfasste 1536 die Zweite Helvet. Konfession (1566 von der schweizer. Kirche offiziell angenommen).

📖 Büsser, F.: *Die Prophezei. Humanismus u. Reformation in Zürich ..., hg. v.* A. Schindler. *Bern u. a. 1994.*

Rudolf Bultmann

Bullion ['buljən, engl.] *das,* Bez. für Edelmetallbarren in handelsübl. Größen, v.a. für Goldbarren von rd. 12,5 kg.

Bullock ['bʊlək], Alan Louis Charles Baron (seit 1976), brit. Historiker, *Trowbridge 13. 12. 1914; Mitherausgeber der »Oxford History of modern Europe« (1956 ff.). – *Werke:* Hitler (1952); The life and times of Ernest Bevin, 3 Bde. (1960-83); Hitler and Stalin. (1991; dt. Hitler u. Stalin).

Bullterrier, Mitte des 19. Jh. durch Kreuzung von Engl. Bulldogge und Terrier entstandene Hunderasse mit eiförmigem Kopf mit langem Schädel; Körperbau sehr kompakt; sehr wachsam und angriffsfreudig.

Bülow [-o], mecklenburg. Adelsgeschlecht, seit 1229 nachweisbar; bed. Vertreter: **1)** Bernhard (seit 1899 Graf, seit 1905 Fürst) von, Reichskanzler, *Klein-Flottbek (heute zu Hamburg) 3. 5. 1849, †Rom 28. 10. 1929; wurde 1888 Gesandter in Bukarest, 1893 Botschafter in Rom, 1897 Staatssekretär des Auswärtigen Amts, 1900 Reichskanzler. Seine Außenpolitik, die von F.v. Holstein beeinflusst war, konnte die Bildung der Entente nicht verhindern. In der inneren Politik stützte er sich seit 1907 auf den konservativ-liberalen »Bülow-Block«; als dieser an der Frage der Reichsfinanzreform zerfiel, erhielt B. im Juli 1909 seine Entlassung. Im Winter 1914/15 war er Botschafter in Rom, wo er vergeblich dem Kriegseintritt Italiens entgegenarbeitete. – *Werk:* Denkwürdigkeiten, 4 Bde. (1930-31).

📖 Fesser, G.: *Reichskanzler B. Fürst v. B. Eine Biographie. Berlin 1991.*

2) Friedrich Wilhelm Graf B. von Dennewitz (seit 1814), preuß. General, *Falkenberg (Landkr. Stendal) 16. 2. 1755, †Königsberg (Pr.) 25. 2. 1816; schützte in den Freiheitskriegen 1813 Berlin durch die Siege bei Großbeeren und Dennewitz vor den Franzosen. Bei Leipzig 1813 und bei Waterloo 1815 griff er entscheidend ein.

3) Hans Guido Freiherr von, Pianist und Dirigent, *Dresden 8. 1. 1830, †Kairo 12. 2. 1894; heiratete 1857 Cosima Liszt, die ihn 1870 wegen R. Wagner verließ; wurde 1867 Hofkapellmeister in München, leitete 1880–85 die Meininger Hofkapelle, später die Philharmon. Konzerte in Hamburg und Berlin; setzte sich für Wagner und J. Brahms ein.

4) Vicco von, Cartoonist, →Loriot.

Bult *der* (Bülte), aus Torfmoos gebildeter Hügel in Mooren.

Bultmann, Rudolf Karl, evang. Theologe, *Wiefelstede (Landkr. Ammerland) 20. 8. 1884, †Marburg 30. 7. 1976; 1921–51 Prof. in Marburg. B. entstammte der historisch-krit. Schule und war von der Existenzphilosophie M. Heideggers beeinflusst. Umstritten ist seine Lehre, dass die Botschaft des N. T. vom Kreuz und der Auferstehung Christi aus dem mytholog. Weltbild, in das sie eingebettet sei, herausgelöst werden müsse (Entmythologisierung). Mit der Forderung nach Entmythologisierung ist die »existenziale Interpretation« verbunden, derzufolge Reden über Gott nur als Reden über den Menschen möglich ist.

Werke: Die Geschichte der synopt. Tradition (1921); Jesus (1926); Glauben und Verstehen, 4 Bde. (1933 ff.); Das Johannes-Evangelium (1941); Theologie des N. T., 2 Bde. (1953); Das Verhältnis der urchristl. Christusbotschaft zum histor. Jesus (1961).

📖 SINN, G.: *Christologie u. Existenz. R. B.s Interpretation des paulinischen Christuszeugnisses. Tübingen 1991.*

Bulwer-Lytton ['bʊlwəlɪtn], Edward George Earle, 1. Baron (seit 1866) Lytton of Knebworth, brit. Politiker und Schriftsteller; *London 25. 5. 1803, †Torquay (heute zu Torbay) 18. 1. 1873; schrieb Bühnenstücke und handlungsreiche (histor.) Romane, z.B. »Die letzten Tage von Pompeji«, 3 Bde. (1834).

Bumbry ['bʌmbrɪ], Grace, amerikan. Sängerin (Mezzosopran), *Saint Louis (Mo.) 4. 1. 1937; sang 1961 als erste Farbige in Bayreuth die Venus in R. Wagners »Tannhäuser«; auch Liedinterpretin.

Bumerang ['bu:-, auch 'bʊ-; von austral. woomera »Wurfbrett«], urspr. Wurfwaffe der austral. Urbevölkerung (heute gelegentlich noch als Jagdgerät und als Sakralobjekt verwendet), ein gewinkeltes oder leicht gebogenes Wurfgerät, das beim Wurf wieder zum Werfenden zurückkehrt, wenn das Ziel verfehlt worden ist. Die Flugeigenschaften des B. beruhen v.a. auf seinem plankonvexen oder asymmetrisch bikonvexen Querschnitt und auf der Verdrehung der Arme gegeneinander.

Buna® *der* oder *das,* urspr. Handelsname für Synthesekautschuk aus **Bu**tadien und **Na**trium; später auch für andere Kunstkautschuke.

Buna, Chemiewerk in →Schkopau.

Bunche [bʌntʃ], Ralph Johnson, amerikan. Diplomat, *Detroit (Mich.) 7. 8. 1904, †New York 9. 12. 1971; seit 1946 bei der UNO tätig, vermittelte im Palästinakrieg (1948–49) zw. den arab. Staaten und Israel einen Waffenstillstand (Friedensnobelpreis 1950) und nach dem Sueskrieg (1956) die Aufstellung einer UN-Friedenstruppe für den Nahen Osten. 1967–71 war er stellv. Gen.-Sekr. der UNO.

Bund, 1) *allg.:* Gemeinschaft, Vereinigung, Zusammenschluss von Individuen, Gruppen, Staaten (Staaten-B., →Bundesstaat).

2) *Buchbinderei:* die Reihen der Heftschnüre, die quer über den Rücken eines Buches laufen.

3) *Maschinenbau:* ringförmiges Begrenzungsstück einer Welle (eines Zapfens) zur Aufnahme von Schubkräften.

4) *Musik:* bei bestimmten Saiteninstrumenten (Laute, Gitarre, Mandoline) auf dem Griffbrett angebrachte Quermarkierungen zum Greifen der Töne.

5) *Soziologie:* eine Grundform der sozialen Gruppe, zw. Gemeinschaft und Gesellschaft stehend. Der B. ist Träger bestimmter Werte und geistiger Ziele aufgrund einer dauernden, engen, gefühlsbetonten zwischenmenschl. Beziehung. Die Mitgliedschaft kann öffentlich oder geheim sein (→Geheimbünde). Der B. spielte in der →Jugendbewegung eine bedeutsame Rolle.

6) *Theologie:* in der jüd. und christl. Religion das von Gott zw. ihm und den Menschen gestiftete Gemeinschaftsverhältnis. Der Christenheit gilt der B. Gottes mit Israel als der **Alte B.,** der von dem auf Christi Blut gegründeten **Neuen B.** abgelöst wurde.

Bumerang

Der Bumerang ist nicht nur von den australischen Aborigines, sondern auch andernorts erfunden worden. Er war schon im alten Ägypten bekannt und Indianerstämme Nordamerikas benutzen ihn bis heute. Immer wieder wird als auffallendste Eigenschaft hervorgehoben, dass er beim Wurf an seinen Ausgangsort zurückkehrt. Das gilt jedoch nur für einen Teil der Modelle, und zwar solche, die zum Üben und zunehmend für sportliche Wettkämpfe und bei der Jagd zum Aufscheuchen von Vögeln benutzt werden. Für die eigentliche Jagd sind andere Bumerangformen wichtig, deren Stärke darin liegt, dass ein Krummholz erheblich weiter als ein gerades Holz fliegt.

BUND, Abk. für →**B**und für **U**mwelt und **N**aturschutz **D**eutschland e.V.

Bund der Heimatvertriebenen und Entrechteten, Abk. **BHE,** polit. Partei, →Gesamtdeutscher Block/Bund der Heimatvertriebenen und Entrechteten.

Bund der Kommunisten, 1847–52 eine polit. Organisation emigrierter Deutscher, Sitz London; für ihn verfassten K. Marx und F. Engels das →Kommunistische Manifest.

📖 HUNDT, M.: *Gesch. des Bundes der Kommunisten 1836 bis 1852. Frankfurt am Main u.a. 1993.*

Bund der Steuerzahler e.V., Abk. **BdSt,** überparteil. gemeinnützige Organisation zur Wahrung der Interessen der Steuerzahler aller Schichten; gegr. 1949; Sitz Wiesbaden.

Bund der Vertriebenen (Vereinigte Landsmannschaften und Landesverbände), Abk. **BdV,** Verband der Vertriebenen, Sitz Bonn, gegliedert in 21 Landsmannschaften und 16 Landesverbände.

Bund Deutscher Architekten e.V., Abk. **BDA,** 1903 gegr., 1948 neu gegr., Vereinigung freiberufl. Architekten, die sich bes. baukünstler. und städtebaul. Aufgaben widmen; Sitz Bonn.

Bund Deutscher Mädel, Abk. **BDM,** →Hitler-Jugend.

Bund Deutscher Offiziere, Abk. **BDO,** Vereinigung dt. Offiziere in sowjet. Kriegsgefangenschaft, gegr. 1943 von Offizieren der bei Stalingrad geschlagenen 6. Armee. Präs. des Bundes wurde General W. von Seydlitz-Kurzbach; arbeitete eng mit dem →Nationalkomitee Freies Deutschland zusammen; bestand bis 1945.

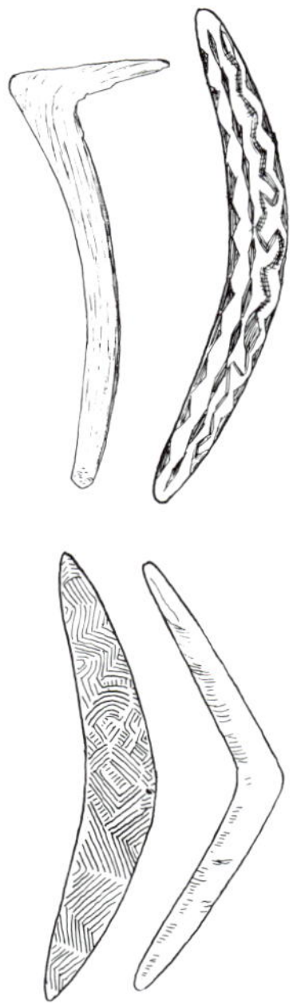

Bumerang: Verschiedene Bumerangformen der Eingeborenen Australiens (links oben gewöhnliches Wurfholz)

Bünde, Stadt im Kr. Herford, NRW, im Ravensberger Hügelland, 43 300 Ew.; Zigarrenfabrikation (Tabak- und Zigarrenmuseum), Eisen-, Glas-, Maschinen-, Bekleidungs-, Fleischwarenind., Holzverarbeitung. – Zahlr. Fachwerkhäuser; um 830 gegr., erhielt 1719 Stadtrecht.

Bündel, *Mathematik:* eine Schar gleichartiger Figuren (Geraden, Kreise, Ebenen u.a.) im Raum, die sich in einem Punkt schneiden; ein Sonderfall des B. ist das →Büschel.

Bündelleiter, eine besondere Anordnung elektr. Leiter zur Energieübertragung mit hohen Spannungen von mehr als 100 kV. Zur Herabsetzung der Feldstärke und damit der Koronaverluste wird der Leiter jeder Phase in mehrere parallel laufende Teilleiter aufgeteilt.

Bündelpfeiler, *Baukunst:* →Dienst.

Bundesakte, die auf dem Wiener Kongress geschaffene, am 8. 6. 1815 gefertigte Verf. des Dt. Bundes von 1815 bis 1866.

Bundesämter (Bundesanstalten), in Dtl. Bundesoberbehörden für ein bestimmtes Sachgebiet, also als Teil der unmittelbaren Bundesverwaltung eine nachgeordnete Behörde im Geschäftsbereich einer obersten Bundesbehörde (Bundesminister). Den B. gleichgestellt sind die **Bundesforschungsanstalten** und **Bundesinstitute**, häufig untergliedert in Außenstellen, Nebenämter u.Ä. (ÜBERSICHT). – In *Österreich* sind B. für Vollzugsaufgaben zuständige bundeseigene Behörden (z.B. Bundessozialämter, Umweltbundesamt). – In der *Schweiz* sind B. (ca. 70) den Departementen nachgeordnete Verwaltungseinheiten; sie bilden das Rückgrat der Bundesverwaltung (z.B. die B. für Umwelt, für Justiz, für geistiges Eigentum).

Bundesamt für Industrie, Gewerbe und Arbeit, Abk. **BIGA,** schweizer. Bundesbehörde zur Wirtschaftsförderung, Berufsausbildung, Arbeitsmarkt-, Sozialpolitik u.a.; Sitz Bern.

Bundesamt für Post und Telekommunikation, Abk. **BAPT,** aufgrund der Postreform I 1990 eingerichtete zentrale Ausführungsbehörde für hoheitl. Aufgaben im Bereich von Post und Telekommunikation; Sitz Mainz.

Bundesamt für Strahlenschutz, Bundesoberbehörde im Geschäftsbereich des Bundesmin. für Umwelt, Naturschutz und Reaktorsicherheit, Sitz Salzgitter, gegr. 1989; soll u.a. die Endlager des Bundes für radioaktive Abfälle errichten und betreiben sowie Transport und Aufbewahrung von Kernbrennstoffen genehmigen.

Bundesangestelltentarifvertrag, Abk. **BAT,** →Tarifvertrag (seit 1. 4. 1961) für alle Arbeitnehmer von Bund, Ländern und Gemeinden (ausgenommen waren Bundesbahn und -post), die nicht Beamte sind; auch andere Institutionen des öffentl. oder quasi-öffentl. Dienstes legen den BAT ihren Arbeitsverhältnissen zugrunde. Der BAT wird ausgehandelt zw. dem Bund, der Tarifgemeinschaft der Länder, der Vereinigung kommunaler Arbeitgeberverbände und andererseits den Gewerkschaften (ÖTV, DAG). Der BAT regelt die Arbeitsverhältnisse auf privatrechtl. Grundlage. In den neuen Bundesländern gilt der BAT-O(st).

Bundesanleihen, Schuldverschreibungen des Bundes oder seiner Sondervermögen, mit denen Mittel am Kapitalmarkt beschafft werden. Die Emission erfolgt durch das **B.-Konsortium,** eine Gruppe von rd. 80 Kreditinstituten unter Führung der Dt. Bundesbank.

Bundesanstalten, → Bundesämter.

Bundesanstalt für Arbeitsschutz und Arbeitsmedizin, Abk. **BAuA,** für Arbeitssicherheit, Gesundheitsschutz, Unfallverhütung und Arbeitsmedizin zuständige Institution, entstanden 1996 durch Zusammenlegung zweier Bundesanstalten; Sitze: Dortmund und Berlin (→Bundesämter, ÜBERSICHT).

Bundesanstalt für Landwirtschaft und Ernährung, Abk. **BLE,** durch Zusammenlegung von Bundesanstalt für landwirtschaftliche Marktordnung und Bundesamt für Ernährung und Forstwirtschaft 1995 entstandene Anstalt des öffentl. Rechts; Sitz Frankfurt am Main.

Bundesanwaltschaft, in Dtl. die Staatsanwaltschaft beim Bundesgerichtshof, geleitet vom Generalbundesanwalt; der Oberbundesanwalt ist Vertreter des öffentl. Interesses beim Bundesverwaltungsgericht. In der *Schweiz* die eidgenöss. Ermittlungs-, Anklage- und Sicherheitsbehörde mit allgemeinen und sicherheitsspezif. Polizei- und staatsanwaltl. Funktionen.

Bundesanzeiger, in Dtl. das amtl., vom Bundesmin. der Justiz herausgegebene Publikationsorgan für amtl. Mitteilungen (Verwaltungsanordnungen, Ausschreibungen der Ministerien u.a.); auch Organ für gerichtl. und private Veröffentlichungen, die gesetzlich vorgeschrieben sind, z.B. Hinterlegungsbekanntmachungen, Jahresabschlüsse.

Bundesarbeitsgericht, Abk. **BAG,** in Dtl. das oberste Gericht in Arbeitssachen (→Arbeitsgerichtsbarkeit); Sitz Erfurt (bis 1996 Kassel).

Bundesarchiv, eine Bundeseinrichtung, 1952 für die zentralen archivar. Aufgaben der Bundesrep. Dtl. in Koblenz errichtet; Außenstellen bestehen in Frankfurt am Main, Aachen, Rastatt, Bayreuth und Potsdam.

Bundesaufsicht, in Staaten mit föderalem Aufbau die Befugnis des Bundes, die Ausführung der Bundesgesetze durch die Gliedstaaten zu beaufsichtigen; in Dtl. ist dies die Pflicht der Bundesreg. (Art. 84, 85 GG). Führen die Länder die Bundesgesetze als eigene Angelegenheit aus, erstreckt sich

Bundesämter (B), Bundesanstalten (BA), Bundesforschungsanstalten (BFA), Bundesinstitute (BI) oder Einrichtungen mit ähnlichem Status in der Bundesrepublik Deutschland
(Auswahl; geordnet nach den Geschäftsbereichen der Bundesministerien)

Arbeit und Sozialordnung:
Bundesversicherungsamt, Berlin
BA für Arbeitsschutz und Arbeitsmedizin, Dortmund und Berlin
BA für Arbeit, Nürnberg

Auswärtiges:
Deutsches Archäologisches Institut, Berlin (Zentraldirektion)

Bildung, Wissenschaft, Forschung und Technologie:
BI für Berufsbildung, Berlin
Deutsches Historisches Institut, Paris
Deutsches Historisches Institut, Rom
Kunsthistorisches Institut, Florenz
Biologische Anstalt Helgoland, Hamburg

Ernährung, Landwirtschaft und Forsten:
BA für Landwirtschaft und Ernährung, Frankfurt am Main
Bundessortenamt, Hannover
BFA für Landwirtschaft, Braunschweig
Biolog. BA für Land- und Forstwirtschaft, Berlin und Braunschweig
BA für Milchforschung, Kiel
BFA für Fischerei, Hamburg
BFA für Forst- und Holzwirtschaft, Hamburg
BA für Getreide-, Kartoffel- und Fettforschung, Detmold und Münster
BFA für Viruskrankheiten der Tiere, Tübingen
BA für Fleischforschung, Kulmbach
BFA für Ernährung, Karlsruhe
BA für Züchtungsforschung an Kulturpflanzen, Quedlinburg

Finanzen:
BA für vereinigungsbedingte Sonderaufgaben, Berlin
Bundesmonopolverwaltung für Branntwein/Bundesmonopolamt, Offenbach am Main
Bundesschuldenverwaltung, Bad Homburg v. d. Höhe
B für Finanzen, Bonn
Bundesaufsichtsamt für das Kreditwesen, Berlin
Bundesaufsichtsamt für das Versicherungswesen, Berlin
Bundesaufsichtsamt für den Wertpapierhandel, Frankfurt am Main
Versorgungsanstalt des Bundes und der Länder, Karlsruhe
Kreditanstalt für Wiederaufbau, Frankfurt am Main
B zur Regelung offener Vermögensfragen, Berlin
BA für Post- und Telekommunikation Dt. Bundespost, Bonn*)

Inneres:
Statistisches Bundesamt, Wiesbaden
Bundesverwaltungsamt, Köln
Bundesarchiv, Koblenz
Institut für Angewandte Geodäsie, Frankfurt am Main
Bundeszentrale für polit. Bildung, Bonn
BI für ostdt. Kultur und Geschichte, Oldenburg
BI für ostwissenschaftl. und internat. Studien, Köln
BI für Sportwissenschaft, Köln
B für die Anerkennung ausländ. Flüchtlinge, Nürnberg
B für Verfassungsschutz, Köln
B für Zivilschutz, Bonn
Bundeskriminalamt, Wiesbaden
Akademie für zivile Verteidigung, Bonn
Bundesausgleichsamt, Bad Homburg v. d. Höhe
BI für Bevölkerungsforschung, Wiesbaden

Familie, Senioren, Frauen und Jugend:
B für den Zivildienst, Köln
Bundesprüfstelle für jugendgefährdende Schriften, Bonn

Gesundheit:
B für Sera und Impfstoffe, Paul-Ehrlich-Institut, Frankfurt am Main
Bundeszentale für gesundheitl. Aufklärung, Köln
BI für Arzneimittel und Medizinprodukte, Berlin

Justiz:
Deutsches Patentamt, München

Post- und Telekommunikation:
B für Post- und Telekommunikation, verschmilzt zum 1. 1. 1998 mit Resten des Min. für Post- und Telekommunikation zu einer ›Regulierungsbehörde‹ im Geschäftsbereich des BMWI (Wirtschafts-Min.)

Raumordnung, Bauwesen und Städtebau:
BFA für Landeskunde und Raumordnung, Bonn
Bundesbaudirektion, Berlin

Umwelt, Naturschutz und Reaktorsicherheit:
Umweltbundesamt, Berlin
BFA für Naturschutz, Bonn
B für Strahlenschutz, Salzgitter

Verkehr:
Deutscher Wetterdienst, Offenbach am Main
BA für den Güterverkehr, Köln
Kraftfahrt-B, Flensburg
B für Seeschifffahrt und Hydrographie, Hamburg
Luftfahrt-B, Braunschweig
BA für Straßenwesen, Köln
BA für Gewässerkunde, Koblenz
BA für Wasserbau, Karlsruhe
Bundesoberseeamt, Hamburg
Eisenbahn-B, Bonn
Bundeseisenbahnvermögen, Frankfurt am Main

Verteidigung:
B für Wehrtechnik und Beschaffung, Koblenz
B für Wehrverwaltung, Bonn
Bundessprachenamt, Hürth
Militärgeschichtl. Forschungsamt, Potsdam

Wirtschaft:
Physikalisch-Technische BA, Braunschweig
B für Wirtschaft, Eschborn
Bundesstelle für Außenhandelsinformation, Köln
Bundeskartellamt, Berlin
BA für Materialforschung und -prüfung, Berlin
BA für Geowissenschaften und Rohstoffe, Hannover

*) ab 1. 1. 1998

die B. auf die Rechtmäßigkeit der Ausführung; führen sie sie im Auftrag des Bundes aus (Auftragsverwaltung, z. B. Verwaltung der Bundesstraßen), erstreckt sich die B. auf die Recht- und die Zweckmäßigkeit der Ausführung. In der *Schweiz* ist eine B. ähnlich in Art. 102 der Bundesverf. geregelt.

Bundesaufsichtsamt für das Kreditwesen, Abk. **BAK,** die zentrale Bundesoberbehörde, die die Bankenaufsicht über die Kreditinstitute ausübt, gegr. 1962.

Bundesaufsichtsamt für den Wertpapierhandel, Abk. **BAWe,** selbstständige Bundesoberbehörde, die die Funktionsfähigkeit der Märkte für Wertpapiere und Derivate insbes. unter dem Aspekte des Anlegerschutzes sichert, tätig seit 1995, Sitz: Frankfurt am Main.

Bundesausbildungsförderungsgesetz, Abk. **BAföG,** →Ausbildungsbeihilfen.

Bundesausfuhramt, Abk. **BAFA,** Bundesoberbehörde, die u.a. für Ausfuhrgenehmigungen, atomrechtl. Einfuhr- und Ausfuhrgenehmigungen, Überwachung von Herstellung, Transport und Verkauf von Rüstungsgütern zuständig ist; gegr. 1. 4. 1992, Sitz Eschborn.

Bundesausgleichsamt, Bundesoberbehörde zur Durchführung des →Lastenausgleichs; untersteht dem Bundesmin. des Innern im Einvernehmen mit dem Bundesmin. der Finanzen; errichtet 1952, Sitz Bad Homburg v.d. Höhe.

Bundesautobahn, →Autobahn.

Bundesbahn, Kurz-Bez. für die ehemalige Deutsche Bundesbahn (→Deutsche Bahn AG, →Bahnreform); →Österreichische Bundesbahnen, →Schweizerische Bundesbahnen.

Bundesbank, die →Deutsche Bundesbank.

Bundesbehörden, in einem Bundesstaat die Behörden des Gesamtstaats im Unterschied zu den Behörden der Gliedstaaten (in Dtl. Landesbehörden). In Dtl. die der →Bundesverwaltung zugeordneten Behören. – In *Österreich* sind oberste B. der Bundespräs., die Bundesreg. und die Bundesmin., unter deren Leitung zahlr. B. arbeiten (z.B. Finanzämter). – In der *Schweiz* sind B. sowohl Bundesversammlung, Bundesrat, Bundesgericht und Bundeskanzlei als auch die Departemente (Ministerien) sowie diesen unterstellte Bundesämter, Betriebe u.a.

Bundesbeteiligungen, →Bundesbetriebe.

Bundesbetriebe, i.w.S. oft Synonym für die öffentlichen Unternehmen des Bundes (**Bundesunternehmen**) einschließlich der Unternehmen des öffentl. und privaten Rechts, an denen der Bund bzw. die Sondervermögen des Bundes mehrheitlich beteiligt sind (Bundesbeteiligungen; →Privatisierung); i.e.S. (nach §26 Bundeshaushaltsordnung) rechtlich unselbstständige, organisatorisch ausgegliederte Einrichtungen der Bundesverwaltung, die erwerbswirtschaftlich (z.B. die Bundesmonopolverwaltung für Branntwein) ausgerichtet sind (**Regiebetriebe des Bundes**).

Bundesblatt, in der Schweiz offizielles Publikationsorgan der Bundesbehörden, v.a. zur Veröffentlichung von Gesetzentwürfen des Bundesrates und von referendumsfähigen Beschlüssen der Bundesversammlung.

Bundesbürgschaften, in Dtl. aus Gründen der Wirtschafts- und Exportförderung vom Bund übernommene bedingte Verpflichtungen gegenüber Kreditgebern zur Absicherung privatwirtschaftlich nicht versicherbarer wirtschaftl. und polit. Risiken, v.a. im Außenwirtschaftsbereich, in Form von Bürgschaften oder Garantien. (→Hermes Kreditversicherungs-AG)

Bundesdistrikt, in Staaten mit föderalem Aufbau ein bundesunmittelbares Gebiet, das zu keinem Bundesstaat gehört; z.B. in den USA der District of Columbia.

Bundesdruckerei GmbH, Bundesunternehmen, das für Bund, Länder und ausländ. Staaten Gesetzblätter, Reisepässe, Banknoten, Postwertzeichen u.a. druckt; gegr. 1879, seit 1. 7. 1994 GmbH; Sitz Berlin.

Bundesexekution, im Bundesstaat und Staatenbund die Ausübung von Zwang durch die Bundesgewalt gegen ein Bundesmitglied, das seine Pflichten gegenüber dem Gesamtstaat verletzt (→Reichsexekution, im Völkerrecht →Sanktion); in Dtl. besteht der →Bundeszwang. Im Dt. Bund nach Art. 31 der Wiener Schlussakte von 1820 und der Exekutionsordnung ein Mittel zur Vollstreckung gerichtsähnl. Entscheidungen sowie zum Vollzug der Bundesakte und anderer Grundges., Beschlüsse und Garantien des Bundes gegen »pflichtwidrige« Bundesmitglieder. Angewandt z.B. 1834 gegen die Freie Stadt Frankfurt.

Bundesfernstraßen, in Dtl. die öffentl. Straßen, die ein zusammenhängendes, dem Fernverkehr dienendes Verkehrsnetz aus →Autobahnen und →Bundesstraßen (mit Ortsdurchfahrten) bilden. B. werden im Auftrag des Bundes von den Ländern verwaltet.

Bundesfinanzhof, Abk. **BFH,** das oberste Gericht der dt. →Finanzgerichtsbarkeit. (→Gericht)

Bundesfürsten, im Dt. Reich (1871–1918) die Landesherren der zum Reich gehörigen Staaten. Als konstitutionelle Monarchen regierend, hatten sie mit Ausnahme des preuß. Königs ihre Souveränität verloren.

Bundesgebiet, das Gebiet des Norddt. Bundes, dann des Dt. Reiches von 1871 bis 1918. Seit 1919 hieß das dt. Staatsgebiet **Reichsgebiet,** seit 1949 heißt das Gebiet der Bundesrep. Dtl. (seit 1990 einschl. der Länder der ehem. DDR) wieder B. (→Deutschland)

Bundesgenossenkriege, drei Kriege im Altertum: **1)** 357 bis 355 v.Chr. zw. Athen und den vom 2. Att. Seebund abgefallenen Bundesgenossen.

2) 220 bis 217 v.Chr. zw. Philipp V. von Makedonien und dem Achaiischen Bund einerseits und dem Ätol. Bund andererseits.

3) (Marsischer Krieg) 91 bis 89 und 82 v.Chr. zw. Rom und seinen italischen Bundesgenossen, v.a. den Marsern in Mittel- und den Samniten in Süditalien, die das röm. Bürgerrecht erzwangen.

Bundesgericht, das oberste Gericht der Schweiz, Sitz Lausanne; zuständig für Streitigkeiten zw. Bund und Kantonen sowie als Revisionsinstanz in Zivil- und Strafsachen. Als **Eidgenöss. Versicherungsgericht** in Luzern ist es die oberste Instanz für Sozialversicherungsstreitigkeiten.

Bundesgerichte, in Bundesstaaten Gerichte des Gesamtstaates, die organisatorisch unabhängig von den Gerichten der Gliedstaaten bestehen. In Dtl. sind B. die obersten Gerichtshöfe des Bundes (→Bundesgerichtshof, →Bundesverwaltungsgericht, →Bundesfinanzhof, →Bundesarbeitsgericht, →Bundessozialgericht), der Gemeinsame Senat der obersten Gerichtshöfe, das Bundespatentgericht und das Bundesdisziplinargericht. Einen besonderen Platz unter den B. nimmt das →Bundesverfassungsgericht ein. – In *Österreich* ist die Ausübung der Gerichtsbarkeit ausschließlich Sache des Bundes, mithin sind alle österr. Gerichte B. Zur *Schweiz* →Bundesgericht.

Bundesgerichtshof, Abk. **BGH,** das oberste Bundesgericht für Dtl. im Bereich der ordentl. (Zivil- und Straf-)Gerichtsbarkeit; Sitz Karlsruhe. Beim B. bestehen Zivil- und Strafsenate (je fünf Mitgl.) sowie Fachsenate, z. B. für Anwaltssachen. Zur Wahrung der Einheitlichkeit der Rechtsprechung und zur Entscheidung über Rechtsfragen von grundsätzl. Bedeutung wurden je ein Großer Senat für Zivil- und Strafsachen und die Vereinigten Großen Senate gebildet. ÜBERSICHT Gericht.

Bundesgesetzblatt, Abk. **BGBl.,** in Dtl. seit 1949 das amtl. Verkündungsblatt u. a. für Gesetze und Rechts-VO. des Bundes; erscheint in drei Teilen (Teil I: Gesetze, Rechts-VO, Entscheidungen des Bundesverfassungsgerichts mit Gesetzeskraft, Anordnungen des Bundes-Präs.; Teil II: Völkerrechtl. Vereinbarungen; Teil III: Rechtsbereinigung). In *Österreich* erscheint ein ähnl. Organ unter gleicher Bez., in der *Schweiz* das →Bundesblatt.

Bundesgesetze, in einem Bundesstaat die vom Gesamtstaat erlassenen Gesetze im Unterschied zu den Landesgesetzen. In Dtl. können B. nur erlassen werden, soweit dem Bund die Gesetzgebungskompetenz zusteht (→Gesetzgebungsverfahren).

Bundesgesundheitsamt, ehem. Bundesoberbehörde (aufgelöst zum 30. 6. 1994) in Dtl., war u. a. zuständig für die Zulassung von Arzneimitteln.

Bundesgrenzschutz, Abk. **BGS,** 1951 errichtete und dem Bundesmin. des Innern unterstellte Sonderpolizei des Bundes. Urspr. vornehmlich mit der Sicherung der Grenzen betraut, hat sich seine Struktur durch die europ. Integration und die dt. Vereinigung wesentlich gewandelt. Grundlage seiner Tätigkeit ist das B.-Ges. vom 19. 10. 1994. Die Aufgaben des B. umfassen die polizeil. Überwachung der Grenzen, die polizeil. Gefahrenabwehr auf den Eisenbahnanlagen des Bundes (B. als Bahnpolizei) und der Luftsicherheit, der Schutz der Bundesorgane, polizeil. Mitwirkung bei Aktionen der UNO und der EU u. Ä. Behörden des B. sind die Grenzschutzpräsidien, die Grenzschutzdirektionen, die Grenzschutzschulen und die Grenzschutz- und Bahnpolizeiämter. Die Personalstärke des B. liegt bei knapp 30 000 Vollzugsbediensteten (Ende 1996).

Bundesheer, Heer eines Bundesstaats, z. B. des Deutschen Bundes (1815–66), Österreichs und der Schweiz.

Bundesimmissionsschutzgesetz, Gesetz i. d. F. v. 14. 5. 1990, das den Schutz von Menschen, Tieren, Pflanzen, Boden, Wasser, Atmosphäre sowie Kultur- und Sachgütern vor schädl. Umwelteinwirkungen durch Luftverunreinigungen, Geräusche, Erschütterungen u. a. zum Ziel hat. Schädl. Umwelteinwirkungen im Sinne des Gesetzes sind Immissionen, die nach Art, Ausmaß und Dauer geeignet sind, Gefahren, erhebl. Nachteile oder erhebl. Belästigungen für die Allgemeinheit oder die Nachbarschaft herbeizuführen. Der Immissionsschutz wird bes. dadurch verwirklicht, dass Anlagen mit umweltschädl. Emissionen der Genehmigung und Überwachung unterliegen. (→Luftreinhaltung, →Feuerung)

Bundesintervention, das Eingreifen des Gesamtstaates zur Unterstützung eines Gliedstaates. (→Bundesexekution, →Bundeszwang)

Bundesjugendplan, →Kinder- und Jugendplan des Bundes.

Bundesjugendring, →Jugendverbände.

Bundesjugendspiele, seit 1951 veranstaltete Wettkämpfe für Jugendliche vom 8. bis 21. Lebensjahr in der Bundesrep. Dtl.: Mehrkämpfe (nach Wahl) im Turnen, Schwimmen und in der Leichtathletik.

Bundeskanzlei, in der *Schweiz* die dem Bundespräs. unterstellte Kanzlei von Bundesrat und Bundesversammlung.

Bundeskanzler, in Dtl. der Leiter der Bundesregierung. Er wird vom Bundestag auf Vorschlag des Bundespräs. ohne Aussprache gewählt (Art. 63, 64 GG); in den ersten beiden Wahlgängen ist hierzu die Mehrheit aller Mitgl. des Bundestages erforderlich. Er schlägt dem Bundespräs. die Bundesmin. zur Ernennung oder Entlassung vor, bestimmt die Richtlinien der Politik und trägt für sie die Verantwortung gegenüber dem Bundestag; einen der Bundesmin. ernennt der B. zu seinem Stellvertreter. Die Amtszeit des B. endet durch Tod oder Rücktritt mit dem Zusammentritt des neu gewählten Bundestages oder durch ein erfolgreiches konstruktives Misstrauensvotum, d. h. durch entsprechendes Votum des Parlaments unter gleichzeitiger Neuwahl eines Nachfolgers (hiermit verbunden ist der Sturz der gesamten Regierung). Durch Richtlinienkompetenz und erschwerte Abwahl ist der B., im Ggs. zum Reichskanzler der Weimarer Rep., die zentrale Machtfigur des Verfassungssystems. Wird der vom B. selbst gestellte Vertrauensantrag vom Bundestag abgelehnt, kann der B. dem Bundespräs. die Auflösung des Bundestages vorschlagen. Amtsträger: K. Adenauer (1949–63), L. Erhard (1963–66), K. G. Kiesinger (1966–69), W. Brandt (1969–74), H. Schmidt (1974–82), H. Kohl (seit 1982). Dem B. direkt unterstellt ist das **Presse- und Informationsamt der Bundesreg.** – In *Österreich* ist der B. der Vors. der Bundesreg. (ohne Richtlinienkompetenz). B. waren: K. Renner (1945), L. Figl (1945–53), J. Raab (1953–61), A. Gorbach (1961–64), J. Klaus (1964–70), B. Kreisky (1970–83), F. Sinowatz (1983–86), F. Vranitzky (1986–97), V. Klima (seit 1997). – In der *Schweiz* ist der B. der auf vier Jahre gewählte Leiter der →Bundeskanzlei.

📖 *Die deutschen Kanzler. Von Bismarck bis Kohl, hg. v.* W. VON STERNBURG. *Neuausg. Frankfurt am Main 1994.*

Bundeskartellamt, Abk. **BKartA,** Bundesoberbehörde im Geschäftsbereich des Bundesmin. für Wirtschaft, gegr. 1958, Sitz Berlin. Das B. nimmt die sich aus dem Gesetz gegen Wettbewerbsbeschränkungen (GWB) ergebenden Aufgaben wahr und hat zu diesem Zweck Auskunfts- und Einsichtsrechte (auch mittels Durchsuchungen) in Geschäftsunterlagen. Es kann Verstöße gegen das GWB (z.B. unerlaubte Preisabsprachen) untersagen und mit Bußgeldern ahnden. Das Entscheidungsverfahren des B. ist justizähnlich, gegen die Entscheidungen selbst sind Beschwerde zum Kammergericht und Rechtsbeschwerde zum BGH möglich. (→Fusionskontrolle, →Kartell, →Missbrauchsaufsicht)

Bundeskriminalamt, Abk. **BKA,** 1951 errichtete Bundesoberbehörde für die Zusammenarbeit von Bund und Ländern bei der länderübergreifenden Verbrechensbekämpfung, untersteht dem Bundesmin. des Innern; Sitz Wiesbaden. (→Interpol)

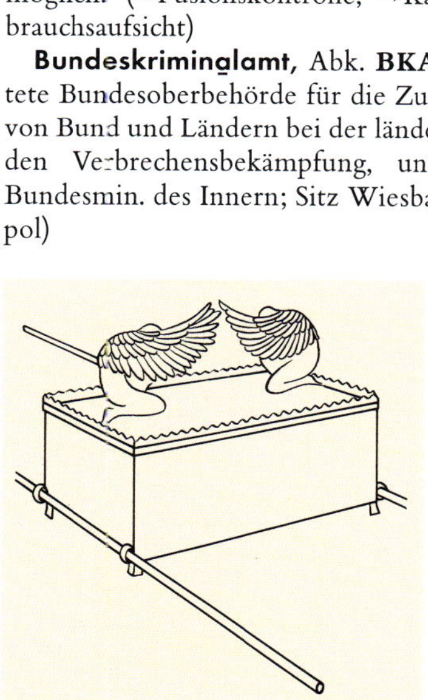

Bundeslade (schematische Rekonstruktion)

Bundeslade (Lade Gottes), Wanderheiligtum des israelit. Stämmebundes, das durch David nach Jerusalem und von Salomo in das Allerheiligste des Tempels gebracht wurde. Ihr Verbleib nach dem Babylon. Exil ist unbekannt. Nach 2. Mos. 25, 10 ff., 37, 1 ff. war die B. ein an zwei Stangen tragbarer vergoldeter Kasten aus Akazienholz mit Deckel, auf dem zwei goldene Cherubgestalten standen. Nach jüngerer Überlieferung enthielt sie die Gesetzestafeln **(Gesetzeslade).** In der Synagoge wird die B. durch den Thoraschrein versinnbildlicht.

Bundesländer, die Gliedstaaten von Bundesstaaten, bes. in Dtl. und Österreich.

Bundesleistungsgesetz, →Sachleistungsrecht.

Bundesliga, höchste Spiel- oder Leistungsklasse für Mannschaftssportarten oder Vereinsmannschaften aus Einzelsportlern in Dtl. In den B. wird i. d. R. der Dt. Meister ermittelt.

Bundesminister, →Bundesregierung.

Bundesmonopolverwaltung für Branntwein, →Branntweinmonopol.

Bundesnachrichtendienst, Abk. **BND,** der Auslandsnachrichtendienst der Bundesrep. Dtl., Sitz Pullach; hervorgegangen aus der »Organisation Gehlen«. Diese wurde 1955 von der Bundesreg. übernommen und 1956 in den B. umgewandelt. Der B. untersteht dem Bundeskanzleramt und unterliegt der Kontrolle durch die →Parlamentarische Kontrollkommission.

Bundesobligation, Bundesanleihe (kleinste Stückelung 100 DM), die seit 1979 in aufeinander folgenden Serien (neue Serie bei Übergang zu anderem Nominalzins) mit festem Zinssatz und variablen Ausgabekursen ausgegeben wird. Die Laufzeit beträgt fünf Jahre. Da B. an Börsen gehandelt werden, sind sie jederzeit veräußerbar.

Bundespatentgericht, →Patentgericht.

Bundespräsident, 1) das dt. Staatsoberhaupt. Der B. wird von der Bundesversammlung auf fünf Jahre gewählt (Wählbarkeit vom vollendeten 40. Lebensjahr an), er kann anschließend einmal wieder gewählt werden (Art. 54 GG). Gewählt ist, wer die Mehrheit der Stimmen der Mitgl. der Bundesversammlung auf sich vereint, im 3. Wahlgang genügt die relative Mehrheit. Der B. vertritt den Bund völkerrechtlich und beglaubigt die diplomat. Vertreter. Er fertigt die Bundesgesetze aus und verkündet sie, wobei ihm hierbei mindestens ein Prüfungsrecht zusteht, ob die Ges. verfassungsgemäß zustande gekommen sind. Er schlägt dem Bundestag den Bundeskanzler zur Wahl vor, ernennt und entlässt ihn auf Vorschlag des Bundestages. Er ernennt und entlässt ferner die Bundesmin. auf Vorschlag des Bundeskanzlers sowie die Bundesrichter, Bundesbeamten, Offiziere und Unteroffiziere, sofern nichts anderes bestimmt ist. Der B. hat für den Bund das Begnadigungsrecht. Anordnungen und Verfügungen des B. bedürfen der Gegenzeichnung des Bundeskanzlers oder des zuständigen Bundesministers. Amtsträger: T. Heuss (1949–59), H. Lübke (1959–69), G. Heinemann (1969–74), W. Scheel (1974–79), K. Carstens

(1979–84), R. von Weizsäcker (1984-94), R. Herzog (seit 1994).

📖 Winter, I. M.: *Unsere Bundespräsidenten. Von Theodor Heuss bis Roman Herzog. Sieben Porträts. Düsseldorf* ³*1994*.

2) in *Österreich* das Staatsoberhaupt, das vom Volk auf sechs Jahre mit Mehrheit gewählt wird, andernfalls ein zweiter Wahlgang erforderlich wird (Wählbarkeit vom vollendeten 35. Lebensjahr an, Wiederwahl einmal zulässig). Seine Rechtstellung ähnelt der des dt. B. Zu B. wurden gewählt: 1945 K. Renner, 1951 T. Körner, 1957 A. Schärf, 1965 F. Jonas, 1974 R. Kirchschläger, 1986 K. Waldheim, 1992 T. Klestil.

📖 Welan, M.: *Der B. Kein Kaiser in der Republik. Wien u. a. 1992*.

3) in der *Schweiz* der von der Bundesversammlung auf ein Jahr gewählte Vors. des Bundesrats; er vertritt die Eidgenossenschaft nach außen, behält sein Departement und ist »Erster unter Gleichen«, nicht Staatsoberhaupt.

Bundesrat, das föderative Organ mancher Bundesstaaten, zusammengesetzt aus Vertretern der Reg. oder der Volksvertretungen der Gliedstaaten.

1) in *Deutschland* das Bundesorgan, durch das die Länder bei der Gesetzgebung (→Gesetzgebungsverfahren) und Verw. des Bundes mitwirken. Er besteht aus Mitgl. der Landesreg. Die Stimmenzahl richtet sich nach der Bev.zahl des Landes; jedes Land hat mindestens drei Stimmen, Länder mit mehr als 2 Mio. Ew. haben vier, Länder mit mehr als 6 Mio. Ew. fünf, Länder mit mehr als 7 Mio. Ew. sechs Stimmen, insgesamt 68 Stimmen. Der Präs. des B. wird auf ein Jahr gewählt, er vertritt den Bundespräs. bei dessen Verhinderung. Der B. hat im Gesetzgebungsverfahren eine starke Stellung. In Gesetzesmaterien, die seiner Zustimmung bedürfen, kann ein Gesetz ohne seine Billigung nicht zustande kommen, in den Gegenständen der konkurrierenden Gesetzgebung ist er befugt, Einspruch einzulegen, den der Bundestag zurückweisen kann. Der B. wählt ein Drittel der Mitgl. des →Gemeinsamen Ausschusses und die Hälfte der Bundesverfassungsrichter.

📖 Pfitzer, A.: *Der B. Mitwirkung der Länder im Bund. Heidelberg 1994*.

2) in *Österreich* ist der B. die Zweite Kammer im Verfahren der Bundesgesetzgebung. Seine Mitgl. werden von den Landtagen für die Dauer ihrer Gesetzgebungsperioden gewählt. Das einwohnergrößte Land entsendet zwölf, das kleinste drei Vertreter, insgesamt (1997) 64 Mitgl.

3) in der *Schweiz* ist der B. die oberste leitende und vollziehende Reg.behörde, die sich aus sieben von der Bundesversammlung auf vier Jahre ernannten Mitgl. (Bundesräte) zusammensetzt. Jeder Bundesrat leitet ein Departement, der Vors. dieses Gremiums ist der Bundespräsident.

4) im *Dt. Reich* (1871–1918) war der B. als Vertretung der einzelstaatl. Reg. das oberste Reichsorgan und der Träger der Souveränität; seine Bedeutung trat zunehmend hinter Kaiser und Reichstag zurück. Die Stimmen (seit 1911: 61, davon Preußen 17) verteilten sich nach der Größe der Bundesstaaten. Die Mitgl. stimmten nach der Instruktion ihrer Reg., den Vorsitz führte der Reichskanzler. Der B. konnte jede Änderung der Reichsverf. ablehnen und entschied Streitfälle zw. Gliedstaaten; die Reichsgesetze bedurften seiner Zustimmung.

Bundesrechnungshof, der Bundesreg. gegenüber unabhängige, nur dem Gesetz unterworfene Bundesoberbehörde zur Kontrolle und Rechtslegung über die gesamte Haushalts- und Wirtschaftsführung des Bundes einschl. seiner Sondervermögen und Betriebe; am 27. 11. 1950 errichtet; Sitz Frankfurt am Main. Die Mitgl. besitzen richterl. Unabhängigkeit, können aber keine Sanktionen verhängen. In den Ländern bestehen entsprechende Behörden.

Bundesrecht, das in einem Bundesstaat geltende Recht des Gesamtstaats, im Unterschied zum Landesrecht. In Dtl. sind B. alle seit dem In-Kraft-Treten des GG erlassenen Bundesges. und -verordnungen sowie das als B. fortgeltende frühere Recht. Nach Art. 31 GG (B. bricht Landesrecht) hat das B. den unbedingten Vorrang. In *Österreich* und der *Schweiz* hat das B. gleichfalls den Vorrang vor dem Landesrecht bzw. kantonalen Recht.

Bundesregierung, die Regierung eines Bundesstaats.

1) in *Deutschland* das zur allgemeinen Leitung des Bundes berufene kollegiale Verf.organ (Art. 62 GG). Die B. besteht aus dem →Bundeskanzler und den Bundesmin. Diese werden auf Vorschlag des Bundeskanzlers vom Bundespräs. ernannt und entlassen. Die Richtlinien der Bundespolitik bestimmt der Bundeskanzler (Kanzlerprinzip). Im Rahmen dieser Richtlinien leitet jeder Min. sein Ressort selbstständig und eigenverantwortlich (Ressortprinzip). Die Geschäfte der B. leitet der Bundeskanzler nach der Geschäftsordnung der Bundesregierung. Polit. Fragen von grundlegender Bedeutung werden von der B. gemeinsam beschlossen, bes. Gesetzesvorlagen (Kollegialprinzip). Der Bundestag kann nur dem Bundeskanzler das Misstrauen aussprechen, nicht der B. oder einzelnen Bundesmininistern. Die Zahl der Bundesmin. ist verfassungsrechtlich nicht festgelegt. Die Mitgl. der B. dürfen nicht zugleich Mitgl. einer Landesreg., wohl aber Abgeordnete sein. (Die Entwicklung und Zusammensetzung der B. zeigt die

Übersicht Bundesregierungen, →deutsche Geschichte).

2) in *Österreich* nach Art. 69ff. Bundes-Verfassungs-Ges. das mit den obersten Verwaltungsgeschäften des Bundes betraute Organ. Sie wird vom Bundespräs. mit Blick auf die parlamentar. Mehrheitsverhältnisse durch Ernennung des Bundeskanzlers und der Min. eingesetzt. Durch Misstrauensvotum kann der Nationalrat die B. insgesamt oder einzelne Min. amtsentheben.

3) in der *Schweiz* entspricht der B. der →Bundesrat.

Bundesrepublik Deutschland, →Deutschland, →deutsche Geschichte.

Bundesschatzbriefe, in Dtl. seit 1969 ausgegebene mittelfristige Wertpapiere mit festen, jährlich steigenden Zinssätzen. B. werden nicht an Börsen gehandelt; eine vorzeitige Rückgabe ist ein Jahr nach Erwerb möglich. – Arten: **Typ A** (kleinste Stückelung 100 DM) mit einer Laufzeit von 6 Jahren und jährl. Zinszahlung. **Typ B** (kleinste Stückelung 50 DM) mit einer Laufzeit von 7 Jahren und Zinssammlung bis zur Fälligkeit.

Bundesschuldenverwaltung, →Staatsschulden.

Bundesseuchengesetz, →Seuchen.

Bundessicherheitsrat, in Dtl. Kabinettsausschuss unter Vorsitz des Bundeskanzlers, der die Bundesreg. in Fragen der Sicherheitspolitik, v.a. hinsichtlich Verteidigung und Abrüstung, berät; bis 1969 unter der Bez. Bundesverteidigungsrat.

Bundestag

Umzüge und Umzugspläne des Deutschen Bundestags

Nachdem 1992 der Umzug in ein neues Bonner Abgeordnetenhaus erfolgte, das der Architekt G. Behnisch 1987–92 mit einem 1230 m² großen Plenarsaal erbaute, steht für das Frühjahr 1999 der Umzug nach Berlin an. Seit Sommer 1995 wird das Berliner Reichstagsgebäude entkernt und mit den Mitteln des modernen Hightech und ökologischen Bauens (z.B. Heizung mit Rapsöl) für den Bundestag durch den Wettbewerbssieger N. R. Foster und sein Büro umgestaltet (Projektleitung: Mark Braun). Die historische Kuppel wird nicht wieder hergestellt, sondern eine gerundete Stahlglaskonstruktion mit einer Scheitelhöhe von 50 und einem Durchmesser von 38 Metern errichtet. Sie ist von einer Aussichtsplattform aus auch für Besucher begehbar.

Bundessiegel, in Dtl. Amtssiegel für alle Bundesbehörden. Das **große B.** zeigt den von einem Kranz umgebenen Bundesadler; zu seiner Führung sind u.a. berechtigt: der Bundes-Präs., der Bundeskanzler, der Bundesrechnungshof, das Bundesverfassungsgericht und die obersten Gerichtshöfe des Bundes. Das **kleine B.** zeigt ebenfalls den Bundesadler, hinzugefügt ist das Signum der jeweils siegelführenden Behörde.

Bundessozialgericht, Abk. **BSG,** das durch Ges. vom 3. 9. 1953 in Kassel errichtete oberste dt. Gericht für die Sozialgerichtsbarkeit; zuständig bes. für Revisionen in öffentlich-rechtl. Streitigkeiten in Sozialversicherungs-, Arbeitslosenversicherungs- und Kriegsopfersachen. Die Senate des B. sind mit drei Berufs- und zwei ehrenamtl. Richtern besetzt. Der Wahrung der Einheitlichkeit der Rechtsprechung des B. dient sein Großer Senat.

Bundessozialhilfegesetz, →Sozialhilfe.

Bundesstaat, Verbindung mehrerer Staaten zu einem Gesamtstaat. Dieser entscheidet über alle Fragen, die für die Einheit und den Bestand des Ganzen wesentlich sind, während die Gliedstaaten ihre Staatlichkeit behalten und an der Willensbildung des Ganzen beteiligt sind. Die Gliedstaaten heißen Staaten, Länder, Bundesländer, Kantone. Beispiele: der Norddt. Bund 1867–71, das Dt. Reich 1871–1933, die Bundesrep. Dtl., Österreich, die Schweiz, die USA, Brasilien. Vom B. ist der **Staatenbund** zu unterscheiden, ein loser völkerrechtl. Zusammenschluss von Staaten zu gemeinsamen polit. Zwecken (z.B. der Dt. Bund 1815–66), in dem die Souveränität nicht beim Gesamtstaat, sondern bei den Gliedstaaten liegt, während sie beim B. auf den Gesamtstaat übergegangen ist. Dieser hat im B. ein Staatsoberhaupt, eine Regierung und eine stärker ausgeprägte Gesetzgebungsgewalt. Andererseits haben die Gliedstaaten ein echtes Selbstbestimmungsrecht im Bereich ihrer Zuständigkeit und Verf.autonomie im Rahmen der Bundesverf. (→Föderalismus). Sie haben auch Einfluss auf die Bundespolitik, den sie durch ein Bundesorgan (z.B. Bundesrat) geltend machen können. (→Einheitsstaat)

Bundesstadt, Bez. für Bonn nach dem →Berlin/Bonn-Gesetz; eingeführt nach dem Vorbild von Bern.

Bundesstraßen, Fernstraßen, die mit den Bundesautobahnen das Netz der →Bundesfernstraßen in Dtl. bilden. Gesamtlänge der B. (1995): 41 770 km.

Bundestag, 1) (Deutscher B.), die aus Wahlen hervorgehende Vertretung des dt. Volkes (Art. 38ff. GG). Er ist das oberste Bundes- und das stärkste Verfassungsorgan der Bundesrep. Dtl.; seine Befugnisse sind jedoch im gewaltengeteilten System des GG nicht schrankenlos. Seine vornehmste Aufgabe ist die Darstellung und Verkörperung des Volkes und seines Willens (Repräsentation). Die B.-Abgeordneten (Abk. MdB) werden auf vier Jahre in allg., unmittelbarer, freier, gleicher und geheimer Wahl gewählt. Sie sind Abg. des ganzen Volkes und nur ihrem Gewissen verpflichtet. Sie genießen →Immunität und →Indemnität. Sie erhalten →Diäten. Die gesetzl. Mitgliederzahl der Abg. beträgt 656; sie kann durch →Überhangmandate höher sein. Ab 2002 soll der B. nur noch 598 Abg. umfassen. Die Hälfte der Abg. wird durch Direktwahl in den Wahlkreisen bestimmt, ansonsten gilt das Verhältniswahlrecht, wobei eine Partei mindestens 5% der Stimmen auf sich vereinigen oder drei Direktmandate erringen muss, um im B. vertreten zu sein. Der neu gewählte B. tritt unter dem Vorsitz seines Alterspräs. (ältestes Mitgl. des B.) zusammen; er gibt sich eine Geschäftsordnung und wählt aus seiner Mitte einen Präs., der den B. nach außen vertritt, im Wechsel mit den gewählten Vizepräs. die Sitzungen leitet und das Haus- und das Polizeirecht ausübt. Seine Amtszeit endet mit der Neuwahl des Bundestags. Der Präs. und die Vizepräs. bilden das B.-Präsidium und zus. mit 23 weiteren Abg. den Ältestenrat.

Der B. beschließt die Bundesgesetze (→Gesetzgebungsverfahren) einschließlich des Haushalts, wählt den Bundeskanzler, entscheidet über eine Vertrauensfrage des Kanzlers oder einen Misstrauensantrag gegen diesen; weiterhin bestimmt er u.a. den Verteidigungsfall, wählt die Hälfte der Richter des Bundesverfassungsgerichts, übt die parlamentar. Kontrolle gegenüber der Bundesreg. (z.B. durch Untersuchungsausschüsse, Anfragen, Herbeizitieren von Regierungsmitgl. vor Plenum und Ausschüsse) aus. Der B. ist beschlussfähig, wenn mehr als die Hälfte seiner Mitgl. anwesend ist, andernfalls bis zur förml. Feststellung seiner Nichtbeschlussfähigkeit. Die Arbeit des B. vollzieht sich z.T. im Plenum, größtenteils in den Ausschüssen. Die Mitgl. des B. sind entsprechend der Parteizugehörigkeit in Fraktionen vereinigt. Sie sind zugleich Mitgl. der →Bundesversammlung. Eine vorzeitige Auflösung des B. ist nur sehr eingeschränkt möglich.

Der erste B. wurde am 14. 8. 1949 gewählt. (ÜBERSICHT deutsche Geschichte). B.-Präsidenten wurden 1949 E. Köhler, 1950 H. Ehlers, 1954 E. Gerstenmaier, 1969 K.-U. von Hassel, 1972 Annemarie Renger, 1976 K. Carstens, 1979 R. Stücklen, 1983 R. Barzel, 1984 P. Jenninger, 1988 Rita Süssmuth.

🕮 ZEH, W.: *Parlamentarismus. Histor. Wurzeln – moderne Entfaltung. Heidelberg [5]1991.*

2) im Dt. Bund die →Bundesversammlung.

Bundestreue, im →Bundesstaat die Verpflichtung des Gesamtstaates und der Gliedstaaten zu bundesfreundl. Verhalten, d.h. zu gegenseitiger Rücksichtnahme und Verständigungsbereitschaft. In Dtl. ist die B. ein ungeschriebener Grundsatz des Verfassungsrechts, der fundamentale Bedeutung für die bundesstaatl. Ordnung hat.

Bundesunternehmen, →Bundesbetriebe.

Bundesurlaubsgesetz, →Urlaub.

Bundesverband Bürgerinitiativen Umweltschutz e.V., Abk. **BBU,** 1972 gegründeter Zusammenschluss von Bürgerinitiativen und zahlr. Einzelmitgl., die über regionale Gruppen und Landesverbände mittelbar angeschlossen sind (Sitz: Bonn); vertritt v.a. umweltpolit. Ziele.

Bundesverband der Deutschen Industrie e.V., Abk. **BDI,** Spitzenorganisation der Ind.fachverbände in Dtl.; gegr. 1949, Sitz: Köln; vertritt die wirtschaftspolit. Interessen der dt. Ind. im In- und Ausland.

Bundesverdienstkreuz, Kurzname für den →Verdienstorden der Bundesrepublik Deutschland.

Bundesvereinigung der Deutschen Arbeitgeberverbände e.V., Abk. **BDA,** →Arbeitgeberverbände.

Bundesverfassungsgericht, Abk. **BVerfG, BVG,** das oberste Organ der Verfassungsgerichtsbarkeit in Dtl. (Ges. vom 12. 3. 1951, i.d.F. v. 11. 8. 1993); Sitz: Karlsruhe. Es ist allen anderen Verfassungsorganen gegenüber selbstständig und unabhängig. Das B. besteht aus zwei Senaten mit je acht Richtern, die die Fähigkeit zum Richteramt besitzen, das 40. Lebensjahr vollendet haben und zum Bundestag wählbar sein müssen. Sie dürfen neben dem Richteramt nur die berufl. Tätigkeit eines Rechtslehrers an einer dt. Universität ausüben. Sie werden je zur Hälfte für zwölf Jahre vom Bundestag und vom Bundesrat gewählt und vom Bundespräs. ernannt. Zu ihrer Wahl ist eine Zweidrittelmehrheit erforderlich. Über seine Zuständigkeit →Verfassungsgerichtsbarkeit. Das B. entscheidet im Plenum beider Senate (selten), senatsweise oder, zur Verfahrensbeschleunigung, in Kammern (besetzt mit jeweils drei Richtern). Bei Stimmengleichheit im Senat ist ein Antrag abgelehnt.

🕮 SCHLAICH, K.: *Das B. Stellung, Verfahren, Entscheidungen. Ein Studienbuch. München [3]1994.* – WESEL, U.: *Die Hüter der Verfassung. Das B.: seine Gesch., seine Leistungen u. seine Krisen. Frankfurt am Main 1996.*

Bundesversammlung, 1) in *Dtl.* das Organ für die Wahl des Bundespräs.; besteht aus den Mitgl. des Bundestags und einer gleichen Zahl von Mitgl., die von den Landtagen der Länder gewählt werden. In *Österreich* das Gesamtorgan von Bundesrat und Nationalrat zur Vereidigung (Angelobung) des Bundespräs., in der *Schweiz* das aus Nationalrat und Ständerat gebildete Bundesorgan (auch: eidgenöss. Räte).

🕮 BRAUN, B.: *Die B. Frankfurt am Main u.a. 1993.*

2) *Dt. Bund:* der Gesandtenkongress der Gliedstaaten, auch Bundestag genannt. Er tagte 1815–66 in Frankfurt am Main unter österr. Vorsitz.

Bundesversicherungsamt, Bundesoberbehörde in Dtl., Sitz: Berlin; übt die besondere Aufsicht über die bundesunmittelbaren Träger der Sozialversicherung aus, untersteht dem Bundesarbeitsmin. (Ges. vom 9. 5. 1956).

Bundesversicherungsanstalt für Angestellte, Abk. **BfA,** Körperschaft des öffentl. Rechts, errichtet durch Ges. vom 7. 8. 1953, Sitz: Berlin. Trägerin der gesetzlichen →Rentenversicherung der Angestellten. Vertreterversammlung und Vorstand als Organe der BfA bestehen je zur Hälfte aus Vertretern der Versicherten und der Arbeitgeber.

Bundesversorgungsgesetz, →Kriegsopferversorgung.

Bundesverwaltung, in Bundesstaaten die Verwaltung, die dem Gesamtstaat vorbehalten ist, im Unterschied zur Verwaltung der Gliedstaaten (Landesverwaltung). In Dtl. liegt das Schwergewicht der Verwaltung bei den Ländern, die i. d. R. neben den Länder-Ges. auch die Bundes-Ges. vollziehen. Der Bund verfügt nur auf einigen ihm ausdrücklich zugewiesenen Gebieten über eine voll ausgebaute, meist dreistufige Verwaltung (Bundesbehörden), v. a. Auswärtiger Dienst, Bundesfinanzverwaltung (zus. mit den Ländern), Arbeitsverwaltung und Bundeswehrverwaltung. Darüber hinaus ist der Bund befugt, Bundesbehörden, die der Aufsicht eines Bundesmin. unterstehen, auf Gebieten seiner Gesetzgebungskompetenz zu errichten (z. B. Bundeskartellamt, Umweltbundesamt). Ähnlich in *Österreich* und der *Schweiz* (eidgenöss. und kantonale Verwaltung).

Bundesverwaltungsamt, Bundesoberbehörde im Geschäftsbereich des Bundesmin. des Innern. Aufgaben sind u. a. Fragen der Auswanderung und Staatsangehörigkeit; Sitz: Köln, durch Ges. vom 28. 12. 1959 errichtet.

Bundesverwaltungsgericht, oberster Gerichtshof des Bundes auf dem Gebiet der allg. Verwaltungsgerichtsbarkeit, 1952 mit Sitz in Berlin errichtet. Das B. entscheidet v. a. über die Revision gegen Urteile der Oberverwaltungsgerichte. Es besteht aus dem Präs., aus den vorsitzenden Richtern und weiteren Richtern. Das B. ist in Senate, besetzt mit fünf Berufsrichtern, gegliedert, darunter Wehrsenate und Disziplinarsenate. Bes. zur Wahrung der Einheitlichkeit der Rechtsprechung wird der Große Senat tätig.

Bundeswahlgesetz, in Dtl. das Bundes-Ges. vom 7. 5. 1956 (mit Änderungen vom 23. 7. 1993 [mit der Bundeswahlordnung vom 7. 12. 1989]), das die Wahl der Abg. zum Bundestag, bes. das Wahlsystem (→Wahlrecht), die Wahlorgane, die Wahlhandlung, die Wählbarkeit, die Feststellung des Wahlergebnisses sowie Erwerb und Verlust der Mitgliedschaft im Bundestag, regelt.

Bundeswahlleiter, das vom Bundesmin. des Innern ernannte Organ, das die Wahlen zum Dt. Bundestag vorbereitet und durchführt. Der B. ist gleichzeitig Vors. des Bundeswahlausschusses, dem außerdem acht Beisitzer angehören. B. ist i. d. R. der Präs. des Statist. Bundesamtes.

Bundeswasserstraßen, die im Eigentum der Bundesrep. Dtl. stehenden schiffbaren Flüsse, Seen, Kanäle und Küstengewässer (→Binnenschifffahrt). Für Unterhaltung, Betrieb und Ausbau der B. ist der Bundesverkehrsmin. zuständig, dem dazu die Wasser- und Schifffahrtsdirektionen mit Wasser- und Schifffahrtsämtern unterstehen. Die Gesamtlänge der B. beträgt (1995) rd. 7 400 km (Seeschifffahrtsstraßen rd. 800 km, Binnenschifffahrtsstraßen rd. 6 600 km).

Bundeswehr, die Streitkräfte der Bundesrep. Dtl. Die B. hat den Auftrag, Dtl. und seine Verbündeten zu verteidigen, Dtl. und seine Staatsbürger gegen polit. Erpressung und äußere Gefahr zu schützen, bei Katastrophen zu helfen, aus Notlagen zu retten und bei humanitären Aktionen zu unterstützen, die militär. Stabilität und die Integration Europas zu fördern sowie dem Weltfrieden und der internat. Sicherheit im Einklang mit der Charta der Vereinten Nationen zu dienen.

Nach heftigen innenplit. Auseinandersetzungen (→deutsche Geschichte) wurde im Rahmen der Pariser Verträge (in Kraft seit 5. 5. 1955) die Aufstellung westdt. Streitkräfte möglich. Vorarbeiten hierzu begannen durch die »Dienststelle Blank« bereits seit dem 27. 10. 1950. Die ersten Freiwilligen erhielten am 12. 11. 1955 ihre Ernennungsurkunden, die ersten Wehrpflichtigen wurden am 1. 4. 1957 einberufen. Die Bez. »B.« wurde mit dem Soldatenges. (in Kraft getreten am 1. 4. 1956) eingeführt. (→Innere Führung, →Wehrrecht). Die Angehörigen der B. sind entweder Wehrpflichtige (seit dem 1. 1. 1996 zehn Monate Wehrpflicht), Soldaten auf Zeit oder Soldaten auf Lebenszeit (Berufssoldaten). Die Friedenspersonalstärke der B. beträgt 338 000 Mann, im Krisenfall ist eine Erweiterung auf 370 000 Mann gemäß dem Zwei-plus-vier-Vertrag von 1990 möglich. Die B. gliedert sich in Heer, Luftwaffe, Marine, Sanitäts- und Gesundheitswesen sowie Zentrale Militär. Dienststellen. Befehls- und Kommandogewalt hat nach Artikel 65 a GG der Bundesmin. der Verteidigung (geht im Verteidigungsfall auf den Bundeskanzler gemäß Artikel 115 b GG über); ihm untersteht der →Generalinspekteur der Bundeswehr mit dem Führungsstab der Streitkräfte. Damit ist der Vorrang der polit. vor der militär. Führung gewährleistet (»Primat der Politik«). Besondere Aufgaben hinsichtlich der B. haben die B.-Verwaltung und der Wehrbeauftragte des Bundestages.

Zu Beginn der 90er-Jahre wurde die Grundstruktur der B. den veränderten sicherheitspolit. Rahmenbedingungen durch die Schaffung von drei Streitkräftekategorien angepasst. Die Hauptverteidigungsstreitkräfte (HVK) umfassen die Gesamtheit der aufwuchsfähigen und präsenten Kräfte, die in der Landes- und Bündnisverteidigung engesetzt werden; sie bilden das Fundament der Landesverteidigung. Die Krisenreaktionskräfte (KRK) sind die für die Konfliktverhütung und -bewältigung im Rahmen des Bündnisses sowie als Beitrag zu internat. Friedensmissionen eingesetzten Streitkräfte. Die Militär. Grundorganisation (MGO) wird u. a. zur Führung, zur Unterstützung des Betriebes der Streitkräfte, zur Durchführung von Ausbildungs- und Versorgungsaufgaben und für die Aufgaben der zivilmilitär. Zusammenarbeit benötigt. Die B. wird durch ihre Einbindung in die NATO geprägt.

Dem Führungsstab des **Heeres** unterstehen das Heeresführungskommando (plant und leitet alle Einsätze des Heeres) und das Heeresunterstützungskommando (stellt die materielle Einsatzbereitschaft des Heeres sicher) sowie das Heeresamt (verantwortlich für die Grundsätze der Ausbildung des Heeres und die Weiterentwicklung der Truppengattung). Dem Führungsstab der **Luftwaffe** sind das Luftwaffenamt (zuständig für Ausbildung und zentrale Angelegenheiten), das Luftwaffenführungskommando (Einsatzverbände der Luftwaffe) und das Luftwaffenunterstützungskommando (zentrale logist. Aufgaben und Luftwaffenrüstung) unterstellt. Dem Führungsstab der **Marine** unterstehen das Marineamt (zuständig für Ausbildung, Rüstung und Sanitätsdienst in der Marine), das Flottenkommando (alle Kampfeinheiten der Marine) und das Marineunterstützungskommando (zuständig für materielle Einsatzbereitschaft der Marine). Dem Inspekteur des **Sanitäts- und Gesundheitswesens** untersteht der gesamte Organisationsbereich »Zentrale Sanitätsdienststellen der B.«. Unter den **Zentralen Militär. Dienststellen** hat das Streitkräfteamt (früher B.-Amt) eine besondere Stellung.

Seit 1990 wurden Angehörige, Anlagen, Standorte und Ausrüstung der ehemaligen Nationalen Volksarmee (NVA) teilweise übernommen und die B. in den neuen Bundesländern aufgebaut. Im Aug. 1992 begann die B. aufgrund der Vereinbarungen des KSE-Vertrages (VKSE) einen Teil ihres Großgerätes zu verschrotten. Das Bundesverfassungsgericht hat in seinem Urteil vom 12. 7. 1994 festgestellt, dass Auslandseinsätze der B. im Frieden mit dem GG vereinbar seien. Für einen derartigen Einsatz ist, unabhängig davon, ob es sich um einen »friedenserhaltenden« Blauhelmeinsatz

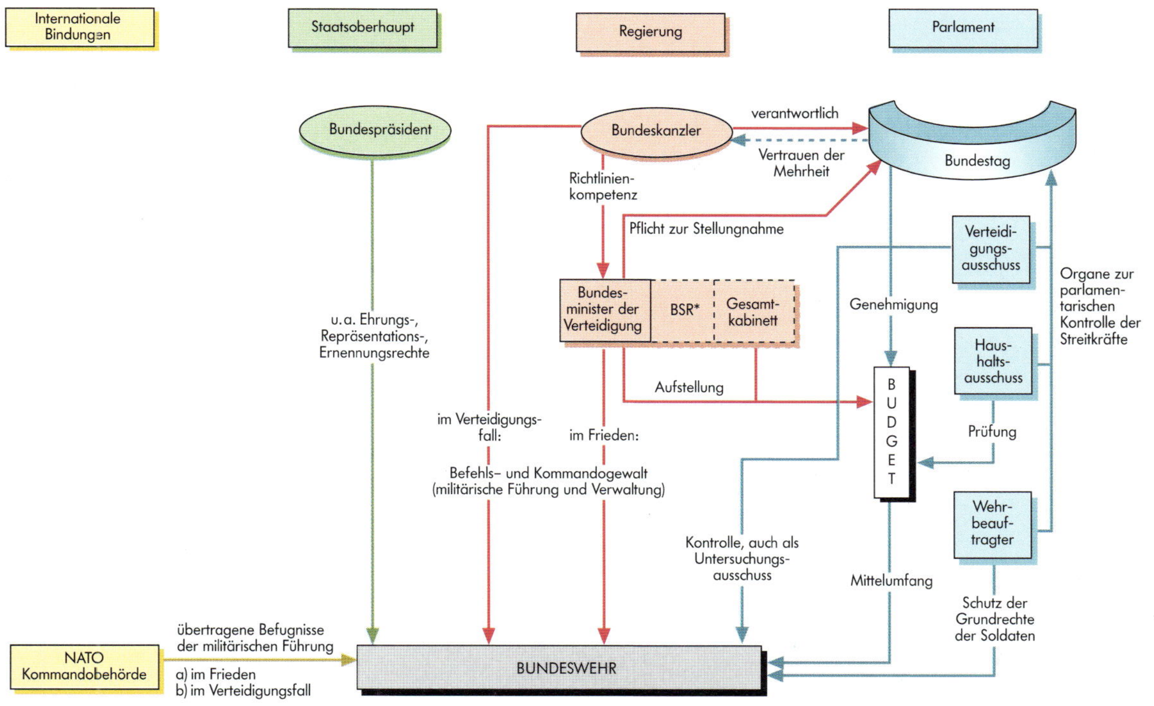

*BSR = Bundessicherheitsrat, ein Kabinettsausschuss unter Leitung des Bundeskanzlers zur Entscheidung ressortübergreifender Fragen der Sicherheits- und Verteidigungspolitik

Bundeswehr: Die Einbindung der Bundeswehr in das politische System der Bundesrepublik Deutschland und in die NATO oder einen bewaffneten »Frieden schaffenden« Einsatz handelt, die vorherige Zustimmung des Bundestags mit einfacher Mehrheit erforderlich.

📖 BREDOW, W. VON: *Die Zukunft der B. Opladen 1994. – Weißbuch zur Sicherheit der Bundesrepublik Deutschland u. zur Lage u. Zukunft der B. Bonn 1994ff. (früher unter anderem Titel). – Vom Kalten Krieg zur dt. Einheit. Analysen u. Zeitzeugenberichte zur dt. Militärgeschichte 1945 bis 1995, hg. v.* B. THOSS. *München 1995.*

Bundeswehrhochschulen, → Universitäten der Bundeswehr.

Bundeszentrale für gesundheitliche Aufklärung, dem Bundesministerium für Gesundheit nachgeordnete, nicht rechtsfähige Bundesanstalt, gegr. 1967, Sitz: Köln. Sie hat u. a. die Aufgabe, Richtlinien für die Gesundheitserziehung auszuarbeiten und die Bev. über aktuelle gesundheitl. Fragen zu informieren.

Bundeszentrale für politische Bildung, gegr. 1952, bis 1963 unter dem Namen **Bundeszentralstelle für Heimatdienst,** dem Bundesmin. des Innern unterstellte Behörde zur Förderung der staatsbürgerl. Erziehung durch Tagungen, Lehrgänge, Arbeitsmaterialien, Unterstützung von Presse, Rundfunk usw.; Hg. der Ztschr. »Das Parlament« und der »Informationen zur polit. Bildung«.

Bundeszentralregister, nach dem B.-Gesetz i. d. F. v. 21. 9. 1984 ein im Bereich des Bundesjustizmin. vom Generalbundesanwalt in Berlin geführtes Register. In das B. werden u. a. alle rechtskräftigen strafgerichtl. Verurteilungen, die Anordnung von Maßregeln der Besserung und Sicherung sowie verwaltungsbehördl. Entscheidungen eingetragen, die strafrechtlich bedeutsam sein können. In das **Erziehungsregister,** das beim B. geführt wird, werden bestimmte Entscheidungen der Jugend- und Vormundschaftsger., die keinen Strafcharakter haben, eingetragen. Eintragungen unterliegen der Tilgung (zw. 5 und 15 Jahren, beim Erziehungsregister mit Vollendung des 24. Lebensjahres). Eintragungen des Strafregisters der DDR wurden in das B. übernommen. Auskunft in eigener Sache über Eintragungen in Gestalt eines Führungszeugnisses erhalten Personen über 14 Jahren.

Bündnis 90/ Die Grünen

Iwan Bunin

Bundeszwang, in Dtl. Zwangsmaßnahmen, die die Bundesreg. mit Zustimmung des Bundesrats treffen kann, um ein Land zur Erfüllung seiner ihm gegenüber dem Bund obliegenden Pflichten anzuhalten (Art. 37 GG).

Bund für Umwelt und Naturschutz Deutschland e. V., Abk. **BUND,** 1975 gegründete, unabhängige private Umweltschutzorganisation, Bundesgeschäftsstelle: Bonn. Der BUND ist als Naturschutzverband staatlich anerkannt und hat (1996) rd. 210 000 Mitglieder.

Bundhaube, mittelalterliche männl. Kopfbedeckung, eine kleine, den Hinterkopf frei lassende Mütze mit festem Rand; ihre Weiterentwicklung im 15. Jh. ist die → Kalotte.

bündig, 1) in ein und derselben Ebene liegend, nicht überstehend; 2) überzeugend, schlüssig.

bündische Jugend, 1923 aufgekommene Sammelbez. für die politisch und konfessionell nicht festgelegten Bünde der freien → Jugendbewegung, die von keinem zweckbestimmten Altersverband abhängig waren. Da die b. J. im »Reichsausschuss der dt. Jugendverbände« trotz ihrer geringen Zahl (etwa 50 000 Mitgl.) die aktivste Gruppe bildete, wurde sie 1933 als Erste von der NSDAP verboten. Nach 1945 bildeten sich aus der b. J. der »Freideutsche Kreis« und die »Ludwigstein-Vereinigung«.

Bündner Fleisch (Engadiner Fleisch), leicht gepökeltes und an der Luft getrocknetes, dadurch sehr haltbares Rindfleisch ohne Fett und Sehnen, bes. im schweizer. Kt. Graubünden hergestellt.

Bündnerromanisch, → rätoromanische Sprache.

Bündnis (Allianz, Alliance, Föderation), *Völkerrecht:* der i. d. R. auf einem Vertrag beruhende Zusammenschluss zweier oder mehrerer Staaten zur Verfolgung eines gemeinsamen außenpolit. Zieles (z. B. NATO). Im Unterschied zu einer engeren Staatenverbindung, bes. dem Staatenbund, sind im Falle des B. keine gemeinsamen Organe mit selbstständiger Handlungsvollmacht vorhanden.

Bündnis 90, Wahlbündnis von Bürgerbewegungen der DDR (»Neues Forum«, »Demokratie jetzt«, »Initiative Frieden und Menschenrechte«), am 7. 2. 1990 entstanden, errang bei den Wahlen zur Volkskammer am 18. 3. 1990 zwölf Sitze und bildete bis zum 2. 10. 1990 unter dem Namen **Bündnis 90/Grüne** mit der Grünen Partei und dem Unabhängigen Frauenverband eine gemeinsame Fraktion in der Volkskammer. Als Wahlbündnis, das bei den ersten gesamtdeutschen Wahlen am 2. 12. 1990 nach der modifizierten Fünfprozentklausel 5,9 % der Stimmen im Wahlbereich Ost gewann, verfügte B. 90/Grüne 1990–94 über eine parlamentar. Gruppe im Bundestag. Nachdem sich 1991 Die Grünen auf gesamtdt. Ebene konstituiert hatten, schlossen sich 1993 B. 90 und Die Grünen zur Partei Bündnis 90/Die Grünen zusammen.

Bündnis 90/Die Grünen, polit. Partei, gegr. Mai 1993, entstanden aus dem Zusammenschluss von Bündnis 90 und der Partei Die Grünen, strebt programmatisch – über die Ziele ihrer Gründungsparteien hinaus – einen »fairen Lasten- und Interessenausgleich zw. West- und Ost-Dtl.« an. Auf Bundesebene wird B. 90/D. G. nach außen von zwei gleichberechtigten Sprechern repräsentiert, zunächst Marianne Birthler (*1958) und Lutger

Volmer (* 1952), ab Dez. 1994 Krista Sager (* 1953) und Jürgen Trittin (* 1954); Nachfolgerin von Sager wurde im Dez. 1996 Gunda Röstel (* 1962).

B. 90/D. G. errang bei den Bundestagswahlen vom 16. 10. 1994 7,3% der Zweitstimmen und ist im Dt. Bundestag mit 49 Abg. vertreten; gleichberechtigte Fraktionssprecher sind dort J. Fischer und Kerstin Müller (* 1963). Als Vertreterin ihrer Fraktion gehört A. Vollmer als Vizepräsidentin dem Präsidium des Dt. Bundestages an. Die Partei ist (1997) in zahlr. Landtagen, vielfach als drittstärkste polit. Kraft, vertreten sowie in Hessen (seit 1991), Sa.-Anh. (seit 1994) und in NRW (seit 1995) in Koalitionen mit der SPD an der Reg. beteiligt.

Bundschuh, ein Stück Leder, durch Riemen um den Knöchel befestigt, als Schuh schon von den Germanen, später von den dt. Bauern getragen; in der Zeit von 1493 bis 1517 Sinnbild, Feldzeichen und Name aufständ. Bauernbünde bes. in SW-Deutschland.

Bundsteg, *Buchherstellung:* der zw. zwei Kolumnen liegende, unbedruckt bleibende Raum, der nach dem Falzen am (Buch-)Rücken liegt.

Bụngalow [-lo, engl. 'bʌŋgələʊ; angloind.] *der,* urspr. leicht gebautes einstöckiges Haus von Europäern in trop. Gebieten; heute allg. einstöckiges Wohn- oder Sommerhaus, häufig mit Flachdach.

Bungeejumping ['bʌndʒɪdʒʌmpɪŋ; engl., zu bungee »Gummi(band)« und jumping »das Springen«] *das,* durch ein Seil gesicherter Sturz kopfüber aus großer Höhe (ab 50 m aufwärts), wobei das Gummiseil, mit dem der Springer durch abgepolsterte Fußschlaufen oberhalb der Knöchel verbunden ist, ein federndes Auspendeln bewirkt. Bei einer Absturzhöhe von z. B. 70 m werden etwa 30 m im freien Fall zurückgelegt, danach erfolgt das Abfedern; die erste Rückschnellhöhe beträgt ca. 45 m.

Bụnin, Iwan Aleksejewitsch, russ. Schriftsteller, * Woronesch 22. 10. 1870, † Paris 8. 11. 1953; emigrierte 1920 nach Frankreich, stellte in seinen Gedichten und Erzählungen (»Das Dorf«, 1910; »Die Grammatik der Liebe«, 1915; »Der Herr aus San Francisco«, 1916; »Arsenjews Leben«, R., 1930 u. a.) v. a. das ländl. Russland dar; später zahlr. Gestaltungen des Todesthemas; erhielt 1933 als erster russ. Schriftsteller den Nobelpreis für Literatur.

📖 KLÖVER, S.: *Farbe, Licht u. Glanz als dichterische Ausdrucksmittel in der Lyrik I. B.s. München 1992.*

Bunker [engl.], **1)** *Golf:* Hindernis; mit Sand gefüllte, meist vertiefte Bodenfläche.

2) *Lagertechnik:* 1) ortsfestes Lager für Schüttgut; 2) großer Behälter für Kraftstoffe und flüssige Ladung auf Schiffen, heute meist Tank genannt.

3) *Militärwesen:* meist unterird. Schutzanlage, vorwiegend aus Beton, Stahlteilen u. Ä. errichtet, für militär. Zwecke oder die Zivilbevölkerung.

Bundschuh: Aufständische Bauern mit der Bundschuhfahne, Holzschnitt (16. Jh.)

Bụnsen, 1) Christian Karl Josias Freiherr von (seit 1858), preuß. Diplomat und Theologe, * Korbach 25. 8. 1791, † Bonn 28. 11. 1860; 1824–38 Vertreter beim Hl. Stuhl, gründete die dt. evang. Gemeinde und beteiligte sich an der Gründung des Dt. Archäologischen Instituts in Rom. 1830 erwirkte er das Breve für die Mischehen. 1852 unterzeichnete er das Londoner Protokoll über Schleswig-Holstein. Im Krimkrieg befürwortete B. eine Annäherung Preußens an die Westmächte und wurde deshalb 1854 in den Ruhestand versetzt.

📖 *Universeller Geist u. guter Europäer – C. Carl J. v. B. 1791–1860. Beiträge zu Leben u. Werk des »gelehrten Diplomaten«, hg. v.* H.-R. RUPPEL *u. a. Korbach 1991.*

Robert Bunsen

2) Robert Wilhelm, Chemiker, * Göttingen 30. 3. 1811, † Heidelberg 16. 8. 1899; Prof. in Marburg (1839–50), Breslau und Heidelberg (1852–89); begründete die Iodometrie, die Gasanalyse sowie die physikal. Chemie in Dtl., erfand das galvan. B.-Element und stellte damit erstmalig größere Mengen Aluminium und Magnesium her. Weiterhin untersuchte er → Kakodylverbindungen, erfand den → Bunsenbrenner, das Eiskalorimeter, ein Dampfkalorimeter, die Wasserstrahlpumpe und das B.-Ventil. 1859 entwickelte die → Spektralanalyse (mit G. R. Kirchhoff), mit deren Hilfe sie die Elemente Cäsium und Rubidium entdeckten.

Ausgaben: Gesammelte Abhandlungen, 3 Bde. (1904); »... der Himmel bewahre Sie vor einer socialistischen Herrschaft!« Briefe ..., hg. v. F. KRAFFT (Marburg 1996).

📖 LOCKEMANN, G.: *R. W. B. Lebensbild eines dt. Naturforschers. Stuttgart 1949.*

Bụnsenbrenner, ein Laboratoriums-Gasbrenner, von R. W. Bunsen 1855 entwickelt; besteht aus einem kurzen Rohrstück, in dem das Gas emporströmt und dabei durch regulierbare Öffnungen

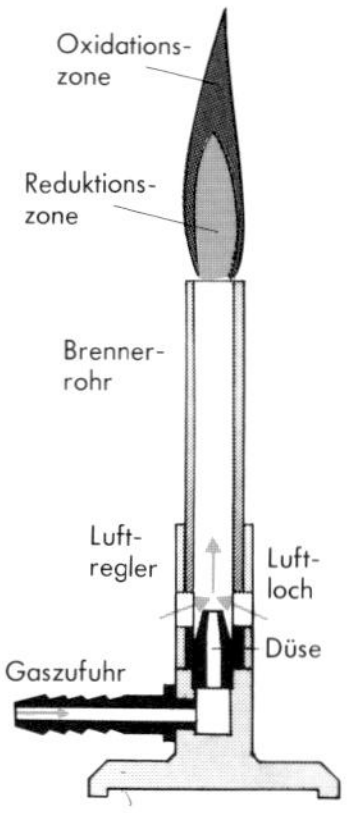

Bunsenbrenner

die Verbrennungsluft ansaugt. Im bläul. Innenkegel (Reduktionszone) beträgt die Temperatur 300 °C, im äußeren Flammenkegel (Oxidationszone) bis zu 1500 °C.

Buntbarsche: Pfauenaugenbuntbarsch (Länge 33 cm)

Buntbarsche: Schmetterlingsbuntbarsch (Länge etwa 7 cm)

Buntkäfer: Bienenwolf (Größe 10-16 mm)

Buntbarsche (Cichlidae), artenreichste Familie (über 600 Arten) der Barschfische, die bes. in den Gewässern der trop. und subtrop. Gebiete Südamerikas, Afrikas und Kleinasiens vorkommen. Die B. sind bis 80 cm große Süßwasserfische, die z.T. Brutpflege ausüben; die afrikan. Tilapia-Arten sind →Maulbrüter. Viele der kleineren B. sind beliebte Aquarienfische, z.B. der **Zwerg-** und **Schmetterlings-B.** und der **Pfauenaugenbuntbarsch.**

Buntblättrigkeit, →Panaschierung.

Bunte, illustrierte Wochenzeitschrift aus dem Bunte Verlag in der Burda Holding & Co. Kommanditgesellschaft, gegr. 1948 als »Das Ufer«, seit 1954 »B.«; Auflage 797 000.

Buntkäfer (Cleridae), räuber., oft bunt gefärbte Käfer, z.B. der **Ameisen-B.** und der **Bienenwolf.**

Buntkupferkies, das Mineral →Bornit.

Buntmetalle, Nichteisenmetalle wie Kupfer, Blei, Zinn und ihre Legierungen; abgeleitet von der Farbe der Erze.

Buntnessel (Buntlippe, Coleus, Blumennessel), Lippenblütlergattung mit über 200 Arten in Afrika und im trop. Asien, einige liefern kartoffelähnlich schmeckende, stärkereiche Knollen. Buntblättrige Formen werden als Garten- oder Zimmerpflanzen kultiviert.

Buntsandstein, *Geologie:* untere Abteilung der german. Trias, meist roter Sandstein, in Dtl. in bis zu 1000 m mächtigen Schichten weit verbreitet, als Baumaterial geschätzt, aber witterungsanfällig, ergiebiger Grundwasserträger.

Buntspechte, Gattung der →Spechte.

Buntstickerei, 1) ausgestickte Motive mit farbigen Garnen, einfarbig oder mehrfarbig; auf zählbarem (z.B. Stramin) oder nichtzählbarem Grundstoff, zur Kantenverzierung werden der Hexen-, Zopf-, Fischgrat- und Bäumchenstich benutzt. 2) Motive mit silbernen und goldenen Metallfäden sowie Bouillonstickerei. 3) Aufnähen von Pailletten, Perlen, Strass- und Perlmutterscheibchen. 4) Teppichstickerei mit aus dem Orient übernommenen typ. Stichen.

Buntwurz, die Pflanzengattung →Kaladie.

Buñuel [bu'ɲuɛl], Luis, span. Filmregisseur, *Calanda (Prov. Ternel) 22. 2. 1900, †Mexiko 29. 7. 1983; schuf zunächst (mit S. Dalí) surrealist., später (groteske) kultur- und gesellschaftskrit. Filme, häufig mit Schockwirkungen, auch mit vieldeutiger symbol. Verschlüsselung arbeitend. – Filme: »Ein andalus. Hund« (1928); »Das goldene Zeitalter« (1930); »Die Vergessenen« (1950); »Das verbrecherische Leben des Archibaldo de la Cruz« (1955); »Viridiana« (1961); »Der Würgeengel« (1962); »Tagebuch einer Kammerzofe« (1963); »Belle de jour« (1967); »Die Milchstraße« (1969); »Tristan« (1970); »Der diskrete Charme der Bourgeoisie« (1974); »Dieses obskure Objekt der Begierde« (1977). – Memoiren »Mein letzter Seufzer« (»1983).

Bunyan ['bʌnjən], John, engl. Prediger und Schriftsteller, *Elstow (bei Bedford) 28. 11. 1628, †London 31. 8. 1688; schrieb mit »The pilgrim's progress« (1678–84; dt. Die Pilgerreise) eines der erfolgreichsten Bücher der engl. Literatur und eines der meistübersetzten Werke. In allegor. Gewand schildert B. den Weg des Christen durch alle Gefahren und Leiden des Lebens bis zur himml. Stadt.

📖 HILL, C.: *A turbulent, seditious, and factious people. J. B. and his church. Oxford 1988, Nachdr. Oxford 1989. – B. in our time, hg. v.* R. G. COLLMER. *Kent, Oh., 1989.*

Luis Buñuel mit Cathérine Deneuve bei den Dreharbeiten zu dem Film »Belle de jour« (1967)

Bunyoro, Königreich im W von Uganda, am Albertsee; 1967 zwangsweise aufgelöst, 1993 wieder errichtet.

Bunzlau (poln. Bolesławiec), Stadt in der poln. Wwschaft Jelenia Góra, am Bober, 43 000 Ew.; keram., Glas- und chem. Ind.; Zentrum des Kupfererzbergbaus im nördl. Sudetenvorland. – B., seit 1520 bekannt durch Steingutherstellung (Bunzlauer Gut), wurde im 2. Weltkrieg stark zerstört; erhalten oder wieder aufgebaut sind u. a. die spätgot. Pfarrkirche und das Rathaus (16.–18. Jh.).

Buochs, Gemeinde im Kt. Nidwalden, Schweiz, 3 900 Ew., am Vierwaldstätter See; Seidenweberei, Parkettherstellung, Holzverarbeitung; Fremdenverkehr.

Buon (Bon, Bono), aus Bergamo stammende Baumeister- und Bildhauerfamilie in Venedig. Bartolomeo d. Ä. (zuerst erwähnt 1442, † vor 1467) war mit seinem Vater Giovanni B. (zuerst erwähnt 1382; † um 1443) der führende Bildhauer und Baumeister der Übergangszeit von der Spätgotik zur Frührenaissance in Venedig, baute u. a. die Piazettafront (1424–57) und das Hauptportal, die Porta della Carta (1438–42) des Dogenpalastes, als Hauptwerk gilt der Neubau der Ca' d'Oro).

Buonaiuti, Ernesto, italien. Kirchenhistoriker, * Rom 25. 6. 1881, † ebd. 20. 4. 1946; bis 1908 Prof. am röm. Priesterseminar, 1915–32 Professor an der Univ. Rom; als wiss. Führer des italienischen → Modernismus; 1924 exkommuniziert, als Gegner des Faschismus 1932 seiner Professur enthoben.

Werk: Geschichte des Christentums, 3 Bde. (1942–46).

Buonaparte, italien. Namensform für → Bonaparte.

Buonarroti, Michelangelo, → Michelangelo.

Buontalenti, Bernardo, gen. Timante, italien. Baumeister, Maler, Bildhauer, * Florenz 1536, † ebd. 6. 6. 1608 ; entfaltete in der Formensprache des florentin. Manierismus eine umfassende Bautätigkeit im Dienste der Großherzöge von Toskana; in Florenz u. a. Obergeschoss der Uffizien (um 1581), Ausbau des Palazzo Vecchio (1588), Grotte des Boboli-Gartens (zw. 1583 und 1588).

Buphthalmus [grch., eigtl. »Ochsenauge«] *der* (Hydrophthalmus), angeborenes Glaukom (grüner Star); Symptome sind trübe Hornhaut und vergrößertes Auge. B. führt unbehandelt zur Erblindung.

Burano, Insel in der Lagune von Venedig, etwa 5 000 Ew.; Spitzenherstellung, Fischerei.

Burbach, Gemeinde im Kr. Siegen-Wittgenstein, NRW, am N-Rand des Westerwaldes, 14 800 Ew.; Siegerlandflughafen mit Flugschule, Holzverarbeitung, vielfältige Stahl- und Maschinenind., Sprengstoffherstellung.

Burbage ['bə:bɪdʒ], Richard, engl. Schauspieler, * Shoreditch (heute zu London) 1567, † London 13. 3. 1619; gründete 1599 das Globe Theatre; spielte als Erster Shakespeares Hamlet, Lear und Othello.

John Bunyan: Kupferstich zu dem allegorischen Roman »The pilgrim's progress« aus der ersten Werkausgabe (1692)

Burckhardt, 1) Carl, schweizer. Bildhauer, * Lindau (bei Zürich) 13. 1. 1878, † Ligornetto (Kt. Tessin) 24. 12. 1923; schuf, inspiriert von der archaischen Kunst Griechenlands, v. a. Großplastiken (u. a. die Bronzeplastik »Amazone« (1921–23) auf der Rheinbrücke in Basel) und Brunnen.

2) Carl Jacob, schweizer. Politiker, Historiker und Essayist, * Basel 10. 9. 1891, † Vinzel (Kt. Waadt) 3. 3. 1974; seit 1927 Prof. in Zürich, 1932 Prof. in Genf, bemühte sich als Völkerbundskommissar in Danzig (1937–39) vergeblich, den Ausbruch des Krieges zu verhindern. Als Gesandter in Paris (1945–49) und Präs. des Internat. Roten Kreuzes (1944–48) wirkte B. erneut für den europ. Gedanken. 1954 erhielt er den Friedenspreis des Dt. Buchhandels.

Jacob Burckhardt

Werke: Richelieu, 4 Bde. (1935–67); Meine Danziger Mission. 1937–1939 (1960).

📖 STAUFFER, P.: *Zwischen Hofmannsthal u. Hitler, C. J. B. Facetten einer außergewöhnl. Existenz. Zürich 1991.*

3) Jacob, schweizer. Kultur- und Kunsthistoriker, *Basel 25. 5. 1818, †ebd. 8. 8. 1897; war 1858–93 Prof. in Basel. In seinem Werk »Die Zeit Constantin's des Großen« (1853) deutete B. den Untergang der antiken Kultur. In »Cicerone« (1855) gab er eine Anleitung zum Verständnis der Kunstwerke Italiens. Sein Hauptwerk, die »Cultur der Renaissance in Italien« (1860), zeigt in großartiger Gesamtschau das Bewusstwerden des Individuums in dieser Zeit. Seine »Geschichte der Renaissance in Italien« (1868, erweitert ²1878) beschränkte sich auf die Baukunst. Aus dem Nachlass erschien: »Griechische Kulturgeschichte«, 4 Bde. (1898–1902) und »Weltgeschichtliche Betrachtungen« (1905).

📖 *Umgang mit J. B. Zwölf Studien, hg. v.* H. R. GUGGISBERG. *Basel u. a. 1994.*

Burdach, Konrad, Germanist, *Königsberg (Pr) 29. 5. 1859, †Berlin 18. 9. 1936; 1887 Prof. in Halle, seit 1902 Mitgl. der Akademie der Wiss. in Berlin; Vertreter einer stil- und geistesgeschichtl. Forschung in der Literatur- und Sprachwiss.: »Reinmar der Alte und Walther von der Vogelweide« (1880); »Vom MA. zur Reformation« (1893).

Burg: Schematische Darstellung einer Burganlage: 1 Bergfried; 2 Verlies; 3 Zinnenkranz; 4 Palas; 5 Kemenate (Frauenhaus); 6 Vorratshaus; 7 Wirtschaftsgebäude; 8 Burgkapelle; 9 Torhaus; 10 Pechnase; 11 Fallgitter; 12 Zugbrücke; 13 Wachturm; 14 Palisade (Pfahlzaun); 15 Wartturm; 16 Burgtor; 17 Ringgraben; 18 Torgraben

Burda Holding GmbH & Co. KG [-ˈhəʊldɪŋ-], Druck- und Verlagsunternehmen; gegr. 1908, Sitz: Offenburg. Der Schwerpunkt des auch in Hörfunk, Fernsehen und Multimedia tätigen Unternehmens bildet die Veröffentlichung von Printmedien wie »Bunte«, »B. Mode«, »Focus«, »Super Illu«, »Schweriner Volkszeitung«.

Bureja *die,* linker Nebenfluss des Amur, in Russland, 623 km lang, durchfließt das **B.-Kohlenbecken** (geschätzte Vorräte 12 Mrd. t Steinkohle) und die **Seja-B.-Ebene.**

Buren [niederländ. boeren »Bauern«] (Afrikaners, Afrikaander), Nachkommen der seit 1652 in Südafrika eingewanderten niederländ. und dt. Siedler; heute bed. Teil der weißen Minderheit. Die etwa 3 Mio. B. bewahrten bis heute ihre Sitten, Sprache (→Afrikaans) und die Traditionen der niederländisch-reformierten Kirche. (→Burenkrieg, →Südafrika, Geschichte)

Buren [byˈrɛ], Daniel, frz. Maler und Bildhauer, *Boulogne-Billancourt 25. 3. 1938; Vertreter der analytischen Malerei, seit den 80er-Jahren bemalt er außer flächigen auch plastische Bildträger (Säulen).

Büren, Stadt im Kr. Paderborn, NRW, am N-Rand des Sauerlandes, 21 800 Ew.; Möbelind., Maschinenbau; mit Stadtteil Ahden Flughafen Paderborn-Lippstadt. – Jesuitenkirche (1754–71).

Burenkrieg, der Krieg zw. Großbritannien, das in Afrika ein zusammenhängendes Kolonialreich »vom Kap bis nach Kairo« errichten wollte, und den Burenstaaten in Südafrika (Transvaal und Oranjefreistaat), die ihre Selbstständigkeit verteidigten (1899–1902). Die Buren belagerten zunächst Ladysmith, Kimberley und Mafeking, unterlagen jedoch dann den brit. Truppen. Die von den Buren erhoffte Intervention der europ. Mächte, bes. Dtl.s (→Krügerdepesche), blieb aus. Nach der Kapitulation des Burengenerals Pieter Arnoldus Cronje am Paardeberg (27. 2. 1900) leisteten die Buren im Kleinkrieg noch fast zwei Jahre Widerstand. Die Briten führten zur Abwehr das Blockhaussystem ein, mit dessen Hilfe sie die Verkehrswege sicher beherrschten. Durch Abbrennen der Farmen, Vernichtung der Viehherden und Einweisung der Frauen und Kinder in Konzentrationslager wurde der Widerstandswille der Buren allmählich gebrochen. Sie unterwarfen sich im **Abkommen von Vereeniging** (31. 5. 1902).

📖 ROSENBACH, H.: *Das Deutsche Reich, Großbritannien u. der Transvaal (1896–1902). Göttingen 1993.*

Bürette [frz.] *die, Chemie:* geeichte Glasröhre mit Skala und eingeschliffenem Hahn zur quantitativen Bestimmung kleiner Flüssigkeitsvolumina v. a. in der Maßanalyse.

Burg, ein wehrhafter Bau, i. e. S. verteidigungsfähiger Wohnsitz **(Wohn-B.)** des Adels seit etwa 900 bis zum Ende des MA. Eine **Höhen-B.** ist auf einer beherrschenden Höhe gelegen, eine **Wasser-B.** von natürl. Gewässern oder Wassergräben umgeben, eine **Höhlen-B.** in Fels gebaut. Die **Flucht-B.** wurde nur bei Gefahr aufgesucht. Die **Zwing-B.** diente zur Beherrschung eines unter-

Burg

1

2

3

4

| **1** Castel del Monte, Italien, erbaut ab 1240 | **2** Burg Eltz, Kreis Mayen-Koblenz, 13.–16. Jh. | **3** Wasserschloss Lembeck, Kreis Recklinghausen, Ende des 17. Jh. aus einem älteren Kern des 15. Jh. heraus ausgebaut | **4** Wasserburg Caerphilly Castle, Wales, Anfang 13. Jahrhundert

worfenen Gebietes, die **Trutz-B.** zur Überwachung oder Belagerung einer gegner. Burg.

Für den **Burgenbau** im Abendland brachten die Kreuzzüge Einflüsse aus Byzanz und dem Orient. Aufbau: Die gesamte Anlage wird von einer **Ringmauer** umschlossen, über die der **Wehrgang** läuft. Die entlang ihrer Innenseite errichteten Gebäude umgeben den **B.-Hof.** Wenn die Ringmauer durch eine zweite, äußere Mauer gesichert ist, entsteht zw. beiden ein Umgang, der **Zwinger,** der sich zu einer **Vor-B.** erweitern kann. Torgraben, Zugbrücke, Torbau mit Fallgitter oder Turmpaar an den Flanken, oft auch ein **Vorwerk** (Barbakane), schützen das Tor. Den Kern der dt. B. bildet ein starker Turm, der **Bergfried,** der im Notfall die letzte Zuflucht war: Über dem gewölbten, fenster- und türlosen Untergeschoss, das als **B.-Verlies** (Gefängnis) diente, befindet sich im 1. Obergeschoss eine kleine Öffnung (durch eine Leiter erreichbar). An Wohnbauten besaß eine kleinere dt. B. meist nur den **Palas** mit dem großen Saal im Obergeschoss und kleineren, z.T. heizbaren Wohngemächern (Kemenaten und Gaden). Fast jede B. hatte eine **B.-Kapelle.** In den roman. Ländern und in England wurden alle für Wirtschaft und Wohnen nötigen Räume in einem turmartig hohen Bau vereinigt, der sich frei inmitten eines durch Ringmauer und Graben umwehrten Hofes erhebt. Dieser **Wohnturm** heißt in Frankreich Donjon, in England Keep oder Keeptower. – Die **Ordens-B.** der geistl. Ritterorden war als Wohnsitz der Rittermönche eine Verbindung von B. und Kloster. Daneben gab es **Kirchen-B.** bzw. **Wehrburgen.** Christl. Kreuzfahrer errichteten im östl. Mittelmeerraum und in Kleinasien **Kreuzfahrerburgen.** Seit dem Ende des 14. Jh. führte die Vervollkommnung der Feuerwaffen zu Neuerungen im Burgenbau, bis die B. ihren Wert als sichere Zuflucht verlor, als Wohnsitz aufgegeben wurde und verfiel oder sich nach einer schon im MA. begonnenen Entwicklung zum Schloss wandelte.

Burgenland
Landeswappen

In Japan entstanden zw. 1576 und 1610 befestigte B. unter europ. Einfluss. Erhalten ist die B. von Himeji, wegen ihrer weiß verputzten Wände auch »Weißes Reiherschloss« genannt. B.-Städte entstanden um 1600, die in ihrer räuml. Ordnung der sozialen Pyramide entsprachen. Der Aufbau der B.-Städte ist noch heute in Sasayama und Hagi erkennbar.

🕮 HOTZ, W.: *Kleine Kunstgeschichte der dt. B. Darmstadt* [5]*1991.* – HOTZ, W.: *Pfalzen u. B.en der Stauferzeit. Darmstadt* [3]*1992.* – ANTONOW, A.: *Planung u. Bau von B.en im südwestdt. Raum. Frankfurt am Main* [2]*1993.* – BRACHMANN, H.: *Der frühmittelalterl. Befestigungsbau in Mitteleuropa. Berlin 1993.* – KRAHE, F.-W.: *B.en des dt. Mittelalters. Würzburg 1994.*

Burg
Stadtwappen

Burg, Stadt im Landkreis Jerichower Land, Sa.-Anh., am Elbe-Havel-Kanal (Hafen), 25 900 Ew.; Nahrungsmittel-, Schuh-, Holz-, Möbelind.; Walzwerk, Maschinenfabriken. – Nikolaikirche (12. Jh.), Liebfrauenkirche (14. Jh.). – B., urkundl. 949 erwähnt, gehörte bis 1635 zum Erzstift Magdeburg, bis 1688 dann zu Kursachsen. Aus dem 13. Jh. ist das **Burger Landrecht** überliefert.

Burgas, Hptst. der Region B. in Bulgarien, am Golf von B. (Schwarzes Meer), 198 400 Ew.; chemisch-techn. Hochschule, Museen, Theater; Handels-, Fischerei-, Erdölhafen; petrochem., Textilind.; Maschinenbau, Meersalzgewinnung, Werften; internat. Flughafen; Seebad.

Burg auf Fehmarn, Stadt auf der Insel Fehmarn, Landkreis Ostholstein, Schlesw.-Holst., 5 900 Ew.; B. ist wirtsch. und kultureller Mittelpunkt der Insel; Hafen in **Burgstaaken** am Burger Binnensee; Heilbad und Ferienzentrum **Burgtiefe.** – Nikolaikirche (12. Jh.), Heimatmuseum.

Burgdorf, 1) Stadt im Landkreis Hannover, Ndsachs., 30 300 Ew.; Elektronik-, Textil-, Getränke-, Metall-, Gummiindustrie. – Wurde im 15. Jh. Stadt.

2) Hauptort des gleichnamigen Bez. im Kt. Bern, Schweiz, 15 400 Ew., Marktort am Eingang ins Emmental; Technikum; Landmaschinenbau, Textil- und Verpackungsind., Käsereien. – Burg (12. Jh., mit Museum), spätgot. Kirche; B. erhielt 1273 Stadtrecht.

Bürge, jemand, der für andere haftet (→Bürgschaft).

Bürgel, Stadt im Saale-Holzland-Kreis, Thür., 3 100 Ew.; Keramikmuseum; bekannt durch seine bunten Töpferwaren. – Nahebei die Kirche des ehem. Benediktinerklosters Thalbürgel (2. Hälfte 12. Jh.).

Burgenland, Bundesland Österreichs, 3 965 km^2, (1995) 274 300 Ew.; umfasst die Bezirke Eisenstadt-Umgebung, Güssing, Jennersdorf, Mattersburg, Neusiedl am See, Oberpullendorf und Oberwart sowie die Städte mit eigenem Statut Eisenstadt und Rust (Freistädte). Hauptstadt ist Eisenstadt. – Das B. grenzt im O an Ungarn, im S an Slowenien. Eine nur 4 km breite Einengung – westlich der ungar. Stadt Sopron – scheidet das B. in zwei Teile: Der S ist ein waldreiches Berg- und Hügelland mit Obst- und Weinbau (Günser Gebirge: Geschriebenstein 884 m ü. M.); im N erstreckt sich eine fruchtbare Ebene um den →Neusiedler See, im NW grenzen Leitha und Leithagebirge (Gneisrücken, im Sonnenberg 483 m ü. M.) an Niederösterreich. Das Klima ist kontinental geprägt mit heiß-trockenen Sommern und schneearmen Wintern. Neben der zu 90,3 % deutschsprachigen Bev. gibt es ungar. (2,5 %) und kroat. (7,2 %) Minderheiten. Das B. ist vorwiegend Agrarland (Weizen, Roggen, Mais, Futterpflanzen, Zuckerrüben), bed. ist der Weinbau (u. a. in der Umgebung von Rust) und der auf die Versorgung von Wien ausgerichtete Obst- und Gemüsebau; Nahrungs- und Genussmittel-, Textil-, Schmuckstein- (Edelserpentin), Elektroindustrie, Maschinenbau, chem. Betriebe; Fremdenverkehr, v. a. am Neusiedler See. – Der Name B., seit 1920 amtlich, leitet sich von der Namensendung der ungar. Komitate Wieselburg, Ödenburg, Eisenburg her. Im 11. bis 13. Jh. kamen dt. Siedler in das zum Kgr. Ungarn gehörige B.; 1919 wurde das B. Österreich zugesprochen. Der ungar. Widerspruch führte zu der nicht einwandfreien Volksabstimmung vom 14. 12. 1921, nach der Ödenburg (Sopron) mit 65 % der Stimmen an Ungarn fiel. 1938–45 war das B. zw. NÖ (Niederdonau) und Steiermark aufgeteilt; 1945 als österr. Bundesland wieder hergestellt.

🕮 *B. Sehenswürdigkeiten, Kunst, Kultur, Natur,* bearb. v. A. GALLENBERGER. *Innsbruck 1993.*

Burgenlandkreis, Landkreis im RegBez. Halle, Sa.-Anh., 1 042 km^2, (1996) 149 700 Ew., Naumburg (Saale) ist Verw.sitz.

Bürgenstock, Felsenkamm (Aussichtsberg, 1128 m ü. M.) am Südufer des Vierwaldstätter Sees, Schweiz, gehört zu Luzern, der anschließende Rücken zum Kt. Nidwalden; Aufzug, Seilbahn.

Burger, Hermann, schweizer. Schriftsteller, * Menziken (Kt. Aargau) 10. 7. 1942, † (Selbstmord) Brunegg (Kt. Aargau) 28. 2. 1989; Dozent für dt. Literatur an der ETH Zürich; schrieb sprachlich virtuose Erzählwerke, u. a. »Schilten« (1976) und »Die künstl. Mutter« (1982), in deren Mittelpunkt körperlich-seelisch Kranke stehen, ferner »Ein Mann aus Wörtern« (1983), »Blankenburg« (1986) und »Der Schuß auf die Kanzel« (1988) sowie Lyrik (»Rauchsignale«, 1967).

Bürger, früher meist nur der freie, vollberechtigte Einwohner (lat. **civis, urbanus**) einer Stadt, im Unterschied zu den Unfreien, Halbfreien, Beisassen, unter Sonderrecht stehenden Gästen u. Ä.; die B.-Eigenschaft bedeutete eine erwerbbare und verleihbare Rechtsstellung (→Bürgertum). Das Wort B., frz. **citoyen,** ist seit der Frz. Revolution gleichbedeutend mit Staats-B. (→Staatsangehörigkeit, →Wahlrecht).

Bürger, 1) Gottfried August, Dichter, *Molmerswende (Landkr. Mansfelder Land) 31. 12. 1747, †Göttingen 8. 6. 1794; wurde 1772 Justizamtmann in Altengleichen bei Göttingen, 1789 Professor der Ästhetik in Göttingen. Zu seinen Schülern zählte A. W. Schlegel. – B. hat, v. a. durch seine »Lenore« (1773), der dt. Ballade den Rang hoher Poesie gegeben (ferner u. a.: »Das Lied vom braven Mann«, »Der wilde Jäger«). Sein Ziel war die Vereinigung von Bildungs- und Volksdichtung, Kunst- und Naturpoesie. Er nahm durch seine Prosaübersetzung des »Macbeth« (1782) an der Shakespeare-Rezeption teil und übertrug die »Wunderbaren Reisen des Freiherrn von Münchhausen« (1786) nach einer engl. Vorlage R. E. Raspes erweitert ins Deutsche zurück.

📖 HÄNTZSCHEL, G.: *G. A. B. München 1988.* – *G. A. B. (1747–1794). Beiträge der Tagung zu seinem 200. Todestag, hg. v.* W. BEUTIN *u.* TH. BÜTOW. *Frankfurt am Main u. a. 1994.*

2) Max, Internist, *Hamburg 16. 11. 1885, †Leipzig 5. 2. 1966; war ab 1931 Prof. in Bonn, 1937–57 in Leipzig; begründete die neuzeitl. Geriatrie (»Altern und Krankheit«, 1947).

Bürgerantrag, in der Mehrzahl der Gemeindeordnungen das Recht der Bürgerschaft zu beantragen, dass der Gemeinderat eine bestimmte, den gemeindl. Wirkungskreis betreffende Angelegenheit behandelt. Ein B. verpflichtet die gemeindl. Gremien, die Angelegenheit innerhalb von drei Monaten zu behandeln. Vom B. sind **Bürgerentscheid** und **Bürgerbegehren** zu unterscheiden. Der Bürgerentscheid ist durchzuführen, wenn der Gemeinderat mit der Mehrheit der Stimmen aller Mitgl. beschließt, eine wichtige Gemeindeangelegenheit der Entscheidung der Bürger zu unterstellen, z. B. die Änderung der Grenzen des Gemeindegebiets. Mit dem Ziel, über wichtige Gemeindeangelegenheiten die Bürgerschaft entscheiden zu lassen, können auch die Bürger mittels eines Bürgerbegehrens den Bürgerentscheid beim Gemeinderat beantragen.

Bürgerbeauftragter, 1) *Europarecht:* vom Europ. Parlament ernannter Beauftragter, der befugt ist, Beschwerden von jedem EU-Bürger oder von jeder natürl. oder jurist. Person mit Wohnort oder Sitz in einem EU-Staat über Missstände bei der Tätigkeit der Organe oder Institutionen, mit Ausnahme des Gerichtshofs und des Gerichtshofs erster Instanz in Ausübung ihrer Rechtsprechungsbefugnisse, entgegenzunehmen (Art. 138e EG-Vertrag).

2) *Staatsrecht:* →Ombudsmann.

Bürgerbewegung, →Bürgerrechtsbewegung.

Bürgerforum (tschech. Občanské Fórum), u. a. aus der »Charta 77« hervorgegangene Bürgerrechtsgruppe in der →Tschechoslowakei, am 19. 11. 1989 gegr., war Kristallisationspunkt und Sprachrohr der Demokratiebewegung in der »sanften Revolution«; Mitbegründer und Sprecher: V. Havel. Seit 1990 Reg.partei, zerfiel das B. 1991 in drei selbstständige polit. Parteien.

Gottfried August Bürger

Bürgerhaus, das städt. Familienwohnhaus, das seit dem 12. Jh. auch der Berufsausübung dienen konnte; erreichte im 15. und 16. Jh. seine Blüte; vom städt. Herrenhaus (Palais) und neuzeitl. Mietshaus abzugrenzen. Die B. entstanden (unter Verzicht auf Stall und Scheune) aus den Bauernhäusern, deren landschaftlich versch. ausgeprägte Typen sich in Abwandlung in den B. wieder finden. Das **oberdt. B.** war von Beginn an auf Mehrräumigkeit und Mehrgeschossigkeit angelegt; abgegrenzte Hofbauten wurden durch Galerien mit dem Haus und untereinander verbunden, wodurch ein Arkadenhof entstand. Als Ausgangsform findet sich vielfach das »Zweifeuerhaus« mit einem Herdraum als Küche oder Werkstatt und einer heizbaren Stube. Das **niederdt. B.** geht auf das nordwesteurop. Hallenhaus (seit etwa 500 v. Chr. nachgewiesen) zurück. Der Einraum (Diele) diente der Berufsausübung ebenso wie dem Haushalt. Im Laufe der Entwicklung kamen niedrige Speichergeschosse dazu, der Einraum wurde unterteilt, gegen Ende des MA. richtete man auch die oberen Geschosse zum Wohnen ein. Das **hess. B.** ist ein Fachwerkhaus, das aus einer höheren Halle besteht, über der sich Wohnraum und Küche, im 2. Geschoss ein Speicher befindet. Das **holländisch-niederrheinisch-Danziger B.** mit straßenseitiger Diele (Geschossbildung in der Mitte und Tendenzen zur Hofbildung) ist eine aus diesen Typen entstandene Mischform. Im MA. entstand das **Patrizierhaus,** das sich in Größe und Ausstattung vom städt. B. unterschied.

Bürgerinitiative, Form der Selbstorganisation von Bürgern außerhalb von Parteien und Verbänden, sucht Bürgerinteressen zu artikulieren, die von kommunalen, regionalen oder nationalen Exekutiv- und Legislativorganen nicht genügend berücksichtigt worden sind. Anliegen von B. können u.a. sein: Bau bzw. Erhaltung bestimmter sozialer Einrichtungen (z.B. Kindergärten, Krankenhäuser), Probleme der Verkehrs- und Städtebauplanung, Umwelt- und Landschaftsschutz, Energiewirtschaft und mit ihr zusammenhängende Sicherheitsfragen (z.B. beim Bau von Kernkraftwerken).

📖 SINGER, K.: *Zivilcourage wagen. Wie man lernt, sich einzumischen. München 1992.* – SIPPEL, H-J.: *Ratgeber für Initiativen u. Projekte. Bonn* [4]*1994.*

Bürgerkönig, der frz. König Louis Philippe (→Ludwig, Herrscher, Frankreich).

Bürgerkrieg, bewaffnete Auseinandersetzung innerhalb eines Staates (z.B. zw. Aufständischen und Reg.truppen) um die Herrschaftsgewalt, häufig ausgeweitet durch das Eingreifen auswärtiger Mächte zugunsten einer der Parteien. Völkerrechtlich gilt der B. nicht als »Krieg«, sondern als innere Angelegenheit eines Staates. Das Verbot der Gewaltanwendung (Art. 2, Punkt 4 der Charta der Vereinten Nationen) gilt für den B. nicht; doch wurden einige Grundsätze des Kriegsgefangenenrechts und des Schutzes der Zivilpersonen für den B. als verbindlich erklärt (Genfer Abkommen vom 12. 8. 1949 und Zusatzprotokolle zu diesem Abkommen vom 12. 12. 1977). Die Rechte und Pflichten ausländ. Staaten gegenüber den B.-Parteien sind umstritten. Haben die Aufständischen jedoch die Herrschaft über einen beträchtl. Teil des Staatsgebiets erlangt und sich längere Zeit behauptet, so können sie als Krieg führende Partei, ihre Führung als De-facto-Regierung von dritten Staaten anerkannt werden; in diesem Fall finden die Regeln des Kriegs- oder Neutralitätsrechts Anwendung.

bürgerliche Ehrenrechte, →Ehrenrechte.

bürgerliche Gesellschaft, eine vom →Bürgertum angestrebte und in den bürgerl. Revolutionen in England (1688/89), Nordamerika (1776) und Frankreich (1789) teilweise durchgesetzte Gesellschaftsvorstellung mit den Leitprinzipien Eigentumsordnung, persönliche (Denk- und Glaubens)-Freiheit, Vertragsfreiheit, Rechtsordnung. Ideengeschichtl. entscheidende Impulse erhielt die b. G. von T. Hobbes, G. W. Leibniz, J. Locke, J.-J. Rousseau, A. Smith und G. W. F. Hegel. Hobbes untersuchte den Zusammenhang von individueller Freiheit und Autonomie und einer alle verpflichtenden Staatsordnung. Leibniz betonte, Freiheit sei durch den Gebrauch der Vernunft zu ergänzen, damit Freiheit nicht in Willkür umschlage. Hobbes und Locke sahen das Eigentum als Fundament von Freiheit und führten den Gedanken der Vertragsfreiheit ein, der von Rousseau zur Idee des Gesellschaftsvertrags weiterentwickelt wurde. Smith verwies auf die Bedeutung von Wettbewerb und Markt für die b. G. und Hegel auf eine die Freiheit sichernde Rechtsordnung.

📖 HALTERN, U.: *B. G. Sozialtheoret. u. sozialhistor. Aspekte. Darmstadt 1985.* – KOFLER, L.: *Zur Gesch. der b. G., 2 Bde. Neuausg. Berlin 1992.* – OFFE, C.: *Der Tunnel am Ende des Lichts. Erkundungen der polit. Transformation im Neuen Osten. Frankfurt am Main u.a. 1994.* – HABERMAS, J.: *Strukturwandel der Öffentlichkeit. Neuausg. Frankfurt am Main* [4]*1995.* – POLANYI, K.: *The great transformation. Polit. u. ökonom. Ursprünge von Gesellschaften u. Wirtschaftssystemen. A.d. Engl. Frankfurt am Main* [3]*1995.* – SCHRADER, F. E.: *Die Formierung der b. G. 1550–1850. Frankfurt am Main 1996.*

Bürgerliches Gesetzbuch, Abk. **BGB,** das seit dem 1. 1. 1900 in Dtl. geltende Gesetzbuch vom 18. 8. 1896 zur Regelung des bürgerl. Rechts i.e.S. Das BGB ist seit dem 3. 10. 1990 auch in den neuen Bundesländern in Kraft (nachdem es in der DDR 1976 durch das Zivilgesetzbuch abgelöst worden war). Es gliedert sich in fünf Bücher: Allg. Teil (enthält grundsätzliche Regelungen für alle privatrechtliche Rechtsverhältnisse, z.B. über Rechts- und Geschäftsfähigkeit, Willenserklärungen, Verträge, Verjährung); Recht der Schuldverhältnisse (Rechtsbeziehungen zw. Gläubiger und Schuldner); Sachenrecht (Eigentum, Besitz); Familienrecht; Erbrecht. Weite Teile des Privatrechts sind außerhalb des BGB geregelt, z.B. Verkehrs-, Urheber-, Privatversicherungs-, Arbeitsrecht. Dem Einführungs-Ges. zum BGB vom 18. 8. 1896 wurde 1990 ein »sechster Teil« angefügt, der Übergangsrecht zu den Bestimmungen des BGB für die neuen Bundesländer enthält.

In *Österreich* gilt das →Allgemeine Bürgerliche Gesetzbuch (ABGB) von 1811.

📖 *Einführung in das BGB, hg. v.* M. MÜHLMANN. *München 1991.* – FICHTL, F. *u.* SPÄTH, G.: *Leitfaden des B. G. Stuttgart u.a.* [21]*1993.* – SCHULTE-NÖLKE, H.: *Das Reichsjustizamt u. die Entstehung des B. G. Frankfurt am Main 1995.* – *B. G. mit Einführungsgesetz, ..., hg. v.* O. PALANDT, *bearb. v.* P. BASSENGE *u.a. München* [56]*1997.*

bürgerliches Recht, i.w.S. das gesamte Privatrecht im Ggs. zum öffentl. Recht; i.e.S. der allg. Teil des Privatrechts, der im BGB und seinen Ergänzungs-Ges. geregelt ist (in *Österreich* im Allgemeinen Bürgerl. Gesetzbuch, in der *Schweiz* im Zivilgesetzbuch und Obligationenrecht).

bürgerliches Trauerspiel, während der Aufklärung im 18. Jh. entstandene dramat. Gattung, in der das Schicksal von Menschen bürgerl. Standes gestaltet wird. In Frankreich entwickelte sich das b. T. ausgehend von der Komödie über die Comédie larmoyante zum bürgerl. Rührstück (D. Diderot), das in Dtl. von C. F. Gellert nachgebildet wurde. G. E. Lessing (»Miss Sara Sampson«, 1755; »Emilia Galotti«, 1772) knüpfte an das engl. Vorbild (G. Lillo, »Der Kaufmann von London«, 1731) an. Anschließend: Schillers »Kabale und Liebe« (1784), Dramen des Sturm und Drang, im 19. Jh. C. F. Hebbels »Maria Magdalene« (1844). Seit dem Naturalismus lässt sich das b. T. nicht mehr vom trag. Schauspiel als eigene Form abheben.

📖 BENJAMIN, W.: *Ursprung des dt. Trauerspiels, hg. v.* R. TIEDEMANN. *Frankfurt am Main* [6]*1993.* – MÖNCH, C.: *Abschrecken oder Mitleiden. Das dt. b. T. im 18. Jh. Versuch einer Typologie. Tübingen 1993.* – GUTHKE, K. S.: *Das dt. b. T. Stuttgart u. a.* [5]*1994.*

Bürgermeister, der Vorsteher einer Gemeinde, dessen Stellung und Aufgaben in den Gem.ordnungen der Länder geregelt sind (→Gemeinde); in den Stadtstaaten Berlin (Regierender B.), Bremen und Hamburg (Erster B.) Verfassungsorgane, deren Stellung der eines Minpräs. eines Bundeslandes entspricht.

Bürger-Prinz, Hans, Psychiater, *Weinheim 16. 11. 1897, †Hamburg 29. 1. 1976; wurde 1937 Prof. in Hamburg; Arbeitsgebiete: Sexualpathologie und forens. Psychiatrie.

Bürgerrechte, die einem Staatsangehörigen zustehenden Teilnahmerechte am Staatsleben durch aktives und passives Wahlrecht und der Bekleidung öffentl. Ämter; ferner alle Staatsbürgerrechte, bes. die Grundrechte. Schließlich die Ortsbürgerrechte, also das Recht der in einer Gemeinde Wohnenden auf Benutzung der öffentl. Einrichtungen, verbunden mit der Pflicht, die Lasten des Gemeinwesens mitzutragen. Die frühere Unterscheidung zw. vollem B. der Gemeindebürger und minderem Einwohner-B. ist bis auf das Wahlrecht überholt. Das *österr.* Recht knüpft auf Landesebene hinsichtlich der B. an den Wohnsitz an. In der *Schweiz* ist jeder Kantonsbürger zugleich Schweizer Bürger und Bürger einer Gemeinde; keines dieser drei B. kann gesondert bestehen.

Bürgerrechtsbewegung, die Gesamtheit der organisierten Bemühungen um Durchsetzung von Menschen- und Bürgerrechten in diktatorisch oder autoritär geführten Staaten bzw. in Ländern mit benachteiligten religiösen, nat. oder ethn. Minderheiten. Die klass. B. erstreben keinen Umsturz des jeweiligen polit. Systems, sondern die Änderung in Gesetzgebung und polit. Praxis, in Diktaturen gleichzeitig die Herstellung freiheitl. und rechtsstaatl. Verhältnisse.

Eine traditionelle B. ist die **Civil Rights Movement** für Rechtsgleichheit der Farbigen und Beseitigung der Rassenvorurteile in den USA. Dem Versuch, auf gerichtl. Wege die gesetzl. Diskriminierung der farbigen Minderheit zu bekämpfen (seit 1910), folgten Demonstrations- und Boykottkampagnen, um Gleichberechtigung in den Schulen und Universitäten des S der USA durchzusetzen. Protestmärsche führten zu einer Beschleunigung der Bürgerrechtsgesetzgebung, die im Juli 1964 in Kraft trat. Nach der Ermordung M. L. Kings im April 1968 kam es zur Radikalisierung und zur Abspaltung der Blackpower-Bewegung.

Insbesondere seit den 1970er-Jahren bemühten sich in den kommunist. Staaten oppositionelle Gruppen, die auch als B. oder **Bürgerbewegung** bezeichnet wurden (u. a. Charta 77), um die Durchsetzung von Menschen- und Bürgerrechten, in Europa häufig unter Berufung auf die KSZE-Schlussakte. In der DDR (z. B. Neues Forum), in der Tschechoslowakei (z. B. Bürgerforum), in Polen (z. B. Solidarność) und anderen Staaten im ehem. Ostblock wurden sie zur treibenden Kraft der Demokratiebewegungen, die 1989/90 den Sturz der kommunist. Regime herbeiführten. Sie hatten einen hohen Anteil an der Einleitung eines gesellschaftl. Reformprozesses.

📖 PROBST, L.: *Ostdt. Bürgerbewegungen u. Perspektiven der Demokratie. Enstehung, Bedeutung u. Zukunft. Köln 1993.*

Bürgerschaft, die Gesamtheit der Bürger (Angehörigen) eines Staates oder einer Gemeinde; auch Name der Volksvertretung (Landtag) in Hamburg und Bremen.

Bürgertum, Gesellschaftsschicht, die die bürgerl. Gesellschaft hervorbrachte und die soziale Ordnung der europ. Staaten bes. ins 19. Jh. prägte. Bereits im MA. war das B. die führende polit. Kraft der städt. Gesellschaft. Von der Zeit des Absolutismus an entwickelten sich die Prinzipien der bürgerl. Welt- und Lebensauffassung zur Grundlage der Gesellschafts- und Staatsordnung. Schon im 19. Jh. umfasste das B. höchst unterschiedl. soziale Gruppen: das Groß-B., die Intelligenz und das Klein-B.; seit der industriellen Revolution weitgehend dem Mittelstand zugeordnet. Heute entspricht die Mittelschicht einem großen Teil des B.; seine Abgrenzung von anderen sozialen Schichten ist schwer. Der »bürgerl. Lebensstil« (Wohnung, Kleidung, Umgangsformen, Familienleben), Standesethos, Bildungsstreben und Geisteshaltung haben trotz mannigfacher Kritik und eingreifender Umwandlungen von Besitzstruktur, Zivilisation und Kulturansprüchen im modernen Leben weiterhin Bestand und wirken als Lebensnorm und Ziel sozialen Aufstiegs fort.

Geschichte: Das B. entstand, gestützt auf Sklavenwirtschaft, zuerst in der antiken griech. Stadt. Im Röm. Reich dehnte sich die Stadt- zur Reichsbürgerschaft (Civis Romanus) aus. Im Früh-MA. bedeutete »burgus« eine nichtbäuerl. Siedlung mit Markt in Anlehnung an einen befestigten Platz. Kern dieser eigtl. neuen Wurzeln des Städtewesens waren Kaufleutegenossenschaften (Gilden). Unter ihrer Führung erkämpfte sich das europ. B. vom 11. bis 13. Jh. die kommunale Selbstverwaltung. In vielen Städten erwuchs im Spät-MA. eine

Anthony Burgess

William Cecil, 1. Baron Burghley

eigenständige bürgerl. Kultur. Im Absolutismus entwickelte sich das B. zum Erwerbsstand und zum Träger der großen neuzeitl. Emanzipationsbewegung der Aufklärung. Der wachsende Wohlstand ermöglichte die Auflehnung des B. gegen die Vorrechte des Adels in der Frz. Revolution, die das klass. Zeitalter des B. einleitete. Der Begriff des B. wurde vom Stadt- auf das Staatsbürgertum (citoyen) ausgeweitet. Im 19. Jh. scheiterte das B. als Träger von »Besitz und Bildung« oft mit seinen verfassungspolit. Ansprüchen (z. B. 1848/49), schuf aber auf dem Wege vielfältiger Unternehmerinitiativen die Grundlagen der europ. Industrialisierung. Die von K. Marx erwartete Proletarisierung des Klein-B. durch das Groß-B. (Bourgeoisie) trat nicht ein. Das B. bestimmte trotz aller strukturellen Veränderungen im Übergang zum demokrat. Reg.system (zuerst in W-Europa) die gesellschaftl. Entwicklung im 19. und 20. Jahrhundert.

📖 FEHRENBACH, E.: *Adel u. B. im dt. Vormärz. München 1994. – B. im 19. Jh. Deutschland im europ. Vergleich, hg. v.* J. KOCKA, *3 Bde. Göttingen 1995.* – STERNBERGER, D.: *»Ich wünschte ein Bürger zu sein«. Neun Versuche über den Staat. Frankfurt am Main 1995.* – DÜLMEN, R. VAN: *Die Gesellschaft der Aufklärer. Zur bürgerl. Emanzipation u. aufklärerischen Kultur in Deutschland. Neuausg. Frankfurt am Main u. a 1996.* – LINKE, A.: *Sprachkultur u. B. Zur Mentalitätsgeschichte des 19. Jh.s. Stuttgart u. a. 1996.* – *Staat u. B. im 18. u. frühen 19. Jh. Studien zu Frankreich, Deutschland u. Österreich, hg. v.* H. REINALTER *u.* K. GERLACH. *Frankfurt am Main u. a. 1996.*

Burghausen: Die im 13. Jh. über der Stadt erbaute Burg wurde im 15. Jh. umgestaltet und erweitert; sie gilt wegen ihrer Längenausdehnung von 1 030 m als größte Burganlage Deutschlands

Bürgerversammlung, das in den meisten Gemeindeordnungen in Dtl. vorgesehene Instrument zur Erörterung lokaler Angelegenheiten unter Beteiligung der Bürger.

Bürgerwehr (Bürgergarde), militär. Zusammenschluss der Bürger einer Stadt zum Selbstschutz bei Unruhen oder in Kriegsnot.

Burgess ['bəːdʒɪs], Anthony, eigtl. John B. Wilson, engl. Schriftsteller und Kritiker, *Manchester 25. 2. 1917, †London 25. 11. 1993; schrieb Romane, häufig mit grotesken und satir. Zügen, u. a. »Der Doktor ist übergeschnappt« (1960), »Uhrwerk Orange« (1962, 1971 verfilmt), »Honig für die Bären« (1963), »Das Uhrwerk-Testament« (1974), »Abba Abba« (1977), »The Confessions« (2 Bde., 1987–90). – Krit. Schriften: »Ein Mann in Dublin namens Joyce« (1965), »Shakespeare« (1977).

Burgfriede, 1) *Geschichte:* im MA. der erhöhte rechtl. Schutz ummauerter Plätze (Burg, Stadt), in deren Bereich (Burgbann) die Fehde ausgeschlossen war.

2) *Politik:* polit. Schlagwort für die verabredete Einstellung parteipolit. Auseinandersetzungen in nat. Ausnahmesituationen; z. B. 1914–17 zw. den Fraktionen des Dt. Reichstags.

Burggraf, in den dt. Reichs- und Bischofsburgen sowie in den Königs- und Bischofsstädten des MA. der Burg- oder Stadtkommandant, in Ost-Dtl. auch Richter; später auch als Titel verliehen.

Burghausen, Stadt im Landkreis Altötting, Bayern, an der Salzach, 17 900 Ew., Großbetriebe der chem. Ind., Apparatebau, Lederwarenherstellung; Grenzübergang nach Österreich. – Gut erhaltenes Stadtbild mit schönen Laubenhöfen; Pfarrkirche (14. Jh.), Spitalkirche (14. Jh.), Rathaus (14. Jh.), Bürgerhäuser (15.–18. Jh.). Die über der Stadt gelegene Burg, 1255–1504 Sitz der Herzöge von Niederbayern, ist die größte dt. Burganlage, jetzt z. T. Museum. – B., 1025 erwähnt, wurde 1130 Stadt.

Burghley ['bəːlɪ] (auch Burleigh), William Cecil, 1. Baron B. (seit 1571), engl. Staatsmann, *Bourne (Cty. Lincolnshire) 18. 9. 1520, †London 4. 8. 1598; wurde 1550 Staatssekretär und unter Königin Elisabeth I. seit 1558 Leiter der engl. Politik; trug entscheidend zur Durchführung der Reformation in England und zum Sieg über Spanien bei; ließ die engl. Katholiken unterdrücken und setzte die Hinrichtung Maria Stuarts durch.

Burgiba, andere Schreibweise für →Bourguiba.

Burgkmair, Hans d. Ä., Maler und Holzschneider, *Augsburg 1473, †ebd. 1531; verarbeitete, angeregt von der italien. Kunst, bes. in seinen Holzschnitten Formen der Renaissance; spätere Gemälde sind in den warmen Farben der venezian. Maler gehalten.

Werke: Maria mit dem Kind (1509; Nürnberg, German. Nat.-Museum); Johannesaltar (1518; München, Alte Pinakothek); Esther vor Ahasver (1528; ebd.); Holzschnittwerke für Kaiser Maximilian I. (Genealogie, Weißkunig, Theuerdank, Triumphzug; Einzelholzschnitte).

Burgkunstadt, Stadt im Landkr. Lichtenfels, Bayern, im Maintal, 7 000 Ew.; Großversandhaus. – Nach der Zerstörung von 1525 entstand die Oberstadt mit schönen Fachwerkhäusern (Rathaus von 1689). – B. erhielt 1323 Stadtrechte.

Burglengenfeld, Stadt im Landkr. Schwandorf, Bayern, an der Naab, 10900 Ew.; Textil-, Zementindustrie. – Rathaus (1573), Pfarrkirche (18. Jh.), ausgedehnte Burganlage. – Seit 1542 Stadt.

Bürglen (UR), Gemeinde im Kt. Uri, Schweiz, 3500 Ew., am Eingang des Schächentals. Die Tellskapelle (1582 gestiftet) steht der Sage nach an der Stelle des Wohnhauses von W. Tell.

Burgos, 1) Provinz in der Region Kastilien und León, Spanien, 14290 km², 352800 Ew.

2) Hptst. von 1), im NO der Hochebene Altkastiliens, 163500 Ew.; Erzbischofssitz; Textil-, chem., Gummi- und Papierindustrie; Flugplatz, Verkehrsknotenpunkt. – Die Kathedrale (UNESCO-Weltkulturerbe) ist eines der schönsten Denkmäler got. Baukunst in Spanien (13.–16. Jh.) mit reicher Innenausstattung, Grabmälern, Skulpturen, zweistöckigem Kreuzgang; zahlreiche Paläste (u. a. Casa di Miranda, heute archäolog. Museum), zwei Stadttore im Mudéjarstil und Triumphbogen für Kaiser Karl V. Nahebei liegen die Klöster Huelgas (12. Jh., mit bed. Grabmälern) und Miraflores (15. Jh. im isabellin. Stil). – B. wurde ab 884 als fester Platz gegen die Mauren ausgebaut; wurde 932 Hptst. der Grafschaft und 1037 des Königreichs Kastilien; Heimat des span. Nationalhelden Cid.

Hans Burgkmair d. Ä.: »Johannes auf Patmos«, Mitteltafel des Johannesaltars (1518; München, Alte Pinakothek)

Burgtheater: Das nach Plänen von Gottfried Semper und Karl von Hasenauer 1874–88 an der Wiener Ringstraße erbaute Nationaltheater brannte im April 1945 aus, der Wiederaufbau wurde 1955 abgeschlossen

Bürgschaft, *Recht:* ein Vertrag, durch den sich eine Person, der Bürge, gegenüber dem Gläubiger eines Dritten, des Hauptschuldners, verpflichtet, für die Verbindlichkeit des Dritten einzustehen (§§ 765–778 BGB). Die B.-Erklärung muss schriftlich abgegeben werden; mündl. Erklärung genügt für den Vollkaufmann, wenn die B. für ihn ein Handelsgeschäft ist (§ 350 HGB). Die B. ist akzessorisch, d. h., der Bürge haftet nur in dem Umfang, in dem auch der Hauptschuldner haftet, spätere Haftungserweiterungen treffen den Bürgen nicht. Der Bürge hat fast alle Einreden, die der Hauptschuldner gegen die Forderung auch hat, selbst wenn dieser auf sie verzichtet. Das gilt v. a. für die »Einrede der Vorausklage«, d. h., er kann die Befriedigung des Gläubigers verweigern, solange nicht der Gläubiger die Zwangsvollstreckung in das Vermögen des Hauptschuldners erfolglos versucht hat **(Ausfall-B.).** In der wirtsch. Praxis wird diese Einrede jedoch häufig schon in der B.-Erklärung ausgeschlossen, sodass der Gläubiger unmittelbar auf den Bürgen (als Selbstschuldner) zurückgreifen kann **(selbstschuldner. B.).** Befriedigt der Bürge den Gläubiger, geht dessen Forderung auf den Bürgen über. In *Österreich* (§ 1346 ABGB) und der *Schweiz* (Art. 492–512 OR) ist die B. ähnlich geregelt.

Burgos 2) Stadtwappen

Burgstädt, Industriestadt im Landkreis Mittweida, Sachsen, im Mittelsächs. Hügelland, 12700 Ew.; Textilind., Maschinenbau. – Denkmalgeschützter Altstadtkern; 1378 erstmals als Stadt bezeichnet.

Burgtheater (urspr. Theater an der Burg, bis 1918 Hofburgtheater), österr. Bundestheater in Wien, 1741 von Maria Theresia gegr., 1776 durch

Joseph II. zum Nationaltheater erklärt. Bis 1888 war es im Ballhaus, seither in dem von G. Semper und K. von Hasenauer entworfenen Bau an der Wiener Ringstraße (April 1945 ausgebrannt, 1955 wiederhergestellt) untergebracht. Unter J. Schreyvogel (Dramaturg 1814–32), H. Laube (1849–67) und F. Dingelstedt (1870–81) wurde es die führende Schauspielbühne dt. Sprache. Die Kammerbühne des B. ist das **Akademietheater** im Konzerthaus. – Der **B.-Ring** wird seit 1926 jährlich einem Mitgl. des B. oder einem Dramatiker verliehen.

Burgund
Historisches Wappen

Burgund (frz. Bourgogne), **1)** Region im O Frankreichs, umfasst die Dép. Côte-d'Or, Nièvre, Saône-et-Loire und Yonne mit insgesamt 31 582 km² und 1,61 Mio. Ew., Hptst. ist Dijon. Kerngebiet ist die Saône-Senke, im W überragt von der Côte-d'Or und den Bergen des Charollais. Von hier reicht B. in den Jura im O, in das Zentralplateau bis zum Morvan im W und nordwärts in die Kalklandschaften des Pariser Beckens (Tonnerre, Chablis, Auxerre). B. ist ein bekanntes Weinbaugebiet mit den Mittelpunkten Dijon, Beaune, Mâcon.

Geschichte: Die ostgerman. Burgunder gründeten nach 443 ein Reich im Rhonegebiet (Königssitz seit 461 Lyon), das 534 von den Franken unterworfen wurde. Aus dem fränk. Teilreich **Burgundia** (neben Austrasien und →Neustrien) gingen nach der Teilung von Verdun 843 das Königreich und das Herzogtum B. hervor.

2) Königreich B., umfasste den östl. Teil des fränk. Teilreichs Burgundia; hier entstanden zunächst ein Königreich Provence (»Nieder-B.«, 855) und ein Königreich im Juragebiet (»Hoch-B.«, 888). 934 wurden beide Reiche vereinigt. Hauptstadt wurde Arles (daher wurde das Königreich B. ab etwa 1200 auch **Arelat** genannt). Dieses Königreich wurde 1032 Teil des Hl. Röm. Reiches. Der Hauptteil (Provence, Dauphiné) kam im späteren MA. an Frankreich, 1678 auch der nördl. Teil, die Freigrafschaft B. (Franche-Comté) und die Reichsstadt Besançon.

3) Herzogtum B., der 843 an Karl den Kahlen gefallene Teil des fränk. Teilreichs Burgundia; es wurde von Nebenlinien des frz. Königshauses regiert. 1363 wurde B. Philipp dem Kühnen verliehen. Er und seine Nachfolger, Johann ohne Furcht und Philipp der Gute, erwarben 1384 Flandern, Artois und die Franche-Comté, 1390 das Charollais, 1419 Boulogne, 1429 Namur, 1430 Brabant und Limburg, 1433 Hennegau, Holland, Seeland, 1435 Mâcon, Auxerre, einen Teil der Picardie, 1443 Luxemburg; so entstand ein mächtiges dt.-frz. Zwischenreich, dessen südl. Teil die Bourgogne (Hptst.: Dijon) und dessen nördl. Teil die Niederlande waren. Am Hofe der Herzöge von B. erlebte die frz. Ritterkultur eine Spätblüte. Karl der Kühne unterlag 1476/77 in den **Burgunderkriegen** gegen die Schweizer bei Grandson, Murten und Nancy. Durch die Heirat seiner Erbtochter Maria mit Maximilian I. von Österreich 1477 kamen die burgund. Besitzungen ohne das Herzogtum B. selbst, Boulogne und die Picardie, die an Frankreich zurückfielen, an die Habsburger (→Niederlande, Geschichte).

Burgunder, ostgerman. Volk, im 1./2. Jh. n. Chr. zw. der mittleren Weichsel und Oder ansässig, ließ sich 406/407 am Rhein (Worms, Mainz) unter röm. Oberherrschaft nieder. Nach ihrer Niederlage 436 gegen die Hunnen (Nibelungenlied) siedelte Aetius die Reste der B. 443 im Rhonegebiet an (→Burgund).

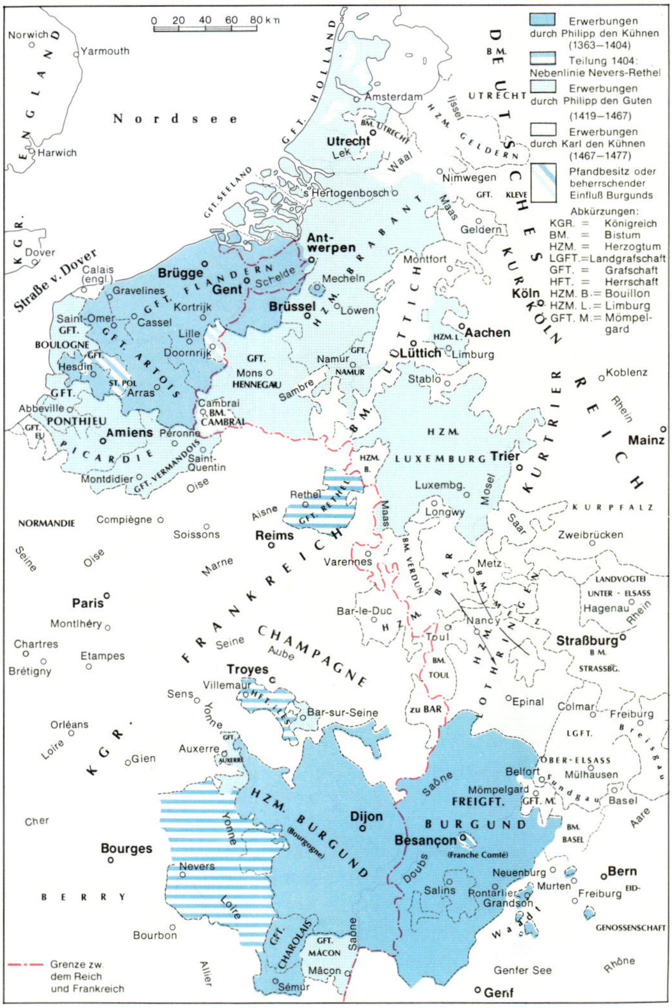

Burgund 3): Staatliche Entwicklung des Herzogtums Burgund 1363–1477

Burgunder, Rot- (aus Spätburgundertrauben; z. B. Chambertin, Montrachet) und Weißweine (aus Chardonnaytrauben; z.B. Chablis, Meursault) aus Burgund; den größten Anteil (40%) an der Produktion von B. hat jedoch der Beaujolais.

Burgundische Pforte (frz. Trouée de Belfort), eine rd. 30 km breite Senke, 350 m ü.M., zw. den Vogesen im N und dem Jura im S, auf der Wasserscheide Rhein/Rhone, von vielen Verkehrswegen (u.a. Rhein-Rhone-Kanal) durchzogen.

Burgundischer Kreis, seit 1512 einer der zehn →Reichskreise des Hl. Röm. Reichs, umfasste im Wesentlichen die alten (ungeteilten) Niederlande und die Freigrafschaft Burgund.

Burgus *der,* turmartiges röm. Kleinkastell der Spätantike an Straßen und Grenzen.

Burgwald, plateauartiges Mittelgebirge im Hess. Bergland, nördlich von Marburg, mit dem größten geschlossenen Waldgebiet Hessens (im Wasserberg 412 m ü.M.).

Burgward, im 10. und 11. Jh. der zu einer Burg gehörende Bezirk im Grenzgebiet des dt. Reichs gegen die Slawen. Die Mittelpunkte der B. waren Fluchtburgen und Wirtschaftshöfe, mit denen sich oft ein Marktrecht verknüpfte. Das von Otto I. ausgebaute B.-System verlor durch die Ostsiedlungspolitik seit 1100 an Bedeutung.

Buri, Max, schweizer. Maler, *Burgdorf (Kt. Bern) 24. 7. 1868, †Interlaken 21. 5. 1915; schuf unter dem Einfluss von F. Hodler klar gezeichnete Bilder, bes. von Bauern des Berner Oberlandes.

Burián, Stephan Graf (seit 1918) von Rajecz, österr. Politiker, *Stampfen (heute Stupara, bei Preßburg) 16. 1. 1851, †Wien 20. 10. 1922; war 1903–12 und 1916–18 österr.-ungar. Finanzmin., 1915–16 und 1918 Außenmin., trat für die Vereinigung Polens mit Österreich ein.

Buridan, Johannes, frz. Scholastiker, *Béthune (Dép. Pas-de-Calais) vor 1300, †nach 1358; Hauptvertreter des Pariser →Nominalismus. Sein Begriff »Impetus« ist eine Vorahnung des physikal. Impulsbegriffs: B. erklärte den Ursprung der nichtnatürl. Bewegung durch eine immanente Kraft (Impetus), die der Beweger auf das von ihm Bewegte übertrage; bed. auch die krit. Aristoteles-Kommentare. **Buridans Esel,** eine B. fälschlich zugeschriebene Metapher für das Dilemma der Willensfreiheit: Ein Esel verhungert zw. zwei gleichen Heubündeln, weil er sich für keines von beiden entscheiden kann.

📖 SCHÖNBERGER, R.: *Relation als Vergleich. Die Relationstheorie des J. B. im Kontext seines Denkens u. der Scholastik. Leiden u. a. 1994.*

Burjaten (Burjäten), Volk mit mongol. Sprache in S-Sibirien, im Gebiet des Baikalsees, bes. in Burjatien, in der Mongolei und im NW der Mandschurei; einst Hirtennomaden im O des Baikalsees, im W Ackerbauern. Der Schamanismus wurde seit dem 17. Jh. durch den lamaist. Buddhismus abgelöst. – Die ältere burjat. Literatur gehört zur mongol. Literatur; mit der russ. Oktoberrevolution 1917 begann die moderne burjat. Literatur, die sich v.a. in neuerer Zeit folklorist. und zunehmend modernen Themen zuwandte.

Burjatien (Burjatische Republik), Rep. in der Russ. Föderation, 351 300 km², (1994) 1,05 Mio. Ew. (1989: 70% Russen, 25% Burjaten); Hauptstadt ist Ulan-Ude. Das zu vier Fünfteln von Wäldern bedeckte Bergland (bis 3491 m ü.M.) erstreckt sich am S- und O-Ufer des Baikalsees und weist ein extremes Kontinentalklima auf. Wichtige Wirtschaftszweige sind Vieh- und Pelztierzucht sowie Bergbau (Kohle, Molybdän-, Wolfram-, Eisenerze, Gold), im S auch Getreideanbau; in der Industrie dominieren Maschinenbau, Rüstungs-, Holzind., Nichteisenerzverhüttung; bescheidener Fremdenverkehr am Baikalsee. – Seit dem 17. Jh. im Machtbereich Russlands, 1923–58 Burjatisch-Mongol. ASSR, 1958–91 Burjat. ASSR.

Burke [bɔːk], **1)** Edmund, brit. Politiker und Publizist, *Dublin 12. 1. 1729, †Beaconsfield (Cty. Buckinghamshire) 9. 7. 1797; gehörte 1765–94 als Whig dem Unterhaus an, als solcher vorüber auch in der Regierung. – In seinem Werk »Betrachtungen über die Frz. Revolution« (1790) verwarf er, sich gegen die Abschaffung historisch gewachsener Institutionen wendend, die Ziele der Frz. Revolution und betonte die Notwendigkeit der organ. Entwicklung eines Staatswesens. – Von wesentl. Bed. für das europ. Geistesleben, v. a. für die Ästhetik des sog. Sturm und Drang, der Weimarer Klassik und der Romantik sowie für I. Kants »Kritik der Urteilskraft« (1790) war seine ästhet. Schrift »Philosoph. Untersuchungen über den Ursprung unserer Ideen vom Erhabenen und Schönen« (1757), in der er das Wesen der Kunst als etwas Unabschließbares, Unendliches beschreibt.

Edmund Burke (Ausschnitt aus einem Gemälde von Joshua Reynolds, 1771)

📖 DOERING, D.: *Die Wiederkehr der Klugheit. E. B. u. das Augustan Age. Würzburg 1990.* – ZIMMER, R.: *E. B. zur Einführung. Hamburg 1995.*

2) Robert O'Hara, brit. Entdeckungsreisender, *Saint Cleran's (Cty. Galway, Irland) 1821, †am Cooper Creek (Australien) 28. 6. 1861; durchquerte als erster Europäer 1860/61 Australien von S nach N; auf dem Rückweg verhungert.

Burkhard, 1) Paul, schweizer. Komponist, *Zürich 21. 12. 1911, †Zell (Kt. Zürich) 6. 9. 1977; komponierte Operetten (»Hopsa«, 1935; »Feuerwerk«, 1948, mit dem Lied »Oh, mein Papa«), auch Orchestermusik und seit den 60er-Jahren kirchl. Werke.

2) Willy, schweizer. Komponist, *Leubringen (bei Biel) 17. 4. 1900, †Zürich 18. 6. 1955. Zu seinen bekanntesten Werken zählen Oratorien (u.a. »Das Gesicht Jesaias«, 1935; »Das Jahr«, 1941) und die Oper »Die schwarze Spinne«, Neufassung 1954.

Burkina Faso

Fläche: 274 200 km²
Einwohner: (1995) 10,32 Mio.
Hauptstadt: Ouagadougou
Verwaltungsgliederung: 30 Provinzen
Amtssprache: Französisch
Nationalfeiertage: 5. 8. und 11. 12.
Währung: CFA-Franc
Zeitzone: MEZ – 1 Std.

Staatswappen

BF

Internationales Kfz-Kennzeichen

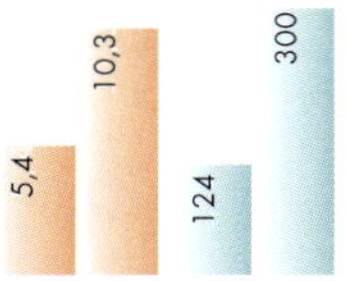

Bevölkerung (in Mio.)
Bruttosozialprodukt je Ew. (in US-$)

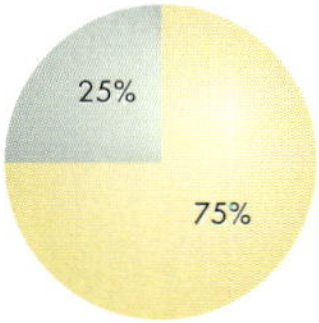

Stadt
Land
Bevölkerungsverteilung 1994

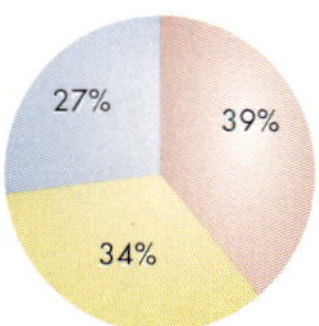

Industrie
Landwirtschaft
Dienstleistung
Bruttoinlandsprodukt 1994

Burkina Faso (amtl. frz. République de Burkina Faso, bis 1984 Obervolta), Binnenstaat in Westafrika, grenzt im W und N an Mali, im NO an Niger, im SO an Benin, im S an Togo, Ghana und die Rep. Elfenbeinküste.

Staat und Recht: Nach der Verf. vom 2. 6. 1991 ist B. F. eine präsidiale Rep. mit Mehrparteiensystem. Staatsoberhaupt und oberster Inhaber der Exekutive ist der auf sieben Jahre direkt gewählte Präsident. Er ernennt das Kabinett unter Vorsitz des MinPräs. Die Legislative liegt bei der Versammlung der Volksdeputierten (107 Abg., für fünf Jahre gewählt). Seit 1993 besteht eine zweite Kammer, das Repräsentantenhaus (120 vom Präs. ernannte Mitgl.) mit nur beratender Funktion.

Landesnatur: B. F. liegt inmitten der Landschaft Sudan, der N ragt in die Sahelzone. Weite Teile nimmt ein 250–350 m hoch gelegenes Plateau ein, überragt von Inselbergen. Größere Höhenunterschiede finden sich nur im SW, wo das Sikasso-Sandsteinplateau mit mächtiger Steilstufe nach S abbricht. Der einzige ganzjährig Wasser führende Fluss ist der Schwarze Volta. – Der S und zentrale Teil haben wechselfeuchtes Tropenklima, der N hat Trockenklima. Die Feuchtsavanne im S geht bei abnehmenden Niederschlägen nach N in Trocken- und Dornstrauchsavanne über.

Bevölkerung: Von den etwa 160 Stammesgruppen sind die sudaniden Mosi mit knapp 50% am bedeutendsten, weitere größere Gruppen sind Fulbe, Tuareg, Mande, Bobo. Weite nördl. Gebiete sind fast unbesiedelt. – Das Schulsystem ist nach frz. Vorbild aufgebaut, dennoch ist der Anteil an Analphabeten mit (1991) etwa 82% der Bev. sehr hoch; Univ. (gegr. 1974) in Ouagadougou. – Etwa 45% der Bev. sind Anhänger von traditionellen Naturreligionen, 43% Muslime, 12% Christen.

Wirtschaft, Verkehr: B. F. ist ein Agrarland; die Mehrheit der Bev. ist in landwirtsch. Familienbetrieben tätig; für den Eigenbedarf werden Hirse, Mais, Reis, Süßkartoffeln und Hülsenfrüchte angebaut, für den Export bes. Baumwolle, Sesam, Erdnüsse und Tabak. Rinderhaltung hat traditionell Bedeutung. Die geringen Bodenschätze (Mangan, Gold, Zink, Titan, Vanadium, Phosphat) werden bisher wenig genutzt; die Ind. ist ungenügend entwickelt und verarbeitet v. a. landwirtsch. Produkte. – Exportiert werden v. a. Baumwolle (etwa 50% vom Exporterlös), Sesam, Erdnüsse, Tabak, Lebendvieh und tier. Erzeugnisse. Haupthandelspartner sind Frankreich u. a. EU-Staaten sowie die Rep. Elfenbeinküste. Wichtigster Ind.standort und Haupthandelsplatz ist Bobo-Dioulasso. – Das Straßen- und Wegenetz umfasst 13 130 km, davon 1 500 km asphaltiert; an der Eisenbahnstrecke nach Abidjan hat B. F. einen Anteil von 622 km. Internat. Flughäfen Ouagadougou, Bobo-Dioulasso.

Geschichte: 1896 eroberte Frankreich das Königreich der Mosi, deren Gebiet 1947 als »Obervolta« Frz.-Westafrika eingegliedert wurde. 1958 erhielt Obervolta Autonomie, 1960 die Unabhängigkeit. Nach dem Militärputsch gegen Staatspräs. Maurice Yaméogo (1960–66) versuchte sein Nachfolger General Sangoulé Lamizana (1966–80), die Wirtschafts- und Versorgungslage zu verbessern und bemühte sich um polit. Neuordnung des Landes. 1980, 1982 und 1983 wechselte die Staatsführung jeweils durch einen Militärputsch. Der Landesname wurde 1984 durch Präs. Thomas Sankara in B. F. geändert. Präs. ist seit 1987 nach einem Militärputsch Blaise Compaoré, der einen Prozess der Demokratisierung und der Anpassung an mehr marktwirtsch. Strukturen einleitete. Bei einer Wahlbeteiligung von 40% billigte die Bev. am 2. 6. 1991 mit 93% der Stimmen die neue Verfassung. Nach einem Boykottaufruf der Opposition wurde Compaoré am 1. 12. 1991 bei nur 27,3% Wahlbeteiligung mit 84,6% der Stimmen zum Präsidenten gewählt. 1996 schloss sich die bisherige Reg.partei ODP-MT (Organisation pour la Démocratie Populaire-Mouvement du Travail) mit zehn bisherigen Oppositionsparteien zum CDP (Congrès pour la Démocratie et le Progrès) zusammen.

📖 HAMMER, TH.: *Angepaßte Strategien zur Entwicklung des ländl. Raums. Das Beispiel B. F. aus der Sicht einer theorie- u. praxisorientierten Entwicklungs-*

geographie. Bern u. a. 1992. – WAIBEL, G.: *Frauen in B. F. Lebensverhältnisse, Handlungsperspektiven u. Organisationsformen. Saarbrücken u. a. 1992.*

Burkitt-Tumor ['bə:kıt-], erstmals 1958 von dem brit. Tropenarzt Denis Burkitt (*1911, †1993) beschriebene bösartige Lymphknotengeschwulst bes. im Gesicht, die fast ausschließlich Kinder trop. Länder befällt; wird wahrscheinlich durch Infektion mit dem →Epstein-Barr-Virus verursacht.

Burlak [russ.] *der,* in Russland vom 16. Jh. bis zur Einführung der Dampfschifffahrt Tagelöhner (Treidler), der, besonders im Wolgasystem, Schiffe stromaufwärts zog.

Burleigh ['bə:lı], Baron B., →Burghley.

burlesk [von italien. burla »Schwank«], komisch, possenhaft.

Burleske *die,* **1)** *Literatur:* derbkomisches Improvisationsstück, Posse, Schwank.

2) *Musik:* Musikstück humorist. Charakters.

Burma ['bə:mə, engl.], Staat in Hinterindien, →Birma.

Burmeister, Brigitte, Schriftstellerin, *Posen 25. 9. 1940; Literaturwissenschaftlerin; ihre detailreiche Prosa, deren Schauplatz fast immer Berlin ist, lässt Strukturen des →Nouveau Roman erkennen. In dem Roman »Unter dem Namen Norma« (1994) verarbeitete sie die Probleme der dt. Trennung und Vereinigung.

Burnacini [-'tʃi:ni], Lodovico, italien. Baumeister und Bühnenbildner, *Mantua (?) 1636, †12. 12. 1707 ; baute in Wien Teile der Hofburg und 1687 die Dreifaltigkeitssäule am Graben; entwarf Dekorationen, Kostüme und Bühnenmaschinen.

Burne-Jones [bə:n 'dʒəʊnz], Sir (seit 1894) Edward Coley, eigtl. E. C. Jones, engl. Maler, *Birmingham 28. 8. 1833, †London 17. 6. 1898; schuf kunsthandwerkl. Arbeiten für die Firma von W. Morris; schloss sich den Präraffaeliten an. Sein Stil der dekorativ geschwungenen Linien wirkte auf den Jugendstil (»Die Goldene Treppe«, 1880; »König Kophetua und das Bettlermädchen«, 1884; beide London, Tate Gallery; »Perseus-Zyklus«, unvollendet, 1877–98; Stuttgart, Staatsgalerie).

Burnet ['bə:nıt], Sir (seit 1951) Frank MacFarlane, austral. Mediziner, *Traralgon (Victoria) 3. 9. 1899, †Melbourne 31. 8. 1985; war 1944–65 Prof. in Melbourne; gab neue Einblicke in die Abwehrreaktionen eines Lebewesens gegen die Einpflanzung körperfremden Gewebes; erhielt dafür 1960 mit P. B. Medawar den Nobelpreis für Physiologie oder Medizin.

Burn-in [bə:n'ın, engl.] *der,* Maßnahme zur Steigerung der Zuverlässigkeit von techn. Erzeugnissen, bei der durch **künstl. Alterung** die Anzahl der Frühausfälle im Betrieb verringert wird. Dazu werden die Bauelemente oder Geräte mit Nennbelastung über einen gewissen Zeitraum betrieben, anschließend getestet und danach ihrer Anwendung zugeführt.

Burnley ['bə:nlı], Industriestadt in der Cty. Lancashire, NW-England, am Leeds-Liverpool-Kanal, 74700 Ew.; Museen; Metallverarbeitung und Maschinenbau.

Burn-out [bə:n'aʊt; engl. »Ausbrennen«] *das, Kerntechnik:* das Durchbrennen der Brennstoffumhüllung von Brennelementen eines Kernreaktors infolge zu geringer Kühlung oder zu hoher Wärmeerzeugung durch den Brennstoff.

Burne-Jones: »Das unheilvolle Haupt der Medusa«, Teil des unvollendeten Perseus-Zyklus (1877–98; Stuttgart, Staatsgalerie)

Burn-out-Syndrom [bə:n'aʊt-, engl.], Krankheitsbild, das Personen aufgrund spezif. Beanspruchungen entwickeln können und das mit dem Gefühl verbunden ist, sich verausgabt zu haben, ausgelaugt und erschöpft zu sein (Sich-ausgebrannt-Fühlen). Es kommt zu einer Minderung des Wohlbefindens, der sozialen Funktionsfähigkeit sowie der Arbeits- und Leistungsfähigkeit.

Burns [bə:nz], Robert, schott. Dichter, *Alloway (South Ayrshire) 25. 1. 1759, †Dumfries 21. 7. 1796; Sohn eines armen Pächters, neben Scott der größte schott. Dichter. Seit 1786 erschienen seine »Poems chiefly in the Scottish dialect«; sie behandeln volkstüml. Themen, großenteils in heim. Mundart und häufig angeregt durch alte Volkslieder und Geschichten; B. bereitete durch seine Lyrik der engl. Romantik den Weg.

Robert Burns (Ausschnitt aus einer Miniatur von Alexander Nasmyth)

📖 ELROD, N.: *Wer war R. B.? Einige Aspekte seines Lebens u. Werks. A. d. Engl. Zürich 1996.*

Burnus [arab.] *der* (Bernus, Silham), in Nordafrika leichter Mantelumhang der Männer, mit (integrierter) oder ohne Kapuze, oft ohne Ärmel, vorn bis auf ein schmales Stück offen; meist weiß, selten blau.

Büro [frz. bureau, zu lat. burra »zottiges Gewand«, »Wolle«], urspr. ein grober Wollstoff, mit dem Arbeits- und Schreibtische bezogen wurden, dann diese selbst, ferner der Arbeitsraum, die Dienst- und Geschäftsstelle; auch die Gesamtheit der dort tätigen Personen.

Alberto Burri: Sacco (1953; Privatbesitz)

Bürokommunikation, Sammelbegriff für den innerhalb eines (oder mehrerer) Büros realisierten Austausch von Texten, Sprache, Bildern und Daten einschließlich der dafür in Anspruch genommenen Dienste. Ein umfassendes B.-System vereinigt Elemente der Büro- und Nachrichtentechnik und der Datenverarbeitung.

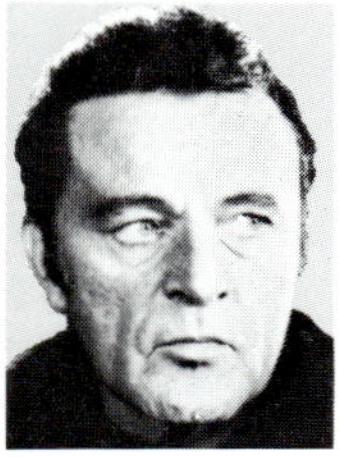

Richard Burton

Bürokratie [grch.] *die,* Form staatl., polit. oder privat organisierter Verwaltung, die durch eine hierarch. Befehlsgliederung (Instanzenweg), durch klar abgegrenzte Aufgabenstellungen, Befehlsgewalten, Zuständigkeiten und Kompetenzen, durch berufl. Aufstieg in festgelegten Laufbahnen, durch feste, an die jeweilige Funktion gekoppelte Bezahlung sowie durch genaue und lückenlose Aktenführung sämtl. Vorgänge gekennzeichnet ist. Kritik an der Bürokratisierung im Sinne einer unsachgemäßen Ausdehnung der B. mit immer komplizierter und ineffizienter werdenden Arbeitsabläufen betrifft öffentl. wie private Verwaltungen. Reformüberlegungen im öffentl. Bereich beziehen sich auf Deregulierung, Privatisierung und Dienstrecht. In privaten Verwaltungen wurden Konzepte eines Leanmanagements entwickelt.

Sir Richard Francis Burton

🕮 *Verrechtlichung u. Verdrängung. Die B. u. ihre Klientel, bearb. v.* A. Funk *u.a. Opladen 1984.* – Ellwein, Th.: *Das Dilemma der Verwaltung. Verwaltungsstruktur u. Verwaltungsreformen in Deutschland. Mannheim u.a. 1994.* – Bruns, W.: *Zeitbombe B. So verwalten wir uns zu Tode. Aktualisierte Ausg. Frankfurt am Main u.a. 1995.*

Büromaschinen, mechanisch, elektrisch oder elektronisch arbeitende Hilfsmittel für Büroarbeiten wie Schreibmaschinen, Computer, Fakturier- und Buchungsmaschinen, Diktier-, Kopiergeräte, Adressier-, Frankier-, Kuvertiermaschinen, Brieföffnungsautomaten, Poststraßen in großen Unternehmen, Etikettendrucker und Stempelmaschinen.

Burri, Alberto, italien. Maler, * Città di Castello 12. 3. 1915, † Nizza 13. 2. 1995 ; schuf seit 1952 Collagen und Assemblagen, zunächst mit Sackleinwand, später auch mit verbranntem Holz, Eisen und Kunststoff.

Burroughs ['bʌrəʊz], **1)** Edgar Rice, amerikan. Schriftsteller, * Chicago (Ill.) 1. 9. 1875, † Los Angeles (Calif.) 19. 3. 1950; Verfasser der Tarzan-Romane.

2) William, amerikan. Schriftsteller, * Saint Louis (Mo.) 5. 2. 1914, † Lawrence (Kans.) 2. 8. 1997; Vorbild der amerikan. Beatgeneration; schrieb (unter dem Pseud. William Lee) »Junkie« (1953) sowie »The naked lunch« (1959); beide Romane schildern in z. T. visionär lyr., z. T. naturalist. und surrealist. Prosa die Erlebnisse eines Rauschgiftsüchtigen.

🕮 Miles, B.: *W. S. B. Eine Biographie. A. d. Amerikan. Hamburg 1994.*

Bursa (früher Brussa), Hptst. der türk. Provinz B. in NW-Anatolien, am Fuß des Ulu Dağ (2 493 m ü. M.; Wintersportgebiet), 838 200 Ew.; Schwefelthermen; Automobil-, Tabakind., Seidenwarenherstellung; Fremdenverkehr. – B., 184 v. Chr. als **Prusa** in Bithynien gegr., war 1326–65 Sitz der osman. Sultane, bed. Bauwerke aus dieser und späterer Zeit, u. a. Grüne Moschee und Grünes Mausoleum.

Bursa-Krankheit (lat. Bursitis infectiosa), akute, virusbedingte Infektionskrankheit, bes. der Masthühner und Junghennen; in Dtl. meldepflichtig.

Burscheid, Stadt im Rheinisch-Berg. Kreis, NRW, im Berg. Land, 18 300 Ew.; Herstellung von Dichtungen, Metallwaren-, Textil-, Lederindustrie. – B. erhielt 1856 Stadtrecht.

Burschenschaft, →studentische Verbindungen.

Burse [von lat.-grch. bursa »Tasche«, »Lederbeutel«] *die,* im 14.–17. Jh. ein Studentenheim, in dem die Studenten (Burschen) aus einer gemeinsamen Kasse lebten; auch heute z. T. wieder Name student. Wohnheime.

Bürste, 1) *allg.:* Reinigungswerkzeug mit vielen elast. Borsten (Schweinsborsten, Draht, Stroh, Wurzeln, Kunstfasern).

Burundi

Fläche: 27834 km²
Einwohner: (1995) 6,39 Mio.
Hauptstadt: Bujumbura
Verwaltungsgliederung: 15 Provinzen
Amtssprachen: Rundi und Französisch
Nationalfeiertag: 1. 7.
Währung: 1 Burundi-Franc (F. Bu.) = 100 Centimes
Zeitzone: MEZ +1 Std.

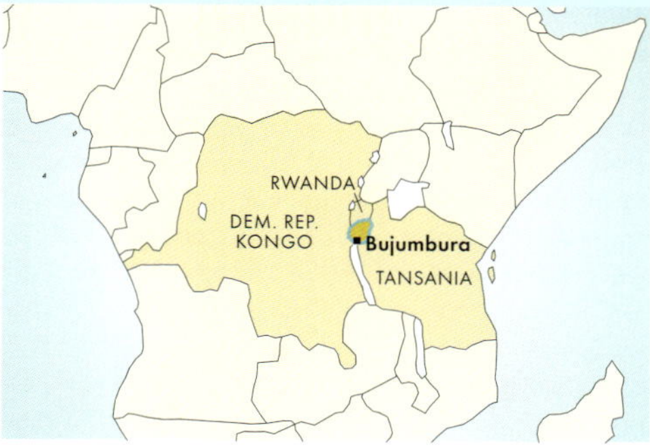

2) *Elektrotechnik:* Presskörper aus amorpher Kohle, Graphit oder Metall (urspr. z. B. Kupferdrahtbündel), der als federnd geführter Schleifkontakt den Stromübergang zu einem bewegten Maschinenteil vermittelt.

Bürstenbinder, *Zoologie:* Raupen der Trägspinnergatt. Dasychira mit 4–5 Haarquerbürsten auf dem Hinterleib.

Bursts [bɔ:sts, engl.], kurze Strahlungsausbrüche der solaren Radiostrahlung **(Radio-B.),** oft in Zusammenhang mit →Flares. – B. treten auch bei kosm. Röntgenquellen **(Röntgen-B.)** und Gammaquellen **(Gamma-B.)** auf.

Burton [bɔ:tn], **1)** Richard, eigtl. R. Walter Jenkins, engl. Schauspieler, *Pontrhydyfen (bei Swansea) 10. 11. 1925, †Genf 5. 8. 1984; Shakespeare-Darsteller des Old Vic Theatre; zahlr. Filmrollen, z. T. mit seiner Frau E. Taylor (»Blick zurück im Zorn«, 1959; »Cleopatra«, 1962; »Wer hat Angst vor Virginia Woolf«, 1965; »Der Spion, der aus der Kälte kam«, 1965; »Die Ermordung Trotzkis«, 1972; »1984«, 1984).

2) Sir Richard Francis, brit. Entdeckungsreisender, *Torquay (heute zu Torbay) 19. 3. 1821, †Triest 20. 10. 1890; wurde 1842 Offizier in Indien. Als Afghane verkleidet, reiste er 1853 nach Medina und Mekka und besuchte 1854 als erster Europäer die äthiop. Stadt Harrar (»Timbuktu des Ostens«). 1858 entdeckte zus. mit D. H. Speke den Tanganjikasee. 1862 bestiegen er und der dt. Botaniker G. Mann erstmals den Hauptgipfel des Kamerunberges. B. unternahm zahlreiche weitere Reisen, u. a. 1867 nach Brasilien und 1869–71 nach Syrien. Er übertrug »Tausendundeine Nacht« ins Englische.

Burton-upon-Trent ['bɔ:tn ə'pɔn-], Stadt in der Cty. Staffordshire, Mittelengland, am Trent, 59600 Ew.; Bierbrauereien, ferner Autoreifen-, Flaschen- und Fässerherstellung.

Buru, Molukkeninsel, Indonesien, rd. 9500 km², etwa 61000 Ew., stark bewaldet, bis 2429 m hoch. Die ursprüngliche Bev. lebt im Innern, die heutigen Küstenbewohner sind Sulanesen, Araber und Chinesen; Anbau von Zuckerrohr, Gewürzen, Kokospalmen; Hauptort ist der Hafen Namlea.

Burundi (amtl. Rundi Republika y'Uburundi, frz. République du B.), Binnenstaat in O-Afrika, grenzt im O und SO an Tansania, im W an Kongo (Demokrat. Rep.) und im N an Ruanda.

Staatswappen

Staat und Recht: Nach der Verf. vom 9. 3. 1992 (durch Referendum gebilligt) ist B. eine präsidiale Rep.; Staatsoberhaupt und oberster Inhaber der Exekutive ist der Präs. (auf fünf Jahre gewählt). Er ernennt das Kabinett unter Vorsitz des MinPräs. Gesetzgebendes Organ ist die Nationalversammlung (81 Abg., auf fünf Jahre gewählt). Die polit. Willensbildung erfolgt auf der Grundlage eines Mehrparteiensystems. Obwohl laut Verf. Parteien nicht auf ethn. Basis gebildet werden dürfen, spiegeln die bestehenden Parteien den ethn. Gegensatz zw. Hutu und Tutsi wieder. Der Front pour la démocratie du Burundi (FRODEBU) wird von den Hutu, die Unité pour le progrès national (UPRONA) von den Tutsi beherrscht.

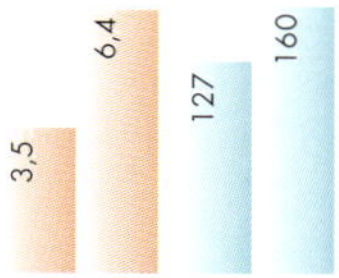

1970 1995 Bevölkerung (in Mio.)

1970 1994 Bruttosozialprodukt je Ew. (in US-$)

Landesnatur: B. liegt im ostafrikan. Zwischenseengebiet, am NO-Ende des Tanganjikasees. Im W gehen die ausgedehnten, stark zerschnittenen Hochflächen (um 1500 m ü. M.) in einen bis zu 2670 m aufragenden Gebirgszug über, der verhältnismäßig steil zum Zentralafrikan. Graben mit dem Tanganjikasee abfällt. Das trop. Klima wird durch die Höhenlage gemildert, Regenzeiten im März–Mai und Sept.–Dez. In den feuchteren Gebieten tritt stellenweise Nebelwald auf, sonst ist Feuchtsavanne (Weideland) weit verbreitet.

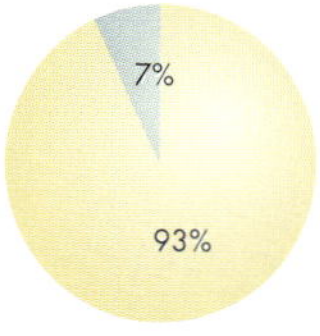

Bevölkerungsverteilung 1994

Bevölkerung: B. ist einer der kleinsten, aber am dichtesten besiedelten Staaten Afrikas. 83% der Bev. sind Ackerbau treibende Bantustämme (Hutu), 16% gehören zum Hirtenvolk der Tutsi; Pygmäen nur noch 1%. – Allg. Schulpflicht besteht vom 6.–12. Lebensjahr; die Analphabetenquote beträgt 50% (über 15 Jahre); Univ. in Bujumbura (gegr. 1960). – 74% der Ew. sind Katholiken, 8% Protestanten, ferner Muslime (1%) und Anhänger von Naturreligionen (15%).

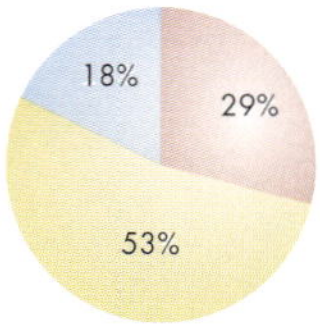

Bruttoinlandsprodukt 1994

Wirtschaft, Verkehr: Die Landwirtschaft ist die Wirtschaftsgrundlage; sie beschäftigt rd. 83% der Erwerbstätigen und erbringt über 90% des Ausfuhrwertes (Kaffee, Tee, Baumwolle). 90% der landwirtsch. Erzeugnisse (Mais, Bananen, Maniok, Bohnen, Süßkartoffeln, Reis) dienen der Eigenversorgung; daneben Viehzucht und Fischfang. Bodenschätze (reiche Vorkommen an Nickel- und Vanadiumerzen) werden kaum abgebaut. Die Ind. ist wenig entwickelt (Nahrungsmittel-, Bekleidungsind.). – Das Verkehrsnetz ist unzureichend, Straßennetz: 5162 km, davon 310 km befestigt; Eisenbahnen fehlen. Schiffsverkehr auf dem Tanganjikasee; internat. Flughafen in Bujumbura.

Geschichte: B. wurde wahrscheinlich im 17. Jh. von den Tutsi gegründet. Ab 1890 war es Teil von Dt.-Ostafrika, bildete als Urundi zus. mit Ruanda ab 1919 das belg. Treuhandgebiet Ruanda-Urundi. Am 1. 7. 1962 wurde B. als Königreich unabhängig, nach einem Putsch 1966 Republik mit Michel Micombéro als Staats- und Reg.chef. Allein herrschende Staatspartei wurde die von den Tutsi bestimmte UPRONA. Ein Aufstand der Hutu wurde 1972 blutig niedergeschlagen. Nach dem Sturz Micombéros wurde 1976 Jean-Baptiste Bagaza Staatspräs., der durch einen Staatsstreich die Macht 1987 an das Militärkomitee der Nat. Rettung (CMSN) unter Major Pierre Buyoya abgeben musste: Die Nationalversammlung wurde aufgelöst und die Führung der UPRONA abgesetzt. 1988 kam es zu heftigen Kämpfen zw. der politisch rechtlosen Bev.mehrheit der Hutu und den politisch herrschenden Tutsi, die Tausende Opfer forderten. Im Dez. 1990 übernahm ein neues ZK der UPRONA unter Vorsitz von Präs. Buyoya die Machtbefugnisse des CMSN. 1991 stimmte die Bev. der von Buyoya vorgelegten Charta der Nat. Einheit zu, die Schritte zur Demokratisierung und zur Errichtung eines Mehrparteiensystems festlegte.

Am 1. 6. 1993 wurde Melchior Ndadaye, ein Hutu, Mitgl. des FRODEBU, auf der Grundlage der Verf. von 1992 zum Präs. gewählt (Amtsantritt: 10. 7.). Seine Ermordung (21. 10. 1993) im Verlauf eines gescheiterten Militärputsches löste einen Bürgerkrieg zw. den Hutu und Tutsi aus, der Hunderttausende (v.a. Hutu) zur Flucht in die Nachbarländer Ruanda, Tansania und Zaire (heute Demokrat. Rep. Kongo) veranlasste und mehr als 150000 Menschen aus beiden Volksgruppen das Leben kostete. Am 13. 1. 1994 wählte das Parlament den Hutu Cyprien Ntaryamira zum Staatspräs; als dieser Anfang April 1994 zus. mit dem Präs. von Ruanda J. Habyarimana bei einem Flugzeugabsturz getötet wurde, kam es in B. zu weiteren Ausbrüchen von Gewalt zw. Hutu und Tutsi. Nachdem sich die Staatskrise bis Juni 1996 zugespitzt hatte, übernahm der frühere Präs. Buyoya am 25. 7. 1996 an der Spitze der von den von den Tutsi beherrschten Armee die Macht.

🕮 HASSELBLATT, G.: *Die Idylle der Despoten. Forschungsreise in ein Land ohne Trauer – B.: Katyn im Herzen Afrikas. Stuttgart 1991.* – ROBBERT, J.: *Familienrecht in B. Von der traditionellen Familienordnung zum Familiengesetzbuch. Münster u. a. 1993.* – LAELY, TH.: *Autorität u. Staat in B. Berlin 1995.* – ZINGG, P.: *Mutumba. Innenansichten von B. Fribourg 1996.*

Bury ['berɪ], Stadt in der engl. Metropolitan Cty. Greater Manchester, 67500 Ew.; Textil-, Schuh-, Papierind., Maschinenbau.

Bury Saint Edmunds ['berɪ sənt 'edməndz], Stadt in der Cty. Suffolk, England, am Lark, 31200 Ew.; Marktzentrum. – Kirche Saint James (12. Jh., im 15. Jh. umgestaltet), Reste einer Benediktinerabtei aus dem 11. Jh.; Wallfahrtsort.

Bürzel [von oberdt. borzen »hervorstehen«], **1)** *Jägersprache:* Schwanz von Wildschwein, Bär, Dachs.

2) *Zoologie:* hinterste Rückengegend der Vögel, oft auffallend gefärbt; das Gefieder verdeckt die Mündung der paarigen **B.-Drüse,** deren öliges Sekret der Einfettung des Gefieders dient.

Bụrzenland (rumän. Ţara Bârsei, ungar. Barcaság), fruchtbare Beckenlandschaft im SO Siebenbürgens, Rumänien. – 1211–25 als Grenzlandschaft Ungarns Lehen des Dt. Ordens, der hier mehrere Burgen, die Stadt Kronstadt und 13 dt. Dörfer gründete.

Bụs [engl.] *der, Informatik:* Sammelleitung einer EDV-Anlage, an die sämtl. Systemkomponenten angeschlossen sind und die dem Daten- und Informationsaustausch dient. Der **Daten-B.** transportiert Operanden und Befehle, der **Adress-B.** transportiert (Speicher-)Adressen und der **Steuer-B.** leitet Signale für die Verwaltung und Koordination weiter.

Bus, Kurzbez. für Autobus (→ Omnibus).

Bụsch, 1) Adolf, Violinist, *Siegen 8. 8. 1891, †Guilford (Vt.) 9. 6. 1952, Bruder von 2); gründete 1919 das B.-Quartett, 1926 das B.-Trio; ging 1926 nach Basel, 1940 in die USA; bekannt als Bach-, Beethoven- und Brahmsinterpret.

2) Fritz, Dirigent, *Siegen 13. 3. 1890, †London 14. 9. 1951, Bruder von 1); 1919–22 Leiter der Stuttgarter, 1922–33 der Dresdner Oper, wo er Uraufführungen von Opern R. Strauss', P. Hindemiths und F. Busonis leitete und die Spätwerke G. Verdis für die dt. Bühne neu erschloss; ging 1933 nach Amerika; leitete seit 1934 die Festspiele in Glyndebourne; 1937–41 Chefdirigent des Stockholmer Philharmon. Orchesters.

3) Wilhelm, Maler, Zeichner und Dichter, *Wiedensahl (bei Stadthagen) 15. 4. 1832, †Mechtshausen (heute zu Seesen) 9. 1. 1908; besuchte die

Wilhelm Busch
(Selbstporträt, 1894)

Wilhelm Busch: Bild 29 aus dem Originalmanuskript von »Max und Moritz« (1865)

Akademien in Düsseldorf, Antwerpen und München, zog sich dann an seinen Geburtsort, 1898 nach Mechtshausen zurück. B. ist ein unerreichter Meister des epigrammat. Textes, verbunden mit Bilderfolgen von großer Treffsicherheit in der Darstellung (»Max und Moritz«, 1865; »Hans Huckebein, der Unglücksrabe«, 1867; »Der hl. Antonius von Padua«, 1870; »Die fromme Helene«, 1872). Er entlarvte das Spießbürgertum in seiner Selbstzufriedenheit und Verlogenheit; daneben auch Gedankenlyrik (»Kritik des Herzens«, 1874; »Zu guter Letzt«, 1904) und Prosa (»Eduards Traum«, 1891; »Der Schmetterling«, 1895). B. war bes. beeinflusst von A. Schopenhauer.

📖 BRUNNGRABER-MALOTTKE, R.: *W. B., Handzeichnungen nach der Natur. Werkverzeichnis. Mit einer Einleitung v.* H. GURATZSCH. *Stuttgart 1992.* – SICHELSCHMIDT, G.: *W. B. Von der Weisheit des Herzens. Der Humorist der entzauberten Welt. Eine Biographie. Düsseldorf 1992.*

Busche, Hermann von dem, humanist. Schriftsteller, *Sassenberg (bei Warendorf) um 1468, †Dülmen April 1534; Prof. u. a. in Köln und Marburg; Anhänger Reuchlins, des Humanismus (»Vallum humanitatis«, 1518) und der lutherschen Lehre; zahlreiche lat. Dichtungen.

Buschehr (Buschir, Abuschehr), Stadt in Iran, an der NO-Küste des Pers. Golfs; 132 800 Ew.; petrochem. Ind.; Hafenstadt.

Büschel, *Mathematik:* Spezialfall des →Bündels, z. B. ist ein **Geraden-B.** ein Geradenbündel, dessen Geraden in einer Ebene liegen.

Büschelentladung, selbstständige →Gasentladung an Spitzen (Spitzenentladung) oder Kanten Hochspannung führender Teile in Form von fadenförmigen Entladungskanälen (Büscheln). Auf B. beruht z. B. das →Elmsfeuer.

Büschelkiemer (Syngnathoidei), Unterordnung der Stichlingsfische mit den Familien **Seenadeln** und **Seepferdchen** (Syngnathidae) sowie **Röhrenmünder** (Solenostomidae) mit büschelförmigen Kiemen, Knochenschildern oder -platten.

Buschhornblattwespen (Diprionidae), Unterfamilie der Blattwespen, deren raupenähnl. Larven **(Afterraupen)** an Kiefern- und Fichtennadeln fressen (bes. die Kiefern-B.).

Buschhornblattwespen: Kiefernbuschhornblattwespe (Männchen, Größe 7–10 mm)

Büsching, Anton Friedrich, dt. Geograph und Theologe, *Stadthagen 27. 9. 1724, †Berlin 28. 5. 1793; Prof. in Göttingen, stützte sich in seiner »Neuen Erdbeschreibung« (11 Bde., 1754–92) auf exakte politisch-statist. Angaben; einflussreichster Geograph seiner Zeit.

Buschir, iran. Stadt, →Buschehr.

Buschkatze, →Serval.

Buschmänner (Buschleute, engl. Bushmen, afrikaans Bosjesmans, auch San), Jäger- und Sammlervolk in Namibia, Angola, Botswana; noch etwa 50 000 Personen. Die B. wurden von den nach Sü-

George Bush

den vorrückenden Bantu und von den Weißen in Rückzugsgebiete abgedrängt und leben heute vorwiegend in der Kalahari. Anthropologisch werden die kleinwüchsigen B. mit den sprachlich eng verwandten Hottentotten als Khoisanide (→Khoisan) zusammengefasst. Die Lokalgruppen bestehen aus jeweils nur wenigen Familien. Jede dieser Gruppen ist autonom unter der Führung eines Ältesten mit wenig Autorität; Häuptlinge gibt es nicht. Als Bekleidung dienen Fell- oder Lederschürzen und -umhänge, als Behausung Windschirme oder Höhlen, seltener Kuppelhütten. Hoch entwickelt war die **Buschmannkunst** (Felsgravierungen und -malereien).

Buschmänner: Buschmannfrauen beim Wurzelstampfen

🕮 KENNTNER, G. *u.* KREMNITZ, W. A.: *Kalahari. Expedition zu den letzten Buschleuten im südl. Afrika. Frieding-Andechs 1993.* – HEINZ, H.-J.: *Social organization of the !Kõ bushmen, hg. v.* K. KEUTHMANN. *Köln 1994.* – UHL, W. A.: *Kalahari – hautnah. Die Welt der !Kung-Buschmänner. Reutlingen 1994.*

Buschmeister (Lachesis mutus), Art der Grubenottern; über 3 m lange Eier legende Giftschlange in den Bergwäldern des nördl. Südamerika.

Buschneger, die →Maron.

Buschobst, Obstbäume mit kurzem Stamm, auf schwach wachsender Unterlage veredelt.

Buschor, Ernst, Archäologe, *Hürben (heute zu Krumbach [Schwaben]) 2. 6. 1886, †München 11. 12. 1961; leitete 1925–39 die Ausgrabungen auf Samos; leistete wichtige Beiträge zum Verständnis der grch. Kunst der archaischen Zeit.

Buschwindröschen, Art der →Anemone.

Busek, Erhard, österr. Politiker, *Wien 25. 3. 1941; Jurist, 1978–87 Vizebürgermeister von Wien, 1980–91 stellv. Bundesobmann der ÖVP, 1991–95 ihr Bundesobmann, 1989–95 Wissenschaftsmin. und 1991–95 auch Vizekanzler der Rep. Österreich.

Busen, in der *Anatomie* die zw. den weibl. Brüsten gelegene Vertiefung; auch svw. Brust, Herz als Sitz der Empfindung und des Gefühls, v.a. in der Dichtersprache; allg. Bez. die weibl. Brust.

Busento *der,* kleiner Nebenfluss des Crati bei Cosenza in Kalabrien, in dem der Sage nach die Westgoten 410 n. Chr. ihren König Alarich begruben (Ballade »Das Grab im B.« von A. von Platen).

Bush [bʊʃ], **1)** George Herbert Walker, 41. Präs. der USA (1989–93), *Milton (Mass.) 12. 6. 1924; Wirtschaftswissenschaftler, Mitgl. der Republikan. Partei, 1967–71 Abg. im Repräsentantenhaus, war 1971/72 Botschafter bei der UNO und 1974/75 Leiter des Verbindungsbüros der USA in Peking. 1976/77 stand er an der Spitze des CIA. 1981–89 war B. US-Vizepräs. unter Präs. R. Reagan. 1988 wurde B. zum Präs. gewählt (Amtsantritt im Jan. 1989). Der Schwerpunkt seiner Amtstätigkeit lag auf außenpolit. Gebiet: Er unterstützte die Vereinigung der beiden dt. Staaten, förderte die Reformbemühungen in O-Europa und setzte nach dem Überfall des Irak auf Kuwait 1990 die Bildung einer internat. Streitmacht zur Verwirklichung der UN-Resolutionen gegen den Irak durch. Zwischen 1990 und 1993 unterzeichnete B. wichtige Abrüstungsverträge (u.a. START I und II). Vor dem Hintergrund einer anhaltend schlechten Wirtschaftslage in den USA unterlag er bei den Präsidentschaftswahlen 1992 dem demokrat. Kandidaten B. Clinton.

2) Vannevar, amerikan. Elektroingenieur, *Everett (Mass.) 11. 3. 1890, †Belmont (Mass.) 28. 6. 1974, entwickelte u.a. Analogrechner (1927 erster mechan., 1942 erster elektron. Differenzialanalysator) sowie die Datenspeicherung mit Mikrofilm; organisierte die amerikan. Forschung und Waffenentwicklung während des 2. Weltkriegs.

Bushel [bʊʃl, engl.] *der,* Einheitenzeichen **bu** oder **bus,** veraltetes Hohlmaß für Schüttgüter; in Großbritannien: 1 bu = 36,3687 l; in den USA: 1 bu = 35,2393 l.

Bussarde: Mäusebussard (Größe 51–56 cm)

Bushidō [-ʃ-; japan. »Kriegerweg«] *das* (Buschido), die Ethik des japan. Kriegerstandes: Treue gegen den Herrn, Waffentüchtigkeit, Todesverachtung, Selbstzucht und Güte gegen Schwache; wurde zum eth. Ideal Japans und bildete z.B. den Ehrenkodex der Samurai.

📖 NITOBÉ, I: *Bushidō. Die Seele Japans. Neuausg. Heidelberg 1995.*

Busine [frz.] *die,* eine gerade →Trompete.

Büßerschnee

Business ['bɪznɪs, engl.] *das,* Geschäft, Geschäftsleben, Unternehmen. **Businessclass,** auf Geschäftsreisende ausgerichtete Reiseklasse im Flugverkehr.

Business-Administration ['bɪznɪsədmɪnɪ'streɪʃn, engl.] *die,* der dt. Betriebswirtschaftslehre entsprechende amerikan. Hochschuldisziplin. Besondere Aus- und Fortbildungseinrichtungen für B.-A. sind die **Business-Schools,** Wirtschaftshochschulen wie die »Graduate School of B.-A.« an der Harvard University.

Büsingen am Hochrhein, Gemeinde im Landkreis Konstanz, Bad.-Württ., 1500 Ew.; dt. Exklave in der Schweiz, seit 1947 (de jure seit 1964) in das schweizer. Zollgebiet einbezogen.

Busiris, 1) im grch. Mythos Sohn des Poseidon, ein ägypt. König, der alle Fremden opferte, um die Hungersnot in seinem Land zu beenden. Herakles, ebenfalls als Opfer ausersehen, tötete ihn und seine Diener.

2) eine der Hauptverehrungsstätten des Osiris in Ägypten, in der Nähe des Nildeltas; heute Abu Sir.

Busnois [by'nwa], Antoine, frankofläm. Komponist, *um 1430, †Brügge 6. 11. 1492; einer der führenden Musiker am burgund. Hof; komponierte v.a. Chansons (z.T. auf eigene Texte).

Busoni, Ferruccio Benvenuto, italienisch-dt. Pianist und Komponist, *Empoli (bei Florenz) 1. 4. 1866, †Berlin 27. 7. 1924; komponierte Opern (u.a. »Turandot«, 1917; »Doktor Faust«, 1925), Klavierwerke, Orchesterwerke, Kammermusik.

Bussarde [frz.] (Buteo), fast weltweit verbreitete Gatt. der Greifvögel mit 23 Arten; breite Flügel, bis 70 cm lang; gute Segler; ernähren sich von Kleinsäugern. Der **Mäuse-B.** (Buteo buteo, Größe 51–56 cm) ist neben dem Turmfalken einer der häufigsten Greifvögel in Dtl. (→Wespenbussard)

Buße [ahd. buoza »Besserung«, »Abhilfe«], **1)** *allg.:* die für eine religiöse, sittl. oder rechtl. Schuld zu leistende Sühne. B. ist allen Religionen bekannt und setzt eine Schuld, vielfach auch ein Bekenntnis (→Beichte) voraus. In der kath. Kirche das Sakrament, das die nach der Taufe begangenen Sünden durch die Lossprechung (Absolution) des Priesters tilgt, wenn der Sünder durch Reue und Bekenntnis der Sünden und Genugtuungswerke mitwirkt; wird biblisch bes. auf Mt. 18, 18 und Joh. 20, 21–23 zurückgeführt. Das Bußsakrament tilgt alle Sünden; es ist heilsnotwendig nach schwerer Sünde in Todesgefahr, wenn ein Priester erreichbar ist; unvergebbare Sünden (Sünde wider den Hl. Geist) gibt es für den Büßer nicht. Nach evang. Auffassung ist die B. Gesinnung der Umkehr, kein Sakrament, vielmehr Reue über die Sünde und Glaube an Gottes Vergebung.

2) *Recht:* im german. Recht Entschädigung, die als Ersatz für blutige Vergeltung entrichtet wurde. – Bis 1974 im StGB eine neben der Strafe zu zahlende Entschädigung. Nach dem Ordnungswidrigkeitenges. wird im **Bußgeldverfahren** eine Geld-B. (B.-Geld) festgesetzt, wenn die Zuwiderhandlung bloße Ordnungswidrigkeit ist oder keine Strafe verlangt; die Geld-B. liegt zw. 5 und, falls nicht anders bestimmt, 1000 DM. Sie wird durch Bußgeldbescheid festgelegt, gegen den der Betroffene binnen zwei Wochen Einspruch einlegen kann, über den das Amtsgericht entscheidet. Hiergegen ist Rechtsbeschwerde möglich, wenn das Bußgeld 200 DM übersteigt. (→Ordnungswidrigkeiten, →Verwarnung). In der *Schweiz* ist B. als leichteste Erwachsenenstrafe die Vermögensstrafe des StGB von bis zu 5000 sfr bei Übertretungen und bis zu 40000 sfr bei Verbrechen oder Vergehen.

Ferruccio Busoni

Büßerschnee (Zackenfirn, span. Penitentes), an Pilgerfiguren erinnernde Formen von Schnee,

Business

Business as usual

Dieser englische Ausdruck wurde durch Winston Churchill populär, der in einer Rede anlässlich eines Banketts in der Londoner Guildhall am 9. November 1914 sagte: »The maxim of the British people is ›Business as usual‹ (»Die Maxime des britischen Volkes ist ›Die Geschäfte gehen ihren normalen Gang‹). Der damalige Marineminister Churchill bezog sich damit auf die Ereignisse des Ersten Weltkriegs und deren Einfluss auf das britische Wirtschafts- und Geschäftsleben. Man verwendet den Ausdruck heute ganz allgemein zur Charakterisierung einer Lage, in der entweder nichts Besonderes zu vermelden ist oder in der irgendwelche Geschehnisse ohne Auswirkung auf den üblichen Verlauf der Dinge geblieben sind.

Firn und Gletschereis (bis mehrere Meter hoch), die beim Abschmelzen des Schnees in trop. Hochgebirgen (z. B. Anden) bei starker Sonneneinstrahlung und geringer Luftfeuchtigkeit entstehen.

Franz Anton Bustelli: Mezzetino und Lalagé (um 1760; Berlin, Kunstgewerbemuseum)

Bußgeld, *Recht:* →Buße.

Bussole [italien.] *die,* **1)** *Bergbau* und *Geodäsie:* Magnetkompass mit Visiereinrichtung.

2) *Geophysik:* Gerät zum Messen der horizontalen Komponente der magnet. Erdfeldstärke.

Bußtage (Bettage), *kath. Kirche:* jeder Freitag, auf den kein kirchlich vorgeschriebenes Fest fällt, und der Aschermittwoch. Als **Bußzeit** gilt die gesamte Fastenzeit. In den *evang. Kirchen* wird ein allg. **Buß- und Bettag** am Mittwoch vor dem letzten Sonntag im Kirchenjahr begangen.

Adolf Butenandt

Busta, Christine, eigtl. C. Dimt, österr. Schriftstellerin, *Wien 23. 4. 1915, †ebd. 3. 12. 1987; schrieb Lyrik mit religiösem Grundton: »Die Scheune der Vögel« (1958); »Unterwegs zu älteren Feuern« (1965); »Salzgärten« (1975).

Büste [frz.], plast. Darstellung des Menschen bis zu den Schultern oder in Halbfigur, meist auf einem Sockel oder einer Konsole.

Bustelli, Franz Anton, Porzellanmodelleur, *vermutlich Locarno 11. 4. 1723, †München 18. 4. 1763; Modellmeister der Nymphenburger Manufaktur (1754–63). Seine Kleinplastiken, die u. a. der Commedia dell'Arte angehören, sind Meisterwerke des europ. Rokoko.

Gatsha Mongosuthu Buthelezi

Bustrophedon [grch., eigtl. »sich wendend wie der Ochse beim Pflügen«] *das* (Furchenschrift), Schreibart, bei der mit jeder Zeile die Schriftrichtung wechselt (rechts- und linksläufig); Kennzeichen archaischer lat. und grch. Inschriften.

Büsum, Gemeinde im Landkr. Dithmarschen, Schlesw.-Holst., 6500 Ew.; Fischereihafen (Krabben- und Hochseefischerei), Werft; Nordseeheilbad.

Butadien (1,3-Butadien) *das,* sehr reaktionsfähiger, ungesättigter Kohlenwasserstoff mit zwei konjugierten Doppelbindungen; mehr als 90 % der Produktion wird zu Synthesekautschuk verarbeitet.

Butane, Alkane, die als Flüssiggase bei der Erdöldestillation anfallen und in den zwei strukturisomeren Formen **n-B.** und **Iso-B.** auftreten; verwendet zur Herstellung von Butadien, als Zusatz zu Kraftstoffen, als Brenngas u. a., n-B. auch als Treibgas in Sprays.

Butanole (Butylalkohole), vier isomere Alkohole der Zusammensetzung $C_4H_9(OH)$. Die B. und ihre Ester sind wichtige techn. Lösungsmittel sowie Riech- und Aromastoffe.

Butanon (2-Butanon) *das,* acetonartig riechende Flüssigkeit, dient als Lösungsmittel für Lacke und als Vergällungsmittel für Äthanol.

Butansäure, →Buttersäure.

Butantan (Butantã), Institut zur Erforschung und Herstellung von Serum gegen Schlangen- u. a. Gifte im Stadtteil Pinheiros von São Paulo, Brasilien.

Butare, zweitgrößte Stadt und kulturelles Zentrum von Ruanda, 43 400 Ew., kath. Bischofssitz; Univ. (1963 gegr.), Nationalmuseum.

Butenandt, Adolf Friedrich Johann, Biochemiker, *Lehe (heute zu Bremerhaven) 24. 3. 1903, †München 18. 1. 1995; Prof., 1936–72 Direktor des Kaiser-Wilhelm- bzw. (seit 1948) Max-Planck-Inst. für Biochemie, 1960–72 Präs. der Max-Planck-Gesellschaft; erhielt 1939 für die Isolierung und Konstitutionsermittlung der Geschlechtshormone den Nobelpreis für Chemie (überreicht 1949).

📖 KARLSON, P.: *A. B. Biochemiker, Hormonforscher, Wissenschaftspolitiker. Stuttgart 1990.*

Butene (Butylene), gasförmige ungesättigte Kohlenwasserstoffe (Alkene), Summenformel C_4H_8. Sie treten i. d. R. als Gemisch der drei Isomeren **1-B., 2-B.** und **Iso-B.** auf. B. fallen beim →Steamcracken an und werden zu klopffesten Kraftstoffzusätzen und Polymerbenzin für Isolier- und Dichtungsstoffe, Butylkautschuk und Butanolen verarbeitet.

Buthelezi [-zi], Gatsha Mongosuthu, südafrikan. Stammesführer und Politiker, *Mahlabatini (Natal) 27. 8. 1928; 1972–94 Chefmin. des 1994 aufgelösten Homelands KwaZulu, seit 1975 Führer der Zulu-Bewegung →Inkatha, übernahm nach der Abschaffung des Apartheidsystems 1994 in der Regierung unter Präs. N. R. Mandela das Innenministerium.

Butjadingen, Marschhalbinsel zw. Jadebusen und Unterweser, Ndsachs. Das fruchtbare Grünland (Pferde- und Rinderzucht) wird durch Deiche geschützt.

Butler ['bʌtlə; engl., von frz. bouteiller »Kellermeister«] *der,* Haushofmeister, oberster Diener (in begüterten Häusern).

Butler ['bʌtlə], **1)** John, amerikan. Tänzer und Choreograph, *Memphis (Tenn.) 29. 9. 1920; Vertreter des Moderndance.

2) Josephine Elizabeth, brit. Sozialreformerin, *Milfield (bei Wooler) 13. 4. 1828, †Wooler (Cty. Northumberland) 30. 12. 1906; kämpfte für die Abschaffung der vom Staat lediglich reglementierten Prostitution.

3) Nicholas Murray, amerikan. Publizist und Pädagoge, *Elizabeth (N. J.) 2. 4. 1862, †New York 7. 12. 1947; 1890–1945 Prof. an der Columbia University in New York, wirkte für die Völkerverständigung; Friedensnobelpreis 1931 mit J. Addams.

4) Reg(inald), brit. Bildhauer, *Buntingford (Cty. Hertfordshire) 28. 4. 1913, †Berkhamsted (Cty. Hertfordshire) 23. 10. 1981; urspr. Architekt; schuf abstrahiernde, seit den 50er-Jahren figurative Arbeiten, bei denen er Bronzefiguren mithilfe eines Gerüstes im Raum aufspannt.

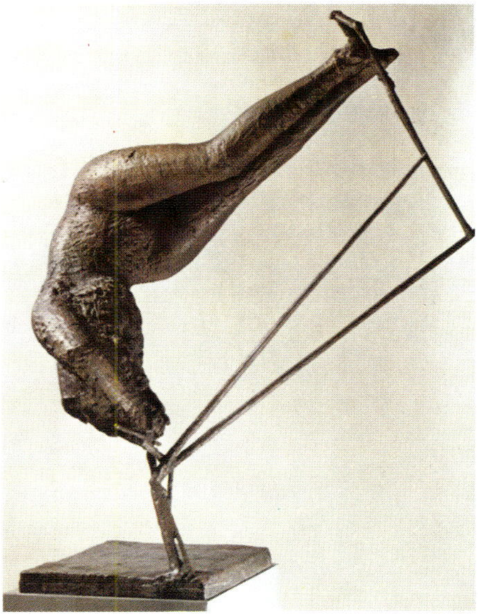

Reg Butler: Figur im Raum (1957/58; Mannheim, Kunsthalle)

5) Samuel, engl. Satiriker, getauft Strensham (bei Worcester) 18. 2. 1612, †London 25. 9. 1680; schrieb das gegen den Puritanismus gerichtete unvollendete komisch-heroische Epos »Hudibras« (3 Tle., 1663–78).

6) Samuel, engl. Schriftsteller, *Langar (bei Nottingham) 4. 12. 1835, †London 18. 6. 1902; verfasste den satir. Zukunftsroman »Erewhon« (1872), der die Schwächen der viktorian. Gesellschaftsordnung aufdeckt, und den autobiograph. Roman »Der Weg allen Fleisches« (1872–84; hg. 1903).

Buto (heute Tell el-Farain), altägypt. Stadt im nordwestl. Nildelta, Kultstätte der Schlangengöttin Uto und polit. Mittelpunkt Unterägyptens.

Buton, indones. Insel, →Butung.

Butor [by'tɔ:r], Michel, frz. Schriftsteller, *Mons-en-Barœul (Dép. Nord) 14. 9. 1926; einer der Haupttheoretiker und Vertreter des →Nouveau Roman; schrieb Romane (»Paris – Passage de Milan«, 1954; »Der Zeitplan«, 1956; »Paris–Rom oder Die Modifikation«, 1957; »Stufen«, 1964), Essays (»Repertoire«, 5 Bde., 1960–82; »Die Alchemie und ihre Sprache«, 1990), Hörspiele und Gedichte.

Michel Butor

Bütow [-o], Stadt in Polen, →Bytów.

Butskopf, der Schwertwal, →Delphine.

Butt, ein Plattfisch, z.B. der Heilbutt.

Butte [bju:t], Bergbaustadt im SW von Montana, USA, 1760 m ü. M., in den Rocky Mountains, 33 300 Ew.; Bergakademie: bed. Bergbau auf Kupfer, das in Anaconda verhüttet wird, sowie auf Zink, Blei, Mangan.

Bütte, hölzernes, nach unten sich verjüngendes Tragegefäß, z.B. für Trauben bei der Weinlese.

Büttenpapier, handgeschöpftes oder fast naturgetreu auf (Rundsieb-)Maschinen hergestelltes Papier (original) aus Hadern; hat ungleichmäßigen Rand, fast keine Laufrichtung.

Büttenrede, Karnevalsrede, wurde zuerst in Köln 1827 aus einem Fass (Bütt) heraus gehalten.

Butter [aus lat. butyrum, grch. boútyron »Kuhquark«], aus Milch gewonnenes Speisefett, das mindestens 82% Fett, bis 16% Wasser, 0,7% Eiweiß, 0,7% Milchzucker sowie Spuren von Salzen enthält. Zur Gewinnung des Milchfetts wird die Milch in der Milchschleuder zentrifugiert; dabei sammelt sich um die Drehachse der leichtere Rahm an, während die schwerere Magermilch am Rand austritt. Zur Herstellung von **Sauerrahm-B.** wird der Rahm pasteurisiert und im Rahmreifer durch Zusatz von Milchsäurebakterien gesäuert. Beim »Buttern« wird der Rahm zu Schaum geschlagen, wobei die Fettkügelchen zusammenklumpen. Die B.-Milch wird abgelassen, die B. gewaschen und geknetet. **Süßrahm-B.,** die heute in den Molkereien am häufigsten hergestellte Art, wird aus ungesäuertem Rahm im kontinuierl. **Schaumbutterungsverfahren** nach Fritz mit rotierenden Schlägern oder nach dem **Alfa-Butterungsverfahren** durch erneutes Zentrifugieren und Kneten unter rascher Abkühlung hergestellt. Die fertige B. wird geformt, z.T. auch mit Pflanzenfarbstoffen (Beta-Carotin) gefärbt. – B. enthält einen hohen Anteil an gesättigten Fettsäuren (v.a. Stearin- und Palmitinsäure), ferner ungesättigte

Fettsäuren, wie Öl-, Linol- und Linolensäure, sowie eine geringe Menge anderer Fette, die bei Zersetzung (wenn die B. ranzig wird) stark riechende Fettsäuren absondern, bes. B.- und Capronsäure. Das ungünstige Verhältnis von ungesättigten und gesättigten Fettsäuren sowie der Gehalt an Cholesterin kann eine Einschränkung des Verzehrs z.B. bei Arteriosklerosediät erforderlich machen. – Die B.-VO vom 16. 12. 1988 schützt die Qualität und regelt die Herstellung und Kennzeichnung der in Molkereien hergestellten Butter. Bei der B.-Bewertung werden die sensor. Eigenschaften geprüft (Aussehen, Geruch, Geschmack, Textur), die Wasserverteilung, die Streichfähigkeit und der pH-Wert im Serum (für jedes Kriterium sind fünf Punkte möglich). Man unterscheidet in Dtl. die Handelsklassen **Dt. Marken-B.** (mindestens vier Punkte) und **Dt. Molkerei-B.** (mindestens drei Punkte). Die Handelsbez. für in Milcherzeugerbetrieben hergestellte B. ist **Dt. Landbutter.**

Wirtschaft: Im Rahmen der EG-Marktordnung für Milch wird jährlich ein Interventionspreis für B. festgelegt, zu dem die staatl. Interventionsstellen jede ihnen angebotene Menge aufkaufen müssen. Dadurch können Überschüsse (»B.-Berg«) entstehen, die mit Sondermaßnahmen (verbilligte Abgabe an gemeinnützige Einrichtungen u.a., Verkauf als B.-Schmalz) und Exporte in Drittländer abgebaut werden. Die Kosten für die Lagerhaltung und Verbilligung sowie die bei den niedrigeren Weltmarktpreisen notwendigen Exporterstattungen trägt der →Europ. Ausrichtungs- und Garantiefonds für die Landwirtschaft. Die Produktion betrug 1994 in Dtl. 455 000 t, der Verbrauch lag bei 7,0 kg pro Kopf.

Butterpilz
(Höhe bis 10 cm)

Geschichte: Zur B.-Bereitung ließ man früher die Milch in flachen Gefäßen, den Satten, stehen, bis sich der Rahm oben abgesetzt hatte. Er wurde abgeschöpft, gesammelt und mit einem Stößer im **B.-Fass** gestoßen, bis das Fett zusammengeballt war. Danach wurde die B. geknetet und gewaschen wie heute. – Die älteste erhaltene Darstellung der B.-Herstellung findet sich auf einem sumer. Mosaik (um 3000 v. Chr.). Im Altertum war B. ein Kosmetikum; als Speisefett ist sie erst seit dem 16. Jh. verbreitet.

Butterbäume, tropische Baumarten mit fettreichen Samen.

Butterbirne, Birnensorte mit zartem, saftigem Fleisch.

Butterblume, volkstüml. Bez. für viele glänzend gelb blühende Pflanzen, besonders Hahnenfußarten.

Butterbohne, Same des ostind. Kopalbaumes (Vateria indica), enthält das **Vateriafett** (Malabartalg, B.-Fett); wird als Speisefett und zur Herstellung von Seifen und Kerzen verwendet.

Butterfische (Pholididae), artenarme Familie der Schleimfischartigen mit lang gestrecktem Körper, langer Rücken- und Afterflosse; in Flachwassergebieten der nördl. Meere.

Butterfische: Die nordatlantische Art Butterfisch (Länge bis 30 cm)

Butterfly ['bʌtəflaɪ; engl. »Schmetterling«] *der,* Sportschwimmart, →Schmetterlingsschwimmen.

Butterkrebs, frisch gehäuteter Flusskrebs mit noch weichem Panzer.

Buttermilch, beim Verbuttern von Rahm (→Butter) anfallende sauermilchähnl., wässrige Flüssigkeit, die 0,3–0,8 % Fett, 0,3–3,7 % Eiweiß, 3,7–5,1 % Kohlenhydrate (v.a. Milchzucker) und 0,7 % Milchsäure enthält.

Butterpilz (Suillus luteus), Röhrling mit gelb- bis dunkelbraunem, bei Feuchtigkeit schleimig glänzendem Hut und zitronengelben Lamellen; Speisepilz.

Buttersäuren (Butansäuren), zwei strukturisomere gesättigte flüssige Monocarbonsäuren (n-B. und Iso-B.) mit unangenehm ranzigem Geruch, die im Schweiß und in Butter vorkommen. B. werden durch Oxidation von n-Butyraldehyd gewonnen und zur Herstellung von Celluloseestern verwendet. B.-Ester **(Butyrate)** dienen als Aromastoffe und Weichmacher.

Butterschmalz (Schmelzbutter), das aus Butter ausgeschmolzene, fast reine Butterfett; enthält 99,5 % Fett, 0,25 % Eiweiß, 0,25 % Wasser; dient als Back- und Bratfett.

Butting, Max, Komponist, *Berlin 6. 10. 1888, †Berlin (Ost) 13. 7. 1976; schrieb u.a. zehn Sinfonien, Kammermusik, eine Oper (»Plautus im Nonnenkloster«, 1959, nach C. F. Meyer) sowie Klavier- und Chorwerke.

Buttlar, Eva Margaretha von, pietist. Schwärmerin, *Eschwege Juni 1670, †Altona (heute zu Hamburg) 27. 4. 1721; gründete 1702 eine schwärmerisch-pietist. Gemeinschaft (»Christl. und philadelph. Sozietät«), die jede gesetzl. Ordnung ablehnte, auch die Ehe, und als **Buttlarsche Rotte** verfolgt wurde.

Button [bʌtn; engl. »Knopf«] *der,* Ansteckplakette, mit der man seine (polit.) Meinung zu erkennen gibt.

Butung (Buton), Insel Indonesiens, südöstlich von Celebes, 9 582 km^2, aus Korallenkalk aufgebaut, von etwa 300 000 Makasaren und Bugi, einst gefürchteten Seeräubern, besiedelt; Asphaltvorkommen; Anbau von Reis, Mais, Kokospalmen. Hauptort und Hafen ist Baubau.

Butyl..., Bez. für die vom Butan abgeleitete einbindige Kohlenwasserstoffgruppe C_4H_9–.

Butylalkohole, die → Butanole.

Butylene, veraltet für → Butene.

Butyrate, Salze und Ester der Buttersäure.

Butzbach, Stadt im Wetteraukreis, Hessen, am NW-Rand der Wetterau, 24 400 Ew.; Maschinen-, Fahrzeug-, Stahl-, Apparatebau, Bau von Klimaanlagen, Schuhindustrie. – Viereckiger Marktplatz in der nahezu runden, von Mauern umgebenen Altstadtanlage, got. Markuskirche, ehem. Solmssches Amtshaus (15. Jh.), ehem. landgräfl. Schloss (1610), Fachwerkhäuser. – B., seit 773 als Siedlung belegt, erhielt 1321 Stadtrecht.

Butzenscheibe, runde Glasscheibe, in der Mitte mit einer Erhöhung **(Butzen** oder **Nabel);** seit etwa 1400 zur Fensterverglasung verwendet.

Butzenscheibenlyrik, von P. Heyse (1884) geprägte abwertende Bez. für sentimentale Dichtungen mit meist mittelalterlichen, romant. Motiven; Hauptvertreter waren Rudolf Baumbach (*1840, †1905) und Julius Wolff (*1834, †1910).

Butzer, Martin, Reformator, → Bucer.

Bützow [-o], Stadt im Landkr. Güstrow, Meckl.-Vorp., in der breiten niederen Talaue der Warnow (Binnenhafen), 9 400 Ew.; Holz-, Möbel-, Molkereiind., Sauerstofffabrik; got. Stadtkirche (1248); seit 1236 Stadtrecht.

b. u. v., *Recht:* Abk. für **b**eschlossen **u**nd **v**erkündet (unter Gerichtsbeschlüssen).

Buxazeen, die → Buchsbaumgewächse.

Buxtehude, Stadt im Landkreis Stade, Ndsachs., südwestlich von Hamburg, 35 300 Ew.; FH; Lebensmittel-, chem., Bauind, Maschinenbau. – Petrikirche, eine Backsteinbasilika (um 1300), Marschtorzwinger (1539), Bürgerhäuser (16. Jh.). – Im Ortsteil Altkloster bestand 1197–1648 ein Benediktinerinnenkloster. Nördlich davon wurde 1273 die Siedlung neu errichtet; 1328 erhielt B. Stadtrecht.

Buxtehude, Dietrich, Organist und Komponist, *Oldesloe (heute Bad Oldesloe) 1637 (?), †Lübeck 9. 5. 1707; seit 1668 Organist an der Marienkirche in Lübeck; über 100 geistl. Vokalwerke (Choräle, Arien, Kantaten); viele Orgelwerke (Präludien, Toccaten, Fugen, Choralbearbeitungen). Bed. Meister der norddt. Organistenschule, wirkte bes. auf J. S. Bach.

📖 SNYDER, K. J.: *D. B. Organist in Lübeck. New York 1993.*

Buxton ['bʌkstən], Heilbad in der mittelengl. Cty. Derbyshire, 20 800 Ew.; radioaktive Thermalquellen.

Buytendijk ['bœjtəndɛjk], Frederik Jacobus Johannes, niederländ. Psychologe und Physiologe, *Breda 29. 4. 1887, †Nimwegen 21. 10. 1974; grundlegende Arbeiten zur Tierpsychologie, zur vergleichenden Verhaltensforschung und zur psycholog. Anthropologie.

Buzău [bu'zəu], Hptst. des Bezirks B. in Rumänien, am Karpatenrand, am Fluss B., 149 600 Ew.; Kupferhütte, Maschinenbau, chem., Holz-, Papierind., Erdölraffinerie. Seit 1508 Bischofssitz.

Buzzati [bud'za:ti], Dino, eigtl. D. B.-Traverso, italien. Schriftsteller, *Belluno 16. 10. 1906, †Mailand 28. 1. 1972; in seinen Romanen verbindet sich Realismus mit fantast. und symbol. Elementen in der Art M. Maeterlincks und F. Kafkas: »Die Festung« (1940); »Das Haus mit den sieben Stockwerken« (Dr., 1953); »Der Hund, der Gott gesehen hatte« (Nov.n, 1956); »Eine Frau von Welt« (Erz., 1966).

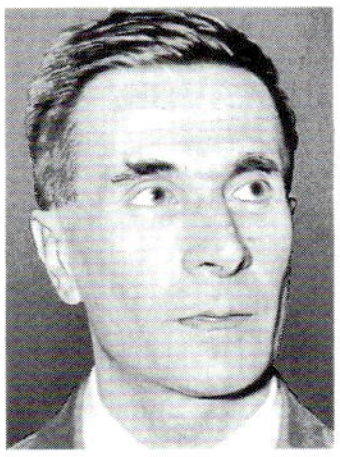

Dino Buzzati

Butzenscheibe

B-Waffen, Kurzbezeichnung für »biolog. Waffen« (→ ABC-Waffen).

B-Waffen-Abkommen, Kurzbezeichnung für die »Konvention über das Verbot der Entwicklung, Herstellung und Lagerung bakteriolog. (biolog.) Waffen und Toxinwaffen und über ihre Vernichtung«, abgeschlossen von 113 Staaten am 10. 4. 1972, trat am 26. 3. 1975 in Kraft. Es beinhaltet das Verbot von biolog. und tox. Waffen sowie die Forderung, Bestände zu vernichten. Auf der Überprüfungskonferenz 1986 in Genf wurden Kontrollmaßnahmen vereinbart. Das Abkommen steht allen Staaten zum Beitritt offen.

BWV, Abk. für **B**ach-**W**erke-**V**erzeichnis, → Bach, J. S.

Byblos [grch.] (phönikisch-hebr. Gebal, das heutige Djubail), alte Hafen- und Handelsstadt in Libanon, nördlich von Beirut, stand schon im 3. Jt. v. Chr. in enger Verbindung mit Ägypten (Ausfuhr von Libanonzedern); später Umschlaghafen für ägypt. Papyrus; zahlr. Ausgrabungen (UNESCO-Weltkulturerbe).

Bydgoszcz ['bidgɔʃtʃ], polnischer Name von → Bromberg.

Bygdøy, waldige Halbinsel im westl. Stadtbereich von Oslo, Norwegen, im Oslofjord, 3,6 km^2, mit Villenbebauung; norweg. Seefahrtsmuseum, norweg. Volksmuseum (Freilichtmuseum), Museum der Wikingerschiffe, Framhaus mit F. Nansens Polarschiff Fram, Kon-Tiki-Museum mit T. Heyerdahls Floß und Liegeplatz der Ra 2.

Bykow (weißruss. Bykaŭ), Wassili Wladimirowitsch, weißruss. Schriftsteller, *Bytschki (Gebiet Witebsk) 19. 6. 1924; gestaltete das Kriegserlebnis in Erzählungen (»Die dritte Leuchtkugel«, 1962; »Die Kiesgrube«, 1987) und Romanen (»Der Obelisk«, 1971; »Zeichen des Unheils«, 1982).

Byline [russ. »Geschehnis«] *die* (früher Starine), das alte russ. epische Heldenlied, das Kämpfe und Abenteuer altruss. Helden bes. des 11.–16. Jh. schildert. Die von berufsmäßigen Sängern **(Skomorochen)** gepflegte mündl. Tradition, die in die Zeit

Lord Byron (Zeichnung nach einem zeitgenössischen Bildnis)

des Kiewer Reiches (11.–13. Jh.) zurückreicht, hielt sich in Nordrussland vereinzelt bis ins 19. und 20. Jahrhundert.

Byobu, japan. Wandschirm aus zwei oder mehreren leichten, mit starkem Papier überklebten Holzrahmen; dekorativ bemalt.

Bypass ['baɪpɑːs; engl. »Umleitung«] *der,* Umgehungsleitung, z.B. an Maschinen, verfahrenstechn. Anlagen und auch bei Lebewesen, in der Fluide abgezweigt, vorbei- oder zurückgeführt werden, um den Volumenstrom oder die Leistung unterschiedl. Bedingungen anzupassen, z.B. beim **B.-Triebwerk** (→Strahltriebwerk) oder beim **B.-Kondensator,** der den einem Gleichstrom überlagerten hochfrequenten Wechselstrom ableitet, z.B. auf die Masse des Gehäuses.

Byron

»Ich erwachte eines Morgens und fand, dass ich berühmt war.«

In den Jahren 1812 bis 1818 erschien das Versepos »Childe Harold's pilgrimage« des englischen Dichters Lord Byron (eine deutsche Übersetzung wurde 1836 unter dem Titel »Ritter Harolds Pilgerfahrt« herausgegeben). Die Veröffentlichung der ersten beiden Gesänge (»Cantos«) machten den Autor über Nacht berühmt. Dies behauptet zumindest sein enger Freund und Biograph, der irische Dichter Thomas Moore, der in seinem »Life of Byron« die Worte Byrons »I awoke one morning and found myself famous« überliefert. Das Zitat wird gelegentlich verwendet, wenn eine berühmte Persönlichkeit im Nachhinein mit – oft gespielter – Verwunderung feststellt, wie rasch sie ihre Berühmtheit erlangt hat.

Bypassoperation ['baɪpɑːs-], Umgehungsplastik; bei Verengung oder Verschluss eines Gefäßes (Arterie) wird ein Gefäßtransplantat (oder eine Gefäßprothese) unter Belassung der erkrankten Arterie eingesetzt, d.h., der Verschluss umgangen. Der Gefäßersatz übernimmt dann die Funktion eines Kollateralgefäßes.

Richard E. Byrd

Byrd [bəːd], **1)** Richard Evelyn, amerikan. Admiral und Polarforscher, *Winchester (Va.) 25. 10. 1888, †Boston (Mass.) 11. 3. 1957; überflog nach eigenen Angaben am 9. 5. 1926 erstmals den Nordpol (heute angezweifelt). B. unternahm zw. 1928 und 1956 fünf Antarktisexpeditionen. Auf der ersten (1928–30) gelang ihm 1929 der erste Flug zum Südpol und die Entdeckung des **Marie-Byrd-Landes;** erkundete das Gebiet des Rossmeeres zur Wedellsee.

2) William, engl. Komponist, *Lincoln (?) 1543, †Stondon Massey (bei Harlow) 4. 7. 1623; der erste große Meister des engl. Madrigals; schrieb Cembalomusik mit Variationsreihen über Tanz- und Liederweisen, freie Präludien sowie kontrapunktisch gearbeitete Sätze; richtungweisend für die Virginalisten. (→Virginal)

Byrnes [bəːnz], James Francis, amerikan. Politiker, *Charleston (S. C.) 2. 5. 1879, †Columbia (S. C.) 9. 4. 1972; Anwalt, Mitgl. der Demokrat. Partei, führte 1943–45 das Rüstungsamt. Als Außenmin. (1946/47) leitete er mit seiner Stuttgarter Rede (6. 9. 1946) die amerikan. Versöhnungspolitik gegenüber Dtl. ein.

Byron ['baɪərən], George Gordon Noel, 6. Baron, gen. Lord B., engl. Dichter, *London 22. 1. 1788, †Mesolongion (Griechenland) 19. 4. 1824; die beiden ersten Cantos von »Childe Harold's pilgrimage« (»Ritter Harold's Pilgerfahrt«, 4 Cantos, 1812–18) machten ihn berühmt. Er lebte seit 1816 in Italien, bis ihn der grch. Freiheitskampf nach Griechenland zog. Im Jan. 1824 traf er in Mesolongion ein, starb kurz darauf an Malaria. – B. gehört zu den großen engl. Romantikern; seine Dichtungen (Vers-Erz.: »Die Braut von Abydos«, 1813; »Der Korsar«, 1814 ; »Lara«, 1814; »Die Belagerung von Korinth«, 1816; dramat. Ged.: »Manfred«, 1817; »Cain«, 1821; »Don Juan«, ep. Fragment, 7 Bde., 1819–24) hatten nachhaltige Wirkung auf seine Zeit (»Byronismus«).

📖 MÜLLER, HARTMUT: *Lord B. Reinbek bei Hamburg 17.–19. Tsd., 1992. – Lord B. Ein Lesebuch mit Texten, Dokumenten u. farbigen Abbildungen, hg. v.* G. UEDING. *Frankfurt am Main ³1994.*

Byron, Kap [-'baɪərən], der östlichste Punkt des austral. Festlandes (29° s. Br., 154° ö. L.), in Neusüdwales.

Byssus [grch.] *der,* **1)** *Biologie:* seidige Haftfäden mancher Muscheln zum Befestigen der Tiere an der Unterlage, seit dem Altertum als **Muschelseide** verarbeitet.

2) *Textilien:* feinfädiges Leinengewebe, u.a. zum Einhüllen ägypt. Mumien der Pharaonenzeit; auch Bez. für feinfädiges Baumwollgewebe in Dreherbindung.

Byte [baɪt, engl.] *das, Datenverarbeitung:* zusammengehörige Folge von acht Bits zur Darstellung je eines Zeichens (Buchstabe, Ziffer, Sonderzeichen), meist ist ein neuntes Bit als Prüfbit angehängt. Ein B. ermöglicht die Verschlüsselung von $2^8 = 256$ versch. Zeichen. Bei rein numer. Datenverarbeitung kann ein B. auch (aufgeteilt in zwei Tetraden) für zwei Dezimalziffern verwendet werden. Das B. ist die kleinste im Speicher eines Computers adressierbare Informationseinheit. Als Maß für die Speicherkapazität dienen das **Kilo-B.** (1 KB = 2^{10} B. = 1024 B.), das **Mega-B.** (1 MB = 2^{20} B. = 1048576 B.) und das **Giga-B.** (1 GB = 2^{30} B. = 1073741824 B.).

Bytom ['bitɔm] (dt. Beuthen), Stadt in der poln. Wwschaft Katowice, im oberschles. Industriegebiet, 230000 Ew.; Steinkohle- und Erzabbau (Zink, Blei, Eisen) sind Grundlage der Ind.; Eisenhütten, Stahlwerke, Maschinenbau, elektr. und chem. Industrie. – Marienkirche (13.–16. Jh.), got. Holzkirche u. a. – B. erhielt 1254 dt. Stadtrecht. 1742 kam es zu Preußen. Seit dem MA. Bergbau; starkes Wachstum und Industrialisierung seit dem 19. Jahrhundert.

Bytów ['bituf] (dt. Bütow), Stadt in der poln. Wwschaft Słupsk, an der Bütow, 16 000 Ew.; Holz-, Papier-, Bekleidungs-, Nahrungsmittelindustrie. – B., vom 9. bis 12. Jh. eine slaw. Burg mit Siedlung, erhielt 1346 durch den Dt. Orden Culmer Stadtrecht, fiel 1466 als poln. Lehen an die pommerschen Herzöge, 1657 an Preußen; im 2. Weltkrieg stark zerstört. – Die Burganlage des Dt. Ordens (1398–1402) ist Ruine.

byzantinische Kultur, die Kultur des Byzantin. Reiches. Ihre Schwerpunkte lagen v. a. in Byzanz (Konstantinopel), Saloniki, bis ins 7. Jh. auch in Alexandria, Antiochia und Ravenna. Die Träger der Hochkultur waren bes. der Hof und der Adel in Konstantinopel, in der kulturell immer mehr verkümmernden Prov. die Beamten, Bischöfe und Mönche. Gestalter der b. K. waren v. a. die Griechen, im 10./11. Jh. auch die Armenier. Das Griechische war Reichs- und Verkehrssprache.

Der Kaiser (Basileus) war Mittelpunkt des Staates und galt als der »gottgewollte« Stellvertreter Christi und zugleich als Auserwählter des Volkes. Dies gab der b. K. eine starke Einheitlichkeit. Die aus der Antike übernommene Eingliederung der Priesterschaft in den Staat ersparte der oström. Autokratie den Kampf um die Gewaltenteilung. Kennzeichnend für höf. Zeremoniell und kirchl. Liturgie war die Durchdringung römisch-oriental. Traditionen mit christl. Geist.

Das Religiöse beherrschte in stark grüblerisch-myst. Prägung entscheidend alle Kulturgebiete. Grundlage der Kultur war die Überzeugung, dass mit der Offenbarung der gottgewollte menschl. Fortschritt abgeschlossen und das griech. Volk zum Hüter der Kulturüberlieferungen wie der Offenbarung gegenüber den »Barbaren« bestellt sei. Dieses starre Kulturbewusstsein verhinderte die Entwicklung einer selbstständigen Philosophie und eine Erweiterung des Formenschatzes in Schrifttum und Kunst, wenn auch immer wieder geistige Strömungen zu Umgestaltungen gedrängt haben, z. B. der Bilderstreit (→ Bilderverehrung), der Platonismus des 11. Jh., die versch. »Renaissancen« in Literatur und Kunst sowie der Humanismus des ausgehenden 12. Jahrhunderts.

Besondere Leistungen der b. K. sind: Schöpfung und Pflege eines einheitl. Staatsgedankens, Ausbildung eines philosophisch durchdachten christl. Lehrgebäudes (Johannes von Damaskus), eine kunstvolle Geschichtsschreibung, eine volkstüml. Epik (Helden-, Tierepos), eine fein ausgebildete Redekunst (Staatsreden, Privatbrief als schriftsteller. Kunstwerk), die Ausbildung einer formenschönen Schrift (Minuskel), die ununterbrochene Pflege gelehrter Bildung durch Schulen (Hochschulen in Konstantinopel), Aufbau einer öffentl. Fürsorge durch planmäßige Förderung der damit betrauten Klöster, ein blühendes Kunstleben (→ byzantinische Kunst), Ausbau und Pflege des röm. Rechts (→ Corpus Iuris Civilis) und Entwicklung einer überlegenen Kriegstaktik.

In Byzanz wurden Philosophie, Wissenschaft und Literatur der hellenist. Welt bewahrt und durch Anregungen aus dem Orient, von den slaw. Völkern, v. a. aber durch das Christentum zu jener einheitl. Kultur entwickelt, die für ein Jt. vorbildhaft in der Alten Welt war und die bis heute in der Ostkirche weiterwirkt.

byzantinische Kunst, die Kunst des Byzantin. Reichs, entwickelte sich nach der Erhebung von Byzanz (Konstantinopel) zur Hauptstadt aus der in der frühchristl. Kunst fortwirkenden Spätantike sowie aus kleinasiat., syr. und kopt. Quellen zu ihrer ersten Blütezeit unter Kaiser Justinian I. (527–565). Die b. K. beeinflusste die Kunst der Nachbarvölker und des Abendlandes. Ihre Entwicklung wurde zweimal unterbrochen: durch den Bilderstreit (1. Phase: 726–780, 2. Phase 815–843) und durch die Eroberung Konstantinopels durch die Kreuzfahrer (1204). 1453 fand sie ihr Ende.

Frühbyzantinische Zeit: Im Sakralbau entstanden versch. Typen von Kuppelbauten: Kuppelbasilika

James F. Byrnes

byzantinische Kunst: Kaiserin Theodora mit Gefolge, Ausschnitt aus dem Apsismosaik der Kirche San Vitale in Ravenna (6. Jh.)

byzantinische Kunst: Kreuzkuppelkirche in Daphni, westlich von Athen (11. Jh.)

(→ Hagia Sophia in Konstantinopel), Kreuzkuppelkirche (in Daphni; Hagia Sophia in Saloniki); von den Mosaiken der Zeit sind nur wenige erhalten (u. a. in Ravenna und Rom).

Mittelbyzantinische Zeit: Als weiterer Kirchentyp entstand ein Kuppelbau, bei dem von einem Quadrat mit acht Stützen mittels Trompen zum Rund übergeleitet wird (Klosterkirche Hosios Lukas und Daphni, Mittelgriechenland). Malerei und Mosaikkunst: im 9. Jh. bewegter linearer Stil (Mosaiken in der Hagia Sophia von Konstantinopel [Apsis] und Saloniki [Kuppel]), im 9./10. Jh. antikisierende Buchmalerei (Homilien des Gregor von Nazianz [= Pariser Kodex 510], Pariser Psalter, Josuarolle) sowie Fresken von Castelseprio (N-Italien). Im 11. Jh. ekstatisch-linear-graf. Richtung: Mosaiken in Ohrid [Hagia Sophia], Makedonien, in Hosios Lukas sowie Nea Moni auf Chios; Fresken: Krypta von Hosios Lukas; Buchmalerei aus Klöstern in Konstantinopel (Menologion für Basileios II.; Vatikan. Sammlungen; Pariser Kodex 64). Blüte der Goldschmiede-, Emailkunst, der Elfenbeinschnitzerei und der Seidenweberei. Unter den Komnenen Fortführung der klass. expressiven Malerei (Mosaiken von Daphni, um 1100), psychologisch-empfindsamer Stil seit Mitte des 12. Jh., der aber die Monumentalität b. K. wahrt (Ikone der Muttergottes von Wladimir, Russland; Fresken der Klosterkirche von Nerezi in Makedonien). Aufgenommen in Sizilien, nach 1204 (Eroberung Konstantinopels durch die Kreuzfahrer) Weiterführung des komnenischen Stils in Nizäa, in Epirus, im serb. Reich (Fresken von Sopočani).

Spätbyzantinische Zeit: Der palaiolog. Stil (nach den Palaiologen, der letzten Herrscherfamilie), vorbereitet in der serb. Kunst, gewinnt Räumlichkeit, Bildtiefe und Körperlichkeit (Mosaiken der Chorakirche in Konstantinopel und der Apostelkirche in Saloniki; Malereien in Mistra und Saloniki). Die Eroberung Konstantinopels durch die Osmanen 1453 hat diesen Stil auf Klöster abgedrängt, bes. auf dem Athos lebte der spätpalaiolog. Stil fort.

📖 Beck, H.-G.: *Byzantin. Erotikon. München 1986.* – Hutter, I.: *Frühchristl. u. byzantin. Kunst. Malerei, Plastik, Architektur. Sonderausg. Stuttgart u. a. 1991.* – *Studien zur byzantin. Kunstgeschichte. Festschrift für Horst Hallensleben zum 65. Geburtstag, hg. v.* B. Borkopp *u. a. Amsterdam 1995.*

byzantinische Literatur, die Literatur des Byzantin. Reiches in grch. Sprache, die sich an die hellenist. und die patrist. Literatur anschließt. Ihre Anfänge reichen bis in die Zeit der Gründung Konstantinopels (330) zurück. Im 6. Jh. gelang der Durchbruch zu großen Leistungen, v. a. in der kirchl. Dichtung und in der Geschichtsschreibung. Vom 11. Jh. an setzten sich auch andere Dichtungsgattungen durch, z. B. Gelegenheitsgedichte, Lehrgedichte, histor., romanhafte Dichtungen, Ritterromane und Tierepen. Kirchengeschichte, theolog. Schriften und Predigten bilden ein wichtiges Kapitel des byzantin. Schrifttums. Unter den Anthologien ragt bes. die »Anthologia Palatina« aus dem 10. Jh. hervor; daneben u. a. das unter dem Namen »Suda« (Suidas) bekannte große byzantin. Wort- und Sachlexikon aus dem 10. Jahrhundert.

📖 Beck, H.-G.: *Geschichte der byzantin. Volksliteratur. München 1971.* – Beck, H.-G.: *Das literar. Schaffen der Byzantiner. Wege zu seinem Verständnis.*

byzantinische Kunst: Heiliger Justus, Malerei auf Seide (11. Jh.; Triest, Dom San Giusto)

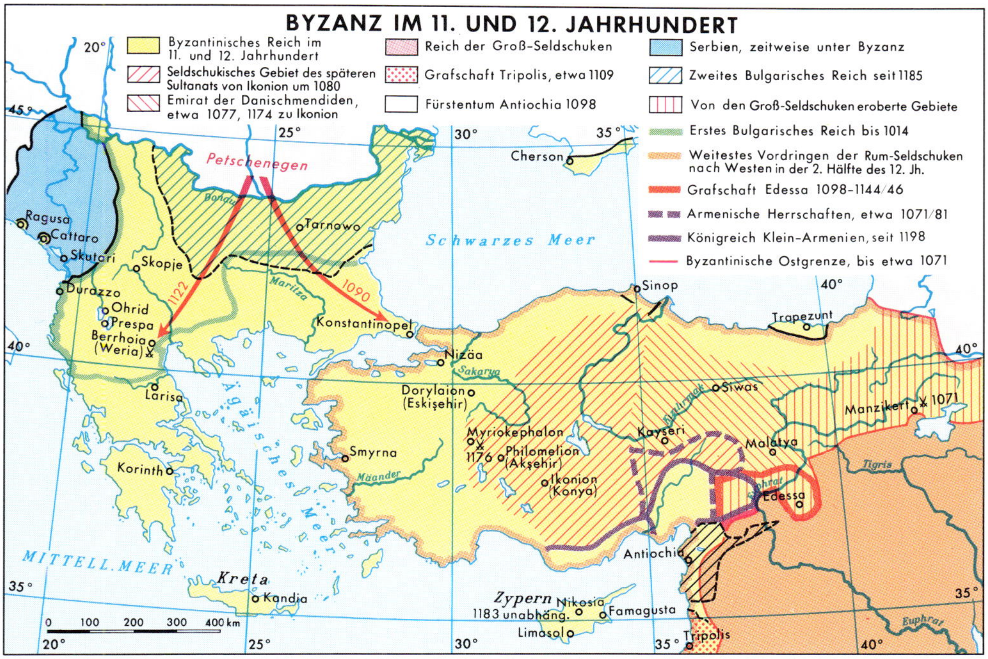

Wien 1974. – HUNGER, H.: *Die hochsprachl. profane Literatur der Byzantiner, 2 Bde. München 1978.* – BECK, H.-G.: *Kirche u. theolog. Literatur im byzantin. Reich. München* ²*1977.* – *Die Volks-Traumbücher des byzantin. Mittelalters, übers. u. hg. v.* K. BRACKERTZ. *München 1993.*

byzantinische Musik, umfasst die weltl. höfische Musik und die byzantin. Kirchenmusik. Von der weltl. Musik ist außer einigen Begrüßungs- und Glückwunschgesängen nichts bekannt: Vokalmusik mit instrumentaler Begleitung erklang beim Hofzeremoniell. Erhalten sind einige Akklamationen zu Ehren der Kaiser. Die Orgel war als weltl. Instrument das Symbol des Kaisers, des Stellvertreters Christi auf Erden. Die streng vokale, aus der altchristl. Musik hervorgegangene Kirchenmusik ist in Handschriften seit dem 10. Jh. überliefert. Wichtige Hymnendichter waren der Melode Romanos († kurz nach 555), Andreas von Kreta (7./8. Jh.), Johannes von Damaskus (8. Jh.), Kosmas von Jerusalem (8. Jh.) und Theodoros Studites (* 759, † 826). Die b. M. übte etwa bis zur Jt.wende großen Einfluss auf die Kultur des Ostens und des Westens aus. So haben die Südslawen und Russen bei ihrer Christianisierung im 9. bzw. 10. Jh. auch die byzantin. Gesänge übernommen, die ins Kirchenslawische übersetzt wurden. Von Byzanz hat der Westen die Lehre von den 12 Tonarten und die Choralnotation übernommen.

📖 WELLESZ, E.: *Die Musik der Byzantin. Kirche. Köln 1959.*

Byzantinisches Reich (Oströmisches Reich, [Oström.] Kurz-Bez. Byzanz), die östl. Hälfte des Röm. Reiches, die sich noch ein Jahrtausend lang nach der Zerstörung des Weström. Reiches behauptete (395 bis 1453).

Frühbyzantin. Zeit (bis zum Anfang des 7. Jh.): Die Teilung des Röm. Weltreichs wurde nach dem Tod von Theodosius I. (395) endgültig. Unter seinem Sohn Arkadios umfasste das B. R. die Balkanhalbinsel, die Inseln des östl. Mittelmeeres, die asiat. Prov. und Ägypten; Hptst.: Konstantinopel (Byzanz). Die Kaiser des 5. Jh. hatten langwierige kirchl. Streitigkeiten bes. mit den Monophysiten; die Kirche des Westens ging seit dem Konzil von Chalkedon (451) eigene Wege. Nach außen gelang die Abwehr der Goten und Hunnen; unter Theodosius II. (408–450) wurde ein Teil Armeniens gewonnen, die pers. Sassaniden stellten eine Gefahr dar und seit etwa 500 drangen slaw. Stämme in die Donauprovinzen ein. Justinian I. (527–565; ⚭ → Theodora) zerstörte mit seinen Feldherren Belisar und Narses das Wandalenreich in Afrika und das Ostgotenreich in Italien. Gegen die Perser wurden Kleinasien und Syrien behauptet. Der Kirche gegenüber stellte Justinian die Staatshoheit endgültig fest. Durch seine, eine neue Rechtsbasis begründende Gesetzgebung (Corpus Iuris Civilis) und seine Bauten (Hagia Sophia, Baubeginn 532) erschien er der Nachwelt als der glänzendste byzantin. Kaiser. Unter Justin II. (565–578) ging ein großer Teil Italiens an die Langobarden verloren. Zu Beginn des 7. Jh. war das B. R. in den Donauländern durch die Awaren und im O durch die Perser bedroht.

Mittelbyzantin. Zeit (610–1204): Herakleios (610–641) rettete das Reich durch umfangreiche Heeres- und Verwaltungsreformen. Die militär. Bedrohung dauerte allerdings fort: Die Araber unterwarfen 634–646 Syrien, Mesopotamien und Ägypten. Gleichzeitig bildeten sich slaw. Reiche auf der Balkanhalbinsel. Unter Konstantin IV. Pogonatos (668–685) griffen die Araber auch Konstantinopel an. Mit Leon III. (717–741) kam das syr. Herrscherhaus auf den Thron. Durch sein Einschreiten im Bilderstreit (→Bilderverehrung) begann ein mehr als hundertjähriger Kampf zw. Kirche und Staat. Erst Theodora, als Regentin für ihren Sohn Michael III. (842–867), machte 843 dem Bilderstreit ein Ende. Im 8. Jh. verstärkte sich der Gegensatz zw. Rom und Konstantinopel (751 Eroberung des byzantin. Exarchats Ravenna durch die Langobarden; 800 Krönung Karls d. Gr. zum Röm. Kaiser durch den Papst). Die Araber gewannen 825 Kreta, 831 Palermo; nach der byzantin. Niederlage bei Amorion 838 war auch Kleinasien in arab. Hand. – Unter der makedon. Dynastie, begr. von Basileios I. (867–886), erreichte das B. R. den Höhepunkt seiner Macht. Sizilien geriet zwar 878 endgültig unter die Herrschaft der Araber; doch blieb Unteritalien byzantinisch. Konstantinopel überstand erfolgreich die bulgar. Belagerungen von 913 und 924, den Arabern wurde 961 Kreta und 965 Zypern entrissen; zur selben Zeit wurde Kilikien, kurz darauf Syrien und ein Teil Mesopotamiens für das B. R. zurückgewonnen. Basileios II. (976–1025) brachte nach langen blutigen Kämpfen (1001–14) die Balkanhalbinsel wieder unter byzantin. Herrschaft. Mit der polit. Machtfülle ging die Blüte der →byzantinischen Kultur einher. Das Ende der makedon. Dynastie (1056) war gekennzeichnet durch die endgültige Entfremdung zw. Ost- und Westkirche (großes Schisma 1054). Nach 1056 verfiel das Reich. Die Rivalität zw. Heer und Beamtenschaft lähmte die Widerstandskraft; auch die wachsende Macht der Großgrundbesitzer machte sich bemerkbar. Aus den kleinasiat. Archontengeschlechtern ging das Herrscherhaus der Komnenen hervor. Der größte Teil Kleinasiens ging 1071 an die Seldschuken verloren. Mithilfe Venedigs konnte Alexios I. (1081–1118) zwar die Normannen zurückdrängen, doch brachten die der Stadtrepublik zugestandenen Handelsprivilegien neue Abhängigkeiten. Die Niederlage der Seldschuken durch den 1. Kreuzzug erleichterte die Rückeroberung des westl. Kleinasiens. Unter den Nachfolgern Alexios' I. geriet das B. R. zunehmend in Konflikt mit den angrenzenden Staaten (Niederlage gegen die Rum-Seldschuken bei Myriokephalon 1176; Wiedererrichtung des Bulgarenreiches 1185). Thronwirren und Aufstände beschleunigten den Untergang: Auf Veranlassung Venedigs wurde der 4. Kreuzzug gegen Konstantinopel gelenkt. Die Stadt wurde 1204 von den Kreuzfahrern gestürmt.

Lateinisches Kaisertum (1204–61): Die Kreuzfahrer teilten das B. R. in Lehensstaaten: das Königreich Thessalonike, das Herzogtum Athen und das Fürstentum Achaia. Das Latein. Kaiserreich blieb auf Konstantinopel und Umgebung beschränkt. Auch das byzantinisch gebliebene Gebiet zerfiel: In Nikaia in Kleinasien gelangte der Palaiologe Michael VIII. (1258/61–82) auf den Thron, der 1261 mithilfe der genues. Flotte Konstantinopel einnahm.

Spätbyzantin. Zeit (1261–1453): Die Großmachtstellung des B. R. war seit 1204 gebrochen. Thronstreitigkeiten schwächten unter den Nachfolgern Michaels VIII. den Staat. Während auf der Balkanhalbinsel der Serbenfürst Stephan Dušan seine Herrschaft über Epirus und Makedonien ausdehnte, drangen in Kleinasien die osman. Türken vor. Sie eroberten 1326 Bursa und 1331 Nikaia, setzten 1345 nach Europa über, machten Adrianopel 1366 zu ihrer Hauptstadt und zerschlugen in kurzer Zeit die Reiche der Bulgaren und Serben. Unter Manuel II. (1391–1425) wurde Konstantinopel 1422 von den Türken erneut angegriffen; ein Feldzug des Abendlandes gegen die Türken scheiterte in der Schlacht bei Warna (1444). Manuels Sohn Konstantin XI. (1448–53) fiel bei der Eroberung Konstantinopels durch Mohammed II. (29. 5. 1453). Das bedeutete das Ende des Byzantin. Reiches.

📖 *Lust an der Geschichte. Leben in Byzanz. Ein Lesebuch, hg. v.* H.-G. Beck. *München u. a. 1991.* – Beck, H.-G.: *Das byzantin. Jahrtausend. München* *²1994.*

Byzantinismus *der,* Schlagwort bes. aus der polit. Publizistik, in dem der Vorwurf der Unterwürfigkeit und Schmeichelei gegenüber höher stehenden sowie des gegenseitigen Intrigenspiels angeprangert wird; beruht auf einer Missdeutung des byzantin. Herrscherkults, dem kein moral., sondern ein liturg. Sinn innewohnte.

Byzanz (grch. Byzantion), Name einer grch. Kolonie am Bosporus, die, um 660 v. Chr. von Megara aus gegr., Kaiser Konstantin, der Große 324 n. Chr. neu errichten ließ und 330 n. Chr. als »Neues Rom« zur neuen Hauptstadt →Konstantinopel (lat. Constantinopolis) erhob; heute →Istanbul. Nach B. nannten die Humanisten das Oström. Reich →Byzantinisches Reich.

📖 Tzermias, P.: *Das andere B. Konstantinopels Beitrag zu Europa. Fribourg 1991.*

Bzura ['bzura] *die,* linker Nebenfluss der Weichsel in Polen, 166 km lang.

Altsemitisch Altgriechisch Römische Kapitalschrift Unziale und karoling. Minuskel

c, C [tse:], **1)** Konsonant; der 3. Buchstabe des dt. Alphabets; dt. nur in den Verbindungen ch und ck (sonst in Fremdwörtern). C hatte im ältesten Latein die Werte [g] und [k], ab etwa 300 v.Chr. [k]; im 6.Jh. n.Chr. setzte sich vor e und i die Aussprache als Reibelaut [ts] durch. Daher wurden ältere Lehnwörter wie »Keller« ins Deutsche mit [k] übernommen, jüngere wie »Zelle« dagegen mit [ts]. C kommt in anderen Sprachen (z.B. Französisch, Tschechisch) auch in Verbindung mit diakrit. Zeichen vor.

2) Abk. **C** in röm. Inschriften und Texten für **C**aesar, Gaius (**C**aius), **C**assius, **C**laudius, **C**alendae, **C**ensor, **C**enturia, **C**ivitas, **C**onsul u.a.

3) *Chemie:* C, Symbol für →Kohlenstoff.

4) *Einheitenzeichen:* **C** für →Coulomb; **°C** für →Grad Celsius.

5) *Formelzeichen: C* für elektr. →Kapazität, für →Wärmekapazität; *c* für →Stoffmengenkonzentration, für →Lichtgeschwindigkeit.

6) *kath. Kirchenrecht:* **c,** Abk. für **C**anon, **cc** für Canones.

7) *Mathematik:* **ℭ,** Abk. für die Menge der →komplexen Zahlen.

Druckschriftvarianten des Buchstabens C

8) *Musik:* **C̲,** der Anfangs- und Grundton der C-Dur-Tonleiter (frz. ut, italien. do; →Solmisation); Zeichen **c̲** für den $^4/_4$-Takt, **c** für den $^2/_2$-Takt; **¢,** Zeichen für c-Moll, **C** für C-Dur; **C-Schlüssel,** ein Notenschlüssel.

9) *Vorsatzzeichen:* **c** für →Zenti.

10) röm. *Zahlzeichen:* **C** (lat. centum) = 100.

C, universell einsetzbare, maschinennahe Programmiersprache, die die Möglichkeiten einer Assemblersprache mit denen problemorientierter Programmiersprachen verbindet. Eine wesentl. Erweiterung hat C durch objektorientierte Ergänzungen erfahren. Diese neue Sprache heißt **C++.**

ć, Buchstabe, bedeutet z.B. im Polnischen den Laut [tɕ].

ç, Buchstabe, c mit →Cédille.

č, Buchstabe, bedeutet z.B. im Tschechischen und Litauischen [tʃ].

C 14 (^{14}C), radioaktives Kohlenstoffatom der Massenzahl 14. **C-14-Methode,** die →Radiocarbonmethode.

C60, C70, *Chemie:* Modifikationen des Kohlenstoffs; →Fullerene.

Ca, chem. Symbol für →Calcium.

c.a., *Musik:* Abk. für **c**oll' **a**rco, mit dem Bogen.

Cabaletta [italien.] *die, Musik:* kleine Arie, Kavatine.

Montserrat Caballé

Caballé, Montserrat, span. Sängerin (Sopran), *Barcelona 12. 4. 1933; Interpretin v.a. italien. Opernpartien; auch Konzertsängerin.

Caballero [kaβa'ʎero, span.] *der,* urspr. in Spanien der Krieger zu Pferd, dann der Angehörige des niederen Adels, auch Ordensritter; jetzt allg. spanisch für Herr.

Cabaret [kaba'rɛ, frz.] *das,* das →Kabarett.

Cabet [ka'bɛ], Étienne, frz. utop. Sozialist, *Dijon 2. 1. 1788, †Saint Louis (USA) 8. 11. 1856; propagierte in dem Roman »Reise nach Ikarien« (1840) eine kollektivist. Gesellschaft (Güter-, Arbeits-, Erziehungsgemeinschaft). Seine 1848–56 in Texas und Illinois gegründeten Mustergemeinden bestanden nur kurze Zeit.

Cabezón [kaβe'θɔn], Antonio de, span. Cembalist, Organist und Komponist, *bei Castrojeriz 1510 (?), †Madrid 26. 3. 1566; blind geboren, Hofmusiker Philipps II.; schrieb u.a. Cembalo-, Orgel-, Harfen- und Lautenkompositionen.

Cabimas [ka'βimas], Hafenstadt am NO-Ufer des Maracaibosees, Venezuela, 166000 Ew.; Zentrum eines Erdölfeldes mit Raffinerie.

Caen: Die Abteikirche Saint-Étienne (um 1064–77) ist ein eindrucksvolles Beispiel normannischer Baukunst

Cabịnda, Exklave und Distrikt von Angola, nördlich der Kongomündung, 7270 km², (1993) 173 000 Ew. Hauptort: C.; Gewinnung von Erdöl (im Küstenschelf) und Edelhölzern.

Cable-transfer ['keɪbl træns'fɔ:, engl.] *der,* Abk. **CT** (Telegraphic-transfer, Abk. TT), telegraf. Auszahlung; telegraf. Überweisung eines Bankguthabens ins Ausland.

Cabochon [kabɔ'ʃɔ̃, frz.] *der,* Schliffform ohne Facetten für Edelsteine, mit kuppelförmigem Oberteil und einer flachen oder leicht gewölbten Unterseite.

Cabọclos [brasilian. »kupferfarbig«], die Landbevölkerung im Hinterland Brasiliens, v.a. die Nachkommen aus der Verbindung portugies. Siedler mit indian. Frauen.

Cabọra-Bạssa, Staudamm und -see im →Sambesi.

Cabọto (engl. Cabot), **1)** Giovanni (engl. John), italien. Seefahrer, *wahrscheinlich in Genua um 1450, †um 1499, Vater von 2); erreichte in engl. Diensten mit seinem Sohn am 24. 6. 1497 das nordamerikan. Festland (das südl. Labrador oder Neufundland).

2) Sebastiano, italien. Seefahrer, *wahrscheinlich Venedig spätestens 1484, †London 1557, Sohn von 1); befuhr in span. Diensten 1526 den Paraná und Paraguay; entwarf 1544 in Sevilla eine berühmte Weltkarte. In England leitete er seit 1553 die Kaufmannsgilde der →Merchant Adventurers.

Cádiz 2)
Stadtwappen

Caen
Stadtwappen

Cabral [ka'βral], Pedro Álvares, portugies. Seefahrer, *Belmonte (bei Covilhã) um 1468, †Santarém 1520 oder 1526; erreichte am 22. 4. 1500 die O-Küste Brasiliens und nahm sie für Portugal in Besitz. Auf der Weiterfahrt erreichte er über das Kap der Guten Hoffnung Vorderindien.

Cabriolet [kabriɔ'lɛ, frz.] *das,* →Kabriolett.

Caccia ['kattʃa; italien. »Jagd«] *die,* im 14. Jh. in Italien (bes. in Florenz) beliebte Gattung kanonartiger Gesänge mit Texten aus dem Jagd- und Alltagsmilieu.

Caccini [kat'tʃi:ni], Giulio, gen. G. Romano, italien. Sänger und Komponist, *Tivoli um 1550, begraben Florenz 10. 12. 1618; schrieb Opern, Arien, Madrigale; strebte die Wiederbelebung des antiken Musikdramas an.

Cáceres ['kaθeres], **1)** Provinz in Estremadura, Spanien, 19 945 km², (1991) 411 500 Einwohner.

2) Hptst. von 1), 71 700 Ew.; landwirtsch. Handel, Kleinind.; Bischofssitz, Univ.; hoch gelegene, von einer teils röm., teils arab. Mauer umgebene Altstadt mit Adelspalästen und Kirchen des 15. und 16. Jh. (UNESCO-Weltkulturerbe).

Cachespeicher [kæʃ-; engl. cache »Versteck«], *Informatik:* neuere Bez. für Pufferspeicher (→Puffer).

Cäcịlia, römische Märtyrerin, †angeblich 230, seit dem 15. Jh. Patronin der Kirchenmusik; Heilige, Tag: 22. 11.; ihr Attribut ist die Orgel. Die **Cäcilienvereine** dienen der Pflege der Kirchenmusik; sie bestehen in Dtl., Österreich und der Schweiz.

Cạcus, wahrscheinlich ein vorröm. Feuergott, nach späterer Sage räuber. Riese, Sohn des Vulcanus; stahl Herkules einen Teil seiner Rinder und wurde von ihm erschlagen; diese Sage erklärte im Nachhinein die Errichtung der Ara maxima für Herkules auf dem Rindermarkt in Rom.

CAD [Abk. für engl. **c**omputer-**a**ided **d**esign, »rechnergestützter Entwurf«], Entwurf und Konstruktion (auch Optimierung) techn. Produkte mithilfe geeigneter Computer und Programme, wird v.a. bei der Entwicklung hochintegrierter Schaltkreise angewendet.

Cadaverịn [zu mlat. cadaver »Leichnam«] *das, Chemie:* unangenehm riechende, giftige Flüssigkeit, die bei der Zersetzung von Proteinen durch Bakterien entsteht.

Caddie ['kædɪ, engl.] *der,* 1) Helfer und Berater eines Golfspielers; 2) kleiner zweirädriger Wagen zum Transportieren von Golfschlägern u.Ä., oft mit einer Beuteltasche in Schottenmuster.

Cádiz ['kaðiθ], **1)** Provinz in Andalusien, Spanien, 7385 km², (1991) 1,08 Mio. Einwohner.

2) Hptst. von 1), 153 600 Ew.; wichtiger Handels- und Kriegshafen am breiten **Golf von C.,** vor dem W-Eingang zur Straße von Gibraltar; Bischofssitz, theolog. und medizin. Fakultät der Univ. Sevilla, naut. Schule; Maschinen-, Schiff-, Flugzeugbau. – C., phönik. **Gadir** (»Burg«), grch. **Gadeira,** altröm. **Gades,** wurde um 1100 v. Chr. von Phönikern als Handelsplatz gegründet; es wurde 206 v. Chr. römisch, 711 arabisch, 1262 kastilisch.

Cadmium [von lat. cadmia »Zinkerz«] (Kadmium), chem. Symbol **Cd**, metall. Element aus der 2. Nebengruppe des Periodensystems; Ordnungszahl 48, rel. Atommasse 112,41, Dichte 8,65 g/cm^3, Schmelzpunkt 321 °C, Siedepunkt 767 °C. – Das glänzend weiße, geschmeidige C. oxidiert an der Luft rasch; es dient u. a. als Elektrodenstoff, als Überzug, bes. auf Stahl, Korrosionsschutz (kadmieren, verkadmen), zum Absorbieren langsamer Neutronen in Kernreaktoren sowie zur Herstellung von leicht schmelzenden C.-Legierungen. – Natürlich kommt C. als Begleiter der Zinkblende als **C.-Sulfid,** CdS, und **C.-Carbonat,** $CdCO_3$, vor. Infolge extrem langsamer Ausscheidung von C. aus dem Körper kann es bei erhöhter Zufuhr zu chron. C.-Vergiftung kommen (→ Itai-Itai-Krankheit).

Verbindungen: **C.-Oxid,** CdO, braunes Pulver; u. a. für Leuchtstoffe, Halbleiter, Batterien (NiCd- und AgCd-Akkus). **C.-Sulfat,** $CdSO_4$, entsteht durch Lösen von C. in Schwefelsäure; mildes, antisept. Mittel, Reagenz und Elektrolyt. **C.-Sulfid,** CdS, aus C.-Salzlösungen als gelber Niederschlag **(C.-Gelb)** gefällt, eine Malerfarbe. **C.-Bromid,** $CdBr_2 \cdot 4H_2O$ und **C.-Jodid,** CdJ_2, werden in der Fotografie verwendet. **C.-Chlorid,** $CdCl_2$, im Druckwesen, in der Galvanotechnik und für C.-Pigmente.

CAE [Abk. für engl. **c**omputer-**a**ided **e**ngineering], rechnergestützte Ingenieurtätigkeit, umfasst die Bereiche → CAD, → CAM und → CAP.

Caecilia Metella, vornehme Römerin des 1. Jh. v. Chr., Schwiegertochter des Triumvirn M. Licinius Crassus. Ihr Grabmal an der Via Appia südlich von Rom ist ein Rundbau von 29,5 m Durchmesser, 11 m hoch; im MA. war es mit einem Zinnenkranz versehen zum Festungsturm ausgebaut.

Caecilius, 1) C. Statius, röm. Komödiendichter, † 168 v. Chr.; bearbeitete grch. Komödien, bes. von → Menander, für die röm. Bühne.

2) C. von Kalakte, grch. Rhetor unter Augustus in Rom, Vertreter des Attizismus in der grch. Literatur.

Caedmon ['kedmən], erster bekannter christl. Dichter angelsächs. Sprache, † um 680; erhalten ist nur ein Fragment eines Schöpfungsliedes. Heiliger, Tag: 11. 2.

Caelius mons, der südöstlichste der sieben Hügel Roms.

Caelum [lat.] (Grabstichel), kleines Sternbild des südl. Himmels.

Caen [kã], Verw.sitz des Dép. Calvados und Hptst. der Region Basse-Normandie, Frankreich, an der Orne, 112 800 Ew.; Univ. (gegr. 1432); Hütten-, Stahl-, Maschinen-, Elektro-, chem. und Fahrzeug-Ind.; Hafen (Kanal zum Meer), Flughafen. Bed. die Abteikirchen Sainte-Trinité (1059–66, Chor um 1100) und Saint-Étienne (um 1064–77). – C., 1025 erstmals urkundlich erwähnt, wurde im 12. Jh. ein Verw.zentrum der Normandie; 1204, nach zeitweiser engl. Herrschaft endgültig 1450 frz.; 1944 fast völlig zerstört.

Caesar, 1) Beiname eines Zweiges des röm. Patriziergeschlechts der Julier.

2) seit Augustus (dem Adoptivsohn Julius Cäsars) Beiname der röm. Kaiser, später Bezeichnung der Thronfolger.

Caesar, Gaius Julius, → Cäsar, Gaius Julius.

Caesarea [lat. »die Kaiserliche«], Name mehrerer Städte des Röm. Reiches zu Ehren eines Kaisers: **C. Cappadociae,** das heutige Kayseri, Türkei. **C. Palaestinae,** heute Ruinenstätte an der israelischen Mittelmeerküste, 50 km nördlich von Tel Aviv, von Herodes d. Gr. zur Hafenstadt ausgebaut, Sitz des röm. Prokurators von Judäa (z. B. Pontius Pilatus), 1265 zerstört. **C. Philippi,** heute Ruinenstätte am südl. Abhang des Berges Hermon, an einer Hauptquelle des Jordan.

Caesium, fachsprachl. Schreibweise für → Cäsium.

Caletani (Gaetani), röm. Adelsgeschlecht, dessen Macht Papst Bonifatius VIII. begründete.

Café [ka'fe, frz.], → Kaffeehaus.

Cafeteria [span.], Café, Gaststätte oder (Museums-)Kantine mit Selbstbedienung.

Cafuso [-'fuzu, portugies.] *der,* brasilian. Mischling von Indianern und Schwarzen.

Cage [keɪdʒ], **1)** John, amerikan. Komponist und Pianist, * Los Angeles (Calif.) 5. 9. 1912, † New York 12. 8. 1992; nutzte in seiner Musik avantgardist. Techniken aller Art (u. a. Einbeziehung des Zufallsprinzips (→ Aleatorik), Integration von Alltagsgeräuschen); schrieb u. a. Orchester- und Vokalwerke, elektron. Musik, Werke für »präpariertes Klavier« (z. B. »Sonatas and Interludes«, 1946–48), audiovisuelle Werke sowie das Musiktheater »Europeras 3 & 4« (1990).

2) Nicolas, eigtl. Nicolas Coppola, amerikan. Filmschauspieler, * Long Beach (Calif.) 7. 1. 1964; subtiler und variationsreicher Charakterdarsteller; wurde internat. bekannt durch David Lynchs Film »Wild at Heart« (1990). – *Weitere Filme:* Birdy (1985), Zandalee – Das sechste Gebot (1990), Red Rock West (1992), Leaving Las Vegas (1995).

Cagliari ['kaʎari], **1)** Provinz im südl. Teil der Insel Sardinien, Italien, 6 895 km^2, (1994) 767 600 Einwohner.

2) Hptst. von 1), 178 100 Ew.; bed. Hafenstadt an der S-Küste Sardiniens; Erzbischofssitz; Univ. (1596); archäolog. Museum; Schiffbau, Nahrungs-

John Cage

John Cage
Bei seinem 1952 komponierten Klavierwerk »Vier Minuten 33 Sekunden« ist kein einziger Ton zu hören. Während der Dauer des Stücks sitzt ein Pianist vor leeren Notenblättern am Klavier und verweist mit Armbewegungen auf die drei Sätze der Komposition. Die »Musik« besteht aus den zufälligen Geräuschen im Konzertsaal.

Nicolas Cage

mittel-, Metall-, petrochem. Ind.; Salinen; Flughafen.

Cagliostro [ka'ʎɔstro], Alessandro Graf von, eigtl. Giuseppe Balsamo, italien. Abenteurer und Alchimist, *Palermo 8. 6. 1743, †San Leone (bei Urbino) 26. 8. 1795; gewann auf seinen Reisen durch Europa seit 1776 mit Spiritismus, Wunderkuren und angebl. Goldmacherei großen Einfluss. In Paris spielte er in der →Halsbandaffäre eine Hauptrolle. In Rom wurde er als Ketzer zum Tod verurteilt, 1791 zu lebenslanger Haft begnadigt. Literar. Behandlung erfuhr C. u.a. durch Schiller (»Der Geisterseher«, 1789) und Goethe (»Der Großkophta«, 1791), musikal. durch eine Operette (1875) von J. Strauß (Sohn).

James Cagney

Cagney ['kægnɪ], James, amerikan. Filmschauspieler, *New York 17. 7. 1904, †Stanfordville (N.Y.) 30. 3. 1986; verkörperte in über 60 Filmen das Spektrum des Gangsters, das vom kleinen Gauner bis zum psychopath. Gewalttäter reicht; wurde berühmt mit »Öffentl. Feind« (1931). – *Weitere Filme:* Der FBI-Agent (1935), Die wilden Zwanziger (1939), Maschinenpistolen (1949), Tyrann. Liebe (1955), Eins, zwei, drei (1961).

Cahors [ka'ɔr], Hptst. des Dép. Lot in SW-Frankreich, am Lot, 19 700 Ew.; Bischofssitz; Zentrum eines Wein- und Tabakbaugebietes. – Kathedrale Saint Étienne (ab 1119), Pont Valentré (begonnen 1308). – Der Ort war als **Cadurcum** Hauptort der kelt. Cadurci, später röm. **Divona;** im MA. eine der reichsten frz. Städte (mit Univ.).

Cahors: Die Brücke, der mit drei Türmen befestigte Pont Valentré aus dem 14.Jh., führt über den Lot

Caicosinseln, Inseln in der Karibik, →Turks- und Caicosinseln.

Caillaux [ka'jo], Joseph, frz. Politiker, *Le Mans 30. 3. 1863, †Mamers (Dép. Sarthe) 22. 11. 1944; war 1911/12 MinPräs., mehrmals Finanzmin., wurde wegen angebl. Landesverrats zugunsten Dtl.s 1918 verhaftet, 1925 amnestiert; war danach Senator.

Caillois [kaj'wa], Roger, frz. Schriftsteller und Philosoph, *Reims 3. 3. 1913, †Paris 21. 12. 1978; verfasste Werke zur Kulturphilosophie und zur Literaturkritik, u.a. »Le mythe et l'homme« (1938), »Steine« (1970), »La nécessité d'esprit« (hg. 1981).

Ça ira! [sa i'ra; frz. »es wird gehen«], frz. Revolutionslied von 1789, ben. nach dem Kehrreim.

Cairn [keən, engl.] *der* (Carn), als Landmarke errichteter Steinhaufen; auch vorgeschichtliches Steinhügelgrab.

Cairngorm ['keəngɔ:m; gäl. »blauer Berg«], Gebirgsmassiv des schott. Hochlands, im Ben Macdhui 1309 m hoch.

Caisson [kɛ'sɔ̃, frz.] *der* (Senkkasten), versenkbarer Kasten aus Stahl oder Stahlbeton, der nach dem Prinzip der Taucherglocke Tätigkeiten unter Wasser erlaubt.

Caissonkrankheit [kɛ'sɔ̃-, frz.], die →Druckluftkrankheit.

Caitya ['tʃaj-; altind. »Grabmal«, »Heiligtum«], buddhist. Heiligtum in Indien, seit dem 2. Jh. v. Chr. als Höhlentempel angelegt, dessen Bauformen z.T. noch die ursprüngl. Holzarchitektur erkennen lassen und der durch Säulen in ein Mittel- und zwei Seitenschiffe gegliedert ist. Der Caitya war urspr. ein Heiligtum ohne Reliquien, insbes. eine Grabhügelanlage; er wurde schon in der Frühzeit ein Rechteckbau mit Apsis, in dem ein Stupa stand.

Cajamarca [kaxa-], Hptst. des Dep. C., Peru, 2860 m ü.M., 99 600 Ew.; TU; Silber-, Bleierzbergbau, Textil-, Lederind.; Ruinen der Inkazeit; koloniales Stadtbild.

Cajetan, Thomas, eigtl. Jacob de Vio, kath. Theologe und Philosoph, *Gaeta (daher sein Name) 20. 2. 1469, †Rom 9./10. 8. 1534; Dominikaner (seit 1508 Generaloberer), seit 1517 Kardinal, verhandelte 1518 als päpstl. Legat auf dem Reichstag zu Augsburg mit M. Luther; war bemüht um eine Reform der Kirche und Erneuerung des Papsttums. Er bildete den Thomismus weiter und suchte neue Wege in der Wirtschafts- und Sozialethik.

Cakchiquel [kak'tʃikel], Volk der Maya im Innern Guatemalas, bildete im 14. Jh. ein eigenes Reich mit der Hptst. Iximché (an der Stelle des heutigen Tecpan).

Cakewalk ['keɪkwɔ:k; engl. »Kuchentanz«] *der,* urspr. pantomim. Tanz der Schwarzen in Nordamerika, dann Preistanz; der daraus entwickelte Modetanz im $^2/_4$-Takt (mit typ. Ragtime-Synkope) kam um 1900 auch nach Europa.

cal, Einheitenzeichen für →Kalorie.

Calabar [engl. 'kæləbɑ:], Handels- und Hafenstadt in SO-Nigeria, im Mündungsgebiet des Cross

River, 161700 Ew.; Univ.; Holz-, Kautschuk-, Palmöl- und Palmkernhandel; Erdölexport; früher berüchtigter Sklavenmarkt.

Calabria, italien. Name von →Kalabrien.

Cala d'Or [kala'do:r], Seebad an der O-Küste von Mallorca, Spanien; Fremdenverkehr.

Calais [ka'lɛ], Stadt im Dép. Pas-de-C., N-Frankreich, 75300 Ew.; Seehafen gegenüber der engl. Stadt Dover, einer der wichtigsten Transitorte für den Reiseverkehr mit England; Maschinen-, Nahrungsmittel-, Elektro-, Papier-, Woll-, Kunststoffindustrie. Bei C. beginnt der nach Folkstone führende Eisenbahntunnel unter dem Ärmelkanal; Flughafen in C.-Marck. – C. war im Spät-MA. bed. Handelsplatz und Festung; 1347 bis 1558 in engl. Besitz. Im 2. Weltkrieg wurde es 1940 von den Deutschen besetzt und im Kriegsverlauf stark zerstört. – J. Froissarts »Chroniques« (um 1400) berichten von den sechs **Bürgern von C.,** die sich während der Belagerung durch Eduard III. (1347) im Büßerhemd, den Strick um den Hals, dem Feind auslieferten, um die Stadt zu retten; sie wurden begnadigt. Diese Überlieferung ist ein von Künstlern oft bearbeitetes Thema (z. B. Plastik von A. Rodin, Lustspiel von G. B. Shaw, Drama von G. Kaiser).

Calanda, östlichste Bergkette der Glarner Alpen, Schweiz, im Haldensteiner C. 2805 m hoch.

calando [italien. »nachlassend«], musikal. Vortragsbezeichnung: gleichzeitig an Tonstärke und Tempo abnehmend.

Calar Alto, höchste Erhebung der Sierra de los Filabres, in der span. Provinz Almería, 2168 m ü. M. Hier befindet sich als Teil eines dt.-span. astronom. Zentrums das Observatorium des Max-Planck-Instituts für Astronomie, Heidelberg **(C.-A.-Observatorium),** das Spiegelteleskope von 1,23 und 2,2 m Durchmesser sowie ein 3,5-m-Großteleskop besitzt. Weitere Instrumente sind das vom Observatorium Madrid betriebene 1,5-m-Teleskop sowie ein (von der Hamburger Sternwarte hierher verlegter) →Schmidt-Spiegel mit 80 cm freier Öffnung. Hauptarbeitsgebiete sind Untersuchungen der interstellaren Materie und der Probleme der Sternentstehung sowie die Galaxien- und Quasarenforschung.

Călărași [kələ'raʃj], Bezirks-Hptst. in Rumänien, Hafen an einem Donauarm, 77000 Ew.; Hüttenwerk.

Calatrava, Santiago, span. Architekt, *Valencia 28. 7. 1951; erreicht in seinen Konstruktionen eine Verbindung von technischer Präzision und freier, schwebender Wirkung. Beachtung verdienen v. a. seine Brücken und Bahnhöfe: Bach-de-Roda-Brücke, Barcelona (1984–87); Bahnhof Stadelhofen, Zürich (1985–90); Bahnhof Lyon-Satolas (1989–92); Alamillo-Brücke, Sevilla (1992); Bahnhof Berlin-Spandau (1994 ff.); Kronprinzenbrücke, Berlin (1996).

Calatrava, Orden von [nach der span. Stadt C., Prov. Ciudad Real], der erste der großen span. Ritterorden, gegr. 1158. Die Großmeisterwürde wurde im 15. Jh. mit der span. Krone vereinigt.

Calais
Stadtwappen

Calau (sorb. Kalawa), Stadt im Landkr. Oberspreewald-Lausitz, Brandenburg, 7200 Ew.; Technikmuseum; elektrotechnische Ind., Betonrohrwerk. (→Kalauer)

Calaverit [nach der Cty. Calaveras, Calif.] *der,* hellweißgelbes monoklines Mineral, $AuTe_2$, enthält durchschnittlich 41,5% Gold und 1% Silber; Mohshärte 2,5, Dichte 9,3 g/cm³; Golderz.

Calbe (Saale), Stadt im Landkr. Schönebeck, Sa.-Anh., 60 m ü. M., am Rand der Magdeburger Börde, an der Saale, 13100 Ew.; Konservenherstellung (Gemüse), Stahl-, Förderanlagenbau, photochem. Ind.; Hafen.

Calce|us [lat.] *der,* altröm. lederner Straßenschuh, der den Fuß bis über den Knöchel umschloss.

Calciferol *das,* Vitamin D (→Vitamine).

Calar Alto: Die drei hinteren Kuppelgebäude beherbergen die Spiegelteleskope des Heidelberger Max-Planck-Institutes, in den beiden vorderen Kuppeln sind ein Teleskop der Madrider Sternwarte sowie ein Schmidt-Spiegel der Hamburger Sternwarte untergebracht

Calcinieren (Kalzinieren), das Erhitzen von festen Stoffen (Brennen), wodurch Kristallwasser, Kohlendioxid oder andere flüchtige Bestandteile ausgetrieben werden.

Calcit *der,* der →Kalkspat.

Alexander Calder (von links): Farbige Stahlplatten, Stabile (1962); Disques jaunes, noirs, rouges, Mobile (1972)

Calcitonin *das,* Hormon, das in den Calcium-, Phosphat- und Knochenstoffwechsel eingreift; Gegenspieler des Parathormons.

Calcium [zu lat. calx, calcis »Kalkstein«, »Kalk«] (Kalzium), chem. Symbol **Ca,** Element aus der 2. Hauptgruppe des Periodensystems (Erdalkalimetall); Ordnungszahl 20, relative Atommasse 40,08, Dichte 1,53 g/cm^3, Schmelzpunkt 851 °C, Siedepunkt 1482 °C; fünfthäufigstes Element der Erdkruste (3,38 Gewichts-%). – C. ist ein silberweiß glänzendes, sehr weiches Leichtmetall, das sehr reaktionsfreudig ist. Es wird heute meist durch therm. Reduktion von Kalk mit Aluminium gewonnen. Wichtige Minerale: Kalkspat, Dolomit, Gips. C. dient im Körper des Menschen bes. dem Aufbau der Knochen und Zähne (der C.-Bestand beträgt etwa 1,5 % des Körpergewichts), es ist an der Erregung von Nerven und Muskeln, der Blutgerinnung und der Muskelkontraktion beteiligt. Hormone (Calcitonin, Parathormon) und Vitamin D regulieren den C.-Stoffwechsel.

Verbindungen: **C.-Hydrid,** CaH_2, eine weiße, salzartige Masse, dient der Wasserstofferzeugung im Labor und als Reduktionsmittel. **C.-Oxid,** CaO, gebrannter Kalk. **C.-Hydroxid,** $Ca(OH)_2$, gelöschter Kalk. **C.-Chlorid,** $CaCl_2$, hygroskopisches Salz, dient z.B. zum Trocknen von Gasen oder organ. Flüssigkeiten und für Kältemischungen, Nebenerzeugnis bei der Sodaherstellung. **C.-Fluorid,** CaF_2, →Flussspat. **C.-Carbonat,** früher **kohlensaurer Kalk,** $CaCO_3$, →Kalk. In kohlensäurehaltigem Wasser löst sich C.-Carbonat zu **C.-Hydrogencarbonat,** $Ca(HCO_3)_2$, auf, einem Bestandteil der meisten Gewässer und Ursache der temporären →Wasserhärte. C.-Carbonat bildet beim Verdunsten des Wassers Kessel- und Tropfstein. **C.-Nitrat,** $Ca(NO_3)_2$, zerfließendes weißes Salz, findet sich oft an Wänden von Ställen, Dunggruben u.a. als Mauersalpeter; bas. C.-Nitrat ist der Norgesalpeter (→Kalkstickstoff). **C.-Phosphate,** in der Natur z.B. als Apatit und Phosphorit, sind die C.-Salze der Meta-, Ortho- und Pyrophosphorsäure; Bestandteil der Knochen und Zähne, verwendet als Düngemittel. **C.-Sulfat,** $CaSO_4$, **Gips,** v.a. in der Bauwirtschaft verwendet, entsteht als Abfallprodukt u.a. bei der →Rauchgasentschwefelung. **Schwefelkalkbrühe,** eine wässrige Lösung von C.-Polysulfiden; dient zur Schädlingsbekämpfung. **C.-Silikate** sind Bestandteile natürl. Minerale, von künstl. Gläsern, Zementen und Hochofenschlacke. **C.-Hypochlorit,** $Ca(OCl)_2$, Hauptbestandteil des →Chlorkalks.

Calciumcarbid (kurz Karbid) [lat.], CaC_2, durch Erhitzen von Kalk und Koks im elektr. Ofen hergestellte technisch wichtige Verbindung. Dient zur Herstellung von →Acetylen und als Reduktionsmittel in der Metallurgie.

Calcutta [kæl'kʌtə], engl. für →Kalkutta.

Caldara, Antonio, italien. Komponist, *Venedig 1670, †Wien 26. 12. 1736; seit 1716 Vizekapellmeister am Wiener Hof; schrieb etwa 80 Opern (u.a. »Dafne«, 1719), über 40 Oratorien (z.B. »Il Re del dolore«, 1722) sowie Messen, Motetten, Kantaten und Kammermusik.

Caldarium [lat.] *das,* altrömisches Warmbad (→Thermen).

Caldas [span.-portugies. »warme Quellen«], Name von Thermen und Badeorten in Spanien, Portugal und Südamerika.

Calder ['kɔːldə], Alexander, amerikan. Plastiker und Grafiker, *Philadelphia 22. 7. 1898, †New York 11. 11. 1976; schuf neben abstrakten Metallplastiken (»Stabiles«) mit seinen mechanisch oder durch Luftzug an Drähten bewegten Metallscheiben (»Mobiles«) Prototypen der →kinetischen Kunst.

🕮 Marter, J. M.: *A. C. Cambridge 1991, Nachdr. Cambridge 1993.*

Caldera [span. »Kessel«] *die,* →Vulkan.

Calderón de la Barca, Pedro, span. Dramatiker, *Madrid 17. 1. 1600, †ebd. 25. 5. 1681; wurde 1635 Hofdramatiker, 1651 Geistlicher, 1663 Hofkaplan; befreundet mit Lope de Vega, neben diesem der bedeutendste span. Dramatiker des sog. goldenen Zeitalters. Erhalten sind rd. 120 Dramen (Comedias), 80 Autos sacramentales (»Das große Welttheater«, entstanden zw. 1633 und 1636, gedruckt 1675) und eine Reihe kleinerer Werke (Entremeses u. a.); entwickelte aus der Comedia auch die opernhafte →Zarzuela. Die Comedias werden meist thematisch unterschieden: religiöse Dramen (»Die Andacht zum Kreuz«, 1636; »Der standhafte Prinz«, 1636), philosoph. Dramen (»Das Leben ein Traum«, 1636), Ehre- und Eifersuchtsdramen (»Der Arzt seiner Ehre«, 1637), Mantel- und Degenstücke, Intrigenkomödien (»Dame Kobold«, entstanden um 1629, gedruckt 1636), Dramen aus der span. Geschichte (»Der Richter von Zalamea«, entstanden 1642, gedruckt 1651) und mytholog. Dramen (»Die Tochter der Luft«, 1664). C. de la B.s Schauspiele verbinden kath. Glaubensernst mit nat. Bewusstsein, einen überspitzten Ehrbegriff mit Freude am Spiel und am Wunderbaren; Wirklichkeitsnähe wechselt ab mit gleichnishafter Auffassung alles Irdischen. Im 18. Jh. nahezu vergessen, wurde er von Goethe und v. a. von der dt. Romantik wieder entdeckt.

📖 Egido, A.: *El gran teatro de Calderón.* Kassel *1995.*

Caldwell ['kɔːldwəl], **1)** Erskine Preston, amerikan. Schriftsteller, *Moreland (Ga.) 17. 12. 1903, †Paradise Valley (Ariz.) 11. 4. 1987; schildert in seinen Romanen naturalistisch das Leben kleiner Farmer in den Südstaaten der USA: »Die Tabakstraße« (1932, dramatisiert 1933), »Gottes kleiner Acker« (1933), »Opossum« (1948), »Mississippi-Insel« (1968), »Annette« (1973); auch Shortstorys.

2) Taylor Janet Miriam, amerikan. Schriftstellerin, *Prestwich (bei Manchester, England) 7. 9. 1900, †Greenwich (Conn.) 30. 8. 1985; schrieb erfolgreiche Unterhaltungsromane, u. a. »Einst wird kommen der Tag« (1938), »Antworte wie ein Mann« (1981).

Calembour [kalɑ̃'buːr, frz.] (Calembourg) *der,* Wortspiel, Wortwitz, gegründet auf den Doppelsinn mancher Wörter gleicher Schreibart oder Aussprache. (→Kalauer)

Cạlenberg (Calenberger Land), histor. Landschaft an der unteren Leine, Ndsachs., benannt nach der Burg C. im Landkr. Hannover, ehemals welf. Teilfürstentum; Kernland des Königreichs Hannover.

Calẹndae [lat.], die →Kalenden.

Calgary ['kælgərɪ], Stadt in der kanad. Provinz Alberta, am Ostrand der Rocky Mountains, 710 700 Ew.; Univ., Planetarium; Mittelpunkt eines Farmgebietes sowie der Erdöl- und Erdgaswirtschaft; Raffinerien, petrochem. Ind.; Getreidemühlen, Fleischindustrie, Metallverarbeitung; internat. Flughafen. – Gegr. 1875; in C. fanden die Olympischen Winterspiele 1988 statt.

Cạli, Hptst. des Dep. Valle del Cauca, Kolumbien, 1 014 m ü. M., 1,62 Mio. Ew.; Erzbischofssitz; zwei Univ.; bed. Handelszentrum; Papier-, Baustoff-, chem., Maschinenind.; Druckereien; internat. Flughafen. – Gegr. 1536.

Pedro Calderón de la Barca

Das große Welttheater

Das Zitat – im spanischen Original »El gran teatro del mundo« – ist der Titel eines Auto sacramental, eines spätmittelalterlichen spanischen Fronleichnamsspiels, von Calderón de la Barca. Das Schauspiel wurde 1846 von Joseph von Eichendorff ins Deutsche übersetzt. Hugo von Hofmannsthals Nachdichtung, das »Salzburger Große Welttheater«, erschien 1922. Der bis in die Barockzeit weit verbreitete literarische Topos vom Welttheater, dem Theatrum Mundi, der Vorstellung der Welt als eines Theaters, auf dem die Menschen (vor Gott) ihre Rollen spielen, erscheint als Vergleich oder Metapher bereits in der Antike bei Platon, Horaz, Seneca und im Urchristentum bei Augustinus.

Caliban ['kælɪbæn, engl. Umstellung aus cannibal »Kannibale«], halbtier. Ungeheuer in Shakespeares »Sturm«.

Caliche [ka'litʃe, span.] *die,* in Wüstengebieten gebildete Salzvorkommen mit hohem Gehalt an Natriumnitrat (etwa 8 %), v. a. in N-Chile (Chilesalpeter).

Erskine P. Caldwell

Calicut ['kælɪkət] (Kozhikode), Stadt in Kerala, Indien, 419 500 Ew.; Univ.; Holzverarbeitung, Textilind., Kaffeeaufbereitung. – In C. landete 1498 Vasco da Gama.

Calif. (Cal.), Abk. für **Cali**fornia →Kalifornien.

Califọrnium [nlat., nach Kalifornien] *das,* chem. Symbol **Cf,** künstl. radioaktives Actinoiden-Element aus der Gruppe der Transurane; Ordnungszahl 98, Isotope 240–256 mit Halbwertzeiten von 1 min. bis 898 Jahren; es gibt drei Modifikationen mit einer Dichte von 15,1, 13,7 bzw. 8,7 g/cm^3, Schmelzpunkt ca. 900 °C. ^{252}Cf wird als starke Neutronenquelle und in der Nuklearmedizin verwendet.

Calịgula [lat. »Soldatenstiefelchen«], eigtl. Gaius Iulius Caesar Germanicus, röm. Kaiser (37–41 n. Chr.), *Antium (heute Anzio) 31. 8. 12 n. Chr., †Rom 24. 1. 41; Sohn des Germanicus und Agrippinas d. Ä., Gewaltherrscher, bei einer Verschwörung ermordet.

Calịxt, Georg, luth. Theologe, *Medelby (bei Flensburg) 14. 12. 1586, †Helmstedt 19. 3. 1656; Prof. in Helmstedt, Anhänger Melanchthons. Verfocht unter dem Eindruck des Dreißigjährigen Kriegs den Gedanken einer Wiedervereinigung der christl. Konfessionen.

Calixtịner, die Prager Gruppe der →Hussiten.

James Callaghan

Maria Callas

Johannes Calvin (Ausschnitt aus einem zeitgenössischen Kupferstich)

Calịxtus, Papstname, →Kalixt II.

Cạlla [zu grch. kállos »Schönheit«] *die* (Kalla, Drachenwurz, Schlangenkraut, Schweinsohr), Gattung der Aronstabgewächse, einzige Art ist die **Sumpfschlangenwurz** (Calla palustris), eine saftige Pflanze der Waldsümpfe, Moore und Erlenbrüche mit weißem Hochblatt und giftigen roten Beeren. – Die **Zimmerkalla** gehört zur Gatt. Zantedeschia; Zierpflanze.

Callaghan ['kæləhən], James, Baron C. of Cardiff (seit 1987), brit. Politiker (Labour Party), *Portsmouth 27. 3. 1912; 1976–80 parlamentar. Führer seiner Partei, war 1967–70 Innen- und 1974–76 Außenmin. Als Premiermin. (1976–79) suchte er durch eine Lohnkontrollpolitik die Inflationsrate zu senken, stiess aber auf den entschlossenen Widerstand der Gewerkschaften.

Callanetics® [kælə'netıks; nach der Erfinderin Callan Pinckney, *1939] *Pl.,* Fitnesstraining, das bes. auf die tieferen Schichten der Skelettmuskeln wirkt.

Callao [ka'ʎao], Hptst. des Dep. C., bildet mit Lima eine Stadtregion, Haupthafen von Peru, 370 000 Ew.; Meeresinst., Küstenfischerei; Schiffswerften; Fischmehlfabriken. – Gegr. 1537.

Cạllas, Maria, eigtl. M. Kalogeropoulos, grch. Sängerin (Sopran), *New York 3. 12. 1923, †Paris 16. 9. 1977; berühmt durch ihr ungewöhnlich breit gefächertes Repertoire und die dramat. Dichte ihrer Rollengestaltung. Ihre Kunst trug zur Wiederaufführung vieler älterer Opern (L. Cherubini, V. Bellini) bei.

📖 Dufresne, C.: *M. C. A. d. Frz. Neuausg. München 1995.*

Callgirl ['kɔ:lgə:l, engl.] *das,* telefonisch vermittelte Prostituierte; männl. Entsprechung: **Callboy.**

Callịsto, *grch. Mythos:* →Kallisto.

Callmoney ['kɔ:lmʌnı, engl.] (Callgeld), täglich fälliges Börsengeld (→Tagesgeld).

Callot [ka'lo], Jacques, frz. Kupferstecher und Radierer, *Nancy 1592 (oder 1593), †ebd. 24. 3. 1635; schuf lebensnahe Darstellungen aus dem Volksleben, der italien. Komödie und dem Dreißigjährigen Krieg, den er in den »Schrecken des Krieges« (1632/33) schilderte.

calmạto [italien.], musikal. Vortragsbezeichnung: beruhigt.

Calmette [kal'mɛt], Albert Léon Charles, frz. Bakteriologe, *Nizza 12. 7. 1863, †Paris 29. 10. 1933; führte mit C. Guérin (*1872, †1961) die Tuberkulose-Schutzimpfung mit abgeschwächten Tuberkelbakterien (BCG) ein.

Calọnder, Felix, schweizer. Politiker, *Seuol (Kt. Graubünden) 7. 10. 1863, †Chur 14. 6. 1952; Rechtsanwalt, Führer der Freisinnig-Demokrat. Partei, 1913–20 im Bundesrat, 1918 Bundespräs., 1922–37 Vors. einer dt.-poln. Völkerbundkommission für Oberschlesien.

Caloọcan, Stadt nördlich von Manila, Philippinen, 763 400 Ew.; Eisen-, chem. Ind.; ein Zentrum des Reisanbaus.

Caltagirọne [-dʒi-], Stadt in der Prov. Catania, auf Sizilien, 36 900 Ew.; Herstellung von Terrakottawaren; Weinbau.

Caltanissẹtta, 1) Provinz Siziliens, 2128 km², (1994) 281 300 Einwohner.

2) Hptst. von 1), im Innern Siziliens, 62 600 Ew.; Schwefelbergbau, Kali- und Steinsalzabbau; Bergbauschule. – Burgruine, 1622 geweihter Dom.

Calvadọs [nach dem frz. Département] *der,* frz. Apfelbranntwein aus Cidre mit oft über 50 Vol.-% Alkoholgehalt.

Calvadọs, Dép. in N-Frankreich, in der Normandie, 5548 km², (1990) 617 500 Ew., Hauptstadt ist Caen.

Calvịn, 1) Johannes, eigtl. Jean Cauvin, frz.-schweizer. Reformator, *Noyon (Dép. Oise) 10. 7. 1509, †Genf 27. 5. 1564; nach dem Studium der Rechte Anhänger der Reformation, musste deshalb 1534 von Paris nach Basel flüchten. Seit 1536 evang. Prediger in Genf, 1538 wegen übergroßer Sittenstrenge ausgewiesen, lebte bis 1541 als Seelsorger der frz. Flüchtlingsgemeinde in Straßburg (hier Begegnung mit Melanchthon und Bucer). Nach seiner Rückberufung führte er in Genf eine strenge Kirchenzucht ein. Der heftige Kampf (Verbannungen, Hinrichtungen) zw. Anhängern und Gegnern C.s endete erst 1555 zugunsten der neuen Lehre. Aufgezeichnet in C.s Hauptwerk, der »Christianae Religionis Institutio« (1536), entwickelte sie v.a. den Gedanken der →Prädestination. C. vermittelte in der Abendmahlslehre zw. Luther und Zwingli. Die Verfassung der Kirche galt ihm als von Gott geboten.

Johannes Calvin

In seinem theologischen Hauptwerk, der »Christianae Religionis Institutio« (3, 21, 7), erläutert Calvin den für seine Lehre zentralen Begriff der Erwählung oder Prädestination:

»Gott hat in seinem ewigen und unwandelbaren Ratschluss einmal festgestellt, welche er einst zum Heil annehmen und welche er andererseits dem Verderben anheim geben will. Dieser Ratschluss ist, das behaupten wir, hinsichtlich der Erwählten auf Gottes unverdientes Erbarmen begründet, ohne jede Rücksicht auf menschliche Würdigkeit. Den Menschen aber, die er der Verdammnis überantwortet, denen schließt er nach seinem zwar gerechten und unwiderruflichen, aber unbegreiflichen Gericht den Zugang zum Leben zu! ... Wie aber der Herr seine Auserwählten durch die Berufung und Rechtfertigung kenntlich macht, so gibt er den Verworfenen durch ihren Ausschluss von der Erkenntnis seines Namens und der Heiligung seines Geistes wie durch Zeichen bekannt, was für ein Gericht ihrer wartet.«

Dem von C. beeinflussten Protestantismus **(Kalvinismus)** folgte die überall in Europa entstehende reformierte Kirche; die von C. 1559 gegründete Genfer Akademie gab ihren Führern das Rüstzeug. Luthers Abneigung gegen Erwerb aus kaufmänn. Tätigkeit war C. fremd. Dies und die kalvinist. Prädestinationslehre beeinflussten die wirtsch. und soziale Gestaltung in Westeuropa und Nordamerika.

Ausgabe: C.-Studienausgabe, hg. v. E. BUSCH u. a., auf mehrere Bde. ber. (1994 ff.).

📖 REUTER, K. : *Vom Scholaren bis zum jungen Reformator. Studien zum Werdegang J. C.s. Neukirchen-Vluyn 1981.* – KROON, M. DE: *Martin Bucer u. J. C. Reformatorische Perspektiven. Einleitung u. Texte. A. d. Niederländ. Göttingen 1991.* – BÜSSER, F.: *Die Prophezei. Humanismus u. Reformation in Zürich, hg. v.* A. SCHINDLER. *Bern u. a. 1994.*

2) ['kælvɪn], Melvin, amerikan. Chemiker, *Saint Paul (Minn.) 8. 4. 1911, †Berkeley (Calif.) 8. 1. 1997; arbeitete über die Katalyse von Koordinationsverbindungen und über die →Photosynthese. Mit Kohlenstoffisotopen als Tracer (→Radiochemie) klärte er den Mechanismus der pflanzl. Kohlendioxid-Assimilation auf **(C.-Zyklus)** und erhielt dafür 1961 den Nobelpreis für Chemie.

Melvin Calvin

Calvino, Italo, italien. Schriftsteller, *Santiago de las Vegas (bei Havanna, Kuba) 15. 10. 1923, †Siena 19. 9. 1985; schrieb märchenhaft-fantast. Romane (»Der geteilte Visconte«, 1952; »Der Baron auf den Bäumen, 1957; »Der Ritter, den es nicht gab«, 1959 [als Trilogie u. d. T. »Unsere Vorfahren«]; »Die unsichtbaren Städte«, 1977; »Wenn ein Reisender in einer Winternacht«, 1983) und Erzählungen (»Unter der Sonne des Jaguar«, hg. 1986).

📖 KURTZ, G.: *Die Literatur im Spiegel ihrer selbst ... I. C., Antonio Tabucchi – zwei Beispiele. Frankfurt am Main u. a. 1992.*

Italo Calvino

Calvisius, Sethus, eigtl. Seth Kalwitz, Komponist und Musiktheoretiker, *Gorsleben (bei Artern/Unstrut) 21. 2. 1556, †Leipzig 24. 11. 1615; seit 1594 Thomaskantor in Leipzig; schrieb Kirchenmusik und förderte die Entwicklung der Harmonielehre.

Calw [kalf], **1)** Landkreis im RegBez. Karlsruhe, Bad.-Württ., 798 km², (1996) 157200 Einwohner.

2) Krst. (Große Krst.) von 1), in Bad.-Württ., im Nagoldtal 23700 Ew.; Textil-, Holz-, elektrotechn. Ind., Motorenbau. – Mittelalterl. Stadtkern; Brückenkapelle Sankt Nikolaus (um 1400); zahlreiche Fachwerkbauten (nach 1692), Marktbrunnen (1686). Im Ortsteil **Hirsau** Aureliuskirche (1059–71, nur Langhaus erhalten); von der ehem. Klosterkirche sind Eulenturm (um 1110/20), Marienkapelle (1508–16) und Teile des Kreuzgangs (1485 ff.) erhalten.

Calypso, grch. Nymphe, →Kalypso.

Calypso [Herkunft unsicher] *der,* seit etwa 1900 bekannter, mit Gesang verbundener Tanz der Farbigen auf den Antillen im ²/₄- oder ⁴/₄-Takt; entwickelte sich in den 50er-Jahren zum Modetanz.

CAM [Abk. für engl. **c**omputer-**a**ided **m**anufacturing, »rechnergestützte Fertigung«], computergestützte Steuerung und Überwachung von Produktionsabläufen, z. B. mit numerisch gesteuerten Werkzeugmaschinen.

Camagüey [kama'ɣuɛi], Hptst. der Prov. C., Kuba, 286400 Ew.; Univ.; Leichtind.; internat. Flughafen. – Kolonialzeitl. Altstadt, Kirche La Soledad (1775).

Camaieu [kama'jø, frz.] *die,* **1)** Kamee oder Gemme, die aus einem Stein (z. B. Onyx) mit versch. gefärbten Schichten geschnitten ist.

2) Malerei auf Holz, Leinwand, Porzellan u. a. in einem einzigen, mit Weiß aufgehellten oder durch verschiedene Mischungen abgedunkelten Farbton, z. B. →Grisaille.

Câmara ['kɘmara], Hélder Pessôa, gen. Dom Hélder, brasilian. kath. Theologe, *Fortaleza (Ceará) 7. 2. 1909; 1964–85 Erzbischof von Olinda und Recife; bemüht sich um die Abkehr von der »feudalist.« Kirche und fordert vom Staat eine gezielte Entwicklungs- und Bildungspolitik im Rahmen eines eigenständigen »brasilian. Sozialismus«; schrieb »Revolution für den Frieden« (1968), »Spirale der Gewalt« (1970), »Gott lebt in den Armen« (1986).

Camargue [ka'marg] *die,* Landschaft in S-Frankreich, im Rhonedelta; insgesamt 72000 ha, reich an Strandseen und Sumpfflächen, landeinwärts seit dem MA. landwirtschaftlich genutzt, heute u. a. Reisanbau, (seit 1942) Rebkulturen, Seesalzgewinnung, Kampfstier- und (Wild-)Pferdezucht; Naturschutzgebiet (13000 ha), reiche Vogelwelt (Flamingos). Fremdenverkehr, u. a. nach Les Saintes-Maries-de-la-Mer und Aigues-Mortes.

Camaro, Alexander, Maler, *Breslau 27. 9. 1901, †Berlin 20. 10. 1992; schuf lyrisch gestimmte Bilder, bes. aus der Welt des Theaters.

Camberg, →Bad Camberg.

Cambert [kã'bɛ:r], Robert, frz. Komponist, *Paris um 1628, †London 1677; einer der Begründer der nationalfrz. Oper (»Pomone«, 1671); ging 1673 nach London.

Hélder Pessôa Câmara

Cambiata [italien.] *die, Musik:* →Wechselnote.

Camborne-Redruth ['kæmbɔ:n 'redru:θ], Stadt in der engl. Cty. Cornwall, 46500 Ew.; Bergbauschule, Leichtind.; früher Zinnerzbergbau.

Cambrai [kam'brɛ], Stadt im frz. Dép. Nord, an der Schelde, 34200 Ew.; Textil-, Metallind., Ölgewinnung, Seifenherstellung. – Das galloröm. Cameracum war seit dem 4. Jh. Hauptort der kelt.

Cambridge 1): Charakteristisch für das Stadtbild der ostenglischen Universitätsstadt sind die zahlreichen zwischen dem 13. und 16. Jh. erbauten Colleges

Nervier, wurde 445 fränkisch und kam im 9. Jh. zum Ostfränk. Reich, 1677/78 zu Frankreich.

Die **Liga von C.,** 1508 zw. Kaiser Maximilian I. und Ludwig XII. von Frankreich geschlossen, durch den Beitritt v. a. des Papstes, Spaniens und Englands zur Koalition erweitert, verfolgte das Ziel, den italien. Festlandbesitz Venedigs zu erobern und aufzuteilen. – Im **Frieden von C.** (1529) zw. Kaiser Karl V. und König Franz I. von Frankreich, ausgehandelt durch Luise von Savoyen **(Damenfrieden),** verzichtete die frz. Krone neben der Lehnshoheit über Flandern und Artois auf alle Ansprüche in Italien, erhielt aber das Herzogtum Burgund zurück.

Cambridge 1) Stadtwappen

Cambridge ['keɪmbrɪdʒ], **1)** Stadt in der engl. Cty. Cambridgeshire, am Cam, 91 900 Ew.; bed. Univ.stadt; Fitzwilliam-Museum u. a. Museen; Elektro-, Zement-, Asphaltind., Instrumentenbau, Druckereien, Verlage. – Church of the Holy Sepulchre (normann. Rundkirche), Church of Saint Mary the Great (15. Jh.). – Die im 13. Jh. entstandene Univ. C. bildet ein eigenes Gemeinwesen, an dessen Spitze der Chancellor steht. Die Lenkung liegt in den Händen des Senats. Die Univ. hat neben Oxford auf das geistige Leben Großbritanniens bestimmenden Einfluss ausgeübt. Die bekanntesten Colleges sind Trinity, King's, Corpus Christi und Queen's College. Zur Univ. gehören eine reiche Bibliothek, versch. Museen, Sternwarte, botan. Garten, Druckerei, Verlag.

2) Stadt in Massachusetts, USA, am Charles River, gegenüber von Boston, 95 800 Ew.; Sitz der Harvard University (gegr. 1636), des Massachusetts Institute of Technology (gegr. 1861) und des Smithsonian Astrophysical Observatory; Maschinen-, Instrumentenbau u. a. Industrie.

Cambridger Schule ['keɪmbrɪdʒ-], **1)** → englische Philosophie.

2) im 19. Jh. in Cambridge entstandene Richtung der Volkswirtschaftslehre; ihre Hauptvertreter, A. Marshall und A. C. Pigou, lieferten wichtige Beiträge zur Geldtheorie und Wohlfahrtsökonomie.

Cambridgeshire ['keɪmbrɪdʒʃɪə], County in Mittelengland, 3 409 km², (1993) 682 600 Ew.; Verw.sitz ist Cambridge.

Camcorder [kæm'kɔːdə, gekürzt aus englisch camera und recorder] *der,* eine Videokamera mit integriertem Videorecorder.

Camden ['kæmdən], Stadt in New Jersey, USA, 87 500 Ew.; Schiffbau, Elektro- u. a. Industrie.

Camdessus [kɑ̃'dsy], Michel, frz. Bankfachmann, * Bayonne 1. 5. 1933; war 1978–84 Präs. des Pariser Clubs, 1982–84 Vors. des währungspolit. Ausschusses der EG, 1984–86 Präs. der frz. Zentralbank. Seit 1. 1. 1987 ist er geschäftsführender Direktor des Internat. Währungsfonds.

Camelopardalis [lat.], das Sternbild → Giraffe.

Camelots du roi [kamlody'rwa, frz.], frz. Wehrverband, → Action Française.

Camembert [kamɑ̃'bɛːr, frz.] *der,* vollfetter, mit weißer Schimmelkultur bedeckter Weichkäse; urspr. aus C. in der Normandie.

Camenae (Kamenen), altröm. Quellgöttinnen, später als Göttinnen der italischen Dichtung den grch. Musen gleichgesetzt.

Camera obscura [lat. »dunkle Kammer«] *die* (Lochkamera), kastenförmige Kamera mit feinem Loch anstelle des Objektivs. Auf der transparenten Rückwand der C. o. wird ein umgekehrtes, seitenvertauschtes Bild sichtbar.

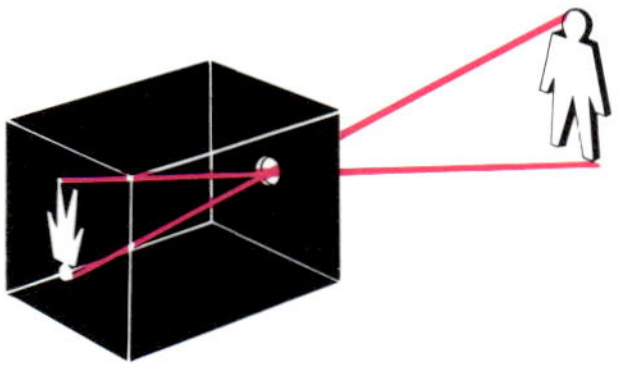

Camera obscura

Camerarius, Joachim, Humanist, evangelischer Theologe, * Bamberg 12. 4. 1500, † Leipzig 17. 4. 1574; bedeutender Humanist und Pädagoge des 16. Jh.; Freund und Biograph Melanchthons; beteiligt an der Abfassung des Augsburger Bekenntnisses.

Camerino, Stadt in den Marken, Prov. Macerata, Italien, 7 300 Ew.; im Zentralapennin; Erzbischofssitz, seit 1727 Universität. – 1799 durch Erdbeben stark zerstört.

Camerlengo [italien. »Kämmerer«] *der,* oberster Finanzbeamter in den italien. Stadtrepubliken;

heute Verwalter der Kirche und ihres Besitzes während der Sedisvakanz.

Cameron Highlands ['kæmərən 'haɪləndz], Bergland im Innern der Malaiischen Halbinsel, bis 2182 m ü.M.; trop. Höhenklima; Tee- und Kaffeeplantagen.

Camillus, Marcus Furius, führender Feldherr und Staatsmann Roms im frühen 4. Jh. v. Chr.; eroberte Veji und ermöglichte hierdurch die Ausdehnung Roms nach Norden.

Camisards [kami'za:r, frz.], →Kamisarden.

Cammin, 1) Stadt in Hinterpommern, →Kamień Pomorski.

2) ehem. Bistum, 1140 in Wollin gegr., 1176 nach Cammin (heute Kamień Pomorski) verlegt, umfasste den größten Teil Pommerns und Teile Brandenburgs und Mecklenburgs. Der Bischof residierte seit 1276 in Kolberg (heute Kołobrzeg). Die Reformation wurde 1521–44 eingeführt. Der O mit Kolberg kam 1648, der W mit Cammin 1679 an Brandenburg.

Camões [ka'mõiʃ], Luís Vaz de, portugies. Dichter, *Lissabon oder Coimbra 1524/25, †Lissabon 10. 6. 1580(?); nach unstetem Leben, das ihn als Soldat nach N-Afrika, Goa und in andere portugies. Besitzungen führte; kehrte er 1569 nach Lissabon zurück. C. besang in den »Lusiaden« (1572), dem bedeutendsten portugies. Epos, in zehn Gesängen die geschichtl. Taten und Entdeckungsfahrten der Portugiesen. Bedeutend ist C. auch als Lyriker. Er hinterließ außerdem drei Komödien.

Camonica, Val, italien. Alpenlandschaft, →Val Camonica.

Camorra *die,* neapolitan. terrorist. Geheimbund, der im 19. Jh. anfangs das Königtum der Bourbonen unterstützte, aber dann zu einer Verbrecherbande herabsank. Unter Mussolini weitgehend vernichtet; nach 1945 wieder aktiv.

Camouflage [kamu'fla:ʒə, frz.] *die,* Tarnung.

Camp [kæmp; engl., von lat. campus »Feld«] *das,* Zelt-, Ferien-, Feld-, Gefangenenlager.

Campagna Romana [-'paɲa-], die hügelige, aus vulkan. Tuffen und Lavadecken der benachbarten Albaner Berge, der Monti Cimini sowie des Kraters des heutigen Lago di Bracciano aufgebaute Umgebung Roms zw. dem Tyrrhen. Meer und dem Apennin, durchzogen von Tiber und Aniene, i.e.S. nur das von der Via Appia durchquerte, von antiken Grabdenkmälern und Resten röm. Aquädukte reich besetzte Gebiet zw. Rom, den Albaner und den Sabatiner Bergen.

Campanella, Tommaso, italien. Philosoph, *Stilo (Kalabrien) 5. 9. 1568, †Paris 21. 5. 1639; Dominikaner, 1599 wegen polit. Opposition gegen die span. Herrschaft in Neapel 27 Jahre eingekerkert. C. lehrte, dem Neuplatonismus folgend und den Sensualismus Telesios verfechtend, eine doppelte Offenbarung durch die Natur und die Bibel. Den menschl. Egoismus suchte er, nach dem Vorbild des platonischen Staates, durch die Utopie eines kath. und sozialist. Gemeinwesens (»Sonnenstaat«, 1602) zu überwinden.

📖 HIEBEL, F.: *C. Der Sucher nach dem Sonnenstaat. Gesch. eines Schicksals. Stuttgart ²1980.*

Campanile [italien.] *der* (Kampanile), frei neben der Kirche stehender Glockenturm, bes. in Italien.

Campanini, Barberina, italien. Tänzerin, →Barberina.

Campanula [lat. »Glöckchen«] *die,* die Gattung →Glockenblume.

Campbell [kæmbl], Roy, südafrikan. Dichter, *Durban 2. 10. 1902, †(verunglückt) bei Setúbal (Portugal) 22. 4. 1957; musste 1926 Südafrika aus polit. Gründen verlassen, kämpfte im Span. Bürgerkrieg aufseiten Francos. C.s Stärke lag im scharfen Epigramm.

Campbell-Bannerman ['kæmbl 'bænəmən], Sir Henry, brit. Politiker, *Glasgow 7. 9. 1836, †London 22. 4. 1908; 1886 und 1892–95 Kriegsmin., 1905–08 Premiermin., seit 1899 Führer der Liberalen. Er verurteilte die Methoden des Burenkriegs, gab den unterworfenen Burenstaaten 1906/07 Selbstverwaltung und bereitete die Gründung der Südafrikan. Union vor.

Camp David ['kæmp 'deɪvɪd], Landsitz des amerikan. Präs. im Bundesstaat Maryland (rd. 80 km von Washington, D. C., entfernt), oft Verhandlungsort bei Staatsbesuchen. Das im Sept. 1978 durch Vermittlung von Präs. J. E. Carter geschlossene **Abkommen von C. D.** bildete die Grundlage für den ägyptisch-israel. Friedensvertrag von 1979 (→Nahostkonflikt).

Campe, Joachim Heinrich, Pädagoge, Sprachforscher und Verleger, *Deensen (Landkr. Holzminden) 29. 6. 1746, †Braunschweig 22. 10. 1818; lehrte am Dessauer Philanthropinum, war Hauslehrer der Familie Humboldt, gründete Erziehungsanstalten (Hamburg, Trittau bei Hamburg) und reformierte als Schulrat (1786–1805) in Braunschweig das Schulwesen. Seine Jugendausg. von Defoes »Robinson Crusoe« wurde in viele Sprachen übersetzt.

Weitere Werke: Allg. Revision des gesamten Schul- und Erziehungswesens, 16 Bde. (1785–92); Wb. der dt. Sprache, 5 Bde. (1807–11).

Campeador [span. »Kämpfer«, »Held«], Beiname des →Cid.

Campeche [kam'petʃe], **1)** Bundesstaat von Mexiko, 50812 km², (1990) 529000 Einwohner.

2) Hptst. von 1), auf der Halbinsel Yucatán; 151000 Ew.; Univ.; Ausfuhrhafen am Golf von C.; Fischverarbeitung.

Campanile in Florenz; der im 14. Jh. nach Plänen von Giotto erbaute 82 m hohe Turm steht neben dem Dom Santa Maria del Fiore, dem Wahrzeichen der Stadt

Joachim Heinrich Campe (Ausschnitt aus einer zeitgenössischen Lithographie)

Ludolf Camphausen (Ausschnitt aus einer zeitgenössischen Lithographie)

Campendonk, Heinrich, Maler, Grafiker, *Krefeld 3. 11. 1889, †Amsterdam 9. 5. 1957; wurde 1911 Mitgl. des »Blauen Reiters«; emigrierte 1933; suchte in Bildern und Holzschnitten durch Flächenkontraste und Leuchtkraft der Farben eine ornamentale Harmonie; schuf auch Hinterglasbilder.

CAM-Pflanzen (engl. **c**rassulacean **a**cid **m**etabolism), Pflanzen der Dickblattgewächse (Familie Crassulaceae) mit einem diurnalen Säurestoffwechsel, die nachts Kohlendioxid (CO_2) bes. an Apfelsäure binden und in der Zellvakuole speichern. Am Tag wird das CO_2 für die Photosynthese wieder abgespalten. Dank dieses Rhythmus können die Pflanzen die Spaltöffnungen tagsüber geschlossen halten und so ihren Wasserverlust einschränken.

Camphausen, 1) Ludolf, *Hünshoven (heute zu Geilenkirchen) 10. 1. 1803, †Köln 3. 12. 1890, Bruder von 2); war als Liberaler 1848 preuß. Min.Präs.; versuchte vergeblich, eine Kaiserwahl des preuß. Königs zu ermöglichen.

2) Otto von (seit 1896), *Hünshoven (heute zu Geilenkirchen) 21. 10. 1812, †Berlin 18. 5. 1896, Bruder von 1); war 1869–78 preuß. Finanzmin.; Gegner der Schutzzölle Bismarcks.

Campher, →Kampfer.

Camphill-Bewegung ['kæmphɪl-, engl.], auf den Lehren von R. Steiner beruhende heilpädagog. Bewegung zur Förderung behinderter und verhaltensgestörter Kinder und Erwachsener in Heimen und Dorfgemeinschaften; unterhält Einrichtungen in zahlr. Ländern. Die erste Gründung erfolgte auf dem Landsitz Camphill in Schottland durch den Wiener Arzt K. König (*1902, †1966).

Jane Campion

Campin, Robert, fläm. Maler, *um 1375, †Tournai 26. 4. 1444; →Meister von Flémalle.

Campina Grande, Stadt im Staat Paraíba, Brasilien, 326 100 Ew.; Univ.; wichtigste Handels- und Ind.stadt im Innern NO-Brasiliens; Mittelpunkt eines Agrargebiets.

Campinas, Stadt im Staat São Paulo, Brasilien, 846 400 Ew.; landwirtsch. Forschungsinst., zwei Univ.; Erzbischofssitz; Handelsplatz für Kaffee u. a.; bed. Textil-, Maschinen-, Metallind; internat. Flughafen von São Paulo.

Campine [kã'pin], frz. Name der fläm. Landschaft →Kempenland.

Albert Camus

Camping ['kæmpɪŋ; engl., von Camp] *das,* vorübergehender Aufenthalt in Zelten oder Wohnfahrzeugen **(Caravaning)** i. d. R. auf besonderen C.-Plätzen zur Freizeit- und Urlaubsgestaltung. Die Ausstattung der **C.-Plätze** (Platzordnung, Gaststätte, hygien. Einrichtungen) ist i. Allg. behördlich geregelt.

Campion ['kæmpɪən], Jane, neuseeländ. Filmregisseurin, *Wellington 30. 4. 1954; trat nach Kurzfilmen ab 1989 mit erfolgreichen Spielfilmen hervor (»Sweetie«, 1989; »Ein Engel an meiner Tafel«, 1990; »Das Piano«, 1992).

Campobasso, 1) Provinz im südl. Mittelitalien, in der Region Molise, 2 909 km², (1995) 239 400 Einwohner.

2) Hptst. von 1) und der Region Molise, im neapolitan. Apennin, 51 900 Ew.; Schneidwarenindustrie.

Campoformio (amtl. Campoformido), Dorf in der Prov. Udine, Italien. – Österreich schloss am 17. 10. 1797 mit Napoleon den **Frieden von C.;** es trat Belgien, Mailand, Mantua und in geheimen Artikeln das linke Rheinufer ab und erhielt Venetien links der Etsch, Istrien und Dalmatien.

Campo Grande ['kampu 'grandi], Hptst. des Bundesstaates Mato Grosso do Sul, Brasilien, 526 000 Ew.; Erzbischofssitz; Univ.; landwirtschaftl. Handels- und Verarbeitungszentrum.

Campos ['kampus] (C. dos Goytacazes), Stadt im Bundesstaat Rio de Janeiro, Brasilien, am Paraíba; 349 000 Ew.; Handelszentrum eines wichtigen Zuckerrohranbaugebietes, Zucker-, Zement-, Textilind., Aluminiumerzeugung.

Camposanto [italien. »heiliges Feld«] *der,* in Italien geometr. Friedhofsanlage mit monumentaler Umbauung durch Bogengänge. – Der 1944 schwer beschädigte C. in Pisa (1278–83) enthielt Hauptwerke der Freskenmalerei des 14. und 15. Jh., die z. T. gerettet werden konnten.

Camposanto: Der kreuzgangartig umschlossene Hof mit Kapelle des im Wesentlichen 1278–83 erbauten, 1944 durch Bomben beschädigten Camposanto auf der Piazza del Duomo in Pisa

Campus [engl. 'kæmpəs; von lat. campus »Feld«] *der,* geschlossenes Universitätsgelände, bes. in den USA.

Campus Maritus, 1) im Fränk. Reich →Märzfeld.

2) im alten Rom →Marsfeld.

Camus [ka'my], **1)** Albert, frz. Schriftsteller und Philosoph, *Mondovi (heute Deraan, bei Annaba, Algerien) 7. 11. 1913, †(Autounfall) bei Villeblevin (Dép. Yonne) 4. 1. 1960; Mitgründer der Ztschr. »Combat« der frz. Widerstandsbewegung. C. empfand die Notwendigkeit einer Revolte gegen

Canaletto 1): Die Mole in Venedig gegen Westen, Blick auf Santa Maria delle Salute (undatiert; London, Wallace Collection)

Despotismus, Gewaltanwendung, überhaupt gegen die »Absurdität« der menschl. Situation; dazu kam der Gedanke der menschl. Solidarität, die der Einzelne im Kampf für ein besseres Dasein erfährt. Die doktrinäre Strenge des Existenzialismus Sartres lehnte er ab; sein Werk umfasst u.a. Romane (»Der Fremde«, 1942; »Die Pest«, 1947; »Der Fall«, 1956; »Der glückliche Tod«, hg. 1971; »Der erste Mensch«, autobiograph. Romanfragment, hg. 1994), philosoph. Essays (»Der Mythos von Sisyphos«, 1942; »Der Mensch in der Revolte«, 1951), Theaterstücke (»Caligula«, 1942; »Der Belagerungszustand«, 1948; »Die Besessenen«, 1959) und Tagebücher (»Carnets«, 3 Bde., hg. 1962–89). C. erhielt 1957 den Nobelpreis für Literatur.

📖 SÄNDIG, B.: *A. C. Eine Einführung in Leben u. Werk. Leipzig ³1992.* – LEBESQUE, M.: *A. C. A. d. Frz. Reinbek 200.–201. Tsd. 1995.* – SÄNDIG, B.: *A. C. Reinbek 1995.*

2) Marcel, frz. Filmregisseur, *Chappes (Dép. Ardennes) 21. 4. 1912, †Paris 13. 1. 1982; wurde berühmt durch seinen im Armenviertel von Rio de Janiero spielenden Film »Orfeu negro« (1959); ein weiterer Erfolg war »Der Mann aus New York« (1967).

Canadier (Kanadier) *der,* Bootstyp im Kanusport, wird kniend oder sitzend mit Stechpaddel gefahren; urspr. Indianerboot.

Çanakkale [tʃa-], Hptst. der türk. Prov. Ç., an der asiat. Küste der Dardanellen, 53 900 Ew.; archäolog. Museum; Nahrungsmittel-, keram. Ind.; Fährhafen.

Canaletto, 1) eigtl. Giovanni Antonio Canal, italien. Maler und Radierer, *Venedig 18. 10. 1697, †ebd. 20. 4. 1768, Onkel von 2); begann als Theaterdekorationsmaler, schuf v.a. Veduten von Venedig (zw. 1746 und 1754).

2) eigtl. Bernardo Bellotto, italien. Maler und Radierer, *Venedig 30. 1. 1720, †Warschau 17. 10. 1780, Neffe und Schüler von 1); malte wie sein Onkel Veduten (von Dresden, Wien, Warschau), stilistisch seinem Lehrer ähnlich, aber mit gedämpfter Farbgebung und schwärzl. Schatten.

Canard [ka'na:r], Nicolas François, frz. Finanzwissenschaftler und Mathematiker, *Moulins um 1755, †ebd. 1833; Physiokrat, früher Vertreter der Ökonometrie, stellte die **canardsche Steuerregel** auf: Jede alte Steuer sei gut, jede neue Steuer dagegen schlecht. Sie beruht auf der Annahme, dass jede neu eingeführte Steuer zunächst zu Umwälzungskämpfen führt.

Canaris, Wilhelm, Admiral (seit 1940), *Aplerbeck (heute zu Dortmund) 1. 1. 1887, †(hingerichtet) KZ Flossenbürg 9. 4. 1945; war 1935–38 Leiter der Abwehr im Reichskriegsministerium, ab 1938 des Amtes Ausland/Abwehr im OKW, stand in Verbindung zur Widerstandsbewegung. Nach dem 20. Juli 1944 wurde er verhaftet und zum Tode verurteilt.

Wilhelm Canaris

Canasta [span.] *das,* südamerikan. Kartenspiel mit 4 bis 6 Jokern und 2×52 Karten, ähnlich dem Rommé; wird von 2 bis 6 Personen gespielt, meist paarweise gegeneinander.

Canaveral, Cape [keɪp kə'nævrəl] (1963–73 Cape Kennedy), Kap an der O-Küste von Florida, USA, mit dem der US-Luftwaffe gehörenden Raketenstartgelände Eastern Test Range (ETR). Westlich anschließend liegt Merrit Island mit dem

Canberra
Stadtwappen

Kennedy Space Center für bemannte Raumflüge (340 km²).

Canberra [ˈkænbərə], Hptst. des Austral. Bundes, im Australian Capital Territory, 600 m ü.M., 328 000 Ew.; Univ., Nat.-Bibliothek, -Gallerie, Akademie der Wiss., botan. Garten; kath. Erzbischofs- und anglikan. Bischofssitz; internat. Flughafen. – Gegr. 1913, Parlamentssitz seit 1927.

Cancan [kãˈkã, frz.] *der* (Chahut), um 1830 in Paris eingeführter, vermutlich aus Algier stammender Tanz in schnellem ²/₄-Takt; in der Operette u.a. von J. Offenbach verwendet.

Candela

Mit der seit 1979 gültigen Definition der Candela wurde auch diese Basiseinheit auf Naturkonstanten zurückgeführt. Der Zahlenwert 1/683 ist so gewählt, dass ältere Normale der Photometrie ohne Korrektur weiter verwendet werden können. Um die Candela zu realisieren, könnte man aus dem Spektrum eines schwarzen Strahlers die Wellenlänge 555 nm ausblenden. Genauer ist es, die Strahlungsleistung mit speziellen thermischen Strahlungsempfängern zu bestimmen und deren Temperaturerhöhung thermoelektrisch nachzuweisen.

Cancer [lat.] *der,* das Sternbild →Krebs.

Canción [kanˈθiɔn] *das,* im Spanischen ein lyr. Gedicht mit regelmäßigem Strophenbau; volkstümliches Lied.

Cancionero [kanθiɔˈnero; span. »Liederbuch«] (Cancioneiro) *der,* in der galicischen, portugies. und span. Literatur Sammlung von lyr. Gedichten, nach dem Vorbild der Sammlung provenzalischer Troubadourdichtung.

Felix Candela: Die aus Stahl und Kupfer konstruierte Schalenüberdachung des für die Olympischen Sommerspiele 1968 erbauten Sportpalastes in Mexiko

Cancún, Insel vor der NO-Spitze der Halbinsel Yucatán, Mexiko; moderner Badeort mit Kongresszentrum; auf dem gegenüberliegenden Festland die Stadt **Caucún** (115 000 Ew.) mit internat. Flughafen. – Ab 1970 planmäßig angelegt.

cand., Abk. für lat. **cand**idatus, Kandidat (vor dem Abschlussexamen), z.B. **cand. phil.,** Kandidat der Philosophie.

Candela [lat. »Kerze«] *die,* Einheitenzeichen **cd,** SI-Einheit der →Lichtstärke. Die C. ist die Lichtstärke einer Strahlungsquelle, welche monochromat. Strahlung der Frequenz $540 \cdot 10^{12}$ Hertz in eine bestimmte Richtung aussendet, in der die Strahlstärke 1/683 Watt durch →Steradiant beträgt. Die Frequenz entspricht in Luft einer Wellenlänge von 555 nm (grün), bei der das Auge die höchste Empfindlichkeit hat.

Candela, Felix, spanisch-mexikan. Architekt, *Madrid 27. 1. 1910; entwickelte kühne Schalenkonstruktionen, die neue Wege architekton. Gestaltung eröffneten, u.a. die Überdachung der Strahlenlaboratorien der Universität in Mexiko (1951–52) und des dortigen Olymp. Sportpalastes (1966–68; mit Enrique Castañeda und Antonio Peyri).

Candia, italien. Name der Insel Kreta und der Stadt Heraklion auf Kreta während der venezian. Herrschaft (bis 1669).

Candida [lat.] *die,* Gattung der Hefepilze; einige Arten leben auf Haut und Schleimhäuten, z.T. als Krankheitserreger (Soor); **Candida utilis** bildet Futterhefe.

Candidamykose [lat.-grch.] *die, Medizin:* der →Soor.

Candide [kãˈdid; frz. »der Arglose«, »Aufrichtige«], Held von Voltaires philosoph. Erzählung »Candide oder der Optimismus« (1759), in der sich Voltaire ironisch gegen die optimist. Lehre von G. W. Leibniz wendet.

Candidose [lat.] *die, Medizin:* der →Soor.

Cane [ka:n], Louis, frz. Maler, *Beaulieu-sur-Mer (bei Nizza) 13. 12. 1943; setzt sich im Sinne der analyt. Malerei mit den materiellen Eigenschaften des Bildes auseinander, wobei er auch Bildstrukturen anderer Maler (Giotto, H. Matisse) mit einbezieht.

Canes Venatici [lat.], das Sternbild →Jagdhunde.

Canetti, Elias, Schriftsteller, *Russe (Bulgarien) 25. 7. 1905, †Zürich 14. 8. 1994; Sohn spanisch-jüd. Eltern; seit 1934 ⚭ mit der Publizistin und Erzählerin Veza Canetti (*1897, †1963); studierte in Wien Naturwissenschaften; emigrierte 1938, lebte seit 1939 v.a. in London. Sein Roman »Die Blendung« (1935) zeigt als Groteske den Konflikt zw. Geisteswelt und Masseninstinkten; in den Dramen (u.a. »Die Hochzeit«, 1932) betreibt C. satir. Gesellschaftskritik in symbol. Steigerung. Sein kulturphilosoph. Hauptwerk ist der umfangreiche Essay »Masse und Macht« (1960); außerdem verfasste er autobiograph. Werke: »Die gerettete Zunge« (1977), »Die Fackel im Ohr« (1980), »Das Augenspiel« (1985). 1972 erhielt C. den Georg-Büchner-Preis, 1981 den Nobelpreis für Literatur.

📖 Steussloff, A. G.: *Autorschaft u. Werk E. C.s. Subjekt – Sprache – Identität. Würzburg 1994.*

Canevas [frz.] *der* (Kanevas, Gitterstoff, Stramin), netzartiges Gewebe als Grundlage für Stickereien.

Canicolafieber, →Kanikolafieber.

Canigou [kani'gu], Granitbergstock in den östl. Pyrenäen, S-Frankreich, 2784 m hoch. Am SO-Hang Eisenerzabbau. Auf einem Sporn die roman. Abtei Saint-Martin-du-Canigou.

Canisius, Petrus, eigtl. Pieter Kanijs, Kirchenlehrer, erster dt. Jesuit, *Nimwegen 8. 5. 1521, †Freiburg (Schweiz) 21. 12. 1597; gründete zur Bekämpfung des Protestantismus zahlr. Jesuitenniederlassungen in Dtl., wirkte bes. durch seinen Katechismus (1555). Heiliger, Tag: 21. 12.

Canis Maior [lat.], das Sternbild Großer →Hund.

Canis Minor [lat.], das Sternbild Kleiner →Hund.

Cankar ['tsa:ŋ-], Ivan, slowen. Schriftsteller, *Vrhnika (bei Ljubljana) 10. 5. 1876, †Ljubljana 11. 12. 1918; schrieb sozialkrit., psycholog. Romane, Erzählungen, Satiren, Dramen; führender Vertreter der slowen. Moderne, schuf den neuen slowen. Prosastil.

Canna [lat. »Rohr«] *die* (Blumenrohr), einzige Gattung der Blumenrohrgewächse mit rd. 60 Arten im trop. Amerika. Manche Arten haben stärkereiche Wurzelstöcke. Zierpflanze ist das **Indische Blumenrohr** (C. indica) mit gelben oder roten Blüten und oft rötl. Blättern.

Cannabich, Johann Christian, Komponist, getauft Mannheim 28. 12. 1731, †Frankfurt am Main 20. 1. 1798; gab die Tradition der →Mannheimer Schule an W. A. Mozart weiter; schrieb rd. 90 Sinfonien, Konzerte, Kammermusik, zwei Opern und etwa 40 Ballette.

Cannabinol, Hauptwirkstoff des →Haschisch.

Cannae, antike Stadt in Apulien, Italien, südwestl. von Barletta, in der Nähe der Mündung des Aufidus (heute Ofanto); bekannt durch die Umfassungsschlacht, in der die Römer 216 v. Chr. durch Hannibal eine schwere Niederlage erlitten.

Canneloni [italien.], mit Fleisch gefüllte und mit Käse überbackene Röllchen aus Nudelteig.

Cannes [kan], Seebad und Kurort an der frz. Riviera, Dép. Alpes-Maritimes, 68700 Ew.; Spielkasino; Filmfestspiele; Herstellung von Seife und Parfüms, Metall-, Textilbetriebe, Flugzeug- und Maschinenbau. Spätgot. Kirche Notre-Dame-de-l'Espérance (1521–1648) mit roman. Kapelle.

Canning ['kænıŋ], George, brit. Politiker, *London 11. 4. 1770, †Chiswick (heute zu London) 8. 8. 1827; 1807–09 und ab 1822 Außenmin., 1827 Premiermin.; unterstützte als Gegner Metternichs die nat. und liberalen Bewegungen in Europa und erkannte 1826 die Unabhängigkeit der span. Kolonien in Südamerika an.

Canningwüste ['kænıŋ-], →Große Sandwüste.

Cannizzaro, Stanislao, italien. Chemiker, *Palermo 13. 7. 1826, †Rom 10. 5. 1910; fand die C.-Reaktion (→Disproportionierung), setzte die avogadroschen Gesetze in der Chemie durch und klärte die Begriffe Atom und Molekül.

Cannock ['kænək], Stadt in der mittelengl. Cty. Staffordshire, 59200 Ew.; Kohlengruben, Maschinenbau.

Cannon ['kænən], Anny Jump, amerikan. Astronomin, *Dover (Del.) 11. 12. 1863, †Cambridge (Mass.) 13. 4. 1941; entwickelte die Harvard-Klassifikation der Sterne (Einteilung in →Spektralklassen); war maßgeblich am Henry-Draper-Katalog und dessen Ergänzung, der Draper-Extension, beteiligt.

Cannstatt (Bad C.), Stadtteil von Stuttgart. Der **Cannstatter Wasen** ist ein traditionelles Volksfest in der Talaue des Neckars.

Cañon [ka'ɲɔn; span. »Röhre«] *der* (engl. Canyon), schluchtartiges Engtal in Gebirgen mit vorwiegend waagerechter Gesteinslagerung, bes. in Trockengebieten, z. B. des westl. Nordamerika (u. a. Grand Canyon).

Canopus, Hauptstern **(Alpha Carinae)** im Sternbild Kiel des Schiffes; zweithellster Fixstern (scheinbare Helligkeit −0,7 mag) am Himmel nahe dem Südpol der Ekliptik; wird für interplanetare Raumsonden als Bezugspunkt für eine feste Raumlage benutzt.

Canossa, ehem. Felsenburg in der Emilia-Romagna, Italien, 18 km südwestlich von Reggio nell'Emilia, 1255 zerstört. Hier erreichte Kaiser Hein-

Elias Canetti

Cannes
Stadtwappen

Canossa

Canossa wurde im 10. Jh. von Adelbert Atto erbaut, dem Stammvater der späteren Markgrafen von Canossa, die der Sage nach hier der späteren Kaiserin Adelheid Zuflucht gewährt haben sollen. Die Burg ist bekannt durch den »Canossagang« König Heinrichs IV., der drei Tage lang barfuß bei großer Kälte im Burghof ausharrte und durch diese Selbstdemütigung Papst Gregor VII. zwang, ihn vom Kirchenbann zu lösen. Die neuere Forschung betont den politischen Sieg des Königs im Machtkampf mit dem Papsttum, doch hatte dessen Erniedrigung schwere Folgen für das Ansehen des mittelalterlichen Kaisertums. Die Burg wurde 1255 und nochmals 1537 zerstört und seit Ende des 18. Jh. als Steinbruch genutzt. 1878 wurde sie zum Nationaldenkmal erklärt. Während des Kulturkampfes, der Auseinandersetzung des Deutschen Reiches mit der katholischen Kirche, prägte Bismarck am 14. 5. 1872 mit seinem Ausspruch »... nach Canossa gehen wir nicht« die bekannte Redewendung.

richIV. durch dreitägige Buße 1077 von Papst GregorVII. die Lösung vom Bann; daher **Canossagang** (Gang nach C.) für: Bittgang, tiefe Demütigung.

Canova, Antonio, italien. Bildhauer, * Possagno (bei Bassano del Grappa) 1. 11. 1757, † Venedig 13. 10. 1822; führender Meister des italien. Klassizismus, seit 1779 in Rom, seit 1802 Oberaufseher der Kunstdenkmäler im Kirchenstaat. C. schuf die Grabmäler für Klemens XIV. (1783–87; Rom, Santi Apostoli), Klemens XIII. (1787–92; Rom, Sankt Peter), Erzherzogin Marie Christine (1798–1805; Wien, Augustinerkirche) sowie Bildnisse Napoleons I. und von Pauline Bonaparte als ruhende Venus (Rom, Galleria Borghese).

Georg Cantor

Canstein, Karl Hildebrand Freiherr von, pietist. Theologe, * Lindenberg (bei Frankfurt (Oder) 4. 8. 1667, † Berlin 19. 8. 1719; gründete 1710 die **Cansteinsche Bibelanstalt** in Halle (Saale); Verbindungsmann A. H. Franckes zum preuß. Hof.

cantabile [italien.], *Musik:* sangbar, gesangartig.

Cantal [kã'tal], **1)** größtes erloschenes Vulkangebiet Frankreichs, in der Auvergne, im Plomb du C. 1858 m hoch.

2) frz. Dép. in der Auvergne, 5726 km², (1990) 158700 Ew.; Hptst.: Aurillac.

Canterbury
Stadtwappen

Canterbury ['kæntəbərɪ], Stadt in der Cty. Kent, SO-England, 36500 Ew.; Sitz eines anglikan. Erzbischofs, des Primas von England (das Bistum C. wurde um 600 als erstes im eigentl. England gestiftet); Univ.; Marktzentrum mit landwirtsch. Veredelungsindustrie. – Die Kathedrale (roman. Krypta, Fenster z. T. 13. Jh.) spiegelt die architekton. Entwicklung des 11.–15. Jh. wider (UNESCO-Weltkulturerbe); hier wurde 1170 T. Becket ermordet.

Cantharus [lat.] *der,* antikes Trinkgefäß, → Kantharos.

Canterbury

Gervasius von Canterbury schildert, wie der aus Frankreich herbeigerufene Baumeister Wilhelm von Sens ab 1175 anstelle der abgebrannten Vorgängerkirche den frühgotischen Neubau der Kathedrale von Canterbury anging:

»Er lebte viele Tage bei den Mönchen, betrachtete das versengte Mauerwerk sorgfältig ..., behielt aber eine Zeit lang das, was er tun würde, für sich. ... Erst als er die Mönche ein wenig beruhigt sah, gestand er ihnen, dass man die vom Brand beschädigten Pfeiler und alle Überbauten abbrechen müsse, wenn die Mönche ein sicheres und unvergleichliches Bauwerk haben wollten. ... Sie gaben ... nach, wenn auch ungern. Er ... hatte zu Beginn des fünften Jahres ... bereits die Baugerüste für die Einwölbung der Vierung vorbereitet; da brachen plötzlich unter seinen Füßen die Balken ein, und zusammen mit Steinen und Hölzern stürzte er zu Boden, ... 50 Fuß tief. Gegen den Meister allein wütete entweder die Strafe Gottes oder der Neid des Teufels.«

Canticum [lat.] *das,* **1)** mit Flötenbegleitung vorgetragene Partie des altröm. Dramas.

2) Bez. für die Lieder des A. T. und N. T. mit Ausnahme der Psalmen.

Canticum Canticorum [lat.] *das,* das → Hohe Lied.

Cantillon [frz. kãti'jɔ̃], Richard, brit. Volkswirtschaftler, * in Irland um 1680, † (wahrscheinlich ermordet) London 15. 5. 1734; Bankier in Paris, früher Vertreter der späteren klass. Nationalökonomie. C. lieferte Beiträge zur Kreislauf-, Preis-, Geld- und Außenwirtschaftstheorie.

Canton, 1) chines. Stadt, → Kanton.

2) ['kæntən], Stadt in Ohio, USA, 84160 Ew.; Hütten- und Stahlwerke, Maschinenbau.

Cantor, Georg, Mathematiker, * Sankt Petersburg 3. 3. 1845, † Halle (Saale) 6. 1. 1918; Begründer der axiomat. → Mengenlehre.

Cantus [lat.] *der* (italien. Canto), Gesang, Melodie; bei mehrstimmigen Gesängen die Oberstimme. Der **C. firmus** (Abk. c. f.) ist im mehrstimmigen Satz die gegebene Melodie, deren Verlauf die feste Grundlage (lat. tenor) für die kontrapunkt. Bewegung der anderen Stimmen **(C. figuratus)** bildet. Als C. firmus dienten für kirchl. Gesänge, aber auch für weltl. Motetten, meist Abschnitte aus dem gregorian. Choral; später wurden auch Volksmelodien oder neu geschaffene Melodien benutzt. **C. planus** bezeichnet in der frühmittelalterl. Musik die in → Neumen oder Choralnoten ohne Bezeichnung der Zeitwerte geschriebenen Choralmelodien. Im Unterschied dazu bezeichnet der **C. mensuratus (C. mensurabilis)** die mit Bezeichnung bestimmter Zeitwerte aufgeschriebene Musik des MA. (Mensuralmusik).

Canzone [italien.], die → Kanzone.

Caodaismus *der,* neue, heute am weitesten verbreitete Religion in Vietnam, 1926 von Le-van-Trung geschaffen; höchste Gottheit ist Cao-Dai (»Großer Palast«). Der C. verehrt Laotse, Buddha und Christus und hat spiritist. Züge. Charakterist. sind sein Geisterkult, sein Glaube an die Seelenwanderung und seine Forderung nach allg. Brüderlichkeit aus Achtung vor dem Leben.

Cap [kæp; engl. »Kappe«] *der, Börsenwesen:* vertraglich vereinbarter Höchstzinssatz bei Krediten oder Anleihen.

CAP [Abk. für engl. **c**omputer-**a**ided **p**lanning], rechnergestützte Arbeitsplanung bei der Konstruktion und Fertigung von techn. Produkten.

Capa ['kæpə], Robert, eigtl. Andrei Friedmann, amerikan. Fotograf ungar. Herkunft, * Budapest 22. 10. 1913, † Thai Binh (Vietnam) 25. 5. 1954; wurde 1936 durch seine Bilder des Span. Bürgerkriegs weltberühmt. 1938 arbeitete er als Kriegsberichterstatter nach der japan. Invasion in China; während des 2. Weltkriegs war er Reporter für

»Life« in Europa; 1948 berichtete er über den Palästinakrieg. C. kam während des Indochinakriegs ums Leben.

📖 *Photographien, hg. v.* C. Capa *u. a. A. d. Amerikan. Köln 1985.* – Whelan, R.: *Die Wahrheit ist das beste Bild. R. C., Photograph. Eine Biographie. A. d. Amerikan. Neuausg. Köln 1993.*

Capablanca, José Raúl, kuban. Schachspieler, *Havanna 19. 11. 1888, †New York 8. 3. 1942; war 1921–27 Weltmeister.

Cap d'Agde [kap'dagd], frz. Ferienzentrum an der Mittelmeerküste, an der Mündung des Hérault; großer Jachthafen.

Cape [keɪp, engl.] *das,* ärmelloser Umhang mit und ohne Armschlitze; oft mit Kapuze.

Čapek ['tʃapɛk], **1)** Josef, tschech. Maler und Schriftsteller, *Hronov (Ostböhm. Gebiet) 23. 3. 1887, †KZ Bergen-Belsen April 1945, Bruder von 2); schrieb, z. T. zusammen mit seinem Bruder, Dramen (»Aus dem Leben der Insekten«, 1921), Erzählungen, Romane (»Schatten der Farne«, 1930) und Essays. Als Maler setzte er sich mit dem Kubismus und Expressionismus auseinander.

2) Karel, tschech. Schriftsteller, *Malé Svatoňovice (Ostböhm. Gebiet) 9. 1. 1890, †Prag 25. 12. 1938, Bruder von 1); behandelte in utop. Romanen (»Krakatit«, 1924) und Dramen (»R. U. R.«, 1920) Probleme der techn. und sozialen Entwicklung; außerdem schrieb er Erzählungen (»Das Jahr des Gärtners«, 1929), Essays, Reiseberichte sowie den Roman »Krieg mit den Molchen« (1936).

Čapek-Chod ['tʃapɛk 'xɔt], Karel Matej, tschech. Schriftsteller, *Domažlice (Westböhm. Gebiet) 21. 2. 1860, †Prag 3. 11. 1927; schrieb grotesk-komische, naturalist. Erzählungen und Romane (»Kašpar Lén, der Rächer«, 1908) mit starken sozialen Tendenzen.

Capella [lat. »Ziege«] *die,* Stern 1. Größe, α **(Alpha Aurigae)** im Sternbild des →Fuhrmanns.

Capet [ka'pɛ], →Hugo Capet, →Kapetinger.

Cape Town ['keɪp 'taʊn, engl.], Stadt in Südafrika, →Kapstadt.

Cap Haïtien [-aɪ'sjɛ̃], Hafenstadt an der N-Küste der Insel Hispaniola, Haiti, 92 100 Ew.; Erzbischofssitz, Markt- und Touristenzentrum.

Capitaine [kapi'tɛːn, frz.] *der,* frz. Offiziersrang, entspricht dem dt. Hauptmann.

Capitano [italien. »Feldhauptmann«] *der,* **1)** im Italien des MA. Angehöriger des krieger. Adels.

2) Figur der Commedia dell'Arte: ein bramarbasierender Soldat (Hauptmann).

Capitano del popolo, im MA. Titel der gewählten Stadtherren in den Stadtrepubliken Ober- und Mittelitaliens.

Capitulare de villis [lat.] *das,* die Landgüterordnung Karls d. Gr., erlassen um 794; enthält genaue Vorschriften für die Krongüterverwaltung.

Canterbury: Die das Stadtbild beherrschende, vom 11. Jh. bis zum 15. Jh. mehrfach um- und ausgebaute Kathedrale mit dem 71 m hohen Zentralturm »Bell Harry« ist eines der bedeutendsten Baudenkmäler der englischen Spätgotik (Perpendicular Style)

Capnio (Capnion), Humanist, →Reuchlin.

Capodimonte, Schloss am N-Rand von Neapel, 1738 von den span. Bourbonen begonnen, zur Aufbewahrung der von ihnen ererbten Farnesischen Sammlungen (→Farnese; heute im Archäolog. Nationalmuseum Neapel). 1743–59 befand sich hier eine bed. Porzellanmanufaktur; seit 1957 ist es Nationalgalerie v. a. mit Werken der italien. Malerei.

Capote [kə'pəʊtɪ], Truman , amerikan. Schriftsteller, *New Orleans 30. 9. 1924, †Los Angeles 25. 8. 1985; schildert in Kurzgeschichten und Romanen mit stilist. Brillanz Leiden, Einsamkeit und

Karel Čapek

Robert Capa: »Spain« (1936; New York; International Center of Photography)

Truman Capote

Fantasien von Jugendlichen und Außenseitern (»Die Grasharfe«, 1951; »Frühstück bei Tiffany«, 1958). »Kaltblütig« (1965) ist die dokumentar. Rekonstruktion eines Mordfalles. C. schrieb ferner »Musik für Chamäleons« (Erzählungen, 1980), »Eine Weihnacht« (Memoiren, 1983).

🕮 CLARKE, G.: *T. C. Biographie. A. d. Amerikan. Taschenbuchausg. München 1993.*

Cappa (Capa) [lat.] *die,* **1)** rundgeschnittener Mantel mit Kapuze, im MA. Tracht der Geistlichen; heute als **Cappa magna** das Chorgewand der hohen kath. Würdenträger mit Kapuze und langer Schleppe; bei Bischöfen violett, bei Kardinälen rot.

2) →Pluviale.

Capr... [nach lat. capra »Ziege«], Namensbestandteil von gesättigten Monocarbonsäuren mit charakterist. Bocksgeruch; sie kommen als Glycerinester in Milchfetten, Kokosnussöl und Fischtran vor, z.B. Caprinsäure (Decansäure), Capronsäure (Hexansäure) und Caprylsäure (Octansäure).

Frank Capra

Capra, 1) ['kæprə], Frank, amerikan. Filmregisseur italien. Herkunft, *Palermo 19. 5. 1895, †La Quinta (Calif.) 3. 9. 1991; seine berühmtesten Filme sind: »Es geschah in einer Nacht« (1934), »Arsen und Spitzenhäubchen« (1943), »Die unteren Zehntausend« (1961).

2) Fritjof, österr. Physiker, Systemforscher und Futurologe, *Wien 1. 2. 1939; Prof. in Berkeley; arbeitete über Elementarteilchenphysik und die kulturellen Auswirkungen der Naturwissenschaften; untersuchte die Gemeinsamkeiten der quantenphysikal. Weltsicht und der östl. Religionen (»Das Tao der Physik«, 1975; »Wendezeit im Christentum«, 1991); setzt sich für eine ökologisch orientierte Wandlung des einseitig rational geprägten westl. Weltbildes und Wertbewusstseins zu einem integralen Bewusstsein ein (»Wendezeit«, 1982).

Fritjof Capra

Capri, italien. Insel am S-Eingang des Golfs von Neapel, 10,4 km² groß, bis 589 m hoch, rd. 12000 Ew.; Zitrus-, Ölbaum-, Rebkulturen, Fischerei; bed. Fremdenverkehr (u.a. zur →Blauen Grotte). C. war schon in der Jungsteinzeit besiedelt und hatte in röm. Zeit (zur Zeit des Tiberius) kaiserl. Villen und Bäder.

Capriccio [ka'prittʃo, italien.], launig-scherzhaftes, oft virtuoses Musikstück in freier Form.

capriccioso [kaprit'tʃo:zo, italien], musikal. Vortragsbezeichnung: launig, eigenwillig.

Capricornus, lat. Name des Sternbilds →Steinbock.

Caprivi, Georg Leo Graf (seit 1891) von, dt. General und Politiker, *Charlottenburg (heute zu Berlin) 24. 2. 1831, †Skyren (heute Skórzyn, Wwschaft Zielona Góra) 6. 2. 1899; wurde als Nachfolger Bismarcks am 20. 3. 1890 Reichskanzler (bis Okt. 1894) und preuß. MinPräs. (bis März 1892). C.s »Neuer Kurs« umfasste wichtige sozialpolit. Reformen und neue Handelsverträge u.a. mit Russland, Italien und Österreich (Senkung der Getreidezölle) und war außenpolitisch durch die Nichterneuerung des dt.-russ. Rückversicherungsvertrages und den Helgoland-Sansibar-Vertrag bestimmt.

Caprivi-Zipfel [nach G. L. von Caprivi], schmaler, dünn besiedelter, rd. 460 km langer Landstreifen im NO Namibias, bis zum Sambesi. – Kam 1890 durch den Helgoland-Sansibar-Vertrag zu Deutsch-Südwestafrika.

Caprolactam *das* (ε-Caprolactam), Amid der 6- oder ε-Aminocapronsäure, Ausgangsstoff für Nylon 6 (sechs Kohlenstoffatome); wird technisch in mehreren Schritten aus Phenol oder Cyclohexan gewonnen.

Capsicum [lat.], Pflanzengattung, →Paprika.

Capsid [lat.] *das,* Proteinhülle um den Nucleinsäurekern eines infektiösen Virusteilchens (Virion); besteht aus Proteinuntereinheiten **(Capsomeren),** deren Zahl einige Virusarten kennzeichnet.

Capsien [kap'sjɛ̃] *das,* nordafrikan. Kulturgruppe der Mittel- und Jungsteinzeit (etwa 8.–4. Jt. v. Chr.), benannt nach Fundstellen bei Gafsa (dem antiken Capsa) in S-Tunesien.

Captain ['kæptɪn, engl.] *der,* im engl.-amerikan. Sprachraum Offiziersrang, dem dt. Kapitän oder Hauptmann entsprechend; im Amerikanischen auch Wahlagent.

Captatio Benevolentiae [lat.] *die,* rhetor. Formel, mit der um die Gunst des Zuhörers oder Lesers geworben wird.

Capua, Stadt in Kampanien, Provinz Caserta, nördlich von Neapel, Italien, 18800 Ew.; Erzbischofssitz. – Das antike C., 4 km südöstlich des heutigen, im 5. Jh. v. Chr. von Etruskern gegr., wurde um 340 von Rom abhängig. Viele Ruinen sind erhalten. Das heutige C. entstand 856 als Hptst. eines langobard. Fürstentums.

Caputh, Gemeinde im Landkr. Potsdam-Mittelmark, Brandenburg, am S-Ufer des Templiner Sees der Havel, 3200 Ew.; Erholungsort, A.-Einstein-Gedenkstätte.

Carabinieri, italien. Polizeitruppe, zugleich Militär- und Ordnungspolizei der inneren Verwaltung.

Caracalla (urspr. Bassianus), als Markus Aurelius Antoninus röm. Kaiser (211–217), *Lugdunum (heute Lyon) 4. 4. 186, †(ermordet) bei Carrhae (heute Eski Haran, bei Şanıurfa, Türkei) 8. 4. 217; ließ seinen Bruder und Mitherrscher Geta 212 ermorden und führte eine grausame Willkürherrschaft. 212 verlieh er durch die »Constitutio Antoniniana« allen freien Reichsangehörigen das röm. Bürgerrecht. Er ließ die C.-Thermen in Rom errichten.

Caracas, Hptst. von Venezuela, 920 m ü. M., im Küstengebirge, 1,82 Mio. Ew. (städt. Agglomeration 3,44 Mio. Ew.); fünf Univ., Akademien, Nat.-Archiv, -museum, Goethe-Inst., Planetarium; kath. Erzbischofssitz; bed. Ind.standort mit Textil-, Metall-, chem.-pharmazeut. und Nahrungsmittelind. C. ist seit dem 2. Weltkrieg zu einer der modernsten Großstädte Südamerikas angewachsen und durch Autobahnen mit der Hafenstadt La Guaira, dem internat. Flughafen Maiquetia und den Badeorten an der karib. Küste verbunden. – C. wurde 1567 als Santiago de Leon de C. gegründet und war 1731–1810 Hptst. eines span. Generalkapitanats, seit 1831 ist es Hptst. Venezuelas.

Caracas
Stadtwappen

Caracciola [-'tʃo-], Rudolf, Autorennfahrer, *Remagen 30. 1. 1901, †Kassel 28. 9. 1959; gewann, meist auf Mercedes, 27 bedeutende Rennen und hielt 17 Weltrekorde.

Carajás [-'ʒas] (Serra dos C.), Tafelbergland im östl. Amazonien, Brasilien, bis 800 m ü. M. Die weltweit umfangreichsten Eisenerzlager (18 Mrd. t) werden seit 1984 abgebaut (Tagebau); außerdem gibt es bedeutende Vorkommen von Mangan-, Kupfer-, Nickel-, Zinnerzen, Gold und Bauxit. Ein Wasserkraftwerk (8 000 MW) arbeitet am Rio Tocantins. Seit 1985 besteht eine Eisenbahnverbindung (890 km) zur Küste bei São Luis.

Carathéodory, Constantin, Mathematiker grch. Abstammung, *Berlin 13. 9. 1873, †München 2. 2. 1950; lieferte Beiträge u. a. zur Variationsrechnung, Funktionentheorie und geometr. Optik sowie zur theoret. Physik.

Constantin Carathéodory

Caravaggio [kara'vaddʒo], Michelangelo da, eigtl. Merisi, italien. Maler, *Caravaggio (bei Bergamo) 28. 9. 1571, †Porto Ercole (bei Civitavecchia) 18. 7. 1610; seit etwa 1592 in Rom, seit 1606 in Neapel, auf Malta und in Sizilien tätig. Die naturnahe Sachlichkeit, mit der C. seine Modelle malte, brach mit der Stilüberlieferung des Manierismus und wurde Vorbild für einen in der gesamten Barockmalerei verbreiteten Typus des Genrebildes (z. B. Halbfigurenbilder mit stilllebenhaftem Beiwerk). Die von ihm entwickelte Helldunkelmalerei begründete einen neuen Stil **(Caravaggismus)** mit starkem Einfluss u. a. auf Rubens, Rembrandt, Velázquez u. a. (→Helldunkel).

Werke: Bacchus (um 1595; Florenz, Uffizien); Die Bekehrung des Saulus und Martyrium des Petrus (1600; Rom, Santa Maria del Popolo); Bilder aus dem Leben des hl. Matthäus (1602; Rom, San Luigi dei Francesi); Amor als Sieger (1902; Berlin, Gemäldegalerie); Madonna dei Palafrenieri (um 1604/05; Rom, Galleria Borghese); Tod Mariä (um 1605/05; Paris, Louvre); Die Gefangennahme Christi (vor 1606; Dublin, Nationalgalerie); Rosenkranz-Madonna (um 1606/07; Wien, Kunsthistor. Museum).

📖 Brehm, M. F.: *Der Fall C. Eine Rezeptionsgeschichte. Frankfurt am Main u. a. 1992.* – Longhi, R.: *C. A. d. Italien. Dresden u. a. [2]1993.* – Peter, C.: *Gespräche mit Bildern. C. in Rom. Münster u. a. 1994.*

Caravaggio: »Bacchus« (um 1595; Florenz, Uffizien)

Caravan [auch engl. 'kærəvæn] *der,* Wohnwagen, Verkaufswagen; →Camping.

Carbamid *das,* →Harnstoff.

Carbamidsäure (Carbaminsäure), *Chemie:* in freier Form unbeständige Säure, $H_2N{-}COOH$. Die Ester **(Carbamate,** auch **Urethane)** haben Bedeutung als Insektizide und Herbizide.

Carbamoylharnstoff, das →Biuret.

Carbanionen (Carbeniationen), dreibindige organ. Anionen mit einsamem Elektronenpaar am C-Atom; hochreaktive Zwischenstufen bei chem. Reaktionen.

Carbazol *das* (Dibenzopyrrol), trizykl. heterozyklische organ. Verbindung; u. a. zur Herstellung von Farbstoffen.

Carbene, hoch reaktive Zwischenstufen mit einem freien Elektronenpaar ($R{-}\ddot{C}{-}R$) in Zersetzungs- und Eliminierungsreaktionen der organ. Chemie.

Carbide, binäre Verbindungen von Elementen mit Kohlenstoff. Die **salzartigen C.,** Metallverbindungen des Acetylens, sind instabil und hochexplosiv. Als **kovalente C.** gelten nur Borcarbid (B_4C) und Siliciumcarbid (SiC). Sie sind hart, schwer schmelzbar und chemisch beständig; sie werden als Schleif- und Poliermittel und als Beschichtung für Bohrer verwendet. Die meisten **metall. C.** sind nichtstöchiometr. (→Stöchiometrie) Verbindungen von Legierungscharakter; sie

Ernesto Cardenal

sind gegen Säuren beständig, i.d.R. härter als die reinen Metallkomponenten und leiten den elektr. Strom. Technisch wichtig sind z.B. die C. von Eisen (Zementit), Chrom und Wolfram.

Carbol [lat.] *das* (Carbolsäure), veraltete Bez. für →Phenol.

Carbon [lat.] *der,* →Kohlenstoff.

Carbonado [span.] *der* (Bort, Ballas), grauer bis schwarzer Industriediamant, v.a. aus Brasilien und Kongo (Demokrat. Rep.).

Carbonate, Salze und Ester der →Kohlensäure.

Carbonathärte, veraltete Bez. für →Wasserhärte.

Carboneria *die,* polit. Geheimbund in S-Italien, um 1808 entstanden, kämpfte für die Unabhängigkeit Italiens und eine liberale Verfassung.

Carcassonne Stadtwappen

Carbonsäuren, *Chemie:* organ. Säuren mit der **Carboxylgruppe** (–COOH) als funktionalem Element. Je nach deren Anzahl unterscheidet man Mono-, Di- oder Poly-C. Die **aliphat. C.** (Alkan- und Alkensäuren) heißen auch **Fettsäuren**. Die meisten C. haben Trivialnamen (z.B. Ameisensäure, Essigsäure). Beispiele für **aromat. C.** sind Benzoesäure und Terephthalsäure. Die systemat. Namen werden aus denen der Stammkohlenwasserstoffe und der Endung -carbonsäure gebildet.

Die aliphat. Mono-C. mit bis zu 3 C-Atomen sind stechend riechende, wasserlösl. Flüssigkeiten. Mit steigender C-Atom-Zahl sinkt die Wasserlöslichkeit. C. mit 4–9 C-Atomen riechen ranzig. C. mit über 10 C-Atomen sind geruchlose, wachsartige Feststoffe. Aliphat. Di-C. und aromat. C. sind ebenfalls fest. – Mit Alkoholen bilden C. →Ester. C. und ihre Derivate sind wichtige Zwischenprodukte zur Herstellung von Kunststoffen und Lösungsmitteln.

Carbonylgruppe (Ketogruppe, Oxogruppe), *Chemie:* in Aldehyden, Ketonen, Carbonsäuren und Chinonen auftretende charakterist. Atomgruppe –C(=O)–.

Carboxylase *die,* Enzym zur Übertragung von Kohlendioxid in Biomolekülen, z.B. die Einführung der Carboxylgruppe in organ. Substrate.

Carboxylgruppe, organ. Atomgruppe, →Carbonsäuren.

Carcassonne [karka'sɔn], Hptst. des Dép. Aude, S-Frankreich, an der Aude und dem Canal du Midi, 43 500 Ew.; Weinhandel, Gummiind., Maschinenbau. – Die alte Oberstadt mit romanisch-got. Kathedrale (Ende 13. Jh., 1849 rekonstruiert) und befestigtem Schloss ist von zwei Ringmauern (z.T. 6. und 12. Jh.) mit vielen Türmen umschlossen. – C., das galloröm. **Carcasso,** gehörte seit 418 zum Westgotenreich; 725 wurde es von den Arabern, 759 von den Franken erobert. Nach dem Untergang der Albigenser, deren Hauptstützpunkt C. war, fiel es 1229 an die frz. Krone.

Carcinoma [lat., aus grch. karkínos »Krebs«] *das,* Abk. **Ca.** (Karzinom), bösartige Geschwulst, →Krebs.

Cardamomgebirge (Kardamomgebirge)[nach den Kardamomplantagen], Gebirge im S Indiens, bis 1922 m hoch, mit Kaffee-, Tee-, Kautschuk- und Kardamompflanzungen, gehört teils zu Tamil Nadu, teils zu Kerala.

Cardano, Geronimo (latinisiert Hieronymus Cardanus), Philosoph, Arzt und Mathematiker,

Carcassonne: Die von einer doppelten Ringmauer mit 52 Wehrtürmen umschlossene alte Oberstadt hat trotz Restaurierungen im 19. Jh. kaum etwas von ihrem mittelalterlichen Aussehen eingebüßt

*Pavia 24. 9. 1501, †Rom 21. 9. 1576 ; lehrte, dass die Welt überall von beseelter Urmaterie erfüllt sei (Hylozoismus); versuchte Wirklichkeit und Naturgeschehen mechanisch zu verstehen. Als Mathematiker löste er algebraische Gleichungen 4. Grades und veröffentlichte die **cardanische Formel** zur Lösung von kubischen Gleichungen. C. machte die →kardanische Aufhängung bekannt.

Geronimo Cardano
(zeitgenöss. Kupferstich)

Cardenal, Ernesto, nicaraguan. Lyriker und Bildhauer, *Granada 20. 1. 1925; seit 1965 kath. Priester (seit 1985 suspendiert); schloss sich im Exil in Costa Rica (1977–79) den Sandinisten an, unter deren Regierung (1979–90) Kulturminister; 1965 Mitbegründer der christl. Kommune von Solentiname; schrieb religiöse, stark politisch und sozial engagierte Lyrik (u.a. »Gebet für Marilyn Monroe«, 1965; »Für die Indianer Amerikas«, 1969; »Gesänge des Universums«, 1989); erhielt 1980 den Friedenspreis des Dt. Buchhandels.

📖 Koch, H. H.: *E. C. München 1992.*

Cárdenas ['karðenas], Lázaro, mexikan. General und Politiker, *Jiquilpan (Michoacán) 21. 5. 1895, †Mexico 19. 10. 1970; führte als Staatspräs. (1934–40) eine Bodenreform durch und enteignete die brit. und nordamerikan. Erdölgesellschaften.

Cardiff ['kɑ:dɪf], Hptst. von Wales und dem Verw.gebiet C., Großbritannien, am Severnästuar, 279100 Ew.; TH, Univ., medizin. Hochschule, Nationalmuseum, anglikan. und kath. Erzbischofssitz.; Eisen- und Stahlind., Maschinen- und Fahrzeugbau; einer der bedeutendsten brit. Seehäfen (Ausfuhrhafen für Kohle aus den umliegenden Grubenbezirken); internat. Flughafen. – Um eine normann. Burg (1093) entstanden.

Cardin [kar'dɛ̃], Pierre, frz. Modeschöpfer, *Sant'Andrea di Barbarana (heute San Biago di Callalta, bei Treviso) 7. 7. 1922; zunächst Mitarbeit bei Dior; führt seit 1950 ein eigenes Haus für Haute-Couture-Modelle und produziert in vielen Ländern Konfektionskleidung.

Cardinal, Marie, frz. Schriftstellerin, *Algier 9. 3. 1929; behandelt den Selbstfindungsprozess von Frauen, u.a. in »Schattenmund. Roman einer Analyse« (1975), »Die Reise nach Algerien oder Im Garten meiner Kindheit« (Reisebericht, 1980), »So, als wäre nichts gewesen« (Roman, 1990).

Cardinale, Claudia, italien. Filmschauspielerin, *Tunis 15. 4. 1939; spielte u.a. in Filmen von L. Visconti (»Rocco und seine Brüder«, 1960; »Der Leopard«, 1963), F. Fellini (»8½«, 1963) und Werner Herzog (»Fitzcaraldo«, 1981); auch Fernsehfilme.

Claudia Cardinale

Cardoso [kar'dozu], Fernando Henrique, brasilian. Politiker und Soziologe, *Rio de Janeiro 18. 6. 1931; Professor für Polit. Wiss., in der Zeit der Militärdiktatur mehrere Jahre im Exil; formulierte die →Dependencia-Theorien. 1983–94 vertrat er den Staat Saõ Paulo im Senat und beteiligte sich 1988 an der Gründung der Sozialdemokrat. Partei Brasiliens. 1992–93 war er Außenmin. Als Finanzmin. (1993–94) konnte C. die Inflationsrate drastisch senken; seit 1995 Staatspräsident.

Fernando Henrique Cardoso

Carducci [-'duttʃi], Giosuè, italien. Schriftsteller, *Valdicastello (heute zu Pietrasanta, Prov. Lucca) 27. 7. 1835, †Bologna 16. 2. 1907; Prof. für italien. Lit. in Bologna. C. war die beherrschende Gestalt der italien. Literatur des ausgehenden 19. Jh.; er gab seiner Lyrik, die er um neuartige Nachbildungen der metr. Formen der Antike bereicherte (»Odi barbare«, 1877–89), einen fortschrittsgläubigen, antiklerikalen, nationalen Gehalt. C. erhielt 1906 den Nobelpreis für Literatur.

Cardy ['kɑ:dɪ; engl., aus lat. carduus »Distel«] *der* (Kardy, Gemüsekarde, Kardone, Spanische Artischocke), Gemüsepflanze aus dem Mittelmeerraum.

CARE ['keə], Kw. für engl. **C**ooperative for **A**merican **R**elief to **E**verywhere (bis 1958 Cooperative for American Remittances to Europe), 1946 in den USA gegründete Vereinigung zur Organisation von Hilfssendungen **(Care-Pakete)** für europ., später auch für andere Länder zur Linderung von Hunger und Not.

Cargo ['kɑ:gəʊ; engl. »Ladung«] (Kargo) *der,* 1) Schiffsladung; 2) internat. Bez. für Luftfracht. **Cargo Terminal,** Luftfrachthof.

Cardiff
Stadtwappen

Cargo-Kulte ['kɑ:gəʊ-, engl.], Kulte, die in vielen Teilen Melanesiens seit Ende des 19. Jh., v.a. aber nach dem 2. Weltkrieg aus der Konfrontation der einheimischen Bev. mit zivilisator. Werten und Erzeugnissen entstanden. Sie enthielten religiöse oder polit. Hoffnungen auf das baldige Kommen einer Heilsperiode, richteten sich mehrheitlich jedoch auf den Gewinn von Gütern europ. Herkunft (die die Anhänger der Kulte zunächst als Schiffsladung [»cargo«] kannten); sie wurden als von den Ahnen gesandt angesehen, die ihnen (den Anhängern der Kulte) bisher unrechtmäßig vorenthalten wurden. C. leben vereinzelt in der Gegenwart fort und haben z.T. zur Wiederbelebung heidnischer Riten in bereits christianisierten Gebieten geführt.

Carica [grch.-lat.], im trop. und subtrop. Amerika verbreitete Pflanzengattung mit dem →Melonenbaum.

CARICOM, →Karibische Gemeinschaft.

Carillon [kari'jɔ̃] *das,* frz. Bez. für das Turmglockenspiel sowie für das in Kapellen und Orchestern gespielte Metallstabglockenspiel; auch Bez. für Musikstücke, die für das Glockenspiel bestimmt sind.

Carina [lat.], das Sternbild →Kiel des Schiffes.

Carissimi, Giacomo, italien. Komponist, getauft Marino (bei Rom) 18. 4. 1605, †Rom 12. 1. 1674; seit 1630 Kapellmeister an der Kirche Sant Apollinare in Rom, gilt als der erste große Meister des Oratoriums; schrieb neben Oratorien (»Jephte«, vor 1650; »Jonas«, o.J.), etwa 130 Kantaten, 12 Messen und über 200 Motetten.

Caritas (Karitas) [lat.] **1)** *die,* Liebe, bes. Nächstenliebe, Barmherzigkeit.

2) kirchl. Organisation. Der **Deutsche Caritasverband** wurde als Zusammenfassung der kath. Wohlfahrtspflege 1897 von Lorenz Werthmann (*1858, †1921) gegründet; Zentrale in Freiburg im Breisgau, umfasst regional gegliederte Diözesan-Caritasverbände und überregional tätige Fachverbände.

Ingvar Gösta Carlsson

Carl, Karl, eigtl. Karl von Bernbrunn, Schauspieler und Theaterdirektor, *Krakau 7. 11. 1787, †Bad Ischl 14. 8. 1854; eröffnete 1847 das Carl-Theater in Wien. Als Schauspieler entwickelte er die Wiener Hanswurstfigur des »Staberl«.

Carl XVI. Gustaf, König von Schweden, →Karl.

Carlisle [kɑː'laɪl], Hauptstadt in der Cty. Cumbria NW-England, am Eden, 71500 Ew.; Nahrungsmittel-, Textil-, Metallindustrie. – Normann. Burg, got. Kathedrale.

Thomas Carlyle (Ausschnitt aus einem Gemälde von John Everett Millais)

Carlone, Name mehrerer oberitalien. Künstlerfamilien des 17. und 18.Jh.; Bedeutung erlangten v.a. Carlo Antonio, Baumeister (*um 1635, †1708; sein Hauptwerk sind Kirche und Kloster Sankt Florian in Kremsmünster, 1686–1708) und Giovanni Battista (†um 1717), Meister des für die Familie typ., stark plast. weißen Stucks.

Carlos, span. Könige, →Karl.

Carlos, span. Prinzen: **1) Don C.,** ältester Sohn König Philipps II., *Valladolid 8. 7. 1545, †Madrid 24. 7. 1568; von schwächl. Gesundheit und zeitweise nicht zurechnungsfähig. Philipp II. schloss ihn von der Thronfolge aus und ließ ihn, als er offen den Plan seiner Flucht nach den Niederlanden betrieb, gefangen setzen. In der Literatur wurde er zum Freiheitshelden stilisiert (Trauerspiel von Schiller 1787; Oper von Verdi, 1867).

2) Don C., Graf von Molina, 2. Sohn Karls IV., *Madrid 29. 3. 1788, †Triest 10. 3. 1855, Bruder des span. Königs Ferdinand VII., erkannte die Thronfolge von dessen Tochter Isabella nicht an; als **Karl V.** der erste Thronprätendent der →Karlisten, verzichtete 1845 zugunsten seines Sohnes.

Carlow ['kɑːləʊ] (irisch Ceatharlach), Hauptstadt der gleichnamigen Cty. im SO der Rep. Irland, 14000 Ew.; kath. Bischofssitz, techn. College; Zuckerfabrik, Maschinenbau.

Carlsbad ['kɑːlzbæd], Stadt und Kurort auf der O-Abdachung der Rocky Moutains, New Mexiko, USA, 25000 Ew.; Kalisalzbergbau; Mineralquellen. Nahebei die **C. Caverns,** die zu den größten Tropfsteinhöhlen der Erde gehören (Teil eines Nat.-Parks, 189 km^2).

Carlsbergstiftung, dän. Stiftung zur Förderung der Wiss. (bes. der Naturwiss.), des chemisch-physiolog. Carlsberg-Laboratoriums und des nationalgeschichtl. Museums in Frederiksborg, 1876 von J. C. Jacobsen (*1811, †1887), dem damaligen Eigentümer der Carlsberg-Brauerei, gegr.; 1902 von seinem Sohn durch den »Neuen Carlsberg-Fonds« beträchtlich erweitert.

Carlson ['kɑːlsn], Carolyn, amerikan. Tänzerin, Choreographin und Ballettdirektorin, *Oakland (Calif.) 7. 3. 1943; leitete 1974–80 die Experimentiergruppe der Pariser Oper und war 1980–85 Ballettdirektorin des Teatro La Fenice in Venedig.

Choreographien: Sablier prison (1974), Writings on the wall (1979); Lady Blue (1983); Wood, light and stone (1986).

Carlsson, Ingvar Gösta, schwed. Politiker, *Borås 9. 11. 1934; Mitgl. der Sozialdemokrat. Arbeiterpartei, ab 1969 mehrmals Min.; wurde nach der Ermordung O. Palmes 1986 dessen Nachfolger als Parteivors. und (bis 1991) als MinPräs.; 1994–96 erneut Ministerpräsident.

Carlyle [kɑː'laɪl], Thomas, engl. Essayist und Historiker, *Ecclefechan (bei Dumfries, Schottland) 4. 12. 1795, †London 4. 2. 1881; zunächst Lehrer; naturphilosophisch an Goethe und Novalis, geschichtsphilosophisch an Fichte orientiert. In den Vorträgen »Über Helden und Heldenverehrung« (1841) vertrat C. die Auffassung, dass die Weltgeschichte die Geschichte der großen Persönlichkeiten sei. C. formulierte ein Recht auf Arbeit; Arbeit sei nicht Ware, sondern sittl. Verpflichtung.

Weitere Werke: Der geflickte Flickschneider (1833); Die Frz. Revolution, 3 Bde. (1837); Vergangenheit u. Gegenwart (1843); Geschichte Friedrichs des Zweiten von Preußen, 6 Bde. (1857–65).

📖 FASBENDER, T.: *T. C. Idealist. Geschichtssicht u. visionäres Heldenideal. Würzburg 1989.* – TARR, R. L.: *T. C. A descriptive bibliography. Oxford 1989.* – VAN DEN BOSSCHE, C. R.: *C. and the search for authority. Columbus (Oh.) 1991.*

Carl-Zeiss-Stiftung, von E. Abbe 1889 in Jena gegründete Stiftung, der er am 1. 7. 1891 die auf ihn übergegangene Firma Carl Zeiss (gegr. 1846) und seine Anteile an der Firma Jenaer Glaswerke Schott & Gen. übertrug; seit 1919 ist die C.-Z.-S. Alleininhaberin beider Unternehmen. Nach der Enteignung in der sowjet. Besatzungszone wurden 1949 die Sitze der Stiftung nach Heidenheim an der Brenz und von Zeiss nach Oberkochen und Schott nach Mainz verlegt. Die C.-Z.-S. wurde früh durch vorbildl. Arbeitsbedingungen und die Förderung gemeinnütziger Projekte bekannt (Achtstundentag ab 1900, bezahlter Urlaub, Gewinnbeteiligung, Betriebsrente). Die selbstständig bilanzierenden Stiftungsunternehmen Carl Zeiss und Schott Glaswerke sind in den Bereichen Optik, Feinmechanik, Elektronik, Glastechnik tätig. Die in der DDR als VEB geführten Zeiss-Werke wurden 1990 in eine GmbH umgewandelt, 1991 privatisiert und in die Unternehmen Carl Zeiss Jena GmbH, Jenaer Glaswerke GmbH, und Jenoptik GmbH aufgeteilt. Jenoptik gehört heute dem Land Thüringen, die beiden anderen Unternehmen zur Zeiss- bzw. Schott-Gruppe.

Carmagnole [karma'ɲɔl] *die,* 1792/93 allg. verbreitetes frz. Revolutionslied mit dem Refrain »Dansons la C.! Vive le son du canon!«.

Carmarthen [kə'mɑːðən] (irisch Caerfyrddin), Hauptstadt des Verw.gebietes Carmarthenshire in Wales, am Tywi oberhalb seiner Mündung in die C. Bay, 12 300 Ew.; Marktzentrum.

Carme [lat., nach grch. Karme, einer Geliebten des Zeus], Mond des Jupiter mit retrograder Bahn.

Carmen Sylva, Dichtername der Königin →Elisabeth von Rumänien.

Carmichael [kɑː'maɪkl], Stokely, amerikan. Bürgerrechtler, *Port of Spain (Trinidad) 29. 6. 1941; radikaler schwarzer Bürgerrechtskämpfer in den USA, brachte das Schlagwort »Blackpower« (»schwarze Macht«) in Umlauf. 1967–69 war er Führer der militanten Blackpanther Party.

Carmina Burana [lat. »Lieder aus (Benedikt)beuern«], Sammlung mlat. und mhd. Vagantenlieder in einer Handschrift des 13. Jh. aus der Abtei Benediktbeuern (jetzt in der Bayer. Staatsbibliothek München); enthält 55 moralisch-satir. (mit einigen histor.), 131 Liebes- sowie 35 Trink-, Spiel- u. a. Lieder; dazu kommen geistl. Spiele. – Eine Auswahl aus den C. B. wurde von C. Orff vertont (1937).

Carminsäure (Karminsäure), färbender Bestandteil des Karmins aus der →Koschenille; dient u. a. zum Färben von biolog. Präparaten und Lebensmitteln.

Carmona, Oscar António de Fragoso, portugies. Marschall (seit 1947) und Politiker, *Lissabon 24. 11. 1869, †ebd. 18. 4. 1951; führend am Militärputsch von 1926 beteiligt, war 1926–28 MinPräs. und 1928–51 Staatspräsident.

Carnac [kar'nak], Badeort an der S-Küste der Bretagne, Frankreich, 4 300 Ew.; in der Umgebung zahlreiche megalith. Denkmäler aus der 2. Hälfte des 3. Jt. v. Chr. (Steinalleen aus etwa 3 000 Menhiren, von denen einige bis zu 5 m hoch sind; Megalithgräber).

📖 PHILIBERT, M.: *C. Les sites sacrés. Monaco 1994.*

Carnallit [nach dem Geologen R. von Carnall, *1804, †1874] (Karnallit) *der,* rhombisches Mineral, wichtiges Kalisalz, $KCl \cdot MgCl_2 \cdot 6H_2O$, farblos, weiß oder durch Hämatit rot gefärbt; meist grobkörniges Sediment.

Carnap, Rudolf, Philosoph, *Ronsdorf (heute zu Wuppertal) 18. 5. 1891, †Santa Monica (Calif.) 14. 9. 1970; seit 1931 Prof. in Prag, 1935 Emigration in die USA, lehrte 1936–61 in Chicago, Princeton, Los Angeles; gehörte dem Wiener Kreis an (→Wiener Schule). Beeinflusst von G. Frege, B. Russell und L. Wittgenstein begründete er die Logik und Wissenschaftslehre im Sinne des log. Positivismus; Ziel war eine metaphysikfreie Einheitswissenschaft sowie eine kohärente Wissenschaftssprache.

Werke: Der log. Aufbau der Welt (1928); Die physikal. Sprache als Universalsprache der Wiss. (1931); Log. Syntax der Sprache (1934); Induktive Logik u. Wahrscheinlichkeit (1959); Einführung in die Philosophie der Naturwiss. (1966).

📖 NAUMANN, R: *Das Realismusproblem in der analytischen Philosophie. Studien zu C. u. Quine. Freiburg u. a. 1993.*

Carné [kar'ne], Marcel, frz. Filmregisseur, *Paris 18. 8. 1909, †bei Paris 31. 10. 1996; schuf einen Filmstil des »poetischen Realismus«, u. a. »Hafen im Nebel« (1938), »Der Tag bricht an« (1939), »Kinder des Olymp«, (1943–45), »La Bible« (1976).

Carnegie ['kɑːnəgɪ], Andrew, amerikan. Großindustrieller, *Dunfermline (Schottland) 25. 11. 1835, †Lenox (Mass.) 11. 8. 1919; wanderte 1848 in die USA aus, erwarb durch Spekulationen und Verwertung fremder Erfindungen ein großes Vermögen. C. baute einen Stahlkonzern (Kohle- und Eisenerzgruben, Handelsflotte und Eisenbahnlinie) auf (»Stahlkönig«), schuf viele gemeinnützige Einrichtungen (C.-Institute; die New Yorker Konzerthalle, C. Hall) und stiftete 10 Mio. US-$ für das Endowment for International Peace (zur Unterstützung internat. Friedensbestrebungen). 1911 errichtete er als Hauptstiftung die C. Corporation, New York.

Carneol [lat. »fleischfarben«] *der,* →Chalcedon.

Carnet ATA [kar'nɛ-, frz.; ATA, Abk. für Admission Temporaire/Temporary Admission], internat. Zollpassierschein für bestimmte Waren

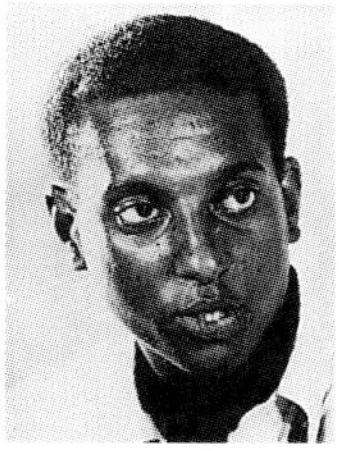

Stokely Carmichael

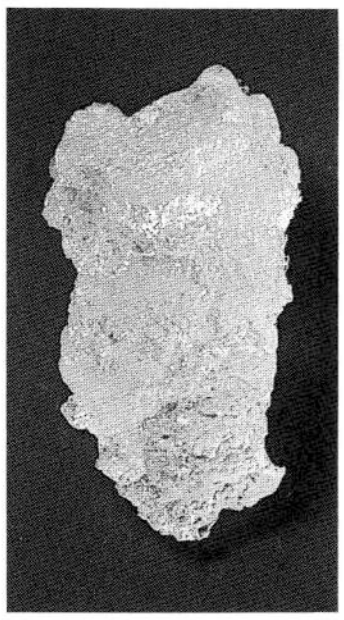

Carnallit

Rudolf Carnap

Andrew Carnegie

(z. B. Warenmuster, Ersatzteile für Straßenfahrzeuge), der die vorübergehende zollfreie Ein- und Ausfuhr oder den zollfreien Transit ermöglicht; 1961 durch ein internat. Zollabkommen eingeführt; wird in Dtl. durch die Industrie- und Handelskammern ausgegeben.

Carnet de Passages [karnɛdpa'sa:ʒ, frz.] *das,* besonderer Zollpassierschein für Kraft- und Wasserfahrzeuge, → Triptik.

Lazare Carnot (zeitgenössischer Kupferstich)

Carnot [kar'no], **1)** Lazare Graf (seit 1815), frz. Staatsmann und Mathematiker, *Nolay (Dép. Côte-d'Or) 13. 5. 1753, †Magdeburg 2. 8. 1823, Vater von 2); übernahm im Aug. 1793 das frz. Kriegswesen und erließ den Aufruf zur »Levée en masse«, damit Schöpfer der Massenheere der Frz. Revolution; 1795–97 war er Mitgl. des Direktoriums. Als Republikaner stand er Napoleon I. ablehnend gegenüber. 1814 verteidigte er Antwerpen gegen die Verbündeten und war 1815 Napoleons Innenminister; von den Bourbonen verbannt. – C. lieferte Beiträge zur projektiven und elementaren Geometrie sowie zur Mechanik.

2) Nicolas Léonard Sadi, frz. Physiker, *Paris 1. 6. 1796, †ebd. 24. 8. 1832, Sohn von 1); schuf mit seinen Berechnungen zum Wirkungsgrad der Dampfmaschine die Grundlagen für den 2. Hauptsatz der Thermodynamik, wozu er den nach ihm ben. → carnotschen Kreisprozess entwickelte.

Carnotit [nach dem frz. Chemiker und Mineralogen M.-A. Carnot, *1839, †1920], grünlich gelbes, monoklines Mineral, ein Uranglimmer, $K_2[UO_2/VO_4]_2 \cdot 3H_2O$; Vanadium- und Uranerz.

carnotscher Kreisprozess

In realen Wärmekraftmaschinen wird im p-V-Diagramm ein etwas anderer Zyklus durchlaufen als im carnotschen Kreisprozess. Beim Ottomotor erhitzt die Zündung das Gemisch von Termperatur T_1 auf T_2, dann schiebt das Gas den Kolben adiabatisch, d. h. ohne Wärmeaustausch vor sich her und kühlt dabei auf T_3 ab; nach dem Auspufftakt und dem Ansaugen frischen Gemischs bei T_4 wird es unter Arbeitsaufwand erneut verdichtet. Beim Dieselmotor ist die obere Ecke des Ottozyklus etwa isobar abgeschnitten.

carnotscher Kreisprozess [kar'no-; nach N. L. S. Carnot] (Carnot-Prozess), 1824 als Gedankenexperiment entwickelter reversibler → Kreisprozess zwischen zwei Wärmebehältern mit den Temperaturen T_1 und $T_2 < T_1$. Im c. K. wird der Zustand eines idealen Gases entlang von Adiabaten bzw. Isothermen (reversibel) geändert; dabei werden Wärmemenge Q und mechan. Arbeit W zu- und abgeführt.

Der c. K. besteht aus vier Schritten: 1) isotherme Expansion des Gases bei der Temperatur T_1; das Gas entzieht dabei einem Wärmebehälter die Wärmemenge Q_1 und verrichtet gleichzeitig die Arbeit W_1 an seiner Umgebung; 2) adiabatische Expansion, bei der kein Wärmeaustausch stattfindet; das Gas verrichtet die Arbeit W_2 und kühlt sich von T_1 auf T_2 ab; 3) isotherme Kompression bei der Temperatur T_2, wobei am Gas die Arbeit

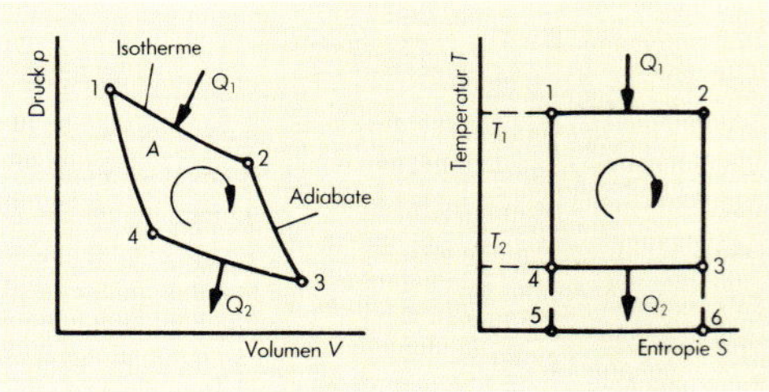

carnotscher Kreisprozess: Darstellung der Prozessschritte in einem p-V-Diagramm (links) und in einemTemperatur-Entropie-Diagramm

W_3 verrichtet wird; gleichzeitig gibt das Gas bei der Temperatur T_2 die Wärmemenge Q_2 an den kälteren Wärmebehälter ab; 4) adiabatische Kompression, bei der am Gas die Arbeit W_4 verrichtet wird; da kein Wärmeaustausch stattfindet, erwärmt sich das Gas von T_2 auf T_1. Die geleistete Arbeit berechnet sich aus der umschlossenen Fläche im *p-V-* oder *T-S*-Diagramm. Der c. K. liefert das theoret. Optimum für den Wirkungsgrad η aller periodisch arbeitenden Wärmekraftmaschinen: $\eta = 1 - T_2/T_1$. Läuft der c. K. in umgekehrter Richtung, erhält man den Kreisprozess der idealen Wärmepumpe oder idealen Kältemaschine.

Carnuntum, stärkste röm. Festung an der pannon. Donaugrenze, heute Ruinenstätte zw. Bad Deutsch-Altenburg und Petronell-Carnuntum, Niederösterreich. Das 15 n. Chr. errichtete Legionslager wurde von Kaiser Claudius ausgebaut; es entstand außerdem eine Zivilstadt. C. wurde um 400 n. Chr. zerstört. Seit dem 19. Jh. legten Ausgrabungen u. a. Reste von Thermen und zwei Amphitheatern frei; 12 m hoch ist das »Heidentor«, vielleicht ein Triumphbogen.

📖 ERTEL, C.: *Röm. Architektur in C. Wien 1991.*

Caro, 1) ['kɑ:rəʊ], Anthony, engl. Bildhauer, *London 8. 3. 1924; zunächst Assistent von H. Moore; brach 1959 mit der figurativen Plastik und löst das Volumen in rein abstrakte Flächen und Linien auf.

2) Heinrich, Chemiker, *Posen 13. 2. 1834, †Dresden 11. 9. 1910; einer der Gründer der Teerfarbenindustrie (1859–66), u. a. im Vorstand der BASF; entwickelte die großtechn. Herstellung von Indigo und von Peroxomonoschwefelsäure **(carosche Säure).**

Carol, rumän. Könige, → Karl.

Jean-Baptiste Carpeaux: »Der Tanz«, Marmor (1866–69; Paris, Musée d'Orsay, ursprünglich an der Fassade der 1861–75 von Charles Garnier erbauten Pariser Oper)

Carole [ka'rɔl, frz.] *die* (italien. Carola, engl. Carol), im MA. in Frankreich und Italien die Ketten- und Rundreigen, die von Tanzliedern begleitet wurden. Die engl. Liedform **Carol** (Ende des 14. Jh. entstanden) bezeichnet seit dem 16. Jh. ein volkstüml. Lied, bes. weihnachtl. Inhalts **(Christmas-Carol).**

Carolina *die* (Constitutio Criminalis C., Abk. C. C. C., auch Peinliche Gerichtsordnung), das erste dt. Gesetzbuch, das Strafrecht und -prozess reichsgesetzlich regelte. Es wurde 1532 auf dem Reichstag zu Regensburg von Karl V. in dt. Sprache erlassen und sollte die bestehende Rechtsunsicherheit und -zersplitterung beseitigen; galt drei Jahrhunderte.

Carolus Magnus, lat. Name Karls des Großen.

Carossa, Hans, eigtl. Johann Carl, Schriftsteller, *Tölz (heute Bad Tölz) 15. 12. 1878, †Rittsteig (heute zu Passau) 12. 9. 1956; Arzt. Seine Werke, oft autobiographisch, drücken eine christlich-humanist. Lebensauffassung aus; während der NS-Zeit verstand er sich als Vertreter der »inneren Emigration« (»Ungleiche Welten«, 1951).

Weitere Werke: Rumän. Tagebuch (1924); Verwandlungen einer Jugend (Autobiographie, 1928); Der Arzt Gion (R., 1931); Der Tag des jungen Arztes (Autobiographie, 1955); Vorspiele. Geschichte einer Kindheit (hg. 1984); Essays, Gedichte.

🕮 *H. C. Leben u. Werk in Texten u. Bildern, hg. v.* E. Kampmann-Carossa. *Frankfurt am Main u. a. 1993.*

Carotin (Karotin) *das,* aus acht Isopreneinheiten zusammengesetzter, meist gelber bis roter Naturfarbstoff, ein typ. Vertreter der Polyene. Von den drei isomeren Formen ist **β-C.** (Provitamin A) am wichtigsten. C. kommt angereichert z. B. in Karotten und in Paprika vor, es wird als Lebensmittelfarbstoff verwendet und Vitaminpräparaten zugesetzt. Strukturverwandt mit C. sind die **Carotinoide,** zahlreiche Farbstoffe, die in Blüten, Früchten und Blättern sowie auch im Tierreich vorkommen, z. B. Lycopin, Xanthophyll.

Hans Carossa

Carow ['ka:ro], Heiner, Filmregisseur, *Rostock 19. 9. 1929; drehte u. a. »Die Russen kommen« (1968, 1987), »Die Legende von Paul und Paula« (1974), »Bis daß der Tod euch scheidet« (1979), »Coming out« (1989), »Verfehlung« (1992).

Carpaccio [kar'pattʃo] Vittore, italien. Maler, *Venedig (?) 1455 oder 1465, †ebd. zw. Okt. 1525 und Juni 1526; malte außer Altar- und Andachtsbildern umfangreiche erzählende Bilderfolgen, die Heiligenlegenden in seine venezian. Umwelt versetzen.

Werke: Szenen aus dem Leben der hl. Ursula (1490 ff.; Venedig, Gallerie dell'Accademia) sowie des hl. Georg und des hl. Hieronymus (1502 ff.; ebd., Scuola di San Giorgio degli Schiavoni).

Heiner Carow

Carpeaux [kar'po], Jean-Baptiste, frz. Bildhauer und Maler, *Valenciennes (Dép. Nord) 11. 5. 1827, †Courbevoie (Dép. Hauts-de-Seine) 12. 10. 1875; Schüler von F. Rude und F. Duret, überwand den akadem. Klassizismus.

Werke: »Der Tanz« für die Fassade der Oper (1866–69); »Die vier Weltteile« am Brunnen des Observatoriums (1867–72); beide in Paris.

carpe diem [lat.], nutze den Tag, genieße den Augenblick (aus Horaz: Oden).

Carpentariagolf, die größte und mit 750 km am tiefsten in das Festland einschneidende Meeresbucht an der N-Küste Australiens; im W bei Gove und im O bei Weipa bed. Bauxitlager, auf Groote Eylandt Manganerze.

Alejo Carpentier

Carpenter-Effekt ['kɑ:pɪntə-], *Psychologie:* 1873 von dem brit. Physiologen W. B. Carpenter (*1813, †1885) beschriebene Gesetzmäßigkeit, nach der die Wahrnehmung oder Vorstellung einer Bewegung den Antrieb zur Ausführung der gleichen Bewegung erregt.

Carpentier [karpen'tjɛr], Alejo, kuban. Schriftsteller frz.-russ. Herkunft, *Havanna 26. 12. 1904,

carpe diem!

Diese Lebensregel findet sich in den »Oden« (I, 11,8) des römischen Dichters Horaz, wo es heißt: »Carpe diem quam minimum credula postero« (»Greif diesen Tag, nimmer traue dem nächsten«). Sie lässt sich auch mit »Nutze den Tag!« oder »Genieße den Augenblick!« wiedergeben und wird dementsprechend entweder als Aufforderung zitiert, seine Zeit nicht mit nutzlosen Dingen zu vertun, oder als Rechtfertigung für eine auf Genuss und diesseitige Lebensfreude ausgerichtete Einstellung, die wenig Sinn im ängstlich vorsorgenden Sparen und Planen für die Zukunft sieht.

†Paris 24. 4. 1980; schrieb als Vertreter des magischen Realismus v.a. Romane (»Finale auf Kuba«, 1956; »Explosion in der Kathedrale«, 1962; »Die Harfe und der Schatten«, 1979); Vertreter eines »mag. Realismus«; auch Essays.

🕮 Herlinghaus, H.: *A. C. Persönl. Geschichte eines literar. Moderneprojekts. München 1991.* – Dill, H.-O.: *Lateinamerikan. Wunder u. kreolische Sensibilität. Der Erzähler u. Essayist A. C. Hamburg 1993.*

Carpi, Stadt in der Emilia-Romagna, Prov. Modena, Italien, 60 100 Ew.; Strickwarenzentrum, Fabrikation geflochtener Hüte. – Alter Dom La Sagra (12. Jh.; 1515 erneuert), Neuer Dom (1514–1667), Kastell der Pio (14.–16. Jh.; heute Stadtmuseum).

Carpinus [lat.], die Pflanzengattung →Hainbuche.

Carpzov ['karptso], Benedikt, Rechtslehrer, *Wittenberg 27. 5. 1595, †Leipzig 30. 8. 1666; gilt als Begründer der dt. gemeinrechtl. Strafrechtswissenschaft; Verfasser des ersten, vollständigen Systems des evang. Kirchenrechts.

Alexis Carrel

Carrà, Carlo, italien. Maler, *Quargnento (bei Alessandria) 11. 2. 1881, †Mailand 13. 4. 1966; gehörte 1910 zu den Unterzeichnern des futurist. Manifests; 1917 begründete er mit G. de Chirico die →Pittura metafisica; erfasste mit kargen, konstruktiven Mitteln das Wesentliche der Form.

Carracci [ka'rattʃi], italien. Malerfamilie in Bologna, die dort Ende des 16. Jh. eine einflussreiche Akademie gründete. Annibale (*1560, †1609) malte wie sein Vetter Lodovico (*1555, †1619) und sein auch als Kupferstecher tätiger Bruder Agostino (*1557, †1602) Freskenzyklen und Altarbilder in Bologna und ging 1595 nach Rom, wo er die mythologischen Fresken im Palazzo Farnese schuf (1597–1604), Hauptwerk der akadem. Richtung der italien. Barockmalerei.

José Carreras

🕮 Zapperi, R.: *A. C. Bildnis eines jungen Künstlers. A. d. Italien. Berlin 1990.*

Carrageen *das,* →Karrageen.

Carrara, Stadt in der Toskana, Prov. Massa-C., Italien, in den Apuanischen Alpen, 7 km vom Ligurischen Meer entfernt, 66 700 Ew.; Marmorind. (gegr. in röm. Zeit, Blüte im Spät-MA.); Bildhauerakademie. – Dom (11.–14. Jh.), Palazzo Ducale (16. Jh.).

Peter Alexander Carrington

Carrel [ka'rɛl], Alexis, frz. Chirurg, *Sainte-Foy-lès-Lyon (Dép. Rhône) 28. 6. 1873, †Paris 5. 11. 1944; entwickelte ein Verfahren, Gewebe außerhalb des Körpers in einer Nährflüssigkeit lebend zu erhalten; erhielt 1912 den Nobelpreis für Physiologie oder Medizin.

Carreras, José, span. Sänger (Tenor), *Barcelona 5. 12. 1946; tritt an den bed. Opernhäusern Europas und der USA auf; hat sich bes. mit Partien des italien. Opernrepertoires profiliert.

Carretera Panamericana *die,* →Panamerican Highway.

Carrhae, altoriental. Stadt, →Karrhai.

Carrier ['kærɪə; engl. »Träger«] *der,* **1)** *Chemie* und *Technik:* chemisch inerter Stoff als Unterlage und/oder Gerüst für Wirkstoffe oder als Überträger z. B. bei der Katalyse. **C.-Substanzen** sind z. B. Aktivkohle und Tonerde.

2) *Transportwesen:* internat. gebräuchl. Bez. für eine Luftverkehrsgesellschaft, die Passagiere, Luftfracht und Luftpost gewerblich befördert.

Carlo Carrà: »Mutter und Sohn« (1917; Mailand, Privatsammlung)

Carriera, Rosalba, italien. Malerin, *Venedig 7. 10. 1675, †ebd. 15. 4. 1757; malte elegante Pastellporträts und Miniaturen für europ. Fürstenhöfe im Geschmack des Rokoko.

Carrière [kar'jɛːr], Eugène, frz. Maler und Lithograph, *Gournay-sur-Marne (Dép. Seine-Saint-Denis) 29. 1. 1849, †Paris 27. 3. 1906; malte v.a. Szenen des Familienlebens und Einzelporträts (»Paul Verlaine«, 1896, Paris, Louvre) in verschwimmenden Helldunkeltönen.

Carrillo [ka'rriʎo], Santiago, span. Politiker, *Gijón (Asturien) 18. 1. 1915; Redakteur, baute nach 1942 in Spanien im Untergrund eine neue KP-Organisation auf. 1960–82 war er Gen.-Sekr. der span. KP (1977 wieder offiziell zugelassen), förderte Vorstellungen des Eurokommunismus.

Carrington ['kærɪŋtən], Peter Alexander, 6. Baron von C., brit. Politiker, *London 6. 6. 1919; Mitgl. der Konservativen Partei, 1959–63 Erster Lord der Admiralität, 1964–70 und 1974–79 Oppositionsführer im Oberhaus sowie 1970–74 Verteidigungsminister. Als Außenmin. (1979–83) hatte C. wesentl. Anteil an der Lösung des Rhodesienkonflikts. 1984–88 war er Gen.-Sekr. der NATO.

Carroll ['kærəl], Lewis, eigtl. Charles Lutwidge Dodgson, engl. Schriftsteller und Logiker, * Daresbury (Cty. Cheshire) 27. 1. 1832, † Guildford 14. 1. 1898; lehrte 1855–81 Mathematik an der Univ. Oxford; berühmt durch seine grotesken, von abgründiger Verkehrung der Logik und parodist. Sprachspielen lebenden Romane (v. a. »Alice im Wunderland«, 1865; »Alice im Spiegelreich«, 1871).

Carsharing ['kɑ:ʃeərɪŋ; engl. »das Teilen in ein Auto«] *das, -(s),* Form der Pkw-Nutzung durch mehrere Personen, die über einen Verein organisiert wird. Die Mitgl. können die vereinseigenen Autos gegen eine Gebühr benutzen.

Carson City ['kɑ:sn 'sɪtɪ], Hptst. von Nevada, USA, in der Sierra Nevada, 1420 m ü. M., 46800 Ew.; Erzbergbau; Handelszentrum. – Gegr. 1858, Hptst. seit 1864.

Carstens, 1) Asmus Jakob, Maler, * Sankt Jürgen (heute zu Schleswig) 10. 5. 1754, † Rom 25. 5. 1798; lebte ab 1792 in Rom; vertrat einen strengen Klassizismus und schuf groß angelegte Kartonzeichnungen mit allegor. und mytholog. Darstellungen.

2) Karl, Politiker (CDU), * Bremen 14. 12. 1914, † Meckenheim (bei Bonn) 31. 5. 1992; war 1960–66 Staatssekr. im Außenministerium, 1966/67 im Verteidigungsministerium und 1968/69 im Bundeskanzleramt; 1972–79 MdB, 1973–76 Vors. der CDU/CSU-Bundestagsfraktion; 1976–79 Bundestagspräs. und 1979–84 Bundespräsident. 1984 erhielt C. den Karlspreis der Stadt Aachen.

Carstenszspitzen ['karstəns-], Berg auf Neuguinea, → Gunung Jaya.

Cartagena [-'xena], **1)** Hafenstadt an der span. Mittelmeerküste, Region Murcia, 168000 Ew.; Hauptkriegshafen Spaniens; Erzbischofssitz, Hochschulen, span. Zentrum für Unterwasserarchäologie; Werften, Elektro-, Zement-, chem., Hütten-, Metall-, Textil- u. a. Ind., lebhafter Handel. – Ausgedehnte Befestigungsanlagen mit Burg (13. Jh.); ehem. Kathedrale (13. Jh.). – C., eine karthag. Gründung, kam nacheinander in röm., wandal., byzantin. und westgot. Besitz. 711 von den Arabern zerstört; 1276 von Aragón rückerobert.

2) Hptst. des Dep. Bolívar in N-Kolumbien, am Karib. Meer, 707000 Ew.; Univ.; Erzbischofssitz; wichtigster Erdölhafen des Landes; Erdölraffinerien; chem. und petrochem. Ind.; internat. Flughafen. – Alte Kolonialstadt mit histor. Hafenanlagen und Befestigungen (UNESCO-Weltkulturerbe), Kathedrale (1575-85), Kloster Santo Domingo (um 1600), Jesuitenkloster (17. Jh.). – Im Febr. 1990 fand hier der sog. Drogengipfel statt (Teilnehmer die Präs. der USA, Kolumbiens, Perus und Boliviens), auf dem energ. Maßnahmen gegen den Anbau des Kokastrauchs und die Gewinnung von Kokain beschlossen wurden (»Erklärung von Cartagena«).

Cartago, Provinz-Hptst. in Costa Rica, 1440 m ü. M., am Fuß des Vulkans Irazú (3432 m ü. M.), 28600 Ew.; bis 1823 Hptst. von Costa Rica.

Cartan [kar'tã], Élie Joseph, frz. Mathematiker, * Dolomieu (Dép. Isère) 9. 4. 1869, † Paris 6. 5. 1951; Prof. in Nancy und Paris, grundlegende Arbeiten über Gruppentheorie (→ Gruppe), Differenzialgeometrie und -formen.

Carte [kart, frz.] *die,* **1) à la carte,** nach der (Speise-)Karte; **2) C. blanche,** unbeschränkte Vollmacht.

Cartell-Verband der katholischen deutschen Studentenverbindungen, Abk. **CV,** → studentische Verbindungen.

Lewis Carroll

In dem Roman »Alice im Wunderland« geht es manchmal auch um Zahlen:
1 geteilt durch 7 ergibt 0,142857142857142857 usw.
In der zyklischen Ziffernfolge nach dem Komma steckt die »magische Zahl« 142857.
285714 = zweimal diese Zahl,
428571 = dreimal diese Zahl,
571428 = viermal diese Zahl,
714285 = fünfmal diese Zahl,
857142 = sechsmal diese Zahl.
Multipliziert man diese magische Zahl aber mit 7, so kommt eine Reihe von Neunen heraus.
Auch die Zahl 12345679 birgt viele Möglichkeiten: Man nehme eine beliebige Ziffer aus dieser Zahl und multipliziere sie mit ihr. Das Ergebnis multipliziere man dann noch mit 9. Der Taschenrechner wird Ihnen diesen Zauber aus dem Wunderland der Zahlen achtmal vorführen, falls Sie nicht zu den auserwählten Kopfrechnern gehören sollten.

Carter ['kɑ:tə], **1)** Alan, brit. Tänzer, * London 24. 12. 1920; war u. a. 1954–59 Ballettdirektor und Chefchoreograph in München, 1964–68 in Wuppertal, 1973–75 in Reykjavík; danach Lehrtätigkeit an der Elmhurst Ballet School in London.

2) Angela, engl. Schriftstellerin, * Eastbourne (Cty. East Sussex) 7. 5. 1940, † London 16. 2. 1992; gehört in den Umkreis des »mag. Realismus«. Ihre Romane sind grotesk-makabre Fantasien um Gewalt und Sexualität, u. a. »Die infernal. Traummaschinen des Dr. Hoffman« (1972), »Nächte im Zirkus« (1984), »Wie's uns gefällt« (1991).

3) Benny, eigtl. Bennet Lester C., amerikan. Jazzmusiker (Altsaxophon, Klarinette, Trompete, Klavier), * New York 8. 8. 1907; gehört zu den stilbildenden Musikern des Swing.

4) Elliott Cook (jr.), amerikan. Komponist, * New York 11. 12. 1908; schuf u. a. Ballette (»The Minotaur«, 1947), Chorwerke, Orchesterwerke (»Penthode«, 1985), Streichquartette, Vokalwerke.

5) Howard, brit. Archäologe, * Swaffham (Cty. Norfolk) 9. 5. 1873, † London 2. 3. 1939; entdeckte

Lewis Carroll

Karl Carstens

Élie Joseph Cartan

1922 im Tal der Könige das fast unversehrte Grab des ägypt. Königs Tutanchamun.

Jimmy Carter

6) James (Jimmy) Earl, 39. Präsident der USA (1977–81), * Plains (Ga.) 1. 10. 1924; Farmer, 1971–75 Gouv. von Georgia, wurde als Kandidat der Demokrat. Partei im Nov. 1976 zum Präs. gewählt. Innenpolitisch sah er sich mit erhebl. Wirtschaftsproblemen konfrontiert (Energiekrise, Dollarverfall). Außenpolitisch setzte er sich bes. für eine Lösung des Nahostkonflikts ein (Vermittlung des ägyptisch-israel. Friedensvertrages 1979). Später trat C. als internat. Vermittler und Beobachter hervor, u. a. 1989 in Panama, 1990 und 1994 in Haiti sowie 1994 in Nord-Korea und Bosnien.

Cartesius, Renatus, latinisierter Name von →Descartes, René.

Cartier-Bresson [kar'tje brɛ'sɔ̃], Henri, frz. Fotograf, * Chanteloup (Dép. Seine-et-Marne) 22. 8. 1908; Regieassistent von J. Renoir 1937/38, später Fotoreporter und Porträtfotograf, 1947 Mitbegründer der Fotoagentur »Magnum«; schuf auf seinen Weltreisen meisterhafte Aufnahmen, die er in zahlr. Bildbänden veröffentlichte.

Cartoon [kɑː'tuːn, engl.] *der* oder *das,* im engl.-amerikan. Sprachgebrauch seit Mitte des 19. Jh. gebräuchl. Bez. für humorvolle Darstellungen; heute wird der Begriff allgemein für witzige Zeichnungen und Grafiken verwendet, die sich mit den so genannten kleinen Problemen des Alltags beschäftigen. Der C. steht damit im Gegensatz zur →Karikatur, die in zugespitzter Form best. menschl. Verhaltensweisen oder gesellschaftl. Ereignisse und Zustände darstellt.

Cartwright ['kɑːtraɪt], **1)** Edmund, brit. Erfinder, * Marnham (Cty. Nottinghamshire) 24. 4. 1743, † Hastings 30. 10. 1823; erfand 1785 den ersten mechan. Webstuhl.

2) Thomas, engl. Theologe, * Cty. Hertfordshire 1535, † Warwick 27. 12. 1603; verurteilte die anglikan. Bischofskirche und forderte (vergeblich) eine Presbyterialverfassung.

Carl Gustav Carus (Ausschnitt aus einem Gemälde des Zeitgenossen Julius Hübner)

Carus, Carl Gustav, Arzt, Naturforscher, Philosoph und Maler, * Leipzig 3. 1. 1789, † Dresden 28. 7. 1869; war 1814–27 Prof. in Dresden, seit 1827 königl. Leibarzt. Nach seiner vornehmlich von Goethe und F. W. Schelling beeinflussten romant. Naturphilosophie ist der Kosmos ein von Leben durchwaltetes Ganzes, eine »lebensvolle Totalität«. Wegweisend war seine Erkenntnis des unbewussten Seelenlebens, das v. a. in der Gefühlswelt und im Traum zugänglich ist und mit dem Bewusstsein in Verbindung steht. C. hat sich als einer der Ersten mit vergleichender Psychologie beschäftigt. Als Maler schuf C. romant. Landschaften.

Werke: Briefe über Landschaftsmalerei (1831); Psyche (1846); Symbolik der menschl. Gestalt (1853); Lebenserinnerungen und Denkwürdigkeiten, 4 Bde. (1856–66, Bd. 5 hg. 1931).

Caruso, Enrico, italien. Sänger (Tenor), * Neapel 27. 2. 1873, † ebd. 2. 8. 1921; galt als bester Operntenor seiner Zeit. C. vereinigte eine technisch vollendet beherrschte Stimme mit starker schauspieler. Begabung; schrieb: »Wie man singen soll« (1914).

Cary ['keərɪ], (Arthur) Joyce, ir. Schriftsteller, * Londonderry (heute Derry) 7. 12. 1888, † Oxford 29. 3. 1957; verfasste skurril-kom. und doch melanchol. Werke, u. a. die Roman-Trilogie »Frau Mondays Verwandlung« (1941); »Im Schatten des Lebens« (1942); »Des Pudels Kern« (1944); »Spiel ohne Ehre« (R., 1955); »Cock Jarvis« (R., hg. 1974).

📖 Bishop, A.: *Gentleman rider. A life of J. C. London 1988.* – Makinen, M.: *J. C. A descriptive bibliography. London 1989.*

Casa, Lisa Della, schweizer. Sängerin, →Della Casa, Lisa.

Casablanca (arab. Dar el-Beida), größte Stadt und Wirtschaftszentrum Marokkos, am Atlant. Ozean, 2,6 Mio. Ew. (städt. Agglomeration); besteht aus der arab. Altstadt (Medina), ausgedehnten Ind.- und modernen Wohnvierteln; Univ.; wichtigster Hafen Marokkos, internat. Flughafen. – 1575 von den Portugiesen neu gegr. (**Casa branca**), kam 1757 in Besitz des Sultans von Marokko. Auf der **Konferenz von C.** (14.–26. 1. 1943) einigten sich Churchill und Roosevelt auf das Ziel einer »bedingungslosen Kapitulation« der Achsenmächte.

Cartoon von Marie Marcks (1979)

Casablancagruppe, 1961–63 Zusammenschluss afrikan. Staaten, löste sich zugunsten der →OAU auf.

Casa de las Américas, kuban. Kulturzentrum in Havanna, 1960 gegr.; umfasst ein internat. orientiertes literaturwiss. Forschungszentrum, publiziert zeitgenöss. lateinamerikan. Literatur und Philosophie und gibt eine gleichnamige Zeitschrift heraus; verleiht mehrere Literaturpreise.

Casale Monferrato, Stadt in Piemont, Prov. Alessandria, Italien, 39 000 Ew.; Weinbau, Zementind., Maschinenbau. – Roman. Dom (1207), spätgot. Kirche San Domenico (1513). – Im 16. Jh. eine der stärksten Festungen Europas.

Casablanca: Die 1992 fertig gestellte, auf 40 000 m^2 erbaute große Moschee Hassan II. ist mit einem 200 m hohen Minarett das derzeit (1997) größte islamische Gotteshaus der Welt

Casals, Pablo, span. Violoncellist, Dirigent und Komponist, *el Vendrell (bei Tarragona) 29. 12. 1876, †San Juan (Puerto Rico) 22. 10. 1973; leitete seit 1919 in Barcelona ein eigenes Orchester, lebte nach Ende des Span. Bürgerkriegs (1939) in Prades (Südfrankreich), seit 1956 auf Puerto Rico (dort seit 1950 jährl. Festspiele).

Casanova, Giacomo Girolamo, Chevalier de Seingalt (wie er sich selbst adelte), italien. Schriftsteller und Abenteurer, *Venedig 2. 4. 1725, †Dux (Duchcov, Nordböhm. Gebiet) 4. 6. 1798; führte nach seinem Theologie- und Jurastudium in Padua ein unstetes Wanderleben, bereiste (als Diplomat) ganz Europa und stand in Verbindung mit vielen bed. Persönlichkeiten Europas (Voltaire, Friedrich d. Gr.); 1755 in Venedig wegen Atheismus eingekerkert; 1756 gelang ihm die Flucht aus den Bleikammern. War ab 1785 Bibliothekar des Grafen Waldstein auf Schloss Dux in Böhmen, wo er ab 1790 seine berühmten Memoiren in frz. Sprache schrieb (erste Ausgabe des Originaltextes: »Histoire de ma vie«, 6 Bde., 1960–62; dt. »Geschichte meines Lebens«); die Memoiren gehören zu den kulturgeschichtlich bedeutendsten Quellenwerken des 18. Jh., da C. ein ausgezeichneter Beobachter und Menschenkenner war und ein großes Erzähltalent besaß. Er hinterließ neben einem utop. Roman (»Eduard und Elisabeth oder Die Reise in das Innere des Erdballs«, 1788), mit dem er Vorläufer von J. Verne und H. G. Wells wurde, auch histor., mathemat. und satir. Schriften. – Als legendärer Liebhaber Gestalt zahlreicher literar. Werke (u.a. bei H. von Hofmannsthal, A. Schnitzler, C. Sternheim).

🕮 *C. Liebhaber der Wissenschaften, Beiträge v.* O. Krätz *u.* H. Merlin. *München 1995.* – Lehnen, C.: *Das Lob des Verführers. Über die Mythisierung der C.-Figur in der deutschsprachigen Literatur zwischen 1899 u. 1933. Paderborn 1995.* – Rives Childs, J.: *G. C. de Seingalt. Reinbek 24.–25. Tsd. 1996.*

Cäsar (Caesar), Gaius Julius, röm. Staatsmann und Feldherr aus dem Geschlecht der Julier, *Rom 13. 7. 100 v. Chr., †(ermordet) ebd. 15. 3. 44 v. Chr.; schloss 60 mit Crassus und Pompeius das erste Triumvirat, wurde 59 Konsul. Nach dem Konsulatsjahr erhielt C. die Statthalterschaft in Dalmatien (Gallia Cisalpina und Illyricum) und S-Frankreich (Gallia Narbonensis); von hier aus unterwarf er 58–51 in schweren Kämpfen das übrige Gallien und unternahm auch Feldzüge über den Rhein (55 und 53) und nach Britannien (55 und 54). Nach der Auflösung des Triumvirats (Tod des Crassus 53) näherte sich Pompeius, um sich gegen C. behaupten zu können, dem Senat, der ihm diktator. Vollmachten verlieh. Daraufhin eröffnete C. mit dem Überschreiten des Rubikon und dem Einfall in Italien 49 den Bürgerkrieg. Er vertrieb Pompeius, eroberte Spanien, landete in Epirus und schlug Pompeius am 9. 8. 48 bei Pharsalos. In den ägypt. Thronstreit griff er zugunsten der Königin Kleopatra ein und übergab ihr 47 das Land unter röm. Oberhoheit. Die letzten Gegner schlug er 46 in Afrika bei Thapsus und 45 in Spanien bei Munda. Bereits während dieser Kämpfe begann C. mit einer weit reichenden gesetzgeberischen Tätigkeit (u.a. Neuordnung der Provinzialverwaltung, strafrechtl. Reformen). Wichtig für die Folgezeit war die Einführung des julian. Kalenders sowie die Kolonisations- und Bürgerrechtspolitik, die die Grundlage der Romanisierung Westeuropas bilden sollte. Seit 44 war er Imperator und Diktator auf Lebenszeit. 45 v. Chr. nahm er Gaius Octavius, den späteren Kaiser Augustus, als Sohn an. An den Iden (15.) des März 44 fiel C. einer Verschwörung unter Führung von M. Brutus und Gaius Cassius zum Opfer. – C. war auch ein bed. Redner und Schriftsteller. Die Werke über seine Kämpfe in Gallien (»De bello Gallico«) und über den Bürgerkrieg gegen Pompeius (»De bello civili«) sind erhalten. – Lebensbeschreibungen von Plutarch und Sueton. Schauspiele von A. Muret, W. Shakespeare (»Julius C.«), Voltaire, P. Corneille, G. B. Shaw. Oper »Julius C.« von G. F. Händel. Romane von T. Wilder und B. Brecht.

🕮 Gelzer, M.: *Caesar. Der Politiker u. Staatsmann. Wiesbaden [6]1960. Nachdr. Wiesbaden 1983.* – Horst, E.: *Caesar. Eine Biographie. Neuausg. Hildesheim 1996.*

Cäsarenwahn, krankhafte Übersteigerung des Machttriebs bei Herrschern und Diktatoren, die

Enrico Caruso

Pablo Casals

Giacomo Casanova (Ausschnitt aus einem Kupferstich des böhmischen Zeitgenossen Johann Berka)

sich in Unberechenbarkeit, Grausamkeit und Größenwahn äußert. Der Begriff bezog sich ursprünglich auf die Herrschaft von Mitgl. des julisch-claud. Kaiserhauses (den Cäsaren).

Cäsarịsmus [zu Cäsar] *der,* eine Ausübung der Staatsgewalt, die an die Gestaltung der Machtverhältnisse unter den röm. Cäsaren erinnert. Dem Namen nach bleibt dabei das Volk der Träger der Staatsgewalt, überträgt deren Ausübung jedoch durch Akklamation, Plebiszit oder Wahlen auf einen Alleinherrscher, der oft eine diktator. Stellung erlangt (Napoleon I., Napoleon III.).

Cäsarius von Heisterbach, mlat. Schriftsteller, *Köln (?) um 1180, †Zisterzienserkloster Heisterbach (bei Königswinter) nach 1240; schrieb Werke zur kölnischen Geschichte. Im »Dialogus miraculorum« (1219–23) und in den »Libri miraculorum« (1225–26) sammelte C. v. H. kultur- und sittengeschichtl. Erzählungen.

Cäsaropapịsmus *der,* im 18. Jh. geprägtes Schlagwort für die Vereinigung der obersten weltl. und kirchl. Gewalt beim Staat (Ggs.: →Hierokratie); z.B. russ. Staatskirchentum 1721–1917.

Cashewnuss: Cashewapfel mit Samen (oben) und der ungeschälte Samen

Cascade Range [kæsˈkeɪd ˈreɪndʒ] (Kaskadengebirge), Gebirgszug der Kordilleren Nordamerikas, erstreckt sich von Kalifornien (USA) im S bis British Columbia (Kanada) im N, rd. 1 100 km lang; zahlreiche Gipfel über 3 000 m ü.M., meist erloschene, z.T. vergletscherte Vulkane, z.B. Mount Saint Helens; höchste Erhebung: Mount Rainier (4 392 m). Die C. R., benannt nach den Kaskaden am Durchbruch des Columbia River, sind dicht bewaldet und bilden eine Klimascheide zw. dem feuchten W und dem trockenen O; Naturschutzgebiete; Holzwirtschaft.

Caseịn (Kasein) *das,* wichtigster, zu den Phosphoproteiden zählender Eiweißbestandteil der Milch, in der er überwiegend als kolloidales Calciumsalz vorliegt. Durch Enzyme oder durch Säuerung wird C. feinflockig als **Para-C.** ausgefällt (Milchgerinnung). C. ist ein wichtiges Nahrungsmittel, dient auch zur Herstellung von Kunststoffen, Leimen und Farben (→Kaseinfarben).

Case-Law [ˈkeɪs ˈlɔ:, engl.] *das, Recht:* →Fallrecht.

Alfredo Casella

Casẹlla, Alfredo, italien. Komponist, *Turin 25. 7. 1883, †Rom 5. 3. 1947. Seine Werke (Opern, Ballette, Orchester-, Kammermusik u.a.) repräsentieren einen italien. Neoklassizismus.

Casement [ˈkeɪsmənt], Sir (seit 1911) Roger David, ir. Nationalist, *Kingstown (heute Dun Laoghaire, bei Dublin) 1. 9. 1864, †(hingerichtet) London 3. 8. 1916; agitierte für die Unabhängigkeit Irlands seit Ende 1914 von Dtl. aus, kehrte vor dem Osteraufstand 1916 mit dt. Hilfe nach Irland zurück; von den Engländern gefangen genommen und wegen Hochverrats verurteilt.

Casẹrta, 1) Provinz in Kampanien, Italien, 2 639 km², (1995) 838 700 Einwohner.

2) Hptst. von 1), am N-Rand der Ebene Kampaniens, 71 600 Ew.; Bischofssitz; Maschinenbau, Glas-, chem. Industrie. – Königsschloss (Mitte 18. Jh., von L. Vanvitelli), das »italien. Versailles«; 5 km nordöstl. liegt die Siedlung C. Vecchia mit Dom (12. Jh.).

Casestudy [ˈkeɪsstʌdɪ, engl.] *die,* →Fallstudie.

Casework [ˈkeɪswɔ:k, engl.] *die,* →Sozialarbeit.

Cash-and-carry-Großhandel [ˈkæʃ ənd ˈkærɪ-; engl. »bar zahlen und abholen«], Betriebsform des Großhandels, gekennzeichnet durch Selbstbedienung, niedrige Preise und Verzicht auf Kundendienst; Kunden brauchen Einkaufsberechtigungsausweis.

Cash-and-carry-Klausel [ˈkæʃ ənd ˈkærɪ-], **1)** *allg.:* Klausel im Überseehandel, nach der der Käufer die Ware bar bezahlen und auf eigene Kosten beim Verkäufer abholen muss.

2) *speziell:* die 1940 in den USA eingeführte Bestimmung der Neutralitätsgesetzgebung für Waffenlieferungen an Krieg führende Staaten (Barzahlung vor Ausfuhr, Transport auf eigenen Schiffen); 1941 durch das →Lend-lease-System ersetzt.

Cashewnuss [ˈkæʃu-, engl. kəˈʃu:; indian.-portugies.] (Cachounuss, Acajounuss), nierenförmige, einsamige Frucht des aus den Tropen Amerikas stammenden Nierenbaumes. Der Samen (enthält 21 % Eiweiß, über 45 % Öl) muss vor dem Verzehr (meist als gerösteter Kern) geschält werden, da die Samenschale giftig ist. Aus dem Gewebe zw. dem Außenhäutchen des Kerns und der harten Samenschale wird **C.-Schalenöl** gewonnen, das als Ausgangsstoff für die Herstellung von Kunstharzen **(Acajouharze)** dient. Die C. sitzt an einem verdickten, saftigen, essbaren Fruchtstiel (**Cashewapfel**).

Cashflow [ˈkæʃfləʊ] *der,* Finanzmittelüberschuss aus der wirtsch. Tätigkeit eines Unternehmens in einer Periode; berechnet als Differenz zw. finanzwirksamen Aufwendungen und Erträgen (direkte Methode) oder durch die indirekte Methode: Jahresüberschuss korrigiert um alle nicht auszahlungswirksamen Aufwendungen (z.B. Abschreibungen) und nicht einzahlungswirksamen Erträge (z.B. Auflösung von Rücklagen). Der C. ist ein Indikator für die Ertrags- und Finanzkraft eines Unternehmens.

Cash-Management-Systeme [ˈkæʃmænɪdʒmənt-], elektron. Kommunikationssysteme zw. Banken und Firmenkunden zur Übertragung und Weiterverarbeitung von Finanzdaten, die dem Finanzmanagement eines Konzerns durch Reduktion der Geldtransferzeiten, eine standardisierte und effiziente Überwachung der Barmittel des geldnahen Vermögens und der Kreditreserven somit eine optimale Kassenhaltung ermöglichen.

Casiquiare [-ki'are] (Río C.), Fluss im S Venezuelas, 400 km lang, durch Gabelung (Bifurkation) des oberen Orinoco gebildet, den er mit dem Río Negro-Amazonas verbindet.

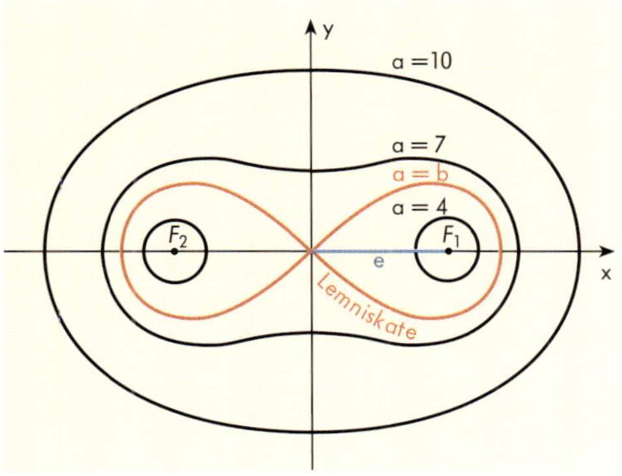

cassinische Kurven: Die Lemniskate (a = e) trennt die einfachen von den zweifachen cassinischen Kurven

Cäsium (fachsprachl. Caesium) [lat. »das Blaue«] *das,* **Cs,** metall. Element aus der 1. Gruppe des Periodensystems. Ordnungszahl 55, relative Atommasse 132,9054, Dichte 1,90 g/cm³, Schmelzpunkt 28,5 °C, Siedepunkt 705 °C. – Das goldgelb schimmernde, sehr weiche Alkalimetall ist gegen Luft und Wasser unbeständig und kommt nur in Verbindungen vor; wichtigstes C.-Mineral ist **Pollucit,** $Cs[AlSiO_6] \cdot \frac{1}{2} H_2O$. Das Isotop ^{137}Cs ist einer der gefährl. Radiostrahler (→Tschernobyl). Verwendung für Photozellen, Atomuhren und in der Nuklearmedizin.

Cassadó [kasa'ðo], Gaspar, span. Violoncellist und Komponist, *Barcelona 30. 9. 1897, †Madrid 24. 12. 1966; bildete ein Trio mit Y. Menuhin und L. Keutner; Cello- und Orchesterwerke, Kammer- und Vokalmusik.

Cassapanca [italien. »Truhenbank«] *die,* durch Arm- und Rückenlehnen als Sitzgelegenheit ausgebildete Truhe der Renaissancezeit.

Cassegrain-Reflektor [kas'grɛ̃-; nach dem frz. Physiker N. Cassegrain, 17. Jh.], ein →Spiegelteleskop mit konvexem Hilfsspiegel in Brennpunktnähe des Hauptspiegels.

Casseiver [kæ'si:və, engl.] *der,* elektroakust. Kompaktgerät, bestehend aus Kassettendeck und Rundfunkempfänger.

Cassel, Karl Gustav, schwed. Volkswirtschaftler, *Stockholm 20. 10. 1866, †Jönköping 15. 1. 1945; Hauptvertreter der neoklass. Schule, bekannt durch seine unter Verzicht auf jede Wertlehre allein auf dem »Prinzip der Knappheit« aufbauende Preistheorie sowie die Theorie der Kaufkraftparitäten.

Cassia *die,* die Pflanzengattung, →Kassie.

Cassianus, Johannes, Mönch, *um 360, †Marseille zw. 430 und 435; durch seine Schriften maßgebend für die Entwicklung des abendländ. Mönchtums und der Gnadenlehre; Heiliger, Tag: 23. 10.

Cassin [ka'sɛ̃], René, frz. Jurist und Diplomat, *Bayonne 5. 10. 1887, †Paris 20. 2. 1976; als Vertreter Frankreichs in der UNO (1946–58) maßgeblich an der Formulierung der Menschenrechtserklärung beteiligt, war 1965–68 Präs. des Europ. Gerichtshofes für Menschenrechte. 1968 erhielt er den Friedensnobelpreis.

Cassini, Giovanni Domenico, frz. Astronom, *Perinaldo (bei Nizza) 8. 6. 1625, †Paris 14. 9. 1712; wurde 1669 Leiter der Sternwarte in Paris, bestimmte die Rotationszeiten von Jupiter und Mars, entdeckte vier Saturnmonde und die nach ihm benannte Teilung des Saturnrings (**Cassini-Teilung,** 1675). Nach ihm ist auch die Saturnsonde Cassini der ESA und NASA benannt (Start Ende 1997).

cassinische Kurven [nach G. D. Cassini], geometr. Ort aller Punkte *P,* für die das Produkt der Abstände PF_1 und PF_2 von zwei festen Punkten F_1 und F_2, deren Abstand voneinander $2e$ beträgt, einen konstanten Wert a^2 hat. Je nach dem Verhältnis der beiden Konstanten *a* und *e* zueinander erhält man c. K. verschiedener Gestalt. Die c. K. treten z. B. in der Polarisationsoptik auf. Für $a = e$ ergibt sich als Spezialfall der c. K. die **Lemniskate.**

Cassino, Stadt in Latium, Prov. Frosinone, Italien, 32 800 Ew.; Agrarzentrum; Automobilbau. – An der Stelle des in Resten erhaltenen röm. Casinum; überragt von dem Kloster →Montecassino. C. hieß bis 1871 **San Germano;** hier wurde 1230 der Friede zw. Kaiser Friedrich II. und Papst Gregor IX. geschlossen. Im 2. Weltkrieg 1944 stark zerstört.

Cassiodor (Cassiodorus), Flavius Magnus Aurelius, röm. Staatsmann und Gelehrter, *Scylaceum (heute Squillace, Prov. Catanzaro) um 490, †Kloster Vivarium (bei Squillace) um 583; übernahm unter dem ostgot. König Theoderich wichtige Staatsämter und die Leitung der Kanzlei. Im Auftrag Theoderichs schrieb er u. a. eine Geschichte der Goten sowie eine Weltchronik. Seit 540 widmete er sich in dem von ihm gegründeten Kloster Vivarium der Wissenschaft.

Cassiopeia (Cassiopea), lat. Form von grch. →Kassiopeia.

Cassiopeium *das,* **Cp,** frühere Bez. für →Lutetium.

Cassirer, 1) Ernst, Philosoph, *Breslau 28. 7. 1874, †New York 13. 4. 1945; war 1919–33 Prof. in Hamburg, seitdem in der Emigration. C. gehörte der Marburger Schule des →Neukantianismus an; er deutete in seiner »Philosophie der symbol. For-

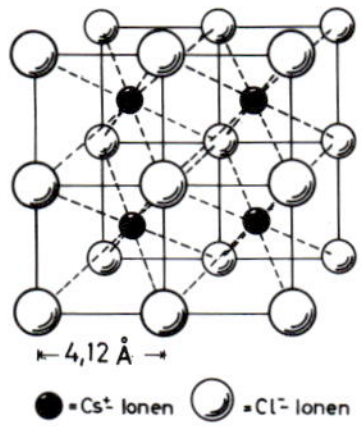

Cäsium: Die Kristallgitterstruktur der Verbindung Cäsiumchlorid

Gaspar Cassadó

René Cassin

Ernst Cassirer

Castel del Monte: Die berühmteste Stauferburg in Süditalien wurde Mitte des 13. Jh. unter Kaiser Friedrich II. auf achteckigem Grundriss mit entsprechendem Innenhof und acht achteckigen Türmen als zweigeschossiges Jagdschloss mit jeweils acht trapezförmigen Sälen erbaut

men« (3 Bde., 1923–29) die kulturell-geistige Wirklichkeit als eine Vielheit von »Bildwelten«, geschaffen vom menschl. Geist, durch dessen sinnverleihende Formung die Erscheinungen erst zur Welt als einem objektiven Sinnzusammenhang gestaltet würden; ferner richtungweisende Arbeiten zur Geschichte der Philosophie und zu erkenntnistheoret. Problemen der modernen Physik (Kausalproblem und Relativitätstheorie).

Weitere Werke: Das Erkenntnisproblem in der Philosophie u. Wissenschaft der neueren Zeit, 3 Bde. (1906–20); Substanzbegriff u. Funktionsbegriff (1910).

🕮 PAETZOLD, H.: *Die Realität der symbol. Formen. Die Kulturphilosophie E. C.s im Kontext. Darmstadt 1994.*

2) Paul, Kunsthändler und Verleger, *Görlitz 21. 2. 1871, †(Selbstmord) Berlin 7. 1. 1926; eröffnete 1898, anfänglich mit seinem Vetter Bruno C. (*1872, †1941), in Berlin einen Kunstsalon, aus dem sich auch ein Verlag entwickelte (seit 1939 in Oxford); unterstützte die dt. und frz. Impressionisten und wirkte bahnbrechend für den literar. Expressionismus.

Cassis [frz.] *der,* Likör aus schwarzen Johannisbeeren. C. mit ca. $^2/_3$ Weißwein vermischt ergibt den →Kir.

Cassis, Badeort und kleiner Fischerort im frz. Dép. Bouches-du-Rhône, östlich von Marseille, 8000 Ew.; Weinbau.

Cassius, Gaius C. Longinus, hoher röm. Beamter, †bei Philippi (Makedonien) 42 v. Chr.; leitete mit Brutus die Verschwörung gegen Cäsar; beging, bei Philippi geschlagen, Selbstmord.

Cassius Dio Cocceianus, grch. Geschichtsschreiber, *Nikaia (heute İznik, Türkei) um 163, †um 235; war zweimal röm. Konsul, außerdem Statthalter von Afrika, Dalmatien und Oberpannonien. Seine in grch. Sprache geschriebene Geschichte Roms in 80 Büchern (nur z. T. erhalten), gilt als wichtige Quelle für die röm. Geschichte.

Cassone [italien.] *der,* reich geschmückte Truhe für die Brautaussteuer in der italien. Renaissance.

Cassou [ka'su], Jean, frz. Schriftsteller und Kunsthistoriker, *Deusto (heute zu Bilbao) 9. 7. 1897, †Paris 15. 1. 1986; schrieb Gedichte, kunstkrit. Studien, Essays sowie von der dt. Romantik und vom Surrealismus beeinflusste Romane (»Schloß Esterhazy«, 1926).

Castagno [kas'taɲo], Andrea del, italien. Maler, *Castagno (bei Florenz) um 1421, †Florenz 19. 8. 1457; bed. Vertreter der florentin. Frührenaissance; in seiner herben, monumentalen Malerei vereinigen sich perspektiv. und plast. Wirkung mit leidenschaftlichem Ausdruck.

Werke: Fresken im Refektorium von Sant'Apollonia, Florenz (1445–1450); Reiterstandbild des Niccolò Tolentino, Florenz, Dom (1456).

Casteau [kas'to], Ortsteil der belg. Stadt Soignies, 45 km südwestl. von Brüssel; seit 1967 Sitz des NATO-Hauptquartiers in Europa (SHAPE).

Castel del Monte, Jagdschloss des Hohenstaufenkaisers Friedrich II. südwestl. von Barletta in Apulien, S-Italien, etwa 1240–1250 errichtet; monumentaler, oktogonaler Bau mit acht oktogonalen Türmen.

Castel Gandolfo, Stadt in der italien. Prov. Rom, am Albaner See, 6800 Ew.; der Sommersitz des Papstes ist als Teil des Vatikanstaats exterritorial.

Castellammare di Stabia, Hafenstadt in der italien. Prov. Neapel, am Golf von Neapel, 67300 Ew.; Kurort (Mineralquellen) und Seebad; Werften, Metall-, Elektro-, Zement-, pharmazeut. Industrie. – Erbaut auf den Ruinen des antiken →Stabiae.

Castellieri [italien.], vorgeschichtl. Ringwallanlagen in Istrien und den angrenzenden Gebieten, in der Eisenzeit zumeist von illyr. Stämmen erbaut.

Castellón [-'ʎɔn], Provinz im Land Valencia, Spanien, 6679 km^2, (1991) 446700 Einwohner.

Castellón de la Plana [-'ʎɔn -] (katalan. Castelló de la Plana), Hptst. der span. Prov. Castellón im Land Valencia, 133200 Ew.; kath. Bischofssitz; Textil- und Keramikind., Eisenhütte, Erdölraffinerie; Hafen und Seebad.

Castelo Branco [ka'ʃtɛlu 'brãku], Hptst. des portugies. Distrikts C. B., 27300 Ew.; ehem. Bischofspalast (16.–18. Jh.) mit Museum und barocker Gartenanlage (Anfang 18. Jh.).

Castelo Branco [ka'ʃtɛlu 'brãku], Camilo, seit 1885 Visconde de Correia Botelho, portugies.

Schriftsteller, *Lissabon 16. 3. 1825, †(Selbstmord) São Miguel de Seide (Minho) 1. 6. 1890; der erste große Erzähler der modernen portugies. Literatur (»Das Verhängnis der Liebe«, R. 1862).

Castigliano [kastiʎ'ʎa:no], Carlo Alberto, italien. Techniker, *Asti 9. 11. 1847, †Mailand 25. 10. 1884; berechnete statisch unbestimmte Systeme und fand das **castiglianosche Prinzip,** nach dem von allen mögl. Gleichgewichtszuständen eines elastisch deformierten Körpers derjenige wirklich eintritt, für den die Formänderungsarbeit am kleinsten ist.

Castiglione [kastiʎ'ʎo:ne], Baldassare Graf, italien. Schriftsteller und Diplomat, *Casatico (Prov. Mantua) 6. 12. 1478, †Toledo (Spanien) 7. 2. 1529. Sein Hauptwerk »Der Hofmann« (1528) zeichnet in Dialogen das Bild des idealen Hofmanns und hat wesentl. Anteil an der Formung des neuen Menschenbildes der Renaissance.

Casting ['ka:stɪŋ, engl.] *das, Turnierangelsport:* Zielwurf- und Weitwurfwettbewerbe mittels Angeln an Land.

Castle [ka:sl] *das,* engl. für Burg, Schloss.

Castlereagh ['ka:slreɪ], Robert Stewart, Viscount C., seit 1821 2. Marquess of Londonderry, brit. Staatsmann, *Mount Stewart (Irland) 18. 6. 1769, †(Selbstmord) North Cray Place (Cty. Kent) 12. 8. 1822; war 1805/06 und 1807–09 Kriegsmin., leitete seit 1812 als Außenmin. die brit. Politik gegen Napoleon I.; setzte sich 1815 auf dem Wiener Kongress für ein europ. Mächtegleichgewicht ein.

Castor [lat.] (grch. Kastor), **1)** *Astronomie:* Stern 2. Größe, einer der beiden Hauptsterne im Sternbild Zwillinge.

2) *grch. Mythos:* einer der →Dioskuren.

CASTOR [Abk. für engl. **ca**sk for **s**torage and **t**ransport **o**f **r**adioactive material »Behälter für Lagerung und Transport radioaktiven Materials«], in der Kerntechnik ein Spezialbehälter für den Transport hochradioaktiver Abfälle oder bestrahlter Brennelemente sowie deren Zwischenlagerung in einem Trockenlager. C.-Behälter müssen so ausgelegt sein, dass auch bei schweren Störfällen der Eintritt einer nuklearen Kettenreaktion innerhalb des Behälters oder eine Strahlungsfreisetzung nach außen ausgeschlossen ist. C. werden zumeist aus Gusseisenlegierungen (z.B. GGG40) gefertigt, mit Nickel als Korrosionsschutz innen beschichtet, mit einem Neutronenabsorber (Kunststoffstäbe), einem Doppeldeckel sowie Wärmeabfuhrmöglichkeiten (Kühlrippen) versehen. Für den C.-Transport bedarf es einer verkehrsrechtl. und zur Zwischenlagerung einer atomrechtl. Genehmigung.

Castoreum [lat.] *das* (Kastoreum, Bibergeil), →Biber.

Castorf, Frank, Regisseur, *Berlin (Ost) 17. 7. 1951; Regie an versch. DDR-Bühnen, u.a. in Anklam, Chemnitz, Halle (Saale), ab 1992 Intendant der Volksbühne am Rosa-Luxemburg-Platz in Berlin; bevorzugt aktionist., aggressiv gegen Werktreue gerichtete eigene Versionen von Klassikern sowie Stücke von Heiner Müller.

Frank Castorf

Castres [kastr], Stadt im Dép. Tarn, SW-Frankreich, 46300 Ew.; Textil-, Papier-, Möbelindustrie. – Im 16. Jh. Hugenottenstützpunkt.

Castries ['kastrɪs], Hptst. des Inselstaates Saint Lucia, Kleine Antillen, 53900 Ew.; Handelszentrum; Hafen, Flugplatz.

Castro, Emilio, uruguayischer methodist. Theologe, *Montevideo 2. 5. 1927; seit 1985 Gen.-Sekr. des Ökumen. Rats der Kirchen, Anhänger der Befreiungstheologie.

Castro e Almeida ['kaʃtru i al'meiða], Eugénio de, portugies. Schriftsteller, *Coimbra 4. 3. 1869, †ebd. 17. 8. 1944; Lyriker und Dramatiker; Hauptvertreter der neueren, vom Symbolismus beeinflussten portugies. Dichtung.

Castrop-Rauxel, Stadt im Kr. Recklinghausen, NRW, am Rhein-Herne-Kanal (Hafen), 79000 Ew.;

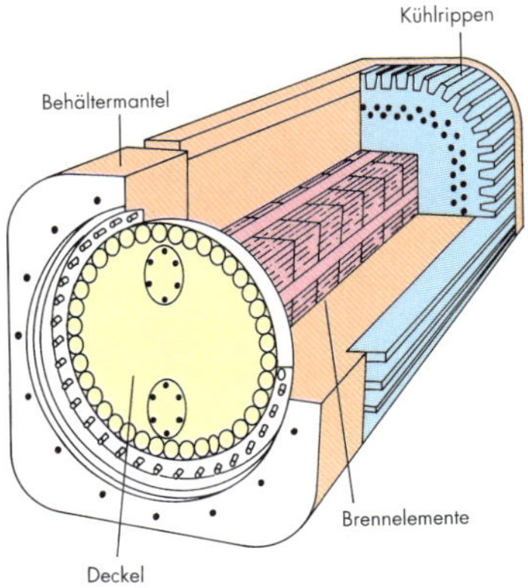

CASTOR: CASTOR-Behälter (rechts in einer Teilschnittdarstellung) vor dem Abtransport aus dem Kernkraftwerk Philippsburg in ein Zwischenlager

Westfäl. Landestheater; chem. Grundstoffindustrie. – Das 834 erstmals genannte Castrop kam vor 1236 zur Grafschaft Kleve; 1926 Zusammenlegung u.a. mit Rauxel (1266 erstmals genannt).

Fidel Castro Ruz

Castro Ruz [-rus], Fidel, kuban. Politiker, *Mayarí (Prov. Oriente) 13. 8. 1926 (oder 1927); stürzte in einem Guerillakrieg (1956–59) den Diktator F. Batista y Zaldívar. Als MinPräs. führte er seit 1959 ein Verstaatlichungs- und Reformprogramm durch (→Kuba). Gestützt auf die Kommunist. Partei (seit 1965 deren 1. Sekretär) und in Abhängigkeit von der Sowjetunion baute er einen kommunist. Staat auf, v.a. nachdem die Enteignung amerikan. Unternehmen und die →Kuba-Krise zu einem schweren Konflikt mit den USA geführt hatten. Seit 1976 ist C. Vors. des Staatsrats (Staatsoberhaupt). In den 70er- und 80er-Jahren unterstützte C. R. militärisch die kommunistisch orientierten Bewegungen in Angola und Moçambique. Obwohl sich seit dem Zusammenbruch der kommunist. Staaten in Europa (seit 1989/90) die wirtschaftl. Schwierigkeiten Kubas verstärkt haben, lehnt er eine Demokratisierung und Liberalisierung weiterhin ab.

📖 Quirk, R. E.: *Fidel Castro. Die Biographie. Berlin 1996.*

Castrum [lat. »befestigter Ort«] *das,* das röm. Feldlager. In Dtl. bekannte Römerlager u.a. →Vetera Castra.

Casus [lat.] *der,* **1)** *allg.:* Fall, Zufall.

2) *Sprache:* →Kasus.

3) *Völkerrecht:* **C. belli,** Kriegsfall, das Verhalten eines Staates gegenüber einem anderen, das als Kriegsgrund angesehen wird. **C. foederis,** Bündnisfall, Eintritt von Ereignissen, bei denen ein Staat einem anderen in einem Bündnis seine Hilfe zugesagt hat.

CAT, Abk. für engl. **C**lear-**A**ir-**T**urbulenz, →Klarluftturbulenz.

Catalepton [grch.] *das,* Sammlung kleiner lat. Gedichte unter Vergils Namen, nur teilweise echt.

Çatal Hüyük [tʃaˈtal hyˈjyk], stadtartige Großsiedlung der frühen Jungsteinzeit (7./6. Jt. v. Chr.) in der türk. Provinz Konya, Anatolien, mit reichen Funden von Wohn- und Kultbauten.

Catania 2) Stadtwappen

Catamarca, 1) Provinz von →Argentinien.

2) Hptst. von 1), am Rand der Anden, 132 600 Ew.; Universität; Bischofssitz; Handweberei (Ponchos); Thermalquellen. – Kathedrale (Marienwallfahrt). – Gegr. 1683.

Catania, 1) italien. Provinz an der Ostküste von Sizilien, 3 552 km^2, (1995) 1,09 Mio. Einwohner.

2) Hptst. von 1), am Südfuß des Ätna, 341 700 Ew., zweitgrößte Stadt Siziliens; Erzbischofssitz; Univ. (gegr. 1434), vulkanolog. Inst.; Kunstsammlungen; vielseitige Ind.; Hafen am Ionischen Meer, Flughafen. – Reste antiker Bauten; Castello Ursino (um 1240), barocker Dom. – C. wurde als **Katane,** lat. **Catina,** im 8. Jh. v. Chr. von Griechen gegründet; durch Ätnaausbrüche und Erdbeben wiederholt zerstört.

Catanzaro, 1) italien. Provinz in Kalabrien, 2 391 km^2, (1995) 384 200 Einwohner.

2) Hptst. der Region Kalabrien und von 1), 97 000 Ew.; Erzbischofssitz; Lebensmittel- und Textilind. – Im 9. Jh. als byzantin. Festung entstanden, im 11.–17. Jh. bed. Seidenherstellung.

Catarrhina, die Altweltaffen, →Affen.

Catch [kætʃ, engl.] *der,* in der engl. Musik ein Stück für Singstimmen mit heiteren, oft derb-kom. Texten, im 17. und 18. Jh. sehr beliebt.

Catch-as-catch-can [ˈkætʃ æz ˈkætʃ ˈkæn; engl. »greife, wie du greifen kannst!«] *das,* Ringen: Freistilkampfart, bei der fast alle mögl. Aktionen, auch gefährliche, erlaubt sind. Entwickelte sich seit 1900 in England und Amerika.

Catcher [ˈkætʃə] *der,* Berufsringer, der Catch-as-catch-can wettkampfmäßig betreibt.

Cateau-Cambrésis [katokãbreˈzi], Stadt in Frankreich →Le Cateau.

Catechine [malaiisch] (Katechine), von Flavon abgeleitete natürl. Gerbstoffe (z.B. im Tee und in vielen Obstarten).

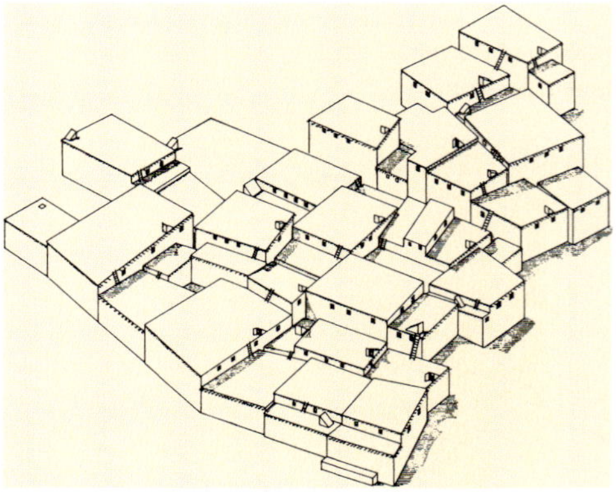
Çatal Hüyük: Die Rekonstruktionszeichnung eines Teils der jungsteinzeitlichen straßenlosen Siedlung zeigt Bauten mit seitlichen Lüftungsschächten und Einstiegsluken in den Flachdächern

Catecholamine, biogene Amine (Adrenalin, Noradrenalin, Dopanin), die im Gehirn, Nebennierenmark und in sympath. Nervenendigungen gebildet werden; sind wichtige Überträgerstoffe im Nervensystem.

Catenane, Verbindungen aus zwei oder mehreren ineinander greifenden Ringmolekülen.

Catering [ˈkeɪtərɪŋ, engl.] *das,* Lieferung von fertigen Speisen durch spezialisierte Unternehmen.

Cathay Pacific Airways Ltd. [kæˈθeɪ pəˈsɪfɪk ˈeəweɪz ˈlɪmɪtɪd], in Hongkong ansässige Luftverkehrsgesellschaft, gegr. 1946.

Cathedra [grch.-lat. »Sessel«] *die,* Lehrstuhl, →Bischofsstuhl. **C. Petri,** päpstl. Stuhl.

Cather ['kæðə], Willa Sibert, amerikan. Schriftstellerin, * Winchester (Va.) 7. 12. 1876, † New York 24. 4. 1947; schrieb feinsinnige Romane über die Besiedlung des Westens durch Einwandererfamilien, u.a. »Das Haus des Professors« (1925), »Der Tod kommt zum Erzbischof« (1927), »Schatten auf dem Fels« (1931).

📖 WASSERMAN, L.: *W. C. A study of the short fiction. Boston, Mass., 1991.*

Catilina, Lucius Sergius, röm. Politiker, * um 108, † 62 v. Chr.; aus altem patriz. Geschlecht, bewarb sich vergeblich um das Amt des Konsuls, das er 63 v. Chr. mit Gewalt zu erreichen suchte. Von Cicero angeklagt (vier Reden »In Catilinam«), floh er nach Etrurien; fiel bei Pistoria (heute Pistoia).

Catlin ['kætlɪn], George, amerikan. Maler und Ethnograph, * Wilkes-Barre (Pa.) 26. 7. 1796, † Jersey City (N. J.) 23. 12. 1872; besuchte (1832–40) 48 nordamerikan. Indianerstämme, deren Leben er erforschte. Seine Bilder von Indianern sind von großem kulturhistor. Wert. Er veröffentlichte 1841 »Letters and notes on the manners, customs and conditions of the North American Indians« (2 Bde. mit 300 Stahlstichen).

📖 WILDEROTTER, H.: *Edelleute der Natur. G. C., Carl Bodmer u. das Bild des Indianers. Ausst.-Kat. Museum für Kunst u. Kulturgeschichte der Stadt Dortmund. Stuttgart 1986.*

George Catlin: Der Ojibwa-häuptling »Strong Wind« (1845; Washington, Smithsonian Institution)

Cato, 1) Marcus Porcius C. Censorius, später C. Maior (»der Ältere«), röm. Staatsmann, * Tusculum 234, † Rom 149 v. Chr.; wurde 195 Konsul, dann Statthalter in Sardinien und Spanien. C. war Anhänger der altröm. Sittenstrenge und Einfachheit und ein unversöhnl. Gegner Karthagos (→Ceterum censeo Carthaginem esse delendam). Erhalten ist sein Buch über die röm. Landwirtschaft »De agricultura«, ferner Teile aus seiner Geschichte von Rom und Italien, den »Origines«. Biographien von Cornelius Nepos und Plutarch.

📖 KIENAST, D.: *C. der Zensor. Seine Persönlichkeit u. seine Zeit. Heidelberg 1954, Nachdr. Darmstadt 1979.*

2) Marcus Porcius C., auch C. Minor (»der Jüngere«), röm. Staatsmann, * 95, † (Selbstmord) Utica 46 v. Chr., Urenkel von 1). Als Stoiker und überzeugter Republikaner war er ein erbitterter Gegner Cäsars und gab sich nach dessen Sieg den Tod.

Catt, Henri Alexandre de, Privatsekretär Friedrichs d. Gr., * Morges (Kt. Waadt) 14. 6. 1725, † Potsdam 23. 11. 1795; war 1758–80 Vorleser Friedrichs d. Gr.; seine Notizen sind eine wichtige Quelle zur Kenntnis des Königs; »Unterhaltungen mit Friedrich d. Gr.« (hg. v. R. Koser 1884).

Cattleya: Beliebte Gewächshausorchidee

Cattaro, italien. Name von →Kotor.

Cattenom [ka'tnɔ̃] (dt. Kattenhofen), Gemeinde in Lothringen, im Dép. Moselle, Frankreich, 18 300 Ew.; Standort eines Kernkraftwerkes mit vier Reaktorblöcken und einer Leistung von insgesamt 5 200 MW; 1987 in Betrieb genommen.

Cattleya *die,* tropisch-amerikan. Orchideengattung, Epiphyten mit großen, prächtig gefärbten Blüten; beliebte Gewächshausorchideen.

Cattolica, Seebad in der Emilia-Romagna, Prov. Forlì-Cesena, Italien, südöstlich von Rimini, 15 100 Ew.; Fischereizentrum an der adriat. Küste.

Catull, Gaius Valerius Catullus, lat. Dichter, * Verona um 84 v. Chr., † um 54 v. Chr. Er gehörte zu einem Kreis von röm. Dichtern, die sich die grch. Dichtung der hellenist. Zeit zum Vorbild nahmen. Erhalten ist eine Samml. von knapp 120 Gedichten in drei Gruppen: kleinere Gedichte, in denen das persönl. Erleben des Dichters, bes. seine Liebe zu »Lesbia«, mit großer Frische und Unmittelbarkeit gestaltet ist; einige größere Gedichte, unter denen ein gelehrtes Kleinepos über die

Marcus Porcius Cato (Minor) Kopie einer Bronzebüste aus Volubilis im heutigen Marokko (um 100 n. Chr., Original etwa in den 40er-Jahren v. Chr.)

Hochzeit des Peleus und der Thetis hervorragt; schließlich eine Reihe pointierter Epigramme.

📖 Stoessl, F.: *C. Valerius Catullus. Mensch, Leben, Dichtung. Meisenheim am Glan 1977.* – Syndikus, H. P.: *C. Eine Interpretation, 3 Tle. Darmstadt* [1-2]*1987–94.*

Catulus, röm. Feldherren: **1)** Gaius Lutatius C., röm. Konsul (242 v. Chr.); entschied 241 durch seinen Seesieg gegen Karthago den 1. → Punischen Krieg.

2) Quintus Lutatius C., röm. Konsul (102 v. Chr.), † 87 v. Chr.; siegte 101 mit Marius über die Kimbern bei Vercellae.

Cauca (Río C.), größter, linker Nebenfluss des Río Magdalena in Kolumbien, 1015 km lang.

Cauchy [koˈʃi], Augustin Louis Baron, frz. Mathematiker, * Paris 21. 8. 1789, † Sceaux (Dép. Hauts-de-Seine) 23. 5. 1857; Prof. in Paris, wurde 1816 Mitgl. der Académie des sciences; einer der vielseitigsten Mathematiker; über 800 Veröffentlichungen v. a. zur Zahlentheorie und Algebra, auch Elastizitätslehre, Optik sowie Himmelsmechanik. C. entwickelte die Theorie der Funktionen einer komplexen Veränderlichen (cauchy-riemannsche Differenzialgleichungen, cauchysche Integralformel u. a.).

📖 Bell, E. T.: *Die großen Mathematiker. A. d. Amerikan. Düsseldorf u. a. 1967.* – Belhoste, B.: *A.-L. C. A biography. New York u. a. 1991.*

Cauchy-Folge [koˈʃi-; nach A. L. Cauchy] (Fundamentalfolge), Zahlenfolge a_n, für die gilt: Zu jedem $\varepsilon > 0$ gibt es eine natürliche Zahl $N(\varepsilon)$, sodass für alle $n > N(\varepsilon)$ und für alle $m > 0$ gilt $|a_{n+m} - a_n| < \varepsilon$ **(cauchysches Konvergenzkriterium).** Jede konvergente Folge ist eine Cauchy-Folge.

Caudillo [kauˈðiʎo; span. »Anführer«] *der,* militär. und polit. Machthaber; amtl. Titel des span. Diktators → Franco.

Cauer, Minna, Frauenrechtlerin, * Freyenstein (Ostprignitz) 1. 11. 1842, † Berlin 3. 8. 1922; kämpfte für das Stimmrecht der Frauen; verfasste »Die Frau im 19. Jh.« (1895).

Caulaincourt [kolɛ̃ˈkuːr], Armand Augustin Louis Graf von C., Herzog von Vicenza (seit 1808), frz. Staatsmann, * Caulaincourt (Dép. Aisne) 9. 12. 1773, † Paris 19. 2. 1827; war 1807–11 Gesandter in Sankt Petersburg; riet Napoleon I. vom Russ. Feldzug 1812 ab, nahm dennoch an ihm teil. Im Nov. 1813 Außenmin., unterzeichnete am 10. 4. 1814 den Vertrag von Fontainebleau über die Abdankung des Kaisers und war wieder Außenmin. während der »Hundert Tage«. – Memoiren, 3 Bde. (1933/34).

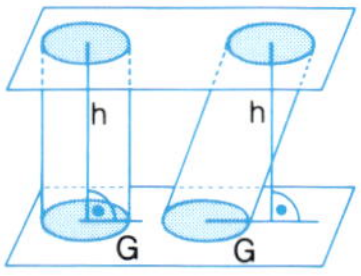

Bonaventura Cavalieri: cavalierisches Prinzip

Causa [lat. »Ursache«, »Grund«] *die,* **1)** *Philosophie:* Terminus der scholast. Philosophie zur Bezeichnung versch. Ursachen. Auf Aristoteles geht die klass. Unterscheidung von vier Ursachen zurück: **C. finalis,** Zweckursache (→ Finalität); **C. efficiens,** Wirkursache (→ Kausalität); **C. formalis,** Formursache: das, woraus ein Ding seine Eigenschaften erhält; **C. materialis,** Stoffursache: das, woraus ein Ding entsteht. Die Scholastik schloss weitere Unterscheidungen an: **C. sui,** Ursache seiner selbst, für die Scholastik der philosoph. Begriff von Gott.

2) *Recht:* der Rechtsgrund (für eine Vermögensverschiebung), bes. die Rechtsbeziehung zw. dem Empfänger einer Leistung und dem Leistenden, welche die Leistung rechtfertigt (z. B. der Kaufvertrag als C. für die Zahlung).

Causses [koːs] (Plateaux des C., Grands C.), Jurakalkhochflächen im S des frz. Zentralmassivs, 800–1200 m ü. M., durch tief eingeschnittene Flüsse (Lot, Tarn und Aveyron) gegliedert; Karstgebiet mit Dolinen, Höhlen und unterird. Wasserläufen. Auf den mageren Weiden Schafzucht (Wolle, Roquefortkäse).

Cauterets [koˈtrɛ], Thermalbad (Schwefelquellen) und Wintersportplatz im frz. Dép. Hautes-Pyrenées, 932 m ü. M., 1200 Einwohner.

Caux [koː], Kurort bei Montreux (Schweiz), 1054 m ü. M., europ. Zentrum der Bewegung für → Moralische Aufrüstung.

Cava, span. Schaumwein, der in der traditionellen Methode der Flaschengärung hergestellt wird; kommt v. a. aus Katalonien.

Cavaco Silva, Aníbal, portugies. Politiker, * Boliqueime (Algarve) 15. 7. 1939; Wirtschaftswissenschaftler, Hochschullehrer, 1980/81 Finanz- und Planungsmin., 1985–95 Vors. des Partido Socialista Democrata und MinPräs; führte eine an marktwirtsch. Vorstellungen orientierte Wirtschaftsreform durch und führte Portugal in die EG (EU).

Cavaillé-Coll [kavajeˈkɔl], Aristide, frz. Orgelbauer, * Montpellier 4. 2. 1811, † Paris 13. 10. 1899; bedeutendster frz. Orgelbauer seiner Zeit (u. a. Orgel von Notre-Dame in Paris).

Cavalcanti, Guido, italien. Dichter, * Florenz um 1255, † ebd. 27. oder 28. 8. 1300; Freund Dantes, Begründer des → Dolce stil nuovo; schrieb Sonette, Balladen, Canzonen.

Cavalieri, 1) Bonaventura, italien. Mathematiker, * Mailand 1598 (oder 1591), † Bologna 30. 11. 1647; entdeckte das **cavalierische Prinzip,** wonach zwei Körper rauminhaltsgleich sind, wenn sie gleiche Grundfläche *G* und Höhe *h* besitzen und in gleichen Abständen geführte Parallelschnitte gleiche Flächen ergeben.

2) Emilio de', italien. Komponist, * Rom um 1550, † ebd. 11. 3. 1602; früher Vertreter der monodisch-rezitativ. Satzart, die zur Entstehung der Oper führte. Die geistl. Allegorie »La rappresentazione di anima e di corpo« (1600) wurde für die Entwicklung des Oratoriums wichtig.

Cavalli, Francesco, eigtl. Pier Francesco Caletti-Bruni, italien. Komponist und Sänger, *Crema (Prov. Cremona) 14. 2. 1602, †Venedig 17. 1. 1676; mit seinen 42 Opern (u.a. »Il Giasone«, 1649; »Il Serse«, 1654; »L'Ercole amante«, 1662) prägte er, von C. Monteverdi ausgehend, den Stil der venezian. Oper.

Cavallini, Pietro, eigtl. P. dei Cerroni, italien. Maler, *Rom um 1250, †ebd. um 1330; bed. Mosaizist und Freskenmaler; Hauptmeister der röm. Malerei vor Giotto, schuf plastisch klare Figuren in statuar. Auffassung und einheitl. Beleuchtung; trug zur Befreiung der italien. Malerei vom byzantin. Einfluss bei.

Cavan ['kævən], County in der Rep. Irland, 1891 km², (1991) 52800 Ew.; Verw.sitz ist die Stadt C. (3300 Ew.).

Cavatina [italien.] *die, Musik:* die →Kavatine.

cave! [lat.], Achtung! Vorsicht! **c. canem!,** »hüte dich vor dem Hund!«, Inschrift an altröm. Häusern.

Cavendish ['kævəndɪʃ], **1)** Henry, brit. Chemiker, *Nizza 10. 10. 1731, †London 24. 2. 1810; entdeckte 1766 den Wasserstoff und die Knallgasreaktion, erkannte die Zusammensetzung von Luft und Wasser, bestimmte mit der **C.-Drehwaage** die Gravitationskonstante und die mittlere Dichte der Erde, untersuchte elektr. Erscheinungen.

2) Margaret, Duchess of Newcastle, engl. Naturphilosophin, *Saint John's (bei Colchester, Cty. Essex) 1623, †Welbeck 1673; zum »Newcastle-Circle« gehörig, der Mitte des 17. Jh. eine wichtige Rolle in dem Streit zwischen scholast. Aristotelismus und antikem Atomismus spielte. C. entwickelte eine Naturkonzeption, die den mechanist. Atomismus mit der Lehre von der Beseeltheit der Materie verband. Neben ihren naturphilosoph. Arbeiten verfasste sie scharfsichtige gesellschaftliche Analysen über die Benachteiligung der Frauen.

Werke: Poems and Fancies (1653, neu hg. 1972); Philosophical Fancies (1653); Observations upon Experimental Philosophy (1666); Grounds of Natural Philosophy (1668).

Cavite, Hafenstadt südlich von Manila, Philippinen, 87700 Ew.; Erdölraffinerie; Marinestützpunkt. – Chines. Handelsstützpunkt seit 1200, von den Spaniern seit 1571 als Festung ausgebaut.

Cavour [ka'vur], Camillo Benso Graf, italien. Staatsmann, *Turin 10. 8. 1810, †ebd. 6. 6. 1861; Anhänger des gemäßigten Liberalismus, seit 1850 Min., seit 1852 MinPräs. des Königreichs Sardinien. Durch die Teilnahme am Krimkrieg (1855/56) und die Vereinbarungen von Plombières (1858) gewann er die Hilfe Napoleons III. für den Krieg von 1859 gegen Österreich, das die Lombardei abtreten musste. Doch erreichte C. die Einigung Italiens (ausgenommen Teile von Venetien und Rom) vorwiegend durch diplomat. Geschick. Garibaldis revolutionäre Unternehmungen lenkte er nach seinen Interessen und verhinderte damit internat. Verwicklungen. Sein Versuch, den Papst zum Verzicht auf den Kirchenstaat zu bewegen, misslang. (→Römische Frage)

📖 THAYER, W. R.: *The life and times of C., 2 Bde. Boston 1911.*

Cawnpore [kɔ:n'pɔ], engl. Name der ind. Stadt →Kanpur.

Caxton ['kækstən], William, engl. Buchdrucker, *Tenterden (Cty. Kent) 1422, †London 1491; lernte die Buchdruckerkunst in Brügge und Köln, errichtete 1476 in London die erste Druckerei Englands. Durch seine Drucke (auch Übersetzungen) förderte er die engl. Schriftsprache.

William Caxton: Druckermarke

Cayatte [ka'jat], André, frz. Filmregisseur, *Carcassonne 3. 2. 1909, †Paris 6. 2. 1989; war Rechtsanwalt, auch Schriftsteller; beschäftigte sich in seinen sozialkrit. Filmen häufig mit jurist. Themen. – Filme: u.a. »Schwurgericht« (1950); »Wir sind alle Mörder« (1952); »Vor der Sintflut« (1953); »Meine Tage mit Pierre – Meine Nächte mit Jacqueline« (1963); »Das Urteil« (1974).

Cayenne [ka'jɛn], Hptst. von Frz.-Guayana, auf der Insel C., 41000 Ew.; Forschungsinstitute; Mittelpunkt eines Agrargebiets; internat. Flughafen. – Die Insel C. war 1854–1938 frz. Strafkolonie (letzte Sträflinge 1947 entlassen).

Cayennepfeffer [ka'jɛn-], bes. scharf schmeckende Frucht der Gatt. Capsicum (→Paprika).

Cayley ['keɪlɪ], Arthur, brit. Mathematiker, *Richmond 16. 8. 1821, †Cambridge 26. 1. 1895; begründete die Invariantentheorie; Beiträge zu ellipt. Funktionen, zur angewandten Mathematik und zur analyt. Mechanik.

📖 BELL, E. T.: *Die großen Mathematiker. A. d. Amerikan. Düsseldorf u.a. 1967.*

Caylus [kɛl'ys], Anne-Claude-Philippe Graf von, frz. Archäologe, Kunstschriftsteller und Sammler, *Paris 31. 10. 1692, †ebd. 5. 9. 1765; beeinflusste mit seiner neuen Methode des Kunstvergleichs nach regionalen und zeitl. Entwicklungen J. J. Winckelmann und die moderne Kunstkritik.

Cayman Islands ['keɪmən'aɪləndz] (Kaimaninseln), drei karib. Koralleninseln südl. von Kuba, brit. Kronkolonie, 259 km², (1994) 31900 Ew.; Hptst.: George Town auf **Grand Cayman;** Fremdenverkehr, Offshore-Finanzplatz. 1503 von Kolumbus entdeckt, seit 1670 brit., besiedelt seit dem 18. Jh., bis 1959 von Jamaika abhängig.

Cayman Islands Wappen

Cayrol [kɛ'rɔl], Jean, frz. Schriftsteller, *Bordeaux 6. 6. 1911; schildert in seinen Romanen »Der Umzug« (1956), »Die Fremdkörper« (1958), »Die kalte Sonne« (1963), »Histoire du ciel« (1979) die

Isolierung des Einzelnen und seine Flucht in Illusionen; auch Lyrik (»D'une voix céleste«, 1994), Novellen und Essays.

CB-Funk [CB, Abk. für engl. **c**itizen **b**and »Bürgerwelle«] (Jedermann-Funk), Sprechfunk u.a. im 27-MHz-Bereich mit Sende- und Empfangsgeräten von kleiner (vorgeschriebener) Ausgangsleistung und entsprechend geringer Reichweite. Der Betrieb von CB-Funkanlagen ist jedermann (im Unterschied zu Amateurfunkanlagen) ohne Ablegung einer Prüfung gestattet.

📖 JANSON, A. *u.* BERGFELD, J.: *Alles über Funkscanner. Eigenschaften, Funknetze u. -dienste, Produktübersicht. Poing* ³*1995.*

CBI [si:bi:'aɪ], Abk. für engl. **C**onfederation of **B**ritish **I**ndustry, Spitzenorganisation der brit. Arbeitgeberverbände und der angeschlossenen Unternehmen; Sitz London; gebildet 1965.

CBS Inc. [si:bi:'es ɪn'kɔ:pəreɪtɪd], Abk. für **C**olumbia **B**roadcasting **S**ystem Inc., amerikan. Mehrmedienunternehmen, größter US-Fernsehsender, 1927 gegr. als Rundfunkgesellschaft.

Nicolae Ceaușescu

CC, 1) Abk. für frz. **C**orps **C**onsulaire, konsular. Korps (→Kraftfahrzeugkennzeichen).

2) Abk. für **C**oburger **C**onvent, →studentische Verbindungen.

C. C. C., Abk. für **C**onstitutio **C**riminalis **C**arolina, →Carolina.

CCD [Abk. für engl. **c**harge-**c**oupled **d**evice, »ladungsgekoppeltes Bauelement«], (Ladungsverschiebeelement), integrierter Schaltkreis aus Silicium zur Verarbeitung elektr. und opt. Signale, bei dem die Informationen in Form von elektr. Ladungen gespeichert und weitergeleitet werden; bes. geeignet für Bildsensoren oder z.B. in elektron. Videokameras.

CCIR, Abk. für frz. **C**omité **C**onsultatif **I**nternational des **R**adiotélécommunications, ständiges Organ des →Internationalen Fernmeldevereins, führt Studien über Fragen der Funkdienste durch.

CCITT, Abk. für frz. **C**omité **C**onsultatif **I**nternational **T**élégraphique et **T**éléphonique, ständiges Organ des →Internationalen Fernmeldevereins, erarbeitet internat. gültige Normen für die Telegrafen- und Fernsprechtechnik **(CCITT-Normen).** 1993 vom »Secteur de la normalisation des télécommunications« (Sektor für Standardisierung im Fernmeldewesen) ITU-T ersetzt.

Maria Cebotari

CCTV, Abk. für engl. **c**losed **c**ircuit **tel**e**v**ision, vereinfachte elektr. Systeme des Schmalbandfernsehens, bei denen die Signalübertragung nur über Kabel erfolgt (z.B. Hotelfernsehen, Überwachungsanlagen).

cd, Einheitenzeichen für →Candela.

Cd, chem. Symbol für →Cadmium.

CD, Abk. für **1)** frz. **C**orps **D**iplomatique, →diplomatisches Korps. (→Kraftfahrzeugkennzeichen)

2) →Compactdisc.

c. d., *Musik:* Abk. für →**c**olla **d**estra.

CD-ROM [Abk. für engl. **c**ompact**d**isc – **r**ead **o**nly **m**emory, »Nur-Lese-Speicher«], opt. Speichermedium für Computer, auf der zurzeit bis zu 650 Megabyte Daten abgelegt werden können. Wegen ihrer großen Speicherkapazität wird die CD-ROM v.a. im Multimediabereich eingesetzt. Die hohe Speicherkapazität erlaubt neben der Wiedergabe von Textinformationen am Bildschirm auch die Darstellung bewegter Bilder oder das Abspielen von Tonaufnahmen.

CDU, Abk. für →**C**hristlich **D**emokratische **U**nion.

Ce, chem. Symbol für →Cer.

CEAO, engl. Abk. für die →Wirtschaftsgemeinschaft Westafrikanischer Staaten.

Ceará [sia'ra], Bundesstaat von Brasilien an der NO-Küste, zum Dürregebiet Brasiliens gehörig, 145694 km², (1991) 6,4 Mio. Ew.; Hptst.: Fortaleza; extensive Viehzucht, Baumwollanbau.

Ceaușescu [tʃɛau'ʃesku], Nicolae, rumän. Politiker, *Scornicești (Kr. Olt) 26. 1. 1918, †25. 12. 1989; seit 1955 Mitgl. des Politbüros, wurde 1965 Erster Sekretär (später Gen.-Sekr.) der KP. 1967–74 war er auch Vors. des Staatsrats (Staatsoberhaupt), ab 1974 Staatspräsident. Außenpolitisch führte die Durchsetzung einer »nat. Linie« bes. gegenüber der UdSSR zu einer Sonderstellung Rumäniens innerhalb des Ostblocks. Innenpolitisch prägte ein sich ständig steigernder Kult um seine Person, Byzantinismus und Nepotismus sowie die Unterdrückung jegl. Opposition und ethn. Minderheiten (bes. Rumäniendeutsche und Rumänienungarn) seine diktator. Herrschaft, die sich v.a. auf die Geheimpolizei »Securitate« stützte. Am 22. 12. 1989 durch einen Aufstand gestürzt und verhaftet, wurde C. nach einem Geheimprozess gemeinsam mit seiner Frau Elena (*1919, seit 1980 stellv. MinPräs.) hingerichtet.

📖 SWEENEY, J.: *The life and evil times of N. C. London 1991.* – DELETANT, D.: *C. and the Securitate. Coercion and dissent in Romania, 1965–1989. London 1995.* – LE BRETON, J.-M.: *La fin de C. Histoire d'une révolution. Paris 1996.*

CeBIT, Abk. für Welt**ce**ntrum für **B**üro-, **I**nformations- und **T**elekommunikationstechniken, weltgrößte Fachmesse für Bürokommunikation, Computer und Telekommunikation und nach Standfläche größte Messe überhaupt. Die C. war seit 1970 Teil der Hannover-Messe, eigenständige Veranstaltung seit 1986. (→Messe)

Ceboidea [grch.], die Neuweltaffen, →Affen.

Cebotari [tʃ-], Maria, österr. Sängerin (Sopran) rumän. Herkunft, *Chișinău (Moldawien) 10. 2. 1910, †Wien 9. 6. 1949; bes. bekannt als Mozart- und Strauss-Interpretin.

Cebu [span. θe'βu], **1)** Insel der Philippinen, 4422 km², 2 Mio. Einwohner.

2) Prov.-Hptst. an der O-Küste der Insel C., 636900 Ew.; Erzbischofssitz; 6 Univ.; Erdölraffinerie; bed. Handelshafen, internat. Flughafen. Gegr. 1565 als erste span. Siedlung auf den Philippinen.

Ceccato [tʃek'ka:to], Aldo, italien. Dirigent, *Mailand 18. 2. 1934; debütierte in Mailand, danach internat. Tätigkeit als Gastdirigent; 1972–83 Chefdirigent des Philharmon. Staatsorchesters Hamburg, 1985 Leitung der Sinfonieorchester von Bergen und des NDR in Hannover, 1991 des Span. Nationalorchesters; seit 1990 Chefdirigent der Slowak. Philharmonie in Bratislava.

Cech [setʃ], Thomas Robert, amerikan. Biochemiker, *Chicago (Ill.) 8. 12. 1947; seit 1983 Prof. an der University of Colorado in Boulder; entdeckte, dass Nucleinsäuren als Biokatalysatoren wirken können, und erhielt dafür 1989 mit S. Altman den Nobelpreis für Chemie.

Čech [tʃɛx], Svatopluk, tschech. Schriftsteller, *Ostředek (Mittelböhm. Gebiet) 21. 2. 1846, †Prag 23. 2. 1908; Lyriker und Erzähler, setzte sich für die nationale Selbstbesinnung ein.

Čechy ['tʃɛxi], tschech. Name von →Böhmen.

Cecil [sesl], engl. Familie mit dem Titel eines Earl (seit 1605) und eines Marquess (seit 1789) von **Salisbury.**

1) Edgar Algernon Robert, 1. Viscount (seit 1923) C. of Chelwood, brit. Staatsmann, *Salisbury 14. 9. 1864, †Tunbridge Wells 24. 11. 1958; 1916–18 Blockademinister; 1923–46 Präs. des Völkerbunds (maßgeblich an der Ausarbeitung seiner Satzung beteiligt); Friedensnobelpreis 1937.

2) William, →Burghley.

Cecilie, *Schwerin 20. 9. 1886, †Bad Kissingen 6. 5. 1954; Tochter des Großherzogs Friedrich Franz III. von Mecklenburg-Schwerin; ⚭ seit 1905 mit dem dt. Kronprinzen Wilhelm.

Cecilienhof, Schloss in Potsdam, im Neuen Garten, 1913–17 für den dt. Kronprinzen Wilhelm erbaut und nach der Kronprinzessin Cecilie benannt; 1945 Tagungsort der Potsdamer Konferenz (heute Gedenkstätte).

Cedar Rapids ['si:də 'ræpɪdz], Stadt in Iowa, USA, am Cedar River, 113400 Ew.; Mühlen, Großschlächtereien, Maschinenfabriken.

Cedi *der,* →Währung (ÜBERSICHT).

Cédille [se'di:j(ə), frz. aus span.] *die,* ein Häkchen unter einem Buchstaben, bes. unter dem c (ç). Ç bezeichnet den Laut [s] vor a, o, u im Französischen, Portugiesischen und Katalanischen, [tʃ] im Türkischen, ş den Laut [ʃ] im Rumänischen und Türkischen, ţ den Laut [ts] im Rumänischen.

CEEAC, →Zentralafrikanische Wirtschaftsgemeinschaft.

Cefalù [tʃefa'lu], italien. Hafenstadt an der N-Küste Siziliens, in der Prov. Palermo, 13900 Ew. – Normann. Bauwerke, v. a. Dom (12. Jh., Fassade 1240; Mosaiken).

CEFTA, Abk. für **C**entral **E**uropean **F**ree **T**rade **A**greement. (→Visegrád-Gruppe)

Cegléd ['tsɛgle:d], ungar. Stadt, zw. Theiß und Donau, 40600 Ew.; Maschinenbau, Lebensmittelindustrie.

Ceilometer [si:lɔ-; zu engl. ceiling »Wolkenhöhe«] *das,* Wolkenhöhenmesser (mittels Licht- oder Radarimpulses) des Flugwetterdienstes für Tages-, Nachtmessungen.

Cela ['θela] (C. Trulock), Camilo José, span. Schriftsteller, *Padrón (Prov. Coruña) 11. 5. 1916; schrieb surrealist. Lyrik sowie Romane von krassem Realismus (»Pascual Duartes Familie«, 1942; »Der Bienenkorb«, 1951; »Mazurka für zwei Tote«, 1983), Feuilletons und Reiseberichte; erhielt 1989 den Nobelpreis für Literatur.

📖 PALMES, G.: *Literatur u. Film. La colmena von C. J. C. Frankfurt am Main u. a. 1994.*

Celan, Paul, eigtl. Paul Antschel, Lyriker, *Czernowitz (heute Tscherniwzi, Ukraine) 23. 11. 1920, †(Selbstmord) Paris April 1970. Sohn deutschsprachiger jüd. Eltern; studierte zeitweise Medizin in Frankreich, dann Romanistik in Tschernowzy; 1942 deportiert (Tod der Eltern), bis 1944 im Arbeitslager; kam 1947 nach Wien; lebte seit 1948 in Paris (frz. Staatsbürger). Celans Dichtung wurzelt in der jüd. Kulturtradition, die abstrakten Verse sind von einer sehr persönl. Sprachsensibilität, einer eigenen Welt der Metaphern und Chiffren, bestimmt (»Mohn und Gedächtnis«,

Thomas R. Cech

Camilo José Cela

Paul Celan

Paul Celan

»Der Tod ist ein Meister aus Deutschland«

In seinem berühmten Gedicht »Todesfuge« erhebt der Lyriker Paul Celan eine Klage über die unmenschliche Verfolgung und die grausame Tötung der Juden im Deutschland des Nationalsozialismus, die sich im Verlauf des Gedichts immer mehr zur Anklage verdichtet. In kanonartig, wie Themen einer Fuge nacheinander gesetzten Bildern, Motiven und Andeutungen von Vorgängen, die auftauchen, verschwinden, wieder aufgegriffen, leicht variiert und miteinander verknüpft werden, entsteht ein eigentümliches Geflecht von Aussagen, die das grausame Geschehen zunächst erahnen und dann in der eindrucksvollsten Weise deutlich werden lassen. Im letzten Drittel des Gedichts taucht dann erst diese unverhüllte, mehrmals wiederholte Aussage »der Tod ist ein Meister aus Deutschland« auf, die nun den Verursacher, den Schuldigen nennt und anklagt. – Eine mehrteilige Fernsehdokumentation von der Journalistin Lea Rosh und dem Historiker Eberhard Jäckel über die Judenverfolgung zur Zeit des Nationalsozialismus, die 1990 ausgestrahlt wurde, trug den Titel: »Der Tod ist ein Meister aus Deutschland«.

Sergiu Celibidache

Louis-Ferdinand Céline

Celle 2) Stadtwappen

1952). Mit »Sprachgitter« (1959) wird die Aussage härter, C. thematisiert – immer indirekt – die Erlebnisse im Getto, den Missbrauch der Sprache durch die Nationalsozialisten. C. war auch bedeutend als Übersetzer, u.a. aus dem Russischen (A. Blok, O. Mandelschtam, S. Jessenin), Französischen (A. Rimbaud, R. Char), Englischen (Shakespeares Sonette) und Italienischen.– 1960 erhielt er den Georg-Büchner-Preis. – *Weitere Werke:* Der Sand aus den Urnen (1948); Von Schwelle zu Schwelle (1955); Die Niemandsrose (1963); Atemwende (1967); Fadensonnen (1968); Lichtzwang (1970); Schneepart (1971); Zeitgehöft (1976).

📖 *Der glühende Leertext. Annäherung an P. C.s Dichtung, hg. v.* C. JAMME *u.* O. PÖGGELER. *München 1993.* – *P. C., hg. v.* W. HAMACHER *u.* W. MENNINGHAUS. *Frankfurt am Main ³1996.* – FELSTINER, J.: *P. C. Eine Biographie. A. d. Amerikan. München 1997.*

Celastrus [grch.], Gattung der Spindelbaumgewächse mit 35 Arten in den Tropen und Subtropen; dickstämmige Schlinggehölze, die den Stützbaum zum Absterben bringen können **(Baumwürger).**

Celebes [tse-] (indones. Sulawesi), eine der Sundainseln, zu Indonesien gehörig, unter dem Äquator, 189 216 km². Kern ist ein stark zerschnittenes Bergland (bis 3458 m ü. M.) aus kristallinen Gesteinen, dem sich vier Halbinseln anschließen, die z. T. von tertiären Gesteinen und jungen Vulkanen (v.a. am Ende der NO-Halbinsel, in Minahassa, tätig) gebildet sind und große Buchten umfassen. – Die Bev. (etwa 11 Mio.) konzentriert sich auf die SW-Halbinsel (meist muslim. Buginesen und Makasaren) mit der Stadt Ujung Pandang und die NO-Halbinsel (muslim. Gorontalo und fast durchweg protestant. Minehasa) mit den Städten Manado und Gorontalo. Im zentralen Bergland leben die Toraja. C. ist noch etwa zur Hälfte von Wald bedeckt. Auf der SW-Halbinsel sind nach übermäßigem Brandrodungsfeldbau Grasfluren und Gesträuchwildnisse als Sekundärvegetation verbreitet. Lediglich 5 % der Fläche von C. sind landwirtschaftlich genutzt. Neben Mais werden Kokospalmen (Ausfuhr von Kopra), Kaffee, Gewürze und Tabak angebaut. Bedeutsam sind auch die Holz- und Rotanggewinnung sowie der Abbau von Nickelerzen (SO-Halbinsel). – Der N der Insel kam im 16. Jh. unter die Herrschaft des Sultanats Ternate. Die Portugiesen, die seit 1512 auf C. Handelsstützpunkte errichteten, wurden 1660–69 von den Niederländern vertrieben. 1942–45 von Japanern besetzt; seit 1949 ist C. Teil Indonesiens.

Celebes|see, Teil des Australasiat. Mittelmeeres zw. Celebes, Borneo und Mindanao; 472 000 km², bis 6 220 m tief.

Celentano [tʃe-], Adriano, italien. Schauspieler, Schlager- und Rocksänger, *Mailand 6. 1. 1938; erfolgreich u.a. mit dem Schlager »Azzurro«; beim Film v.a. in Komödien.

Celesta [tʃəˈlɛsta; italien. »die Himmlische«] *die,* Stahlplattenklavier mit Hammermechanik, hat einen silbrigen Klang; erstmals 1886 von A. Mustel in Paris gebaut.

Celestina [θe-] (La C.), span. Prosadrama, entstanden um 1490, in dem Calisto mithilfe der Kupplerin C. die Liebe der Melibea gewinnt; nach Sprache und Charakterzeichnung eines der großen Werke der Weltliteratur. Als Verfasser (ganz oder teilweise) gilt Fernando de Rojas (*1465, †1541).

Celibidache [tʃelibiˈdake], Sergiu, Dirigent rumän. Herkunft, *Roman 28. 6. 1912, †Paris 14. 8. 1996; leitete 1945–52 die Berliner Philharmoniker, wurde 1979 Leiter der Münchner Philharmoniker und Generalmusikdirektor in München; komponierte u.a. Sinfonien, ein Klavierkonzert.

Céline [seˈlin], Louis-Ferdinand, eigtl. L.-F. Destouches, frz. Arzt und Schriftsteller, *Asnières-sur-Seine 27. 5. 1894, †Meudon 2. 7. 1961. Der z. T. autobiograph. Roman eines Armenarztes »Reise ans Ende der Nacht« (1932), in dem C. Heuchelei und Verbrechen der modernen Zivilisation anklagt, beeinflusste – auch durch die Verwendung des Pariser Argot – stark die frz. Literatur. C. kollaborierte mit der dt. Besatzung, floh 1944 nach Dänemark, war dort interniert, kehrte 1952 (nach Amnestie) nach Frankreich zurück.

Celio [ˈtʃɛlio], **1)** Enrico, schweizer. Politiker, *Ambri (heute zu Quinto, Kt. Tessin) 19. 6. 1889, †Lugano 23. 2. 1980; Mitgl. der Kath.-Konservativen Partei, war 1940–50 Bundesrat (Post und Eisenbahn), 1943 und 1948 Bundespräsident.

2) Nello, schweizer. Politiker, *Quinto (Kt. Tessin) 12. 2. 1914; Jurist, 1962–66 Präs. der Freisinnig-Demokrat. Partei, 1966–73 Bundesrat (1966–68 Militär, 1968–73 Finanzen), 1972 Bundespräsident.

Celje [ˈtsɛljɛ] (dt. Cilli), Stadt in Slowenien, am linken Ufer der Sann, 42 000 Ew.; wichtiger Ind.-Standort (Baustoffe, Leder, Farben). – C., das röm. **Claudia Celeia,** wurde Ende des 6. Jh. von den Slawen zerstört, im 9. Jh. als Grenzfeste Kärntens neu errichtet. Die Grafschaft C. fiel 1456 an die Habsburger, 1919 an Jugoslawien.

Cella [lat.] *die,* 1) in der Antike ursprünglich kleiner Wohnraum, dann auch Vorratsraum; 2) (grch. Naos) Kultraum des antiken Tempels mit dem Götterbild; 3) Mönchszelle, im christl. Altertum und frühen MA. auch Kloster.

Celle, 1) Landkreis im RegBez. Lüneburg, Ndsachs., 1545 km², (1996) 179 100 Einwohner.

2) Krst. von 1), in Ndsachs., an der von hier ab schiffbaren Aller, 73 900 Ew.; Bergamt, Fachschulen, Inst. für Kleintierzucht der Bundesforschungsanstalt für Landwirtschaft, Niedersächs. Landesgestüt C. (seit 1735, alljährl. Hengstparade); Bomann-

Museum (Volkskunde); elektrotechn., Holz-, Kunststoff verarbeitende, Lebensmittel-, chem. Ind., Maschinenbau. – Schloss der Herzöge von Braunschweig-Lüneburg-C. (Baubeginn 1292, im 16. und 17. Jh. erweitert, mit dem ältesten barocken Theater Dtl.s, die hier 1371–1705 residierten; Renaissance-Rathaus, 16. Jh.; evang. Stadtkirche, im 17. Jh. barock umgebaut; Fachwerkhäuser aus dem 16. und 17. Jahrhundert. – C. wurde 1292 gegründet (Stadtrecht 1301).

Cellini [tʃ-], Benvenuto, italien. Goldschmied und Bildhauer, * Florenz 3. 11. 1500, † ebd. 13. oder 14. 2. 1571; war für die Päpste in Rom, die Medici in Florenz und König Franz I. in Fontainebleau tätig. Von den Goldschmiedearbeiten ist außer dem Salzfass für Franz I. (Wien, Kunsthistor. Museum) nichts erhalten. Das Bronzestandbild des Perseus in der Loggia dei Lanzi in Florenz (1545–54) gehört zu den Hauptwerken des Manierismus. Seine kulturhistorisch bedeutende Autobiographie »Leben des B. C., florentinischen Goldschmiedes u. Bildhauers« wurde von Goethe ins Deutsche übersetzt (1803).

📖 PRATER, A.: *C.s Salzfaß für Franz I. Ein Tischgerät als Herrschaftszeichen. Wiesbaden u. a. 1988. – B. C., bearb. v.* M. SCALINI. *Antella (Florenz) 1995.*

Cello [(t)ʃ-] *das,* Kurzform von → Violoncello.

Cellobiose *die,* geschmackfreier Zucker; aus zwei Glucosemolekülen aufgebautes Disaccharid, ein Baustein der Cellulose.

Cellophan®, *das,* Warenzeichen der Hoechst AG für → Zellglas.

Cellulasen [lat.], Enzyme, die Cellulose hydrolytisch in Glucosemoleküle spalten; Vorkommen v. a. bei Pflanzen und Bakterien.

Celluloid (Zelluloid, Zellhorn) *das,* thermoplast. Kunststoff von hornartig zäher Beschaffenheit. Zur Herstellung wird Nitrocellulose mit Weichmachern (bes. Kampfer) und Lösungsmitteln vermischt, die Masse ausgewalzt und unter Druck auf etwa 90 °C erhitzt; früher für fotograf. Filme, heute nur noch für Spezialzwecke verwendet.

Cellulose (Zellulose) [lat.] *die,* Polysaccharid, als Gerüstsubstanz von Pflanzenzellen in der Natur weit verbreitet; Bruttoformel $(C_6H_{10}O_5)_n$, wobei der Polymerisationsgrad n z. B. bei roher Baumwolle 7000, bei Tannenholz 2500 beträgt. Die kettenförmigen C.-Moleküle sind aus Glucoseeinheiten aufgebaut. C. quillt in Wasser, ohne sich zu lösen. Durch Säuren werden C.-Moleküle zu **Hydro-C.** und schließlich zu Glucose abgebaut. Mit Alkalien bildet sich **Alkalicellulose.** Durch Lösen mit ammoniakal. Kupfersalzlösung und anschließende Zugabe von Fällungsmitteln wird sog. **Regenerat-C. (Hydrat-C.)** in Form von Fasern oder

Benvenuto Cellini: Salzgefäß für Franz I. von Frankreich (1539–43; Wien, Kunsthistor. Museum)

Folien zurückgewonnen. C. wird v. a. zur Herstellung von Textilien und Papier verwendet.

Cellulose|äther (Celluloseether), Verbindungen, bei denen die Wasserstoffatome der im Cellulosemolekül vorliegenden Hydroxylgruppen durch Methyl- **(Methylcellulose, MC),** Carboxymethyl- **(Carboxymethylcellulose, CMC)** oder ähnl. Gruppen ersetzt sind. C. sind weiße, geruch- und geschmacklose Pulver, die zum Verdicken, Suspendieren und Binden von Wasser, in Anstrich-, Kleb- und Baustoffen, Wasch- und Nahrungsmitteln sowie in der Papier-, Textil- und Keramik-Ind. verwendet werden.

Cellulose|ester, Verbindungen, bei denen die Hydroxylgruppen der Cellulose mit Säuren verestert sind. Bes. wichtig ist der C. der Essigsäure **(Acetylcellulose, Celluloseacetat, CA),** hergestellt durch Reaktion von Baumwolle oder Zellstoff mit Acetanhydrid. C. sind weiß, geruch- und geschmacklos. Sie dienen zur Herstellung von Folien, fotograf. Filmen, Chemiefasern, Lacken und Formmassen (→ Nitrocellulose).

Cellulosefasern, Oberbegriff für die aus natürlicher Cellulose bestehenden pflanzl. Fasern (Baumwolle, Flachs u. a.) und für die aus regenerierter (Viskose und Cupro) oder veresterter Cellulose hergestellten → Chemiefasern.

Cellulosenitrat (Nitrocellulose), Salpetersäureester der Cellulose, entsteht durch Nitrieren von Cellulose oder Baumwolllinters. C. ist eine explosible oder mit heißer Flamme brennbare gelblich weiße Masse. Niedrig nitrierte Cellulose ergibt **Kollodiumwolle,** höher nitrierte **Schießbaumwolle.**

Celsius, Anders, schwed. Astronom, * Uppsala 27. 11. 1701, † ebd. 25. 4. 1744; nahm 1736/37 an einer Messung der Längen- und Breitengrade in Lappland durch → Maupertuis teil, deren Ergebnis auf die Abplattung der Erde an den Polen schließen ließ. Auf C. geht die 100-teilige Temperaturskala **(C.-Skala)** zurück (→Grad Celsius).

📖 KANT, H.: *Gabriel Daniel Fahrenheit, René-Antoine Ferchault de Réaumur, A. C. Leipzig 1984.*

Cembalo: Das einmanualige Instrument aus dem Jahre 1627 wurde von dem flämischen Cembalobauer Hans Ruckers d. J. gebaut (Berlin, Musikinstrumenten-Museum)

Cẹlsus (grch. Kelsos), spätantiker Philosoph des 2. Jh. n. Chr., verband platon. und stoische Lehren. In seiner »Lehre der Wahrheit« (178 n. Chr.) bekämpfte er den christl. Offenbarungsglauben und die christlich-jüd. Tradition. Es gebe nur einen allen Menschen gemeinsamen Logos, der durch intellektuelle Anschauung und tugendhaftes Leben erfasst werden könne.

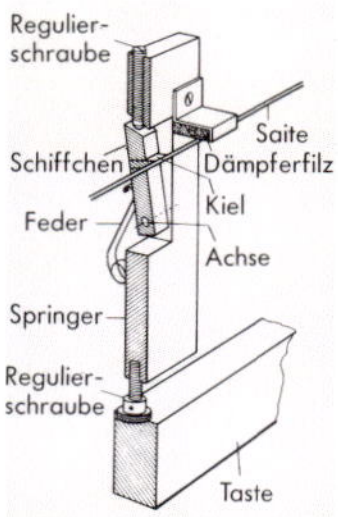

Cembalo: Mechanik der Tonerzeugung

Cẹltis (Celtes), eigtl. Conrad Pickel, Humanist und lat. Dichter, *Wipfeld (bei Schweinfurt) 1. 2. 1459, †Wien 4. 2. 1508; schloss das Studium der Artes liberales 1485 in Heidelberg als Magister ab, las 1486 in Leipzig über Dichtkunst. In seinem lyr. Hauptwerk »Quatuor libri amorum« (1502) und in den »Libri odarum IV« (postum, 1513), lat. Dichtungen, stellte er Episoden und Grundanschauungen seines Lebens dar. Er entdeckte die verschollenen lat. Dramen der →Hrotsvith von Gandersheim, gab Tragödien Senecas und die »Germania« des Tacitus heraus.

📖 SCHÄFER, E.: *Deutscher Horaz. Conrad C., Georg Fabricius, Paul Melissus, Jakob Balde – die Nachwirkung des Horaz in der neulatein. Dichtung Deutschlands. Wiesbaden 1976.* – WUTTKE, D.: *Humanismus als integrative Kraft. Die Philosophia des dt. »Erzhumanisten« Conrad C. Nürnberg 1985.*

Cembalo [ˈtʃɛm-, italien.] *das* (Clavicembalo, dt. Klavizimbel, Kielflügel, frz. Clavecin, engl. Harpsichord), Tasteninstrument mit Zupfmechanik, das im 16.–18. Jh. als Solo- und Generalbassinstrument weit verbreitet war; entstand um 1350 durch Anbringen von Tasten am Psalterium. Die Drahtsaiten des C. wurden durch Rabenfederkiele, später durch Leder- oder Kunststoffkiele angerissen. Das C. hat einen mehrchörigen Bezug, der im Sinn der Orgel als 4-, 8- oder 16-Fuß gestimmt ist und wahlweise durch Registerzüge eingeschaltet sowie häufig von zwei Klaviaturen aus bedient werden kann. Weitere Züge ermöglichen Dämpfungen (Lautenzug) oder Umfärbungen (z. B. Harfenzug) des Tones. Die Klaviatur umfasst $4^1/_2$ bis 5 Oktaven. Das C. wurde um 1750 durch das Hammerklavier abgelöst.

Cẹna [lat.] *die,* Hauptmahlzeit im antiken Rom; danach kirchenlat.: **Coena Domini** (»Mahl des Herrn«), Abendmahl, auch Gründonnerstag.

Cendrars [sãˈdraːr], Blaise, eigentlich Frédéric Sauser, frz. Schriftsteller schweizer. Herkunft, *La Chaux-de-Fonds 1. 9. 1887, †Paris 21. 1. 1961; sein kraftvolles, an überraschenden Bildern reiches Werk (Lyrik und Erzählwerke) schöpft aus seinem abenteuerl. Leben (»Moloch«, R., 1926; »Madame Thérèse«, R., 1956 u. a.).

Cenis [səˈni] (Mont C., Col du Mont C.), Pass in den frz. Alpen, 2083 m ü. M., zw. den Tälern des Arc und der Dora Riparia (Italien); möglicher Alpenübergang Hannibals.

Cẹnsus [lat.] *der,* bei den Römern Vermögenseinschätzung der männl. Bürger als Grundlage für Militärdienstpflicht, Steuer und Ausübung polit. Rechte; die Durchführung des C. oblag den Zensoren (lat. censores).

Cẹnt [ts-, engl. sent; von lat. centum »hundert«] *der,* kleine Währungseinheit ($^1/_{100}$) in zahlreichen Ländern (u. a. in Australien, Kanada, USA). →Währung (ÜBERSICHT)

Centaur (Centaurus) [lat.], *grch. Mythos:* →Kentaur.

Centạvo [s-] *der,* kleine Währungseinheit ($^1/_{100}$) in Portugal u. a., bes. lateinamerikan. Ländern.

Cẹnter [ts-, engl. ˈsentə] *der,* im Basketball zentraler, sehr großer Angriffsspieler.

Centẹ́simo [θ-, span.] *der* (Centesimo), kleine Währungseinheit ($^1/_{100}$) in Panama und Uruguay bzw. Italien. →Währung (ÜBERSICHT)

Centime [sãˈtiːm, frz.] *der,* kleine Währungseinheit ($^1/_{100}$) in Frankreich, Belgien u. a. Staaten.

Céntimo [θ-, span.] *der,* kleine Währungseinheit ($^1/_{100}$) in Spanien sowie mehreren Ländern Lateinamerikas.

Cẹnto [lat. »Flickwerk«] *der,* aus einzelnen Versen anderer Dichtungen zusammengestelltes Gedicht.

CENTO, Abk. für engl. **Cen**tral **T**reaty **O**rganization, Verteidigungsbündnis vom 24. 2. 1955 zw. der Türkei und Irak, meist **Bagdadpakt** (nach seinem Unterzeichnungsort) oder **Nahostpakt** genannt; bezweckte die militär. und polit. Zusammenarbeit seiner Partner. Bis Ende 1955 traten Großbritannien, Pakistan und Iran bei. Nach dem Ausscheiden Iraks (1958/59) nannte sich das Bündnis »Central Treaty Organization«. 1979 löste es sich jedoch infolge des Umsturzes im Iran und dessen Austritts aus dem Pakt auf.

Centrale Marketinggesellschaft der deutschen Agrarwirtschaft mbH, →CMA.

Central Region ['sentrəl 'ri:dʒən], Verwaltungseinheit in Schottland, 1975 gebildet; 2635 km², (1991) 267500 Einwohner.

Centre National d'Art et de Culture Georges Pompidou [sãtr nasjɔ'nal da:r e də kyl'ty:r ʒɔrʒ pɔ̃pi'du], Kulturzentrum im Pariser Stadtteil Beaubourg, daher auch **Centre Beaubourg;** von R. Piano und R. Rogers erbaut und 1977 eröffnet umfasst es ein Museum der modernen Kunst, eine Kunstgewerbeabteilung, eine Filmsammlung, eine öffentl. Bibliothek und eine Musikschule.

Centurio [lat.] *der,* im antiken röm. Heer Befehlshaber einer →Zenturie.

Cephalopoda [grch.] die →Kopffüßer.

Cephalosporine [grch.] eine dem Penicillin verwandte Gruppe von Antibiotika; angewendet bei schweren Infektionen.

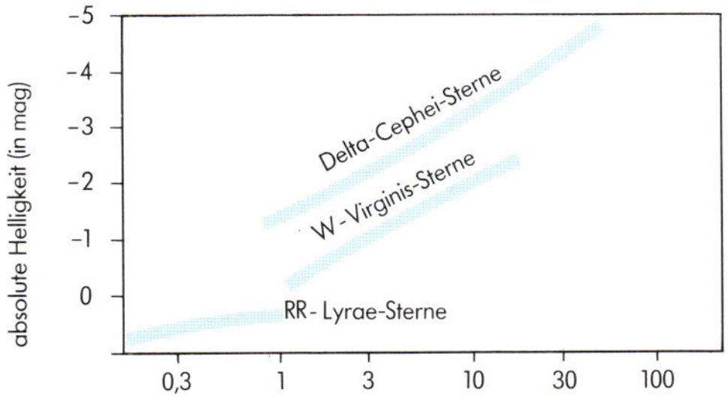

Cepheiden: Perioden-Leuchtkraft-Beziehung

Cepheiden [nach dem veränderl. Stern δ im Sternbild Cepheus], Gruppe von veränderl. Sternen mit bes. hoher Leuchtkraft, deren Dichte, Radius, Temperatur, Helligkeit sich mit Perioden zw. 1 und 50 Tagen ändern (sog. Pulsationsveränderliche). Aus der Perioden-Leuchtkraft-Beziehung wurden die Entfernungen der nächsten extragalaktischen Systeme bestimmt. Nach Vergleichsmessungen mit →Hipparcos sind die bisherigen Werte möglicherweise um 10% zu kurz bestimmt, woraus ein leicht höheres Weltalter folgen würde als bislang angenommen. Als langperiod. C. unterscheidet man: a) die »klassischen« C. mit dem Prototyp δ Cephei **(Delta-Cephei-Sterne),** die v.a. in der galakt. Ebene zu finden sind (Population I); b) die **W-Virginis-Sterne,** die im Milchstraßensystem bis in hohe Breiten gleichmäßig verteilt vorkommen (Population II). Die →RR-Lyrae-Sterne werden als kurzperiod. C. bezeichnet.

Centre National d'Art et de Culture Georges Pompidou: Von Richard Rogers und Renzo Piano 1971-77 erbautes Kulturzentrum in Paris

Cepheus, lat. Form von grch. →Kepheus.

CEPT [seəpe'te], Abk. für frz. **C**onférence **E**uropéenne des Administrations des **P**ostes et des **T**élécommunications, Europ. Konferenz der Verwaltungen für das Post- und Fernmeldewesen, gegr. 1959. Sie befasst sich aufgrund der Liberalisierung in der Telekommunikation seit 1992 ausschließlich mit hoheitl. und regulator. Fragen.

Cer [nach dem Planetoiden Ceres] (Cerium) *das,* chem. Symbol **Ce,** metall. Element aus der Gruppe der Seltenerdmetalle. Ordnungszahl 58, relative Atommasse 140,12, Dichte 6,67 bis 8,23 g/cm³, Schmelzpunkt 795°C, Siedepunkt 3468°C. – Das eisengraue, weiche C. ist gegen Luft und Wasser sowie gegen die meisten Säuren und Basen unbeständig; es ist (als Cermischmetall) wichtiger Bestandteil techn. Legierungen; Cer(IV)-Verbindungen sind starke Oxidationsmittel. C. kommt vor in Monazit, Bastnäsit, Cerit und Allanit.

Ceram, Molukkeninsel (Indonesien), →Seram.

Ceram, C. W., eigtl. Kurt W. Marek, Schriftsteller, *Berlin 20. 1. 1915, †Hamburg 12. 4. 1972; schrieb v.a. Sachbücher, so »Götter, Gräber und Gelehrte« (1949; Bildband 1957), »Enge Schlucht und schwarzer Berg« (1955), »Der erste Amerikaner« (1971).

Cerebellum [lat.] *das,* das Kleinhirn (→Gehirn).

Cerebroside [lat.] (Zerebroside), phosphorfreie Lipide; v.a. in weißer Hirnsubstanz und in Nervenzellen vorkommend.

Cerebrum [lat.] *das,* das →Gehirn.

Ceres, 1) *altitalischer Mythos:* Göttin des Wachstums der Ackerfrüchte, im Kult eng mit der Erdgöttin Tellus verbunden, später der grch. Göttin Demeter gleichgesetzt.

2) *Astronomie:* größter und erster (1801) entdeckter →Planetoid.

CERN: Luftaufnahme der Gesamtanlage in Meyrin bei Genf

Cereus [lat. »Kerze«], Kakteengattung in Westindien und Südamerika, mit baumartig verzweigten, säulenförmigen Stämmen.

Cergy-Pontoise [sɛrʒipɔ̃'twa:z], »Neue Stadt« nordwestlich von Paris an der Oise, Frankreich, 159 000 Ew., Verw.sitz des Dép. Val-d'Oise, umfasst 15 Gemeinden, u.a. **Cergy** und **Pontoise**; Hochschulen für Wirtschafts- und Sozialwiss. sowie für Elektronik; Herstellung von Präzisionsinstrumenten.

Friedrich Cerha

Cerha, Friedrich, österr. Komponist, Violinist und Dirigent, *Wien 17. 2. 1926; gründete 1958 mit K. Schwertsik das Ensemble »die reihe«, das mit exemplar. Aufführungen zeitgenöss. Musik hervortrat. Sein musikal. Denken ist auf feinste Schattierungen von Strukturen und Klangfarben gerichtet. Er ergänzte die unvollendete Oper »Lulu« von A. Berg (Uraufführung 1979 in Paris).

Weitere Werke: Spiegel I–VII (1960–68, für Orchester und Tonband); Sinfonie (1975); Netzwerk (1981, Bühnenwerk für 2 Sänger, 6 Sprecher, Bewegungsgruppe und Orchester); Opern: Baal (1981; nach B. Brecht); Die Rattenfänger (1987).

Cerro de las Mesas: Räuchergefäß, das einen Feuergott darstellt (6.-1. Jh. v. Chr.; Mexiko, Museo Nacional)

Cerignola [tʃeri'ɲɔla], Stadt in Apulien, Prov. Foggia, Italien, 55 500 Ew. – Bei C. siegten 1503 die Spanier über die Franzosen, dadurch wurde das Königreich Neapel spanisch.

Ceritlerden, Gruppenbezeichnung für die Oxide der sechs ersten →Seltenerdmetalle.

Cerium *das,* chem. Element, →Cer.

Cermets ['sə:məts], Abk. für engl. **cer**amics und **met**als, Sammelname für hochtemperaturbeständige, harte Werkstoffe aus keram. und metall. Bestandteilen für Werkzeugschneiden, zum Belegen stark temperaturbelasteter Teile von Strahltriebwerken, Turbinenschaufeln u.a. C. entstehen durch Gießen oder Sintern oder durch Flammspritzen der pulverförmigen Bestandteile auf metall. Unterlagen.

CERN, Abk. für frz. **C**onseil **E**uropéen pour la **R**echerche **N**ucléaire (jetzt Organisation Européenne pour la Recherche Nucléaire, Europäische Organisation für Kernforschung), 1954 gegründete Organisation mit dem Ziel der gemeinsamen kernphysikalischen Grundlagenforschung; Sitz: Genf; 1996 19 europ. Mitgliedsstaaten. CERN betreibt den weltweit größten Verbund an Beschleunigern, u.a. das Protonen-Synchrotron PS (28 GeV), den niederenergetischen Antiprotonen-Speicherring LEAR (2 GeV) und das Super-Protonen-Synchrotron SPS (450 GeV) sowie den mit 27 km Umfang und 8,5 km ∅ weltweit größten Elektron-Positron-Speicherring **LEP** (Abk. für **L**arge **E**lectron **P**ositron Storage Ring, z.Z. 2 × 45 GeV); zahlr. großvolumige Detektoren und Blasenkammern dienen zum Teilchennachweis. Bed. wissenschaftliche Erfolge waren u.a. die Entdeckung der →neutralen Ströme der schwachen Wechselwirkung im Neutrinostrahl des PS (1973) und die Entdeckung der intermediären (Vektor-)Bosonen W^+, W^-, Z^0 (1983) bei Experimenten mit Protonen und Antiprotonen im SPS. Am LEP gelang durch Vermessung der Z-Resonanz der Nachweis, dass es nur drei Arten von leichten Neutrinos gibt. – Zurzeit wird im LEP-Ringtunnel der europ. Protonenspeicherring **LHC** (Abk. für **L**arge **H**adron **C**ollider) gebaut, der ab 2003 zwei Protonenstrahlen auf eine Energie von je 8 TeV beschleunigen soll. Bei diesen Energien wird u.a. der Nachweis der vermuteten Higgs-Teilchen erwartet.

Cerro Bolívar [s-], Erzberg in Venezuela, 50 km südöstlich von Ciudad Bolívar; 1,2 km breit, 6,4 km lang, 790 m ü.M.; Erzgewinnung (durchschnittl. Eisengehalt 58%) im Tagebau; Erzbahn nach Ciudad Guayana.

Cerro de las Mesas [s-], ein Hauptfundort der La-Venta-Kultur (→Olmeken) an der Golfküste Mexikos; v.a. Schmuckstücke, Statuetten und Kalenderstelen.

Cerro de Pasco [s-], eine der höchstgelegenen Städte in Peru, 4630 m ü.M., 62 800 Ew. (1970 Umsiedlung in eine neu erbaute Stadt in der Nähe); Verw.sitz des Dep. Pasco; Bergbauzentrum seit 1630 mit großen Schmelzwerken (Gold, Silber und Kupfer); Universität (gegr. 1965).

Certosa [tʃ-; italien. »Kartause«] *die,* Klostergebäude des Kartäuserordens, z.B. die **C. di Pavia,**

Kartause bei Pavia, 1396 gegr., die Kirche mit marmorner Frührenaissancefassade ist in ihrem Kern gotisch.

Cerussit [zu lat. cerussa »Bleiweiß«] *der,* das wichtige Bleimineral →Weißbleierz.

Cervantes-Preis [θɛrˈβantes-], →Premio Miguel de Cervantes.

Cervantes Saavedra [θɛrˈβantes saaˈβeðra], Miguel de, span. Dichter, getauft Alcalá de Henares 9. 10. 1547, †Madrid 23. 4. 1616; nahm 1571 an der Seeschlacht von Lepanto gegen die Türken teil; wurde 1575 von alger. Piraten gefangen genommen und war fünf Jahre Sklave in Algier, dann u. a. 1587–93 Proviantkommissar für die Flotte in Andalusien. Sein Hauptwerk, der als Satire auf die zeitgenöss. Ritterromane angelegte Roman »Der sinnreiche Junker Don Quijote von der Mancha« (2 Tle., 1605–15), wurde eines der bekanntesten Werke der Weltliteratur. Vollendete Kunstwerke durch Natürlichkeit der Darstellung und sittl. Ernst sind auch seine Novellen (»Exemplarische Novellen«, 1613). In seinen Werken verbindet sich der Formensinn der Renaissance mit den Überlieferungen der farbenreichen, lebensnahen, im

Miguel de Cervantes Saavedra: »Don Quijote«, Pinselzeichnung von Pablo Picasso (Saint-Denis, Musée d'Art et d'Histoire)

Religiös-Sittlichen wurzelnden span. Dichtung zu einer Verkörperung span. Nationalgeistes (»Numancia«, Dr., entstanden um 1585, gedruckt 1784; Schäferroman »Galathea«, 1585; »Die Reise zum Parnaß«, ep. Ged., 1614; »Zwischenspiele« 1615; »Die Leiden des Persiles und der Sigismunda«, fantast. Abenteuerroman, hg. 1617).

📖 CANAVAGGIO, J.: *C. Biographie. A. d. Frz. Zürich u. a. 1989.* – SELIG, K.-L.: *Studies on C. Kassel 1993.* – EGIDO, A.: *C. y las puertas del sueño. Barcelona 1994.* – SCHMAUSER, C.: *Die »Novelas ejemplares« von C. Wahrnehmung u. Perspektive in der span. Novellistik der Frühen Neuzeit. Tübingen 1996.*

Miguel de Cervantes Saavedra

Mit Windmühlen kämpfen

Die Redewendung mit der Bedeutung »einen aussichtslosen Kampf führen« geht auf Cervantes' Roman »El ingenioso hidalgo Don Quixote de la Mancha« (»Der sinnreiche Junker Don Quijote von la Mancha«) zurück. Cervantes erzählt darin die Abenteuer seines tragikomischen Helden, der nach der Lektüre von allzu vielen Ritterromanen dem Wahn erliegt, für die Ideale des überlebten Rittertums streiten zu müssen. So führt er im 8. Kapitel einen grotesken Kampf gegen sich drehende Windmühlenflügel, die er für feindliche Ritter ansieht, die ihr Schwert schwingen.

Cerveteri [tʃ-], Ort in Latium, nordwestlich von Rom, Italien, 20600 Ew.; das antike **Caere,** dessen Gräber eine der reichsten Fundstätten etrusk. Kunst darstellen.

Cervia [tʃ-], Hafenort an der italien. Adriaküste, in der Emilia-Romagna, südlich von Ravenna, 25300 Ew.; Seebad ist der modern angelegte Vorort Milano Marittima; in der Nähe Meersalzsalinen.

Cervix [lat.] *die,* Hals, Nacken; auch Teil eines Organs, z. B. **C. uteri,** der Gebärmutterhals.

Césaire [seˈzɛːr], Aimé, afrokarib. Schriftsteller frz. Sprache, *Basse-Pointe (Martinique) 25. 6. 1913; entwickelte aus dem frz. Surrealismus eine bildstarke Ausdruckslyrik (»Zurück ins Land der Geburt«, 1947; »Jede Insel ist eine Witwe«, dt. Ausw. 1989); schrieb engagierte polit. Essays, auch Dramen in hymn. Stil, meist mit polit. Thematik (»Und die Hunde schwiegen«, 1946, u. a.). C. begründete mit L. S. Senghor und L.-G. Damas die →Négritude.

Aimé Césaire

📖 CONFIANT, R.: *A. C. Une traversée paradoxale du siècle. Paris 1993.* – LEBRUN, A.: *Pour A. C. Paris 1994.*

César [seˈzaːr], eigtl. C. Baldaccini, frz. Plastiker, *Marseille 1. 1. 1921; Vertreter des →Nouveau Réalisme, gestaltet abstrakte Plastiken aus Fertigteilen, seit 1960 aus zusammengepressten Autoteilen, 1966 folgten u. a. Abgüsse von Körperformen. BILD S. 426

Cesena [tʃeˈzɛːna], Stadt in der Emilia Romagna, Italien, Prov. Forlì-C., 88500 Ew.; landwirtsch. Industrie (Zucker, Tomaten, Wein). – Während der Herrschaft der Malatesta (1379–1465) entstand der Bau der Biblioteca Malatestiana (wertvolle Handschriften); Zitadelle Rocca Malatestiana (v. a. 15. Jh.).

César: Compression d'automobile (1960; Genf, Galerie Sonia Zannettacci)

Cesenatico [tʃeze-], Seebad an der italien. Adriaküste, in der Emilia-Romagna, Prov. Forlì-Cesena, 20400 Ew.; Fischerei.

České Budějovice ['tʃɛskɛ: 'budjɛjɔvitsɛ], tschech. Stadt, →Budweis.

Český Krumlov ['tʃɛski: -], tschech. Stadt, →Krumau.

Český Těšín ['tʃɛski: 'tjɛʃi:n], tschech. Stadt, →Teschen.

Céspedes ['tʃespedes], Alba de, italien. Schriftstellerin, →De Céspedes.

Cesti ['tʃesti], Antonio, eigtl. Pietro C., italien. Komponist, getauft Arezzo 5. 8. 1623, †Florenz 14. 10. 1669; Kirchenkapellmeister, seit 1666 Vizekapellmeister Leopolds I. in Wien, einer der bedeutendsten Opernkomponisten des 17. Jh.: »La Dori« (1661); »Il pomo d'oro« (1666/67).

Cestiuspyramide, Grabmal des röm. Prätors Gaius Cestius Epulo (†vor 12 v.Chr.), nahe der Porta San Paolo in Rom.

Cetan [grch.] *das* (Hexadecan), gesättigter Kohlenwasserstoff der Formel $C_{16}H_{34}$. Die **C.-Zahl** ist ein der Oktanzahl analoges Maß für die Zündwilligkeit von Dieselkraftstoffen. Sie ist der Anteil C. in Volumen-% in einem Gemisch, das in einem Prüfmotor die gleichen Zündeigenschaften aufweist wie der untersuchte Kraftstoff.

Paul Cézanne (Selbstbildnis; Paris, Musée d'Orsay)

Ceteris-paribus-Klausel [lat. »Klausel unter (sonst) gleichen Bedingungen«], in wirtschaftswiss. Modellen angewendetes Verfahren, bei dem bis auf die zu erklärende Variable die anderen Variablen konstant gehalten werden, um den Einfluss der zu erklärenden Variablen zu analysieren.

ceterum censeo Carthaginem esse delendam [lat.], »übrigens bin ich der Meinung, dass Karthago zerstört werden muss«, stehender Schlusssatz der Reden des älteren Cato; sprichwörtlich für die beharrliche Wiederholung einer Forderung.

Cetinje ['tsɛtinjɛ], Stadt in Montenegro, Jugoslawien, am Fuß des Lovćen, 15000 Ew.; Sitz eines serbisch-orth. Metropoliten. – C. war 1878–1918 Hptst. von Montenegro.

Četnici ['tʃɛtni:tsi] (Tschetniks), urspr. im 19. Jh. Freischärler in Serbien, Griechenland und Bulgarien gegen die osman. Herrschaft; nach 1878 serb. Freischärler zum Schutz der serb. Bevölkerung in Makedonien. 1941–44 kämpften unter der Bez. Č. nationalserb. und monarchist. Partisanen gegen die dt. Besatzung in Bosnien und Herzegowina, gegen die Ustascha in den serbisch besiedelten Gebieten sowie (nach Herbst 1943 ausschließlich) gegen die kommunist. Partisanen. Unter dem Namen Č. (auch **Neo-Č.**) kämpften nationalserb. Freischärler 1991 in Kroatien und 1992 in →Bosnien und Herzegowina für die Durchsetzung großserb. Ziele.

Cetus [lat.], das Sternbild →Walfisch.

Ceuta ['θeuta] (arab. Sebta), befestigte Hafenstadt an der NW-Spitze Marokkos, Gibraltar gegenüber, 19 km², 68900 Ew.; gehört zur span. Provinz Cádiz; Fischfang und -verarbeitung; Tourismus, Schmuggel. – 1415 eroberten die Portugiesen C., 1580 wurde es spanisch.

Ćevapčići [tɕe'vaptʃitɕi; zu türk. kebab »klein gewürfeltes Fleisch«], scharf gewürzte, auf dem Rost gebratene Hackfleischröllchen.

Cevennen (frz. Les Cévennes), Gebirge in Frankreich, der etwa 1500 m hohe Steilabfall des Zentralmassivs zum Rhonebecken, hauptsächlich von Schiefern gebildet, am Rand Schluchten mit scharfen Kämmen und Graten (serres). Höchste Erhebung ist der Mont Lozère mit 1699 m ü.M. Die C. bilden die Scheide zw. dem atlant. und dem mediterranen Klima, deshalb tritt hier der kalte Fallwind Mistral auf. – Die Verfolgung der Hugenotten führte 1702 zum **C.-Krieg,** in dem prot. Bauern (→Kamisarden) gegen die Truppen Ludwigs XIV. kämpften und erst 1710 unterlagen.

Ceylon [engl. 'sılɔn], Insel im Ind. Ozean, →Sri Lanka.

Cézanne [se'zan], Paul, frz. Maler, *Aix-en-Provence 19. 1. 1839, †ebd. 22. 10. 1906; arbeitete nach Aufenthalten in Paris in völliger Zurückgezogenheit in der Provence am Fuße der Montagne Saint-Victoire. C. begann mit dunkel gehaltenen Bildern, wandte sich unter dem Einfluss von C. Pissarro der hellen, aufgelockerten Malerei der Impressionisten (1873/74) zu und entwickelte dann einen eigenen Stil, der allein mit den Mitteln der Farbe zu klarer, rhythmisch gegliederter Verfestigung gelangte. C. hat Landschaften, Stillleben, Bildnisse und Figurenbilder gemalt. Die zu seinen Lebzeiten verkannte Kunst seiner Spätzeit gehört zu den entscheidenden Voraussetzungen der modernen Malerei (Kubismus).

📖 BADT, K.: *Die Kunst C.s. München 1956.* – ADRIANI, G.: *C., Gemälde. Mit einem Beitrag zur Rezeptionsgeschichte v.* W. FEILCHENFELDT. *Ausst.-Kat. Kunsthalle Tübingen. Köln 1993.* – LEONHARD, K.: *P. C. Reinbek 41.–43. Tsd. 1993.* – KITSCHEN, F.: *C., Stilleben. Ostfildern-Ruit bei Stuttgart 1995.*

CE-Zeichen [CE, Abk. für frz. **C**onformité **E**uropéenne »europ. Einheitlichkeit«], 1995 eingeführtes Zeichen zur Kennzeichnung von Produkten, die innerhalb der EU hergestellt werden. Damit bestätigt der Hersteller, dass das betreffende Erzeugnis die Sicherheits- und Normvorschriften der jeweiligen EU-Richtlinie (Europa-Normen) erfüllt.

cf (c&f), Abk. für **c**ost and **f**reight, Handelsklausel im Überseeverkehr: Der Warenpreis enthält nur Kosten (cost) und Fracht (freight) bis zum Bestimmungshafen. (→cif)

Cf, chem. Symbol für →Californium.

CFA-Franc [CFA, Abk. für frz. **C**ommunauté **F**inancière **A**fricaine] (Franc-C. F. A.), Währungseinheit in den Mitgliedsstaaten der West- und Zentralafrikan. Währungsunion; 1 CFA-Franc = 100 Centimes. →Währung (ÜBERSICHT)

CFDT, Abk. für frz. **C**onfédération **F**rançaise **D**émocratique du **T**ravail, linkssozialistische frz. Gewerkschaft, 1964 aus der christlich orientierten **CFTC** (Confédération Française des Travailleurs Chrétiens) hervorgegangen.

CFK, Abk. für **C**arbon**f**aser-**K**unststoff, mit →Kohlenstofffaser verstärkter Kunststoff, Kohlenstofffaser-Werkstoff.

CGS-Systẹm, System der physikal. Einheiten, das auf den drei Grundeinheiten der Länge (**C**entimeter), der Masse (**G**ramm) und der Zeit (**S**ekunde) aufgebaut ist (→Einheitensystem).

CGT, Abk. für frz. **C**onfédération **G**énérale du **T**ravail, kommunistisch ausgerichtete frz. Gewerkschaft, gegr. 1895; **CGT-FO,** Abk. für **C**onfédération **G**énérale du **T**ravail **F**orce **O**uvrière, 1947 von der CGT abgespaltete, sozialdemokratisch orientierte Gewerkschaft.

CH, 1) Abk. für →**C**oncours **h**ippique.

2) Abk. für **C**onfoederatio **H**elvetica, Nationalitätskennzeichen (Kfz und Postleitzahl) der Schweiz.

Chaban-Delmas [ʃabãdɛlˈmaːs], Jacques, eigtl. J. Delmas, frz. Politiker, *Paris 7. 3. 1915; arbeitete unter dem Decknamen »Chaban« in der Widerstandsbewegung (Koordinierung der militär. Aktionen im besetzten Frankreich) und schloss sich nach dem Krieg der gaullist. Bewegung an. 1947–77 sowie erneut 1983–95 war er Bürgermeister von Bordeaux, 1954–58 mehrfach Min., 1958–69, 1978–81 und 1986–88 Präs. der Nationalversammlung und 1969–72 Ministerpräsident.

Chabạrowsk [x-], Hptst. der Region C., Russland, am Amur und an der Transsibir. Eisenbahn, 601 000 Ew.; Kultur- und Wirtschaftszentrum des russ. Fernen Ostens; Hochschulen, Forschungsinstitute; Schiffswerften, Maschinenbau, Holzverarbeitung; Nahrungsmittelind., Erdölraffinerie; internat. Flughafen. – Gegr. 1858 als Militärstützpunkt, seit 1880 Stadt, seit 1884 Sitz eines Generalgouverneurs.

Chabasịt [ç-, spätgrch.] *der,* Mineral, ein →Zeolith.

Paul Cézanne: Die großen Badenden (1900–05; London, National Gallery)

Chablais, Le [lə ʃaˈblɛ], Landschaft in Savoyen, O-Frankreich, Teil der Voralpen, steigt vom Genfer See bis auf Höhen von 2 464 m (Hauts Forts) an. Hauptorte sind Évian-les-Bains und Thonon-les-Bains am Genfer See; im Hinterland Obst- und Weinbau; Fremdenverkehr, auch Wintersport (u.a. Abondances, Morzine). – Das C. kam im 11. Jh. an Savoyen und mit diesem 1860 an Frankreich; 1860–1919 bildete es eine neutrale Freizone zw. der Schweiz und Frankreich.

Jacques Chaban-Delmas

Chablis [ʃaˈbli], trockener weißer Burgunderwein, aus der Umgebung der Gemeinde C. (2 500 Ew.) im Dép. Yonne, Frankreich.

Chabrier [ʃabriˈe], Alexis Emanuel, frz. Komponist, *Ambert (Dép. Puy-de-Dôme) 18. 1. 1841, †Paris 13. 9. 1894; einer der ersten Anhänger R. Wagners in Frankreich; schrieb Opern (»Gwendoline«, 1886), die Orchesterrhapsodie »España«, Klavierwerke und Lieder.

Claude Chabrol

Chabrol [ʃaˈbrɔl], Claude, frz. Filmregisseur und -kritiker, *Paris 24. 6. 1930; Mitbegründer der »Neuen Welle« im frz. Film; Filme: »Die Enttäuschten« (1958); »Schrei, wenn Du kannst« (1959); »Die untreue Frau« (1968); »Der Riß«

James Chadwick

Marc Chagall

(1970); »Die verrückten Reichen« (1976); »Alice« (1977); »Die Wahlverwandtschaften« (1981); »Eine Frauensache« (1988); »Dr. M.« (1990); »Stille Tage in Clichy« (1990); «Madame Bovary» (1991).

Cha-Cha-Cha ['tʃa-], Modetanz aus Kuba in geradem Takt, in den 1950er-Jahren aus dem Mambo entwickelt; gehört im Turniertanz zu den lateinamerikan. Tänzen.

Chaco ['tʃako] *der,* Landschaft in Südamerika, → Gran Chaco.

Chacokrieg ['tʃako-], → Bolivien, Geschichte.

Chaconne [ʃa'kɔn, frz.] *die* (italien. Ciaccona), **1)** urspr. (im 16. Jh.) mäßig bewegter Tanz im 3/4-Takt in Spanien; entwickelte sich im 17. Jh. in Frankreich zum Gesellschaftstanz und fand bes. durch J.-B. Lully Eingang in das Ballett.

2) der → Passacaglia ähnl. Tonstück mit fortlaufend sich wiederholendem Bassthema (Basso ostinato); bekannt ist die C. der Solo-Partita d-Moll für Violine von J. S. Bach.

chacun à son goût [ʃa'kœ̃ asɔ̃'gu, frz.], Redensart: jeder nach seinem Geschmack.

Chadidja [-dʒa], die erste Frau des Propheten Mohammed, *um 555, †619; vermögende Kaufmannswitwe, Mutter der Fatima.

Chadwick ['tʃædwɪk], **1)** George, amerikan. Komponist, *Lowell (Mass.) 13. 11. 1854, †Boston (Mass.) 4. 4. 1931; schrieb Werke im nachromant. Stil, u. a. Sinfonien, Opern (»Judith«, 1900), Chor- und Kammermusik, Lieder.

2) Sir (seit 1945) James, engl. Physiker, *Manchester 20. 10. 1891, †Cambridge 23. 7. 1974; wies 1932 die Existenz des Neutrons nach, erhielt dafür 1935 den Nobelpreis für Physik.

3) Lynn, brit. Bildhauer, *London 24. 11. 1914; schuf v. a. stark abstrahierte Figuren (Mischwesen zwischen Mensch und Tier) aus Metall.

Lynn Chadwick: Zwei Figuren (1956; Mannheim, Kunsthalle)

Chafadji [xa'fa:dʒi], altoriental. Ruinenstätte in Irak, 15 km östlich von Bagdad, mit Siedlungsresten aus dem 3. und 2. Jt. v. Chr. (Tempelanlagen, Wohnviertel, Beterstatuetten).

Chaga [dʒ-] (Chagga, Djagga, Dschagga), Bantuvolk am Kilimandscharo, Tansania, etwa 500 000 Menschen; betreiben Mais-, Bananen-, Kaffeeanbau sowie Viehhaltung.

Chagall [ʃa'gal], Marc, russisch-frz. Maler und Grafiker, *Liosno (bei Witebsk) 7. 7. 1887, †Saint-Paul-de-Vence (Dép. Alpes-Maritimes) 28. 3. 1985; arbeitete meist in Frankreich, malte Bilder von starker Leuchtkraft der Farben, in denen Erinnerungen an seine Heimat, die Welt des Chassidismus und der russ. Märchen zu Traumvisionen verdichtet sind. Er schuf auch Buchillustrationen, Bühnendekorationen sowie Entwürfe für Glasmalereien und Mosaiken.

📖 FORESTIER, S.: *M. C. Widerstand, Auferstehung, Befreiung. A. d. Frz. Stuttgart u. a. 1991. – C. Bilder – Träume – Theater 1908–1920, Beiträge v.* W. RAKITIN *u. a., Ausst.-Kat. Jüd. Museum der Stadt Wien 1994. – M. C., Druckgraphik, hg. v.* E.-G. GÜSE. *Stuttgart 1994.*

Chagas-Krankheit ['ʃa:-; nach dem brasilian. Bakteriologen C. Chagas, *1879, †1934], durch eine Trypanosomenart hervorgerufene und durch Raubwanzen übertragene, für Kinder lebensgefährliche Infektionskrankheit in Mittel- und Südamerika; Kennzeichen sind hohes Fieber, Lymphknotenschwellungen, Herzstörungen u. a.; bei Erwachsenen meist chronischer Verlauf. Vorbeugung: Überträgerbekämpfung und Verbesserung der Wohnverhältnisse.

Chagosinseln ['tʃɑ:gəʊs-] (engl. Chagos Islands), Koralleninseln im Ind. Ozean, südl. der Malediven, 60 km²; auf der Hauptinsel **Diego Garcia** amerikan. Militärstützpunkt. – Die C. bilden seit 1976 das British Indian Ocean Territory.

Chagrin [ʃa'grɛ̃, frz.] *das,* Leder mit aufgepresstem künstlichen Narbenmuster.

Chahut [ʃa'y, frz.] *der,* der → Cancan.

Chaiber [k-], → Khaiberpass.

Chailly [ʃa'ji], Riccardo, italien. Dirigent, *Mailand 20. 2. 1953; debütierte 1977 an der Mailänder Scala, wurde 1982 Chefdirigent des Radio-Sinfonieorchesters Berlin und 1988 Chefdirigent des Concertgebouworkest Amsterdam.

Marc Chagall (von links): »Ich und das Dorf« (1911; New York, Museum of Modern Art); »Abraham bittet Gott um Gnade für die Städte Sodom und Gomorrha«, Ausschnitt aus dem Chorfenster der Pfarrkirche St. Stephan in Mainz (1978)

Chain [tʃeɪn], Sir (seit 1969) Ernst Boris, brit. Biochemiker russ. Herkunft, *Berlin 19. 6. 1906, †Castlebar (Cty. Mayo, Irland) 12. 8. 1979; klärte mit H. W. Florey die chemotherapeut. Wirkung und die Struktur des Penicillins auf; erhielt 1945 den Nobelpreis für Physiologie oder Medizin (mit Florey und A. Fleming).

Ernst Boris Chain

Chainatdamm [tʃ-] (Chao-Phya-Damm), Staudamm im →Menam.

Chairleder [ˈʃɛːr-; frz. chair »Fleisch«], Glacéleder, dessen veloursartig geschliffene Fleischseite nach außen getragen wird.

Chairman [ˈtʃeəmən, engl.] *der,* in den USA und Großbritannien Vorsitzender (z.B. von Ausschüssen, parlamentar. Gremien) oder Präsident (z.B. einer Aktiengesellschaft).

Chaironeia [ç-] (Chäronea), altgrch. Stadt in W-Böotien; bekannt durch den Sieg Philipps II. von Makedonien über die Athener und Thebaner (338 v.Chr.; Löwendenkmal); 86 v.Chr. schlug Sulla bei C. die Truppen des Mithridates.

Chaiselongue [ʃɛz(ə)ˈlɔ̃ŋ; frz. »langer Stuhl«] *die,* im 18. Jh. aufgekommenes schmales, gepolstertes Ruhebett.

Chajjam [x-], Omar, pers. Dichter, →Omar-e Chajjam.

Chaka [tʃ-] (Caka, Tschaka), afrikan. Herrscher, *um 1787, †(ermordet) 23. 9. 1828; formte als Führer einer Militärorganisation die →Zulu zu einer Nation.

Chakassen [x-], Sammelname für fünf turksprachige Stämme Südsibiriens: Katscha, Sagaier, Beltiren, Kysyl, Koybalen; sie leben v.a. in →Chakassien; etwa 74000 Menschen, v.a. Ackerbauern und Viehzüchter.

Chakassi|en [x-] (Republik C.), Teilrepublik der Russ. Föderation, in Südsibirien, 61900 km², (1995) 583000 Ew. (überwiegend Russen, nur 10% Chakassen); Hptst. Abakan; überwiegend waldreiches Bergland; Bergbau (Steinkohle, Erze, Nephelin u.a.); Holzverarbeitung, Aluminiumerzeugung, Maschinen- und Fahrzeugbau, Nahrungsmittelindustrie. – 1930 wurde das Chakassische Autonome Gebiet innerhalb der Region Krasnojarsk gebildet, aus dem 1991 die Rep. C. hervorging.

Chalaza [ç-, grch.] *die,* **1)** *Botanik:* Basalteil der Samenanlage.

2) *Zoologie:* Hagelschnur, paariger Eiweißstrang im Vogelei.

Chalcedon [k-; nach der Stadt Chalkedon] *der,* Mineral, SiO_2, kryptokristalline Abart von Quarz; vielfarbig oder farblos, durchscheinend; C. kommt vor als Stalaktit, knolliger Überzug oder in Hohlräumen von →Mandelsteinen. Neben Achat sind Schmucksteine: roter Carneol, grüner Chrysopras, wolkig-brauner Mokkastein oder Baumstein, der Moosachat mit grünen, stängeligen Einschlüssen, ferner Onyx, Sardonyx, Heliotrop, Jaspis, Plasma.

Chalcedon: Chrysopras

Chalcedon [ç-], lat. Name der antiken Stadt →Chalkedon.

Chaldäa [k-], eigtl. ein Teil S-Babyloniens, in grch. und röm. Quellen allg. Name für Babylon. Die **Chaldäer** waren eine aramäische Stammesgruppe, seit dem frühen 9. Jh. v.Chr. in C. ansässig.

Chalid, König von Saudi-Arabien

Châlons-sur-Marne Stadtwappen

Chalon-sur-Saône Stadtwappen

Chamäleons: Gewöhnliches Chamäleon (Länge bis 25 cm)

626 v. Chr. unterwarfen sie Babylonien und errichteten nach dem Untergang Assurs das letzte babylon. Großreich. Sie pflegten bes. Astronomie und Astrologie.

Chaldäische Periode [k-], *Astronomie:* der →Saroszyklus.

Chalder [k-], die →Urartäer.

Chaldi [k-], der krieger. Hauptgott der →Urartäer.

Chalet [ʃaˈlɛ, frz.] *das,* Schweizerhäuschen, Landhaus.

Chalid [x-] (Khalid), **1)** (C. Ibn Abd al-Asis Ibn Saud), König von Saudi-Arabien (1975–82), *Riad 1913, †Taif 13. 6. 1982; streng islamisch orientiert, trat für eine enge Zusammenarbeit der islam. Staaten ein. Er fungierte auch als MinPräs. und Außenminister.

2) Mohammed, ägypt. Schriftsteller, *Al-Adwa (Distr. Scharkija) 5. 6. 1920; versucht in seinen Schriften, einen weltlichen, demokrat. Staat mit dem islam. Bewusstsein zu vereinbaren (»Der Staat im Islam«, 1981).

Chalid ibn al-Walid [x-], arab. Feldherr, *Mekka, †Homs oder Medina 642; zunächst Gegner Mohammeds, schloss sich 629 dem Islam an, leitete die Eroberung Mekkas 630.

Chalkedon [ç-] (Chalcedon, Chalzedon, Kalchedon), von den dor. Megarern 675 v. Chr. gegr. Stadt am Ausgang des Bosporus ins Marmarameer, an der asiat. Seite, heute Kadıköy (Stadtteil von Istanbul). – In C. tagte 451 das 4. Ökumen. Konzil. Das von ihm verabschiedete Glaubensbekenntnis, dass in der Person Christi die göttl. und die menschl. Natur »unvermischt« und »unzertrennlich« vereinigt seien **(chalkedon. Formel),** blieb bis heute verbindlich.

Chalkidike [ç-, ngrch. xalkiðiˈki], gebirgige Halbinsel Makedoniens, Griechenland; springt in drei schmalen Halbinseln (Kassandra, Sithonia und Athos) ins Ägäische Meer vor, erreicht im Berg Athos 2033 m Höhe; im Altertum bes. von Thrakern bewohnt; an der Küste lagen grch. Kolonien (Olynth, Poteidaia). 348 v. Chr. wurde C. makedonisch.

Chalkis [ç-, ngrch. xalˈkis], Hptst. der grch. Insel Euböa, 51600 Ew.; orth. Erzbischofssitz; archäolog. Museum; chem., Maschinenbau-, Textilind.; Hafen. Mit dem grch. Festland durch eine bewegl. Brücke verbunden. – C. war im Altertum mächtige Handelsstadt; 506 v. Chr. von Athen unterworfen.

chalko... [ç-, grch.], kupfer..., erz...

Chalkogene [ç-; grch. »Erzbildner«], die Elemente der 6. Gruppe des Periodensystems.

Chalkolithikum [ç-, grch.] *das,* Bez. für die späte Jungsteinzeit (Kupferzeit) Vorderasiens.

Chalkopyrit [ç-, grch.] *der,* Mineral, der →Kupferkies.

Chalkosin [ç-, grch.] *der,* das Mineral →Kupferglanz.

Chalkosphäre, die vermutlich mit Schwermetallsulfiden und -oxiden angereicherte unterste Schicht des Erdmantels, zw. etwa 1200 und 2900 km Tiefe.

Chalkotrichit [ç-, grch.] *der,* Mineral, →Rotkupfererz.

Challenger [ˈtʃælɪndʒə], **1)** brit. Forschungsschiff (Korvette), mit dem 1872–76 unter Leitung von Sir C. W. Thomson die C.-Expedition durch die drei Ozeane durchgeführt wurde (Beginn der ozean. Forschung). 1875 ermittelte man im Marianengraben die Tiefe von 8164 m.

2) Name des zweiten →Spaceshuttle der NASA, 1986 in 16 km Höhe explodiert.

Chalone [ç-, grch.], körpereigene Zellteilungs- und Wachstumshemmstoffe von Zellen und Geweben; bisher nur bei Säugetieren nachgewiesen.

Châlons-sur-Marne [ʃalɔ̃syrˈmarn], Hptst. des Dép. Marne und der Region Champagne-Ardenne, Frankreich, an der Marne, 51500 Ew.; Textil-, chem., Elektro-, Papierind., Maschinenbau, Champagnerkellereien. – Kathedrale (12./13. Jh.), Notre-Dame-en-Vaux (Ende 12. Jh.), Rathaus (18. Jh.), Triumphbogen für Marie Antoinette (1770). – C.-s.-M. ist das röm. **Catalaunorum Civitas** (→Katalaunische Felder).

Chalon-sur-Saône [ʃalɔ̃syrˈsoːn], Stadt im Dép. Saône-et-Loire, Frankreich, an der Saône, 56300 Ew.; Weinhandel, Herstellung von Fotomaterial, Maschinenbau, Glas-, Elektroind.; Flusshafen; ehem. Kathedrale Saint-Vincent (12.–15. Jh.). – C.-s.-M., das röm. **Cabillonum,** ein Ort der Äduer, kam 471 an Burgund und wurde 534 fränkisch (Hptst. des Teilreiches Burgund; 1237 an die Herzöge von Burgund, 1477 an Frankreich.

Chalumeau [ʃalyˈmo, frz.] *das,* Holzblasinstrument des MA. mit einfachem Rohrblatt, Vorläufer der Klarinette.

Cham [kaːm], **1)** Landkreis im RegBez. Oberpfalz, Bayern, 1510 km², (1996) 129500 Einwohner.

2) Stadt in Bayern, Krst. von 1), am Regen, 17300 Ew.; Holzverarbeitung, elektrotechn., Metall-, Textil- u. a. Industrie. – Reste der Stadtbefestigung; Rathaus (15. Jh.), Stadtpfarrkirche (13. Jh., später verändert). – 1135 ist die Siedlung Altenmarkt belegt, 1210 eine Neustadt C., die 1293 Stadtrecht erhielt.

Chamäleon [k-], **1)** *Astronomie:* (lat. Chamaeleon) kleines Sternbild nahe dem südl. Himmelspol.

2) *Zoologie:* →Chamäleons.

Chamäleons [k-; grch., eigtl. »Erdlöwen«] (Wurmzüngler, Chamaeleonidae), 25–30 cm lange, baumbewohnende Echsen mit Klammerfüßen und Greifschwanz in Afrika und Asien. Die lange

Zunge wird zum Fangen der Beute herausgeschleudert. C. haben ein ausgeprägtes Farbwechselvermögen; einzige in Europa (S-Spanien) vorkommende Art ist das **Gewöhnliche C.** (Chamaeleo chamaeleon).

Chamaven [ç-], westgerman. Volksstamm, im 1./2. Jh. zw. Lippe und IJssel ansässig, ging später im Frankenstamm auf.

Chamberlain ['tʃeɪmbəlɪn], **1)** Arthur Neville, brit. Politiker (Konservative Partei), *Edgbaston (heute zu Birmingham) 18. 3. 1869, †Heckfield (bei Reading) 9. 11. 1940, Sohn von 3), Stiefbruder von 4); 1923/24 und 1931–37 Schatzkanzler, verfolgte als Premiermin. (1937–40) v.a. gegenüber Dtl. eine Politik des →Appeasement (1938 →Münchener Abkommen). Nach dem Einmarsch deutscher Truppen in die Tschechoslowakei (März 1939) gab seine Regierung eine Garantieerklärung für Polen ab. Nach dem dt. Angriff auf Polen am 1. 9. 1939 erklärte sie am 3. 9. 1939 Deutschland den Krieg.

📖 NEVILLE, P.: *N. C. A study in failure? London u. a. 1992.*

2) Houston Stewart, Schriftsteller, Kulturphilosoph, *Portsmouth 9. 9. 1855, †Bayreuth 9. 1. 1927; ⚭ (1908) mit Richard Wagners Tochter Eva, seit 1916 dt. Staatsangehöriger; vertrat, bes. in seinem Hauptwerk »Die Grundlagen des 19. Jh.« (1899), eine völkisch-myst. Ideologie, in der Nachfolge J. A. Gobineaus das Germanentum verherrlichend, und wirkte damit stark auf die Rassenlehre des Nationalsozialismus.

3) Joseph (Joe), brit. Politiker, *London 8. 7. 1836, †ebd. 2. 7. 1914, Vater von 1) und 4); zunächst liberaler Abg. (seit 1876), 1880–85 Handelsmin.; ging als Gegner der irischen Homerule-Politik Gladstones 1886 zu den Konservativen über; 1895–1903 Kolonialminister. Als Hauptvertreter des brit. Imperialismus setzte er sich für die Unterwerfung der Buren in Südafrika ein (Burenkrieg); seine Bemühungen um ein dt.-brit. Bündnis und um die Einführung imperialist. Schutzzölle scheiterten.

📖 NEWTON, S. *u.* PORTER, D.: *J. C., 1836 bis 1914. A bibliography. Westport, Conn., 1994.*

4) Sir (seit 1925) Joseph Austen, brit. Politiker (Konservative Partei), *Birmingham 16. 10. 1863, †London 16. 3. 1937, Sohn von 3), Stiefbruder von 1); war 1903–05 sowie 1919–21 Schatzkanzler und 1915–17 Staatssekretär für Indien. Als Außenmin. (1924–29) hatte er maßgebl. Anteil am Abschluss der Locarno-Verträge. Mit C. Dawes erhielt er 1925 den Friedensnobelpreis.

5) Owen, amerikan. Physiker, *San Francisco 10. 7. 1920; entdeckte bei Experimenten zur Protonenstreuung das Antiproton; erhielt mit E. Segrè 1959 hierfür den Nobelpreis für Physik.

Chambord: Nordwestfront des zum großen Teil 1519–38 erbauten Renaissanceschlosses

Chamberlin ['tʃeɪmbəlɪn], Edward Hastings, amerikan. Volkswirtschaftler, *La Conner (Wash.) 18. 5. 1899, †Cambridge (Mass.) 16. 7. 1967; entwickelte die Theorie des »monopolistischen Wettbewerbs«.

Arthur Neville Chamberlain

Chamber of Commerce ['tʃeɪmbə ɔv 'kɔmə:s, engl.], Handelskammer. **C. of C. of the United States,** größte Spitzenorganisation der Arbeitgeberverbände und Unternehmer in den USA, New York, gegr. 1912.

Chambers ['tʃeɪmbəz], **1)** Sir (seit 1925) Edmund Kerchever, engl. Literarhistoriker, *West Ilsley (bei Reading) 16. 3. 1866, †Beer (Cty. Devon) 21. 1. 1954; schrieb grundlegende Werke über das engl. Theater des MA. und der Renaissance.

2) Ephraim, engl. Schriftsteller, *Kendal (bei Penrith) um 1680, †Islington (heute zu London) 15. 5. 1740; Herausgeber und Mitautor der ersten engl. Enzyklopädie (1728).

3) Sir William, brit. Architekt, *Göteborg (Schweden) 23. 2. 1723, †London 8. 3. 1796; Vertreter des frühen Klassizismus (Somerset House, London, begonnen 1776), bed. sind auch seine Landschaftsgärten (Kew Gardens bei London).

Chambéry [ʃãbe'ri], Hptst. des Dép. Savoie, Frankreich, im Tal der Leysse, 55 600 Ew.; Erzbischofssitz; Univ., Museen; Textil- und Aluminiumindustrie. – Got. Kathedrale (15. und 16. Jh.), Schloss der Herzöge von Savoyen (13.–15. Jh.). – C., die Hauptstadt der alten Grafschaft Savoyen, kam mit dieser 1860 an Frankreich.

Owen Chamberlain

Chambonnières [ʃãbɔ'ɲɛ:r], Jacques Champion de C., frz. Cembalist und Komponist, *Paris zw. 1602 und 1611, †ebd. Ende April/Anfang Mai 1672; Begründer der frz. Klaviermusik (»Pièces de Clavecin«, 1670).

Chambord [ʃã'bɔ:r], das größte der Loire-Schlösser; 1. Bauperiode 1519–38, weitere Teile bis

1547 unter Franz I.; die Doppelwendeltreppe im Innenhof geht vermutlich auf einen Entwurf von Leonardo da Vinci zurück. C. gilt durch den Verzicht auf den Verteidigungscharakter und die Ausbildung des Zentralbaugedankens als Idealtypus des frz. Schlossbaus im 16. Jahrhundert (UNESCO-Weltkulturerbe).

Chambre [ʃãbr, frz. von lat. camera] *das* oder *die,* **1)** *allg.:* Zimmer. **C. séparée,** *veraltet:* kleiner Sonderraum in Gaststätten.

2) *Recht:* Gerichtshof; Kammer (als gesetzgebende Versammlung); in Frankreich u.a.: **C. criminelle,** der Strafsenat beim Kassationshof; **C. des députés** [-dedepy'te], die Abgeordnetenkammer in der Dritten Republik.

Champagne
Historisches Wappen

Chamenei [xamə'neɪ], Hodjatoleslam Ali, iran. Geistlicher und Politiker, →Khamenei, Hodjatoleslam Ali.

Chamfort [ʃã'fɔːr], Nicolas de, eigtl. Sébastien Roch Nicolas, frz. Schriftsteller, *bei Clermont (heute Clermont-Ferrand) 6. 4. 1741, †Paris 13. 4. 1794; legte seine schonungslos klaren Beobachtungen der damaligen Gesellschaft nach Art der Moralisten in Aphorismen nieder (»Maximen, Charakterzüge und Anekdoten«, hg. 1796).

Chami [dʒ-], Stadt in China, →Hami.

Adelbert von Chamisso

Chamisso [ʃa'miso], Adelbert von, eigtl. Louis Charles Adélaïde de C. de Boncourt, Dichter und Naturforscher, *Schloss Boncourt (in der Champagne) 30. 1. 1781, †Berlin 21. 8. 1838. C.s Familie floh in den Revolutionswirren nach Dtl.; 1796 wurde C. Page der Königin von Preußen; 1798–1807 preuß. Offizier. 1815–18 machte er eine Weltumseglung mit (»Bemerkungen und Ansichten auf einer Entdeckungsreise«, 1821). Nach der Rückkehr wurde er Adjunkt am Botan. Garten in Berlin, später Vorsteher des Herbariums. Seine Lyrik schloss sich an Goethe, L. Uhland und P. J. de Béranger an. Die sozialen Balladen (»Die alte Waschfrau«) weisen auf die spätere Entwicklung der Dichtung im 19. Jh. hin. Aus dem schmerzl. Bewusstsein seiner Vaterlandslosigkeit heraus schrieb er die Märchennovelle »Peter Schlemihls wundersame Geschichte« (1814). Sein Liederkreis »Frauenliebe und -leben« wurde von R. Schumann vertont. Als Naturforscher entdeckte er den Generationswechsel der Salpen (Manteltiere).

🕮 Feudel, W.: *A. v. C. Leben u. Werk. Leipzig* *³1988.*

Chammurapi [x-], babylon. König, →Hammurapi.

Chamois [ʃam'wa; frz. »Gämse«] *das,* sämisch gegerbtes Wildleder. **chamois,** gelbbraun.

Chamonix-Mont-Blanc
Stadtwappen

Chamonix-Mont-Blanc [ʃamɔnimɔ̃'blã], Fremdenverkehrsort im Dép. Haute-Savoie, Frankreich, 1037 m ü.M., am N-Fuß des Montblanc. 10100 Ew.; Wintersportzentrum (1. Olymp. Winterspiele 1924), Bergsteigerschule; durch den Montblanc-Straßentunnel (11,6 km lang) mit Courmayeur im italien. Aostatal verbunden.

Chamorro [tʃa-] (Barrios de C.), Violeta, nicaraguan. Politikerin, *Rivas 18. 10. 1929; bekämpfte nach der Ermordung ihres Mannes Joaquín C. (1978), des Herausgebers der oppositionellen Tageszeitung »La Prensa«, als dessen Nachfolgerin publizistisch die Diktatur A. Somozas. Nach dem Sturz der Somoza-Diktatur 1979 v.a. durch die Sandinist. Nationale Befreiungsfront war sie 1979 bis 1980 Mitgl. der regierenden Junta, ging jedoch dann unter dem Eindruck des beherrschenden Einflusses der Sandinisten in die Opposition. 1990 überraschend zur Staatspräsidentin gewählt, bezog sie (im Amt 1990–97) zeitweilig die Sandinisten in die Regierung ein.

Chamosit [ʃ-] *der,* monoklines Mineral, ein eisenhaltiger →Chlorit, der dichte oder oolithische Eisenerze (zus. mit Thuringit) bildet.

Champagne [ʃã'paɲ], ehem. Provinz in Nordfrankreich, aus Kreidekalken aufgebaute Plateaulandschaft, erstreckt sich von der oberen Oise rd. 200 km nach S bis zur Yonne und wird im W von der Schichtstufe der Île-de-France begrenzt. Hauptlandschaftsformen: im W die trockene **C. pouilleuse** (staubige, eigtl. »lausige« C.) oder **C. crayeuse,** ein Anbaugebiet für Getreide- und Futterpflanzen, und die sich östlich der Kreidestufe anschließende **C. humide** (feuchte C.), ein Viehzuchtgebiet. An den Schichtstufen bed. Rebkulturen (Grundlage der Herstellung von →Champagner). Ind.standorte sind v. a. Reims, Châlons-sur-Marne und Troyes. – Im 6. Jh. fränk. Herzogtum, im 10./11. Jh. Grafschaft mit der Hptst. Troyes, fiel 1023 durch Erbschaft an die Grafen von Blois, 1284 durch Heirat an den frz. König; 1361 der frz. Krondomäne einverleibt. Im 12. Jh. entstanden die berühmten C.-Messen.

Champagner [ʃam'panjər] *der* (frz. Champagne), frz. Schaumwein aus der Champagne (Name für dieses Herkunftsgebiet weltweit geschützt), der durch eine zweite Gärung in der Flasche **(Méthode champenoise)** hergestellt wird.

Champaigne [ʃã'pɛːɲ], Philippe de, flämisch-frz. Maler, getauft Brüssel 26. 5. 1602, †Paris 12. 8. 1674; 1628 in Paris zum Hofmaler ernannt, Anhänger der Jansenisten (→Jansenismus), malte religiöse Bilder und meisterhafte Bildnisse.

Champfleury [ʃãflœ'ri], Jules, eigtl. J. Fleury-Husson, frz. Schriftsteller, *Laon 10. 9. 1821, †Sèvres 5. 12. 1889; beschrieb in seinen Romanen und Erzählungen als einer der ersten bewussten »Realisten« das Leben des Provinzbürgers.

Champignon ['ʃampiɲɔ̃; frz., zu champ »Feld«] *der* (Egerling, Agaricus), Gattung der Blätterpilze, mit weißem bis bräunl. Fruchtkörper, Stielring, dunkel werdenden Lamellen, braunem Sporenstaub. Der essbare **Wiesen-C.** (**Feld-C.,** Agaricus campestris) mit weißem oder bräunl. Hut von meist 6–9 cm Ø wächst an Feldwegen und auf Weiden, bes. in der Nähe von Viehmist. Weitere Arten sind: **Schaf-C.** (Agaricus arvensis) in Wäldern, Hut etwa 15 cm Ø, weiß oder gelblich weiß, Geruch nach Anis und Mandeln, essbar; der **Wald-C.** (Agaricus silvaticus) mit braunschuppigem Hut und meist blutrot anlaufendem Fleisch, essbar. Zu verwechseln mit dem Schaf-C. ist der schwach giftige **Carbol-C.** (**Gift-C.,** Agaricus xanthoderma) in Gebüsch, Parks und Gärten; färbt sich nach Verletzung sofort chromgelb, Geruch nach Tinte. Formen des **Garten-C.** (Agaricus bisporus), Hut graubraun mit kurzem dickem Stiel und nussartigem Geschmack, werden als **Zucht-C.** in C.-Zuchtbetrieben oder Kellern auf Pferdemist u. a. Kultursubstraten gezüchtet.

Champion ['tʃæmpjən, engl.] *der,* Sportler, der eine Meisterschaft **(Championat)** errungen hat.

Champions League ['tʃæmpɪəns 'li:g; engl. »Meisterliga«], in versch. Ballsportarten jährlich ausgetragene Finalrunde im Europapokal der Landesmeister. – Im *Fußball* wird die C. L. der UEFA seit 1992/93 durchgeführt (seit 1997/98 mit 24 Teilnehmern). Für die Gruppenspiele sind der Titelverteidiger sowie die Meister der sieben erfolgreichsten Fußballländer (gemäß Verbands-Koeffizientenrangliste der letzten fünf Spielzeiten) direkt qualifiziert, während die übrigen nat. Meister eine bzw. zwei Qualifikationsrunden bestreiten müssen. Seit 1997/98 nehmen außerdem auch die nat. Vizemeister der in der Koeffizientenrangliste acht bestplatzierten Verbände an der Qualifikationsrunde teil. Die Verlierer nehmen anschließend am UEFA-Pokal teil.

Champlain [ʃã'plɛ̃], Samuel de, frz. Kolonialpionier, * Brouage (bei Rochefort) 1567, † Quebec 25. 12. 1635; erforschte seit 1603 auf mehreren Reisen Nordamerika und leitete die frz. Kolonialisierung Kanadas ein (seit 1620 dessen erster Gouv.); gründete 1608 Quebec und entdeckte 1609 den Champlainsee.

Champlainsee [ʃæm'pleɪn-] (Lake Champlain), buchten- und inselreicher See in den nordöstl. USA und der kanad. Prov. Quebec, 1269 km², etwa 200 km lang, bis 23 km breit und bis 122 m tief; entwässert zum Sankt-Lorenz-Strom und ist nach S durch den **Champlainkanal** mit dem Hudson River verbunden.

Champlevé [ʃãlə've, frz.] *das* (Émail champlevé, Grubenschmelz), eine Technik der →Emailkunst .

Champollion [ʃãpɔl'jɔ̃], Jean François, frz. Ägyptologe, * Figeac (Dép. Lot) 23. 12. 1790, † Paris 4. 3. 1832; entzifferte aufgrund der dreisprachigen Inschrift des Steins von Rosette die ägypt. Hieroglyphen und begründete die Ägyptologie.

Jean François Champollion (Ausschnitt aus einem Gemälde von Léon Cogniet; 1831, Paris, Louvre)

Champs-Élysées [ʃãzeli'ze] *Pl.,* parkähnlicher Stadtteil im W von Paris, durch den sich die Prachtstraße **Avenue des C.-É.** von der Place de la Concorde bis zur Place Charles de Gaulle (Arc de Triomphe) hinzieht; in den Anlagen das **Palais de l'Élysée** (Élysée-Palast), der Amtssitz des frz. Staatspräsidenten.

Chamsin [x-; arab. »fünfzig«] (Kamsin) *der,* trockenheißer, staub- und sandhaltiger Wüstenwind aus südl. Richtungen in Ägypten, bes. in den 50 Tagen nach der Frühjahrs-Tagundnachtgleiche.

Chamson [ʃã'sɔ̃], André, frz. Schriftsteller und Geograph, Archäologe und Politiker, * Nîmes 6. 6. 1900, † Paris 8. 11. 1983; schilderte in seinen Romanen bes. das Leben der Cevennen-Bewohner (»Die Herberge in den Cevennen«, 1933).

Chancellor ['tʃɑ:nsələ, engl.] *der,* Kanzler; **C. of the Exchequer,** Schatzkanzler, brit. Finanzmin., **Lord C.,** Lordkanzler, brit. Justizminister und Vorsitzender des Oberhauses.

Chancengleichheit ['ʃã:sən-], gesellschafts- und kulturpolit. Forderung, die neben der Gleichstellung vor dem Gesetz für alle Mitgl. der Gesellschaft gleiche Bildungs- und Lebensmöglichkeiten umfasst. Gradmesser für den Stand der C. sind u. a. die allgemeine Wirksamkeit der Bürgerrechte (z. B. die Realisierung der Gleichberechtigung von Mann und Frau), die Arbeits- und Wohnbedingungen und der Zugang zu den Bildungseinrichtungen. Der Abbau von Bildungsprivilegien wird bes. durch bildungspolit. und schulreformer. Maßnahmen angestrebt (u. a. Ausbau der Vorschule, Einrichtung von Ganztagsschulen und Gesamtschulen, Abbau von Bildungsbarrieren, Begabtenförderung). Im Gedanken der C. vereinigen sich

Philippe de Champaigne: »Ex voto« (1662; Paris, Louvre)

freiheitl. und soziale Denkansätze. Vom liberalen Ansatz her gilt C. als gegeben, wenn gesetzlich die Wege zur Selbstverwirklichung des Einzelnen geebnet und die Gesellschaft notfalls materielle Hilfe bereit stellt, um wirtschaftlich Schwache zu fördern. Die tatsächl. Wahrnehmung der Startchancen hängt dann v.a. von der Initiative des Einzelnen ab. Sozialist. Denkmodelle fassen C. auf als Brechung von Standesprivilegien herrschender Klassen auf dem Wege revolutionärer Umformung der bestehenden Gesellschaft. Die Weiterentwicklung des Verfassungsstaates unter dem Einfluss sozialdemokrat., sozialliberaler und sozialkonservativer Denkansätze zum sozialen Rechtsstaat im 20. Jh. führte im Sinne der C. zu einer im Einzelnen unterschiedl. Verschränkung von individueller Freiheit und Gleichheit der Startchancen aller.

Subrahmanyan Chandrasekhar

Coco Chanel

📖 *Soziale Schichtung u. Lebenschancen in Deutschland, hg. v.* R. Geissler. *Stuttgart ²1994.*

Chan Chan ['tʃan 'tʃan] (Chanchán), eine der größten Städte des vorkolumb. Amerika (Ruinenstätte bei Trujillo, Peru; UNESCO-Weltkulturerbe), rd. 18 km² Fläche, war Residenz der Chimú-Fürsten; Blütezeit 1. Hälfte des 15. Jahrhunderts.

Chanchiang [dʒandʒjaŋ], chines. Stadt, → Zhanjiang.

Chanchito [tʃan'tʃi:to, span.] *der* (Cichlasoma facetum), Art der Buntbarsche aus subtrop. Gebieten Südamerikas; beliebter Aquarienfisch mit roten Augen und schwarzen, senkrechten Streifen auf gelbl. Grund.

Chanchito

Chandemir [x-] (Chondemir), Ghijas ad-Din, pers. Geschichtsschreiber, *Herat um 1475, †in Indien 1535/36; verfasste u.a. eine allg. Weltgeschichte »Freund der Lebensläufe« (1974 in Teheran neu herausgegeben).

Chandigarh [tʃ-], Stadt in Indien, bildet ein Unionsterritorium, da zugleich Hauptstadt der Bundesstaaten Punjab und (vorläufig) Haryana, 114 km², (1994) 725 000 Ew.; eine moderne Stadt mit Univ. (seit 1947), nach Plänen von Le Corbusier (1950/51) angelegt.

Chandler ['tʃɑ:ndlə, amerikan. 'tʃændlə], Raymond Thornton, amerikan. Schriftsteller, *Chicago (Ill.) 23. 7. 1888, †La Jolla (Calif.) 26. 3. 1959; schrieb in der Nachfolge von D. Hammett psychologisch motivierte Kriminalgeschichten, v.a. um den Privatdetektiv Philip Marlowe.

📖 Degering, T.: *R. C. Reinbek 1989.* – Liesbrock, H.: *Die Suche nach dem Menschen. R. C.s Sprachkunst. Frankfurt am Main 1993.*

Chandler-Periode ['tʃɑ:ndlə-], die von dem Amerikaner S. C. Chandler (*1846, †1913) entdeckte Periode der → Polhöhenschwankungen (zw. 412 und 442 Tagen).

Chandragupta [tʃ-], ind. König, → Tschandragupta.

Chandrasekhar [tʃændrə'seɪkə], Subrahmanyan, amerikan. Astrophysiker ind. Herkunft, *Lahore (heute Pakistan) 19. 10. 1910, †Chicago (Ill.) 21. 8. 1995; seit 1946 Prof. an der University of Chicago, erhielt 1983 für theoret. Studien über die Struktur und Entwicklung der Sterne den Nobelpreis für Physik (zus. mit W. A. Fowler). 1931 erkannte er, dass nur Sterne mit einer kleineren Masse als der **C.-Grenze** von 1,4 Sonnenmassen sich zu → Weißen Zwergen entwickeln können (→ Sternentwicklung).

Chanel [ʃa'nɛl], Coco, eigtl. Gabrielle Chasnel, frz. Modeschöpferin, *Saumur 19. 8. 1883, †Paris 10. 1. 1971; Wegbereiterin einer funktionellen Damenmode mit kurzem Rock, Jerseystoffen, Kurzhaarschnitt, weltbekannt das C.-Kostüm; seit 1971 Führung des Hauses C. durch das Designerteam Karl Lagerfeld.

Changaigebirge [x-], Gebirgszug im Zentrum der Mongolei, rd. 700 km lang, durchschnittlich 2 000–3 000 m, höchster Gipfel ist der Otgon-Tenger mit 3 905 m.

Chang'an [tʃaŋan], chines. Stadt, → Xi'an.

Changbai Shan [tʃaŋbai ʃan], Gebirgszug an der chinesisch-korean. Grenze, → Paektusan.

Changchiakou [dʒaŋdʒjakɔu], chines. Stadt, → Zhangjiakou.

Changchou, 1) [dʒaŋdʒɔu], chines. Industriestadt, → Zhangzhou.

2) [tʃaŋ-], chines. Stadt, → Changzhou.

Changchun [tʃaŋtʃun], Hptst. der Prov. Jilin, China, 1,7 Mio. Ew.; Univ.; Waggon-, Maschinen-, Lokomotiv-, Kraftfahrzeugbau, chem., pharmazeut. Ind. – Ende des 18. Jh. von chines. Siedlern als regionales Handelszentrum gegr.; 1933–45 als **Xinjing (Sinking)** Hptst. des von Japan abhängigen Staates Mandschukuo.

Chang Jiang [tʃaŋ dʒiaŋ], chines. Fluss, → Jangtsekiang.

Changsha [tʃaŋʃa], Hptst. der Prov. Hunan, China, am Xian Jiang, 1,11 Mio. Ew.; Univ.; Handels- und Umschlagplatz, Buntmetall-, Schwerind., Stickerei- und Porzellanherstellung; Flusshafen. – Hauptstadt seit 1664.

Changzhou [tʃaŋdʒɔu] (Changchou, 1912–49 Wujin, Wutsin), Stadt in der Prov. Jiangsu, China, 531 000 Ew.; Maschinenbau, Textilind., Eisenbahnreparaturwerkstätten.

Chania [ç-, neugrch. xan'ja], Hafenstadt an einer Bucht im NW der grch. Insel Kreta, 50 100 Ew.; orth. Bischofssitz; Polytechnikum, Museen; Flugplatz. – Türkisch geprägte Altstadt, venezian. Hafenanlagen. – C., das antike **Kydonia,** war seit dem 4. Jh. n. Chr. byzantinisch, seit 1252 venezianisch **(La Canea),** seit 1645 türkisch.

Chanukka: Aus dem 18. Jh. stammender Chanukkaleuchter aus Messing mit acht nebeneinander liegenden Öllämpchen; das darüber angebrachte neunte Lämpchen, der so genannte Schammasch (Diener der Lichter), dient zum Anzünden der acht Lämpchen

Chankendy [x-] (Xankändi), aserbaidschan. Name von →Stepanakert.

Channel Islands ['tʃænl 'aɪləndz], Inselgruppe im Ärmelkanal, →Kanalinseln.

Chanoyu [tʃanoju] *das,* in Japan die feierl. Teegesellschaft. Das C. geht auf die Teesitten chines. Dichter und Mönche zurück; in Japan fanden sie erst im 12. Jh. Verbreitung.

Chanson [ʃã'sɔ̃, frz.] *das,* frz. *die,* in der älteren frz. Poesie jedes singbare ep. oder lyr. Gedicht; so die **Chansons de Geste** (→Geste), die rezitativisch unter Instrumentenbegleitung von Spielleuten (Jongleurs) vorgetragen wurden. C. sind meist lyr. Gedichte, die stroph. Gliederung, singbare Form und im MA. eher eleg., später heiteren Inhalt hatten, oft mit Kehrreimen (Refrains). I. e. S. ist das C. das mehrstimmige frz. Lied, meist Liebes- und Trinklied im 15.–17. Jh. Seit dem 17. Jh. hatte das C. oft politisch-satir. Inhalt, so während der Frz. Revolution. Im 19. Jh. erhielt das C. einen eigenen literar. Charakter, bes. als Ende des Jahrhunderts Chansonniers in den Pariser Cabarets ihre selbst vertonten Dichtungen vortrugen. Seit dem Ende des 1. Weltkriegs wurde das C. durch Film und Funk mitgeformt. Mit dem C. berühren sich Kabarettballade (→Ballade) und →Song.

Chansonette [ʃãsɔ'nɛt(ə), frz.] *die,* kleines Lied, meist komischen oder frivolen Inhalts; auch Bez. für Chansonsängerin.

Chant *der,* **1)** [ʃã, frz.], Gesang, Melodie, Lied, Teil eines Epos.

2) [tʃɑːnt, engl.], in der engl. Kirchenmusik der Psalmengesang auf alte gregorian. Melodien.

Chantal [ʃã'tal], Jeanne Françoise Fremyot de, kath. Mystikerin, *Dijon 28. 1. 1572, †Moulins 13. 12. 1641; gründete 1610 mit Franz von Sales den Orden der Salesianerinnen. Heilige, Tag: 12. 12.

Chanten [x-] (Ostjaken), Volk in Westsibirien, am mittleren und unteren Ob (v. a. im Autonomen Kreis der C. und Mansen), sprechen Ostjakisch (eine finnougr. Sprache); etwa 25 000 Menschen, überwiegend sesshafte Rentierzüchter, Jäger und Fischer.

Chanten und Mansen, Autonomer Kreis der [x-], autonomer Kreis (gegr. 1930) innerhalb des Gebietes Tjumen, Russ. Föderation, 523 100 km^2, (1995) 1,33 Mio. Ew., umfasst den mittleren Teil des Westsibir. Tieflandes am unteren Irtysch und mittleren Ob; Hptst. Chanty-Mansisk (35 000 Ew.); Erdöl-, Erdgasgewinnung, Fischfang, Pelztierjagd und -zucht, Holzverarbeitung.

Chantilly [ʃãti'ji], Stadt im frz. Dép. Oise, nördlich von Paris, 11 500 Ew.; Pferderennen (seit 1834). – Schloss C., bestehend aus Petit (16. Jh.) und Grand Château (1530 und 1876–82), mit dem Musée Condé (Gemäldesammlung); Parkanlagen; Stallungen (1719–35). – 1725–1800 Porzellanmanufaktur.

Chanukka [x-; hebr. »Weihe«] *die,* achttägiges jüd. Fest im Dezember (ab 25. Kislew) zur Erinnerung an die von Judas Makkabäus veranlasste Wiedereinweihung des Tempels in Jerusalem (165 v. Chr.); charakteristisch ist das täglich fortschrei-

Chantilly: Die Stallungen der Schlossanlage (1719–35)

tende Anzünden der Lichter am achtarmigen C.-Leuchter; daher auch **Lichterfest** genannt.

Chao-Phya-Damm, →Menam.

Chaos [k-; grch. »die Kluft«] *das,* **1)** *allg.:* Auflösung aller Ordnung, völliges Durcheinander.

2) *Naturphilosophie:* der unendliche, ungeordnete Urstoff bzw. der mit diesem gefüllte Raum, aus dem nach den grch. Weltentstehungsmythen der endl. und geordnete Kosmos (die Welt) entstand. Ähnlich steht das C. in vielen Religionen für den Zustand vor der Entstehung der Welt.

Chaostheorie [k-], mathematisch-physikal. Theorie zur Beschreibung von Systemen, die zwar durch Gesetzmäßigkeiten determiniert sind, bei denen aber kleine Änderungen der Anfangsbedingungen ein exponentielles Anwachsen von Störungen bewirken (»determinist. Chaos«). Das Verhalten derartiger Systeme führt zur Ausbildung »chaot. Strukturen« und ist langfristig nicht vorhersagbar. – Die C. ist z.B. in der nichtlinearen Optik, bei chem. Reaktionen und der Wettervorhersage anwendbar.

René Char

📖 KUNICK, A. *u.* STEEB, H.-W.: *Chaos in dynamischen Systemen. Mannheim* ²*1989.* – MANDELBROT, B. B.: *Die fraktale Geometrie der Natur. A. d. Engl. Neuausg. Basel u. a. 1991.* – RUELLE, D.: *Zufall u. Chaos. A. d. Engl. Berlin u. a.* ²*1994.*

Chapala, Lago de [-tʃa'pala], größter See Mexikos, 1700 km², 1520 m ü.M., vom Río Lerma durchflossen.

Chapeau claque [ʃapo'klak; frz. »Klapphut«] *der,* zusammenklappbarer Zylinderhut, 1835 in Paris erfunden.

Chaplin ['tʃæplɪn], **1)** Sir (seit 1975) Charlie, eigtl. Charles Spencer C., brit. Filmschauspieler, Drehbuchautor und Produzent, *London 16. 4. 1889, †Vevey (Schweiz) 25. 12. 1977, Vater von 2); seit 1914 Filmkomiker in Hollywood; begründete 1918 die Charles C. Film Corporation, 1919 mit M. Pickford, D. Fairbanks und D. W. Griffith die United Artists Corporation, für die er seit 1923 alle seine Filme, in denen er der Hauptdarsteller war, drehte. C. differenziert die groteske Situationskomik der Slapstick-Comedies mithilfe pantomim., mim. und psycholog. Mittel zur Tragikomödie des »kleinen Mannes«; setzte später auch sozialkrit. Akzente. Bed. sind v.a. seine Filme »The tramp« (1915), »The Kid« (1921), »Goldrausch« (1925), »Moderne Zeiten« (1936), »Der große Diktator« (1940). Sein amerikakrit. Film »Ein König in New York« (1956/57) stellt die Gründe für seine Abkehr von den USA dar. – Autobiographie »Die Geschichte meines Lebens« (1964).

Charlie Chaplin
in seinem Film »Goldrausch« (1925)

📖 *C. – C. C. Sein Leben in Bildern u. Anekdoten, hg. v.* B. MATT. *München 1993.* – ROBINSON, D.: *C. Sein Leben, seine Kunst A. d. Engl. Neuausg. Zürich 1993.* – TICHY, W.: *C. C. Reinbek* ⁷*1995.*

2) Geraldine, amerikan. Filmschauspielerin, *Santa Monica (Calif.) 31. 7. 1944, Tochter von 1); spielte in zahlr. Filmen des span. Regisseurs C. Saura.

Chaptalisieren [ʃap-; nach dem frz. Chemiker J. A. Chaptal, *1756, †1832], das Verbessern des Weines durch Zusatz von Zucker zum zuckerarmen Most **(Trockenzuckerung)**.

Chapultepec [tʃ-], Schloss (heute Museum) und Park in der Stadt Mexiko; im **Pakt von C.** (3. 3. 1945) vereinbarten die 21 amerikan. Unterzeichnerstaaten eine engere militär. Zusammenarbeit.

Char [ʃa:r], René, frz. Schriftsteller, *L'Isle-sur-la-Sorgue (Dép. Vaucluse) 14. 6. 1907, †Paris 19. 2. 1988; gehörte bis 1938 zur Gruppe der Surrealisten, war an der frz. Widerstandsbewegung maßgeblich beteiligt (»Hypnos«, Ged., 1946); zählt mit seinen Gedichten in vieldeutiger, z.T. betont aphoristischer Sprache, in denen u.a. Themen wie Krieg, Tod, Revolte und Sehnsucht nach der heimatl. Provence hervortreten, zu den bedeutendsten zeitgenöss. Lyrikern.

Characteristica universalis [k-, lat.], Leibniz' Entwurf einer allgemein gültigen Zeichensprache.

Charactron [k-; Kw. aus engl. **charac**ter und elec**tron**] *das,* eine →Elektronenstrahlröhre mit zwei Ablenksystemen und einer mit Zeichen versehenen Matrix zur Profilierung des Elektronenstrahls. Verwendung für PPI-Sichtgeräte (→Radar) und zur schnellen Ausgabe (etwa 10000 Zeichen je Sekunde) von codierten Zeichen bei Computern und Fotosetzmaschinen.

Charakter [k-; grch. »das Eingeprägte«], **1)** i.w.S. die gestalthafte, typ. Eigenart einer Person, Sache oder Gesamterscheinung (Landschaft, musikal. Werk; **phänomenaler** oder **ästhet. C.-Begriff**); i.e.S. die innere Haltung, die sich in konsequent verantwortungsbewusstem sittl. Handeln ausdrückt **(ethisch-normativer C.-Begriff)**. In der Psychologie das Strukturgefüge der seel. Anlagen, das die individuelle Geprägtheit des Menschen bestimmt; teils gleichbedeutend mit dem Begriff Persönlichkeit, teils durch diesen ersetzt (→Charakterkunde).

2) die im Theaterstück (C.-Rolle), Roman u.Ä. durch individuelle »C.-Zeichnung« dargestellte Person.

Charakterart [k-] (Kennart), Pflanzen- oder Tierart, die an eine bestimmte Lebensstätte oder Pflanzengesellschaft gebunden ist.

Charakteristik [k-] *die,* **1)** *allg.:* Kennzeichnung, das Wesentliche treffende Beschreibung.

2) *Mathematik:* a) die Kennziffer eines Logarithmus; b) Raumkurve, die als Lösung von Differenzialgleichungen eine Rolle spielt; c) ein Begriff aus der Algebra (endl. →Körper).

3) *Physik, Technik:* Kurve (→Kennlinie).

charakteristische Strahlung [k-], Art der Röntgenstrahlung (→ Röntgenstrahlen).

Charakterologie [k-] *die* (Charakterkunde), Teilgebiet der Psychologie, das sich mit der Entwicklung, dem Aufbau und der Funktion des menschl. Charakters beschäftigt.

Die Anfänge der C. gehen bis in die Antike zurück (z.B. die von Galen überlieferte Lehre der vier Temperamente). Die Grundlegung der C. von L. Klages (1910) basierte noch auf ausdruckspsycholog. Forschungen. In den 20er-Jahren versuchte sich die Psychologie mit der → Typologie an den individuellen Charakter anzunähern. Die **Konstitutionstypologien** von E. Kretschmer (1921) und W. Sheldon (1940) ordneten Körperbau- und Temperamentstypen einander zu. Sheldon z.B. sah eine enge Verwandtschaft zw. den drei phys. Typen des Endomorphen (weich, rundlich), des Mesomorphen (muskulös, hart) und des Ektomorphen (mager, dünnhäutig) sowie den drei psych. Typen des Viszerotonikers (gutmütig, gesellig, extrovertiert), des Somatotonikers (angriffslustig, extrovertiert), des Zerebrotonikers (überempfindlich, introvertiert, nervös). C. G. Jung unterschied in seinen »Psycholog. Typen« (1921) nach innen oder nach außen gerichtete Bewusstseinseinstellungen (Charaktere), die Introvertierten und Extravertierten. An Freuds Charakterlehre und an der Existenzphilosophie orientiert, entwickelt E. Fromm seine Systematik der Charaktere: Den entfremdeten (u.a. autoritären) Charakterorientierungen setzt er die produktive Charakterorientierung entgegen. Erich Rudolf Jaensch (*1883, †1940) entwickelte aus der Untersuchung verschiedener Formen des Wahrnehmungsverhaltens seine **Integrationstypologie** (nach außen und innen integrierte Typen und Projektionstypen). In den 30er-Jahren wurden bes. der Aufbau des Charakters und das Verhältnis von Anlage- und Umweltfaktoren bei der Formung des Charakters untersucht, v.a. durch Kurt Gottschaldt (*1902), Gerhard Pfahler (*1897, †1976) und R. Heiß. U.a. von der Psychoanalyse beeinflusst sind versch. Varianten der **Schichtenlehre:** E. Rothacker hob die hierarch. Funktionsbereiche der Es- und Personschicht, P. Lersch den »endothymen Grund« (Lebensgefühl, Selbstgefühl, gerichtete Gefühle) vom »personellen Oberbau« (Strebungen, Wille, Denk- und Urteilsfähigkeit) ab. A. Wellek entwarf eine an F. Krueger orientierte polare Charakterlehre, bei der sich verschiedene Charakterbereiche um einen »Charakterkern« (Gemüt, Gewissen) gruppieren.

Die vorwiegend phänomenologisch-verstehende C. hat heute kaum mehr Einfluss. Ihre Forschungsziele wurden weitgehend von der aus dem angloamerikan. Bereich stammenden übergreifenden → Persönlichkeitsforschung übernommen, die stärker versucht, die sozialen Bezüge der Persönlichkeit zu erfassen und sich vorwiegend empir. Methoden bedient.

📖 ROTHACKER, E.: *Die Schichten der Persönlichkeit. Bonn* [9]*1988.* – JASPERS, K.: *Psychologie der Weltanschauungen. Neuausg. München u.a.* [2]*1994.* – JUNG, C. G.: *Psycholog. Typen. Neuausg. Solothurn 1995.*

Charakterrolle [k-], *Theater:* psychologisch scharf ausgeprägte Gestalt in einem Drama im Unterschied zu Typen und Idealfiguren; oft Gegenspieler des Helden.

Charakterstück [k-], **1)** *Literatur:* (Charakterdrama) Drama, bei dem der Akzent auf der Zeichnung der Charaktere liegt.

2) *Musik:* kürzeres Musikstück, v.a. der romantischen Klaviermusik, mit konkretem, durch einen Titel bezeichneten Stimmungsgehalt, z.B. R. Schumanns »Am Kamin«.

Charbin [x-] (Pinkiang), chines. Stadt, → Harbin.

Charcot [ʃarˈko], Jean Martin, frz. Neurologe, *Paris 29. 11. 1825, †nahe dem Lac des Settons (Dép. Nièvre) 16. 8. 1893; arbeitete bes. über Hysterie, Hypnotismus und Systemerkrankungen des Rückenmarks.

Jean-Baptiste Siméon Chardin: Selbstbildnis mit Brille (1775; Paris, Louvre)

Chardin [ʃarˈdɛ̃], **1)** Jean-Baptiste Siméon, frz. Maler, *Paris 2. 11. 1699, †ebd. 6. 12. 1779; malte neben Bildnissen schlichte Genreszenen und bes. Stillleben, die sich durch delikate Farbgebung auszeichnen.

📖 BROEKER, H.: *Zur Bildkonzeption der Stilleben J. S. C.s. Ein Beitrag zur Gesch. der Gattung. Münster u.a. 1993.*

2) → Teilhard de Chardin.

Jean-Baptiste Siméon Chardin: Stillleben mit Rauch- und Trinkutensilien (um 1762; Paris, Louvre)

Chardonnet [ʃardɔˈnɛ], Louis-Marie-Hilaire Bernigaud, Graf de, frz. Technologe, *Besançon 1. 5. 1839, †Paris 12. 3. 1924; entwickelte 1884 ein Verfahren zur großtechn. Erzeugung von Kunstseide aus Cellulose. Die **C.-Seide** war äußerst feuergefährlich.

Charente [ʃaˈrɑ̃t], **1)** *die,* Fluss in W-Frankreich, 360 km lang, entspringt im Limousin, mündet unterhalb von Rochefort in den Atlantik.

2) Dép. im westl. Frankreich, 5956 km^2, (1990) 342000 Ew.; Hptst. Angoulême.

Charente-Maritime [ʃaˈrɑ̃t mariˈtim], Dép. in W-Frankreich, 6864 km^2, (1990) 526200 Ew.; Hptst. ist La Rochelle.

Chạrga [x-; arab. »die äußere« Oase] (Kharga), ägypt. Oasengebiet in der Libyschen Wüste, eine von steilen Kreidekalkhügeln und Sanddünen umgebene, 200 km lange, 20–50 km breite Senke mit Ruinen aus dem Altertum und aus frühchristl. Zeit; etwa 50000 Ew., Hauptort El-C.; Straße nach Assiut.

Chariten: Gemälde von Raffael mit dem Titel »Die drei Grazien« (1502–03; Chantilly, Musée Condé)

Charge [ˈʃarʒə; frz. »Last«] *die,* **1)** *Technik:* die Beschickungsmenge bzw. Ladung bei techn. Anlagen (z.B. Brennöfen); in der pharmazeut. Industrie die Arzneimittelmenge, die während eines Arbeitsabschnitts und mit den gleichen Rohstoffen gefertigt wird.

2) *studentisches Verbindungswesen:* Amt in einer student. Verbindung.

3) *Theater:* Nebenrolle, oft typisiert; auch kleinere Charakterrolle.

Chargé d'Affaires [ʃarˈʒe daˈfɛːr, frz.] *der, Diplomatie:* →Geschäftsträger.

Chargenbetrieb [ˈʃarʒən-], →diskontinuierlicher Betrieb.

Charge-Transfer-Komplexe [ˈtʃɑːdʒ trænsˈfɔː-, engl.] (CT-Komplexe), nicht durch chem. Bindungen bewirkte, lockere Zusammenlagerung von elektronenreichen und elektronenarmen Molekülen (Elektronendonator bzw. Elektronenakzeptor), häufig von intensiver Färbung begleitet. Dabei werden elektr. Ladungen vom Donator- zum Akzeptormolekül übertragen; auch **Elektronen-Donator-Akzeptor-** oder **EDA-Komplexe**.

Chari [ʃaˈri, frz.], Fluss in Zentralafrika, →Schari.

Charidjiten [xariˈdʒitən; arab. »die Ausziehenden«] (Charidjija) die Anhänger der ältesten islam. Sekte; urspr. Anhänger des Kalifen Ali, von dem sie sich 657 lossagten, vertraten die Ansicht, dass das Kalifat dem würdigsten Muslim zukomme, unabhängig von etwaiger Verwandtschaft mit Mohammed. Noch heute gibt es in Nordafrika und Oman einige Charidjiten.

Chạrisma [ç-; grch. »Gnadengabe«] *das,* nach 1. Kor. 12: besondere Geistes- und Gnadengaben zum Dienst an der christl. Gemeinde, z.B. zu Predigt oder Lehre. Als größtes christl. C. sah Paulus die Liebe an (1. Kor. 13, 13); danach eine als nicht alltäglich, übernatürlich geltende Eigenart eines Menschen, um derentwillen er als übermenschlich, gottgesandt, vorbildlich und deshalb als Autorität oder Führer gewertet wird. (→Herrschaft)

📖 *C. Theorie, Religion, Politik, hg. v.* W. GEBHARDT *u. a. Berlin u. a. 1993.*

charismạtische Bewegung [ç-] (charismatische Gemeinde-Erneuerung), im Protestantismus entstandene Gruppierungen, die verschiedenen kirchl. Traditionen erneuern und die urchristl. Gnadengaben wieder zur Geltung bringen wollen; zurückgehend auf die →Pfingstbewegung, jedoch ohne Bildung eigener Gemeinden.

Charịsmi [x-], **1)** eigtl. Abu Abd Allah Mohammed ibn Ahmed ibn Jusuf, lebte Mitte des 10. Jh. in Nischapur; verfasste die älteste islam. Enzyklopädie: »Die Schlüssel der Wissenschaften«.

2) (Chwarismi), Mohammed I (mlat. Algorismi), pers. Mathematiker und Astronom, *in Charism (heute Oase Chiwa) um 780, †Bagdad nach 846; schrieb Lehrbücher über Gleichungslehre, Rechnen mit ind. (arab.) Ziffern und jüd. Zeitrechnung. Von seinem Namen leitet sich der Ausdruck Algorithmus her.

Charité [ʃariˈte; frz., von lat. caritas »Barmherzigkeit«] *die,* Name von Krankenhäusern; die **Berliner C.** (gegr. 1710) ist heute Teil der Humboldt-Universität zu Berlin.

Charịten [ç-, grch.] (Charitinnen), im grch. Mythos Göttinen der Anmut, Töchter des Zeus und der Eurynome; seit Hesiod als Dreiheit auftretend: Aglaia (Glanz), Euphrosyne (Frohsinn) und Thalia (Glück); von den Römern **Grazien** genannt.

Charivạri [ʃa-; frz. lautmalerisch Durcheinander, Katzenmusik], **1)** *Musik:* Ständchen mit Lärminstrumenten u.Ä.

2) *Publizistik:* Titel einer satir. Zeitschrift, die 1832–37 in Paris erschien, mit Zeichnungen u.a. von H. Daumier und Grandville.

Charles, Prince von Wales

3) *Volkskunde:* Uhrenkette altbayer. Männertrachten mit allerlei emblemat. Anhängern.

Charkow [x-] (ukrain. Charkiw), Gebiets-Hptst. in der Ukraine, 1,6 Mio. Ew.; Ind.zentrum und neben Kiew wichtigstes ukrainisches Kulturzentrum (Univ., 20 Hochschulen, 6 Theater, Philharmonie, mehrere Museen). Maschinen-, Traktoren-, Diesellokomotiv- und Motorenbau, chem., Textil-, Schuh-, Nahrungsmittelind.; bed. Verkehrsknotenpunkt, U-Bahn, Flughafen. – Kloster und Kirche Mariae Schutz und Fürbitte (1689 ff.), Mariae-Entschlafenskirche (1771 ff.), frühklassizist. Palast Katharinas II. (1776 ff.). – C., 1655/56 von Kosaken gegr., war seit 1765 Hptst. eines Gouvernements, 1917 und 1919–34 der Ukraine.

Charlemagne [ʃarlə'maɲ, frz.], frz. Name → Karls des Großen.

Charleroi [ʃarl'rwa], Stadt in der Prov. Hennegau, Belgien, an der Sambre, 206 500 Ew.; Museen, Theater; Hütten-, Glas-, Fahrzeug-, elektrotechn. Ind.; durch einen Kanal ist C. mit Brüssel verbunden. – C., urspr. **Charnoy,** wurde 1665 von den Spaniern nach ihrem König Karl II. ben., 1668–78 war es französisch; von Vauban zur Festung (1868 geschleift) ausgebaut.

Charles, 1) [tʃɑ:lz], engl. Könige, → Karl.

2) [ʃarl], frz. Könige, → Karl.

Charkow: Kloster und Kirche Mariae Schutz und Fürbitte (Baubeginn 1689)

Charles [tʃɑ:lz], Philip Arthur George, Prinz von Wales (ernannt 1958, gekrönt 1969), brit. Thronfolger, *London 14. 11. 1948; ältester Sohn von Königin Elisabeth II. und Prinz Philip; ∞ 1981–96 mit Prinzessin → Diana, von der er sich 1992 trennte (Scheidung 1996).

Charles [ʃarl], Jacques Alexandre César, frz. Physiker, *Beaugency (Dép. Loiret) 12. 11. 1746, †Paris 7. 4. 1823; konstruierte 1783 einen mit Wasserstoff gefüllten Ballon **(Charlière);** bestimmte die Ausdehnung verschiedener Gase.

Jacques Alexandre César Charles: Stich von 1783, der den Erfinder in seiner Charlière darstellt

Charleston ['tʃɑ:lstən] *der,* amerikan. Modetanz der 1920er-Jahre im geraden Takt und mit stark synkopiertem Grundrhythmus.

Charleston ['tʃɑ:lstən], **1)** Stadt in South Carolina, USA, 76 900 Ew.; Militärakademie; kath. Bischofssitz; bed. Hafen am Atlantik; Holzverarbeitung, Zellstoff-, Papierfabriken, Erdölraffinerien. – 1670 gegr., bis 1790 Hptst. von South Carolina. Hier begann 1861 der Sezessionskrieg.

2) Hptst. des Staates West Virginia, USA, 57 300 Ew.; Glas-, chem. u. a. Industrie. – Gegr. 1794.

Charleroi Stadtwappen

Charleville-Mézières [ʃarlə'vil me'zjɛ:r], Hptst. des Dép. Ardennes, Frankreich, an der Maas, 59 400 Ew.; Metallindustrie; Zitadelle (17. Jh.). – 1606 gegr.; 1966 wurde Charleville mit Mézières vereinigt.

Charlier [ʃar'lje], Karl Wilhelm Ludwig, schwed. Astronom, *Östersund 1. 4. 1862, †Lund 4. 11. 1934; Hauptarbeitsgebiete: Himmelsmechanik, mathemat. Optik, Wahrscheinlichkeitsrechnung und Stellarstatistik.

Charlotte ['ʃɑ:lət], Stadt in North Carolina, USA, 395 900 Ew.; Univ.; Textil-, elektron., Nahrungsmittelindustrie. – Bis 1848 das Zentrum der amerikan. Goldgewinnung.

Charlotte, Großherzogin von Luxemburg

Charlotte [ʃ-], Herrscherinnen:

Luxemburg: **1)** Großherzogin (1919–64), *Schloss Berg 23. 1. 1896, †Schloss Fischbach (bei Luxemburg) 9. 7. 1986; gelangte durch die Abdankung ihrer älteren Schwester Marie Adelheid auf den Thron, ∞ mit dem Prinzen Felix von Bourbon-Parma (seit 1919); lebte 1940–45 in London im Exil.

Mexiko: **2)** Kaiserin (1864–67), *Laeken (bei Brüssel) 7. 6. 1840, †Bouchoute (bei Brüssel) 19. 1. 1927; Tochter des belg. Königs Leopold I., ⚭ seit 1857 mit Erzherzog Maximilian von Österreich, dem späteren Kaiser von Mexiko; fiel 1866 in geistige Umnachtung.

Georges Charpak

Janine Charrat

Charlotte Amalie ['ʃɑ:lət ə'mɑ:ljə], Hptst. der Virgin Islands of the United States (→Jungferninseln), Kleine Antillen, liegt auf deren größter Insel Saint Thomas, 12 300 Ew.; Hafen.

Charlottenburg [ʃ-], Bezirk von →Berlin.

Charlottetown ['ʃɑ:ləttaʊn], Hptst. der Prov. Prince Edward Island, Kanada, 15 400 Ew.; Nahrungsmittelind., Fischerei; Fremdenverkehr; Überseehafen. – Benannt nach der brit. Königin Charlotte (*1744, †1818).

Charm [tʃɑ:m, engl.] *das, Physik:* ladungsartige Quantenzahl (*C*) des sog. **C.-Quarks**; das gebundene System c$\bar{c}$ aus C.-Quark (c) und seinem Antiteilchen $\bar{c}$ heißt **Charmonium.**

Charmeuse [ʃar'mø:z, frz.] *die,* Tuchtrikot (Kettengewirke) für Damenunterwäsche, Futter, techn. Zwecke u. a.

Charms [x-], Daniil Iwanowitsch, eigtl. D. I. Juwatschow, russ. Schriftsteller, *Sankt Petersburg 12. 1. 1906, †(in Haft) 2. 2. 1942; 1956 (nur als Kinderdichter) rehabilitiert; Vertreter einer avantgardist. Gruppe von Dichtern und Künstlern; experimentierte mit Lyrik, verfasste kleine Dramen u. a. – *Dt. Übersetzungen:* »Fälle« (1970), »Geschichten vom Himmelkumov und anderen Persönlichkeiten« (1983), »Briefe aus Petersburg 1933« (1988).

Chartres: Der Ausschnitt aus einem Glasfenster der gotischen Kathedrale stellt Szenen der Marienlegenden dar

Charon [ç-], **1)** *Astronomie:* Mond des Planeten Pluto.

2) *grch. Mythos:* Fährmann der Toten über den Grenzfluss der Unterwelt (Acheron, Styx); dem Toten in den Mund gelegte Münze galt als Fährgeld.

Charon 2): Kopf des Charon (etruskisch Charun) in Form eines etruskischen Tonkrugs (vermutlich 1. Hälfte des 5. Jh. v. Chr.; München, Staatliche Antikensammlung)

Charpak ['xarpak, frz. ʃar'pak], Georges frz. Physiker poln. Herkunft, *Dąbrowica (heute Dubrowyzja, Gebiet Rowno, Ukraine) 1. 8. 1924; entwickelte am Europ. Kernforschungszentrum CERN einen Teilchendetektor, der zum Nachweis von intermediären Bosonen und Quarks beitrug, erhielt dafür 1992 den Nobelpreis für Physik.

Charpentier [ʃarpã'tje], **1)** Gustave, frz. Komponist, *Dieuze (Dép. Moselle) 25. 6. 1860, †Paris 18. 2. 1956; Schüler J. Massenets; Spätromantiker, v. a. bekannt durch seine Orchestersuite »Impressions d'Italie« (1890) sowie die Oper »Louise« (1900).

2) Marc-Antoine, frz. Komponist, *Paris zw. 1645 und 1650, †ebd. 24. 2. 1704; Schüler von Carissimi in Rom, Kapellmeister in Paris; schrieb v. a. geistl. Musik (Oratorien, Kantaten, Messen; auch Opern: »Acis et Galathée«, 1678; »Médée«, 1693).

Charrat [ʃa'ra], Janine, frz. Tänzerin und Choreographin, *Grenoble 24. 7. 1924; gründete 1951 in Paris ihr eigenes Ensemble, leitete ab 1970 eine Ballettschule, seit 1980 Direktorin für Tanz am Centre Pompidou in Paris.

Charta [k-; lat. »Pergament«, »Urkunde«] *die,* **1)** *Staatsrecht, Völkerrecht:* (engl. Charter, frz. Charte, italien. Carta) nach dem Vorbild der engl. → Magna Charta svw. Staatsgrundgesetz; auch Bez. für Satzungen internat. Organisationen (z. B. C. der Vereinten Nationen) oder für grundsätzl. Erklärungen einer gemeinsamen Zielsetzung in der Außenpolitik (z. B. Atlantikcharta).

2) *Urkundenlehre:* (C. partita, Chirographum) Kerbzettel, bei dem das Anpassen zweier gleich lautender Teile anstelle des Siegels den Echtheitsbeweis der Urkunde liefert.

Charta 77 [k-], 1977 (u. a. von V. Havel) gegründete Bürgerrechtsbewegung in der Tschechoslowakei; stellte im Nov. 1992 ihre Tätigkeit ein.

Charta von Paris [k-], Schlussdokument der KSZE-Sondergipfelkonferenz in Paris, am 21. 11. 1990 von 34 Teilnehmerstaaten unterzeichnet. Inhalt: Durchsetzung von Demokratie, Rechtsstaatlichkeit und Meinungsfreiheit, Sicherung der Menschenrechte und der Grundfreiheiten, Schutz der nat. Minderheiten, Stärkung der Zusammenarbeit zw. den Völkern, friedl. Beilegung von Streitfällen sowie Fortsetzung des Abrüstungsprozesses. Zugleich enthält die C. v. P. den Beschluss, die KSZE stärker zu institutionalisieren, einen Rat der Außenmin. zu bilden, ein Sekretariat in Prag, ein Konfliktverhütungszentrum in Wien und ein Büro für freie Wahlen in Warschau einzurichten. Die C. v. P. dokumentiert das Ende der Konfrontation der Nachkriegszeit und der Teilung Europas.

Chartergesellschaft ['(t)ʃar-], Gesellschaft, die Personen oder Güter mit gemieteten Verkehrsmitteln befördert.

Chartervertrag ['(t)ʃar-], Mietvertrag über ein Verkehrsmittel mit oder ohne Besatzung **(Vollcharter)** oder von Teilen seines Laderaums **(Teilcharter)** zur Beförderung von Personen oder Gütern.

Chartier [ʃar'tje], Émile, frz. Philosoph, → Alain.

Chartismus [tʃɑː'tismus] *der,* erste sozialist. Arbeiterbewegung in Großbritannien, ben. nach der 1838 von W. Lovett verfassten »People's Charter«, deren Hauptforderungen ein allgemeines, gleiches und geheimes Wahlrecht, Parlamentsreform und jährliche Parlamentswahlen waren. Der C. ging durch die aufkommenden Gewerkschaften (Trade Unions) nach 1850 zurück.

Chartres [ʃartr], Hptst. des frz. Dép. Eure-et-Loir, an der Eure, 41 900 Ew.; Marktzentrum der Beauce; Maschinenbau, Nahrungsmittel-, elektron. u. a. Industrie. – Die Kathedrale (UNESCO-Weltkulturerbe) ist einer der ersten rein got. Bauten im 12./13. Jh. Der reiche Figuren- und Reliefschmuck der Portale hatte eine weit reichende Wirkung auf die frz. und dt. Plastik des 12. und 13. Jh.; farbenprächtige Glasfenster. – C., das antike **Autricum,** war seit dem 10. Jh. Hptst. einer Grafschaft, die 1528 zum Herzogtum erhoben wurde.

Chartreuse: Der Kräuterlikör wurde ursprünglich (seit dem 18. Jh.) von den Mönchen des nördlich von Grenoble gelegenen Kartäuserklosters Grande Chartreuse hergestellt

Chartreuse® [ʃar'trøːz] *der,* Kräuterlikör der Mönche des Klosters **Grande Chartreuse** (gegr. 1084 durch Bruno von Köln) bei Grenoble, Frankreich, hergestellt (heute in Voiron, Dép. Isère) nach einem Rezept von 1605. **C. vert** (grün) hat 55, **C. jaune** (gelb) 40 Vol-% Alkohol.

Charts [tʃɑːts, engl.], **1)** *Wirtschaft:* graf. Darstellungen des bisherigen Kursverlaufs und des Umsatzvolumens von einzelnen börsennotierten Aktien oder von Aktienindizes. Dargestellt werden entweder die Tageswerte oder – als Basis langfristig orientierter Analysen – (gleitende) Durchschnitte aus den Tageswerten.

2) Listen der beliebtesten Schlager bzw. der meistverkauften Schallplatten bzw. CDs, die, durch Umfrage ermittelt, wöchentlich oder vierzehntägig zusammengestellt werden.

Chartres
Stadtwappen

Chartres

Das früheste Portal der Kathedrale von Chartres ist das dreiteilige »Königsportal« der Westfassade (um 1145–55); Süd- und Nordquerschiff öffnen sich ebenfalls mit drei Portalen. Von besonderer kunsthistorischer Bedeutung sind die Gewändefiguren des Königsportals hinsichtlich der Thematik: Sie übernahmen die alttestamentlichen Figuren des Portals von St. Denis, die heute zerstört sind, und gelten als Beispiel dafür, wie sich die Plastik aus der Architektur zu lösen beginnt und nach Eigenständigkeit strebt.

Bedeutend ist auch der erhaltene Zyklus von rund 150 farbigen Glasfenstern: 2 000 m² mussten verglast werden, denn erstmals wurden in Chartres die hohen Obergaden im Wandaufriss eingeführt. Hervorgehoben seien die drei noch romanischen Westfenster (um 1160) und aus der Gotik die Glasfenster in den Seitenschiffen des Langhauses (um 1200), die Rosenfenster der Westfassade und des Südquerhauses (um 1210–29) und die Folge von 22 Szenen aus dem Leben Karls des Großen im Chorumgang (um 1200–29).

Charybdis [ç-] *die,* im grch. Mythos gefährl. Meeresstrudel gegenüber der →Skylla, auch als Meeresungeheuer gedacht.

Chasaren [x-], Turkvolk umstrittener Herkunft. Im 7. Jh. bildeten sie ein mächtiges Reich zw. unterer Wolga und Don. Ein Teil der Oberschicht der C. nahm im 8. Jh. den jüd. Glauben an und hatte im 9. Jh. die polit. Führung inne. Der Kiewer Fürst Swjatoslaw schlug 965 die C. entscheidend, konnte sie jedoch nicht unterwerfen. Im 13. Jh. werden die C. zuletzt erwähnt.

Chase Manhattan Corp. ['tʃeɪs mæn'hætən kɔpə'reɪʃn], New York, amerikan. Finanzkonzern (Holdingges.), entstanden 1955 durch Fusion der Chase National Bank of the City of New York und der Bank of Manhattan Comp. 1996 erfolgte die Fusion mit der Großbank **Chemical Banking Corp.,** die 1959 aus dem Zusammenschluss von Chemical Corn Exchange Bank (gegr. 1824) und der New York Trust Comp. (gegr. 1859) entstanden ist und 1991 die Manufacturers Hanover Corp. (Vorläufer gegr. 1831 und 1905) übernahm.

Chaskowo [x-], Hptst. der Region C., Bulgarien, 81 400 Ew.; histor. Museum; Tabak-, Lebensmittel-, Textilind., Maschinenbau. – Älteste Moschee Bulgariens (1395).

Chasles [ʃa:l], Michel, frz. Mathematiker, *Épernon (bei Rambouillet) 15. 11. 1793, †Paris 18. 12. 1880; Mitbegründer der synthet. Geometrie; schrieb u. a. über Kegelschnitte.

Chassériau [ʃaser'jo], Théodore, frz. Maler, *Sainte-Barbe-de-Samana (heute Dominikan. Rep.) 20. 9. 1819, †Paris 8. 10. 1856; verband in seinen mytholog. und allegor. Szenen den strengen klassizist. Stil J. A. D. Ingres mit dem malerisch romant. Stil von E. Delacroix.

Chasseur [ʃa'sœ:r, frz.] *der,* in Spielbanken: Page, Saaldiener.

François René Vicomte de Chateaubriand (Lithographie)

Chassidim [x-; hebr. »Fromme«], die Anhänger verschiedener religiöser Bewegungen im Judentum, so des **aschkenas. Chassidismus,** einer esoter. Strömung in Mitteleuropa im 13. und 14. Jh., später mit dem kabbalistischen System des jüd. Mystikers Isaak Luria (*1539, †1572) verschmelzend. I. e. S. sind C. die Anhänger der um 1735 von Baal Schem Tov in der Ukraine und Polen gegr. Bewegung, die in O-Europa weite Verbreitung fand. Sie betonten die Liebe Gottes und strebten eine Verinnerlichung des religiösen Lebens an. Kennzeichnend ist auch eine Neigung zur Askese und die enge persönl. Bindung an einen Meister (Rebbe) als »Lebendigen Gotteslehrer«. Bed. Interpreten des **Chassidismus** waren M. Buber und M. Chagall.

Chassis [ʃa'si, frz.] *das,* **1)** *allg.:* tragendes Gestell bei einer Konstruktion.

2) *Kfz-Technik:* Fahrgestell, →Kraftwagen.

3) *Textiltechnik:* Behälter für Farbstofflösungen, Druckfarben, Wasch- und Appreturflotten bei Veredlungsmaschinen.

Théodore Chassériau: »Die Toilette der Esther« (1841; Paris, Louvre)

Chatami [x-], Saijid Mohammed, iran. Geistlicher und Politiker, *Ardakan (Prov. Yazd) 1943; studierte in Ghom Theologie, leitete in den 70er-Jahren eine Zeit lang die iran. Moschee in Hamburg. 1981–91 war er Kulturmin., 1991–97 Direktor der Nationalbibliothek; wurde im Mai 1997 zum Staatspräs. gewählt.

Château [ʃa'to, frz.] *das,* Schloss; Burg.

Chateaubriand [ʃatobri'ã, frz.] *das,* doppeltes Filetsteak, nach dem Schriftsteller C. benannt.

Chateaubriand [ʃatobri'ã], François René Vicomte de, frz. Schriftsteller und Politiker, *Saint-Malo 4. 9. 1768, †Paris 4. 7. 1848; wurde Offizier, bereiste als Emigrant 1791 Nordamerika, war 1803/04 Gesandter Napoleons I. in Rom. 1814 trat er erfolgreich für die Rückkehr der Bourbonen ein; 1822–24 war er Außenmin. C. war der einflussreichste Vertreter der frz. Frühromantik. Sein Essay »Der Geist des Christentums« (5 Bde., 1802) ist eine Absage an die voltairian. Aufklärung und erschloss die christl. mittelalterl. Vergangenheit als Quelle für Dichtung und Kunst. Er schrieb ferner »Essai sur les révolutions« (1797), die Indianergesch. »Atala« (1801), den Roman »Die Märtyrer« (1809), Memoiren (»Von Jenseits des Grabes. Denkwürdigkeiten«, 20 Bde., 1848–50). Mit seiner Erzählung »René« (1802) fand der Weltschmerz (»le mal du siècle«) Eingang in die frz. Literatur.

Châteauneuf-du-Pape [ʃatonœfdy'pap], frz. Stadt an der Rhône, Dép. Vaucluse, 2 000 Ew.;

Zentrum eines bed. Weinbaugebietes (v.a. Rotweine, Cuvée aus 13 versch. Rebsorten). – Die Stadt war im 14. Jh. Sommersitz der in Avignon residierenden Päpste.

Châteauroux [ʃato'ru], Hptst. des frz. Dép. Indre, in der Champagne, 52 900 Ew.; Bekleidungs-, Nahrungsmittel-, Papierind., Maschinenbau, Zigarettenfabrik.

Château-Thierry [ʃatotjɛ'ri], Stadt im frz. Dép. Aisne, an der Marne, 15 800 Ew.; Herstellung von Musikinstrumenten und landwirtsch. Maschinen. – 1814 besiegte Napoleon I. bei C.-T. die Preußen unter Blücher.

Châtelaine [ʃa'tlɛːn, frz.] *die,* Kette am Frauengürtel des 15./16. Jh. für Besteck, Schlüssel u.a.; später (Uhr)kette mit Anhängern.

Châtelet-Lomont [ʃa'tlɛ lɔ'mõ], Gabrielle-Émilie Le Tonnelier de Breteuil Marquise du, frz. Mathematikerin und Philosophin, *Paris 17. 12. 1706, †Lunéville 10. 9. 1749; spielte bei der Durchsetzung der newtonschen wie auch leibnizschen Physik in Europa eine bedeutende Rolle: maßgeblich beteiligt an der Ausarbeitung von Voltaires »Eléments de la philosophie de Newton« (1738); wissenschaftstheoretisch bedeutsam ihr Versuch, die newtonsche Physik auf Erfahrung wie auch Theorie zu gründen, also zu einer Synthese von Empirismus und Rationalismus zu gelangen, ein Problem, das später I. Kant löste.

Châtellerault [ʃatɛl'ro], Stadt im frz. Dép. Vienne, an der Vienne, 35 700 Ew.; Descartes-, Automobilmuseum; elektrotechn., elektron. und Luftfahrtindustrie.

Châtelperronien [ʃatɛlpɛrɔ'njɛ̃; nach Châtelperron im frz. Dép. Allier] *das,* erster Abschnitt der jüngeren → Altsteinzeit in Frankreich.

Chatham ['tʃætəm], Stadt in der Cty. Kent, S-England, am Medway, 71 700 Ew.; techn. College. – Der einstige Kriegsmarinehafen mit Werftgelände (seit 1685) ist heute Museum.

Chatham House ['tʃætəm haʊs, engl.], ehem. Wohnhaus des 1. Earl of Chatham, William Pitt, in London; Sitz des → Royal Institute of International Affairs.

Chathaminseln ['tʃætəm-], neuseeländ. Inselgruppe im Pazif. Ozean, 600 km östlich der Südinsel Neuseelands, 963 km², 800 Ew., die von Ackerbau, Schafzucht und Fischfang leben; Hauptinsel ist **Chatham** (891 km²). – 1791 von Europäern entdeckt.

Chatib [x-, arab.] *der,* Vorbeter (Imam) und Prediger an einer Hauptmoschee, der die → Chutba hält.

Châtillon-sur-Seine [ʃati'jõ syr'sɛːn], frz. Stadt im Dép. Côte-d'Or, 7 500 Ew.; archäolog. Museum (u.a. mit dem griech. Bronzekrater von → Vix). – Im **Kongress von C.** (5. 2.–19. 3. 1814) boten die Verbündeten Napoleon I. die Herrschaft über Frankreich in den Grenzen von 1792 an, was dieser jedoch ablehnte. (→ Chaumont)

Chatschaturjan [x-] (Khatchaturian), Aram, armen. Komponist, *Tiflis 6. 6. 1903, †Moskau 1. 5. 1978; schrieb von der armen. Volksmusik beeinflusste Werke, u.a. zwei Sinfonien, Konzerte, Ballette (u.a. »Gajaneh«, darin der »Säbeltanz«, 1942), Kammermusik, Bühnen- und Filmmusik.

Aram Chatschaturjan

Chattanooga [tʃætə'nuːgə], Stadt in Tennessee, USA, Verkehrsknotenpunkt am schiffbaren Tennessee, 152 300 Ew.; Univ.; Maschinenbau, Textil-, chem. u.a. Industrie. – Nahebei siegten 1863 im Sezessionskrieg die Unionstruppen über die Konföderierten.

chatten ['tʃætn, engl.], *Computer:* Bez. für das Unterhalten per Online zwischen mindestens zwei Computeranwendern mithilfe einer Mailbox.

Chatten [k-, auch ç-], westgerman. Volksstamm, seit dem 1. Jh. in N-Hessen (im Gebiet der Flüsse Eder, Fulda und Lahn) ansässig. Sie bedrohten mehrmals die röm. Rheinfront. Im 5. Jh. kam das Stammesgebiet unter fränk. Herrschaft.

Chatterton ['tʃætətn], Thomas, engl. Dichter, *Bristol 20. 11. 1752, †London 24. oder 25. 8. 1770; verfasste als Sechzehnjähriger Gedichte, die er einem mittelalterl. Mönch Rowley zuschrieb. Wegen dieser Fälschung verfolgt, beging er Selbstmord. Sein Leben stellten u.a. A. de Vigny und H. H. Jahnn in Dramen (1835 bzw. 1955) und E. Penzoldt in einem Roman (1928) dar.

📖 KAPLAN, L. J.: *The family romance of the impostorpoet T. C. Neuausg. Berkeley, Calif., 1989.*

Chattuarier [x-], westgerman. Kleinstamm, siedelte im 1./2. Jh. beiderseits der Ruhr, ging in den Franken auf.

Chatwin ['tʃætwɪn], Bruce, engl. Schriftsteller, *Sheffield 13. 5. 1940, †Nizza 18. 1. 1989; in seinen Reisebüchern mischen sich Bericht und Fiktion, Autobiographisches und ethnolog. Information. Reisebücher: »In Patagonien« (1977), »Traumpfade« (1987); sein Roman »Der Vizekönig von Ouidah« (1980) wurde von W. Herzog unter dem Titel »Cobra Verde« verfilmt.

Geoffrey Chaucer
(Miniatur von seinem Schüler Th. Occleve)

Chaucer ['tʃɔːsə], Geoffrey, engl. Dichter, *London um 1340, †ebd. 25. 10. 1400. Sein Meisterwerk sind die »Canterbury Tales« (»Canterbury-Erzählungen«; Erstdruck um 1478), eine unvollendete Rahmenerzählung von 23 Novellen in Versen, lebendige, wirklichkeitsnahe Sittenschilderungen voll derber Satire und Humor. Sie bedeuten einen Wendepunkt in der mittelengl. Literatur, weil erstmals einzelne Personen in ihren Eigenarten dargestellt werden.

📖 ALLEN, M. *u.* FISHER, J. H.: *The essential C. An annotated bibliography of major modern studies.*

London 1987. – KISER, L.: *Truth and textuality in C.'s poetry. Hanover, N. H., 1991.* – RIEHLE, W.: *G. C. Reinbek 1994.*

Chaudet [ʃo'dɛ], Paul, schweizer. Politiker, *Rivaz (bei Vevey) 17. 11. 1904, †Lausanne 7. 8. 1977; Mitgl. der Freisinnig-Demokrat. Partei, gehörte 1955–66 dem Bundesrat (Militär-Departement) an; 1959 und 1962 Bundespräsident.

Chauen: Minarett einer Moschee am Marktplatz der Altstadt

Chauen ['ʃauən] (Chéchaouen, Chefchaouen, Xauen), Marktstadt im westl. Rif, Marokko, 610 m ü. M., umrahmt von über 2000 m hohen Gipfeln eines Kalkmassivs, 26500 Ew.; Kunsthandwerk (Berberkeramik, -teppiche). – Geschlossenes maur. Stadtbild. – Gegr. 1471, besiedelt von andalus. Mauren, wurde eine der hl. Städte des Islam.

Paul Chaudet

Chauffeur [ʃɔ'fø:r; frz. »Heizer«] *der,* (berufsmäßiger) Kraftfahrzeugfahrer.

Chauken [ç-], german. Volksstamm des 1./3. Jh. zw. Ems- und Elbmündung, v. a. Fischer und Seefahrer; gingen im 4. Jh. in den Sachsen auf.

Chaulmoograöl [tʃɔ:l'mu:gra-] (Chaulmugraöl), Öl aus Samen südostasiat. Bäume; wirksam als Mittel gegen Lepra und Hauttuberkulose.

Chaumont [ʃo'mɔ̃], Hptst. des frz. Dép. Haute-Marne, am Zusammenfluss von Suize und Marne, 28900 Ew.; Metallverarbeitung. – Im **Vertrag von C.** erneuerten Russland, Preußen, Österreich und Großbritannien am 1. 3. 1814 ihr Bündnis gegen Napoleon I. (Quadrupelallianz).

Chaumont-sur-Loire [ʃomɔ̃syr'lwa:r], Ort im Dép. Loir-et-Cher, Frankreich, 870 Ew.; an der Loire das von den Grafen D'Amboise erbaute, turmbewehrte, dreiflüglige Renaissance-Schloss (15./16. Jh.) mit Park und Stallungen.

Chausson [ʃɔ'sɔ̃], Ernest Amédée, frz. Komponist, *Paris 20. 1. 1855, †Limay (bei Mantes-la-Jolie, Dép. Yvelines) 10. 6. 1899; gilt mit seinen Kompositionen (Orchester- und Kammermusik, Lieder, Bühnenwerke) als Vorläufer des musikal. Impressionismus.

Chautauqua [ʃə'tɔ:kwə], Ferienzentrum im Staat New York, USA, am C.-See mit der **C.-Institution,** einem 1874 gegr. bed. Erwachsenenbildungszentrum. Umfasst heute ausgedehnte Anlagen (Lehrgebäude, Unterkünfte, Theater, Bibliothek, Konzertsäle).

Chauvet-Höhle [ʃo'vɛ-; nach dem Höhlenforscher Jean-Marie Chauvet], Tropfsteinhöhle bei Vallon-Pont d'Arc, Dép. Ardèche, Frankreich, in der 1994 die bisher ältesten (32000 Jahre) Felsbilder der jungpaläolith. Eiszeitkunst gefunden wurden.

Chauvinismus [ʃo-; frz.] *der,* übersteigerter und blinder Nationalismus, der bis zur Missachtung fremder Rechte geht; der **Chauvinist** sieht auch den Krieg als ein Mittel der Politik. Der Begriff C. geht wohl auf die literar. Gestalt des Chauvin, eines prahler. Rekruten, zurück. **Male Chauvinism** [engl. male »männlich«] ist ein im Rahmen der militanten amerikan. Frauenbewegung →Women's Lib geprägtes Schlagwort zur Bez. des für die traditionelle Gesellschaft als charakteristisch angesehenen Überlegenheitsanspruchs der Männer.

Chauviré [ʃovi're], Yvette, frz. Tänzerin, *Paris 22. 4. 1917; 1941–72 erste Solotänzerin an der Pariser Oper, galt als führende klass. Ballerina Frank-

Chauvet-Höhle: Drei mit Holzkohle gezeichnete Pferdeköpfe auf der durch Calcitablagerungen rötlich gefärbten Wand

reichs; berühmt v.a. ihre Interpretation der Giselle.

Chavín de Huántar [tʃa'βin de uan'tar], archäolog. Fundort im nördl. peruan. Hochland, in 3000 m ü.M.; große Tempelanlage, Steinbau mit plast. Ornamenten (1. Jt. v. Chr.; UNESCO-Weltkulturerbe), namengebend für die älteste vorkolumbische Hochkultur im Andenraum, 1200–330 v. Chr., die **Chavín-Kultur.**

Chavín de Huántar: Relieffigur eines Jaguarmischwesens der Chavín-Kultur

Chayote [tʃ-, mexikan.-span.] *die* (Sechium edule), Kürbisgewächs im trop. Amerika mit 10–15 cm langen, birnenförmigen Früchten; Gemüsepflanze.

Cheb [xεp], tschech. Name der Stadt →Eger.

checken ['tʃekən, engl.], überprüfen, kontrollieren, meist nach einem vorgegebenen Schema (Checkliste).

Checkpoint ['tʃekpɔɪnt, engl.] *der,* Kontrollpunkt.

Chef [ʃεf; frz., von lat. caput »Haupt«], **1)** Vorgesetzter, Unternehmer; Leiter einer Dienststelle.

2) *Militärwesen:* Führer einer Einheit (Kompanie-C., Batterie-C.), auch Leiter von Truppengeneralstäben (C. des Stabes).

Cheireddin [x-] (Chaireddin, Hayreddin; abendländ. Beiname Barbarossa [»Rotbart«]), türk. Herrscher in Algier, *auf Lesbos um 1460, †Konstantinopel 14. 7. 1546; unterstellte sich 1519 dem türk. Sultan und unterwarf Tunis. Wegen seiner Piratenzüge unternahm Kaiser Karl V. eine Expedition gegen ihn (1535). Nach Konstantinopel zurückberufen, setzte C. als türk. Admiral von dort aus seine Kriegszüge fort.

Cheju [tʃedʒu] (in Europa auch Quelpart gen.), Insel im ostchines. Meer, 1825 km^2, (1990) 514600 Ew., gehört zu Süd-Korea, vulkan. Ursprungs (Vulkan Hallasan mit 1950 m ü.M. höchster Berg Süd-Koreas); Weidewirtschaft (Ponyzucht), Obstanbau (Apfelsinen, Mandarinen), Fischerei, Aquakulturen; Tourismus; bildet die Prov. Cheju mit der Hptst. **Cheju** (232600 Ew.; Hafen, Fischkonservenindustrie).

Chekiang [dʒe-], chines. Provinz, →Zhejiang.

Chelate [ç-, grch.], Komplexverbindungen, bei denen ein zentrales Metallion unter Ausbildung mehrerer Bindungen von einem oder mehreren Molekülen oder Ionen ringartig umgeben ist. Beispiele sind Chlorophyll und Hämoglobin.

Chelidonium [ç-] *das,* die Pflanzengattung →Schöllkraut.

Chełm [xεu̯m](dt. Cholm), Hptst. der gleichnamigen Wwschaft in Polen, 68000 Ew.; Zement-, Schuhfabrik, Nahrungsmittelindustrie.

Chełmno['xεu̯mnɔ](dt. Culm), Stadt in der poln. Wwschaft Toruń (Thorn), rechts der Weichsel, 21000 Ew.; in fruchtbarer Ackerbauregion zw. Weichsel, Drewenz und Ossa; Maschinenbau, Holz-, Nahrungsmittelindustrie. – Got. Kirchen aus der Ordenszeit. – 1065 erstmals erwähnt, kam C. 1230 an den Dt. Orden; 1231 entstand die Ordensburg, 1243 das Bistum C.; im 14. Jh. gehörte C. der Hanse an. Mit dem Culmer Land wurde C. 1466 polnisch, 1772 preußisch, 1920 wieder polnisch. – Aus dem Magdeburger Stadtrecht entwickelt, gewann das **Culmer Recht** (Culmer Handfeste, 1233) im größten Teil des Ordenslandes und in vielen poln. Städten Geltung.

Chelmsford ['tʃelmsfəd], Stadt in S-England, Hptst. der Cty. Essex, 97500 Ew.; anglikan. Bischofssitz; Maschinenbau, elektrotechn., Mühlenindustrie.

Chelsea ['tʃelsɪ], ehem. selbstständige Stadt in England, gehört seit 1965 zum Londoner Stadtteil Kensington and Chelsea; im 18. Jh. bed. Porzellanmanufaktur.

Cheltenham ['tʃeltnəm], Stadt in der Cty. Gloucestershire, England, 91300 Ew.; Schulzentrum, anglikan. Bischofssitz; Heilquellen (seit Ende des 18. Jh. Modebad der Gesellschaft); Leichtindustrie.

Chemical Banking Corp. ['kemɪkl 'bænkɪŋ kɔ:pə'reɪʃn], New York, →Chase Manhattan Corp.

Chemical Mace ['kemɪkəl 'meɪs, engl.], die →chemische Keule.

Chemie [ç-; aus grch. chēmeía, vgl. Alchimie], Naturwiss., die sich mit mit den chemischen Elementen, den Reaktionen der Elemente und ihrer Verbindungen, der Steuerung und Deutung dieser Prozesse und den Grunderscheinungen und Kräften der Natur beschäftigt, soweit sie Reaktionen, Prozesse usw. betreffen. Die chem. Stoffumwandlungen (chem. Reaktionen) sind Vorgänge, bei denen Atome infolge →chemischer Bindungen in definierten Zahlenverhältnissen zu Atomverbänden (Moleküle, Kristalle) zusammentreten oder bei denen Atomverbände in Atome zerfallen oder zu anderen Atomverbänden umgelagert werden. Ne-

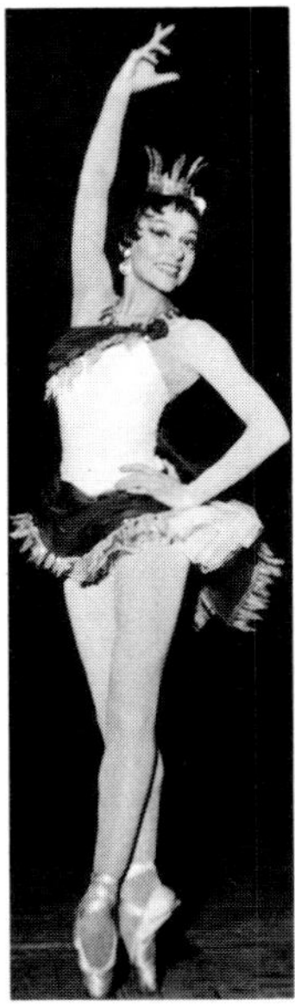

Yvette Chauviré

Geschichte der Chemie (Auswahl)

rd. 8000 v. Chr.		erste Keramik
rd. 7000 v. Chr.		Ziegel
rd. 4000 v. Chr.		Kalk, Bleiweiß, Holzkohle, Grünspan, Mennige, Zinnober, Bleisulfid, Kupfer
rd. 3500 v. Chr.	Ägypten	Bier, Wein
rd. 3000 v. Chr.		Bronze
rd. 2800 v. Chr.	Sudan	Eisen
rd. 2400 v. Chr.	Ägypten	Indigofärbung
rd. 2000 v. Chr.	Ägypten	Gerberei
rd. 2000 v. Chr.	Nubien	Gold
rd. 2000 v. Chr.	Ägypten	Blei
rd. 2000 v. Chr.	Sumer	Seife
rd. 1600 v. Chr.	Ägypten	Glas
rd. 600 v. Chr.	Thales von Milet	»Wasser ist der Urstoff aller Dinge«
rd. 500 v. Chr.	Rom	Destillation; Zinn rein, Purpur, Krapp, Soda, Pottasche, Gips, Mörtel, Alaun, Ätzkali
rd. 450 v. Chr.	Empedokles	Feuer, Wasser, Luft, Erde als »Grundelemente«
rd. 200 v. Chr.	Griechenland	Ultramarin
rd. 160 v. Chr.	Demokrit	»Atomtheorie«
rd. 80 v. Chr.	Gallien	Salmiak
rd. 600 n. Chr.	China	Herstellung von Porzellan

1619	Sennert	Begründung der neuen Atomtheorie
1620	England	Koks
1630	Jungius	Begründung des modernen
1661	Boyle	Elementebegriffs
1669	Brand	Phosphor
1693	Tschirnhaus	Hartporzellan
1697	Stahl	Phlogistontheorie
1738	D. Bernoulli	kinetische Gastheorie
1747	Marggraf	Zucker aus Rüben
1750	Watson	Platin
1750	Roebuck	Schwefelsäure
1751	Cronstedt	Nickel
1771	Scheele, Priestley	Entdeckung des Sauerstoffs
1772	D. Rutherford	Stickstoff
1774	Scheele	Chlor
1776	Scheele	Oxalsäure
1777	Wenzel, Richter	Gesetz von den konstanten Gewichtsverhältnissen, damit Beginn der wiss. Chemie
1783	Lavoisier	richtige Deutung des Verbrennungsprozesses
1783	Cavendish	erste genaue Analyse der Luft
1789	Klaproth	Uran
1789	Lavoisier	erste Elementaranalysen
1798	Ritter	wiss. Grundlagen der Elektrochemie
1799	Proust	konstante Verbindungsgewichte
1808	Dalton	Gesetz von den multiplen Proportionen, Atomtheorie
1811	Avogadro	Aufstellung des Avogadroschen Gesetzes
1811	Biot, Arago	Entdeckung der opt. Aktivität organ. Stoffe
1814	v. Berzelius	erste Atomgewichtstafel
1824	Wöhler	Synthese der Oxalsäure; Begründung der synthet. organ. Chemie
1825	Faraday	Entdeckung des Benzols
1826	Unverdorben	Darstellung von Anilin aus Indigo
1828	Wöhler	Harnstoffsynthese
1830	v. Berzelius	Begriff der Isomerie
1836	v. Berzelius	Begriff der Katalyse
1839	Daguerre	offizielle Verkündung des ersten fotograf. Verfahrens (Daguerreotypie)
1840	v. Liebig	Begründung der künstl. Düngung
1842	J. R. v. Mayer	Gesetz von der Erhaltung der Energie
1844	C. Goodyear	erste Vulkanisation von Kautschuk

ben den chem. Reaktionen spielen Verfahren der Stofftrennung (z. B. Destillation, Extraktion, Filtration) in der C. eine große Rolle.

Die **allg. C.** behandelt die allen Teilgebieten gemeinsamen Grundlagen, z. B. Aufbau der Atome, chem. Bindungen, Säure-Base-Theorien; sie gilt als im Wesentlichen abgeschlossen. Unter **organ. C.** versteht man heute die C. der Kohlenwasserstoffe und ihrer Derivate (ca. 4–6 Mio. Verbindungen). Typ. Forschungsgebiete der reinen organ. C. sind die Synthese und Strukturaufklärung von Naturstoffen und neuen Verbindungen sowie die Aufklärung von Reaktionsmechanismen und die Identifizierung der dabei auftretenden Zwischenstufen. Die **anorgan. C.** behandelt alle Stoffe, die nicht zu den organ. Verbindungen gehören (ca. 120 000 Verbindungen). Typ. Forschungsarbeiten beschäftigen sich mit Komplexverbindungen und deren Bedeutung für Katalyse und Biochemie sowie mit Festkörpern (Synthese, Strukturaufklärung) und deren Bedeutung als Leiterwerkstoffe, Katalysatoren, Molekularsiebe u. a. Die **physikal. C.** ist ein Grenzgebiet zw. C. und Physik, das die →Elektrochemie einschließt. Die →Biochemie behandelt chem. Probleme aus Biologie und Medizin. Die Unterscheidung zwischen der reinen und der **angewandten** oder **techn. C.** scheint heute nicht mehr sinnvoll. – Eine Gliederung ist auch nach der Aufgabenstellung möglich. Aufgaben der **analyt. C. (Analytik)** sind der Nachweis und die quantitative Bestimmung von chem. Elementen und Verbindungen. Die **präparative** oder **synthet. C.** beschäftigt sich mit der künstl. Herstellung chem. Stoffe. Die Lösung chem. Probleme mithilfe der Quantenmechanik (z. B. Berechnung der Bindungsverhältnisse in Molekülen) strebt die **theoret. C.** an.

Geschichte: Die C. entstand aus der Alchimie etwa seit dem 17. Jh. Doch schon Ägypter und Babylonier besaßen chemisch-techn. Wissen, das in Ägypten im 2.–3. Jh. n. Chr. seine naturphilosoph. Deutung und Ausgestaltung erfuhr. Daneben wurden Fragen der Mischung von Elementen in den natürl. Stoffen und das Problem der »minima naturalia« (Aristoteles) behandelt, die jedoch keine chem. Erkenntnisse im heutigen Sinne erbrachten. – Die lebhafte Pflege der Alchimie durch die arab. Wiss. und im mittelalterl. Abendland führte zur Entdeckung neuer Stoffe und zu neuen chem. Geräten und Arbeitsmethoden. Eine Erweiterung des Wissens brachte die Praxis der Feuerwerkerei und des Bergbaus.

Der Aufschwung, den die C. durch das revolutionäre Wirken des Paracelsus im 16. Jh. nahm, führte im 17. Jh. zur Errichtung der ersten Professur für C. (Marburg 1609) und zur Planung eines ersten chem. Laboratoriums (A. Libavius). Erst mit dem »Skept. Chemiker« von R. Boyle (1661) setzte sich das empir. und rationale Denken in der C. durch. Im 18. Jh. war die C. durch die →Phlogistontheorie beherrscht. Erste bed. Versuche führten zu einer einheitl. Deutung chem. Vorgänge und brachten der Forschung neuen Auftrieb. Unter den zahlr. folgenden Entdeckungen (H. Cavendish, A. S. Marggraf, J. Black) war die wichtigste die des Sauerstoffs durch C. W. Scheele (1771) und J. Priestley (1774). – Mit A. L. de Lavoisier beginnt die eigtl. moderne quantitative C. Neue Methoden der Elementaranalyse wurden entwickelt, neue Elemente entdeckt und theoret. Vorstellungen vertieft (J. Dalton, A. Avogadro, J. L. Proust, J. Richter).

Bes. markante Punkte der Entwicklung sind im 19. Jh. u. a. die Nutzung der galvan. Kräfte (H. Davy, M. Faraday), die Harnstoffsynthese (F. Wöhler, 1828), die Herstellung der ersten Anilinfarben (C.-L. von Reichenbach, F. F. Runge, O. Unverdorben, W. H. Perkin) und die Begründung der Agrikultur-C. (J. von Liebig, 1840). Im Periodensystem der Elemente (L. Meyer, D. I. Mendelejew, 1868–71) gelang es, die chem. Grundstoffe zu ordnen. Fortschritte zur Klärung der chem. Bindung brachten die Theorien von J. von Berzelius, J. von Liebig und C. Gerhardt. Innere Ordnung erfuhr die organ. C. u. a. durch A. →Kekulé. Die theoret. Deutung chem. Vorgänge durch die physikal. C. machte bed. Fortschritte durch das Massenwirkungsgesetz (C. Guldberg und P. Waage, 1867) die Spektralanalyse (R. Kirchhoff und R. Bunsen, 1859) und die Osmose (W. Pfeffer, 1877). Neue Arbeitsgebiete erschlossen die Elektro-C. (S. Arrhenius, 1887) und die Kolloid-C. (T. Graham, 1854, W. Ostwald). – Bemerkenswert ist auch der Aufschwung, den in der 2. Hälfte des 19. Jh. die großtechn. Herstellung synthet. Produkte nahm (Ammoniaksynthese, Kohlehydrierung, Kunststoffindustrie).

Nach den klass. Atommodellen (N. Bohr, 1913) brachte ab 1926 die Einführung der Quantenmechanik in die C. (W. Heitler und F. London) ein neues Verständnis von Atombau und chem. Bindung. Das Gesetz von der Erhaltung der Orbitalsymmetrie (R. B. Woodward, R. Hoffmann, 1965) gab der organ. C. neue Impulse.

📖 CHRISTEN, H. R.: *Grundlagen der allgemeinen u. anorgan. C. Frankfurt am Main 1997.* – DICKERSON, R. E. *u.* GEIS, I.: *C. – eine lebendige u. anschaul. Einführung. A. d. Engl. Neuausg. Weinheim 1990.* – BEYER, H.: *Lb. der organ. C., bearb. v.* W. WALTER. *Stuttgart* [22]*1991.* – HOLLEMAN, A. F.: *Lb. der anorgan. Chemie, fortgef. v.* E. WIBERG, *bearb. v.* N. WIBERG. *Berlin u. a.* [101]*1995.*

Chemieberufe [ç-], Berufe für Frauen und Männer, die Kenntnisse der Chemie erfordern.

Geschichte der Chemie (Auswahl; Fortsetzung)

1856	Perkin	erster synthet. organ. Farbstoff (Mauvein)
1857	Kekulé v. Stradonitz	Entdeckung der Vierwertigkeit des Kohlenstoffs; Begründung der organ. Strukturchemie
1858	Grieß	erste Azofarbstoffe
1860	Bunsen, Kirchhoff	Entwicklung der Spektralanalyse
1861	Bunsen	Entdeckung des Rubidiums
1861	Crookes, Lamy	Entdeckung des Thalliums
1861	Graham	Begründung der Kolloidchemie
1865	Kekulé v. Stradonitz	Aufstellung der ringförmigen Benzolformel; Begründung der modernen organ. Chemie
1867	Nobel	Dynamit
1867	Gúldberg, Waage	mathemat. Formulierung des Massenwirkungsgesetzes
1869	L. Meyer, Mendelejew	Periodensystem der chem. Elemente
1874	van't Hoff, Le Bel	Begründung der Stereochemie
1884	Ostwald, Arrhenius, van't Hoff	Ionentheorie
1884	Chardonnet de Grange	Begründung der Chemiefaserind.
1885	Auer v. Welsbach	Entdeckung der Elemente Praseodym und Neodym
1886	Winkler	Entdeckung des Germaniums und damit Bestätigung des Periodensystems
1895	Ramsay, Rayleigh u. a.	Entdeckung der Edelgase in der Luft
1896	Becquerel	erste Beobachtung radioaktiver Erscheinungen
1898	M. und P. Curie	Entdeckung von Radium und Polonium
1900	M. Planck	Einführung des Planckschen Wirkungsquantums
1902	E. Fischer	Beginn der systemat. Analyse der Eiweißstoffe
1904	Bayliss, Starling	Einführung des Begriffs »Hormon«
1907	Baekeland	Begründung der Kunstharzind.
1909	Hofmann	erster Synthesekautschuk
1909	Haber, Bosch	Ammoniaksynthese
1911	E. Rutherford	Theorie der Atomstruktur
1912	Pregl	Entwicklung der quantitativen organ. Mikroanalyse
1913	Thomson	erstmalige Zerlegung eines Elements in seine Isotope
1913	Bergius	erstes Patent zur Benzinsynthese durch Kohlehydrierung (Kohleverflüssigung)
1913	Bohr	Aufstellung des Atommodells des Wasserstoffatoms
1913	Bragg	Erforschung des Gitteraufbaus der Kristalle durch Röntgenstrahlen
1913	v. d. Broek	Erkenntnis der Übereinstimmung der Ordnungszahl im Periodensystem mit der entsprechenden Rutherfordschen Kernladungszahl
1916	Lewis, Kossel	Entwicklung der modernen Elektronentheorie der Valenz (Edelgaskonfiguration, Oktettprinzip
1919	E. Rutherford	erste Kernumwandlung (Stickstoff)
1920	Staudinger	Aufklärung der Polymerisation; Begründung der makromolekularen Chemie
1923	Lowry, Brønsted	Säure-Base-Definition auf der Grundlage des Protonenaustausches
1928	Szent-Györgyi, Karrer, Hirst, Reichstein	Isolierung des Vitamins C
1928	Fleming	Entdeckung des Penicillins
1932	Wieland, Dane, Rosenheim, King	Strukturaufklärung des Cholesterins
1932	Urey, Brickwedde, Murphy	Entdeckung des schweren Wassers
1933	Ingold, Pauling	Erklärung der Stabilität einiger organ. Verbindungen

Geschichte der Chemie (Auswahl; Fortsetzung)

1934	Butenandt, Marker, Pincus	Isolierung des Sexualhormons Progesteron
1935	Domagk	Entdeckung der Heilwirkung der Sulfonamide
1935	Laqueur, Butenandt, Ruzicka	Isolierung des Sexualhormons Testosteron
1937	Segrè, Perrier	künstl. Darstellung des Elements Technetium
1938	Schlack, Carothers	erste Synthesefasern aus Polyamiden
1939	Hahn, Straßmann	Spaltung von Urankernen mithilfe von Neutronen
1939	Perey	künstl. Darstellung des Elements Francium
1940	Corson, MacKenzie, Segrè	künstl. Darstellung des Elements Astat
1941	Seaborg, McMillan, Kennedy, Wahl	künstl. Darstellung des Elements Plutonium
1941	Rochow, Müller	techn. Synthese der Silicone
1944	Avery	Desoxyribonukleinsäure wird als Träger genet. Information erkannt; Begründung der Molekulargenetik
1945	Marinsky, Glendenin, Coryell	künstl. Darstellung des Elements Promethium
1946	Libby	Altersbestimmung organ. Stoffe mit radioaktivem ^{14}C
1950	Pauling, Corey	Helixmodell der Proteine
1952	Gates, Tschudi	Totalsynthese des Alkaloids Morphin
1953	Watson, Crick, Wilkins	Helixmodell der Nukleinsäuren
1953	Ziegler	Niederdruckpolyäthylen
1955	Sanger, Crowfoot-Hodgkin	vollständige Sequenzanalyse des Insulins
1956	Calvin, Witt	Aufklärung der Photosynthese
1960	Bartlett, Hoppe	Edelgasverbindungen
1961	Matthei, Nirenberg, Ochoa	Entzifferung des Basencodes der Nukleinsäuren
1962	Kendrew, Perutz	Strukturermittlung des Hämoglobins und Myoglobins durch Beugung von Röntgenstrahlen
1965	Holley u. a.	erste Sequenzermittlung einer Nukleinsäure
1966	Khorana, Nirenberg	Teilsynthese der DNS
1969	Hirschmann, Merrifield, Moore, Stein, Anfinsen	erste Synthese eines Enzyms
1970	Khorana	erste Totalsynthese eines Gens
1970	Temin, Baltimore	Entdeckung der reversen Transkriptase
1972	Woodward, Eschenmoser	Synthese des Vitamins B_{12}
1973	Kim	erste Röntgenstrukturanalyse einer Transfer-RNS
1975	Henderson, Unwin	erste Bestimmung der dreidimensionalen Struktur
1975	Köhler, Milstein	Herstellung monoklonaler Antikörper
1976	Sänger	Strukturaufklärung der Viroide
1976	Bahl	erste Synthese einer DNS mit nachweisbarer biolog. Aktivität
1981	Binnig, Rohrer	erste Abbildungen von atomaren Oberflächenstrukturen mit dem Rastertunnelmikroskop
1983	Mullis	Polymerase-Kettenreaktion (DNS-Analytik)
1985	Kroto, Smalley, Curl	Entdeckung von C_{60} (Fullerene)
1987	Bednorz, Müller	keramische Hochtemperatur-Supraleiter
1988	Zewail	Femtosekunden-Spektroskopie zur Untersuchung sehr schneller Reaktionen
1990	Krätschmer, Huffman	erste Synthese von C_{60} (Fullerene) in größerem Maßstab
1995	GSI (Darmstadt)	Erzeugung der Transfermium-Elemente 110, 111, 112
1996	versch. Arbeitsgruppen weltweit	Erste vollständige Aufklärung des Genoms eines Lebewesens (Bäckerhefe)

Ausbildungsberufe sind Chemielaborant (Ausbildungsdauer: 3½ Jahre), Chemikant (früher Chemiefacharbeiter; 3 Jahre) und Chemiebetriebsjungwerker (2 Jahre), beide mit Tätigkeit in der Industrie, Chemielaborjungwerker (2 Jahre), Pharmakant (3 Jahre) und Lacklaborant (3½ Jahre). An (Berufs-)Fachschulen und (Fach-)Hochschulen werden chemisch-techn. Assistenten (2 Jahre, mittlerer Bildungsabschluss), Chemotechniker, (Diplom-)Chemiker (Studium der Chemie oder techn. Chemie) und Chemie- oder Verfahrensingenieure (Studium des Chemieingenieurwesens oder der Verfahrenstechnik) ausgebildet.

Chemiefasern [ç-] (Synthesefasern), i. w. S. alle auf chem. Wege erzeugten Fasern aus organ. oder auch anorgan. Materialien, i. e. S. die aus makromolekularen Naturstoffen (natürl. Polymere) oder Kunststoffen (synthet. Polymere) gewonnenen und v. a. zur Herstellung von Textilien und techn. Geweben geeigneten Fasern. Sie werden in Form von endlosen **Filamentgarnen** (früher auch **Chemie-** oder **Kunstseide** gen.) von auf eine bestimmte Länge geschnittenen **Chemiespinnfasern** oder von **Chemiebändchen** (Düsen- oder Schnittbändchen) erzeugt.

Die wichtigsten Arten der **synthet. C.** sind: die **Polyamide** (Nylon, Perlon, Rilsan, Kevlar u. a.), die **Polyester** (Diolen, Trevira, Dacron u. a.), die **Polyacrylnitrile** (Dralon, Orlon u. a.) und die **Polyurethane** (Elasthan). Ihre Vorprodukte werden durch Polymerisation, Polykondensation oder Polyaddition gewonnen. – **Anorgan. C.** sind die **Silikatfasern** (Glasseide und Glaswolle), die nur als Isoliermaterial dienende **Schlackenwolle** (Sillan) und **Keramikfasern** (Fiberfrax), die **Metallfäden** und **Stahlfasern** sowie die **Kohlenstofffasern** zur Verstärkung von Verbundwerkstoffen.

Beim **Nassspinnverfahren** (Viskoseverfahren) wird die Spinnlösung durch Spinndüsen gedrückt und in einem Fällbad fadenförmig ausgeschieden (»ausgefällt«). Beim **Trockenspinnverfahren** (für Acetat und z. T. Polyacrylnitril) verdampft man das flüchtige Lösungsmittel, nachdem sich der Faden gebildet hat. Beim **Schmelzspinnverfahren** werden thermoplast. Moleküle wie Polyamide, Polyester oder Polyolefine aus der Schmelze durch Anblasen mit Kaltluft verfestigt. – Nicht durch einen Spinnprozess, sondern durch **Längsschneiden** hochverstreckter Polyäthylen- oder Polypropylenfolien entsteht **Chemieflock** (Kurzfasern), durch **Spleißen** (Splitten) werden **Spaltfasergarne** oder verspinnbare **Splitterfasern** erzeugt.

Die Eigenschaften der C. lassen sich weitgehend beeinflussen durch Zusätze zur Spinnlösung oder -schmelze. Aus profilierten Düsenöffnungen ersponnene **Profilfasern** ergeben neben erhöhter Haftfähigkeit einen Glanz- oder Glitzereffekt.

Durch physikal. und chem. Modifikationen entstehen Spezialtypen, z.B. Hohlfasern mit guter Wärmeisolation oder Mikrofasern mit hoher Feuchtigkeitsaufnahme. Aus zwei versch. Polymeren werden →Bikomponentenfasern mit stabiler Kräuselung ersponnen. Von besonderer Bedeutung ist das →Texturieren der synthet. Filamentgarne (Helanca u.a.) zur Herstellung voluminöser und gleichzeitig elast. Kräuselgarne. Im techn. Bereich werden die versch. Typen der C. für Autoreifen, Treibriemen, Transportbänder, Gurte, Seile, Schläuche, Planen, Schutzanzüge, elektr. Isolierungen, Kunststoffarmierungen u.a. eingesetzt. – Die Weltproduktion an C. auf Zellulose- und Synthetikbasis betrug (1995) rund 20 Mio. Tonnen.

📖 BAUER, R. *u.* KOSLOWSKI, H. J.: *C.-Lexikon. Frankfurt am Main* [10]*1993.*

Chemigraphie [ç-, grch.] *die,* Verfahren und Betriebsabteilung zur Herstellung von Original-Hochdruckplatten für den Buchdruck. Die (später) druckenden Teile der Metallplatte werden mit einer säurefesten Schicht abgedeckt und die ungeschützten Teile mit Säure so tief weggeätzt, dass sie beim Druck vom Farbwerk nicht mit eingefärbt werden, oder sie werden graviert.

Allg. wird die Vorlage auf fotograf. Weg übertragen. Sollen auch Halbtöne wiedergegeben werden, so wird die Druckplatte (Klischee) als →Autotypie hergestellt. In neuerer Zeit werden die Druckplatten auch im Einstufen-Ätzverfahren hergestellt.

Chemikalien [ç-], alle durch chem. Verfahren industriell oder laboratoriumsmäßig dargestellten Stoffe anorgan. und organ. Natur. Hochreine C. heißen **Fein-C.,** solche von techn. Reinheitsgrad techn. C. oder **Schwerchemikalien. Grund-** oder **Basis-C.** dienen als Ausgangsverbindungen für viele großtechn. Prozesse.

Chemikaliengesetz, amtlich: Gesetz zum Schutz vor gefährl. Stoffen vom 16. 9. 1980 i. d. F. v. 25. 7. 1994, in Kraft seit 1. 1. 1982, dient dazu, den Menschen und die Umwelt vor den Wirkungen gefährl. Arbeitsstoffe zu schützen. Es regelt die vorbeugende Überwachung des gewerbsmäßigen und sonstigen wirtsch. Verkehrs mit chem. Stoffen und eine Anmeldepflicht für neue Stoffe. Des Weiteren enthält es allg. Vorschriften zum Gesundheits- sowie zum Verbraucher-, Arbeits- und Umweltschutz (→Gefahrstoffe).

Chemiker [ç-] (Diplomchemiker), →Chemieberufe.

Chemilumineszenz [ç-] (Chemolumineszenz), die Ausstrahlung von sichtbarem oder ultraviolettem Licht bei manchen chem. Reaktionen ohne wesentl. Temperaturänderung (→Lumineszenz).

Chemin-des-Dames [ʃmɛ̃de'dam], der →Damenweg.

chemische Bindung [ç-], Art des Zusammenhalts von Atomen in Molekülen, Kristallen u.a. sowie von Molekülen in Molekülverbänden. Ursache aller c. B. sind elektr. Wechselwirkungen zw. Elektronen und Atomkernen gemäß den quanten-

chemische Bindung: Ionenbindung beim Natriumchlorid NaCl; das Natrium erreicht durch Abgabe, das Chlor durch Aufnahme eines Elektrons die Edelgaskonfiguration

mechan. Gesetzen. Von besonderer Bedeutung für die Bildung c. B. ist das Bestreben der Atome, die äußerste Elektronenschale durch Elektronenaufnahme oder -abgabe mit acht Außen-(Valenz-)Elektronen zu besetzen **(Edelgaskonfiguration).** Neben den starken innermolekularen Wechselwirkungen mit freigesetzten Bindungsenergien (→Bindung) über 50 kJ/mol **(Hauptvalenzbindungen)** gibt es die zwischenmolekularen und schwach innermolekularen **Nebenvalenzbindungen** (z.B. die →Wasserstoffbrückenbindung), die durch →zwischenmolekulare Kräfte verursacht werden. Bei den Hauptvalenzbindungen unterscheidet man drei Grenzfälle, zwischen denen zahlreiche Übergänge existieren:

1) Die **Ionenbindung,** auch **polare, heteropolare, elektrovalente, elektrostat., ion. Bindung,** beruht auf der Wirkung elektrostat. Kräfte zw. entgegengesetzt geladenen Ionen, die durch Abgabe bzw. Aufnahme von Valenzelektronen entstehen. Sie liefert den weit überwiegenden Beitrag zum Zusammenhalt der Salze, z.B. beim Kochsalz (NaCl). Reine Ionenbindungen treten nur zw. Elementen auf, deren Elektronegativitäten um mehr als 1,8 differieren.

2) Die **Atombindung,** auch **kovalente, unpolare, homöopolare Bindung, Elektronenpaarbindung,** kommt bei Verbindungen zw. Nichtmetallen vor und beruht auf der Ausbildung (mindestens) eines gemeinsamen Elektronenpaars (Einfach-, Doppel-, Dreifachbindung). Reine Atombindungen treten auf, wenn die Elektronegativität beider Atome gleich stark ist. Dies ist stets bei zweiatomigen Molekülen der Fall, z.B. beim Chlormolekül (Cl_2). – Ein Spezialfall der Atombindung ist die v.a. in →Koordinationsverbindungen auftretende **koordinative Bindung.**

3) Die **Metallbindung, metall. Bindung,** die bei Metallen und Legierungen auftritt, wird durch die Valenzelektronen bewirkt, die sich als sog. **Elektronengas** frei zw. den als Gitter angeordneten positiven Atomrümpfen (Metallionen) bewegen. (→Metalle)

📖 KUTZELNIGG, W.: *Einführung in die theoret. Chemie, 2 Bde. Neuausg. Weinheim 1992–94.* – PAULING, L. C.: *The nature of the chemical bond and the*

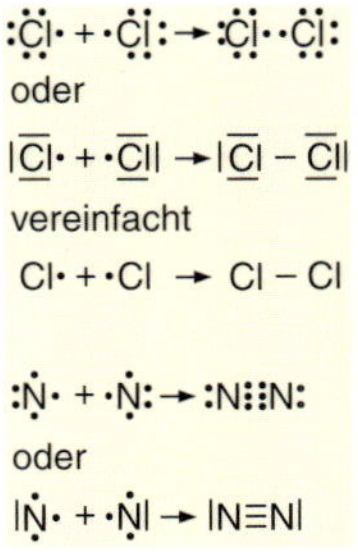

chemische Bindung: Atombindung beim Chlormolekül Cl_2; durch ein gemeinsames Elektronenpaar erreichen beide Cl-Atome die Edelgasschale (oben). Atombindung beim Stickstoffmolekül N_2; durch drei gemeinsame Elektronenpaare wird die Edelgasschale erreicht, die drei Bindungen sind jedoch nicht gleichwertig (unten)

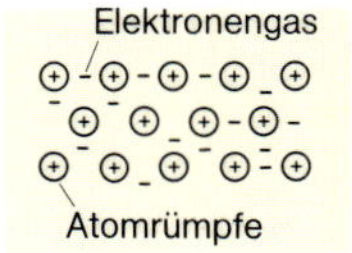

chemische Bindung: Metallbindung

structure of molecules and crystals. An introduction to the modern strucural chemistry. Neuausg. Ithaca, N. Y., ³1993.

chemische Elemente [ç-], durch chem. Verfahren nicht weiter zerlegbare Stoffe, bestehend aus →Atomen mit gleicher Kernladungs-(Ordnungs-)Zahl. Die chem. Eigenschaften eines c. E. sind bestimmt durch den Aufbau der Elektronenhülle seiner Atome. Die aus der Quantentheorie folgende Systematik der Elektronenhüllen der Atome liegt der Anordnung der chemischen Elemente im →Periodensystem der c. E. zugrunde. Die Atome eines **Reinelements** haben Kerne gleicher →Massenzahl. Die meisten c. E. treten in der Natur als **Mischelemente** auf; sie bestehen aus Atomen unterschiedl. Massenzahlen (→Isotope). Die c. E. werden in Formeln durch eine Kurzbezeichnung benannt, die von ihren wiss. Namen abgeleitet ist, z. B. Kohlenstoff (lat. carbo) C, Wasserstoff (lat. Hydrogenium) H, Kupfer (lat. Cuprum) Cu usw.

Derzeit (1996) sind 112 c. E. bekannt. Am häufigsten kommen in der äußeren Erdkruste einschl. Meere und Atmosphäre vor: 49,5% Sauerstoff (teils frei, teils im Wasser und in Oxiden), 25,8% Silicium, 7,57% Aluminium, 4,70% Eisen, 3,38% Calcium, je rd. 2% Natrium, Kalium, Magnesium, 1% Wasserstoff; alle übrigen c. E. machen den Rest aus. Dabei sind c. E. mit gerader Ordnungszahl häufiger als solche mit ungerader **(harkinssche Regel).** 93 c. E. kommen in der Natur vor, die restlichen sind nur künstlich herzustellen. Unter Normalbedingungen sind elf c. E. gasförmig (H, He, Ne, Ar, Kr, Xe, Rn, F, Cl, O, N), zwei flüssig (Br, Hg), die übrigen fest. Alle Elemente lassen sich durch Abkühlung oder Erwärmung in den festen, flüssigen oder gasförmigen Zustand überführen. Die Einteilung der c. E. in Metalle und Nichtmetalle ist nur bedingt möglich, da es Übergänge gibt und manche Elemente in metall. und nichtmetall. Modifikationen vorkommen.

Die c. E. mit den höchsten Ordnungszahlen verwandeln sich stetig durch natürl. radioaktiven Zerfall (→Radioaktivität) in leichtere c. E. Alle durch kernphysikal. Reaktionen erzeugten c. E. sind radioaktiv. – Nach den heutigen Vorstellungen entstehen die c. E. v. a. im Innern der Sterne und bei Supernova-Explosionen. Nach der Theorie des expandierenden Universums (→Kosmologie) wurden kurz nach dem Urknall allein Helium und Deuterium gebildet.

chemische Evolution [ç-], Teilaspekt der Evolution, die Entwicklung einfachster organ. Moleküle zu Makromolekülen in der →Uratmosphäre der Erde.

chemische Formeln [ç-], →chemische Zeichensprache.

chemische Gleichungen [ç-], →chemische Zeichensprache.

chemische Industrie [ç-], Industriezweig, der die industrielle Herstellung von anorgan. und organ. Chemikalien sowie von chem. Spezialerzeugnissen umfasst. Die c. I. zeichnet sich durch ein breit gefächertes Produktionsprogramm aus; sie erzeugt Grundstoffe, Zwischenprodukte und Fertigwaren. Produktionsschwerpunkte der c. I. liegen in den USA, in Japan, Dtl., Frankreich, Großbritannien, Italien, in der Schweiz und in Österreich. Zunehmend werden aber auch Produktionskapazitäten in Entwicklungsländer und die ostasiat. Schwellenländer verlagert. 1996 erzielten die 1395 Unternehmen der c. I. in Dtl. mit 575000 Beschäftigten ein Umsatz von 211,5 Mrd. DM.

chemische Keule [ç-] (Chemical Mace), Gassprühgerät, das einen Tränenreizstoff enthält; bei Polizeieinsätzen verwendet. Ihr Einsatz ist umstritten.

chemische Kinetik, →Reaktionskinetik.

chemische Nomenklatur, die Namengebung für chem. Verbindungen, die im wiss. Bereich von internat. Fachgremien (IUPAC) festgelegt wird. Vielfach sind auch noch ältere Trivialnamen im Gebrauch, z. B. Blausäure, Kochsalz. Bei den chem. Verbindungen der anorgan. Chemie steht das elektropositive Element an erster Stelle, dann folgt der elektronegative Bestandteil mit der Endung -id bei einatomigen Anionen. Anionen von Oxosäuren werden durch die Endung -at oder -it (z. B. Sulfat, Sulfit) gekennzeichnet. Eine röm. Ziffer in Klammern gesetzt gibt die Oxidationsstufe an, z. B. Kupfer(I)-chlorid, CuCl. Die Bez. für andere Substanzgruppen sind durch Regeln festgelegt.

In der organ. Chemie gibt es seit 1892 ein umfangreiches Regelwerk rationeller Namen **(Genfer Nomenklatur).** Die aliphat. Verbindungen werden durch Vor- und Nachsilben an grch. Zahlwortstämmen (Anzahl der Kohlenstoffatome) oder Trivialnamen benannt; man verwendet -an (gesättigte Verbindungen), -en (Verbindungen mit Doppelbindung), -in (solche mit Dreifachbindung), -yl (einwertige Radikale), -ol (OH-Gruppe), -al (Aldehyde), -on (Ketone), iso- (verzweigte Kette), -ase (Enzyme), -ose (Kohlenhydrate). Zur Bez. räuml. Anordnungen benutzt man die Vorsilben cis- oder syn- (gleichständig), trans- oder anti- (gegenständig), meso- (mittelständig), epi- (vertauscht), cyclo- (ringförmig geschlossen). Fachsprachlich schreibt man Bismut für Wismut, Cobalt für Kobalt, Iod für Jod. Für organ. Verbindungen wird auch die von der IUPAC festgelegte Schreibweise mit Eth... für Äth..., z. B. Ethyl..., Ethan, Ether, benutzt.

📖 Fresenius, P. *u.* Görlitzer, K.: *Organisch-chemische Nomenklatur. Stuttgart ³1991.*

chemische Reaktion [ç-], jeder Vorgang zwischen chem. Verbindungen oder Elementen (Ausgangsstoffe), der zu einer stoffl. Umwandlung, d.h. zur Bildung neuer Stoffe (Endstoffe, Reaktionsprodukte), führt. (→chemische Zeichensprache)

chemische Reinigung [ç-], die Säuberung insbesondere von nicht waschbarer Oberbekleidung durch Eintauchen in organ. Lösungsmittel, heute meist Perchlorethylen.

Chemischer Ofen [ç-] (lat. Fornax), Sternbild des Südhimmels.

chemischer Sauerstoffbedarf [ç-], Abk. **CSB,** Kenngröße für den Gehalt an oxidierbaren Wasserinhaltsstoffen (Verschmutzungsgrad von Gewässern und Abwässern). Erfasst werden v.a. organ. Verbindungen (auch biologisch nicht abbaubare).

chemische Technologie [ç-], anwendungsorientierte Wiss., die sich mit den Maßnahmen, Einrichtungen und Verfahren zur großtechn. Herstellung chem. Produkte beschäftigt. Die **Reaktionstechnik** als Teil der c. T. befasst sich mit der optimalen Durchführung chem. Reaktionen, wobei Temperatur, Druck, Reaktionsdauer, Art und Größe des Reaktors u.a. von Bedeutung sind. Als **verfahrenstechn. Grundoperationen** fasst man physikal. und physikalisch-chem. Vorgänge zusammen, die der Vor- und Aufbereitung der reagierenden Stoffe dienen. Im Rahmen der c. T. sind ferner die chem. Analytik, die Mess- und Regeltechnik, die Werkstoffwiss. sowie Methoden der Planung und Wirtschaftlichkeitsrechnung wichtig.

📖 Jakubith, M.: *Chem. Verfahrenstechnik. Einführung in Reaktionstechnik u. Grundoperationen. Weinheim u.a. 1991.* – Hopp, V.: *Grundlagen der c. T. Mitarbeit:* G. Loos. *Weinheim u.a.* ³*1993.*

chemische Verbindungen [ç-], aus zwei oder mehr Elementen zusammengesetzte homogene Stoffe, die sich in ihren Eigenschaften immer von denen der Ausgangselemente unterscheiden. Anders als Gemische, Lösungen und Legierungen sind sie stets in ganz bestimmten, gleich bleibenden Atom- und daher auch Massenverhältnissen aufgebaut. (→Stöchiometrie)

chemische Waffen [ç-], →ABC-Waffen, →C-Waffen-Abkommen.

chemische Zeichensprache, [ç-], internat. System von Kurzzeichen und daraus zusammengesetzten Formeln, Symbolen und Gleichungen für chem. Stoffe und Vorgänge. Die Zeichen für die Elemente werden aus den Anfangsbuchstaben ihrer wiss., meist lat. Namen abgeleitet, z.B. C, Kohlenstoff, Carbon (→chemische Elemente). Die Zeichen für eine chem. Verbindung erhält man durch Aneinanderreihen der Zeichen der Atome, die an der Verbindungsbildung beteiligt sind. Ein Index gibt die Zahl der beteiligten Atome an **(Summenformel, Bruttoformel),** z.B.: Na_2SO_4, Natriumsulfat; $C_2H_4O_2$, Essigsäure. Charakterist. Gruppen werden auch bei Bruttoformeln meist erkennbar angegeben (für Essigsäure dann CH_3COOH). Aus der Summenformel einer Verbindung lässt sich unter Berücksichtigung der bekannten relativen Atommassen der einzelnen Partner ihre relative Molekülmasse ermitteln. Bindestriche zw. Atomen oder Atomgruppen, häufig in bestimmter Stellung, sind Hinweise für räuml. Anordnungen der Atome in Molekülen, wobei jeweils ein Bindestrich für ein Elektronenpaar steht **(Strukturformel).** Ionen werden durch ein Ladungsvorzeichen symbolisiert, eine vorgesetzte Zahl gibt die Zahl der Ladungen an, z.B. Na^+, Al^{3+}, SO_4^{2-}, Radikale durch Punkt oder Stern, z.B. $H^{\cdot}$, atomarer Wasserstoff.

Chem. Reaktionen werden durch **chem. Gleichungen** dargestellt. Sie enthalten die chem. Zeichen der an der Reaktion beteiligten chem. Stoffe, verknüpft durch ein Gleichheitszeichen oder bei umkehrbaren Reaktionen durch einen Doppelpfeil:

Beispiel: $N_2 + 3\,H_2 \rightleftharpoons 2\,NH_3$, $Ag^+ + Cl^- \rightleftharpoons AgCl$.

Die in der Kernchemie benutzten Symbole für Atome und ihre Isotope enthalten außerdem noch die Massenzahl und die Ordnungszahl; Beispiel: ${}^{14}_{6}C$, das Kohlenstoffisotop der Masse 14, Ordnungszahl 6.

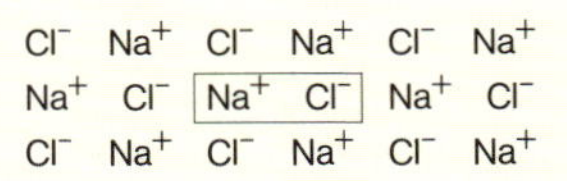

chemische Zeichensprache: Vereinfachte Darstellung von Natrium im Ionenkristall; die chemische Formel NaCl entspricht der kleinsten mit ganzzahligem Koeffizienten erhältlichen Atomgruppe

chemisch-technischer Assistent [ç-], →Chemieberufe.

Chemise [ʃəˈmiːz(ə); frz. »Hemd«] *die,* um 1790 aufgekommenes, nur unter der Brust von einem Band oder Durchzug zusammengehaltenen, taillenloses Kleid, überwiegend aus weißem Musselin, Mull oder Batist **(Chemisenkleid).**

Chemisett [ʃə-; frz. »Hemdchen«] *das* (Chemisette), im 19. Jh. kleines Vorhemd für Männer; auch Einsatz im Frauenkleid.

Chemismus [ç-] *der,* Gesamtheit des Ablaufs chem. Vorgänge, bes. im pflanzl. und tier. Stoffwechsel.

Chemisorption [ç-] *die* (Chemosorption), Sonderfall der →Adsorption.

Chemnitz [ˈkɛm-], **1)** RegBez. in Sachsen, (1996) 6097 km² und 1,693 Mio. Einwohner.

chemische Zeichensprache: Strukturformel (oben) und Summenformel der Propionsäure

Chemnitz 2): Neues Rathaus (1907–11)

Chemnitz 2) Stadtwappen

2) (1953–90 Karl-Marx-Stadt) kreisfreie Stadt in Sachsen und Verw.sitz des Landkr. Chemnitzer Land und des RegBez. C., 309 m ü. M., im Erzgebirgsvorland an der Chemnitz; 266700 Ew.; TU, Max-Planck-Inst., Technologie-Centrum C., Museen, Oper und Theater. Maschinen-, Fahrzeug- und Motorenbau, elektrotechn. und Textilindustrie. – Erhalten bzw. wieder aufgebaut u.a. die Schlosskirche (15./16. Jh.), das Alte Rathaus (15.–17. Jh.), der Rote Turm (12.–15. Jh.); um 1900 Neubauten im Zentrum: das Neue Rathaus (1907–11), die Jugendstilfassade (1911–12) der mittelalterl. Jacobikirche und der Komplex am Theaterplatz mit Opernhaus und König-Albert-Museum (1906–09; erbaut von H. van de Velde). Um 1165 wurde in der Nähe des wohl 1136 gestifteten Benediktinerklosters (1143 Marktrecht) die Stadt C. gegründet (1216 als Stadt bezeichnet), zunächst Reichsstadt, seit 1308 unter der Herrschaft der Wettiner (1485 Albertin. Linie). Entstehung zahlr. Ind.zweige seit dem 18./19. Jh. (zunächst Textilgewerbe, seit Mitte des 19. Jh. v.a. Maschinenbau). 1952–90 Hptst. des DDR-Bezirks Karl-Marx-Stadt.

Richard B. Cheney

📖 *C., hg. v.* W. WEIDLICH. *Chemnitz 1992. – C. Ein Rundgang durch die Stadt. Beiträge v.* U. WERNER-PETSCH *u.a. Leipzig 1992.*

Chemnitz ['kɛm-], Martin, luth. Theologe, *Treuenbrietzen 9. 11. 1522, †Braunschweig 8. 4. 1586; Schüler P. Melanchthons, seit 1567 Superintendent von Braunschweig, war beteiligt an der Gründung der Univ. Helmstedt sowie an der Abfassung der Konkordienformel.

Chemnitzer Land ['kɛm-], Landkreis in Sachsen, (1996) 368 km^2, 153100 Ew., Verw.sitz Chemnitz.

Chemolumineszenz [ç-], die →Chemilumineszenz.

Chemorezeptoren [ç-, lat.-grch.], Sinnesorgane oder -zellen, die der Wahrnehmung chem. Reize dienen, v.a. die Geruchs- und Geschmackssinneszellen bzw. -organe.

Chemosynthese [ç-, grch.] (Chemolithotrophie), im Ggs. zur Photosynthese die Verwendung anorgan. Verbindungen und Ionen sowie der Einsatz von Wasserstoff und Schwefel zur Energiegewinnung in der Zelle, unabhängig von Licht.

Chemotechniker [ç-], →Chemieberufe.

Chemotherapeutika [ç-, grch.], Sammelname für Substanzen, die lebende Krankheitserreger (Bakterien, Pilze, Viren, Protozoen, Würmer) oder Tumorzellen im Organismus schädigen oder abtöten. Sie dienen zur Behandlung von Infektionskrankheiten und Krebserkrankungen. Zu den C. zählen u.a. Sulfonamide, Antibiotika, Zytostatika und Mittel gegen Tuberkulose, Malaria.

Chemotherapie [ç-, grch.], Behandlung mit →Chemotherapeutika.

Chemulpo [tʃ-], ehem. Name der südkorean. Stadt →Inchŏn.

Chemurgie [ç-, grch.] *die,* Gewinnung chem. Produkte aus land- oder forstwirtschaftlich erzeugten Stoffen, z.B. Alkohol aus Kartoffeln.

Chenab ['tʃeɪnɑːb] *der,* einer der fünf Ströme des Pandschab, Indien und Pakistan, rd. 1100 km lang, entspringt im westl. Himalaja, vereinigt sich mit dem Jhelum, danach mit dem Sutlej.

Cheney ['tʃeɪnɪ], Richard (Dick) Bruce, amerikan. Politiker, *Lincoln (Nebr.) 30. 1. 1941; war 1974–77 Stabschef des Weißen Hauses, 1978–89 Abg. im Repräsentantenhaus; 1989–93 Verteidigungsminister.

Chengchow [dʒɛŋdʒɔu], chinesische Stadt, →Zhengzhou.

Chengde [tʃɛŋdɛ](Chengte), Stadt in der Prov. Hebei, N-China, über 200000 Ew.; Univ.; Textil-, Schwerindustrie – C. wurde seit dem frühen 18. Jh. zur kaiserl. Sommerresidenz (UNESCO-Weltkulturerbe) ausgebaut, 1723–33 Jeho genannt, in Europa später als Jehol bekannt.

Chengdu [tʃɛŋdu](Chengtu), Hptst. der Prov. Sichuan, China, 2,84 Mio. Ew.; Univ., wiss. Institute; elektron., feinmechan. u.a. Industrie. – Zentraler Palastbezirk aus der Yuan- (14. Jh.) und Mingdynastie (17. Jh.).

Chénier [ʃe'nje], **1)** André-Marie, frz. Dichter, *Konstantinopel 30. 10. 1762, †(hingerichtet) Paris 24. 7. 1794, Bruder von 2); schrieb formal an antiken Vorbildern orientierte, von Musikalität und Unmittelbarkeit der Empfindung erfüllte Gedichte (Idyllen, Elegien, Oden, Hymnen u.a.); gilt als bedeutendster frz. Lyriker des 18. Jh. und als einer der ersten Wegbereiter der →Poésie pure; begeisterter Anhänger der Frz. Revolution, der sich später gegen die Willkürherrschaft der Jakobiner wandte. – Oper »Andrea Chénier« von U. Giordano (1896).

2) Marie-Joseph, frz. Dichter, *Konstantinopel 28. 4. 1764, †Paris 10. 1. 1811, Bruder von 1); gilt als der große Dramatiker der Frz. Revolution.

André-Marie Chénier in einer Darstellung des französischen Zeichners Tony Johannot, Stich (frühes 19. Jh.)

Chen Kaige [tʃ-], chines. Filmregisseur, *Peking 12. 8. 1952; gehört zu den international anerkannten chines. Filmschaffenden (»Gelbes Land«, 1985; »König der Kinder«, 1987; »Die Weissagung«, 1991; »Lebewohl, meine Konkubine«, 1992).

Cheops [ç-] (ägypt. Chufu, Khufu), ägypt. König der 4. Dynastie, regierte etwa 2551–2528 v. Chr.; erbaute die **C.-Pyramide** (urspr. 146,6 m, jetzt 137 m hoch), die größte der drei Pyramiden bei Gise.

Chephren [ç-] (ägypt. Chaefre, Khaefre), ägypt. König der 4. Dynastie, Sohn des Cheops, regierte etwa 2520–2494 v. Chr., erbaute südwestlich der Cheopspyramide die zweitgrößte der drei Pyramiden (urspr. 143,5 m, jetzt 136,4 m hoch) bei Gise; zu seinem Taltempel gehört der große Sphinx.

Chequers Court ['tʃekəz kɔ:t], Landedelsitz aus dem 16. Jh. bei Aylesbury (Cty. Buckinghamshire); seit 1917 Landsitz der brit. Premierminister.

Cher [ʃɛ:r], **1)** *der,* linker Nebenfluss der Loire, Frankreich, entspringt in der Auvergne; 350 km lang.

2) Dép. in Mittelfrankreich, 7235 km², (1990) 321 600 Ew.; Hptst. Bourges.

Cherbourg [ʃɛr'bu:r], frz. Hafenstadt in der Normandie, im Dép. Manche, am Ärmelkanal, 27 100 Ew.; Stützpunkt der frz. Kriegsmarine, mit Marineschule, nat. Kriegs- und Befreiungsmuseum; Schiffbau, petrochem. und elektrotechn. Ind. – Im 2. Weltkrieg stark zerstört.

cherchez la femme [ʃɛrʃela'fam; frz. »sucht die Frau!«]; Redensart: »dahinter steckt bestimmt eine Frau!«

Chéreau [ʃe'ro:], Patrice , frz. Regisseur, *Lézigné (Dép. Maine-et-Loire) 2. 11. 1944; trat nach versch. Schauspiel- und Operninszenierungen 1976 bei den Bayreuther Festspielen mit einer eigenwilligen, collagehaft-surrealist. Inszenierung des »Ring des Nibelungen« hervor. 1979 inszenierte er in Paris A. Bergs Oper »Lulu«. 1982–90 leitete er ein Theater im Pariser Vorort Nanterre; auch Filmregisseur (»L'homme blessé«, 1983) und -schauspieler.

Cherkassky [tʃ-], Shura, amerikan. Pianist russ. Herkunft, *Odessa 7. 10. 1911, †London 27. 12. 1995; bes. bekannt als Interpret der Werke von F. Liszt, S. W. Rachmaninow und S. S. Prokofjew.

Cherokee ['tʃerəki:, engl.] (Tscherokesen), nordamerikan. Indianerstamm, sprachlich den Irokesen nahe stehend; eine der »Fünf Zivilisierten Nationen« (befestigte Dörfer, intensiver Feldbau; seit Anfang des 19. Jh. Silbenschrift); 1838/39 aus seiner Heimat, den SW-Appalachen, nach Oklahoma vertrieben (heute etwa 45 000 C.; etwa 6 000 in North Carolina).

Cherrapunji [tʃerə'pundʒi:], Ort in den Khasibergen, Meghalaya, im nordöstl. Indien, 1314 m ü. M., der »Regenpol« der Erde (Jahresmittel: 10 870 mm, gemessenes Jahresmaximum 22 987 mm Niederschlag); Zementfabrik; Landwirtschaft.

Chephren: Der thronende König Chephren, Höhe 1,68 m, Diorit (um 2500 v. Chr.; Kairo, Ägyptisches Museum)

Cherrybrandy ['tʃerɪbrændɪ, engl.] *der,* ein Fruchtsaftlikör aus Sauerkirschsaft, Kirschwasser, Zucker, Alkohol und Wasser.

Cherson [x-], Gebiets-Hptst. in der Ukraine, See- und Flusshafen nahe der Dnjeprmündung,

Chester
Stadtwappen

Luigi Cherubini

Maurice Chevalier

369000 Ew.; Hochschulen; Schiffswerft, Landmaschinenbau, Baumwoll-, Nahrungsmittelindustrie. – Gegr. 1778 als Festung.

Chersonẹs [ç-, grch.] *der,* Name mehrerer Halbinseln in der Antike: **Thrakischer C.,** die jetzige Halbinsel Gelibolu, Türkei; **Taurischer C.,** auch **Skythischer C.,** die jetzige Krim; **Kimbrischer C.,** das jetzige Jütland.

Chẹrub [ç-, hebr.] *der* (*Pl.* Cherubim), Lichtengel; im A.T. ein myth. Wesen in der Umgebung Jahwes, Schützer der Bundeslade (2. Mos. 25, 18–22) und des Himmelsgartens.

Cherubịni [k-], Luigi, italien. Komponist, *Florenz 14. 9. 1760, †Paris 13. 3. 1842; lebte seit 1788 in Paris, dort 1821–42 Direktor des Conservatoire; komponierte italien. und frz. Opern, in denen sich die Ereignisse der Revolutionsepoche spiegeln, sowie zahlr. kirchenmusikal. Werke, die durch Verfeinerung des kontrapunkt. Stils geprägt sind; auch Kammermusik.

Cherụsker [ç-, k-], german. Volksstamm im Wesergebiet zw. Teutoburger Wald und Harz. Seit 4 n.Chr. unter röm. Oberhoheit, erlangten die C. unter Führung von Arminius 9 n.Chr. im Kampf gegen Varus und 15/16 gegen Germanicus die Unabhängigkeit wieder; im 1.Jh n.Chr. von den Chatten unterworfen. Sie sind vermutlich im Stammesverband der Sachsen aufgegangen.

Cherụt [x-; hebr. »Freiheit«], 1948 gegr., rechtsgerichtete israel. Partei, Nachfolgerin der →Irgun Zwai Leumi, seit 1973 führend im →Likud, fordert im Sinne des zionist. Revisionismus einen israel. Staat in den Grenzen des bibl. Palästina; Vors.: 1948–83 M. Begin, 1983–93 Y. Schamir, seit 1993 B. Netanyahu.

Chester: Kathedrale und Teile einer Klosteranlage, roter Sandstein (13.–15. Jh.)

Chesapeake Bay [ˈtʃesəpiːk beɪ], Bucht des Atlantiks in der östl. Küstenebene der USA (Maryland und Virginia), 320 km lang, Straßenbrücke (7 km) im nördl. Teil bei Annapolis (seit 1952); den südl. Teil queren (seit 1964) ein System (insgesamt 28 km) von Brücken und zwei Tunnels (je fast 2 km lang). Vom wichtigsten Hafen, Baltimore, hat die Schifffahrt durch den **Chesapeake and Delaware Canal** zur Delaware Bay eine kürzere Verbindung zum Atlantik. In der C. B. bed. Fisch- und Krabbenfang, Austernzucht.

Cheshire [ˈtʃeʃə], County im westl. Mittelengland, 2328 km^2, (1993) 971900 Ew.; Verw.sitz: Chester.

Chester [ˈtʃestə], Stadt in NW-England, Verw.sitz der Cty. Cheshire, 80100 Ew.; anglikan. Bischofssitz, archäolog. Museum; Marktzentrum eines landwirtsch. Umlands; Maschinenbau, Metallindustrie. – Mittelalterl. Stadtbild, Fachwerkhäuser, Kathedrale (13.–15. Jh.).

Chesterfield [ˈtʃestəfiːld], Stadt in der mittelengl. Cty. Derbyshire, 71900 Ew.; Maschinenbau, Glas-, elektrotechn., chem. Industrie.

Chesterkäse [ˈtʃestər-; nach der engl. Stadt Chester], fetter Hartkäse.

Chesterton [ˈtʃestətn], Gilbert Keith, engl. Schriftsteller, *Kensington (heute zu London) 29. 5. 1874, †London 14. 6. 1936; trat 1922 zum Katholizismus über; Gedichte, parodist. Detektiverzählungen (u.a. »Das Geheimnis des Pater Brown«, 1927), fantast. Geschichten (»Das fliegende Wirtshaus«, 1914), Monographien, Essays (»Verteidigung des Unsinns«, 1909).

Chevalier [ʃəvalˈje, frz.] *der,* **1)** Ritter, Edelmann, Mitgl. eines Ritterordens.

2) Titel des niederen frz. Adels.

Chevalier [ʃəvalˈje], Maurice, frz. Chansonsänger, *Paris 12. 9. 1888, †ebd. 1. 1. 1972; seit dem 12. Lebensjahr beim Kabarett tätig; wirkte auch in Revuen (1909–13 als Partner der Mistinguett) sowie in zahlr. Filmen mit (u.a. »Gigi«, 1957).

Chevallaz [ʃəvaˈla], Georges-André, schweizer. Politiker, *Lausanne 7. 2. 1915; Lehrer, Mitgl. der Freisinnig-Demokrat. Partei, war 1974–83 Bundesrat (1974–79 zuständig für Finanzen und Zölle; 1980–83 für das Militärwesen); 1980 Bundespräsident.

Chevallier [ʃəvalˈje], Gabriel, frz. Schriftsteller, *Lyon 3. 5. 1895, †Cannes 6. 4. 1969; geistreicher Romancier, beschrieb realistisch und mit beißender Ironie Bauern und Spießbürger der südfrz. Provinzgesellschaft (»Clochemerle«, 1934, u.a.).

Cheviot [ˈtʃevɪət, engl.] *der,* strapazierfähiges Wollgewebe in Köperbindung.

Cheviot Hills [ˈtʃevɪət ˈhɪlz, auch ˈtʃiːvɪət-], Höhenzug an der englisch-schott. Grenze, erreicht im Cheviot 816 m ü.M.; Heiden mit Schafhaltung; z.T. Nationalpark.

Chevreau [ʃəˈvro; frz. »kleine Ziege«] *das,* chromgegerbtes, feinnarbiges Ziegenleder als Schuhoberleder.

Chevron [ʃəˈvrɔ̃; frz. »Dachsparren«] *der,* Gewebe mit fischgrätenähnl. Muster.

Cheyenne [ʃaɪˈen, engl.] (Eigen-Bez. Tsistsista), ein Algonkin sprechender Indianerstamm in den Great Plains; Nordgruppe in SO-Montana, etwa 3100, Viehhalter; Südgruppe in Oklahoma, etwa 5200, vorwiegend Farmer. (→Prärie- und Plains-Indianer)

Cheyenne [ʃaɪˈen], Hptst. des Staates Wyoming, USA, 1850 m ü.M., 50000 Ew.; kath. Bischofssitz; Handelszentrum (bes. für Vieh) für die mittleren Rocky Mountains; jährlich (seit 1897) findet ein großes Rodeo (Cowboyfest) statt.

Chi [ç-] (χ, X), der 22. Buchstabe des grch. Alphabets.

Chia [ˈkiːa], Sandro, italien. Maler und Bildhauer, *Florenz 20. 4. 1949; Vertreter der →Transavanguardia. Die Bewegungen seiner in leuchtenden Farben gemalten Figuren wie seine Plastiken bringen Pathos und Ekstase zum Ausdruck.

Chiang Ch'ing [dʒiaŋ tʃɪŋ], chines. Politikerin, →Jiang Qing.

Chiang Ching-kuo [tʃiaŋ tʃɪŋ-] (Tschiang Tsching-kuo, Jiang Jingguo), chines. Politiker, *Fenghua (Prov. Zhejiang) 18. 3. 1910, †Taipeh 13. 1. 1988; Sohn Chiang Kai-sheks, 1965–69 Verteidigungsmin., 1972–78 MinPräs. und seit 1978 Präs. der Rep. China (Taiwan); seit 1975 zugleich Vors. der Kuo-min-tang.

Sandro Chia: »Leidenschaft für die Kunst«, Plastik auf dem Rathausplatz in Bielefeld (1986 aufgestellt)

Chiang Kai-shek [tʃiaŋkaiʃɛk] (Tschiang Kai-schek, Jiang Jieshi), eigtl. Chiang Chung-cheng, chines. General und Politiker, *Xigou (Prov. Zhejiang) 31. 10. 1887, †Taipeh 5. 4. 1975; übernahm nach dem Tod Sun Yat-sens (1925) die Führung der Kuo-min-tang, brach 1927 radikal mit den Kommunisten und unterwarf 1926–28 die örtl. Militärmachthaber in N-China. 1928 wurde er Vors. der Nationalreg. (Staatschef) in Nanking und 1932 Oberbefehlshaber der chines. Armee. 1936 wurde er durch eigene Truppenteile gezwungen, sich mit den Kommunisten auf eine gemeinsame Verteidigung des Landes gegen Japan zu einigen. Nach In-Kraft-Treten einer neuen Verfassung seit 1948 Staatspräs., floh vor den im Bürgerkrieg (erneut seit 1946) siegreichen Kommunisten 1949 nach Taiwan. Dort fungierte er in Konflikt mit der VR China ab 1950 als Präs. der Rep. China (Taiwan).

Chiang Mai: Tempel Vat Phra Singh (14.–16. Jh. und frühes 19. Jh.)

Chiang Mai [tʃɪəŋ-] (Chiengmai), Stadt in N-Thailand, am Fuß des Doi Sutep (1676 m ü.M.), 335 m ü.M., 170400 Ew.; Nat.-Museum, königl. Winterpalast, Univ.; Seidenwebereien, Keramik-, Silber- und Lackwarenherstellung; Fremdenverkehr; mehrere Tempelanlagen (seit Ende des 13. Jh.). – 1296 als Hptst. eines Teilkönigreichs der Thai gegründet.

Chiangtzu [dʒ-], Stadt in Tibet, →Jiangzi.

Chianti [k-], italien. Rotwein aus der Toscana (aus den Chiantibergen) südöstlich von Florenz; traditionell Cuvée aus roten (bis 90%) und weißen Trauben; mindestens 11,5° Alkohol; Jahresproduktion etwa 1,3 Mio. hl.

Chiapas [tʃ-], südlichster Bundesstaat von Mexiko; erstreckt sich vom Pazifik über die Sierra de C. bis in das Golfküstentiefland, Hptst. ist Tuxtla Gutiérrez; Ruinenstätten der Maya, u.a. Palenque. Im Jan. 1994 kam es in C. zu einem Aufstand der Indios gegen die Modernisierungspolitik, die ihre wirtsch. und soziale Lage zunehmend verschlechterte.

Chiasma opticum [ç-, grch.] *das,* die Sehnervenkreuzung im Gehirn.

Chiasmus [ç-; nach dem grch. Buchstaben X (Chi)] *der,* Überkreuzstellung einander entsprechender Satzglieder, z.B.: »die Kunst ist lang, und kurz ist unser Leben« (Goethe, Faust I).

Chiasso [ˈkjasso], südlichster Grenzort der Schweiz, im Kt. Tessin, 240 m ü.M., an der Gotthardbahn, 8100 Ew.; großer Verschiebebahnhof; Tabak-, Bekleidungs-, Metallindustrie.

Chiang Kai-shek

Chiavari ['kja:-], Hafenstadt und Seebad in Ligurien, Italien, Prov. Genua, an der Bucht von Rapallo, 28600 Ew.; Schiffbau, Möbelindustrie, Schieferverarbeitung; Fremdenverkehr.

Chicago: Eines der Wahrzeichen der Stadt sind die zwei 1964/65 erbauten, Marina City genannten zylinderförmigen Stahlbetontürme (179 m hoch) mit Wohnungen, Geschäften und Büros (im Vordergrund mit dem Gebäude der IBM unmittelbar rechts daneben), die von dem 337 m hohen John Hancock Center (links hinten) überragt werden

Chiavẹnna [kja-], Stadt in der Lombardei, Italien, Prov. Sondrio, nördl. vom Comer See, 7400 Ew.; Sportartikelfabrikation; Verkehrsknotenpunkt (südl. Ausgangspunkt der Straßen über den Maloja- und Splügenpass). – C. stand 1512 bis 1797 unter der Hoheit Graubündens; seit 1815 österr., seit 1859 italienisch.

Francesco Chiesa

Chiaveri ['kja:-], Gaetano, italien. Baumeister, *Rom 1689, †Foligno 5. 3. 1770; ab etwa 1730 in sächs. Diensten; erbaute u.a. die kath. Hofkirche in Dresden (1738–55; 1945 zerstört, wiederhergestellt).

Chiayi [dʒ-](Jiayi), Stadt in Taiwan, 261700 Ew.; Holzbearbeitung, Zuckerraffinerie.

Chiba [tʃ-], Hptst. der Präfektur C., Japan, 850600 Ew.; Hafen und Zentrum des Keiyo-Industriegebiets (Neuland) im O der Tokiobucht; Wärmekraftwerk, Stahl-, Erdölindustrie.

Chibcha ['tʃibtʃa], **1)** indian. Sprachfamilie im NW Süd- und Mittelamerikas.

2) andere Bez. für die →Muisca.

Chibịnen [x-] (russ. Chibiny), Bergland auf der Halbinsel →Kola.

Chicago
Stadtwappen

Chicago [ʃɪ'kɑ:gəʊ], drittgrößte Stadt der USA (nach New York und Los Angeles), in Illinois, am SW-Ufer des Michigansees, 179 m ü.M.; 2,768 Mio. Ew. (städt. Agglomeration 8,46 Mio. Ew.); mehrere Univ., Atomforschungszentrum, TH, Museen, Planetarium, Bibliotheken, wiss. Institute u.a. Bildungseinrichtungen, Theater, Oper, Symphonieorchester, zoolog. Garten. C. ist eines der größten Handelszentren der Welt, der größte Getreidemarkt der USA und hat einen der größten Binnenhäfen der Erde, der durch den Anschluss an den St.-Lorenz-Seeweg auch Seehafen wurde; der Flughafen O'Hare ist der am stärksten frequentierte der Erde; U-Bahn (seit 1943). Landmaschinenbau, Elektronik-, Konsumgüter-, Leichtindustrie; die Viehhöfe und Schlachthäuser wurden bis 1971 größtenteils geschlossen. Die seit den 70er-Jahren anhaltende »Stahlkrise« hat die Wirtschaftslage der Stadt stark beeinträchtigt. – Das Stadtbild wurde seit Ende des 19. Jh. von Vertretern der modernen Architektur geprägt (L. Mies van der Rohe u.a.); 1884/85 Bau des ersten Hochhauses (in Stahlskelettbauweise), nach dem zweiten Weltkrieg Bau des ersten Wolkenkratzers (Prudential Building, 183 m hoch), 1964/65 entstand Marina City in Gestalt von zwei 179 m hohen zylinderförmigen Stahlbetontürmen; das John Hancock Center (mit 100 Stockwerken 337 m hoch) wird von dem Gebäude des Warenhauskonzerns Sears, Roebuck & Co. (»Sears Tower«, von SOM, 1969–74), eines der höchsten Gebäude der Erde (443 m, 110 Stockwerke), überragt. – C., 1803 gegr., wurde 1837 Stadt. Am 8./9. 10. 1871 brannte es zum größten Teil ab, entwickelte sich aber trotzdem rasch zur bedeutendsten Stadt des »Mittleren Westens« der USA; der alte Ziegelsteinwasserturm, der den Brand überdauerte, gehört zu den markantesten Gebäuden der Stadt. 1893 und 1933/34 fanden in C. Weltausstellungen statt.

Chicago-Schule [ʃɪ'kɑ:gəʊ-], auf die »Österr. Schule« (L. von Mises, F. von Hayek) zurückgehende neoliberale Richtung der Volkswirtschaftslehre (Hauptvertreter: M. Friedman und G.J. Stigler). Die C.-S. weist staatl. Konjunktur- und Stabilitätspolitik als kontraproduktiv zurück und befürwortet die marktwirtsch. Selbststeuerung und Privatisierung. Sie erhielt starken Auftrieb durch den Monetarismus und beeinflusste die angebotsorientierte Wirtschaftspolitik.

Chicạnos [tʃi-], Bez. für die Spanisch sprechende Bevölkerungsgruppe mexikan. Herkunft in den USA, bes. in S-Texas und Kalifornien; die C. ziehen im Sommer als Wanderarbeiter (Fernpendler) in den Norden. Sie sind nach den Schwarzen die zweitgrößte Minderheit in den USA und ähnl. Diskriminierungen ausgesetzt.

Chichén Itzá [tʃi'tʃen it'sa], mittelamerikan. Ruinenstätte auf der Halbinsel Yucatán, Mexiko, aus dem »Neuen Reich« der →Maya. Älteste Siedlungsspuren aus dem 3./2. Jh. v. Chr., Blütezeit im 10.–12. Jh., v. a. als Kultzentrum. Die Bauten zeigen toltek. Einfluss; erhalten u. a. eine Stufenpyramide (»Castillo«), der von einem Tausendsäulenkomplex (etwa 600 Säulen) umgebene »Kriegertempel«, ein Ballspielplatz und der »Heilige Brunnen«. Die Anlage wurde von der UNESCO zum Weltkulturerbe erklärt.

Chichester [ˈtʃɪtʃɪstə], Stadt in S-England, Hptst. der Cty. West Sussex, 26 600 Ew.; anglikan. Bischofssitz, theolog. Hochschule. – Große, im normannisch-frühengl. Stil errichtete Kathedrale (1090–13. Jh.). – Röm. Gründung **(Noviomagus Regnorum),** in sächs. Zeit **(Cisseceastre)** wichtiger Münzort.

Chichicastenango [tʃitʃi-], Wallfahrtsort im westl. Hochland von Guatemala, 2 600 Ew.; Markt der Quiché-Maya, Fremdenverkehr. – Frühbarocke Kirche Santo Tomás.

Chichihaerh [tʃitʃihar], chines. Stadt, →Qiqihar.

Chiclayo [tʃikˈlajo], Hptst. des Dep. Lambayeque, Peru, in der Küstenebene am N-Ende der Westkordillere; 411 000 Ew.; Univ.; wichtigste Handels- und Ind.stadt des N (u. a. Verarbeitung von Reis und Zuckerrohr aus der Küstenebene).

Chiclegummi [ˈtʃɪkl-, indian.], eingedickter Milchsaft des mittelamerikan. Sapotillbaumes; dient zur Herstellung von Kaugummi.

Chicorée [ʃikoˈreː, frz.] *der* oder *die,* der durch Treiben im Dunkeln gebleichte Blattschopf einer Kulturform der Zichorie für Gemüse und Salat; eine durch Anthocyan rot gefärbte Varietät ist der **Radicchio.**

Chiemsee [ˈkiːm-], größter See Bayerns, 80 km², bis 74 m tief, 518 m ü. M., im Alpenvorland. Im westl. Teil liegen die **Herreninsel** (3,3 km²; Reste einer ehem. Abtei; Prunkschloss →Herrenchiemsee), die **Fraueninsel** (Benediktinerinnenabtei Frauenchiemsee, gegr. um 770; frühroman. Münster, karoling. Torhalle) und die **Krautinsel** (unbewohnt). Hauptzuflüsse sind die Tiroler Ache und Prien, Abfluss ist die Alz (zum Inn). Das Gebiet um den C. (Chiemgau) ist ein bed. Fremdenverkehrsgebiet (u. a. Segelsport).

Chiesa [ˈkjɛːza], Francesco, schweizer. Schriftsteller italien. Sprache, *Sagno (Kt. Tessin) 5. 7. 1871, †Lugano 13. 6. 1973; schrieb Lyrik (»Calliope«, 220 Sonette, 1907), Romane (»Märzenwetter«, 1925) und heimatgebundene Erzählungen. (»Geschichten aus der Jugendzeit«, 1920).

Chieti [ˈkjɛːti], **1)** Provinz in den Abruzzen, Italien, 2 588 km², (1995) 387 300 Einwohner.

2) Hptst. von 1), am Fuß der Abruzzen, 56 500 Ew.; Erzbischofssitz; Univ. (seit 1965); archäolog. Museum; Bekleidungs- u. a. Ind., Wein- und Getreidehandel. – Reste von röm. Tempeln und einem Theater. – Das antike **Teate Marrucinorum** war Hauptort der sabell. Marruciner.

Chiffon [ʃiˈfɔ̃, frz.] *der,* feines Seiden- oder Chemieseidengewebe in Leinwandbindung.

Chiffre [ˈʃifrə, frz.] *die,* Ziffer, Zahl, Zahlzeichen; Namenszeichen, Geheimschrift, Kennziffer (in Anzeigen); in der Dichtung symbolhaftes Wort mit einem vom Autor gesetzten Sinn.

Chigi [ˈkiːdʒi], röm. Adelsfamilie aus Siena, aus der Papst Alexander VII. (1655–67) stammt. Agostino C., gen. »il Magnifico« (*1465, †1520), war der Bankier Alexanders VI., Cesare Borgias, Julius' II. und Leos X., Pächter der Münze, der Salinen und des Alauns von Tolfa. Er unterhielt eine Flotte und ließ in seiner Druckerei das erste grch. Buch drucken. B. Peruzzi baute für ihn die Villa →Farnesina. Der **Palazzo C.** in Rom, 1562 begonnen, ist seit 1961 Residenz des italien. Ministerpräsidenten.

Chignon [ʃiˈɲjɔ̃; frz. »Nacken«] *der,* weibl. Haartracht, bei der das Haar im Nacken in Wülsten oder Flechten aufgesteckt wird; frühe Beispiele aus dem angelsächs. Raum schon im 7./8. Jh., verbreitete Mode im 18./19. Jahrhundert.

Chihli, Golf von [tʃ-], Teil des Gelben Meeres, →Bo Hai.

Chihuahua [tʃiˈu̯au̯a] *der,* kleinste Hunderasse (Schulterhöhe etwa 20 cm); aus Mexiko stammend; wachsamer, lebhafter Begleithund mit großen Fledermausohren, spitz zulaufender Schnauze und großen dunklen Augen.

Chihuahua [tʃiˈu̯au̯a], **1)** größter Staat von →Mexiko, im NW des nördl. Hochlands.

2) Hptst. von 1), 1 412 m ü. M., 531 000 Ew.; Univ.; kath. Erzbischofssitz. Handels- und Verkehrszentrum N-Mexikos; Hüttenwerke in der Umgebung. – Kathedrale (1717–89). – Gegr. 1639.

Chikamatsu [tʃ-], Monzaemon, japan. Dramatiker, *Präf. Fukui 1653, †Ōsaka 6. 1. 1725; schrieb etwa 160 Bühnenstücke histor. (Jidaimono) und bürgerl. (Sewamono) Inhalts, davon etwa 110 für das Puppenspiel. Seine Stücke zeichnen sich durch

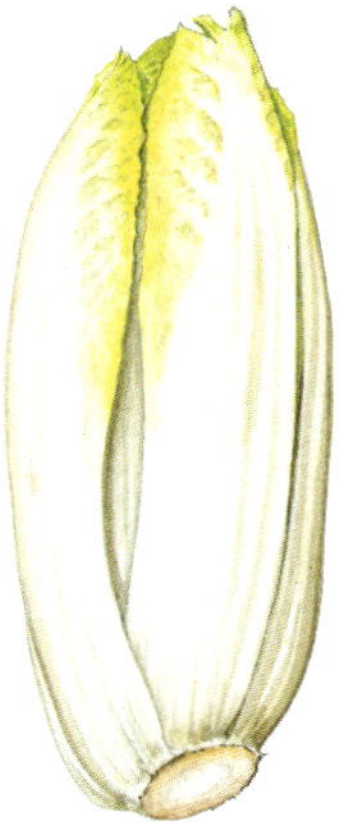

Chicorée: Salatzichorie (oben) und Radicchio

Chihuahua (Schulterhöhe bis 20 cm)

Chichén Itzá: Kriegertempel mit Tausendsäulenkomplex (zwischen 900 und 1200)

Chile

Fläche: 756626 km²
Einwohner: (1995) 14,262 Mio.
Hauptstadt: Santiago
Verwaltungsgliederung: 13 Regionen
Amtssprache: Spanisch
Nationalfeiertag: 18. 9.
Währung: 1 Chilenischer Peso (chil$) = 100 Centavos
Zeitzone: MEZ −5 Std.

Staatswappen

RCH

Internationales Kfz-Kennzeichen

Bevölkerung (in Mio.)
Bruttosozialprodukt je Ew. (in US-$)

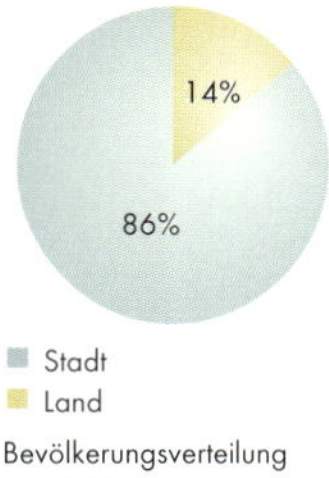

Bevölkerungsverteilung 1994

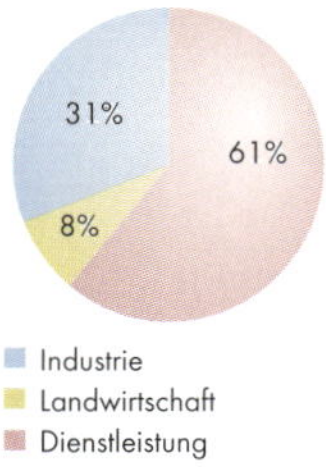

Bruttoinlandsprodukt 1993

die themat. Spannung zw. Pflicht und Neigung sowie durch sprachl. Virtuosität aus.

Childebert I. [ç-], Frankenkönig, *um 495, †23. 12. 558; Sohn Chlodwigs I., als Teilkönig im nördl. Frankenreich (511–58; Residenz Paris) gründete er das Kloster Saint-Germain-des-Prés als Königsgrablege. 524 gewann er das Loiregebiet, 534 Teile von Burgund.

Childerich I. [ç-], Merowinger, †482, Vater Chlodwigs I., seit etwa 457 König der salischen Franken in Tournai; sein Grab wurde dort 1653 bei der Kirche Saint-Brice entdeckt, die meist goldenen Grabbeigaben gehören zu den bedeutendsten Zeugnissen der merowingisch-fränk. Kultur. Die nach dem Diebstahl von 1831 zurück gebliebenen Schätze sind heute in Paris (Bibliothéque Nationale) aufbewahrt.

Children of God ['tʃɪldrən ɔv 'gɔd], eine religiöse Bewegung, →Family.

Chile ['tʃile] (amtl. Republik C., span. República de C.), Staat im SW Südamerikas, grenzt im N an Peru, im NO an Bolivien und im O an Argentinien. Zum chilen. Hoheitsgebiet gehören außerdem die Inseln Juan Fernández, San Félix, San Ambrosio, Sala y Gómez und die Osterinsel. Der von C. beanspruchte Teil der Antarktis (53°–90° w. L.) umfasst 1,25 Mio. km².

Staat und Recht: Nach der Verf. von 1980, die 1981–89 z.T. suspendiert war und 1989 und 1991 geändert wurde, ist C. eine präsidiale Rep. mit Mehrparteiensystem. Staatsoberhaupt und oberster Inhaber der Exekutive (Reg.chef) ist der für sechs Jahre direkt gewählte Präsident. Die Legislative liegt beim Kongress, bestehend aus der Abg.kammer (120 Abg., für vier Jahre gewählt) und Senat (38 für acht Jahre gewählte und neun vom Präs. ernannte Mitgl.). Wichtigste Parteien sind die gemäßigte Christl.-Demokrat. Partei (PDC), die reform-populist. Partei für die Demokratie (PPD) sowie die konservativ ausgerichteten Parteien Nat. Erneuerung (RN) und Unabhängige Demokrat. Union (UDJ).

Landesnatur: C. erstreckt sich entlang der W-Küste Südamerikas von der peruan. Grenze im N bis Feuerland im S als ein 4300 km langer, 90–445 km breiter Streifen. Parallel zur Küste verlaufen im W die Küstenkordillere, im O die Hochkordillere, dazwischen im N wüstenhaftes Hochland, in Mittel-C. das als tekton. Senke entstandene Große Längstal (Hauptwirtschafts- und Siedlungsgebiet). Die Hochkordillere mit zahlr. Vulkanen und Höhen um 6000 m (Llullaillaco 6723 m) nimmt nach S an Höhe ab (Gipfelhöhe bis 3000 m); sie ist in W-Patagonien durch Fjorde zerschnitten und trägt hier im Innern große Firn- und Eisfelder. Die Küstenkordillere (bis 2000 m ü. M.) ist im S in gebirgige Inselgruppen aufgelöst. – Man unterscheidet non N nach S folgende Landschaftsräume: 1. Der Große Norden (bis zum Río Huasco), im Wesentlichen die →Atacama; 2. der Kleine Norden (bis zum Río Aconcagua), wo Hochkordillere und Küstengebirge unmittelbar aneinander grenzen; 3. Zentral- oder Mittel-C. (bis zur Wasserscheide zw. Río Bío-Bío und Río Imperial) mit dem von Hochkordillere und Küstengebirge eingefassten Chilen. Längstal; 4. der Kleine Süden (bis zum

Chile: Die Magellanstraße, ein Fjord im Süden des Landes

Golf von Ancud und der Insel Chiloé) mit der noch heute von Araukanern bewohnten Frontera im N und der Chilen. Schweiz (Chilen. Seengebiet) im S; 5. der Große Süden, der die Patagon. Kordillere mitsamt vorgelagerten Halbinseln und Inseln (d.h. Westpatagonien) sowie Teile Ostpatagoniens und des Feuerlandarchipels umfasst. – Eine Folge der noch andauernden tekton. Tätigkeit sind Erdbeben, die das ganze Land, bes. Mittel-C., häufig heimsuchen. Die meist kurzen, in O-W-Richtung verlaufenden Flüsse werden vielfach zur Bewässerung genutzt; die eiszeitl. Vergletscherung hat am W-Fuß der Hochkordillere eine Reihe größerer Seen (Villarrica, Ranco, Puyehue, Llanquihue) geschaffen.

Durch seine Erstreckung über 39 Breitengrade gliedert sich C. klimatisch in die extrem trockene Wüstenzone Nord-C. mit regenarmer, aber nebelreicher Küstenzone (→Humboldtstrom), das nördl. Mittel-C. mit subtrop. Klima (Winterregen) sowie das südl. Mittel-C. mit Regen, vorherrschend im Winter, und Süd-C. mit reichen Niederschlägen zu allen Jahreszeiten und niedrigen Sommertemperaturen.

Bevölkerung: Sie besteht überwiegend aus Mestizen, daneben Indianer (10%, bes. Araukaner bzw. Mapuche) und rd. 25% Weiße (unter den europ. Einwanderern im Kleinen Süden auch Deutschstämmige). Zwei Drittel der Einwohner leben in Mittel-C., der N und S sind nur dünn besiedelt. Die größten Ballungsräume bilden die Stadtregionen Groß-Santiago de C., Concepción, Viña del Mar und Valparaíso. Stadtbev.: 85%, Bev.wachstum: 1,6%. – Allg. Schulpflicht vom 7. bis 15. Lebensjahr; nur 7% Analphabeten. C. hat über 200 Hochschulen, die bed. Univ. sind in Santiago de C., Valparaíso, Concepción und Valdivia. – Über 80% der Ew. gehören zur kath. Kirche, 6% sind Protestanten.

Wirtschaft, Verkehr: C. zählt zu den stärker industrialisierten Ländern Südamerikas. Seit Anfang der 80er-Jahre beträgt das Wirtschaftswachstum mehr als 5%. Der Bergbau ist seit dem 19. Jh. die Hauptstütze der Wirtschaft. C. ist einer der größten Kupferproduzenten der Erde und verfügt über beträchtl. Reserven (rd. 24% der bekannten Weltvorkommen; größte Gewinnungsanlage mit Verarbeitung in Chuquicamata; Beitrag zum Exportwert derzeit 35–40%). Als Nebenprodukte fallen dabei Molybdän, Gold und Silber an. Große Bedeutung hat auch der Eisenerzbergbau (Prov. Coquimbo und Atacama). Die Salpetergewinnung in der Wüste Atacama war bis zur Herstellung künstl. Stickstoffs (1913) wichtigstes Ausfuhrprodukt. Mit dem als Nebenprodukt anfallenden Jod kann C. den Großteil des Weltbedarfs decken. Es werden außerdem Erdöl an der Magellanstraße,

Erdgas und Kohle gefördert. Die Erzeugung von elektr. Energie erfolgt überwiegend in Wasserkraftwerken. Wachstumsind. sind die chem., Kfz-, elektrotechn. Ind. sowie die Metallverarbeitung, konzentriert v.a. auf Santiago de C., Valparaíso, Concepción, Valdivia. Gesamtwirtschaftlich gesehen ist die Landwirtschaft von relativ geringer Be-

Chile: Hauptlandwirtschaftsgebiet in Zentralchile

deutung. Infolge geograph. Gegebenheiten werden nur 24% der Gesamtfläche (6% als Ackerland) genutzt. Das Anbaugebiet beschränkt sich hauptsächlich auf das Große Längstal. Hauptanbauprodukte: Weizen, Mais, Kartoffeln, Hülsenfrüchte, Reis sowie in den letzten Jahren verstärkt für den Export Obst (Äpfel), Weintrauben und Zitrusfrüchte, auch Gemüse und Wein. Die Viehwirtschaft (Rinder, Schweine) kann den Bedarf an Fleisch und Molkereiprodukten nicht decken; die Geflügelzucht ist im Wachsen begriffen. Rd. 7 Mio. Schafe liefern hochwertige Wolle. Der Fischreichtum des Humboldtstroms und eine auf 200 Seemeilen ausgedehnte Fischereischutzzone begünstigen die Fischerei. – Ausgeführt werden v.a. Kupfer, Agrarprodukte, Fischmehl, Papier und Zellstoff, chem. Produkte. Wichtigste Handelspartner sind die USA, Japan, Dtl., Brasilien und Großbritannien. – Das überwiegend staatl. Eisenbahnnetz (rd. 8200 km) hat eine 3300 km lange Hauptlinie von Pisagua im N bis Puerto Montt im S (drei Spurweiten; Querverbindungen nach Bolivien und Argentinien); Personenverkehr nur noch zw. Santiago de C. und Puerto Montt bzw. Concepción; transandiner Güterverkehr nur noch von Arica und Antofagasta nach Bolivien. Das Straßennetz (rd. 79000 km, davon nur 13% befestigt) kann nicht ganzjährig benutzt werden. Hauptstrecke ist die asphaltierte Carretera Panamericana mit rd. 3400 km. Die Schifffahrt, der größte Verkehrsträger C., verfügt über zahlr. Häfen (Antofagasta, Iquique, Valparaíso, San Antonio, Talcahuano/San Vicente, Punta Arenas u.a.). Wichtigster internat. Flughafen: Santiago de Chile.

Geschichte: Zur Zeit der span. Eroberung gehörte Nord- und Mittel-C. zum Reich der Inka (seit 1480). Die Spanier drangen ab 1535 nach C. vor; 1539 sandte Pizarro P. de Valdivia aus, der 1541 das heutige Santiago de C. gründete. Die Araukaner südlich des Río Bío-Bío (Frontera) behaupteten bis ins 19. Jh. hinein eine gewisse Unabhängigkeit. 1778 wurde C. ein selbstständiges Generalkapitanat. 1810 griffen die Bestrebungen der übrigen hispanoamerikan. Kolonien, sich vom Mutterland zu lösen, auch auf C. über. Zwar führte eine erste Erhebung gegen Spanien unter J. M. Carrera 1811 zur Unabhängigkeit, doch eroberten die Spanier ab 1813 C. von Süden her zurück. 1817 überschritt eine argentin.-chilen. Armee unter J. de San Martín und B. O'Higgins die Anden und schlug die span. Armee bei Chacabuco entscheidend. Am 1. 1. 1818 wurde die Unabhängigkeit ausgerufen. Staatsoberhaupt wurde O'Higgins, der mit diktator. Vollmachten regierte, bis er 1823 gestürzt wurde. Den inneren Wirren setzte 1830 der Sieg der Konservativen ein Ende; Minister Diego Portales schuf die Verf. von 1833; die straffe, von der Oberschicht der kreol. Grundbesitzer getragene Herrschaft der Konservativen förderte die wirtsch. Entwicklung, die durch aktive Einwanderungspolitik (Ges. von 1845; u.a. dt. Einwanderer) begünstigt wurde. Die Araukaner wurden endgültig um 1880 unterworfen. 1879 kam es zum Salpeterkrieg gegen Bolivien und Peru. Die Chilenen eroberten 1881 die peruan. Hptst. Lima. Durch die Verträge von 1883/84 fielen das bolivian. Küstengebiet (Antofagasta) und die peruan. Prov. Tarapacá sowie Arica und Tacna (bis 1929) an C., das damit den Alleinbesitz der reichen Salpeterlager erlangte. Gleichzeitig gewann im Innern der Liberalismus die Oberhand.

Im 1. Weltkrieg blieb C. neutral. Der wirtsch. Hochkonjunktur dieser Zeit folgte ein Rückgang, bes. durch die schwindende internat. Nachfrage nach C.-Salpeter. Der liberale Präs. A. Alessandri y Palma (1920–24/25 und 1932–38) konnte in seiner 1. Amtsperiode ein Reformprogramm nur teilweise durchsetzen. Der wirtsch. Aufschwung während der Militärdiktatur von C. Ibáñez del Campo (1927–31) wurde durch die Weltwirtschaftskrise abgebrochen. In seiner 2. Präsidentschaft entwickelte Alessandri y Palma zunehmend diktator. Züge. Mit P. Aguirre Cerda (1938–41), J. A. Ríos Morales (1942–46) und G. González Videla (1946–52) übernahmen Kandidaten einer Volksfront das Präsidentenamt. 1947 wurde die KP aus der Regierungsverantwortung ausgeschlossen. Unter Präs. C. Ibáñez del Campo (1952–58) führte die fortschreitende Inflation zu sozialen Spannungen. J. Alessandri Rodríguez, als Vertreter der Konservativen und Liberalen 1958–64 Präs., versuchte diese durch Reformen abzubauen, unter seinem Nachfolger E. Frei Montalva (1964–70; christl. Demokrat) wurden sie radikaler weitergeführt. 1970 wurde S. Allende Gossens als Kandidat einer Volksfrontkoalition zum Präs. gewählt; er führte ein umfassendes Sozialisierungs- und Verstaatlichungsprogramm durch (u. a. entschädigungslose Enteignung des Kupfer- und Kohlenbergbaus sowie von Bodeneigentum; Kontrolle des Bankwesens), bekämpft von der Mehrheit des Kongresses. Die daraus erwachsene innenpolit. Krise verschärfte sich durch terrorist. Aktionen rechts- und linksradikaler Gruppen. Im Sept. 1973 stürzte die Armee Allende in einem blutigen Putsch (er kam dabei ums Leben). Eine Militärjunta unter A. Pinochet (seit 1974 Präs.) errichtete eine harte Militärdiktatur (u. a. Auflösung des Parlaments, Verbot polit. Aktivitäten, Verfolgung aller Anhänger der Linksparteien, deshalb viele Emigranten, v. a. in die Länder des Ostblocks) und suchte bes. mit monetarist. Mitteln die wirtsch. Probleme C. zu lösen. Auch die 1980 verabschiedete neue Verf. untersagte die Tätigkeit von Parteien und schrieb Pinochets Präsidentschaft bis 1989 fest. Seit Mitte der 1980er-Jahre gelang es der Oppositionsbewegung, eine wachsende Zahl von Menschen gegen die anhaltenden Menschenrechtsverletzungen politisch zu mobilisieren, sodass sich die Regierung zur Einleitung eines Reformprozesses gezwungen sah und 1987 die Bildung von Parteien legalisierte. In einem Plebiszit (1988) lehnte die Bev. eine 2. Amtszeit Pinochets ab. In einem 2. Referendum (1989) billigte sie zahlreiche Verf.änderungen (u. a. Verkürzung der Amtszeit des Präs. auf sechs Jahre und Verlust seines Rechts, die Abgeordnetenkammer aufzulösen; Erweiterung des Nationalen Sicherheitsrats um ein ziviles Mitglied).

Am 14. 12. 1989 wurde P. Aylwin Azócar als Kandidat eines 17 Parteien umfassenden Wahlbündnisses zum neuen Präs. gewählt. Mit dessen Amtsantritt (11. 3. 1990 endete die Militärdiktatur Pinochets, der jedoch als Oberbefehlshaber des Heeres sowie als Mitgl. des Senates und des Nationalen Sicherheitsrates noch große Macht besitzt. Der Handlungsspielraum der Regierung ist darüber hinaus durch weit reichende Maßnahmen des Militärregimes, v. a. in Wirtschaft und Judikative, eingeschränkt. Im März 1993 scheiterte ein Versuch der Regierung, mit einer Verf.änderung dem Präs. die Möglichkeit zu geben, die Befehlshaber der Streitkräfte auszuwechseln. 1993 wurden Sondergerichte zur Aburteilung von Menschenrechtsverletzungen während der Zeit der Militärdiktatur eingerichtet.

Nach seiner Wahl zum Nachfolger Aylwins (11. 12. 1993; Amtsantritt: 11. 3. 1994) legte Präs. E. Frei Ruiz-Tagle im Jan. 1996 ein Arbeitsprogramm zur Modernisierung von Wirtschaft und Gesellschaft vor (z. B. öffentl. Investitionen im Gesundheitswesen, Wohnungsbau und Bildung). Am 25. 6. 1996 unterzeichnete Präs. Frei Ruiz-Tagle einen Assoziierungsvertrag mit dem Mercosur.

📖 *C. Geschichte, Wirtschaft u. Kultur der Gegenwart, hg. v.* T. HEYDENREICH. *Frankfurt am Main 1990.* – FRIEDMANN, R.: *C. unter Pinochet. Das autoritäre Experiment 1973–1990. Freiburg im Breisgau 1990.* – *Gesellschaft u. Umwelt in C., hg. vom Institut für Soziologie der Universität Hannover. Beiträge v.* J. ROJAS HERNÁNDEZ *u. a. Hannover 1991.* – DIAZ OSORIO, J.: *Agrarreform in C. Aachen 1992.* – PETRAS, J. F. *u.* LEIVA, F. I.: *Democracy and poverty in C. The limits to electoral politics. Boulder, Colo., 1994.* – RÖMPCZYK, E.: *C. – Modell auf Ton. Unkel/Rhein u. a. 1994.* – *Transformation im südl. Lateinamerika. Chancen u. Risiken einer aktiven Weltmarktintegration in Argentinien, C. u. Uruguay, hg. v.* B. TÖPPER *u.* U. MÜLLER-PLANTENBERG. *Frankfurt am Main 1994.* – HOFMEISTER, W.: *C.: Option für die Demokratie. Die christlich-demokrat. Partei (PDC) u. die polit. Entwicklung in C. 1964–1994. Paderborn u. a. 1995.* – IMBUSCH, P.: *Unternehmer u. Politik in C. Frankfurt am Main 1995.* – RODRÍGUEZ SEEGER, C.: *Raumentwicklung u. Dezentralisierung in C. (1964–1994). Kiel 1995.* – COLLIER, S. *u.* SATER, W. F.: *A history of C., 1808–1994. Cambridge 1996.* – THIBAUT, B.: *Präsidentialismus u. Demokratie in Lateinamerika. Argentinien, Brasilien, C. u. Uruguay im histor. Vergleich. Opladen 1996.*

chilenische Literatur [tʃ-], →lateinamerikanische Literaturen.

chilenische Musik [tʃ-], →lateinamerikanische Musik.

Chili ['tʃili, span.] *der,* →Cayennepfeffer.

Chiliasmus [ç-, grch.] *der,* die Lehre von einer tausendjährigen Herrschaft Christi auf Erden am Ende der geschichtl. Zeit (Offb. 20, 1–10); im MA. am deutlichsten formuliert von Joachim von Fiore (*um 1130, †1202): Nach dem Zeitalter des Vaters (des A. T.) und des Sohnes (des N. T.) sollte das tausendjährige Zeitalter des Geistes beginnen; heute verbreitet bei versch. Sekten (Adventisten, Wiedertäufer, Mormonen, Zeugen Jehovas).

📖 HEID, ST.: *C. u. Antichristmythos. Eine frühchristl. Kontroverse um das Heilige Land. Bonn 1993.*

Chillán [tʃi'jan], Stadt in Mittelchile, 158 700 Ew.; Handels- und Verarbeitungszentrum eines Agrargebietes.

Chillon [ʃi'jɔ̃, frz.], Schloss auf einer Felsinsel am östl. Ende des Genfer Sees. Hier wurde F. Bonivard, ein Vorkämpfer der Unabhängigkeit Genfs und der Waadt von den Grafen von Savoyen, 1530–36 gefangen gehalten (Verserzählung von Lord Byron, 1816). 1536–1733 Sitz eines Berner Landvogts.

Chimú: Figurengefäß der Chimúkultur aus schwarzer Keramik

Chiloé [tʃilo'e:], südchilen. Küsteninsel, 8395 km², 118000 Ew.; stark bewaldetes Gebirgsland; Schafzucht, Holzhandel, Fischerei; Hauptort Ancud.

Chilon [ç-] (Cheilon), einer der →Sieben Weisen der grch. Antike.

Chilperich I. [ç-], Merowinger, *539, †(ermordet) 584; Sohn Chlothars I., 561–84 König des fränk. Neustrien; ließ seine westgot. Gemahlin Galswintha ermorden, um seine Nebenfrau →Fredegunde zu heiraten, und löste damit einen Rachekrieg →Brunhildes (Schwester Galswinthas und Gemahlin Sigiberts I. von Austrasien) aus.

Chilung [tʃ-], Hafenstadt in Taiwan, →Keelung.

Chimäre [ç-] *die,* **1)** (grch. Chimaira) *grch. Mythos:* ein Feuer schnaubendes Ungeheuer, vorn Löwe, in der Mitte Ziege, hinten Drache; wurde von →Bellerophon getötet; sprichwörtlich für Fantasiegebilde, Hirngespinst.

2) *Zoologie, Botanik:* Individuum, das aus genetisch unterschiedl. Teilen besteht.

Chimären [ç-], die →Seedrachen.

Chimborazo [tʃimbo'raso], erloschener Vulkan in Ecuador (Westkordillere), 6267 m ü. M.; vereiste Krater und 16 Gletscher. Erstbesteigung 1880 durch E. Whymper.

Chimbote [tʃim-], Industrie- und Hafenstadt (Naturhafen) an der Mündung des Río Santa, Peru, 296600 Ew.; Eisen- und Stahlwerk; Fischereizentrum. – Erdbeben am 1. und 4. 6. 1970 mit 50000 bis 70000 Toten.

Chimäre 1): Etruskische Bronzeplastik aus Arezzo, Höhe 80 cm (5. Jh. v. Chr.; Florenz, Museo Archeologico)

Chimú [tʃi'mu], Indianer des vorkolumb. Peru, die an der N-Küste Perus ein bedeutendes Reich mit hoher Kultur errichtet hatten, das von 1000 bis

Chimú: Totenmaske der Chimúkultur, Gold-Silber-Legierung mit Kupferteilen und Resten der ursprünglichen Bemalung

1470 bestand und etwa 60 Jahre vor der Ankunft der Spanier in Peru von den Inka erobert wurde. Hauptstadt war Chan Chan.

China [ç-] (amtl. Volksrepublik C., chines. Zhonghua Renmin Gongheguo), Staat in O-Asien, grenzt im O an die Randmeere des Pazif. Ozeans (Gelbes Meer, Ostchines., Südchines. Meer), im NO an Nord-Korea und Russland, im N an die Mongolei und Russland, im NW an Kasachstan, Kirgistan und Tadschikistan, im W an Afghanistan (Wakhan), Pakistan und Indien, im S an Nepal, Bhutan, Indien, Birma, Laos und Vietnam. C. beansprucht die im Südchines. Meer gelegenen Paracel- und Spratlyinseln, auf die auch Vietnam bzw. Taiwan, die Philippinen und andere südostasiat. Staaten Besitzrechte geltend machen, sowie die Pratasinseln und die Macclesfield-Bank.

Staat und Recht: Nach der Verf. von 1982 (1993 modifiziert) ist C. eine sozialist. VR mit Einparteiensystem. Staatsoberhaupt ist der Präs. (vom Nat. Volkskongress auf 5 Jahre gewählt), der im Wesentlichen repräsentative Aufgaben wahrnimmt. Oberstes Staats- und Legislativorgan ist der Nat. Volkskongress (rd. 3000 Abg., für 5 Jahre von den Parlamenten der Provinzen, autonomen Gebiete und regierungsunmittelbaren Städte sowie von den Armeeeinheiten gewählt). Er ist zuständig für die Gesetzgebung (einschl. Staatshaushalt und Wirtschaftsplanung), die Ernennung des MinPräs. und des Staatsrates. Zw. den nur einmal jährlich stattfindenden Sitzungsperioden des Nat. Volkskongresses nimmt dessen Ständiger Ausschuss (155 Mitgl.) die gesetzgebenden Funktionen wahr. Exekutive und zentrales Verwaltungsorgan ist der Staatsrat (Reg., unter Vorsitz des MinPräs.), dessen Mitgl. vom Nat. Volkskongress ernannt werden und ihm verantwortlich sind. Als permanentes Arbeitsgremium der Reg. fungiert die Ständige Konferenz des Staatsrates. In den Provinzen und den nachgeordneten Verwaltungsebenen existieren lokale Volkskongresse als Volksvertretungsorgane und lokale Reg., deren Mitgl. formal von den

China

Fläche: 9 572 900 km²
Einwohner: (1995) 1 200,3 Mio.
Hauptstadt: Peking
Verwaltungsgliederung: 22 Provinzen, 5 autonome Gebiete und 4 regierungsunmittelbare Städte
Amtssprache: Chinesisch
Nationalfeiertag: 1. 10.
Währung: 1 Renminbi ¥uan (RMB.¥) = 10 Jiao = 100 Fen
Zeitzone: MEZ +7 Std.

Volkskongressen gewählt, de facto von den KPCh-Komitees bestimmt werden. Einzige Partei von Bedeutung ist die Kommunist. Partei (KPCh), deren führende Rolle nach wie vor in der Verf. festgeschrieben ist. – Verwaltungsmäßig ist C. in 22 Provinzen, fünf autonome Gebiete und vier regierungsunmittelbare Städte (Peking, Schanghai, Tientsin, Chongqing) gegliedert.

Landesnatur: Das Kernland und Hauptsiedlungsgebiet liegt in O-Asien zw. Hinterindien und dem Gelben Meer; im W reicht der Gesamtstaat bis zum Pamir und Tienschan, im NO bis zum Amur. C. ist vorwiegend gebirgig, fast zwei Drittel der Gesamtfläche liegen höher als 1000 m ü. M. Charakteristisch ist ein Abfall der Landoberfläche in mehreren Staffeln zur Küste hin. Im SW stellt das Hochland von Tibet zw. Kunlun und Qilian Shan im N und Himalaja im S mit einer mittleren Höhe von 4 000 m ü. M. die höchst gelegene Landmasse der Erde dar; nur im N ist zw. Kunlun, Altun und Nan Shan das wüstenartige Qaidambecken mit Höhen um 2 700 m eingesenkt. Die Gebirgsumrandung des Hochlandes hat Erhebungen von 7 000-8 000 m (im Kunlun bis 7 723 m); der auf dem Hauptkamm des Himalaja gelegene Mount Everest erreicht 8 846 m). Im Bereich der nächstfolgenden Landstaffel schließen nördlich von Kunlun und Qilian Shan die abflusslosen Hochbecken und die Hochländer Zentralasiens an mit dem Tarimbecken (mit der Wüste Takla-Makan) und der Dsungarei, getrennt durch den Tienschan, in dessen östl. Ausläufern die Turfansenke (154 m u. M.) liegt, sowie dem Hochland der Inneren Mongolei. Nördlich des Qin Ling, der C. in Fortsetzung von Kunlun und Qilian Shan von W nach O als wichtigstes Scheidegebirge des Landes durchzieht, erstrecken sich die Lössbergländer der Prov. Shaanxi und Shanxi, südlich des Gebirges das Sichuanbecken (»Rotes Becken«) und das verkarstete Yunnan-Guizhou-Plateau. Östlich einer z. T. über 2 000 m aufsteigenden Landstufe, die sich vom O-Abfall des Großen Chingan im N über den Abbruch des Qin Ling bis zum O-Rand des Yunnan-Guizhou-Plateaus hinzieht, folgt die niedrigste Landstaffel. Sie umfasst die Bergländer im SO (im Nan Ling bis 1922 m) sowie die ausgedehnten Tieflandgebiete Ost-C. – Nordöstl. Ebene, Große Ebene (größtenteils unter 50 m u. M.), zentralchines. Tiefebene (im Mittel 45–180 m) am Jangtsekiang – und die Küstenebene Süd-C.s. Die Küste Nord-C.s ist flach, die Süd-C.s bergig, buchten- und inselreich. Als größte Insel ist ihr im S Hainan vorgelagert.

Flüsse: C. wird von zwei gewaltigen, aus Zentralasien kommenden Strömen durchquert, dem Hwangho im N und dem Jangtsekiang in Mittel-C. Hauptfluss des S ist der Xi Jiang. Die meisten chines. Flüsse zeigen große Wasserstandsschwankungen, die durch Stauseen und Dämme reguliert werden. Der W ist flussarm und abflusslos. – Klima: C. reicht von den heißfeuchten Randtropen im S (Hainan) bis in die gemäßigte Zone mit winterkaltem Klima. Es liegt im Gebiet der Monsunwinde und hat trotz südl. Lage starke jahreszeitl. Temperaturschwankungen: Monatsmittel zw. 15° und 28 °C im S, –20° und 25 °C im N. Frost und Schnee kommen selbst in Süd-C. noch vor. Hauptregenzeit ist der Frühsommer. Die stärksten Niederschläge fallen an der Küste, oft von Taifunen begleitet. – Vegetation: Wälder kommen wegen jahrhundertelangen Raubbaus im N, abgesehen von Nordost-C. (Mandschurei), nur noch selten vor, häufiger in den Gebirgen des S und SW neben Buschland, Bambusgehölzen und Palmen. Neuerdings werden Waldschutzstreifen angelegt und Ödland aufgeforstet. Zahlr. Kulturgewächse stammen aus C., z. B. Apfelsine, Mandarine, Maulbeerbaum, Lackbaum.

Bevölkerung: C. ist der bevölkerungsreichste Staat der Erde; über 90 % sind Chinesen (Han), daneben gibt es noch 55 nat. Minderheiten. Im SW finden sich Reste alter Gebirgsvölker, in den autonomen Gebieten Turkvölker (z. B. Uiguren), Mongolen, Tibeter u. a. Der jährl. Bevölkerungszuwachs beträgt derzeit 1,1 %, eine Familienplanung soll das Bevölkerungswachstum mindern.

Staatswappen

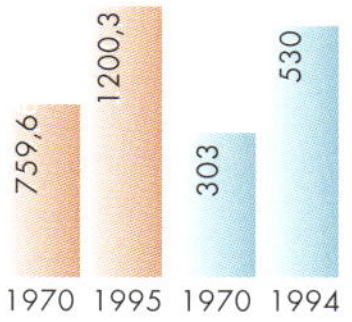

Bevölkerung (in Mio.)
Bruttosozialprodukt je Ew. (in US-$)

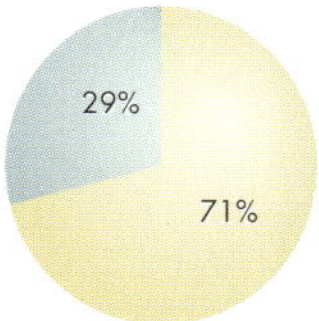

Bevölkerungsverteilung 1994

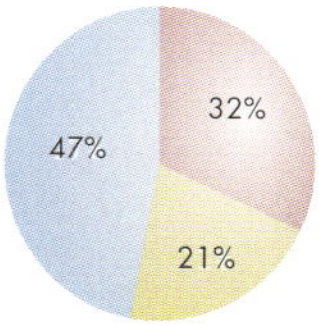

Bruttoinlandsprodukt 1994

Die Bevölkerungsverteilung ist sehr ungleichmäßig; über 90 % der Bewohner leben im östl. C. auf rd. 60 % der Gesamtfläche. In den Ebenen des unteren und mittleren Jangtsekiang siedeln z. T. über 2 000 Ew. je km², während riesige Gebiete im W weniger als 1 Ew. je km² haben. In die städt. Küstenregionen wanderten seit Mitte der 1980er-Jahre rd. 80 Mio. Menschen aus den ländl. Gebieten, sodass hierdurch der Bevölkerungsdruck weiter verstärkt wurde. Stadtbevölkerung: rd. 30 % (1952: 22,5 %); mehr als 30 Städte (Schätzung) haben über 1 Mio. Ew. Die größten sind: Chongqing, Schanghai, Peking, Tientsin, Shenyang, Wuhan, Kanton, Chengdu, Harbin, Xi'an, Nanking, Zibo, Dalian, Jinan, Changchun, Tsingtau, Taiyuan. Über 30 weitere Städte haben mehr als eine halbe Mio. Ew. – Nach dem Wiederaufbau des Schul- und Hochschulwesens ab 1978 folgte 1985 ein weitergehender Reformplan für das Bildungswesen. Danach wurde die Schulpflicht von 6 auf 9 Jahre erweitert (keine Schulgeldfreiheit). Die Analphabetenquote bei Personen ab 15 Jahren sank seit der Gründung der VR von 90 auf 22 %. Im Hochschulbereich, in dem während der Kulturrevolution (1966–69) Prüfungen und Graduierungen abgeschafft waren, wird ein erhöhtes Ausbildungsniveau angestrebt (Verlängerung der Studienzeit auf 4–6 Jahre). Die 1949 abgeschafften Magister- und Doktorexamen wurden 1981 wieder eingeführt. Es bestehen über 1 000 Hochschuleinrichtungen, darunter über 30 allg. Univ., sowie spezialisierte Univ., FH und Institute. – Nach Schätzungen des Weltkirchenrates sind über 70 % der Bev. religionslos, 20 % bekennen sich zum Daoismus und den traditionellen chines. Volksreligionen, rd. 6 % zum Buddhismus. Daneben gibt es rd. 20 Mio. mehrheitlich sunnit. Muslime und 13–17 Mio. Christen. Der Buddhismus ist v. a. in NW- und NO-C. und in Tibet, der Islam in NW-C. verbreitet.

Wirtschaft, Verkehr: Seit Ausrufung der VR 1949 unterliegt das Wirtschaftssystem häufigen, z. T. tief greifenden Veränderungen; Ind., Handel und Banken wurden verstaatlicht, die Landwirtschaft und der restl. Dienstleistungssektor fast völlig kollektiviert. Ende 1978 begann eine Liberalisierung in der Wirtschaft, u. a. im Bereich der Landwirtschaft und des Handels die Zulassung privatwirtsch. Initiativen, bei Unternehmen die Förderung der Eigenverantwortung, die Gründung chinesisch-ausländ. Gemeinschaftsunternehmen, der Aufbau exportorientierter Wirtschaftssonderzonen und die Öffnung von Küstenstädten für den Welthandel. Seit 1992 heißt das Ziel der Reform der Wirtschaftsordnung »sozialist. Marktwirtschaft«. An die Stelle der administrativen Zuteilung von Gütern sind weitgehend Märkte und Preise getreten.; Ende 1994 wurden 90 % der Konsumgüter und 85 % der Investitionsgüter auf Märkten und zu Marktpreisen gehandelt. Die verdeckte Privatisierung ist am stärksten in der Landwirtschaft vorangeschritten (statt Kollektivbetrieben Pachtwirtschaft auf Familienbasis auf kollektiveigenem Boden); ein Teil der Produktion muss noch an staatl. Ankaufsstellen abgeliefert werden. Im städt. Industriesektor sind private und kollektive Unternehmen, auch mit Auslandskapital, tätig. Staatsbetriebe sollen durch die Einführung von

China

Es spricht vieles dafür, dass die in Westeuropa, Amerika und Indien gebräuchlichen Bezeichnungen für China sich von »Qin« (gesprochen »tschinn«) herleiten, so »Cīnāḥ« (»Chinesen«) und »Cīnasthanā« (»Chinesenland«) im Sanskrit und »Thinai« und »Sinai« (»Siner« oder »Chinesen«) bei griechischen Geographen des 1. und 2. Jahrhunderts, aus dem »sinisch«, »chinesisch« usw. gebildet wurde. Die Chinesen selbst benutzten dagegen den Namen der geächteten Dynastie Qin kaum. Sie nannten ihr Land »Zhongguo« (»Reich der Mitte«).

China, Verwaltungsgliederung (1994)

Verwaltungseinheit	Fläche in 1 000 km²	Ew. in Mio.	Ew. je km²	Hauptstadt
regierungsunmittelbare Stadtgebiete				
Peking	16,8	11,3	670	–
Schanghai	6,3	13,6	2 152	–
Tientsin	11,3	9,4	827	–
Chongqing	82,0	30,2	369	–
Provinzen				
Anhui	139,7	59,6	426	Hefei
Fujian	120,0	31,8	265	Fuzhou
Gansu	454,3	23,8	52	Lanzhou
Guangdong	178,0	66,9	376	Kanton (Guangzhou)
Guizhou	176,0	34,6	196	Guiyang
Hainan	34,0	7,1	209	Haikou
Hebei	187,7	90,3	340	Shijiazhuang
Heilongjiang	454,0	36,7	81	Harbin
Henan	167,0	90,3	541	Zhengzhou
Hubei	185,9	57,2	308	Wuhan
Hunan	210,0	63,6	303	Changsha
Jiangsu	102,6	70,2	684	Nanking (Nanjing)
Jiangxi	167,0	40,2	240	Nanchang
Jilin	187,4	25,7	137	Changchun
Liaoning	145,7	40,7	279	Shenyang
Qinghai	721,0	4,7	6	Xining
Shaanxi	205,6	34,8	169	Xi'an
Shandong	153,3	86,7	566	Jinan
Shanxi	156,3	30,5	195	Taiyuan
Sichuan	488,0	81,9	168	Chengdu
Yunnan	394,0	39,4	100	Kunming
Zhejiang	102,0	42,9	421	Hangzhou
autonome Gebiete				
Guangxi Zhuang	236,0	44,9	190	Nanning
Innere Mongolei	1 183,0	22,6	19	Hohhot
Ningxia Hui	51,8	5,0	97	Yinchuan
Sinkiang (Xinjiang)	1 660,0	16,3	10	Ürümqi
Tibet	1 228,4	2,4	2	Lhasa
China	9605,1*)	1 188,7*)	124	Peking

*) Einzelangaben der Provinzen differieren mit Gesamtangaben.

Kapitalgesellschaften mit Trennung von Management- und Eigentumsrechten konkurrenzfähig werden. Eine klare Scheidung von privatem und staatl. Sektor ist nicht immer möglich.

Die Landwirtschaft bildet die Grundlage der chines. Volkswirtschaft. Sie trägt rd. 20% zum Bruttosozialprodukt bei und beschäftigt über 50% der Erwerbstätigen. Infolge der natürl. Gegebenheiten sind nur rd. 40% der Landfläche für die landwirtsch. Produktion geeignet. Die günstigsten Anbaugebiete sind die nordostchines. Tiefebene, die Große Ebene am Unterlauf des Hwangho, die Jangtsekiangebene und das Delta des »Perlflusses« im S. Neulanderschließung (Sinkiang, Innere Mongolei, Nordost-C.), Intensivierung der Landwirtschaft sowie Ausbau des Bewässerungssystems werden staatlich gefördert. Reformmaßnahmen wie der Ausbau des Eigenverantwortungssystems unter Einbeziehung marktwirtsch. Elemente führen seit Mitte der 80er-Jahre zu einem Anwachsen der landwirtsch. Produktion. Haupterzeugnisse: Reis (Anbau v.a. im SO), Weizen, Mais, Sojabohnen (im NO und N), Baumwolle (in den

China: Reisfelder im Süden des Landes

Hwangho- und Jangtsekiangniederungen und den sandigen Trockengebieten im W), Erdnüsse, Tabak, Tee, Zuckerrohr (im S und SO). In der Vieh-

China - Wirtschaft

haltung spielen Schweinezucht und Geflügelhaltung die Hauptrolle; Seidenraupenzucht. Die Forstwirtschaft bemüht sich v.a. um umfangreiche Wiederaufforstung; Anteil der Waldfläche: 13%. Die Binnenfischerei dient der Selbstversorgung. – C. ist reich an mineral. Rohstoffen. Steinkohle (weltgrößter Produzent) deckt über 70% des chines. Energiebedarfs, Erdöl fast 20%, Wasserkraft fast 5%, Erdgas 2%. Der mit zunehmender Industrieentwicklung gestiegene Bedarf an Elektroenergie kann jedoch bereits seit Mitte der 70er-Jahre nicht mehr gedeckt werden; daraus resultierte auch der 1994 begonnene Bau des »Drei-Schluchten-Staudammes« am mittleren Jangtsekiang. Die unzureichende Energieversorgung wie auch Engpässe im Transportsystem stellen ein schwer wiegendes Hindernis für die Wirtschaftsentwicklung dar. Bed. Erdölvorkommen befinden sich u.a. auf dem Schelf sowie in den Prov. Shandong, Guangdong und in Nordost-C.; hier verläuft vom Erdölfeld Daqing eine 1152 km lange Pipeline zum Exporthafen Qinhuangdao bzw. nach Peking. In der Prov. Sichuan liegen die wichtigsten Erdgaslagerstätten. Eisen-, Zinn- (20% der gesamten Weltreserven), Wolfram-, Antimon- und Uranerzvorkommen sind bedeutend. Eine wichtige Devisenquelle ist die Förderung von Gold. Die Industrie erbringt 47% des Bruttosozialproduktes und ist v.a. im O-Teil des Landes konzentriert. Parallel zum steigenden Ausstoß der Eisen- und Stahlindustrie erfolgt der Ausbau der Maschinen-, Fahrzeug-, elektrotechn. und elektron. Industrie. Erdölraffinerien und petrochem. Werke sind entstanden. Seit 1978 wird das traditionell gewachsene Ungleichgewicht zw. der Schwer- und Leichtindustrie ausgeglichen: Es kam zu einem starken Ausbau der Konsumgüterindustrie. Der wirtsch. und technolog. Austausch mit dem Ausland wird gefördert. Dazu trägt insbesondere der Aufbau von Wirtschaftssonderzonen (u.a. Shenzhan, Xiamen, Shantou, Insel Hainan) seit 1980 bei. Insgesamt haben sich in den letzten zehn Jahren bei über 20000 Unternehmen ausländ. Firmen beteiligt. Der Fremdenverkehr hat nach Öffnung C.s gegenüber dem Ausland an Bedeutung gewonnen. Exportiert werden v.a. Erdöl, Zinn u.a. Bergbauprodukte, Textilien, pflanzl. und tier. Rohstoffe sowie, in wachsendem Maße, die Erzeugnisse der Sonderwirtschaftszonen. Importiert werden Maschinen, Fabrikanlagen, Rohstoffe (Pflanzenfasern, Naturkautschuk, Nichteisenmetalle), Eisen und Stahl, Nahrungsmittel und Kunstdünger. Wichtigste Handelspartner sind Japan, die USA, Süd-Korea, Taiwan und Deutschland.

Die ungenügende Verkehrsinfrastruktur behindert den Wirtschaftsaufschwung. Im O des Landes ist das Streckennetz der Eisenbahn relativ dicht, der W mit seinen Rohstoffreserven ist jedoch kaum erschlossen. Das Eisenbahnnetz (50 000 km, davon sind 16 % elektrifiziert) wird ebenso wie das Straßennetz ständig erweitert. Von 1,2 Mio. km Straßen besitzen etwa vier Fünftel eine feste Decke. Zunehmende Bedeutung erlangt die Verkehrserschließung der Sonderwirtschaftszonen, Hafenstädte und unterentwickelten ländl. Regionen. Während die Fluss- und Küstenschifffahrt schon frühzeitig modernisiert wurde, erzwang erst der erhöhte Einfuhrbedarf an Getreide Ende der 50er-Jahre den Aufbau einer Hochseeflotte. Hauptflughäfen: Peking, Schanghai, Kanton. Die Monopolstellung der nat. Fluggesellschaft »Civil Aviation Administration of China« (CAAC) ist seit 1985 durch die Gründung neuer Luftverkehrsunternehmen aufgehoben.

Geschichte

Archäolog. Grabungen bei Zhoukoudian (heute zu Peking) brachten neben Steinwerkzeugen auch menschl. Skelettreste (Sinanthropus pekinensis, »Pekingmensch«) eines Homo erectus aus dem mittleren Pleistozän (ca. 500 000 v. Chr.) zutage. Das Zentrum der vollneolith. Yangshaokultur (6.–4. Jt.) lag im Flussgebiet des Hwangho (rotgrundige Tongefäße mit schwarzer Bemalung). Für die nachfolgende Longshan-(Lungshan-)Kultur (3. Jt. und Anfang des 2. Jt.; benannt nach Longshan am Unterlauf des Hwangho) sind Reisanbau und befestigte Siedlungen nachweisbar. Nach chines. Tradition ist die Zivilisation des Landes eine Schöpfung von weisen Urkaisern (myth. Kaiser), als deren wichtigster Huangdi (Huang-ti, »Gelber Kaiser«) überliefert wurde. Die legendäre (archäologisch nicht bezeugte) Xia-(Hsia-)Dynastie (2205–1766 v. Chr.) soll von dem Großen Yu (Yü) begründet worden sein.

Shang-Dynastie (etwa 16. Jh. bis etwa 1050 v. Chr.; später auch Yin-Dynastie gen.): Das Herrschaftsgebiet beschränkte sich auf Mittel-C.; eine feste Residenz gab es nicht. Die ersten schriftl. Zeugnisse sind die sog. Orakeltexte auf Schildkrötenschalen oder Knochen. Bekannt waren Bronzeguss und Streitwagen; es existierten wallgeschützte Städte und eine Kalenderrechnung. Höchste Gottheit war der Shangdi (Shang-ti), der Ahnengeist der Herrscherfamilie, an deren Hof die Priester eine bedeutende polit. Rolle spielten.

Zhou-(Chou-)Dynastie (etwa 1050–249 v. Chr.): Im Tal des Wei He bildete sich eine Föderation der Sippengemeinschaft der Zhou, die im 11. Jh. v. Chr. die damalige Hauptstadt Yin eroberte und zerstörte. Die neue Dynastie organisierte sich in Form eines Lehnsstaates. 771 wurden die Zhou aus dem westl. Stammland in den O vertrieben (daher Einteilung in eine Westl. – vor 771 – und eine Östl. Zhou-Zeit – danach). Nach den Quellen teilt man die gesamte Epoche der Zhou auch ein in die Frühe Zhouzeit (11. Jh. bis 722), in die Periode von 722 bis 481, die von der dem Konfuzius zugeschriebenen Chronik »Frühling und Herbst« umspannt wird, und in die Zeit der »Streitenden Reiche« (481 bis 221 v. Chr.), als der Einheitsstaat der Qin aus den Kämpfen der Lehnsherren hervorging. Die Zerfallsphase der Zhou-Dynastie brachte eine Hochblüte des Geisteslebens hervor (Konfuzius, Laozi [Lao-tse], Zhuang Zi [Chuang Tzu]).

Qin-(Ch'in-)Dynastie (221–206 v. Chr.): Die Qin setzten sich v. a. durch eine Reihe von Reformen (freie Verkäuflichkeit von Grund und Boden, zentralisierte und militarisierte Staatsführung, Aufstellung von Gesetzen) als Sieger durch. König Zheng (Cheng) von Qin nahm 221 den Titel Huangdi (Huang-ti [»Göttlich Erhabener«]), von nun an die Selbstbezeichnung der Zentralherrscher von China, an und nannte sich Qin Shi Huangdi (Ch'in Shih Huang-ti). Sein Grab, eine riesige Anlage mit Tausenden von Tonplastiken (Nachbildung seines Hofstaates), entdeckte man 1974 bei Xi'an. In dem geeinten Staatsgebiet wurde die Vereinheitlichung der Maße, der Währung und der Schrift durchge-

China (Geschichte): Das Steinrelief aus dem 2. Jh. n. Chr. zeigt ein misslungenes Attentat auf König Zheng aus der Qin-Dynastie (221–206 v. Chr.), der später unter dem Namen Qin Shi Huangdi erster Kaiser von China wurde setzt. Die Opposition der Konfuzianer und Vertreter der untergegangenen feudalist. Gesellschaftsordnung wurde durch die Bücherverbrennung von 213 u.a. Zwangsmaßnahmen unterdrückt. Feldzüge nach N (Ordosgebiet) und nach S führten zu einer vorübergehenden Erweiterung des Reiches bis in die Gegend des heutigen Kanton. Nach dem Tode Shi Huangdis (210) kam es zu Bauernaufständen, die mit dem Sturz der Dynastie endeten (206).

China (Geschichte): Überlebensgroße Tonfiguren (Krieger und Pferd) aus der 1974 entdeckten Grabwächterarmee in der unterirdischen Anlage des Kaisers Qin Shi Huangdi östlich von Lintong, Provinz Shaanxi (3. Jh. v. Chr.)

Han-Dynastie (202 v. Chr.–220 n. Chr.): Unter ihrem Gründer Liu Bang (Liu Pang), einem aus dem Volk aufgestiegenen Heerführer, entstand zunächst eine Art Mischstaat aus Feudaldomänen und staatl. Verwaltungsgebieten, später ein Beamtenstaat mit einer neuen Schicht von Großgrundbesitzern. Eine wichtige kulturelle Errungenschaft war die Erfindung des Papiers durch Cai Lun (Ts'ai Lün, *um 50, †114). Unter Kaiser Wudi (Wu-ti, 141–87) erfuhr C. seine bislang größte Ausdehnung. Kriege gegen die Xiongnu endeten mit deren Niederlage. Nach mehreren Volkserhebungen (Bauernaufstand der »Roten Augenbrauen« 17–27, religiöser Aufstand der »Gelben Turbane« 184) ging die Macht an Heerführer über, die den Staat schließlich aufteilten.

Spaltung des Reiches (Zeit der Drei Reiche): Das Reich löste sich in drei Staaten auf: Wei (220–265), Shu (221–263) und Wu (222–280). Der N und NW gingen durch den Einbruch von Fremdvölkern verloren. Die Jin-(Chin-)Dynastie (265–420) einte das Reich vorübergehend. Während der nun folgenden Spaltung (südl. und nördl. Dynastien; bis 589) wurde der Buddhismus unter Zurückdrängung des einheim. Konfuzianismus und Daoismus zur führenden Religion.

Sui-Dynastie (581/89–618) und *Tang-(T'ang)-Dynastie* (618 bis 907): Nach der kurzlebigen Sui-Dynastie, in deren Verlauf die Reorganisation der Verwaltung und der Wiederaufbau des Landes in Angriff genommen wurden (u.a. Ausbau des Kaiserkanals), entstand mit der von Li Yuan (Li Yüan, kanonisiert als Gaozu [Kao-tsu]) begr. Tang-Dynastie eine von konfuzian. Beamten geführte Zentral- und Lokalverwaltung, die bis 1911 bestehen blieb. Die höf. Kultur des Reiches erlebte ihren Höhepunkt und wirkte bis nach Japan als Vorbild. Über die Seidenstraße strömten aus den »Westlanden« Ausländer mit ihren exot. Waren nach China, das dafür neben dem Hauptexportartikel Seide nun auch Protoporzellan ausführte. Fremde Religionen wie der Manichäismus, der Zoroastrismus, der Islam und das nestorian. Christentum fassten erstmals Fuß in C. Der Volksaufstand des Huang Chao (Huang Ch'ao, †884), der den in die Flucht getriebenen Hof der letzten Machtmittel beraubte und illegale Abenteurer und Bandenhäuptlinge in die verwaisten Gouverneursämter hob, bedeutete das Ende der Tang-Dynastie. Es folgte die Zeit der »5 Dynastien« (Wudai [Wutai]; 907–960).

Song-(Sung-)Dynastie (960–1279): Die Song-Dynastie musste den chines. Raum mit anderen Staaten teilen, von denen der Kitanstaat der Liao (907–1125) der bedeutendste war, bis er von dem Dschurdschenstaat der Jin (Chin; 1115–1234) abgelöst wurde. – Unter der Song-Dynastie erfuhr die Bildung durch die Schaffung öffentl. und privater Schulen, aber auch die Erfindung des Blockdrucks eine bis dahin nicht gekannte Verbreitung.

Yuan-(Yüan-)Dynastie (1271/79–1368): Mit dem Einfall der Mongolen, bes. unter Kubilai (als chines. Kaiser Shizu [Shih-tsu], 1279–94), wurde C. Bestandteil des mongol. Weltreiches. Die Gefahr der Vernichtung der chines. Kultur wurde erst beseitigt, als sich der letzte Yuankaiser – durch Volksaufstände gezwungen – in die Mongolei zurückzog. Während der Yuan-Dynastie erhielt Europa erstmals direkte Kunde von C. (u.a. durch die Asienreise des venezian. Kaufmanns Marco Polo, 1271–95).

Ming-Dynastie (1368–1644): Unter ihrem Gründungskaiser Taizu (T'ai-tsu, 1368–98), der die Machtstellung der Zentral- und Provinzialbehörden reduzierte und sich die Ministerien unterstellte, begann die Zeit der absoluten Monarchie in C. Übersee-Expeditionen des Eunuchen Cheng He (Ch'eng Ho) führten bis nach Ostafrika. Europäer gelangten an den Kaiserhof (Matteo Ricci) und verbreiteten die Kenntnis des Christentums und der abendländ. Wissenschaften.

Qing-(Ch'ing-)Dynastie (1644–1911/12): Heereseinheiten versch. Teilstämme der Mandschuren, eines halbnomad. Volkes und Nachfahren der Dschurdschen, gelang es durch Zusammenschluss unter Nurhachi (*1559, †1626), chines. Gebiete nördlich und nordöstlich der Großen Mauer zu erobern. Gleichzeitig wurde das Reich im Innern durch Aufstände der von Li Zicheng (Li Tzuch'eng) geführten Bauernarmeen erschüttert. Der letzte Mingkaiser beging Selbstmord. Durch den Verrat des Minggenerals Wu Sangui (Wu Sankuei, *1612, †1678), der mit seinen Truppen zur Qingarmee überlief, kam es im Mai 1644 zum Einmarsch der Mandschu in die Hauptstadt Peking und zur Errichtung der Mandschu-Dynastie. Bis zum Ende des Kaiserreiches im Jahre 1911 stand C. damit unter einer Fremdherrschaft. In die Regierungszeit von Shengzu (Sheng-tsu, Herrschername Kangxi [K'ang Hsi], 1661–1722) fiel der Vertrag von Nertschinsk (1689), der erste Vertrag mit einem europ. Staat (Regelung des chinesisch-russ. Grenzverlaufs). Die Annexion Tibets wurde abgeschlossen. Unter Kaiser Gaozong (Kao-tsung, 1735–96) oder Qianlong (Ch'ien-lung) wurden Birma und Annam 1788 bzw. 1789 tributpflichtig. Das Reich erfuhr die größte territoriale Ausdehnung seiner Geschichte. Seit den 30er-Jahren des 19. Jh. verstärkten die westl. Mächte ihre militärisch-wirtschaftl. Intervention in C. Nach der chines. Niederlage im Opiumkrieg (1839–42) gegen Großbritannien wurde 1842 zu Nanking der erste der Ungleichen Verträge abgeschlossen: u. a. Abtretung Hongkongs an Großbritannien, Öffnung von fünf Vertragshäfen (darunter Schanghai). Im Verlauf neuer krieger. Auseinandersetzungen (sog. Lorchakrieg 1856–60) drang eine britisch-frz. Flotte nach N vor; Truppen marschierten in Peking ein (1860 Plünderung und Zerstörung des Sommerpalastes). Die Verträge von Tientsin (1858) und Peking (1860) zwangen den Chinesen weitere Zugeständnisse ab: u. a. die Errichtung ausländ. Gesandtschaften in Peking, Öffnung weiterer Häfen, Handelsfreiheit für brit. Kaufleute. Ähnl. Konzessionen wurden auch Frankreich, Russland und den USA eingeräumt. An Russland verlor C. bis 1860 die Gebiete nördlich des Amur und östlich des Ussuri. Seit Mitte des 19. Jh. erschütterten das Reich auch schwere innenpolit. Unruhen. Der von Hong Xiuquan (Hung Hsiu-ch'üan) geführte Taipingaufstand (1851–64) der Anhänger einer religiös-sozialrevolutionären Bewegung verheerte große Teile S-Chinas, ruinierte die Staatsfinanzen und konnte erst mithilfe ausländ. Truppen endgültig niedergeschlagen werden. Im 1. chinesisch-japan. Krieg von 1894/95 unterlag C., musste im Friedensvertrag von Shimonoseki (1895) die Unabhängigkeit Koreas anerkennen und trat Taiwan sowie die Pescadores an Japan ab. 1898 wurde unter Kang Youwei (K'ang Yuwei) eine Reformbewegung zur gesellschaftl. Modernisierung nach dem Vorbild Japans ins Leben gerufen, die jedoch am Widerstand der konservativen Partei unter Führung der Kaiserinwitwe Cixi (Tz'u-hsi) und der Intervention des Truppenführers Yuan Shikai (Yüan Shih-k'ai) scheiterte. Als die 1899 ausgebrochene fremdenfeindl. Boxerbewegung (→Boxer) die Interessen der ausländ. Mächte gefährdete, wurde Peking im Herbst 1900 von einem gemeinsamen Expeditionsheer der Westmächte (darunter auch Dtl.) und Japan besetzt. Den zu Beginn des 20. Jh. schließlich doch noch eingeleiteten Reformvorhaben (u. a. Abschaffung der konfuzian. Staatsprüfungen für Beamte, Pläne zur Schaffung eines Parlaments nach europ. Muster) kam die revolutionäre Bewegung unter Sun Yatsen (Sun Yat-sen, *1866, †1925) zuvor. Aufstände und die Bildung einer Reg. in Nanking (1. Präs. war Sun Yatsen) führten 1912 zur Abdankung der Qing-Dynastie (letzter chines. Kaiser: Pu Yi [P'u-I]) und zur Gründung der Republik.

Republik China (1912–49): Die 1912 von Sun Yatsen gegr. Nationalpartei (Kuo-min-tang [Guomindang]) konnte sich zunächst nicht gegen das Militärregime Yuan Shikais behaupten. Nach Yuan Shikais vergebl. Versuch, eine neue Dynastie in China zu gründen (1915), herrschte in C. bis 1927 Bürgerkrieg zw. regionalen Militärmachthabern (»Warlords«). Seit Mitte der 1920er-Jahre polarisierten sich die innenpolit. Kräfte in der Auseinandersetzung zw. der Kommunist. Partei (gegr. in Schanghai, 1. Parteitag am 20. 7. 1921) und den nun von Chiang Kai-shek geführten Nationalisten (Kuomintang). Feldzüge Chiang Kai-sheks gegen kommunist. Stützpunktgebiete in Jiangxi zwangen die chines. Rote Armee auf den →Langen Marsch (Okt. 1934–Okt. 1935). In dieser Zeit setzte sich Mao Zedong (Mao Tse-tung) als Führer der KP durch, deren zentraler Stützpunkt Yan'an in der Prov. Shaanxi wurde. Schon 1931 besetzte Japan die Mandschurei, rief 1932 den unter seinem Protektorat stehenden Staat »Mandschukuo« aus und proklamierte ihn 1933 zum Kaiserreich unter dem letzten Qingkaiser Pu Yi. Die während des 2. chinesisch-japan. Krieges (1937 ff.), der seit 1939 mit dem 2. Weltkrieg verschmolz, gebildete Einheitsfront der Kommunisten und Nationalisten zerbrach endgültig im Aug. 1945 nach der bedingungslosen Kapitulation Japans; erneut brach ein Bürgerkrieg aus (bis 1949), in dem die kommunist. Truppen das gesamte Festland eroberten. Chiang Kai-shek musste nach Taiwan fliehen.

Volksrepublik China (seit 1949): Am 1. 10. 1949 verkündete Mao Zedong (der als Präsident des Zentralrats der Volksregierung an die Spitze des

Staates trat) die Gründung der VR C., die 1950 Tibet besetzte. Gemäß der spezif. Deutung des Marxismus-Leninismus durch Mao Zedong (Maoismus, →Marxismus) leitete die Partei- und Staatsführung eine radikale Umgestaltung von Staat und Gesellschaft ein. Die zw. 1950 und 1953 durchgeführte Verteilung von Grund und Boden an die

China (Geschichte): Mao Zedong verkündet am 1. Oktober 1949 die Gründung der Volksrepublik China

Bauern war Vorstufe zu der 1953–57 betriebenen Kollektivierungspolitik, die ihren Höhepunkt in dem 1958 angestrebten »Großen Sprung« nach vorn und der Bildung von Volkskommunen fand. Die hierdurch ausgelösten Schwierigkeiten erzwangen die erste Revision des von Mao Zedong vertretenen Leitprogramms der Mobilisierung der Massen zugunsten einer dem sowjet. Entwicklungsmodell verpflichteten Politik, deren führende Vertreter Liu Shaoqi (Liu Shao-ch'i) und Deng Xiaoping (Teng Hsiao-p'ing) wurden. Dies führte in der Partei zu sich verschärfenden Macht- und Richtungskämpfen; sie mündeten in die →Kulturrevolution (1966–69), in der Mao Zedong v. a. mithilfe der »Roten Garden« gegen seine Opponenten im Partei- und Staatsapparat vorging (blutige Terror- und Säuberungswelle), die maoist. Linie radikal durchsetzte und schließlich durch die Armee wieder die öffentl. Ordnung herstellen ließ. Das Bündnis mit der Sowjetunion, die C. seit 1950 beim Aufbau des Landes unterstützt hatte, zerbrach (offene Feindschaft seit dem militär. Zwischenfall am Ussuri 1969); die von Zhou Enlai (Chou En-lai) geführte Außenpolitik zielte auf die Herstellung von Beziehungen zum Westen (Aufnahme in die UN und deren Sicherheitsrat 1971, Besuch R. Nixons 1972, diplomat. Anerkennung durch die USA 1979). Auf den Tod Mao Zedongs am 9. 9. 1976 folgte die Ausschaltung der sog. Viererbande, der radikalen Fraktion um Maos Witwe Jiang Qing (Chiang Ch'ing). Mit Unterstützung der Armee übernahm Hua Guofeng (Hua Kuofeng) die Nachfolge Mao Zedongs als Vors. des ZK der KPCh. Den Sieg der »Pragmatisten« über die »Ideologen« markierte 1977 die Rehabilitierung Deng Xiaopings (der 1967 als GenSekr. der KP entmachtet worden war); er drängte in der Folgezeit als maßgebl. Persönlichkeit der Partei den Nachfolger Mao Zedongs als Parteivorsitzenden und Zhou Enlais als MinPräs., Hua Guofeng, aus der Macht. 1980 verlor Hua Guofeng den Posten des MinPräs. an Zhao Ziyang (Chao Tse-jang), 1981 den Parteivorsitz an Hu Yaobang (Hu Yao-pang). Die 1978 unter maßgebl. Einfluss Deng Xiaopings eingeleitete Politik wirtsch. Reformen und der Öffnung nach außen war nicht von einer umfassenden polit. Reform begleitet. Die anvisierte Modernisierung C.s (»Sozialismus chines. Prägung«) orientierte sich an den parteidoktrinären Auffassungen von der führenden Rolle der KPCh, der Diktatur des Proletariats und dem Primat des Marxismus-Leninismus. Die Partei wandte sich wiederholt energisch gegen jegl. »bürgerl. Liberalisierung«. Die Wirtschaftspolitik war geprägt von einer deutl. Herabsetzung des Kollektivierungsniveaus in der Landwirtschaft (u. a. Auflösung der Volkskommunen), Bemühungen um eine breite Einführung von Herstellungsverfahren aus dem Westen und der vorsichtigen Zulassung kleinerer privatwirtsch. Initiativen. Widerstände in der KPCh gegen die Reformpolitik beantwortete die Führung zw. 1983 und 1986 mit einer Säuberung der Partei von »radikalen« Mitgl. Zu den restriktiven Maßnahmen des Reformkurses zählten die Streichung des Streikrechts aus der Verf. (1982) und die administrativ verordnete Ein-Kind-Ehe zur Eindämmung des starken Bevölkerungszuwachses. Deng Xiaoping zog sich nach und nach aus seinen Partei- und Staatsämtern zurück, er behielt lediglich das einflussreiche Amt des Vors. der staatl. Militärkommission (bis 1989). 1988 wurde Yang Shangkun (Yang Shang-K'un) Staatsoberhaupt. Außenpolitisch kam es zu schweren Spannungen mit dem Ende 1978 in Kambodscha einmarschierten Vietnam, mit dem C. 1979 zur Unterstützung der Roten Khmer einen Grenzkrieg führte. Gegenüber der Sowjetunion betrieb C. seit Beginn der 1980er-Jahre eine vorsichtige Entspannungspolitik (1989 erstes sowjetisch-chines. Gipfeltreffen seit 30 Jahren). Mit Großbritannien einigte man sich 1984 über den zukünftigen Status der brit. Kronkolonie Hongkong nach Ablauf der Pachtfrist 1997. Am 3./4. 6. 1989 wurden Massendemonstrationen in Peking (»Platz des Himml. Friedens«) für mehr Freiheit und Demokratie, die im April 1989 von Studenten ausgelöst worden waren, von der Armee blutig unterdrückt. Parteichef Zhao Ziyang (Chao Tzu-yang), der gegen die Militäraktion aufgetreten war, wurde durch den konservativen Führungskern um MinPräs. Li Peng (Li P'eng) entmachtet; er verlor sein Amt als Gen.-Sekr. der KPCh an Jiang Zemin (Chiang Tse-min), der seit 1993 auch die Funktion des Staatsoberhaupts wahrnimmt. Nach einer Phase innenpolit. Restauration (Verfolgung der Exponenten der Demokratiebewegung, Wiederaufleben maoist. Erziehungskampagnen, Politik der »Sparsamkeit und Regulierung« seit 1989) leitete Deng Xiaoping 1992 eine Kampagne zur Weiterführung der Wirtschaftsreform ein. Im Nov. 1993 verabschiedete das ZK der KP ein »Reformprogramm zum Aufbau einer sozialist. Marktwirtschaft« (z.B. Globalsteuerung des Wirtschaftsprozesses statt direkter staatl. Eingriffe, Entlohnung nach Leistung, Reform u.a. von Bankwesen, Finanzen und Steuern). Im Kampf gegen Oppositionelle und Dissidenten einerseits und gegen Kriminalität und Korruption andererseits sucht die Partei- und Staatsführung das Herrschaftsmonopol der KP zu sichern.

Seine außenpolit. Isolierung seit 1989 suchte C. durch ein verstärktes diplomat. Engagement, v.a. im asiat. Raum, zu überwinden; es normalisierte 1991 seine Beziehungen zu Vietnam, 1992 zu Südkorea und setzte sich für eine Lösung des Kambodschakonflikts ein. Unterird. Atomwaffenversuche (1994/95) lösten in der Weltöffentlichkeit zahlreiche Proteste aus. Mit militär. Manövern und Raketentests unterstrich C. im Rahmen seiner »Ein-China-Politik« auf militante Weise 1995 die Zugehörigkeit →Taiwans zum Staatsgebiet C.s. Am 1. 7. 1997 wurde Hongkong unter Gewährung von Sonderbedingungen in die VR C. eingegliedert.

📖 *C. Gesellschaft, Politik, Staat, Wirtschaft. Handbuch, hg. v.* W. FRANKE *unter Mitarbeit v.* B. STAIGER. *Reinbek bei Hamburg 1977. – The Cambridge history of C., hg. v.* D. C. TWITCHETT *u.a. Auf zahlr. Bde. ber. Cambridge 1978ff.* – GRANET, M.: *Die chines. Zivilisation. Familie, Gesellschaft, Herrschaft. Von den Anfängen bis zur Kaiserzeit. A. d. Frz. Frankfurt am Main ²1989.* – DOMES, J. *u.* NÄTH, M.-L.: *Geschichte der Volksrepublik C. Mannheim u.a. 1992.* – GERNET, J.: *Die chines. Welt. Die Geschichte C.s von den Anfängen bis zur Jetztzeit. A. d. Frz. Frankfurt am Main ²1994.* – OVERHOLT, W: *Gigant der Zukunft. C.s Wirtschaft vor dem großen Sprung. A. d. Engl. München 1994.* – WEGGEL, O.: *C. München ⁴1994.* – HERRMANN-PILLATH, C.: *Marktwirtschaft in C. Geschichte – Strukturen – Transformation. Opladen 1995. – Weltwirtschaftsmacht C., hg. v.* H.-H. BASS *u.a. Hamburg 1995.* – BUCKLEY EBREY, P.: *C. Eine illustrierte Geschichte. A. d. Engl. Frankfurt am Main u.a. 1996.* – WEGGEL, O.: *Das nachrevolutionäre C. Mit konfuzian. Spielregeln ins 21. Jh.? Hamburg 1996.* – SCHMIDT-GLINTZER, H.: *C. Vielvölkerreich u. Einheitsstaat. Von den Anfängen bis heute. München 1997.*

China [ç-] (Republik China), Inselstaat in O-Asien, →Taiwan.

Chinagras [ç-], Bastfaser, →Ramie.

Chinakohl [ç-] (Brassica chinensis), ostasiat. Kohlpflanze, bildet ovale feste oder lockere Köpfe; als Salat oder gekocht zubereitet. In Mitteleuropa wird zunehmend der verwandte **Pekingkohl** (Brassica pekinensis) angebaut.

Chinampas [tʃi'nampas; »schwimmende Gärten«], von Wassergräben umgebene Gemüsebeete im aztekischen Mexiko, heute noch in →Xochimilco.

Chinarinde [ç-] (Fieberrinde, peruvianische Rinde, Cortex Chinae), die bitter schmeckende, getrocknete Rinde versch. Arten des **Chinarindenbaums** (Gatt. Rötegewächse). Die Stammpflanzen sind im Andengebiet Perus heimisch. Die C. ist eine als Malaria-, Fieber- und Bittermittel wirksame Arzneidroge. An wichtigen Inhaltsstoffen enthält sie etwa 30 Alkaloide in einer Gesamtkonzentration von 4–12%. Die Hauptvertreter sind Chinin und Chinidin. Die C. dient zur industriellen Gewinnung von Chinin. Die aus C. u.a. Stoffen hergestellte **Chinatinktur** wird als appetitanregendes Mittel verwendet.

Chinaschilf [ç-] →nachwachsende Rohstoffe.

Chinchillas [tʃin'tʃıl(j)as] (Chinchillidae), in S-Amerika heim. Familie der Nagetiere mit drei Gattungen. Die **C. i. e. S.** oder **Wollmäuse** (Chinchilla) liefern wertvolles Pelzwerk.

Chinchow [dʒindʒɔʊ], chines. Stadt, →Jinzhou.

Chindwin [tʃ-], rechter Nebenfluss des Irawadi in Birma, rd. 800 km lang, entspringt in den Patkai Hills.

Chinesen [ç-], mongolides Volk in Ostasien, Hauptbev. Chinas und Taiwans (→Han).

chinesische Kultur [ç-]. Die c. K. ist die älteste der bis in die Gegenwart fortlebenden Kulturen. Sie konnte abgesondert von den anderen Kulturen des eurasischen Raumes ihre Selbstständigkeit wahren und sich ohne wesentl. Bruch ihrer Überlieferung entwickeln. Ihre schöpfer. Leistungen auf den Gebieten der Religion und Philosophie, der Literatur und der bildenden Kunst gehören zu den bedeutendsten der Menschheitsgeschichte. Die Chinesen erfanden – schon Jahrhunderte vor den entsprechenden Erfindungen in Europa – das

Papier, den Buchdruck von geschnitzten Holzplatten und den Druck mit bewegl. Lettern, den Kompass, das Porzellan und das Schießpulver. Die Seidenraupenzucht gibt es seit frühester Zeit. Die c.K. wurde bestimmend für die Nachbarländer, v.a. Korea und Japan, sowie auch für die Völker, die, wie die Mandschuren, als Eroberer nach China kamen. In Tibet und Hinterindien kreuzte sich ihr Wirkungsbereich mit dem der ind. Kultur. Eine unmittelbare Beeinflussung der c. K. ging durch den Buddhismus nur von der indischen aus. Mit Europa stand China (Seidenstraße) in Handelsbeziehungen, die jedoch meist mittelbar waren. Erst mit dem sich verstärkenden Einfluss der europ. Großmächte erfolgte auch eine intensivere Auseinandersetzung mit der europ. Kultur.

chinesische Kunst [ç-]. *Frühzeit* (ab etwa 5000 v.Chr.): Die Buntkeramik der Yangshaokultur (Höhepunkt in Gansu) weist in ihrem rhythm. Linienspiel bereits ein typ. Merkmal c.K. auf, ebenso originär ist die Schwarzkeramik mit Formen wie Dreifuß, spitz- und kugelförmigen Gefäßböden. Die in NO-China vorkommende unbemalte, schwarze polierte Longshan-(Lungshan-)Keramik ist schon mit der Töpferscheibe gedreht.

Shang-, später *Yin-Zeit* (etwa 16. Jh. bis 1050 v.Chr.): In die Epoche der ältesten histor. Dynastie fällt die erste Blüte einer hohen Kunst mit großartigen Bronzen (Kultgefäße). Das Hauptmotiv der von plast. (Tier-)Ornamentik geprägten Anyangbronzen ist eine die obere Kopfpartie eines Tierdämons darstellende Maske (Taotie; Tao-t'ieh).

Zhou-(Chou-)Zeit (etwa 1050–249 v.Chr.) und *Qin-(Ch'in-)Zeit* (221–206 v.Chr.): Bronzegefäße (aus dem Tal des Huai He) zeigen eine verschlungene (Tier-)Ornamentik. Ebenfalls neu ist die Tauschierungstechnik. Erhalten sind profane Gebrauchsgegenstände einer hoch entwickelten Hofkultur (Spiegel, Jadeschmuck). In Anyang (Prov. Henan) gefundener weißer Scherben enthält bereits Kaolin. Neu zum Ende der Zhouzeit ist das Aufkommen von Glasuren, insbesondere einer dunkel- bis hellgrünen Bleiglasur auf Irdenware, sowie die Erfindung des Steinzeugs, des Protoporzellans. Bei Xi'an (Grabanlage des Kaisers Shi Huangdi [Shih Huang-ti], †210) werden seit 1974 Terrakottafiguren (über 7000 lebensgroße Skulpturen), eine ganze Armee, ausgegraben.

Han-Zeit (206 v.Chr.–220 n.Chr.): Nach vereinzelten Beispielen einer figürl. Keramik mit Lacküberzug in Zhou-zeitl. Gräbern nehmen unter den Han die tönernen, glasierten Grabbeigaben einen breiten Raum ein. Den künstler. Höhepunkt bilden die Statuetten (Musikanten, Krieger und Pferde). Die glatten Oberflächen der Bronzen der Han-Zeit sind durch Tauschierungen belebt. Ein wichtiges Kapitel der Hankunst bilden die schönen

chinesische Kunst

1

2

1 Sakralbronze aus Anyang, Provinz Henan; Höhe 32,5 cm (späte Shang-Dynastie; Köln, Museum für Ostasiatische Kunst) | 2 Zwei Eunuchenfiguren als Grabbeigaben, Höhe 34,5 cm (9. Jh.)

Lackarbeiten, die, ebenso wie die Seidenmalerei, schon in der späten Zhouzeit gepflegt wurden. Die Vormachtstellung Chinas und den Einfluss seiner Zivilisation auf die Nachbargebiete bezeugen die archäolog. Funde (Lackgegenstände, Seidenstoffe) aus den Gräbern in Noin Ula (Mongolei) und Lolang (Nordkorea). Zu den bedeutendsten Grabfunden der früheren Westl. Han-Zeit zählen die Felsengräber in Mancheng (Hebei) mit zwei Totengewändern aus Jade. Im 1. Jh. n.Chr. waren Ziegelkammergräber weit verbreitet; sie wurden später auch mit Wandmalereien geschmückt.

Die *Jahrhunderte der Reichsspaltung* (220–589): In den neu gegr. buddhist. Höhlenklöstern (Dunhuang, Longmen u.a.) entstanden zahllose Buddha-

3

4

5

6

3 »Ausritt zur Jagd«, Malerei an der Ostwand des Korridors im Grab des Kronprinzen Zhang Huai bei Qianxian (Tangzeit) | **4** Porzellangefäß mit kobaltblauer Malerei unter der Glasur (16. Jh; Köln, Museum für Ostasiatische Kunst)

5 Ma Yuan, »Auf einem Gebirgspfad im Frühling«; Albumblatt, Tusche und leichte Farben auf Seide (12. Jh.; Taipeh, Palastmuseum) | **6** Buddha- und Bodhisattva-Darstellungen in einem der Höhlentempel von Longmen südlich Luoyang (7. Jh.)

skulpturen sowie Wandmalereien. Die Malerei wurde neben Dichtung, Kalligraphie und Musik in den Rang einer der hohen Künste der Elite erhoben. Die Kalligraphie erfuhr im expressiven Stil des Wang Xizhi (Wang Hsi-chih) einen Höhepunkt.

Tang-(T'ang-)Zeit (618–907): In der Tang-Zeit wurde China zu einem kosmopolit. Reich. Einflüsse fremder Kulturen zeigen die Gold- und Silberschmiedekunst; die Präsenz der Ausländer spiegelt sich auch in den keram. Grabfiguren. Grabwege und Grabkammern sind reich mit Wandmalereien ausgestattet. Sie vermitteln eine Anschauung von den größtenteils nur aus literar. Quellen und späteren Kopien bekannten Werken der Tangmeister (u. a. Wu Daozi [Wu Tao-tzu], Yan Liben [Yen Li-pen], Han Gan [Han Kan], Li Sixun [Li Ssu-hsün], Wang Wei). In der Tang-Zeit kam es auch zur vollen Entfaltung des Systems der Holzarchitektur, bei der das Gewicht der Konstruktion (bes. des geschwungenen Daches) auf vertikalen Stützen (nicht auf den dazwischenliegenden Wänden) ruht. Die älteste Form des Ziegelbaus ist demgegenüber die buddhist. Pagode, in der sich bodenständige chines. Elemente (Turm mit Studio [»Lou«]) und solche der ind. Stupa vermischt haben.

Song-(Sung-) und *Yuan-(Yüan-)Zeit* (960–1368): In der Song-Zeit erlebte die Landschaftsmalerei eine Blüte; Ferne und Raumtiefe werden durch einen freien Raum zw. Vorder- und Hintergrund erzeugt (Luftperspektive). U.a. wirkten Li Cheng (Li Ch'eng), Fan Kuan (Fan K'uan) und Guo Xi (Kuo Hsi) im N, Dong Yuan (Tung Yüan) im S. Neben der S-Schule (kaiserl. Malakademie in Nanking; Blüte des »Eineckstils« im 12./13. Jh. mit seiner Konzentration des Gegenständlichen einer Landschaft in einer unteren Bildecke, u.a. Ma Yuan [Ma Yüan] und Xia Gui [Hsia Kuei]) formierte sich seit dem 10. Jh. die antiakadem. →Literatenmalerei. Die monochrome Tuschmalerei beeinflusste die jap. Zen-Malerei. Die Keramik erlebte in der Song-Zeit einen Höhepunkt (Seladon). In der Yuan-Zeit gewann die Kalligraphie an Bedeutung.

Ming- (1368–1644) und *Qing-(Ch'ing-)Zeit* (1644–1911/12): Die Tradition der Songzeit wurde weitergeführt (Landschaftsmalerei; Seladonware). Aus dem elfenbeinweißen Steinzeug der Tang und dem schon durchscheinenden Tingyao (T'ing-yao) der Song mit monochromer Glasur und reliefartig eingeschnittenem Dekor entwickelt sich das eigtl. Porzellan (Höhepunkt unter den Qing). Unter der Ming-Dynastie wurden zahlr. Bauten in tradierten Formen errichtet (Halle in Holzkonstruktion auf steinernem Sockel; das konkav geschwungene Dach auf Pfosten). Im monumentalen Steinbau sind die Balken- und Bogenbrücken von erstaunl. techn. Vollkommenheit und hoher ästhet. Wirkung. Im 17. und 18. Jh. erlebte der Farbholzschnitt eine Blüte.

Moderne (seit 1911/12): In der Zeit der Rep. öffnete sich China westl. Kunstströmungen. Der wichtigste Impuls ging vom Naturstudium (Aktzeichnen, Pleinairmalerei) der europ. Malerei aus, das in der traditionellen chines. Malerei, in der das Studium alter Meister im Vordergrund gestanden hatte, niemals gepflegt worden war. Zum erklärten Ziel wurde die Verbindung traditioneller Malweisen und -techniken mit einer wirklichkeitsnahen Darstellung des Menschen und seiner Lebenswelt sowie das Studium von lebenden Tieren und Pflanzen und realen Landschaften. Auch die Holzschnittkunst gelangte im Zeichen des Realismus zu neuer Blüte. Die seit 1949 in der VR China einsetzende Bautätigkeit schloss sich dem internat. Stil an. Nach dem Ende der Kulturrevolution (1969), in der zahlr. Kunstwerke und Bauten zerstört wurden, setzten umfangreiche Restaurierungs- und Konservierungsarbeiten ein; die Archäologie erlebte einen bed. Aufschwung.

📖 *Kunstschätze aus China. 5000 v. Chr. bis 900 n. Chr. Neuere archäolog. Funde aus der Volksrepublik China. Katalog:* H. Brinker *u.* R. Goepper. *Ausst.-Kat. Kunsthaus Zürich u.a. Zürich 1980. – Propyläen-Kunstgeschichte, Bd. 20:* Fontein, J. *u.* Hempel, R.: *C., Korea, Japan. Mit Beiträgen v.* Y. d'Argencé *u.a. Sonderausg. Frankfurt am Main u.a. 1985. – Die unterird. Tonarmee des Kaisers Qin Shi Huang, bearb. v.* T. Fu *u.a. Peking 1985. – China-Avantgarde, hg. v.* W. Pöhlmann, *Ausst.-Kat. Haus der Kulturen der Welt, Berlin. Heidelberg 1993. –* Erdberg, E. von: *Ancient Chinese bronzes. Terminology and iconology. Bad Wildungen 1993. –* Eberhard, W.: *Lexikon chines. Symbole. Die Bildsprache der Chinesen. München [4]1994.*

chinesische Literatur [ç-]. Die seit dem 1. Jt. v. Chr. existierende c. L. ist durch die ideograph. Schrift vorgeprägt, die ihre Isoliertheit gegenüber anderen Literaturen noch verstärkte. Die Unabhängigkeit der Schrift von der Lautentwicklung verlieh der Literatur aber auch eine ungewöhnl. Einheitlichkeit in Raum und Zeit. Sie konnte (und kann) nicht nur von allen Dialektgruppen gelesen werden, die sich mündlich nicht miteinander verständigen können, sondern weitgehend auch von Angehörigen fremder Nationen (Japan, Korea, Vietnam), die die chines. Schrift übernommen hat-

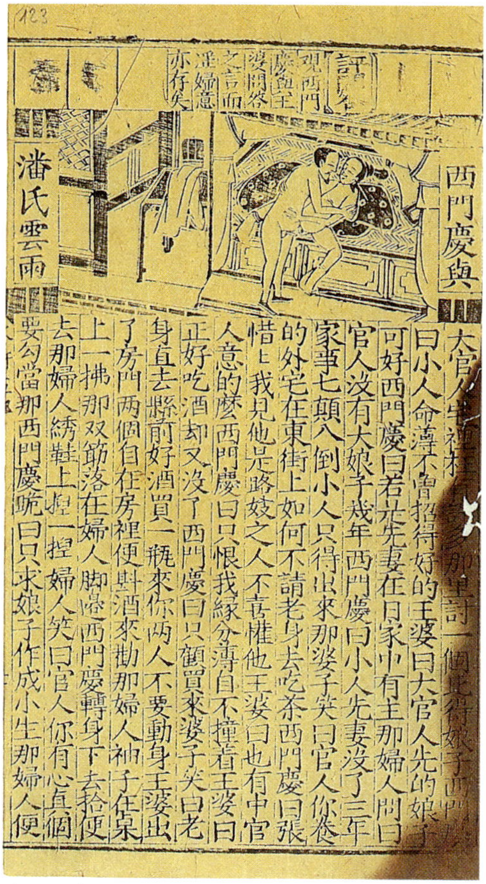

chinesische Literatur: Seite aus dem Roman »Die Räuber vom Liang Schan Moor« in einer aus 120 Kapiteln bestehenden Fassung aus dem 16. Jahrhundert ten. Die schriftsprachl. Literatur wurde eingeteilt in (konfuzianische) »Kanonische Schriften«, »Geschichtsschreibung«, »Fachschriftsteller« (darunter auch Werke zur Philosophie) und »Sammlungen« (darunter die Werke der »schönen Literatur«).

Die Kanonischen Schriften bieten einen Querschnitt durch das Schrifttum des 7.–3. Jh. v. Chr.: 1) »Yijing« (I-ching; Buch der Wandlungen), ein Orakelbuch, das durch spätere Kommentare Grundlage unzähliger philosoph. und pseudonaturwiss. Lehren wurde; 2) »Shujing« (Shu-ching; Buch der Urkunden), eine Sammlung rituell-histor. Dokumente; 3) »Shijing« (Shih-ching; Buch der Lieder), eine Kompilation von Hof- und Volksliedern; 4) »Liji« (Li-chi; Buch der Sitte), Ritualtraktate; 5) »Chun-qiu« (Ch'un-ch'iu; Frühlings- und Herbstannalen), eine Konfuzius selbst zugeschriebene Chronik, die durch Auswahl und Wortgebung moral. Geschichtskritik geübt haben soll. Diese urspr. »Fünf Klassiker« wurden später auf bis zu 13 Werke gebracht, unter denen die »Vier Bücher« bedeutsam waren, die u. a. das »Lunyu« (Lun-yü; Gespräche des Konfuzius) und »Mengzi« (Meng-tzu; Lehren des [Philosophen] Mengzi) enthielten. Aus der sich verselbstständigenden Beschäftigung mit den »Kanonischen Schriften« erwuchs eine reiche philolog. Literatur, die bes. seit dem 17. Jh. auch in der Textkritik Hervorragendes leistete.

Ebenfalls mit den »Kanonischen Schriften« verbunden war großenteils die philosoph. Literatur. Ihren Höhepunkt fand die philosoph. Literatur, die von der praktisch-wiss. terminologisch nie ganz getrennt war und daher auch Mathematik, Landwirtschaft, Kriegskunst, Medizin u. a. mit einschloss, im 5.–3. Jh. v. Chr. und im 11.–13. Jh. n. Chr. Besondere Vollendung erlangte in der wiss. Literatur der Essay. Die umfangreiche buddhist. Literatur hatte ihre Blütezeit im 4.–9. Jh.

Von zentraler Bedeutung ist die histor. Literatur, die nicht aus Epen erwuchs, sondern seit dem 5. Jh. v. Chr. aus Anekdotensammlungen und Chroniken. Neben den offiziellen »Dynastiegeschichten« gibt es eine Fülle von privaten Geschichtsaufzeichnungen. In ihnen wurden großenteils auch jurist., geograph., wirtsch. u. a. Fragen abgehandelt. Der Zug zum Historischen ist auch im gesamten erzählenden Schrifttum spürbar, selbst noch in Märchen und Legenden. Viele der Hauptmotive – Helden- und Liebesabenteuer mit übernatürl. Einlagen – wanderten zw. dem Medium der Schrift- und Umgangssprache hin und her, wobei die Novelle und Kurzgeschichte v. a. in der Schriftsprache (z. B. im »Liaozhai zhiyi« [Liao chai chih-i] des Pu Songling [P'u Sung-Ling; *1640, †1715]), der Roman in der Umgangssprache einen vollendeten Ausdruck fanden (z. B. »Shuihu zhuan« [Shui-hu-chuan], dt. »Die Räuber vom Liang Schan Moor«, 14./15. Jh.; »Jinpingmei« [Chin-p'ing-mei] = Pflaumenblüte in goldener Vase), 16. Jh.; »Hongloumeng« [Hong-lou-meng], dt. »Der Traum der Roten Kammer«, 18. Jh.). Der urspr. vorwiegend mündl. Vortrag der umgangssprachl. Romane und Novellen rückte sie auch inhaltlich in die Nähe des Dramas. Die moderne Erzählliteratur brachte neben beachtl. Romanen v. a. hervorragende Kurzgeschichten hervor (Lu Xun [Lu Hsün], *1881, †1936).

Das Gegengewicht zum stark histor. Element in der Prosa stellt die umfangreiche, sehr verzweigte lyr. Literatur dar, in der das Naturerlebnis eine wesentl. Rolle spielt. Die im 2. Jh. v. Chr. kompilierten »Chuci« (Ch'u-tz'u; Elegien von Chu) gaben das Vorbild für eine relativ freie Prosadichtung. In der gleichen Zeit wurden auch volkstüml. Balladen und Romanzen gesammelt, die meist ein 5-Wort-Metrum einhielten. Wenig später entwickelte sich wahrscheinlich daraus das »regelmäßige Gedicht«, das seit dem 7. Jh. einem 7-Wort-Metrum folgte. Schon von den berühmtesten Dichtern (Li Bo [Li T'ai-po], Du Fu [Tu Fu], Wang Wei, Bo Juyi [Po Chü-i], 8. und 9. Jh.) verwendet, stellte es bis in die Gegenwart hinein die beliebteste Gedichtform dar. Im 10. Jh. trat hierzu das Kunstgedicht Ci (Tz'u), bei dem die Texte nach der komplizierten Metrik vorliegender (seither größtenteils verlorener) Melodien geschrieben wurden. In der Qing-Zeit wurden umfangreiche Bestandsaufnahmen des klass. Schrifttums vorgenommen, dabei aber auch die als häretisch bewerteten Schriften des Buddhismus und Daoismus sowie die umgangssprachl. Literatur ausgeschieden, die trotzdem eine Blüte erlebte (Romanliteratur). Die polit. Revolution 1911/12 zog die literar. nach sich. Angeführt von Hu Shi (Hu Shih, *1891, †1962) und Lu Xun forderten die fortschrittl. Literaten den totalen Bruch mit der dogmat. literar. Tradition, insbesondere eine verständl. Umgangssprache (Baihua [Pai-hua]) statt der nur Gelehrten zugängl. klass. Literatursprache (Wenyan [Wen-yen]). Das forderten u. a. auch Ba Jin (Pa Chin, *1904), Lao She (*1899, †1966) und v. a. der Historiker und Literat Guo Moruo (Kuo Mo-jo, *1892, †1978), der wie Lu Xun europ. Lit. übersetzte. In den Gedichten und Liedern Mao Zedongs (Mao Tse-tung, *1893, †1976) im klass. Stil fand eine Synthese von literar. Erbe und revolutionärem Gedankengut statt. Die zeitgenöss. Literatur stand im Geist der Reden in Yan'an (Mao Zedong, 1942) mit Richtlinien für eine sozialistisch-realist. Literatur. Nach der Gründung der VR China 1949 wurden die meisten prominenten Schriftsteller mit Schreibverbot belegt (v. a. während der Kulturrevolution (1966–69). Auf dem Gebiet des Dramas wurde

Chinesische Mauer: Abschnitt der Chinesischen Mauer nordöstlich von Peking

während der Kulturrevolution die alte →Pekingoper zu einer Kunstform mit revolutionärem und propagandist. Inhalt umgestaltet. Seit dem Sturz der »Viererbande« 1976 wurden fast alle verfemten Schriftsteller (z.T. postum) rehabilitiert, und es begann eine intensive Beschäftigung mit der eigenen klass. und mit der westl. Literatur. Die Niederschlagung der Proteste junger Intellektueller in Peking und anderen chines. Städten am 4. 6. 1989 führte einerseits zu einer Exilliteratur (durch die Flucht zahlreicher Schriftsteller), andererseits verbreitete sich im Land eine »Reportageliteratur«, die verdeckt Gesellschaftskritik äußerte und ihren Autoren oft Verfolgungen eintrug. Ferner ist eine deutliche Hinwendung zur reinen Unterhaltungsliteratur zu beobachten.

🕮 FEIFEL, E.: *Geschichte der c. L. Darmstadt* [4]*1982.* – *Neues Handbuch der Literaturwissenschaft, hg. v.* K. VON SEE *u. a., Bd. 23: Ostasiat. Literaturen, hg. v.* G. DEBON. *Wiesbaden 1984.* – *Moderne c. L., hg. v.* W. KUBIN. *Frankfurt am Main 1985.* – *A selective guide to Chinese literature, 4 Bde. Leiden 1988–90.* – BAUER, W.: *Das Antlitz Chinas. Die autobiograph. Selbstdarstellung in der c. L. von ihren Anfängen bis heute. München u. a. 1990.* – SCHMIDT-GLINTZER, H.: *Geschichte der c. L. Bern 1990.* – FEIFEL, E.: *Bibliographie zur Geschichte der c. L. Hildesheim 1992.* – *Modern chinese writers. Self-portrayals, hg. v.* H. MARTIN. *Armonk, N. Y., 1992.* – MARTIN, H.: *Chinabilder, Bde. 1 u. 2. Dortmund 1996.*

Chinesische Mauer [ç-] (Große Mauer), die unter Kaiser Shi Huangdi (221–210 v. Chr.) zum Schutz gegen nördl. Grenzvölker errichtete Mauer unter Ausnutzung älterer Befestigungsanlagen. Ihre heutige Form und Ausdehnung erhielt sie in der Ming-Dynastie (15. Jh.). Die C. M. beginnt bei Jiajiuguan (Prov. Gansu) und verläuft bis zum Golf von Liaodong; mit Verzweigungen und Teilabschnitten ergibt sich eine Gesamtlänge von rd. 6250 km (UNESCO-Weltkulturerbe). Das Baumaterial ist im W und S meist gestampfte Erde (Löss), im N bei Peking Stein. Durchschnittl. Höhe der Mauer 6–16 m, Breite an der Basis etwa 8 m, an der Mauerkrone 6 m; mit zweistöckigen Wachtürmen und Toren ausgestattet.

chinesische Musik [ç-]. Funde von Musikinstrumenten sowie bildl. und schriftl. Überlieferungen weisen China als Land mit jahrtausendealten musikal. Traditionen und einer vielfältigen Musikpraxis aus. Bereits in der Zhou-Dynastie (etwa 1050–249 v. Chr.) wurden in dem »Buch der Sitte« (Liji) 40 Musikinstrumente genannt, deren Systematisierung nach Herstellungsmaterialien (Metall, Stein, Ton, Leder, Seide, Holz, Kürbis, Bambus) eine der frühen musikwiss. Leistungen darstellt. Spätestens im 7. Jh. v. Chr. müssen 5- und 7-tönige Leitern in Gebrauch und im 3. Jh. v. Chr. die Zwölftonskala bekannt gewesen sein. Eine Notenschrift wird bereits im 4. Jh. v. Chr. erwähnt; das älteste notierte Schriftstück stammt aus der Tang-Zeit. Wertvolle Zeugnisse frühen chines. Volksliedgutes sind die Texte des Shijing (»Buch der Lieder«). Für das Instrumentarium bes. charakteristisch sind u. a. Schlagplatten aus Stein, Trommel, Glocken, Klangbecken, Pan- und Querflöte, Mundorgel, Zither, Röhrengeige sowie Wölbbrettzither. In der Tang-Dynastie (618–907) hatten sich für die höf. Zeremonialmusik die sog. 10 Orchester (u. a. aus Mittelasien und Korea) herausgebildet. Poesie und Musik erlebten jetzt eine auf die ganze ostasiat. Kunst ausstrahlende Blüte. In der Yuan-Zeit (1271/79–1368) entstanden ein nord- und ein südchines. Theaterstil, später entwickelten sich, bes. in Handelszentren, lokale Opern und Singspielstile. Eine besondere Ausprägung erlangte die Oper während der Qing-Dynastie (1644–1911/12) in der klass. →Pekingoper. – Reformbestrebungen der Intelligenz nach der Revolution von 1911 waren auf Erhalt und Weiterführung des im Volk lebendigen Erbes gerichtet, andererseits auf Auseinandersetzung mit der europ. und Weltmusikkultur. Seit Mao Zedongs Ansprache in Yan'an 1942 war die Musik v. a. Propagandawerkzeug der kommunist. Ideologie. Während der Kulturrevolution (1966–69) beherrschte die »revolutionäre Pekingoper« die Szene. In neuester Zeit rekonstruierte man alte Stile – v. a. aus der Tang-Zeit und kommt damit dem durch die Jahrhunderte wiederkehrenden Wunsch nach alter, authent. Musik nach.

chinesische Philosophie [ç-]. Hauptthema der c. P. ist die Frage nach der Stellung des Menschen im Gemeinwesen, kennzeichnend sind die Vorherrschaft der prakt. Philosophie (Ethik, Rechts- und Staatsphilosophie), das Ganzheitsdenken (im Unterschied zur v.a. dualistischen abendländ. Philosophie) und methodisch die anekdotisch-erzählende, durch geschichtl. Beispiele veranschaulichende Beschreibung (nicht das deduktive System).

Am Anfang der 1. Phase (Altertum) der c. P. steht die Tugendlehre des →Konfuzius und seiner Schule (Nachfolger bes. →Mengzi [Meng Tzu], *372, †289 v.Chr., Xunzi [Hsün Tzu], *313, †238 v.Chr.). Dieser aristokrat. Tugendlehre stellte →Mo Di (Mo Ti, *486, †376 v.Chr.) eine allg. Liebesethik gegenüber. Der →Daoismus forderte dagegen die individuelle Versenkung und Einswerdung mit dem Weltprinzip. Die Schule der Legalisten (Rechtsschule) setzte sich für das über dem Menschen stehende Prinzip eines rigorosen Strafrechts ein und trug zur Ausbildung des chines. Staatsdenkens bei (Höhepunkt in der Qin-Dynastie). In der Naturphilosophie des 5.–3. Jh. v.Chr. wurde die Lehre von den fünf Elementen (Erde, Holz, Metall, Feuer, Wasser) und den gegensätzl. Urkräften →Yin und Yang ausgebildet. Im 2. Jh. n.Chr. wurde der Konfuzianismus zur offiziellen, für das Erziehungswesen grundlegenden Weltanschauung in China erklärt. Er prägte als ethisch-soziales System über fast 2000 Jahre die Institutionen (bis 1911 Staatskult).

Völlig neue Impulse erhielt die c. P. seit dem 2.–3. Jh. durch den →Buddhismus. Besondere Bedeutung erlangte die Schule der Meditation (Chan-, japan. Zen-Buddhismus), in späterer Zeit bestimmend für das japan. Geistesleben (→Zen). Nach Zurückdrängung des Buddhismus im 9. Jh. wurde seit dem 11. Jh. der Neokonfuzianismus vorherrschend, in dem buddhist. Elemente (kosmolog. und ontolog. Fragestellungen) weiter wirkten. Gegen die Herrschaft des Konfuzianismus erhoben sich seit dem 17. Jh. krit. Stimmen. Im 16.–18. Jh. war das durch die Jesuitenmission vermittelte westl. Denken selektiv und ohne Breitenwirkung aufgenommen worden. Seit dem Ende des 19. Jh. gewann es in politisch und gesellschaftlich anwendbaren Formen (v.a. Sozialdarwinismus, Pragmatismus, Anarchismus) an Bedeutung. Seit der »Vierten-Mai-Bewegung« (1919) drängte es den Konfuzianismus und die gesamte traditionelle c. P. in den Hintergrund. Mao Zedong versuchte, den Marxismus auf die spezif. Bedingungen der chines. Gesellschaft anzuwenden, insbes. nach der von ihm ausgelösten »Kulturrevolution«. Gegenwärtig stehen wiederum Diskussionen im Vordergrund, die das Verhältnis der traditionellen c. P. zu Gedankengut aus fremden Kulturkreisen betreffen.

📖 FORKE, A.: *Geschichte der alten c. P. Hamburg* ²*1964.* – FORKE, A.: *Geschichte der mittelalterl. c. P. Hamburg* ²*1964.* – FORKE, A.: *Geschichte der neueren c. P. Hamburg* ²*1964.* – GRANET, M.: *Das chin. Denken. Inhalt, Form, Charakter. A. d. Frz. Frankfurt am Main* ⁴*1989.*

chinesische Schrift [ç-], eine Wortschrift, die im 2. Jt. v.Chr. aus einer Bilderschrift hervorging. Die meisten Zeichen bestehen aus einem lautgebenden und einem sinngebenden Teil. Insgesamt gibt es heute etwa 50000 Schriftzeichen, doch genügen für den tägl. Gebrauch 2000–4000. Die c. S. verläuft von oben nach unten, die Zeilen folgen einander von rechts nach links. Seit 1958 wird in Querzeilen von links nach rechts geschrieben. Gleichzeitig wurden in der VR China vereinfachte Zeichen für den normalen Schriftverkehr eingeführt, die auf schon von jeher in Kursivschriften verwendeten Formen aufbauen. Die Ende der 70er-Jahre eingeführte, auf dem latein. Alphabet basierende Lautumschrift (Pinyin) wird v.a. im Verkehr mit dem Ausland verwendet.

chinesisches Papier [ç-] (Japanpapier), handgeschöpftes Papier von seidenartiger Beschaffenheit, aus China oder Japan, sehr fest und dauerhaft, meist hergestellt aus dem Bast des Maulbeerbaums. Das in Europa hergestellte imitierte c. P. ist weniger fest.

chinesische Sprache [ç-], die bedeutendste sinotibet. Sprache. Die chines. Wörter sind urspr. einsilbig und werden grammatisch nicht verändert, sie haben Worttöne, und die Beziehungen der Wörter im Satz werden durch die Wortstellung zum Ausdruck gebracht. Drei Abschnitte der Sprachentwicklung sind zu unterscheiden: 1) die vorklass. Sprache, u.a. durch Bronzeinschriften (seit Anfang des 1. Jt.) bekannt; 2) die klass. Sprache, seit etwa 500 v.Chr., die sich als Sprache des klass. Schrifttums bereits um 100 v.Chr. von der Umgangssprache weit entfernt hatte, aber auch in nachklass. Zeit Schriftsprache blieb; 3) die Umgangssprache, die zuerst in der Lyrik des 6. und 7. Jh. begegnet und seit dem 13. Jh. Roman und Drama beherrschte. Seit einigen Jahrzehnten setzt sich die Umgangssprache jedoch auch in Lyrik, Essayistik und wiss. Lit. durch. Die neuchines. Sprache besteht aus einer großen Zahl von Dialekten. Grundlage der chines. Hochsprache ist der Pekingdialekt.

📖 RÜDENBERG, W.: *Chin.-dt. Wörterbuch. Dt. Index bearb. v.* O. H. STANGE, *2 Bde. Hamburg* ¹⁻³*1963–71.* – UNGER, U.: *Einführung in das klass. Chinesisch, 2 Bde. Wiesbaden 1985.*

chinesisches Theater. Das c. T. ist ein Gesamtkunstwerk, das aus der Verbindung von religiösem Ritual, höf. Zeremonialtanz, zirkusartigen Vorführungen und verschiedensten Musikaufführungen entstanden ist und im klass. Drama der Yuan-Zeit (13./14. Jh.) seine erste, mit Quellen belegte Aus-

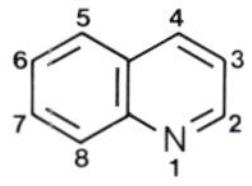

Chinolin

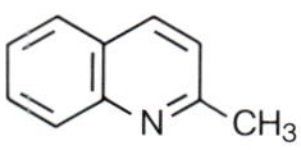

Chinaldin

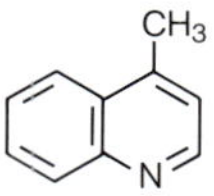

Lepidin

Chinolin

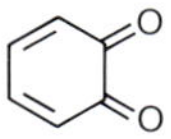

o-Benzochinon,
1,2-Benzochinon

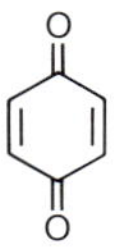

p-Benzochinon,
1,4-Benzochinon

Chinone

prägung fand. Seine Grundelemente (Arie, Mimik, Rezitativ, akrobat. Kampfspiel) sowie die Bindung an feste Rollentypen waren sowohl dem strenger organisierten, wenngleich sprachlich einfacheren kürzeren nördl. Theaterstil eigen als auch dem freier gestalteten vielaktigen südlichen. Seit dem 18. Jh. gewann die →Pekingoper, die bes. an den alten Nord-Stil anknüpfte, mit ihrem volkstüml., stark visuell geprägten Stil größte Popularität. Das traditionelle Drama wurde in der VR China seit 1949 zunächst stark gefördert, dann aber zunehmend inhaltlich verändert und seit der Kulturrevolution 1966 durch eine kleine Zahl von Opern rein polit. Inhalts ersetzt. Nach 1976 kam das traditionelle Theater wieder auf; auch neuere Stücke des Sprechtheaters (u.a. von Lao She) wurden erfolgreich aufgeführt.

Chinesisch-Turkestan [ç-] (Ost-Turkestan), →Sinkiang.

Chingan [tʃiŋan] (Khingan, chines. Hinggan Ling), zwei Gebirgszüge in N- und NO-China. **1) Großer C.** (Da Hinggan Ling), bis 1958 m hoch, vom Amur bis nördlich von Peking.

2) Kleiner C. (Xiao Hinggan Ling), nordöstlich des Großen C., bis 1200 m hoch, vom Amur in einer tiefen Talschlucht durchbrochen.

Chingola [tʃ-], Stadt im Copperbelt (Kupfergürtel) von Sambia, 1300 m ü.M., an der Fernstraße Lusaka–Lubumbashi, 186800 Ew.; Kupfererzbergbau; Flughafen.

Chingtechen [dʒiŋdədʒən], chines. Stadt, →Jingdezhen.

Chinhuangtao [tʃiŋhwaŋdaʊ], chines. Stadt, →Qinhuangdao.

Chinin [ç-] *das,* bitter schmeckendes, weißkristallines Hauptalkaloid der →Chinarinde; dient bei multiresistenten Plasmodien zur Behandlung der Malaria; in geringen Mengen als Bitterstoff bestimmten Getränken (Tonicwater) zugesetzt.

Chining [dʒiniŋ], chines. Stadt, →Jining.

Chinoiserie [ʃinwazˈri, frz.] *die,* Bez. für Zierformen und Motive, die an die Dekor- und Genredarstellungen chines. Porzellane und Lackwaren anknüpften und in der europ. Kunst des 18. Jh., in Dtl. bis 1820, sehr verbreitet waren (u.a. Innenausstattung, Kunsthandwerk, Gartenkunst).

Chinolin [ç-] *das,* antisept., scharf riechende Flüssigkeit, isoliert aus Steinkohlenteer oder synthetisch erzeugt; dient u.a. zur Herstellung von Arzneimitteln, Farbstoffen und als Lösungsmittel.

Chinon [ʃiˈnɔ̃], Stadt im frz. Dép. Indre-et-Loire, an der Vienne, 8600 Ew.; im Ortsteil Avoine Kernkraftwerk, Atommuseum. – Mittelalterl. Stadtbild von mächtigen Schlossruinen (12.–15. Jh.) überragt.

Chinone [ç-], *Chemie:* wichtige Gruppe von zykl. Diketonen, die sich von den Aromaten ableiten lassen (z.B. Benzochinon von Benzol, →Anthrachinon von Anthracen), verwendet u.a. als Farbstoffe. Kennzeichnend ist die chinoide Doppelbindung, d.h. zwei Carbonylgruppen bilden mit mindestens zwei Kohlenstoffbindungen ein System konjugierter Doppelbindungen. **1,4-Benzochinon** (auch para-Chinon oder kurz »Chinon«) bildet goldgelbe, stechend riechende Kristalle, die v.a. zu Hydrochinon weiterverarbeitet werden.

Chinook [tʃɪˈnʊk; nach den C.-Indianern], warmer, trockener, föhnartiger Fallwind an der O-Seite der Rocky Mountains.

Chintschin [x-], Alexander Jakowlewitsch, russ. Mathematiker und Statistiker, *Kondrowo (Gebiet Kaluga) 19. 7. 1894, †Moskau 18. 11. 1959; beschäftigte sich mit der Wahrscheinlichkeitsrechnung und ihrer Anwendung; Beiträge zur Informations- und Warteschlangentheorie.

Chintz [tʃɪnts, engl. aus Hindi] *der,* ein glattes, durch Kunstharzimprägnierung wie gewachst wirkendes Baumwollgewebe in Leinwandbindung mit Druckmusterung, für Dekorationsstoffe, Steppdecken, Sommerkleider.

Chioggia [ˈkiɔddʒa], Stadt am S-Ende der Lagune von Venedig, Italien, 53200 Ew.; Fischereihafen. – Im **Chioggiakrieg** (1378–81) zw. C. und Venedig 1379 von den Genuesen eingenommen, 1380 aber von den Venezianern zurückerobert.

Chios [ç-], grch. Insel im Ägäischen Meer, der W-Küste Kleinasiens vorgelagert, 842 km² groß, im N bis 1297 m ü.M., 51100 Ew.; Hauptort: C., 22900 Ew.; Haupterzeugnisse: Wein, Orangen, das

Chinoiserie: Seidendamast mit Chinoiserie, Frankreich (um 1850; Köln, Kunstgewerbemuseum)

Harz des Mastixstrauchs. – Um 1000 v. Chr. von Ioniern besiedelt, seit frühklass. Zeit blühende Kultur: berühmte Bildhauerschule (7./6. Jh.), bed. Keramik. Im MA. gehörte C. zum Byzantin. Reich (Kloster Nea Moni, Mosaiken und Fresken des 11. Jh.; UNESCO-Weltkulturerbe) und zu Genua. Kam 1566 an die Türkei, 1912 an Griechenland.

Chip [tʃɪp; engl. »Splitter«] *der,* **1)** *allg.:* Spielmarke.

2) *Mikroelektronik:* ein integrierter Schaltkreis, der nach einem Verfahren der Halbleiterblocktechnik oder der Schichttechnik hergestellt wird. Als Substrat verwendet man bei der Halbleiterblocktechnik einkristalline Halbleiterscheiben **(Wafers)** und bei der Schichttechnik Keramikplättchen. Ein C. kann ein einzelnes Bauelement oder eine komplette Schaltung enthalten. C. mit bes. hoch integrierten Schaltungen werden u. a. als Datenspeicher (sog. Speicher-C.) oder als Mikroprozessoren für Steuer- und Rechenaufgaben (z. B. in Haushaltsmaschinen) verwendet. Erste Labormuster eines 64-Megabit-C. wurden bereits vorgelegt.

Chipkarte ['tʃɪp-], einen Speicherchip oder programmierbaren Mikroprozessorchip enthaltende Kunststoffkarte. Auf dem eingeschweißten Speicherchip oder Mikroprozessor können verschiedene, abrufbare anonyme Daten (z. B. Telefonkarte) oder individuelle bzw. persönl. Daten (z. B. Krankenversicherungsausweis) gespeichert werden. Die C. wird zur Bedienung von Zugangskontrollsystemen, v. a. aber als Kreditkarte im bargeldlosen Zahlungsverkehr eingesetzt (→ elektronische Geldbörse, → POS-Systeme).

Chippendale ['tʃɪpəndeɪl], Thomas, engl. Möbeltischler, getauft Otley (bei Bradford) 5. 6. 1718, begraben London 13. 11. 1779; für seinen Möbelstil **(Chippendalestil),** in dem er bes. Sitz- und Schreibmöbel in Mahagoni fertigte, sind gute Proportionen charakteristisch. In seinem Ornament verwendet er Motive des frz. Rokoko und Ostasiens.

Chippewa ['tʃɪpəwɑ:, engl.], nordamerikan. Indianerstamm → Ojibwa.

Chi-Quadrat-Test [ç-] (χ^2-Test), *Statistik:* Verfahren, um die Abweichung einer beobachteten von einer hypothet. Verteilung zu prüfen; breite Anwendung bei der Prüfung der Signifikanz.

chir..., chiro... [ç-; von grch. cheír »Hand«], hand...

Chirac [ʃi'rak], Jacques, frz. Politiker, *Paris 29. 11. 1932; Beamter, Gaullist, 1974 Innenmin., 1977–95 Bürgermeister von Paris, 1974–76 und 1986–88 MinPräs., 1976–94 Präs. des gaullist. »Rassemblement pour la République« (RPR), wurde nach vergebl. Bewerbungen um das Amt des Staatspräs. (1981 und 1988) im Mai 1995 im zweiten Wahlgang gegen den Sozialisten L. Jospin mit 52,6 % der Stimmen in dieses Amt gewählt. Unter Anknüpfung an die sicherheitspolit. Maximen des Gaullismus nahm C. unter weltweitem Protest 1995/96 die unterird. Atomwaffenversuche auf dem Mururoa-Atoll wieder auf. Gestützt auf einen wirtschaftspolit. Spar- und Stabilitätskurs seiner Regierung setzt er nach anfängl. Zögern die Europapolitik seiner Vorgänger im Amt fort.

Chip 2) als System von integrierten Schaltkreisen (IC); die haarfeinen Drähte verbinden die Anschlüsse des Chips mit den Kontaktfüßchen des IC-Bauelements (Fläche etwa $2\,cm^2$)

Chiragra [ç-, grch.] *das,* → Gicht der Handgelenke.

Chiralität [ç-] *die,* Eigenschaft von bestimmten Figuren und Körpern (v. a. Molekülen), die in zwei spiegelbildl. Formen existieren und sich nicht miteinander zur Deckung bringen lassen. Chirale Moleküle bewirken die → optische Aktivität einer Substanz.

Chirico ['ki:-], Giorgio De, italien. Maler, → De Chirico.

Chiriquí [tʃiri'ki], höchster Berg Panamas, 3 475 m ü. M.

Chirologie [ç-, grch.] *die* (Chirognomie), Lehre der Charakter- und Konstitutionsdiagnostik aus den Formen und Linien der Hände und Finger.

Chiromantie [grch.] *die,* (Handlesekunst) Wahrsagen aus Form und Linien der Hand. Die sich auf Überlieferung aus dem Altertum stützende Kunst erhielt bes. im MA. und in der Renaissance großen Aufschwung; sie wurde durch die Aufklärung auf die Jahrmärkte verdrängt.

Chiron [ç-] **1)** *Astronomie:* 1977 entdeckter Himmelskörper mit 100–320 km Durchmesser, dessen Bahn zw. Jupiter- und Uranusbahn verläuft. C. wurde zunächst als Planetoid eingestuft, könnte

Jacques Chirac

aber auch ein Komet oder Teil eines Asteroidengürtels sein.

2) *grch. Mythos:* (Cheiron) ein menschenfreundl. Kentaur, der Jagd und Heilwissenschaft kundig, Erzieher vieler grch. Helden (u.a. Achill, Odysseus), von Zeus in ein Sternbild verwandelt.

Chiropraktik [ç-; grch. »Handverfahren«] *die, Medizin:* manuelles Verfahren zum Einrichten gegeneinander verschobener (verrenkter) Wirbelkörper (z.B. ruckartige Drehung oder Dehnung der Wirbelsäule, direkte Einwirkung auf die Dornfortsätze); angewendet, um den zu Schmerzen führenden Druck auf Nerven zu beheben. Die C. wird inzwischen nach wiss. Untermauerung als **Chirotherapie** auch von der Schulmedizin anerkannt und ausgeführt. Da sie nicht ungefährlich ist, verlangt sie eine gründl. Voruntersuchung.

Chiroptera [grch. »Handflügler«], die →Fledermäuse.

Chirotherapie, →Chiropraktik.

Chirotherium [grch.] *das,* großes, ausgestorbenes Wirbeltier, von dem man nur fünfzehige handartige Fußspuren aus dem Buntsandstein der Trias kennt.

Chirurg [ç-; grch. »Wundarzt«] *der,* für operative Eingriffe ausgebildeter Arzt; Voraussetzung ist eine nach der Approbation abgeleistete mehrjährige Weiterbildung an chirurg. Kliniken, in der das operativ-techn. Können, die diagnost. Fähigkeiten und die Kenntnisse über Vor- und Nachbehandlung erworben werden.

Chirurgenfische [ç-], die →Doktorfische.

Chirurgie [ç-; grch.] *die,* Fachgebiet der Medizin, das sich mit der Heilung von Wunden, Knochenbrüchen und von mechanisch verursachten Organerkrankungen sowie mit der operativen Behandlung von Geschwülsten, Missbildungen und eitrigen Infektionen befasst. Die C. gliedert sich in viele Spezialfächer, wie Thorax-C. (Brustkorb), Bauch-C., Neuro-C. (Gehirn, Rückenmark und Nerven), Herz-C., Gefäß-C., plast. C. (Wiederherstellungs-C.), sept. C. (Infektionen), Traumatologie (Unfall-C.).

Geschichte: Chirurg. Behandlungsweisen sind schon aus sehr früher Zeit bekannt, so die →Trepanation. Im MA. übten nur wenige umherziehende Zahnbrecher, Stein- und Bruchschneider die C. aus. Wunden u.Ä. wurden von Badern behandelt. Mit Beginn der anatom. Forschungen entwickelte sich die C. weiter und wurde bes. durch die Erfindung der Narkose (Äther 1846, Chloroform 1847), der örtl. Betäubung, der Antisepsis und Asepsis stark gefördert. Im 20. Jh. nahm die chirurg. Technik einen ungeheuren Aufschwung. Die Verfahren der Anästhesie, der künstl. Beatmung, der Röntgendiagnostik, der Mikro-C., der Bluttransfusion, der Unterkühlung, die Einführung der Herz-Lungen-Maschine, die Entdeckung der Sulfonamide und der Antibiotika, die Bekämpfung von Thrombose und Embolie, Schockprophylaxe, Reanimation und Intensivtherapie schufen die Voraussetzungen für die C. der Gegenwart.

📖 *C. u. Anästhesie. Vom Handwerk zur Wissenschaft, hg. v.* P. Ridder. *Stuttgart 1993. – C. u. angrenzende Gebiete. Lehrbuch für Studierende der Medizin u. Ärzte, hg. v.* G. Heberer *u.a. Berlin u.a.* ⁶*1993.* – Ehmer, B.: *C. Lehrbuch für Pflege u. Studium. Stuttgart u.a.* ⁴*1996.*

Chishima [tʃiʃima], japan. Name der →Kurilen.

Chișinău [kiʃi'nəʊ, rumän.] (russ. Kischinjow), Hptst. Moldawiens, 663 400 Ew.; Univ., 6 Hochschulen; Nahrungsmittel-, Tabak-, Textil-, elektrotechn., Metallind., Maschinenbau; internat. Flughafen. – Gehörte seit 1812 mit Bessarabien zu Russland, 1918–40 und 1941–44 zu Rumänien.

Chissano [ʃi'sanu], Joaquim Alberto, moçambiquan. Politiker, *Chibuto (bei Xai-Xai) 22. 10. 1939; 1962 Mitbegründer der FRELIMO, seit 1986 deren Vors. und Staatspräs. von Moçambique.

Chitarrone [ki-, italien.] *der,* Form der →Laute.

Chitin [ç-, grch.] *das,* geradkettiges, stickstoffhaltiges Polysaccharid; Gerüstsubstanz der meisten niederen Tiere (Insekten) und Zellwandsubstanz bestimmter Pflanzen (Algen, Pilze).

Chiton [ç-, grch.] *der,* antikes grch. Kleidungsstück (Unterkleid und Arbeitsgewand), auf den Schultern zusammengehalten. Der lange, gegürtete C. wurde in der klass. Epoche bes. von Frauen und Greisen als Standestracht getragen.

Chittagong [tʃ-], Stadt und Hafen im SO von Bangladesh, 1,36 Mio. Ew.; Univ.; kath. Bischofssitz; bildet eine Sonderwirtschaftszone mit Stahlwerk, Erdölraffinerie, Schiffbau, Zement-, Textil- und Lederind., Herstellung von Büromaschinen, Elektrogeräten, Sportartikeln; Flughafen. – Seit dem 9. Jh. zum Königreich Arakan, seit 1666 zu Bengalen, 1760 an die Engländer abgetreten.

Chiuchiang [dʒjudʒjaŋ], chines. Stadt, →Jiujiang.

Chiuchüan [dʒjutʃyan], chines. Stadt, →Jiuquan.

Chiusa ['kju:za; italien. »Klause«], italien. Name der Gemeinde →Klausen.

Chiwa [x-], Stadt in Usbekistan, in einer Oase (Baumwoll-, Getreideanbau, Seidenraupenzucht) des Amudarja, etwa 30 000 Ew.; Museen; Teppich- und Seidenweberei, Keramikfabrik. – Die Altstadt steht wegen ihrer Bauwerke (u.a. Stadtmauer, Alte Zitadelle, Mausoleum, Medresen; 16.–19. Jh.) unter Denkmalschutz (UNESCO-Weltkulturerbe). – Anfang des 17. Jh. wurde C. Hptst. von Charism (Chorism; später »Khanat von C.« genannt), das 1873 an Russland kam (bis 1920 Vasallenstaat, 1920/21 Volksrep. Choresm, 1921–24 Sowjet. Sozialist. Rep. Choresm, danach zur Usbek. SSR).

J. RIZZI